COMPORTAMIENTO
DEL CONSUMIDOR

COMPORTAMIENTO DEL CONSUMIDOR

Novena edición

Roger D. Blackwell
The Ohio State University

Paul W. Miniard
Florida International University

James F. Engel
Eastern College

THOMSON

Australia • Brasil • Canadá • España • Estados Unidos • México • Reino Unido • Singapur

THOMSON

Comportamiento del consumidor, 9a. edición
Roger D. Blackwell, Paul W. Miniard y James F. Engel

Vicepresidente editorial y de producción:
Miguel Ángel Toledo Castellanos

Editora de desarrollo:
Marcela Rocha Martínez

Revisión técnica:
Gonzalo Efraín Méndez González
UNAM-Fac. Contaduría y Administración
Rafael García Gama
ITESM-Campus Ciudad de México

Gerente de producción:
René Garay Argueta

Editor de producción:
Alejandro Gómez Ruiz

Supervisora de manufactura:
Claudia Calderón Valderrama

Diseño de portada:
Maré Concepto Gráfico

Traducción:
Gabriel Sánchez
Traductor profesional

Traducido del libro *Consumer Behavior*,
9th edition, publicado en inglés por
Harcourt College Publishers, ©2001
ISBN 0-03-021108-5
Datos para catalogación bibliográfica:
Blackwell, Roger D., Paul W. Miniard y
James F. Engel
Comportamiento del consumidor
ISBN 970-686-187-4
1. Comportamiento del consumidor. 2.
Introducción al comportamiento del
consumidor, Toma de decisión del
consumidor, Determinantes individuales
del comportamiento del consumidor,
Influencias del entorno sobre el
comportamiento del consumidor, Cómo
influir en el comportamiento del
consumidor.

División Iberoamericana

México y América Central
Thomson Learning
Séneca 53
Col. Polanco
México, DF, 11560
Tel. 52 (55) 5281 29 06
Fax 52 (55) 5281 26 56
editor@thomsonlearning.com.mx

El Caribe
Thomson Learning
598 Aldebaran St.
00920, Altamira
San Juan, Puerto Rico
Tel. (787) 641 11 12
Fax (787) 641 11 19
thomson@coqui.net

Cono Sur
Buenos Aires, Argentina
thomson@thomsonlearning.com.ar

América del Sur
Thomson Learning
Calle 39 No. 24-09
La Soledad
Bogotá, Colombia
Tel. (571) 340 94 70
Fax (571) 340 94 75
clithomson@andinet.com

España
Paraninfo Thomson Learning
Calle Magallanes 25
28015 Madrid
España
Tel. 34 (0)91 446 33 50
Fax 34 (0)91 445 62 18
clientes@paraninfo.es

Impreso en **Litograf Nueva Época**
Heriberto Frías 1451, int. 2, Col. del Valle
Del. Benito Juárez, C.P. 03100
Agosto 2007, México, D.F.
tel. fax: 5605.35.10

ACERCA DE LOS AUTORES

Roger D. Blackwell es profesor de mercadotecnia en The Ohio State University; también es presidente de Roger Blackwell Associates, Inc., una empresa de asesoría de Columbus, Ohio a través de la cual trabaja con muchas empresas exitosas estadounidenses.

Roger Blackwell fue nombrado "educador de mercadotecnia fuera de serie de América" por el Sales and Marketing Executives International y "mercadólogo del año" por el American Marketing Association. También recibió "Alumni Distinguished Teaching Award" el premio más elevado otorgado por el Ohio State University. Después de treinta años en la universidad y de haber recibido dos premios de enseñanza adicionales, su profundidad de conocimientos y su entusiasmo para la enseñanza siguen haciendo de él un profesor favorito entre los estudiantes.

El doctor Blackwell se graduó en licenciatura y maestría en la University of Missouri e hizo un doctorado en la Northwestern University. También fue nombrado doctor *honoris causa* por el Cincinnati College of Mortuary Science. Reside en Columbus, Ohio, y forma parte de numerosos consejos de administración tanto de empresas públicas como privadas, incluyendo Airnet Systems, Applied Industrial Technologies (antes Bearings, Inc.), The Banc Stock Group, Checkpoint Systems, Flex-Funds, Max & Erma's Restaurants, Intimate Brands y Anthony and Sylvan Pools. Además, Roger forma parte del consejo de administración de varias empresas que se están iniciando en tecnología y en la internet.

Paul W. Miniard obtuvo su título de licenciatura, maestría y doctorado en la University of Florida, y es actualmente el profesor BMI de Marketing en Florida International University y director del programa de doctorado del College of Business Administration. Anteriormente, era miembro de número de las facultades de la University of South Carolina y de la Ohio State University.

El doctor Miniard es reconocido por sus investigaciones publicadas en las áreas de la publicidad y del comportamiento de los consumidores. Sus investigaciones han aparecido en varias de las principales publicaciones, incluyendo el *Journal of Advertising, Journal of Advertising Research, Journal of Business Research, Journal of Consumer Psychology, Journal of Consumer Research, Journal of Experimental Social Psychology, Journal of Marketing Research* y *Journal of Public Policy & Marketing*. Ha recibido varios honores y premios por sus investigaciones, servicio y enseñanzas, tanto a niveles de no graduados como de graduados. También sirve como asesor y testigo experto en áreas que involucran la publicidad y el comportamiento de los consumidores. En 1992, el doctor Miniard visitó la University of International Business and Economics en Beijing, China, para ayudar a establecer un curso de comportamiento de los consumidores.

James F. Engel obtuvo su título de licenciatura en Drake y de doctorado en la University of Illinois, Urbana. Se ha distinguido en el estudio del comportamiento de los consumidores. En 1980, fue honrado como fundador de este campo cuando se le nombró uno de los dos primeros becarios de la Association for Consumer Research. Recibió una distinción similar con la prestigiada Paul D. Converse Award de la American Marketing Association. Estos honores le fueron otorgados en reconocimiento a su investigación pionera, misma que apareció por primera vez en 1960, a su papel como autor senior de este libro de texto y a otras formas de liderazgo.

Actualmente es Distinguished Professor of Marketing y Director del Center for Organizational Excellence en el Eastern College, St. Davids, Pennsylvania, a donde se trasladó en 1990. El profesor Engel ha modificado su enfoque de la mercadotecnia de bienes de consumo a la aplicación de principios de mercadeo no lucrativos a organizaciones religiosas a través del mundo. Ha servido como asesor y especialista de desarrollo gerencial en cientos de organizaciones en más de 60 países.

PREFACIO

"El comportamiento del consumidor es todo y todo es comportamiento del consumidor" podría bien ser el lema de este libro. Sin embargo, esto quizás no sea tan sorprendente, dado que organizaciones de primer orden en el mundo han adoptado la orientación de "el cliente es primero" para tener éxito en el concurrido mercado, por ello también éste es un libro enfocado en el comportamiento de los consumidores. De hecho, el enunciado refleja en esencia los avances hechos a lo largo de los años en el campo del comportamiento del consumidor. El estudio del comportamiento del consumidor tiene sus raíces en el examen de las personas, con la finalidad de comprender y adquirir conocimientos de ellos. Se centra en preguntas como: "¿Por qué las personas utilizan su tiempo y dinero en actividades, como comidas con la familia y los amigos, deportes, donar sangre y órganos del cuerpo y visitar restaurantes y tiendas, para algo más que alimentación y necesidades funcionales?" Sin embargo, no pasó mucho tiempo para comprender que los mercadólogos podían aplicar este tipo de investigación con la finalidad de influir en la selección de tiendas y productos que hace la gente.

Hoy día, el estudio y la comprensión del comportamiento de los consumidores es un prerrequisito para el éxito de las empresas en el mercado y para los individuos en el lugar de trabajo. Aporta ideas sobre las estrategias del producto, los precios, el menudeo, la publicidad y la comunicación. En consecuencia, este libro se centra en *cómo* y *por qué* los consumidores toman decisiones específicas y se comportan de forma especial: ¿qué los motiva, qué llama su atención y qué retiene su lealtad? Para responder a estas preguntas, examinamos las características individuales y de grupo que influyen en las decisiones y el comportamiento de los consumidores, como la demografía, los estilos de vida, la personalidad, los valores, la cultura y la familia. Independientemente de que usted se convierta en director de una oficina de servicios a personas, gerente de cuenta de una agencia de publicidad o gerente de mercadotecnia de una empresa industrial, aprenderá muchos conceptos que posteriormente pueden ser aplicados a sus responsabilidades específicas de trabajo. De manera similar, creemos que existen muchos temas analizados en este libro que usted podrá aplicar a sus propias actividades como consumidor, convirtiéndolo en un consumidor más capaz.

Treinta años de trabajo con la mirada puesta en el futuro

En la novena edición de *Comportamiento del consumidor*, igual que en las ediciones anteriores, incorporamos información de todas las disciplinas que contribuyen a comprender a los consumidores. Desde la primera edición, publicada en 1968, hemos tomado prestado de las ciencias sociales herramientas para comprender a los consumidores: la psicología, la economía, la sociología, la antropología y los pocos estudios de mercadotecnia que existían en esos tiempos orientados al comportamiento del consumidor. Ante la ausencia de directrices que guiaran el desarrollo y la organización del primer libro, nos apoyamos en el modelo que habíamos desarrollado para analizar la toma de decisiones de los consumidores, que se hizo conocido como modelo EKB (de James Engel, David Kollat y Roger Blackwell). Este médoto fue perfeccionado en la segunda edición, pronto se convirtió en el marco organizacional de la mayoría de los libros sobre comportamiento del consumidor y de los programas de mercadotecnia de muchas organizaciones. Cuando Paul Miniard se unió al equipo para reemplazar a David Kollat, el modelo se convirtió en el modelo EBM, a fin de reflejar apropiadamente su contribución. Seguirá encontrando el modelo de siete etapas (que comprenden el reconocimiento de las necesidades, la búsqueda, la evaluación de alternativas antes de la compra, la compra, el consumo, la evaluación posterior al consumo y el descarte) en la última versión de la novena edición del *Comportamiento del consumidor*, conocido como el modelo del Proceso de Decisión del Consumidor (PDC).

Aunque el *Comportamiento del consumidor* sigue atrincherado en su base teórica comprobada y verificada, siempre ha sido la meta de los autores anticipar hacia donde se dirigirá el campo en el futuro, y esta edición conserva este enfoque futurista. Encaramos nuevas aplicaciones de la teoría del comportamiento del consumidor al tratar donde corresponda compras vía internet y toma de decisiones asistidas por internet. También, siempre que es posible, intentamos incluir una perspectiva global, con ejemplos internacionales de la teoría en la práctica.

Asimismo, introducimos de manera breve nuevas áreas de influencia que aumentan el alcance y la importancia del comportamiento del consumidor más allá de afectar la venta de un producto o la preferencia por una tienda. En esta edición resulta nuevo el concepto de la orientación completa al consumidor, un avance en relación con la orientación a la mercadotecnia adoptada hoy por muchas empresas. Se centra en la necesidad de una orientación al consumidor unificada para todos los miembros de la cadena de suministro. Esto requiere de información compartida en la cadena y de una meta común orientada al consumidor. También se centra en el papel que asumen los consumidores en la conformación de las sociedades, mismo que, dado el movimiento hacia economías impulsadas por el mercado, se está convirtiendo en un tema de moda en la prensa popular. Imagine los efectos del teléfono celular en la vida de un pueblecito en India. Más allá de considerar a este grupo de individuos como un nuevo segmento del mercado para teléfonos, un análisis completo del consumidor examinaría los cambios en la sociedad que pudieran resultar de la exposición a la tecnología y su aceptación por parte de los habitantes del pueblo.

Existen otras áreas emergentes de investigación del comportamiento de los consumidores a las cuales sólo podemos aludir en esta edición. Una es la influencia de determinantes heredados o genéticos en el comportamiento del consumidor. El gobierno de Estados Unidos colaboró en el Human Genome Project con más de 3 mil millones de dólares, y es posible que una investigación de esta naturaleza sea analizada en su clase. Esta investigación y otras áreas de discusión científica llevarán probablemente a la evolución del estudio dinámico del comportamiento del consumidor y, quizás, proporcionen el contenido de futuras ediciones del *Comportamiento del consumidor*. Esperamos que esta edición le ayude a comprender el estado de los conocimientos sobre los consumidores actuales, y también lo estimulen a convertirse en uno de los investigadores que generen el conocimiento necesario para el futuro.

Ocho veces mejorado

A lo largo de los años, hemos buscado maneras de mejorar cada nueva edición del *Comportamiento del consumidor*, lo que nos ha llevado a ocho ediciones de mejorías e innovaciones. Quienes estén familiarizados con las ediciones anteriores, encontrarán muchos cambios a lo largo del libro. Nuestro procedimiento fue hacer que el libro resulte más fácil y disfrutable en su lectura. Al mismo tiempo, mejoramos el texto sin excluir aquella información que los estudiantes necesitan para una completa comprensión del tema. Como usted observará conforme lee, algunos capítulos y temas se prestan mejor a este proceso que otros.

La novena edición también refleja cambios en el mercado mismo. Esta edición, más que cualquiera anterior, utiliza ejemplos de empresas en Europa, Asia, África y Australia, así como en América, reflejando los intereses de quienes nos adoptan en todo el mundo, y que utilizan el libro en alguno de los idiomas a los que ha sido traducido: ruso, portugués, japonés, coreano, francés y español. La Internet, naturalmente, es una fuerza revolucionaria en el comportamiento de los consumidores, por lo que se analiza en todo el libro. Alentamos a los estudiantes a investigar las empresas que describimos en los ejemplos de "El consumidor en la mira" para obtener actualizaciones sobre sus estrategias y prácticas. Algunos ejemplos van más allá de la forma en que los consumidores adquieren productos, para analizar cómo los utilizan y cómo las organizaciones usan este tipo de información y análisis para desarrollar nuevas estrategias de mercadotecnia.

Aquellos que están familiarizados con la edición anterior notarán un cambio de importancia en la manera en que nos ocupamos de los procesos psicológicos. Anteriormente, los capítulos en la sección "Procesos psicológicos" se centraban en varias teorías y procesos, seguidos por una consideración de su relevancia práctica y sus implicaciones comerciales. En esta edición, hemos desplazado el enfoque al centrarnos en el requerimiento de los negocios para influir sobre el comportamiento de los consumidores, antes de introducir las teorías como guía para quienes así lo buscan. En vista de lo anterior, hemos vuelto a bautizar esta sección (ahora se llama "Cómo influir en el comportamiento del consumidor"), que contiene tres nuevos capítulos marcadamente distintos de sus predecesores.

Otra innovación de importancia en esta edición es la inclusión de siete casos al final del libro, la mayoría se puede aplicar a situaciones estratégicas globales. Los casos (Amazon.com, Avon, Pick'n Pay, Service Corporation International, National Pork Producers Council, Manco y DYB.com) han sido diseñados para alentar a los estudiantes a aplicar alguno de los conceptos desarrollados en este libro a una diversidad de organizaciones. Los temas centrales son sólo guías de acción para los temas que se pueden analizar en conjunción con los casos. Las ayudas visuales que se relacionan con los casos se proporcionan para los instructores a fin de mejorar los análisis en clase.

Finalmente, reconocemos los esfuerzos de nuestros colegas en el mundo mediante una nueva sección llamada "Lecturas recomendadas", al final de cada parte del libro. Ésta consta de una lista de artículos académicos recientes sobre los temas analizados en dicha sección, la cual no está diseñada para ser una guía completa de la literatura correspondiente a estos temas, sino para proporcionar a los estudiantes una lista breve de referencias recientes en caso de que deseen mayor información.

La práctica respalda lo que predicamos

En el *Comportamiento del consumidor*, describimos la necesidad de desarrollar productos, servicios y estrategias con base en lo que desean los consumidores; esto intentamos en esta edición: escuchar a nuestros clientes y adaptarnos de manera correspondiente. Agradecemos profundamente a nuestros colegas que se han tomado el tiempo de escribirnos a lo largo de los años y decirnos lo que desearían ver en ediciones futuras, así como agradecemos también a los muchos amigos que han contribuido al éxito y la evolución de este libro de una manera más formal.

En un esfuerzo continuado para ser amigable con los clientes y orientarnos hacia el mercado, le alentamos a someter a preguntas o comentarios a cualquiera de los autores sobre sus capítulos respectivos. Paul Miniard fue el autor principal de los capítulos 4, 6, 8, 9, 10, 14, 15 y 16; y Roger Blackwell fue el autor principal de los capítulos 1, 2, 3, 5, 7, 11, 12 y 13. Siéntase en libertad de escribir, de enviar correo electrónico o de llamarnos.

Como acompañamiento al texto principal

La nueva edición del *Comportamiento del consumidor* incluye un conjunto completo de suplementos diseñados para mejorar el aprendizaje del estudiante y su comprensión, así como una presentación para el instructor de los materiales del texto, todo ello está en inglés y sólo se proporcionan a los docentes que adopten la presente obra como texto para sus cursos.

Si desea obtener mayor información acerca de este material, por favor comuníquese a las oficinas de nuestros representantes o al siguiente correo electrónico clientes@ thomsonlearning.com.mx

Nos quitamos el sombrero ante...

Estamos en una gran deuda intelectual con James Engel, cuyo nombre se conserva en esta edición a fin de reconocer su papel como autor senior de las ediciones anteriores. David Kollat dejó el mundo académico para conformar la estrategia de menudeo en The Limited, pero su influencia en la comprensión de la decisión de los consumidores resultó monumental y también ha sido muy apreciada.

Este libro representa la culminación de esfuerzos, ayuda, investigación y guía de colegas de todo el mundo. De primerísima importancia son los miles de investigadores cuyos trabajos proporcionan el contenido esencial de conocimientos sobre consumidores y cuyos trabajos se citan en todo el texto. Nuestros colegas en la Association for Consumer Research han conformado nuestra manera de pensar sobre todo en los aspectos del comportamiento de los consumidores. Somos particularmente afortunados en tener colegas extraordinarios en

The Ohio State University y en Florida International University a fin de estimular nuestras tareas intelectual y pedagógica. Apreciamos la ayuda y sugerencias útiles de los profesores Greg Allenby, Mike Barone, Jim Burroughs, Robert Burnkrant, Peter Dickson, Leslie Fine, Curt Haugtvedt, William Lewis y Deepak Sirdeshmukh con esta edición.

Nuestro agradecimiento se extiende a los siguientes colegas que participaron en una encuesta importante previa a la revisión que ayudó a formar la nueva edición: Barry Babin, de la University of Southern Mississippi; Sue O'Curry DePaul University; Kim Robertson, Trinity University; Larry Seibert, Indiana University Northwest; Ekkehard Stephan, University of Cologne; Gail Tom, California State University; y Linda Wright, Mississippi State University.

Gracias especiales al profesor Steve Burgess, quien aportó críticas detalladas así como sugerencias (a los capítulos 1, 2, 3, 7 y 11) y a Kristina Blackwell, quien ayudó en la recolección de material para los capítulos de Roger Blackwell y en la preparación de los casos para esta edición. Jennifer Weinbach utilizó muchas horas recopilando materiales y revisando los capítulos de Paul Miniard. Recibimos un extraordinario apoyo de Bobbie Bochenko y de Bill Schoof del Dryden Press y de muchos otros del Harcourt College Publishers incluyendo a Angela Urquhart, Van Mua, Lisa Kelley y Linda Blundell. Gracias a Tonia Grubb en York Production Services por sus esfuerzos y apoyo. Apreciamos de una manera especial la ayuda que recibimos de muchos ejecutivos y del personal de las organizaciones comerciales descritas en el libro, muchos aportaron su valioso tiempo y conocimientos para estar seguros de que "lo habíamos explicado bien" para los futuros líderes del mundo.

En una nota personal, nos gustaría darle las gracias a las personas en nuestras vidas que nos dan apoyo y ayudan en todo lo que hacemos. Roger Blackwell reconoce de una manera especial a Kristina Blackwell, su esposa y confidente de toda la vida y que le da valor a todo lo que hace. También tiene la bendición de tener un padre que le enseñó la dicha de ser un profesor, así como una madre que le enseñó los secretos de un administrador. También gracias a Kelley Hughes y a Mary Hiser que mantuvieron funcionando la oficina de una manera eficiente mientras él estaba encadenado a la computadora escribiendo este libro. Paul Miniard extiende su apreciación a su novia, Jennifer y a su hija, Crystal, por su paciencia y comprensión durante los muchos meses que vivió en la oficina trabajando en esta revisión. Y está eternamente agradecido a sus padres que le enseñaron el valor de la educación y que lo apoyaron durante sus nueve años como no graduado y como estudiante graduado en la university of Florida. Finalmente, desea reconocer la influencia de toda la vida del profesor Joel Cohen, su mentor y ejemplo, y del profesor Peter Dickson, su mejor amigo.

Un lema para mercadear

El tiempo que un estudiante utiliza estudiando en una universidad es un mero instante en el transcurso de una vida completa de aprendizaje. Esperamos que este texto ayude a hacer que la enseñanza sobre el comportamiento del consumidor resulte una gran experiencia y le sirva como guía una vez que haya entrado en el mundo laboral. Esto nos lleva de vuelta al lema que hemos escogido: "el comportamiento del consumidor es todo y todo es comportamiento del consumidor". Esta simple frase ha ayudado a reflejar las creencias de muchos profesores que enseñan este tema y de los practicantes que usan las teorías y los hechos representados en el libro para guiar a las empresas desde un tamaño pequeño a uno extragrande. Esperamos que la dedicación de los investigadores y los practicantes del mundo entero, que se reflejan en esta novena edición del *Comportamiento del consumidor*, hagan que ustedes también adopten este lema.

CONTENIDO BREVE

Contenido

COMPORTAMIENTO
DEL CONSUMIDOR

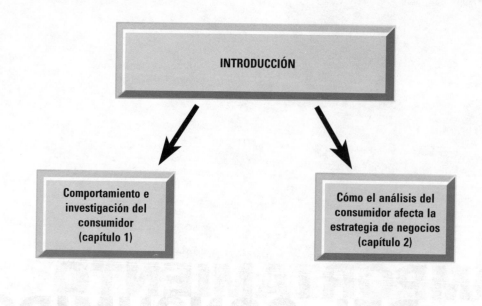

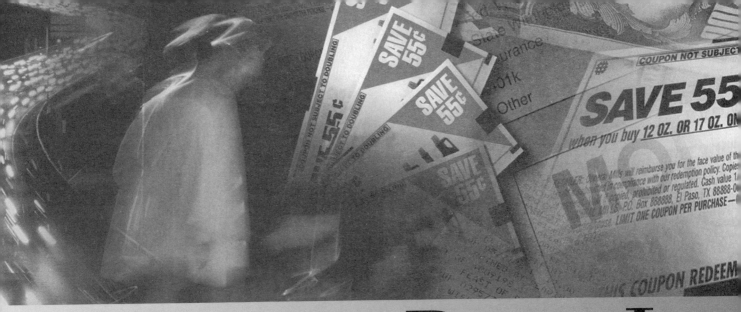

Introducción al comportamiento del consumidor

A diario nos enfrentamos a una cantidad indefinida de problemas acerca del comportamiento del consumidor. Ya sea que decida cuál programa de televisión ver, que conduzca y observe los anuncios al lado del camino, que escuche la radio, o navegue por la internet, está en secuencia con temas de importancia para el estudio del comportamiento del consumidor.

El objetivo del capítulo 1 es sentar la base del estudio sobre cómo los consumidores toman decisiones de compra. Se centra en identificar las actividades que conforman el comportamiento del consumidor y las maneras en que los analistas vigilan sus tendencias. Los métodos de investigación del consumidor nos permiten, conocerlos independientemente que seamos o no analistas del consumidor o estudiantes de mercadotecnia, observar, registrar y analizar una variedad de características del comportamiento del consumidor. Independientemente que utilice esta información y se convierta en un consumidor inteligente o en un profesional de la mercadotecnia, el estudio del comportamiento del consumidor puede afectar diferentes áreas de su vida.

El capítulo 2 se centra en incorporar el comportamiento del consumidor en la planeación estratégica de empresas no lucrativas y para empresas lucrativas. En el ambiente hipercompetido de los negocios actual, se requiere satisfacer a los consumidores para continuar en la competencia —independientemente del tamaño o alcance de la empresa. Lo que es más, identificar las necesidades de los consumidores, formular estrategias para llenar esas necesidades y vigilar las tendencias cambiantes mediante la investigación y el análisis de los consumidores, han mantenido al comportamiento del consumidor en la lista de prioridades de los ejecutivos. En la parte frontal de la implementación aparece el concepto de la segmentación —la realidad de que, a pesar que las personas pueden compartir ciertas experiencias o habilidades, no somos iguales.

Conforme usted lea este texto, pregúntese de qué manera el contenido influye en su profesión y entorno. Encontrará que en gran medida en varios de los campos que estudiará, el comportamiento del consumidor entra en contacto y refleja su vida diaria. Bienvenido a lo que nosotros esperamos será una gran aventura y un tema de interés que será perdurable.

Capítulo 1

Comportamiento e investigación del consumidor

Caso de inicio

Son las 8:00 a.m. y un súbito estruendo de hip-hop proveniente del radio Sony atraviesa la recámara. Sale una mano por debajo de un mar de sábanas de franela Polo y busca el botón de apagar de la alarma —justo en el momento en que un anuncio cantado de Pizza Hut empieza en la radio—. Se ha iniciado otro día en la vida de Julie, estudiante universitaria de 20 años.

Corre escaleras abajo sólo para ver que su hermano y hermana más pequeños pelean por la última Pop-Tart, y a su madre rellenando las mochilas Oscar Mayer Lunchables. Julie vive con su familia en un área suburbana cerca del campus universitario; ha decidido ahorrar el dinero que gana por su trabajo de tiempo parcial en la tienda de copiado del campus, en vez de gastárselo en renta. Como es el caso de muchos consumidores de cualquier edad, Julie tiene prisa de llegar al campus y decide que, en vez de comer su desayuno en casa, en cuanto llegue al campus tomará rápidamente una taza de café y un bagel.

Después de asistir a clases, se dirige a Kinko's, donde su tarea es ayudar a los clientes, principalmente a otros estudiantes de la universidad, en sus necesidades de impresión y copiado. Aunque a veces preferiría hacer ejercicio con sus amigos, o pasar el tiempo con su novio; considera que obtener experiencia laboral durante su carrera en la universidad tiene más importancia; además, gana dinero para sus gastos. De pronto, recuerda que mañana será el cumpleaños de su madre y que todavía no le ha comprado nada. Durante su descanso, llama al 1-800-FLOWERS y ordena un ramo de flores de cumpleaños para que se entregue a la mañana siguiente. Sabe que su madre necesita muchas cosas prácticas, como una nueva lámpara de escritorio para su oficina en la casa, pero en vez de ello desea gastar el dinero en algo especial y que la halague. Sabe que a su madre le gustan las flores y que no gastaría dinero para ella en algo tan frívolo. El representante de ventas que le ayuda a colocar este pedido describe en detalle la forma en que el arreglo floral se verá y le da confianza en que ha hecho una buena selección.

Antes de dirigirse a la casa suena el Beeper de Julie: Se trata de su madre, solicitándole que se detenga en el camino y compre leche. En vez de enfrentarse con un estacionamiento lleno, una gran tienda de abarrotes y largas colas, se detiene en una estación Shell, donde puede ordenar un galón de leche descremada para que le sea entregado en las bombas, mientras llena el tanque del auto. Aun cuando le cuesta un poco más, vale la pena el tiempo y la comodidad —especialmente después de un largo día.

Llega a la casa horas después que el resto de su familia ha terminado de comer. Hambrienta y cansada, se acuerda de la canción que escuchó en la radio al despertar y decide ordenar una *pizza* (sin carne, porque recientemente se ha convertido en una vegetariana), misma que, en cuanto llega, sube a su cuarto para comer. Enciende la televisión para tener ruido de fondo y revisa su correo electrónico, en espera de recibir un mensaje de su ciberamigo francés, a quien conoció en un chat de pláticas globales. Verifica el progreso de las acciones en las que ella ha invertido a través de E-Schwab. (Vigilar, comprar y vender acciones se ha convertido en su pasatiempo, cree que para cuando se retiren ella y sus amigos, habrá muchas personas de la tercera edad en el programa de pensiones, y que la seguridad social le proporcionará muy poca tranquilidad para el retiro.) Finalmente, se registra en la internet con la finalidad de buscar el *Journal of Marketing* y el *International Journal of Research in Marketing* con el fin de hallar información sobre investigación de consumidores, el tema de un informe que debe preparar para una de sus clases. Justo antes de medianoche, Julie apaga la luz, enciende la radio y se duerme.

Es apenas otro día en la vida de un consumidor estadounidense típico en su grupo de edad y etapa de la vida.

Desde el instante en que aprendemos a caminar y hablar, estamos involucrados en el comportamiento del consumidor en forma cotidiana. Independientemente que vayamos a una tienda al menudeo, compremos vía catálogo o por la internet, o nos sentemos en casa a desayunar, estamos funcionando como consumidores activos. Igual que Julie, todos nos enfrentamos a diario con una cantidad indefinida de decisiones de consumidor, desde la decisión de qué marcas comprar, dónde y cómo adquirirlas, y cómo usar el tiempo y los recursos.

Si considera los encuentros que tenemos cada día con productos, marcas y anuncios, sin mencionar elección de personas y de uso del tiempo, empezará a comprender algo acerca del alcance del tema conocido como *comportamiento del consumidor*. Mucho más que simplemente un área especializada de la mercadotecnia, el comportamiento del consumidor afecta prácticamente a todos los aspectos de la vida.

¿Qué es el comportamiento del consumidor?

El **comportamiento del consumidor** se define como *las actividades que las personas efectúan al obtener, consumir y disponer de productos y servicios.* Dicho de manera simple, el comportamiento del consumidor tradicionalmente se ha pensado como el estudio sobre "por qué compra la gente"; con la premisa de que es más fácil desarrollar estrategias para influir sobre los consumidores una vez que el mercadólogo conoce las razones que los impulsan a adquirir ciertos productos o marcas.

Varias actividades están incluidas en la definición del comportamiento del consumidor: obtener, consumir y disponer.

- **Obtener** se refiere a *las actividades que llevan a (incluyéndola) la compra o recepción de un producto.* Algunas de éstas incluyen la búsqueda de información en relación con las características y elecciones del producto, la evaluación de productos o marcas alternativos y la compra. Los analistas del comportamiento del consumidor examinan estos comportamientos, toman en cuenta la forma en que los consumidores adquieren los productos: ¿compran en tiendas especializadas, en centros comerciales o por la internet? Otros problemas consideran la forma en que los consumidores pagan los productos (en efectivo o con tarjetas de crédito), si compran los productos para obsequiarlos o para ellos, si son los consumidores quienes transportan los productos o si piden que les sean enviados, dónde obtienen la información acerca de alternativas del producto y de tiendas, y de qué manera influencian las marcas sus elecciones de productos.

- **Consumir** se refiere a *cómo, dónde, cuándo y bajo qué circunstancias los consumidores utilizan los productos.* Por ejemplo, problemas relacionados con el consumo pudieran incluir decisiones relativas si los consumidores utilizan los productos en casa u oficina. ¿Utilizan los productos de acuerdo con las instrucciones y tal como se pretende, o encuentran sus propias formas de utilizarlos? ¿Es la experiencia del uso del producto placentera o puramente funcional? ¿Utilizan todo el producto antes de disponer de él o parte del mismo no se consumirá jamás?

- **Disponer** incluye *la forma en que los consumidores se deshacen de productos y empaques.* En este caso, los analistas del consumidor pueden analizar el comportamiento del consumidor desde un punto de vista ecológico: de qué manera los consumidores disponen del empaque del producto o del resto de los productos (¿son biodegradables los productos o se pueden reciclar?) Los consumidores también pueden volver a utilizar algunos productos pasándolos a niños más jóvenes. O pueden revenderlos en tiendas de segunda mano, intercambiarlos por medio de la internet o en anuncios clasificados o volverlos a vender mediante ventas de garaje o en los mercados o tianguis.

Estas actividades se representan en la figura 1.1, que también muestra la forma en que diversas variables afectan el proceso del comportamiento del consumidor. Cada una de estas influencias serán analizadas a lo largo del libro, pero se introducen aquí para mostrar lo "individual y único" que puede ser el comportamiento de un consumidor.

El **comportamiento del consumidor** también se puede definir como un *campo de estudio que se enfoca en las actividades del consumidor*. Conforme ha evolucionado el estudio del comportamiento del consumidor, también ha evolucionado su alcance. Históricamente, el estudio del comportamiento del consumidor se enfocaba en el comportamiento del comprador o "por qué compran las personas". Más recientemente, los investigadores y estudiantes se

Figura 1.1   Comportamiento del consumidor

INFLUENCIAS DEL CONSUMIDOR		INFLUENCIAS ORGANIZACIONALES	
Cultura	Etnicidad	Marca	Características del producto
Personalidad	Familia	Publicidad	Comunicación verbal
Etapa de la vida	Valores	Promoción	Despliegues de menudeo
Ingresos	Recursos disponibles	Precio	Calidad
Actitudes	Opiniones	Servicio	Ambiente de la tienda
Motivaciones	Experiencias pasadas	Conveniencia	Programas de lealtad
Sentimientos	Grupos de pares	Empaque	Disponibilidad del producto
Conocimientos			

OBTENCIÓN
- Cómo decidir lo que desea comprar
- Otros productos que considere comprar
- Dónde comprar
- Cómo pagar el producto
- Cómo transportar el producto a la casa

CONSUMO
- Cómo utilizar el producto
- Cómo almacenar el producto en su casa
- Quién utiliza el producto
- Cuánto consume
- De qué manera se cumplen las expectativas de compra en el consumidor

DISPONIBILIDAD
- Cómo se deshace del producto sobrante
- Cuánto se desecha después del uso
- Si revende los artículos por sí mismo o por medio de una tienda de consignación
- Cómo recicla algunos productos

COMPORTAMIENTO DEL CONSUMIDOR

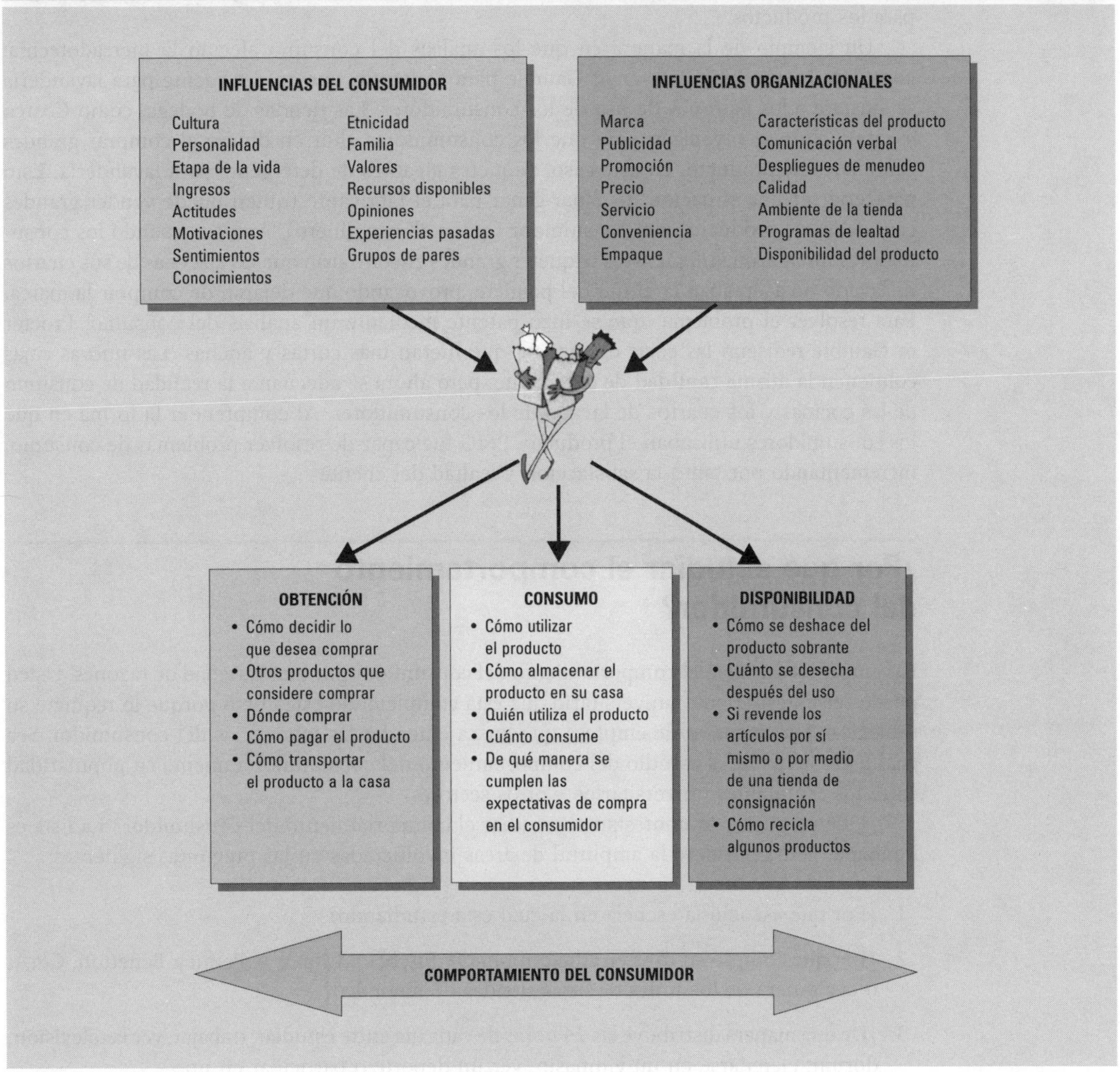

han enfocado en el **análisis del consumo**, *por qué y de qué manera consumen las personas*, sumado a *por qué y de qué manera compran*. El análisis del comportamiento del consumidor representa un marco conceptual más amplio que el del comprador, ya que incluye problemas que se presentan después de que ocurre el proceso de adquisición.

Las empresas de éxito comprenden que el comportamiento del consumidor debe ser el enfoque primario de todo aspecto del programa de mercadotecnia empresarial. Esto se describe como el **concepto de mercadotecnia**: *el proceso de planeación y ejecución de la concepción, precios, promoción y distribución de ideas, bienes y servicios para crear intercambios que satisfagan objetivos individuales y organizacionales*. El elemento clave en esta definición es el *intercambio* por el mercadólogo de algo de tal valor que el cliente pague el precio que llene las necesidades y objetivos de la organización. Desde el punto de vista del consumidor, la satisfacción del intercambio depende de la satisfacción por el *consumo* del producto tanto como por el intercambio. Los consumidores solamente estarán dispuestos a pagar por productos y servicios que satisfagan sus necesidades, pero esto es poco probable que ocurra, a menos que la empresa comprenda totalmente la forma en que los compradores *compran* o *utilizan* un producto en particular. A menos que un producto se utilice tal y como se pretende, es probable que la satisfacción del consumidor con el producto disminuya. Ésta es la razón por la que los mercadólogos utilizan siempre tiempo y dinero desarrollando instrucciones de uso y de cuidado específicas para los productos.

Un ejemplo de la manera en que los análisis del consumo afectan la mercadotecnia: considere lo que hizo Procter & Gamble para conseguir que su detergente para lavandería se ajustara a los patrones de uso de los consumidores. Las tiendas de bodega, como Costco y Sam's Club, se organizan para que los consumidores ahorren dinero al comprar grandes cantidades de producto, en este caso, paquetes gigantes de detergente para lavandería. Esto parecería ser una situación de ganar-ganar para el fabricante (quien puede vender grandes cantidades de producto) y el consumidor (quien ahorra dinero). Aun así, cuando los consumidores intentaron *utilizar* estos paquetes grandes encontraron que las alacenas de sus cuartos de lavado no aceptaban la altura del paquete, provocando que dejaran de comprar la marca. Para resolver el problema, que se hizo patente mediante un análisis del consumo, Procter & Gamble rediseñó las cajas de manera que fueran más cortas y anchas. Las nuevas cajas contienen la misma cantidad de detergente, pero ahora se adecuan a la realidad de consumo de las cocinas y los cuartos de lavado de los consumidores. Al comprender la forma en que los consumidores utilizaban el producto, P&G fue capaz de resolver problemas de consumo, incrementando por tanto la satisfacción y lealtad del cliente.

¿Por qué estudiar el comportamiento del consumidor?

Las empresas estudian el comportamiento del consumidor por una variedad de razones. Usted puede ser un estudiante universitario que está completando este curso porque lo requiere su titulación. Un ejecutivo de empresa que busca entender las tendencias del consumidor. Sea cual fuere la razón, el estudio del comportamiento del consumidor aumenta su popularidad entre los estudiantes universitarios y otros sectores.

¿Qué preguntas se contestan al estudiar el comportamiento del consumidor? La lista es ilimitada, pero considere la amplitud de áreas involucradas en las preguntas siguientes:

1. ¿Por qué escogió la escuela en la cual está estudiando?

2. ¿Por qué compró su ropa en Abercrombie & Fitch, Old Navy, JCPenney, Benetton, C&A, o cualquiera de los miles de otras tiendas de menudeo?

3. ¿De qué manera distribuye las 24 horas de cada día entre estudiar, trabajar, ver la televisión, dormir, ejercitarse en un gimnasio, ver un deporte o participar en uno?

4. ¿Normalmente cocina sus alimentos partiendo de cero, lo procesa en microondas o lo compra ya cocinado en un restaurante, para comérselo allí o para llevárselo a la casa? ¿Por qué compra ciertos tipos o marcas de alimentos más a menudo?

5. Si pudiera elegir entre asistir a un evento deportivo, visitar un museo, ir a un concierto o pasar la velada con juegos y pláticas por la internet en su computadora, ¿cuál escogería?

6. Cuando se gradúe y compre un automóvil, ¿planea comprar uno nuevo o uno usado? ¿Qué modelo o marca más probablemente escogerá?

7. ¿Qué anuncios le gustan y cuáles le disgustan? ¿De qué manera influencian sus decisiones de compra?

8. ¿Donó sangre este año? ¿Da usted tiempo o dinero para ayudar a personas con problemas de salud o económicos, o deja que estos problemas los resuelvan otras personas?

9. ¿Votó en la última elección? ¿Por quién y por qué?

10. En comparación con otras personas que ganan los mismos ingresos que usted, ¿ahorra más o menos que ellos? ¿Toma decisiones financieras basadas en lo que le gusta ahora o en lo que posteriormente le proporcionará los rendimientos más grandes?

Probablemente conteste con facilidad estas preguntas en lo que se refiere a usted; no obstante, comprender las razones que hacen que usted y otras las respondan de manera diferente es más difícil. Aquí se presenta el reto que encaran los analistas y mercadólogos del consumidor al perseguir a un consumidor cada vez más preciado. La capacidad de una empresa para atraer consumidores, satisfacerlos, retenerlos y venderles más afecta de manera importante la rentabilidad de la empresa. Piense en la pregunta 6. Si fuera un ejecutivo de Nissan o de Volkswagen, ¿cuánto pagaría por saber cómo responderían cada año los millones de compradores de automóviles nuevos del mercado? Más allá de resultados finales corporativos, vea la pregunta 9 y piense en lo valioso que sería para un partido político o un candidato saber por qué una mayoría de ciudadanos han votado de la forma en que lo han hecho.

La relevancia de cada una de estas preguntas varía de una organización a otra. Los ejecutivos al detalle se interesarían sobre la manera en que millones de consumidores contestarían la pregunta 7, pero esta información también puede ayudar a organizaciones no lucrativas a servir mejor al público. Saber la forma en que los consumidores utilizan su tiempo, como se indica en la pregunta 5, pudiera ayudar a las empresas de ballet y a las organizaciones artísticas a una mejor promoción y posicionar sus ofertas. O bien, si la misión de una institución de salud se enfoca a incrementar el suministro de sangre de la nación o de reducir la incidencia de SIDA, podría concentrar su estudio del comportamiento del consumidor en responder a la pregunta 8.

De manera colectiva, los problemas que se identifican en esta lista de preguntas representan la amplitud de temas incluidos en este libro para el estudio del comportamiento del consumidor. También sirven como punto de partida para examinar este importante tema.

El comportamiento del consumidor ayuda a analizar la creciente influencia de los consumidores

Cada día en el mundo, ocurre una elección, la cual no se refiere a quién o qué partido político dirigirá dicho país. Los consumidores son quienes emiten sus votos, y lo hacen con sus dólares, pesos euros, yenes, etc. Con su dinero, los consumidores eligen a los minoristas y a otras organizaciones que desean que sobrevivan y sean lo suficiente rentables para proporcionar trabajo a los ciudadanos de una nación. Con sus votos, los consumidores determinan a las personas que tendrán buenos o malos trabajos, y a quienes no tendrán trabajo. Finalmente, los consumidores determinan qué compañías tendrán acciones a la alza (lo que atrae capital y tecnología) y qué empresas resultarán atractivas para su adquisición. A nivel macroeconómico, cuando los consumidores "votan" utilizando su dinero, determinan qué naciones son capaces de vender sus bienes a otras naciones para obtener las divisas necesarias, así como las inversiones, lo que genera en consecuencia puestos de trabajo y crecimiento.

"El consumidor manda"

Los negocios alrededor del mundo reconocen que el "consumidor manda". Conocer por qué y de qué manera las personas consumen productos ayuda a los mercadólogos a comprender cómo mejorar los productos existentes, qué productos se necesitan en el mercado y cómo atraer consumidores para que adquieran sus productos. En esencia, el análisis del comportamiento del consumidor ayuda a las empresas a saber cómo *satisfacer al cliente e impactar de manera directa los ingresos de las empresas*. A la larga, uno no resulta posible sin el otro. Sin la satisfacción del cliente, es poco probable que las organizaciones incrementen sus ventas y sus ingresos. Y sin un aumento de ingresos las empresas no tienen los recursos para invertir en centros de servicios al cliente, promociones especiales, o en capacitación para ventas, entre otros, todos los cuales son elementos importantes en los programas más básicos de satisfacción del cliente. Las organizaciones de mayor éxito desarrollan planes de mercadotecnia que están bajo la influencia del consumidor, en vez de programas que intentan colocar a los consumidores bajo la influencia de la mercadotecnia.

En general los que estudian el comportamiento del consumidor involucran a quienes desean influir o modificar de alguna manera el comportamiento de éstos. Algunos mercadólogos, como las organizaciones comerciales, utilizan la mercadotecnia para influir la elección de marcas y su compra, en tanto que otros, como las instituciones de salud o los gobiernos hacen uso de la mercadotecnia para inducir a las personas a que dejen de fumar o a que practiquen sexo seguro. En estos casos, los consumidores son receptores de intentos de influencia. Esta *perspectiva de influencia del consumidor* es la preocupación de muchos, abarcando a aquellos en mercadotecnia, educación y protección del consumidor, y política pública.

El comportamiento del consumidor también incluye el estudio de los consumidores como *fuente de influencia* sobre las organizaciones. En vez de influir en los consumidores, las organizaciones efectivas están adoptando, de manera creciente, un procedimiento total de mercadotecnia para el desarrollo, innovación, investigación y comunicación del producto. Al buscar métodos que permitan que los consumidores influyan en la organización para que ésta tenga los productos, precios, promociones y operaciones que los consumidores comprarán, las organizaciones están dispuestas a satisfacer a los clientes, fomentar lealtad de marca e incrementar sus ingresos. Las firmas con orientación a la mercadotecnia del siglo XXI estarán más centradas en permitir que sean los clientes quienes los influyan, en vez de buscar la forma en que puedan influir a los consumidores.

Como una filosofía práctica de la administración de empresas de éxito, **la mercadotecnia** es *el proceso de transformar o modificar una organización para que tenga lo que los clientes desean adquirir* (con utilidad, en el caso de organizaciones lucrativas). Si ésta funciona bien en una organización, ¿cuál es la entidad que está siendo influida? La *organización lo está debido a las necesidades y deseos del mercado*, en vez de que el consumidor cambie por los deseos de la firma.

"Sólo el cliente tiene el poder de ponernos a todos en la calle"

Cuando vivía Sam Walton, fundador de la organización de menudeo más grande del mundo, tenía la costumbre de visitar todos los años cada una de las tiendas y platicar con los asociados y los clientes de la misma, con el fin de reunir información y recopilar ideas sobre la forma de mejorar sus tiendas. Se trataba de una estrategia que lo convirtió de una pequeña tienda en Arkansas a una cadena lo suficientemente grande para retar y eventualmente superar a Sears y Kmart en el juego del menudeo que ellos desarrollaron. Incluso después de que Wal*Mart se convirtió en una empresa pública y Sam Walton en multimillonario, siguió visitando sus tiendas y platicando con sus asociados. Tenía la costumbre de recordarle a todos, desde los cajeros hasta los ejecutivos senior, que "la única persona que nos puede poner a todos en la calle es el cliente".

Y era la verdad. Walton creía que los consumidores son quienes de manera final determinan cuáles empresas prosperan y cuáles fracasan. Comprendió el poder que tienen los consumidores como entidad: al hacer sus elecciones en el mercado, votan por los candidatos que desean que sobrevivan en el hipercompetitivo mercado de menudeo.

El poder del consumidor es inmenso, y es enorme el deseo de empresas globales como Carrefour (hipermercado de capital francés), de comprender a los consumidores. Los empresarios de mayor éxito le dirán lo costoso y retador que es reclutar nuevos clientes; por tanto, el *esfuerzo central de los años recientes ha sido conservar a los clientes*. La estrategia de los mejores minoristas alrededor del mundo ha sido crear una relación con los clientes de manera que ni siquiera piensen en "ir a otro sitio". Independientemente que la estrategia sea ofrecer servicios y productos especiales o una tarjeta de lealtad del cliente, la meta sigue siendo la misma: *reclutar y conservar clientes*. Aun así, para lograrla, las empresas deben comprender tanto a sus clientes como a los clientes potenciales.

El comportamiento del consumidor educa y protege a los consumidores

Muchas personas se preocupan respecto al estudio del comportamiento del consumidor porque desean ayudar a los consumidores a actuar o comprar de manera más inteligente. Mediante la educación, se puede enseñarles a detectar engaños y abusos y se les puede sensibilizar sobre rectificar sus decisiones de compra. Además, cualquiera se puede beneficiar con estrategias de ahorro y consejos con el fin de ser "mejores compradores". Los programas educativos deben basarse en la investigación de la motivación y del comportamiento si es que deben resultar importantes en la vida del consumidor. Los economistas del consumidor, los economistas domésticos y los especialistas en asuntos del consumidor se cuentan entre los investigadores principales de la forma y el porqué las personas consumen los productos.

Los líderes de política pública y comentaristas sociales estudian una variedad de problemas de la sociedad desde el punto de vista del comportamiento del consumidor, como problemas de exceso y bajo consumo. Comer compulsivamente, sobregastar, usar drogas y el juego excesivo son comportamientos que muchas oficinas de gobierno así como individuos desean minimizar, en tanto que el ejercicio, la lectura y la ingestión de alimentos nutritivos son alentados por las instituciones de salud y oficinas sociales. La comprensión de estos problemas desde la perspectiva del consumidor ayuda a los responsables de las políticas, a los grupos de intereses y a los negocios a desarrollar los mejores métodos para llegar a los consumidores con información y ayuda.

La figura 1.2a proporciona un ejemplo de este tipo de actividad educativa proveniente de Georgia Pacific, fabricante de productos de papel para el baño y la cocina, y del Department of Health and Human Services. Georgia Pacific introdujo su campaña del Health Institute en 1999 para educar a los consumidores respecto de los peligros provenientes de bacterias y gérmenes en sus cuartos de baño y la forma en que se podían proteger de los mismos. La figura 1.2b muestra una campaña similar para la American Cancer Society.

El comportamiento del consumidor ayuda a formular las políticas públicas

Las organizaciones y los individuos interesados en políticas públicas necesitan conocer las necesidades generales para formular políticas relacionadas con la economía, seguridad social, planeación familiar y la mayoría de cualquier otra área de política pública. También necesitan predecir el comportamiento en el momento de un cambio en las políticas. Cuando la Federal

Figura 1.2a   Actividad de educación para el consumidor

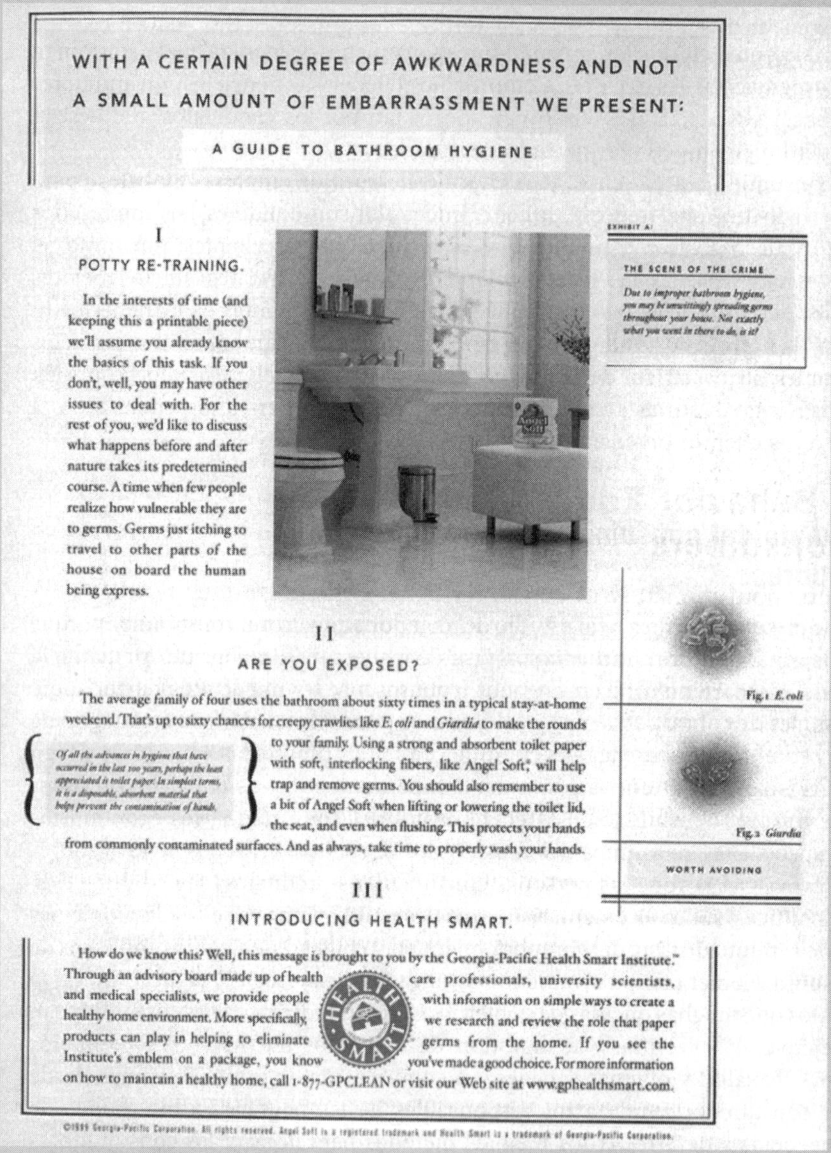

Reserve modifica las tasas de interés, ¿cuál será el efecto sobre la demanda de casas, automóviles, inversiones y otros productos?, ¿las advertencias en las etiquetas, que el gobierno exige, provocan que los consumidores adquieran menos o más un producto? Durante años, las políticas económicas han reconocido la importancia de estas preguntas, pero la investigación al respecto ha sido limitada. En años recientes, se ha modificado la política pública para hacer énfasis en cambiar *la* protección y educación procedente del gobierno para garantizar el bienestar del consumidor hacia *la* protección resultante de mercados competitivos.

La piedra angular de una economía impulsada por el mercado es el derecho que tiene cualquier consumidor a hacer una elección informada e irrestricta a partir de un abanico de alternativas. Cuando este derecho se le restringe debido a abuso por parte de los negocios, se espera que los gobiernos influyan en la elección del consumidor al restringir el engaño y otras prácticas comerciales deshonestas.

Figura 1.2b   Actividad de educación del consumidor

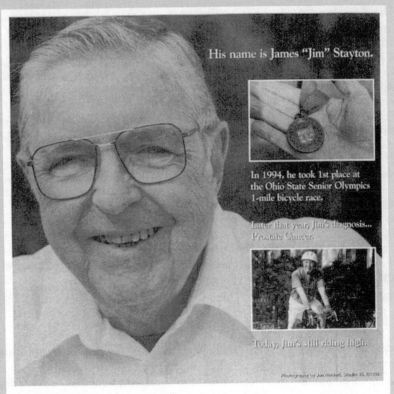

His name is James "Jim" Stayton.

In 1994, he took 1st place at the Ohio State Senior Olympics 1-mile bicycle race.

Later that year, Jim's diagnosis... Prostate Cancer.

Today, Jim's still riding high.

His name is James "Jim" Stayton. He is a cancer survivor.
Because of incredible breakthroughs in research, early detection and education of cancer, men like Jim Stayton are winning the fight against prostate cancer. In fact, just five short months after his surgery, Jim was on his bike, competing once again. And the number of success stories, like Jim's, have never been higher. But until every man wins the fight against prostate cancer, the research and education can't stop. They can't slow down until we find a cure. Because until then, there will be a man who won't survive. A life lost. A grandpa. A father. A friend. Help keep the American Cancer Society's research and educational programs. Contribute to the cure. Call your local American Cancer Society office today at 1-800-ACS-2345. Or visit our web site at www.oh.cancer.org.

Contribute To The Cure.

AMERICAN CANCER SOCIETY
Ohio Division, Inc.

El comportamiento del consumidor afecta las políticas personales

Desde un punto de vista individual, posiblemente la razón más importante por la cual usted debe interesarse en el comportamiento del consumidor es el efecto que tendrá sobre su propia vida. Las políticas personales influyen en la forma en que usted se comporta (hacia otros y en situaciones de compra), sus valores y creencias, y la forma en que vive. ¿Se casará y tendrá hijos o seguirá soltero?, ¿gastará sus ingresos en bienes materiales o en causas caritativas para ayudar a los más desamparados?

La calidad de vida económica de una persona también se determina por una política personal. A continuación una declaración definitiva: Lo que tenga en la vida no está determinado por lo mucho que gane, sino más bien por la forma como gaste y ahorre. La forma y el lugar en que los consumidores adquieren los productos también influye a la larga los estilos de vida

El consumidor en la mira 1.1

Ahmed y Jaime están a punto de graduarse en administración y han obtenido puestos de trabajo que pagan aproximadamente 35 000 dólares al año. Ambos desean y necesitan adquirir un automóvil. Optan por un Jetta nuevo de Volkswagen que cuesta alrededor de 20 000 dólares, con un enganche modesto y pagos mensuales de 600 dólares durante cuatro años. Ahmed obtiene información de *Consumer Reports* y otras fuentes antes de adquirir el automóvil; después sigue los consejos en lo que se refiere a su adecuado mantenimiento, cambio de aceite y llevar a cabo el servicio en los tiempos especificados, así como conservar el automóvil limpio por dentro y por fuera. Jaime, por otra parte, no hace nada de lo anterior y al final de los cuatro años, es propietario de un automóvil no confiable, sucio y golpeado, por lo que decide comprar o rentar otro automóvil, continuando con los pagos de 600 dólares. Como Ahmed cuidó su automóvil, al finalizar los cuatro años éste aún es confiable y atractivo. En vez de adquirir un automóvil nuevo, decide invertir los 600 dólares en un fondo mutualista, cada mes, para los siguientes seis

años, sabe que la mayoría de los automóviles, bien cuidados, pueden durar diez años y dar cerca de 100 000 millas.

Transcurridos los seis años, la inversión de Ahmed se ha incrementado por encima de 50 000 dólares, con los cuales puede adquirir un automóvil nuevo de 20 000 dólares y aun así contar con una inversión de 30 000 dólares que seguirá incrementándose. Incluso si ambos consumidores ganaran los mismos ingresos durante su vida, es probable que Ahmed acumulará una mayor cantidad de activos gracias a su comportamiento de consumo. Asimismo la forma en que estos consumidores gastan, ahorran y consumen determinará cuánto gastarán en cuidados de la salud cuando sean mayores, cuánto pueden invertir en el mercado de valores, y qué tipo de automóviles y casas habitación pueden comprar en el futuro. Al ahorrar los 600 dólares por mes en pagos de automóvil (y aplicar este tipo de comportamiento de consumo también en otras áreas), Ahmed podría decidir retirarse más pronto, comprar una casa o hasta adquirir un Porsche, sin tener que ganar más que Jaime.

de los consumidores. El consumidor en la mira 1.1 describe a dos consumidores con diferentes puntos de vista por lo que se refiere a comportamientos de gastos y ahorro.

Los minoristas atraen a consumidores diferentes que tienen comportamientos de gastos y ahorro distintos. Las tiendas de abarrotes como Kroger y Byerly's con base en Minnesota, ofrecen una amplia variedad de vegetales, carnes, alimentos para gourmet y comidas preparadas en tiendas atractivas, con buena iluminación y corredores amplios. Aunque un consumidor puede gastar en este tipo de tienda un promedio de 130 a 150 dólares por carro de abarrotes, otros podrían decidir comprar en otros tipos de tienda, como Aldi (gigante de abarrotes global con base en Alemania, que se ocupa de consumidores de menos ingresos). El comprador de Aldi, en vez de pagar 3.69 dólares por una caja de cereal de marca nacional en la tienda de abarrotes elegante, pagará sólo 1.69 dólares si adquiere la marca privada de Aldi. Aunque la calidad no disminuye (el cereal proviene del mismo fabricante, se hace utilizando la misma fórmula y se empaca en una caja similar a la de la marca nacional), ese consumidor tiene elecciones de marca limitadas y menos ambiente. Sin embargo, cuando el comprador de Aldi pasa por la caja registradora, su factura total es de 70 a 80 dólares.

Similar a los consumidores presentados en El consumidor en la mira 1.1, los patrones de compras y de gastos pueden ayudar a los consumidores a ahorrar dinero. A primera vista, usted podría concluir que Kroger's y Byerly's apuntan y atraen consumidores de ingresos medios y altos, en tanto que Aldi atiende a consumidores de ingresos bajos. Aun cuando esto pudiera ser cierto, dado que los consumidores tienen la capacidad de elegir la forma y dónde gastan su dinero, estas tiendas atraen las políticas de gasto y ahorro de los consumidores. Incluso consumidores de ingresos altos pueden decidir sacrificar selección, marcas nacionales, ambiente y algunos servicios con la finalidad de ahorrar en el gasto de abarrotes cientos o miles de dólares al año. El comprador de Aldi puede decidir ahorrar su dinero o gastarlo en cuidados a la salud, cuidados a los niños, u otros. Cuando se trata de categorías como ropa casual, artículos domésticos y pequeños aparatos domésticos, los consumidores a menudo prefieren minoristas masivos, como Wal*Mart y Target, en vez de tiendas departamentales tradicionales, como Macy y Burdines. Los ahorros en costo y la conveniencia de compra en un sitio han influido a los consumidores para que compren en tiendas minoristas de descuento, aun cuando tengan que sacrificar algunos extras como alfombrado, alumbrado cálido y atención individual. Piense sobre el particular. Si pudiera elegir entre obtener un ingreso adicional de 30% trabajando más horas o tomando un segundo trabajo, o reducir sus gastos en 30% con decisiones de consumo más inteligentes, ¿cuál preferiría?

La política personal también afecta la forma en que los individuos definen el éxito. Para muchas personas, el éxito significa ingresos y riqueza, y quizás un amplio abanico de posesiones como automóviles, ropa y casas habitación. Conforme usted estudia el comportamiento de los consumidores, recuerde que no se trata de la definición que todo mundo utiliza. En su libro, *Courage Is Contagious*,[1] el congresista John Kasich describe a Albert, hombre con retraso mental, que da brillo a los zapatos dos días a la semana en el Children Hospital de Pittsburgh y cede sus propinas al Free Care Fund del hospital. En las cuatro últimas décadas, Albert ha obtenido y donado más de 40 000 dólares para ayudar a los niños en el hospital. Su definición de éxito puede diferir de la suya, pero sirve como modelo igual que lo hacen los individuos más famosos como Nelson Mandela, Margaret Thatcher o Bill Gates. Como estudiante, usted puede definir el éxito como graduarse en la universidad y obtener un puesto en una empresa de Fortune 500 o quizás iniciar su propia empresa. El éxito también se define en términos personales, como tener una familia, dar tiempo y dinero a organizaciones no lucrativas, o al bienestar físico y emocional.

Al entender el éxito en los términos del comportamiento del consumidor, los mercadólogos pueden comprender cómo atraer a consumidores específicos. Por ejemplo, Mercedes ha disfrutado posicionando a sus automóviles como un "logro" de éxito económico, atrayendo por tanto a consumidores que o bien han logrado un éxito monetario o desean que se les perciba como tal.

Evolución del comportamiento del consumidor

Eche una ojeada a la infinidad de productos disponibles para los consumidores en las estanterías y pantallas de los minoristas y organizaciones de mercadotecnia, y rápidamente se dará cuenta qué elecciones enfrentan los consumidores en cada hora del día y de la noche. ¿Blusas rojas o camisas azules?, ¿música por SmashMouth o Garth Brooks?, ¿automóviles compactos, camioneta, o vehículos deportivos?, ¿acciones en Home Depot, Ford Motor, o Dell Computer, compras por medio de un corredor y de un empleador, en línea, o de un banco?, ¿catsup de Heinz o Picante, comprado en un supermercado, en un Wal*Mart, o a través de un servicio en línea conveniente, como Peapod o Streamline? Los consumidores encaran un número no cuantificable de posibilidades, pero, ¿quién determina la selección final de lo que está disponible para los consumidores en las estanterías de menudeo? En esta sección, examinaremos la forma en que la entidad responsable para efectuar estas determinaciones ha cambiado, lo que refleja los cambios que han ocurrido en los negocios y en el estudio del comportamiento del consumidor.

¿Quién determina lo que los consumidores pueden comprar?

Todas las organizaciones involucradas en determinar lo que los consumidores son capaces de adquirir se incluyen en la **cadena de suministros al menudeo**, definidas como *todas las organizaciones involucradas en llevar un producto desde su producción hasta su consumo final*. Estas organizaciones típicamente incluyen a los *fabricantes* (que administran las materias primas y producen los productos); los *mayoristas* (u otras formas de distribuidores que se hacen de los productos, los almacenan y los distribuyen al punto de venta); los *minoristas* (que los venden a los usuarios finales a través de tiendas o mediante venta directa); y los *consumidores* (que compran y consumen los productos). La cadena de suministros también incluye muchas *organizaciones facilitadoras* como las empresas de publicidad y de investigación, las instituciones financieras y las empresas de transporte y de logística. Igual que cualquier otra estructura, el enfoque y el poder dentro de la cadena de suministros, para determinar lo que se le ofrece a los consumidores, se ha desplazado a lo largo de la historia, según se resume en la figura 1.3.

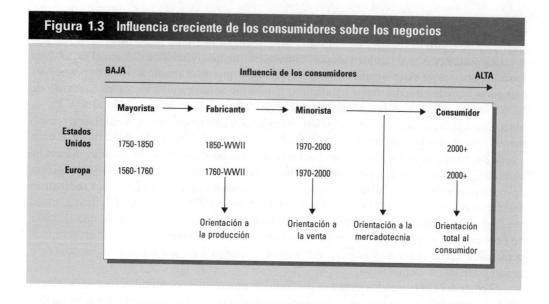

Figura 1.3   Influencia creciente de los consumidores sobre los negocios

Desde los primeros días de las colonias estadounidenses, hasta la guerra civil en Estados Unidos, los comerciantes (un tipo de mayorista) servían de conexión entre los productos europeos y los mercados estadounidenses. Eran estos distribuidores los que determinaban si a los consumidores se les ofrecían vestidos rojos o camisas azules o barriles que contenían palas o azúcar. Los consumidores tenían muy poca, si es que alguna, influencia en el proceso.

La producción masiva emergió a mediados del siglo XIX y floreció durante la guerra civil estadounidense, generando el poder de los fabricantes en la cadena de suministros a finales del siglo, hasta la última década del siglo XX. Fabricantes como Procter & Gamble decidían qué tipos de productos debían fabricarse, de qué colores y tamaños deberían ser los empaques, de qué forma tendrían que ser anunciados, y dónde tenían que colocarlos en las estanterías los minoristas. Fuera el producto jabón, zapatos, automóviles o servicios bancarios, los fabricantes dominaban tanto lo que se producía como la forma final disponible para que los consumidores lo adquirieran.

El poder empezó a desplazarse nuevamente después de la Segunda Guerra Mundial, cuando los minoristas empezaron a adquirir más control de la cadena de suministros. Megaminoristas como Wal*Mart, Ikea, Home Depot y Toys R Us no eran solamente más grandes que muchos fabricantes y mayoristas; estaban más cerca de un consumidor cada vez más difícil de encontrar. Los minoristas empezaron a imponer sus puntos de vista acerca de qué productos producir, cómo serían empaquetados, dónde podrían ser almacenados y el precio al que se venderían. Los minoristas dominaban a otros miembros de la cadena de suministros, porque podían proporcionar la conexión esencial entre producción y consumo.

Hacia finales del siglo XX, el poder se había desplazado de nuevo, impulsado en gran parte por la formalización del estudio del comportamiento del consumidor, y de la implementación de la investigación del consumidor. Una creciente competencia y un más lento crecimiento de la población en Estados Unidos creó un entorno en el cual muchas empresas estaban a la caza de cada vez menos clientes nuevos, mismos que eran hostigados con presiones de tiempo y miles de anuncios por día. El nuevo milenio trajo consigo un nuevo jefe que determinaría qué productos y servicios estarían disponibles para los consumidores, dominando a gigantes como Procter & Gamble, General Electric y Microsoft. El mismo jefe le da órdenes a minoristas tales como Wal*Mart, Carrefour Pick'n Pay, C & A, Printemp, The Body Shop o bien Home Depot. Incluso mayoristas tan respetados como Cardinal Health (productos farmacéuticos) o Ingram Micro (computadoras y libros), y productores y distribuidores integrados como Shell Oil deben aceptar órdenes del patrón, quien, naturalmente, es el *consumidor*, haciendo por tanto el estudio de los consumidores y del comportamiento del consumidor más importante que nunca.

De igual manera que el consumidor es el centro y la base de la estrategia de mercadotecnia, también el consumidor es el punto focal para la construcción de una cadena de suministros de diseño nuevo, conocida como cadena de demanda.[2] En vez de construir y operar su cadena de suministros desde el fabricante hasta el mercado, las mejores empresas están creando cadenas con base en las necesidades, deseos, problemas y estilos de vida de los consumidores. El comportamiento del consumidor es una fuerza impulsora en la formación de cadenas de suministros de primera línea, ya sea que suministre bienes de consumo como abarrotes y ropa, servicios de cuidado de la salud, doctores y hospitales, experiencias culturales en una galería para representación o de arte, o servicios financieros de un banco o un corredor.

Con cada desplazamiento o cambio de poder a lo largo de la cadena de suministros vino otro asociado con la orientación de los negocios. Como resultado de la convergencia de las fuerzas cambiantes del mercado, incluyendo la competencia creciente, diversos estilos de vida del consumidor, desplazamientos de poder dentro de la cadena de suministros y la influencia del consumidor, la orientación de los negocios se modificó de un *enfoque a la producción* a un *enfoque a la mercadotecnia*. Apple rejuveneció sus ventas y su marca al adoptar un enfoque en mercadotecnia y crear un nuevo diseño y una nueva campaña publicitaria, según se observa en la figura 1.4. El nuevo enfoque diferenciaba la marca relacionándola con un atractivo emocional y personalidad.

Orientación a la producción

Imagine si puede, los retos que enfrentó Henry Ford a principios del siglo XX, cuando el Modelo T barrió con el mercado. Fue durante esta época de gran demanda, cuando Ford vendía todos los automóviles que podía fabricar, que hizo la famosa declaración sobre variantes en el Modelo T: *"Usted lo puede obtener en cualquier color, siempre y cuando sea negro"*. Esta declaración reflejaba con precisión el enfoque de dicha época —el productor decidía lo que se vendía— demostrando que la orientación a la producción se centraba principalmente en *cómo hacer los productos*. Entonces, no era necesario el investigador del consumidor de hoy, y en el mercado

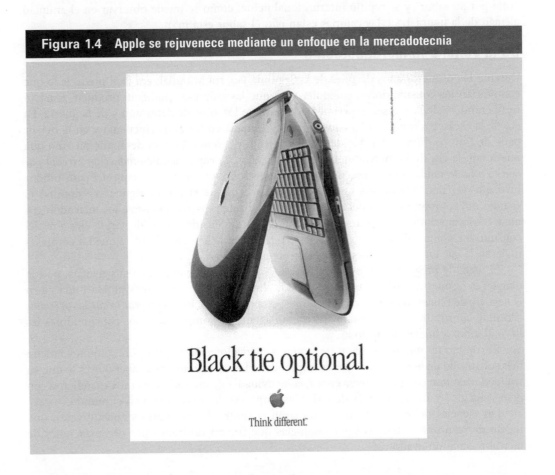

Figura 1.4   Apple se rejuvenece mediante un enfoque en la mercadotecnia

Black tie optional.

Think different.

actual el método del señor Ford ciertamente significaría una derrota. Los mercadólogos de automóviles actuales encaran presiones de mercadotecnia provenientes de una variedad de retos competitivos, incluyendo superpotencias automotrices, como Daimler-Chrysler, y un mercado muy segmentado que exige variedad, desde el Range Rover y el Honda SUV a los convertibles de Corvette y Dodge, por nombrar unos cuantos. Las habilidades gerenciales y la comprensión de Henry Ford eran adecuadas a una época, pero en la actualidad necesitaría, entre otras cosas, un curso acelerado en comportamiento del consumidor con el fin de competir efectivamente con la imagen reciente y los programas de mercadotecnia de Volkswagen.

De la producción a la venta

Las primeras contribuciones al comportamiento del consumidor ocurrieron en la segunda década de los noventa, cuando la capacidad de producción empezó a exceder a la demanda, y el reto se desplazó de *cómo producir bienes* a *cómo venderlos*. Conforme se intensificó la competencia, emergieron las agencias de publicidad como instituciones de importancia, y las universidades empezaron a ofrecer cursos relativos a ventas, publicidad y otras áreas de la mercadotecnia. Las agencias de publicidad y universidades se apoyaron en la sabiduría acumulada de la experiencia, en vez de las ciencias del comportamiento con la finalidad de influir a los consumidores, con excepción del *conductismo*.

El teórico del aprendizaje John B. Watson aplicó los aspectos prácticos de este procedimiento psicológico a la publicidad y resaltó la importancia de la publicidad repetitiva para crear concientización y preferencia de marca. Utilizando este principio, la agencia de publicidad Ted Bates inventó la frase USP (unique selling proposition) [proposición única de ventas], para describir la importancia de seleccionar un beneficio del producto y de repetir dicha frase tan a menudo que los consumidores asocien de manera única dicho beneficio con una marca en particular. Diet Coke fue uno de los primeros productos dietéticos en insistir en el sabor en vez de las bajas calorías como su USP. Ese USP apareció en su campaña en Estados Unidos: "sólo por su sabor" y se repitió internacionalmente, como se puede observar en el anuncio alemán de la figura 1.5 ("las calorías están *out*; el sabor está *in*").

De la venta a la mercadotecnia

Durante los primeros años después de la Segunda Guerra Mundial, era fácil predecir lo que comprarían los consumidores: cualquier cosa que las empresas pudieran producir. Estaban recuperándose de la escasez experimentada durante los años de depresión y de la guerra. La era de la escasez terminó en Estados Unidos y Canadá en los años cincuenta y en la mayor parte de Europa durante las décadas de los sesenta y setenta. Con su desaparición vino una nueva era: la **era de la mercadotecnia**. En esos años, *la capacidad de producción excedía por mucho a la demanda,* y en consecuencia el estudio sobre el comportamiento del consumidor tuvo que ver más allá de sus raíces económicas. Aunque el precio alguna vez dominó el estudio del comportamiento del consumidor que hacían los economistas, los mercadólogos modernos empezaron a enfocarse en muchas otras dimensiones que afectan la elección del consumidor, como calidad, conveniencia, imagen y publicidad, ayudando a que las empresas tuvieran *lo que los consumidores probablemente adquirirían.*

Si usted le preguntara a los ejecutivos de Wal*Mart qué venden en sus tiendas, podría obtener la respuesta "nada". De acuerdo con la alta gerencia de esa firma Wal*Mart no está en el negocio de *vender cosas* a los consumidores; está en el negocio de *comprar lo que las personas necesitan* consumir. Su posicionamiento como agente de compras para los consumidores les llevó al éxito a finales del siglo xx.

El cambio de una orientación de ventas a mercadotecnia requirió un conjunto mucho más sofisticado de herramientas para comprender a los consumidores y saber qué es lo que en realidad necesitan comprar. En esa época, las actividades de mercadotecnia se expandieron con gran velocidad y fuerza a través de todas las empresas de mayor éxito en el mundo.

Las ciencias del comportamiento tomaron el centro del escenario y constituyeron una fuente de recursos en teorías y metodologías que fueron utilizados por organizaciones de mercadotecnia innovadoras:

Figura 1.5 Publicidad a nivel mundial de Coca-Cola

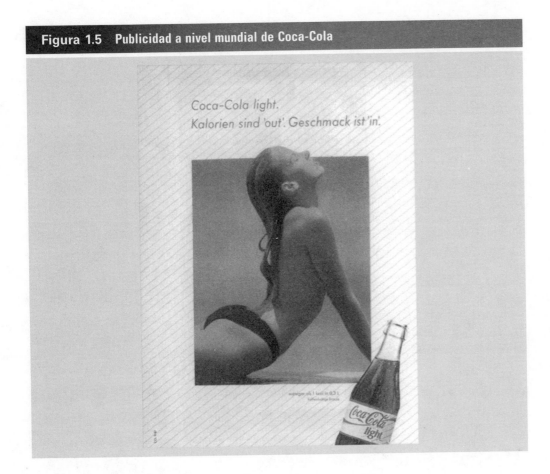

- **Investigación de la motivación:** Los mercadólogos estaban hambrientos de nuevos conocimientos, una de las teorías más atractivas era la investigación de la motivación, derivada de las teorías psicoanalíticas de Sigmund Freud. Dirigidas por su principal proponente, Ernest Dichter,[3] el mundo de Freud y del psicoanálisis encontró su camino al mercado durante los años sesenta, con publicaciones como *Hidden Persuaders,*[4] de Vance Packard. La meta de los investigadores de la motivación era *poner de manifiesto motivaciones ocultas o no reconocidas mediante entrevistas guiadas.* Un descubrimiento ampliamente difundido de la era de la motivación era que *las mujeres hacen pasteles debido a un deseo inconsciente de dar a luz.* Así es, lo leyó usted correctamente. Por lo que con el fin de mejorar su marca Pillsbury creó el icono del niño de masa con el atractivo de un bebé acariciable (figura 1.6) que aparece en los anuncios y en la mercancía.

- **Positivismo:** El positivismo se refiere al *proceso de utilizar técnicas empíricas rigurosas para descubrir explicaciones y leyes generalizables.* En otras palabras, asume el punto de vista de que si no se pueden probar en el laboratorio los datos no son útiles, y que solamente la información derivada de métodos científicos debe ser utilizada en la toma de decisiones. Las metas son dobles: 1) comprender y predecir el comportamiento del consumidor, 2) descubrir relaciones de causa y efecto que gobiernan la persuasión y/o la educación. Aún recientemente, la mayor parte de la investigación del consumidor publicada aceptaba el paradigma de investigación del positivismo.

- **Posmodernismo:** El posmodernismo es un proceso complementario del positivismo, y ganó popularidad en los años ochenta. Diferente en sus metas y métodos,[5] el **posmodernismo** *utiliza métodos de investigación cualitativos y otros, para comprender el comportamiento del consumidor.* Puede incluir el comprender la emoción involucrada en la selección de la marca. La investigación posmoderna llevó a métodos de investigación etnográficos y otros

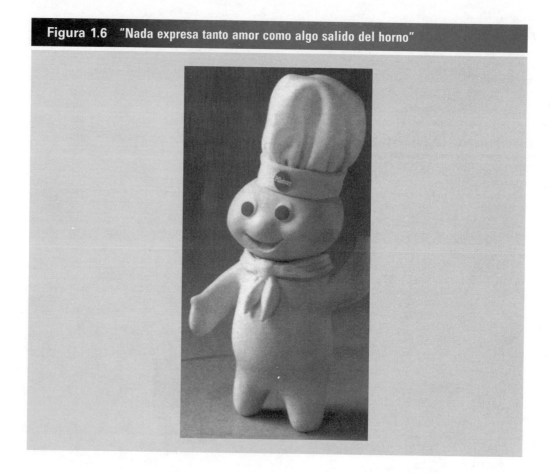

Figura 1.6   "Nada expresa tanto amor como algo salido del horno"

con la finalidad de describir por qué las personas consumen productos, tal y como se describe en las páginas siguientes.

Orientación total al consumidor

En tanto que una **orientación a la mercadotecnia** se enfoca en la *forma en que una organización se adapta a los consumidores,* una **orientación total al consumidor** extiende su enfoque a la *forma en que todas las organizaciones en una cadena de demanda se adaptan a los estilos de vida y comportamientos del consumidor.* Además, reconoce el papel de los consumidores en la conformación de aspectos de la sociedad, incluyendo el gobierno, las organizaciones sociales y todas las áreas de la vida. Esta comprensión de los consumidores es valiosa conforme los países se mueven de economías planeadas centralmente a sistemas de mercado libre. Independientemente de que funcionen juntos en una cadena de suministro o en sociedad, la clave es la cooperación entre entidades para trabajar hacia el bien completo y total de todos sus miembros. Por ejemplo, una orientación al mercado considera la internet como una herramienta para la comercialización de productos o para llegar a los consumidores; pero un procedimiento al consumidor total se enfoca en la forma en que la internet construye comunidades y afecta la vida en el mundo del siglo XXI.

Mucho del resto de este libro se enfoca en los problemas que afectan a las empresas que tienen una orientación a la mercadotecnia y/o una orientación total al consumidor. Con el fin de tener éxito durante esta era, las empresas se verán obligadas a mejorar sus habilidades en áreas como la tecnología de la información, los programas de retención de clientes, la investigación de consumo, la toma de decisiones sobre compras de parte del consumidor, las marcas y las estrategias de la internet. Y tendrán que afinar sus habilidades ya desarrolladas en publicidad, comunicación y mercadotecnia. Todas esas áreas serán objeto de énfasis a lo largo de este libro.

¿Cómo estudiar a los consumidores?

Conforme crece la competencia entre empresas alrededor del mundo, la gerencia busca estrategias de mercadotecnia para combatir los nuevos retos que tiene que encarar en el mercado. En la base se encuentra la necesidad de información válida, accesible y práctica sobre motivación y comportamiento del consumidor. La pregunta es cómo obtener esta información. La investigación de mercadotecnia se preocupa por la aplicación de teorías, métodos y técnicas de resolución de problemas, con la finalidad de identificar y resolver problemas de mercadotecnia.[6] Para obtener auxilio en planeación estratégica, los mercadólogos se han vuelto hacia las ciencias del comportamiento para recolectar e interpretar información respecto de los consumidores. Actualmente, la tecnología auxilia y acelera la recolección completa de la información del consumidor. Independientemente del método, el objetivo es comprender cómo estudiar el comportamiento del consumidor e implementar una estrategia que resulte la mejor para situaciones específicas.

Fundamentos en las ciencias

El estudio del comportamiento del consumidor es muy parecido al estudio de la medicina. La medicina es una ciencia aplicada que utiliza conocimientos de la química, biología, psicología, ingeniería y de otras disciplinas. Si usted es un corredor que sufre de dolores en la rodilla, su médico intentará investigar y diagnosticar el problema utilizando rayos X. Sin embargo, si el problema es con el cartílago en vez de los huesos, los rayos X no serán suficientes, y para mayor información el médico puede ordenar una imagen por resonancia magnética. Antes de decidir cómo resolver el problema, el médico también efectuará una investigación adicional que incluya una historia médica y un trabajo de hematología.

De manera similar, el comportamiento del consumidor es una ciencia aplicada que se apoya en la economía, psicología, sociología, antropología, estadística y otras disciplinas. Para entender el comportamiento del consumidor es necesario que comprenda lo que sucede en la cabeza del consumidor, de manera tan completa como un cirujano sabe lo que ocurre en el interior de su rodilla. Pero la comprensión de por qué los consumidores se comportan como lo hacen es sólo el principio. También debe tener la destreza de un cirujano al aplicar dicho conocimiento al desarrollo, publicidad, distribución y venta del producto y todas las demás áreas de los programas de mercadotecnia. Entrar en las mentes de los consumidores requiere de los equivalentes teóricos y metodológicos de los rayos X, análisis de sangre e imagen por resonancia magnética.

Métodos para estudiar el comportamiento del consumidor

El problema que incluso los mejores mercadólogos enfrentan es cómo investigar con mayor efectividad el comportamiento del consumidor. Sin embargo, no existe una sola solución. Los analistas del consumidor se han apoyado en una variedad de técnicas efectivas para "entrar en el cerebro de los consumidores". Estos métodos pueden incluir llevar a cabo experimentos para determinar cambios en el comportamiento del comprador con base en ofertas especiales de producto y cupones, haciendo preguntas por medio de entrevistas y grupos de enfoque. Hoy día muchas organizaciones toman prestado con mayor libertad conceptos de antropología y sociología para encarar la investigación desde un escenario menos formal, más natural.[7] Estos métodos pueden incluir explorar en los hogares, los automóviles, armarios y oficinas de las personas con la finalidad de conocer mejor la manera en que los consumidores utilizan los productos o inventan formas de resolver problemas. Estos métodos se pueden clasificar en tres procedimientos metodológicos principales: 1) observación, 2) entrevistas y encuestas y 3) experimentación.

Observación

Un **procedimiento por observación** en la investigación de los consumidores consiste primordialmente en *observar los comportamientos del consumidor en situaciones diferentes*. Algunas veces los investigadores vigilan los comportamientos en sus escenarios naturales, como ver a los consumidores mietras usan los productos o cuando comen los alimentos en sus hogares, en tanto que en otros ejemplos, vigilan los comportamientos según se indican en escenarios artificiales. Esto puede abarcar observar la forma en que los consumidores reaccionan a diferentes anuncios, empaques o colores en algunas instalaciones de investigación.

En años recientes, los mercadólogos han buscado maneras de conectarse en el poderoso mercado de 165 mil millones de dólares que representan los niños. Con objeto de crear productos, mensajes y publicidad para conectarse efectivamente con ellos, los mercadólogos han conducido investigaciones y han buscado información acerca de los niños. La observación de éstos en sus entornos naturales, incluyendo el hogar, los centros comerciales, las pistas de patinaje y las áreas de juego, les proporcionan información relativa a sus preferencias y estilos de vida, en tiempo real, sin tener que apoyarse en comunicación por escrito u oral, misma que puede ser difícil de entablar con los niños, especialmente los más jóvenes. Los mercadólogos pueden observar las respuestas subconscientes de los niños hacia los productos e interpretarlas a través de los métodos cualitativos.[8]

La **observación en el hogar** *pone a los mercadólogos dentro del hogar de las personas para ejemplificar exactamente la forma en que los productos se consumen*. La observación se puede llevar a cabo con entrevistas personales y encuestas, cámaras de vídeo u otras tecnologías que miden la experiencia con un producto. Por ejemplo, un fabricante importante de cereal busca familias voluntarias que estén de acuerdo con tener cámaras de vídeo instaladas en sus cocinas activadas por detectores de movimiento. Cuando un miembro de la familia entra en la cocina, la cámara graba sus acciones. De estas cintas el fabricante puede observar qué cantidad de leche se utiliza en un plato de cereal, si la leche es entera o descremada, si los consumidores se beben la leche después, qué otros alimentos consumen junto con el cereal y otros detalles de consumo que llevan a productos o empaques mejorados. Quizá sea necesario desarrollar un cereal más tostado para los hogares donde se acostumbra la leche descremada, como ejemplo de adaptación de un producto existente para que se ajuste mejor a los gustos y patrones de consumo cambiantes. Los niños también podrían encontrar dificultades al verter la leche o preparar sus propios desayunos. Un fabricante de cereal ahora empaca un cartón de leche junto con un "tazón" de plástico con cereal para hacer el consumo más fácil para los niños, así como más portable como desayuno para los adultos. Alimentarse en el automóvil camino al trabajo ha hecho que las barras de cereal NutriGrain de Kellogg sean muy populares en Estados Unidos. De hecho, Breakaway Foods recientemente empezó a comercializar "almuerzos en un palito" lo que permite a los consumidores poner en el microondas alimentos congelados (pastas) para comerlos en el camino.

El **seguimiento** *es un método en el cual un investigador acompaña o "es la sombra" de los consumidores en los procesos de compra y de consumo*, haciendo preguntas acerca de cada uno de los pasos del proceso. Por lo general las respuestas se transcriben utilizando una grabadora de vídeo o audio. Por ejemplo, un minorista puede seguir a los consumidores conforme compran. Al comprender por qué y de qué manera se mueven a través del proceso de compra, los mercadólogos identifican formas de resolver los problemas que los consumidores encuentran. El resultado son consumidores más satisfechos, que a su vez desarrollan lealtad a la marca o a la tienda.

Entrevistas y encuestas

Los analistas del consumidor también reúnen información de los consumidores llevando a cabo encuestas y entrevistas. Las **encuestas** son una *forma eficiente de reunir información de una gran muestra de consumidores al hacer preguntas y registrar las respuestas*. Se pueden llevar a cabo por correo, teléfono, vía internet o en persona. Cada uno de estos métodos tienen ventajas y desventajas. Muchas encuestas hechas en persona son *intercepciones en el centro comercial*. La ventaja de este método es que los investigadores pueden hacer a los consumidores preguntas más complejas, obsequiar muestras del producto o diferentes anuncios para recabar opiniones. Sin embargo, ese método puede resultar costoso y sujeto a **tendencias por parte del entrevistador,** en el cual las *respuestas se vean influenciadas por las características del entrevistador* (edad, género, entre otras) *o por un deseo de darle gusto al entrevistador. Las encuestas por teléfono* también permiten a los investigadores obtener rápidamente mucha información de los consumidores; sin embargo, las preguntas y los temas cubiertos deben ser razonablemente simples. Los consumidores que eligen no contestar a las preguntas o que no están en casa cuando se hace la llamada complican el proceso de investigación. Los *cuestionarios por correo* permiten reunir información sin tendencias por parte del entrevistador, sin embargo, ese procedimiento toma mucho tiempo en completarse, dado el tiempo que se lleva enviar las encuestas y después recibirlas de los consumidores. Las *encuestas vía la internet* se llevan a cabo utilizando cuestionarios que pudieran ser los mismos que se utilizan por teléfono, intercepción en centro comercial o encuestas por correo. Las encuestas por la internet tienen la ventaja de que se terminan con mayor rapidez, la facilidad de la entrada de datos y la posibilidad de diseñar un cuestionario complejo, ya que se incluye interacción entre consumidores e investigadores. Estos rasgos, combinados con la reducción en respuestas a encuestas telefónicas, lleva a algunos investigadores a creer que en los siguientes 25 años este método podría reemplazar a la investigación telefónica.[9] La desventaja principal es si los usuarios de la internet que responden a los cuestionarios son representativos de un grupo más amplio de consumidores que pudiera ser el objetivo del mercado.

Los **grupos de enfoque** se utilizan con frecuencia para explorar una variedad de problemas del consumidor y de consumo. Por lo general constan de *8 a 12 personas involucradas en una discusión dirigida por un moderador hábil para hacer que los consumidores analicen completamente un asunto,* enfocado en el tema de interés del investigador. En comparación con las encuestas telefónicas, por correo o a gran escala, los grupos de enfoque pueden analizar con profundidad aspectos muy específicos sobre la forma en que los consumidores se preparan a comprar, se deciden a hacerlo y usan los productos.

Los **estudios longitudinales** involucran *mediciones de actividades del consumidor a lo largo del tiempo, para determinar cambios en sus opiniones, compras y sus comportamientos de consumo.* Un método común de reunir datos es por medio de programas de membresía o de lealtad del cliente, como los que operan las aerolíneas y algunas cadenas de abarrotes. Una aerolínea, por ejemplo, puede medir viajes de sus clientes frecuentes para estudiar su comportamiento de consumo en términos del viaje al extranjero en comparación con el doméstico, viajes repetidos a una misma ciudad, solicitudes especiales de alimentos, preferencias de asiento, simplemente por nombrar unos pocos. Estos datos crean perfiles de los estilos de consumo/perfiles de segmentos clave del mercado, que se pueden utilizar con comunicación dirigida, ofertas mejoradas de productos y servicios, y quizá programas cooperativos de mercadotecnia con hoteles y empresas de alimentos.

Existen otros tipos de estudios longitudinales diseñados para comprender el comportamiento del consumidor a lo largo del tiempo. Muchos son proporcionados por organizaciones de investigación como el Information Resources Institute que, mantiene un panel representativo de consumidores que está de acuerdo con instalar un escáner en el hogar, para registrar al final de cada día el código UPC de cada producto adquirido, así como el punto de venta donde se adquirió. Este método hace posible medir cambios en el consumo de las principales categorías de productos, así como los desplazamientos en la distribución del mercado por marca y punto de menudeo.

Experimentación

La **experimentación,** como una metodología de investigación, *intenta comprender relaciones de causa y efecto manipulando con cuidado variables independientes* (como número de anuncios, diseño de empaques, método de comunicación) *con el fin de determinar el efecto de los cambios sobre variables dependientes* (como la intención o el comportamiento de compra). Un **experimento de laboratorio** típico se describe en El consumidor en la mira 1.2.[10] Ocurre **un experimento de campo** *en un escenario natural como por ejemplo un hogar o una tienda. Un ejemplo es un* minorista que envía por correo varias versiones de un cupón con variaciones en precio, presentación y texto, con la finalidad de medir la combinación más efectiva.

Investigación del consumo

La investigación del consumo se basa en los tres métodos principales de investigación para examinar la forma en que las personas compran y usan productos. El análisis del consumo algunas veces utiliza herramientas etnográficas, tomadas de la antropología, para comprender la forma en que los valores y la cultura influyen el uso de los productos y otros comportamientos.

Considere el problema que enfrenta un gerente de mercadotecnia que debe presentar un pronóstico de ventas de un lavavajillas a su jefe. ¿Cuántas ventas de este producto puede incrementar en el mercado estadounidense cuando una proporción muy elevada de familias que pueden darse el lujo de un lavavajillas ya poseen uno?, ¿cómo puede una empresa como Whirlpool aumentar sus ventas en los mercados industrializados cuando el potencial de crecimiento para esta categoría de productos parece estar limitada? Los mercadólogos tradicionales pudieran recurrir a la estrategia siempre popular de reducir los precios para incrementar los hogares que tienen la capacidad de adquirir un lavavajillas, o pueden vender en otros países, donde la necesidad está creciendo. Aunque ambos son procedimientos razonables y útiles para comprender e influir decisiones de compra por parte del consumidor, el análisis

El consumidor en la mira 1.2

Precios inclusivos en comparación con precios desglosados: ¿Deben incluirse los costos de embarque en los precios?

Cuando ordena algo de un catálogo, ¿sabe cuánto está desembolsando por el producto y cuánto por el embarque y el manejo? La mayor parte de los minoristas por lo general dividen el precio de un producto en dos partes obligatorias, el precio base de un producto y el sobrecargo por envío y manejo, en vez de cargar un precio inclusivo. Definido por los autores de este estudio como precio desglosado, las empresas presumiblemente utilizan esta técnica de precios para incrementar demanda y utilidades, pero existe poco soporte para demostrar que estos precios incrementan la demanda o alguna explicación teórica por lo que esto debería ocurrir. Los profesores Morwitz, Greenleaf y Johnson diseñaron un experimento para probar las hipótesis de cómo los consumidores procesan los precios desglosados y la forma en que éstos afectan su procesamiento y memoria de los costos totales. Finalmente, midieron las intenciones de compra de los consumidores para estimar la demanda potencial del producto.

Los profesores llevaron a cabo un experimento en el cual estudiaron las reacciones de los consumidores hacia diferentes estrategias de precios para un producto disponible tanto de un catálogo como de una tienda. Se les pidió a los sujetos (233 estudiantes de negocios no graduados) que escogieran entre dos marcas de teléfonos. Un teléfono de control (marca Sony) vendido en una tienda y un teléfono objetivo

(marca AT&T) vendido por medio de catálogo. Los sujetos se dividieron en tres grupos que vieron el precio del teléfono AT&T expresado de tres maneras distintas: 1) precio combinado de 82.90 dólares, incluyendo embarque y manejo, 2) precio base de 69.95 dólares y un sobrecargo de 12.95 dólares, 3) precio base de 69.95 dólares con un sobrecargo de 18.5 %. En cada situación el teléfono de control se cotizaba en un precio todo incluido.

Los sujetos leyeron las descripciones y los precios de los dos teléfonos diferentes y se les pidió identificaran sus opciones de compra en una escala bipolar de diez puntos con 1) identificada "definitivamente compraría el teléfono Sony" y 10) identificada como "definitivamente compraría el teléfono AT&T". Estas respuestas se utilizaron para estimar el impacto del precio desglosado sobre la demanda. Después a los sujetos se les preguntó cuál era el precio total del teléfono AT&T sin regresar a la descripción.

Los resultados del experimento sugieren que los consumidores expuestos a precios desglosados recuerdan precios totales significativamente inferiores y exhiben un intento mayor de compra (o demanda). La forma en la cual se presenta la sobrecarga y la preferencia de los consumidores por el nombre de la marca también influyen la forma en que reaccionan a los precios desglosados.

Fuente: Vicki G. Morwitz, Eric A. Greenleaf y Eric J. Johnson, "Divide and Prosper: Consumers' Reactions to Partitioned Prices", en Journal of Marketing Research 35 *(noviembre de 1998), 453-463.*

del consumo se enfrenta a la solución de manera diferente e identifica estrategias diferentes para mercados diferentes.

La próxima vez que esté en su cocina, observe cómo funciona ese aparato doméstico y la forma en que los consumidores compensan las limitaciones del producto. Los investigadores pueden encontrar en muchos hogares cocinas con lavavajillas llenas con platos limpios y fregaderos llenos de platos sucios. Pregunte a la mayoría de los consumidores cuál es el problema mayor con sus lavavajillas y dirán: ("no se descargan solas"). Pueden cargar unos cuantos platos en cada comida hasta que finalmente se llena y se pone a funcionar, pero están tan ocupados que no tienen tiempo para vaciarlo, por lo que sus fregaderos acaban llenos de platos sucios. Análisis adicionales de consumidores de ingresos medios o altos revelan que a menudo viven en "pobreza de tiempo".

¿Qué significa esto si usted es gerente de mercadotecnia en Whirlpool y está intentando preparar un plan estratégico a cinco años para los lavavajillas? Significa que acaba de descubrir una forma de incrementar dramáticamente el tamaño total del mercado de lavavajillas: venderle a los consumidores (en ciertos segmentos) ¡dos lavavajillas! las personas con restricciones de tiempo son generalmente aquellas que tienen el dinero para gastarlo en un segundo lavavajillas.

Veamos cómo funciona esta idea. Después de haber operado la primera carga de platos en uno de los lavavajillas, los platos limpios no se ponen en las estanterías de la cocina. Se conservan almacenados en el lavavajillas limpio. Los consumidores utilizan los platos limpios conforme los necesitan y simplemente los cargan una vez sucios en el lavavajillas vacío. En cuanto este lavavajillas está lleno (el otro probablemente ha quedado vacío), se enciende y se repite el proceso, pero a la inversa. Uno de los lavavajillas se utiliza como almacén de platos limpios, en tanto que el otro es el recipiente de los platos sucios. El consumidor no solamente ahorra tiempo (para actividades más valiosas), sino que el mercadólogo ha encontrado una forma de incrementar la demanda de lavavajillas.

¿Suena demasiado sorprendente para ser verdad? De hecho, este crecimiento impulsado por el consumo está ocurriéndole a las ventas de lavavajillas. Los consumidores de altos ingresos y pobres en tiempo disponible están construyendo nuevas casas y remodelando existentes para incluir dos lavavajillas. Los diseñadores de cocinas informan que se trata de una tendencia importante —una que los investigadores del consumidor pudieran haber predicho con base en el análisis de los patrones de consumo.

La investigación etnográfica a menudo involucra una diversidad de métodos de investigación. La comprensión del consumidor puede iniciarse con un grupo de enfoque; se puede ampliar el conocimiento utilizando una encuesta a gran escala por correo, teléfono o en persona; y terminar con un procedimiento de investigación íntima, como por ejemplo el seguimiento. Algunas empresas incluso contratan "seguidores" (investigadores que se hacen pasar por clientes) para hacer compras en sus propias tiendas, consumen en sus restaurantes o se alojan en sus hoteles, como se puede ver en El consumidor en la mira 1.3. Con estos métodos, puede utilizarse lo encontrado en forma preliminar para desarrollar programas de mercadotecnia. También se pueden desarrollar hipótesis para pruebas subsecuentes mediante experimentos en escenarios de laboratorio o en el mercado. Todo lo anterior se puede combinar con datos recopilados longitudinalmente desde puntos de verificación por rastreo o de otros métodos con el fin de desarrollar predicciones y modelos que expliquen la forma en que los consumidores compran y utilizan productos. A pesar de que este proceso nos lleva a buena información para la gerencia y para los investigadores con objeto de utilizarla en estrategias de mercadotecnia, el ciclo de investigación debe reducirse dado la rapidez con la que el entorno cambia.[11]

Principios subyacentes del comportamiento del consumidor

Antes de leer el resto de este libro, es importante resumir y repasar unos cuantos principios subyacentes, que le han dado forma al mismo. Para algunas de las organizaciones de mayor

El consumidor en la mira 1.3

Investigación encubierta

J. C. Schaefer llega al hotel The Windsor Court en Nueva Orleáns justo antes del mediodía y se dirige al bar del hotel para tomar un refrigerio mientras le preparan su habitación. Ni el personal ni el gerente saben que Schaefer está ahí para "espiar" el hotel y preparar un informe de sus experiencias y hallazgos. Los siguientes dos días, empleará una diversidad de pruebas para ver si The Windsor Court, miembro del Preferred Hotels & Resorts Worldwide y que ha sido ganador del premio de la revista *Conde Nast Traveler* como el mejor hotel del mundo, resulta tan bueno como su reputación. Preferred requiere que todos sus hoteles cumplan con por lo menos 80% de sus estándares en una prueba anual llevada a cabo por Richey International, la creación de Richey, también conocido como el señor Schaefer.

En cuanto llega al hotel empiezan las pruebas. Preferred Hotels requiere que todos los huéspedes sean recibidos dentro de los 30 segundos siguientes a su llegada. El portero en el Windsor lo hace en 12 segundos —buen inicio para los 50 estándares diferentes que probará, antes que haya terminado la verificación—. En vez de comer en el comedor de cinco estrellas (la clasificación más alta posible), el señor Richey lo hace en el bar del hotel y ordena empanadas de cangrejo con papas fritas a la francesa, un platillo no listado en el menú. Después de recibir su solicitud especial, discretamente dicta sus observaciones en una pequeña grabadora que mantiene oculta en la bolsa del saco. Toma nota de la buena comida y del servicio amigable, aunque observa que el mesero no practica contacto visual y se distrae dejando el catsup sobre la mesa una vez retiradas de la misma las papas a la francesa.

Durante su estancia, Richey fotografiará su habitación notando una limpieza general, el estado de las cortinas, col-chas y las instalaciones del cuarto de baño. Comprueba que no hay cabello en los drenajes del lavabo y de la tina o en el piso, y en 40% de las veces encontraremos algo de cabello en cualquiera de estas tres áreas. En The Windsor Court no encuentra nada, pero observa que uno de los zoclos está raspado. Antes de salir a cenar, pone a prueba al personal del piso, mismo que entrará a su habitación para preparar la cama, al dejar revistas torcidas en el revistero, poniendo fuera de servicio un bulbo de luz en la lámpara de la cama y destornillando el tapón de un frasco de loción proporcionado por el hotel. Cuando vuelve unas cuantas horas después, la cama está abierta correctamente, pero el bulbo no ha sido reemplazado y la habitación no ha sido ordenada a su satisfacción. Hará más pruebas el día siguiente.

Después de completar la investigación, Richey llama al señor Hansjorg Maissen, gerente del hotel, para decirle que ha completado su "seguimiento" y está listo para informar sobre sus hallazgos. Después de su informe, Maissen, que en general ha quedado complacido con lo encontrado, toma la información específica y prepara memorandos informando sobre los problemas a los miembros apropiados del personal.

Aunque existen otros métodos de obtener información acerca del desempeño, como por ejemplo las encuestas de satisfacción de los clientes, los "agentes" del señor Richey aumentan los conocimientos respecto de las experiencias reales que los clientes pudieran tener durante su estancia. Los agentes de Richey están capacitados como cámaras para observar y registrar sus hallazgos sin tendencias, opiniones o aprehensión.

Fuente: Neal Templin, "Undercover With a Hotel Spy", en The Wall Street Journal *(mayo 12, de 1999), B1-B12.*

éxito estos principios se han convertido en lemas. Pudieran parecer básicos, pero a menudo son mal interpretados o ignorados.

El consumidor manda

Peter Drucker, profesor de renombre mundial y quizás el escritor de mayor influencia para los ejecutivos de negocios, lo dijo bien "existe una definición válida del propósito de los negocios: *crear un cliente*".[12] Y los ejecutivos de mercadotecnia están de acuerdo con que es mucho más fácil crear un cliente si se tiene lo que el consumidor desea adquirir.

El comportamiento del consumidor, como regla, está lleno de propósito y orientado a una meta. Los productos y servicios se aceptan o se rechazan con base en cuánto de ellos se percibe como relevante a las necesidades y estilos de vida. El individuo es totalmente capaz de ignorar lo que el mercadólogo tiene que decir. Todo se reduce a un simple punto: *los consumidores están mucho más versados para obligar a cambios dentro de las empresas con el fin de que se llenen sus preferencias de consumo, que los mercadólogos para conseguir que los consumidores compren (por lo menos una vez más) un producto que no cumple las necesidades y preferencias de uso de los consumidores.* La comprensión y adaptación a la motivación y comportamiento del consumidor no es una opción, se trata de una absoluta necesidad para la supervivencia competitiva. Las empresas que sobreviven y prosperan aprenden que el consumidor manda.

Consumidor global

"El mundo es nuestro mercado", pudiera declararse como el nuevo credo para consumidores y organizaciones del siglo xxi. Conforme las personas en el mundo se esfuerzan por conseguir un desarrollo económico y una mayor autosuficiencia, el logro de estándares de vida más elevados se convierte en una motivación dominante para la oferta de atractivas oportunidades de negocios. Las organizaciones pueden llegar a más consumidores, y éstos pueden tener acceso a productos de países extranjeros, especialmente en la internet. Los empresarios astutos están descubriendo las ganancias que se pueden obtener cuando se hace un esfuerzo concertado para comprender a los consumidores potenciales y sobre todo se llenan sus necesidades con productos culturalmente relevantes. Resulta correcto decir que las necesidades básicas del consumidor y los procesos de decisión son universales.

El nuevo consumidor global adquiere las mismas marcas promovidas tanto en medios globales como en medios locales, de los mismos tipos de minoristas, y por las mismas razones en muchos países en todo el mundo. Sin embargo, existen importantes diferencias culturales en las formas en que la motivación y el comportamiento se llevan a la práctica. Trátese de Sudáfrica, Taiwán, China, Rusia, Holanda o Australia, los investigadores utilizan los mismos métodos y teorías para llevar a cabo la investigación y analizar el comportamiento de los consumidores. Y una mejor manera de compartir, a nivel global, el conocimiento es diseminando la información a la velocidad de la luz, a través de las fronteras geográficas y culturales. Incluso a pesar que existen diferencias entre culturas, hoy día, conforme los consumidores se hacen más globales, las similitudes resultan mayores.

Los consumidores diferentes son iguales

Cuando éramos niños, en la escuela aprendimos a enfocarnos en las *diferencias* (principalmente en la apariencia externa) que distinguen a las personas alrededor del mundo. Como estudiosos de la mercadotecnia, debemos profundizar más en la comprensión del comportamiento del consumidor para identificar segmentos del mercado y nichos, tanto internos como externos. **La segmentación** *se enfoca en las* similitudes *dentro de un grupo de consumidores, y al mismo tiempo reconociendo las diferencias entre grupos;* la segmentación intermercado ocurre cuando esto se efectúa a través de fronteras nacionales.[13] Las figuras 1.7a y 1.7b muestran la forma en que la versión francesa de *Cosmopolitan*, aunque diferente en lenguaje, es similar en estilo y contenido al *Cosmopolitan* estadounidense. Aunque existen diferencias entre las mujeres francesas y las estadounidenses, *Cosmopolitan* corta estas diferencias y se dirige en el mercado hacia las similitudes entre consumidores.

El consumidor y sus derechos

Las necesidades del consumidor son reales; se expresan en las compras que hacen y las que deciden dejar pasar. Leo Bogart, estratega de mercadotecnia reconocido, decía que el efecto combinado de los miles de anuncios que los consumidores encaran cada año es un recordatorio constante de bienes materiales y servicios que no poseen. Los individuos están motivados hacia un mayor consumo, adquisición y movilidad hacia arriba, y la sociedad está planeada para producir e innovar.[14] Algunas veces, sin embargo, ocurren fraudes y manipulaciones. Como reacción a estas acciones se escribió el Consumer Bill of Rights, como se muestra en la figura 1.8.[15]

Los derechos son absolutos, inviolables y no negociables. El engaño directo, la mala calidad del producto, la falta de respuesta a quejas legítimas, la contaminación y otras acciones no son nada menos que una violación de derechos legítimos. Ha habido un traslado en la conciencia nacional, llevando a demandas urgentes en los negocios y en las profesiones para

Figura 1.7a   Segmentos similares, países diferentes

Figura 1.7a   Segmentos similares, países diferentes

que exista un comportamiento moral y ético, incluso frente a violaciones de derechos estándares por los líderes políticos. Cuando las acciones van contra el consenso social, los fabricantes y minoristas se enfrentan, de manera cada vez mayor, a una vigorosa protesta.

La forma correcta de pensar acerca del comportamiento del consumidor incluye estándares elevados en lo que se refiere al engaño, fraude o carencia de información al consumidor. ¿Qué opina sobre que las empresas generalmente incrementan sus utilidades engañando o haciendo trampa a los consumidores? Aunque por razones personales y morales los estándares elevados de información del consumidor y de prevención del engaño al consumidor se justifican, también ayudan a la rentabilidad a largo plazo de las organizaciones. La investigación indica que las empresas con estándares claros, visionarios de lo que es correcto y lo que está mal, son las que obtienen las utilidades más elevadas y las que tienen las acciones de mayor rendimiento.[16]

Figura 1.7b   Segmentos similares, países diferentes

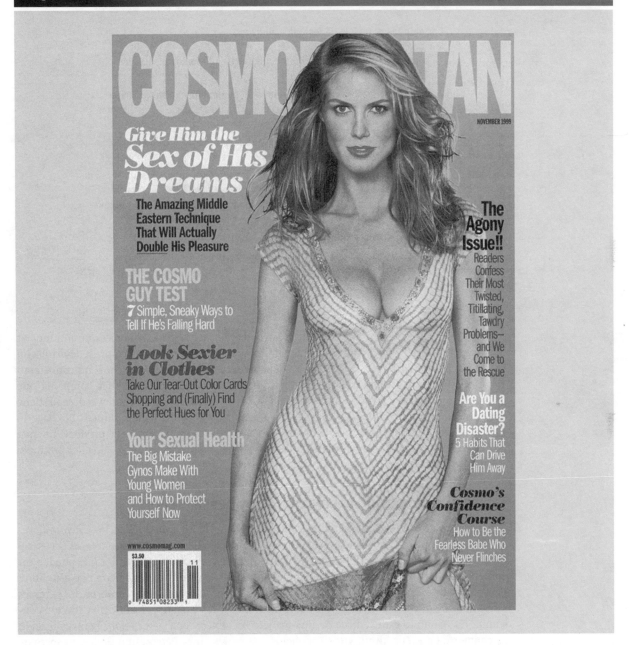

El doctor James Collins y el doctor Jerry Porrous, autores del bestseller *Built To Last*[17] documentan con gran detalle los valores de algunas empresas más redituables, que han disfrutado de un crecimiento a largo plazo en sus ganancias y en la apreciación de sus acciones. Aunque General Electric y Westinghouse eran empresas poderosas en sus ramas industriales, existe una diferencia significativa en sus desempeños a largo plazo. Y aunque ambas vendían buenos productos, empleaban buena tecnología y satisfacían las necesidades del consumidor, existía una diferencia significativa: los *valores* de la empresa. Aun cuando Westinghouse era líder en tecnología y se posicionaba como líder en la industria eléctrica, GE dominó a la larga debido a sus valores visionarios. Llámelo valores o ética, las mejores empresas son aquellas que tienen en mente la seguridad y bienestar social y físico de sus clientes.

A veces los escépticos critican a las empresas por sus anuncios, las acusan de intentar persuadir a los consumidores para que adquieran productos o servicios que pudieran no necesitar.

> **Figura 1.8   Derechos de los consumidores**
>
> **Carta de los derechos de los consumidores**
>
> 1. El derecho a la seguridad: Protección contra productos o servicios riesgosos para la salud o la vida.
>
> 2. El derecho a estar informado: Obtención de hechos necesarios para una selección informada; protección contra declaraciones fraudulentas, engañosas o que confunden.
>
> 3. El derecho de selección: Acceso asegurado a una diversidad de productos y servicios a precios competitivos.
>
> 4. El derecho a ser escuchado (compensar): Asegurarse que los intereses del consumidor reciben consideración completa y amable en la formulación e implementación de políticas reglamentarias, así como una indemnización rápida y justa.
>
> 5. El derecho a disfrutar de un entorno limpio y sano.
>
> 6. El derecho de los pobres y otras minorías a proteger sus intereses.

Algunos lo llaman irresponsabilidad social. Sin embargo, en realidad, hay veces que *no* anunciar un producto o servicio pudiera ser considerado como irresponsable. Si una empresa desarrolla un producto que ayuda a los consumidores a dejar de fumar, éstos estarían peor si no conocieran el producto o se les retirara el derecho a adquirirlo. En general, cualquier compañía que considere que produce productos o servicios que los consumidores necesitan o desean, tiene la responsabilidad de informar y educar a los consumidores sobre dicho producto. No hacerlo puede provocar el fracaso de la empresa. En contraste, si una empresa produce un mal producto, encontrará que una publicidad efectiva únicamente acelerará la caída del producto y quizás de la empresa.

Todo mundo necesita comprender a los consumidores

Las empresas de todo tamaño están "empezando a conocer" a sus clientes y a los consumidores que algún día pueden convertirse en clientes. A veces, para llevar a cabo esta tarea, es necesario involucrar investigadores profesionales y desarrollar investigaciones formales que pueden ser complejas y costosas. Verá muchos ejemplos de este tipo de estudios a lo largo de este libro. Pero algunas de las mejores investigaciones, sin embargo, se llevan a cabo conforme los gerentes salen de sus suites ejecutivas y van hacia las tiendas, los hogares y las oficinas de los consumidores. Cuando esto se hace de una manera sensible, y con percepción, la investigación se convierte en una actitud, y los beneficios son reales. Tom Peters, uno de los asesores de negocios más influyentes en el mundo, dice que los mercadólogos deben estar obsesionados con aprender y escuchar a sus clientes. Peters recomienda que los ejecutivos de éxito ocupen 25% de su tiempo en el campo, ¡donde están los clientes¡

Retos para el futuro

Han pasado más de 30 años desde que nació la investigación del consumidor, la cual ha ido evolucionando de varias disciplinas de las ciencias del comportamiento. Más que antes, la necesidad de comprender a los consumidores y el comportamiento del consumidor se ha convertido en un tema de actualidad alrededor del mundo, desde las salas de consejo y suites ejecutivas hasta las universidades y los hospitales. Hoy día, nos encontramos ante nuevos retos:

1. Reunir e interpretar de manera correcta la información que necesitan las organizaciones para llenar las sofisticadas necesidades de las empresas en el siglo XXI.

2. Desarrollar métodos efectivos de investigación de consumidores para mantenerse al frente en los cambios rápidos en las tendencias y estilos de vida de los consumidores.

3. Comprender el comportamiento del consumidor desde una perspectiva más amplia como parte importante de la vida por su propio derecho.

Abróchese el cinturón conforme volamos al campo de una base compleja de teoría y metodología resaltada en el resto de este libro. El comportamiento del consumidor es dinámico y excitante, y una cosa es segura: la velocidad a la cual los consumidores están cambiando y la mercadotecnia se adaptará sólo se verá en la siguiente centuria. El dominio de este tema requerirá de un compromiso a través del estudio de los consumidores: la forma en que cambian sus estilos de vida y sus necesidades, cómo se modifican las estructuras y relaciones familiares, y cómo están cambiando los comportamientos de compra y los patrones de consumo. Aunque este libro está diseñado para hacer de usted un mejor mercadólogo al ilustrar la forma en que las empresas utilizan la investigación del consumidor para mejorar las estrategias de mercadotecnia, el dominio de esta área le ayudará a ser también un mejor consumidor.

Resumen

La investigación en la motivación y comportamiento del consumidor ha adquirido significado en las sociedades contemporáneas en el mundo. En los últimos 30 años ha surgido un campo de estudio multidisciplinario amplio y en crecimiento. Una de las preocupaciones de los negocios, consumidores economistas y de otros es encontrar estrategias más efectivas para influenciar y formar el comportamiento. Las mejores empresas están buscando maneras de reunir y analizar información del consumidor para dirigir sus empresas. Como resultado, la información del consumidor es de primera importancia en este mundo aplicado.

De la misma manera que la orientación a los negocios evolucionó a través de los años (de una orientación a la producción a una hacia el consumidor), así ha evolucionado el estudio del comportamiento del consumidor, algunas veces alimentando y otras veces manteniéndose a la par con los cambios de las organizaciones. Una cosa es cierta, en el mundo enfocado al consumidor actual, el comportamiento de éste adquiere mayor importancia, haciendo que los analistas sean valiosos para cualquier tipo de organización. Algunos analistas del consumidor tienen una perspectiva más holística conocida como *posmodernismo* y están centrando los esfuerzos en estudios de consumo para comprender la manera en que piensan los seres humanos y cómo se comportan en esta importante actividad de la vida. Cuando agregamos la más reciente expansión de las investigaciones por medio de las fronteras culturales, el resultado es un campo de investigación rico y en crecimiento. Además de explorar por qué las personas adquieren ciertos productos, el comportamiento del consumidor también se enfoca en el estudio de cómo los consumidores utilizan éstos. La investigación del consumo le da a los mercadólogos conocimientos para guiar el desarrollo de nuevos productos y estrategias de comunicación.

La perspectiva de este libro es principalmente, aunque no de manera exclusiva, la del campo de la mercadotecnia. Por tanto, nuestra preocupación central es la relevancia práctica de principios y hallazgos para las estrategias del negocio. Una vez que usted acepta la premisa que es importante estudiar a los consumidores, entonces se plantea la pregunta de cuál es la mejor manera de hacerlo. Se utilizan en la actualidad varios métodos de investigación para llegar a las mentes de las personas con la finalidad de comprender por qué se comportan de ciertas formas. Esos métodos incluyen la investigación observacional, las entrevistas y las encuestas, así como la experimentación. Aunque la investigación proporciona conocimientos en la planeación de la mercadotecnia y la estrategia corporativa, también sirve como base para la educación y la protección del consumidor, y proporciona información importante para decisiones de políticas públicas.

Preguntas de repaso y análisis

1. Analice lo dicho por Sam Walton, "sólo el cliente nos puede despedir a todos", ¿está de acuerdo con este enunciado, y de qué manera relaciona el comportamiento del consumidor con el mismo?

2. Cuál de las decisiones que siguen deben considerarse como temas legítimos de preocupación en el estudio del comportamiento del consumidor: a) elección de una universidad, b) compra de una póliza de seguros de vida, c) fumar un cigarrillo, d) seleccionar a qué iglesia se va a asistir, e) elección de un dentista, f) visitar el salón de exhibición automotriz para ver nuevos modelos o g) compra de un libro de texto universitario. Explique la importancia o la aplicación potencial de cada uno de ellos.

3. Piense en un producto que haya comprado y utilizado recientemente. Aplicando un procedimiento de análisis de consumo describa qué características del producto o de su empaque pueden mejorarse con base en un examen de la forma en que se consume.

4. Examine anuncios actuales de productos para el consumidor y seleccione uno para un producto nuevo. ¿Tendrá este producto éxito a la larga en el mercado del consumidor? ¿Qué factores determinan el éxito?

5. Una familia acaba de llegar a la oficina local de una empresa de préstamos, solicitan un préstamo para consolidación de deudas. Los pagos para un nuevo automóvil, televisión, estéreo, muebles de recámara y aire acondicionado central se han convertido en excesivos. El jefe de la familia no tiene una fuente regular de ingresos y hoy requiere de una ayuda verdadera. ¿Es éste un ejemplo de un comportamiento definido del consumidor, o se ha manipulado a esta familia para que efectúe compras no adecuadas?

6. Si es cierto que se pueden comprender las motivaciones y el comportamiento mediante la investigación, también es cierto que ahora el mercadólogo tiene mayor capacidad para influir al consumidor, que antes.

7. ¿Qué contribuciones hace el análisis del comportamiento del consumidor en los campos de la administración de las finanzas, producción, seguros y gerencia superior?

8. ¿Sería igualmente necesario comprender el comportamiento del consumidor si el sistema económico no fuera uno de libre empresa? En otras palabras, si la materia de este libro es únicamente de interés para aquellos en sistemas capitalistas, o también tiene importancia para el socialismo y el comunismo donde todavía exista.

9. Repase El consumidor en la mira 1.3, ¿si fuera el gerente de ese hotel, qué áreas pediría que supervisara un "espía" de investigación y de qué manera utilizaría esta información?

Notas

1. John Kasich, *Courage is Contagious* (Nueva York: Doubleday, 1998).

2. Roger Blackwell, *From Mind To Market* (Nueva York: Harper Business, 1997).

3. Ernest Dichter fue un escritor prolífico. Quizás lo más representativo de sus contribuciones es *The Strategy of Desire* (Nueva York: Doubleday, 1960).

4. Vance Packard, *The Hidden Persuaders* (Nueva York: Mackay, 1957).

5. La fuente más definitiva respecto a este tema es John F. Sherry, "Post-modern Alternatives: The Interpretive Turn in Consumer Research", en Thomas S. Robertson y Harold J. Kassarjian, eds., *Handbook of Consumer Behavior* (Englewood Cliffs, NJ:Prentice Hall, 1991), 548-591.

6. Naresh Malhotra, *Marketing Research: An Applied Orientation*, 3ra. ed. (Upper Saddle River, NJ:Prentice Hall, 1999).

7. Joshua Macht, "The New Market Research", *Inc.* (julio de 1998), 88-94.

8. Tom McGee, "Getting Inside Kids' Heads", *American Demographics* (enero de 1997), 53.

9. Seymour Sudman y Edward Blair "Sampling in the Twenty-First Century", en *Journal of the Academy of Marketing Science*, 27 (primavera de 1999), 269-277.

10. Vicki G. Morwitz, Eric A. Greenleaf y Eric J. Johnson, "Divide and Prosper: Consumers' Reactions to Partitioned Prices", en *Journal of Marketing Research*, 35 (noviembre de 1998), 453-463.

11. Naresh K. Malhotra, Mark Peterson y Susan Bardi Kleiser, "Marketing Research: A State of the Art Review and Directions for the Twenty-First Century", en *Journal of the Academy of Marketing Science*, 27 (primavera de 1999), 160-183.

12. Peter E. Drucker, *The Practice of Management* (Nueva York: Harper & Row, 1954), 37.

13. Salah Hassan y Roger Blackwell, *Global Marketing Perceptives and Cases* (Dryden Press, 1994), 53.

14. Leo Bogart, "Where Does Advertising Research Go from Here?", en *Journal of Advertising Research*, 9 (marzo de 1969), 10.

15. Para una historia fascinante, vea Robert J. Lampman, "JFK's Four Consumer Rights: A Retrospective View", en Scott E. Maynes, *The Frontier of Research in Consumer Interest*, 19-36.

16. James Collins y Jerry Porrous, *Built to Last* (Nueva York: Harper Business, 1997).

17. *Ibid.*

Capítulo 2

Cómo el análisis del consumidor afecta la estrategia de negocios

Caso de inicio

¿Cuál es la empresa más grande del mundo? La respuesta se encuentra en el pequeño pueblo de Bentonville, Arkansas. Wal*Mart, el megaminorista con base en Estados Unidos, cuyas ventas rápidamente se están acercando a los 200 000 millones de dólares y con más de 1 millón de empleados, ha edificado un negocio de menudeo que da servicio a los consumidores en todo el mundo. La mayor incógnita es, ¿cuáles fueron las estrategias que catapultaron una pequeña tienda rural y la convirtieron en un gigante de clase mundial? Aunque usted no lo crea, la mayor parte de las estrategias utilizadas por Wal*Mart pueden encontrarse en los libros de texto sobre mercadotecnia y administración. Incluyen la segmentación del mercado, un enfoque relativo al servicio al consumidor, la vigilancia de las tendencias de los consumidores, administración de base de datos y mercadotecnia global. La implementación de estos conceptos hecha por Wal*Mart en el mercado conforma su estrategia: comprender lo que los consumidores necesitan y desean comprar; satisfacer esas necesidades mejor que la competencia (buscando siempre los menores precios); y cuando el comportamiento del consumidor cambia, cambiar junto con él.

Wal*Mart creció con base en una estrategia de segmentación del mercado. En vez de entrar en grandes áreas metropolitanas, su estrategia en la década de los años setenta y ochenta se centraba en segmentos *rurales* del mercado. Sus competidores eran pequeñas tiendas de ferretería y de mercaderías en general igual que ellos. De haber entrado a los mercados urbanos, más grandes y "más atractivos", hubiera tenido que enfrentar una competencia difícil proveniente de K-Mart y Sears. Utilizando un procedimiento de acción de flanqueo, inspirado en una estrategia, "El General" Sam Walton empezó a cercar a sus gigantescos competidores desde áreas más pequeñas, distantes, y para la década de los noventa, Wal*Mart se convirtió en la fuerza superior, mayor que Sears y K-Mart juntos. Para atraer a los segmentos *urbanos* de la población, Wal*Mart desarrolló Sam's Club, una nueva forma de menudeo conocida ahora como formato de bodega, llegó a 1 000 millones de dólares de ventas en apenas cinco años, su propuesta es interesante para los consumidores de áreas urbanas y suburbanas donde existían pocas tiendas más grandes o más poderosas.

Gran parte del éxito de Wal*Mart se puede atribuir a los valores y la visión de su fundador Sam Walton, quien progresaba con el cambio, fuera éste en tendencias en el comportamiento del consumidor o en tecnología. Finalmente, llevó a Wal*Mart a una posición de superioridad en almacenamiento, búsqueda de datos y logística. En la actualidad, posee la base de datos más grande del mundo (más de dos veces la del gobierno de Estados Unidos), diseñada para rastrear lo que los consumidores compran, reducir los costos, ofrecer menores precios a los consumidores e incrementar la satisfacción del cliente.

Cuando un cliente de Wal*Mart adquiere una caja de pañales desechables Pampers ("nappies"), el "cha-ching" de la caja registradora NCR se escucha hasta Bentonville, gracias a la transmisión de datos EDI, rápida y sofisticada, a un almacén de datos de 101 terabytes. También se escucha en la fábrica de Cincinnati de Procter & Gamble, fabricante de los Pampers. La cooperación se hace a través de RetailLink, el sistema Wal*Mart para compartir datos con sus asociados en la cadena de proveedores con el fin de programar con mayor eficiencia la entrega y producción. Este proceso no sólo disminuye los inventarios de almacén y los costos para los consumidores, sino que incrementa de manera importante la satisfacción del consumidor y su lealtad a una tienda.

Sam Walton obtuvo sus ideas de todas partes: empleados, competidores, libros y, de manera muy importante, de los consumidores. Esta práctica sigue hoy día conforme Wal*Mart se expande hacia los mercados mundiales. Con cerca de 3 000 tiendas en varios países, incluyendo Canadá, México, Alemania, Reino Unido, China, Indonesia y Brasil, los analistas del menudeo proyectan que Wal*Mart podría alcanzar un volumen de ventas de 1 billón de dólares en aproximadamente 15 años, cifra que resulta más elevada que el producto interno bruto actual de la mayor parte de los países donde está presente.

Fuente: Sam Walton, "Made In America", *Doubleday* (1992). Mass Market Retailers (*Septiembre de 1999*). Wal-Mart Annual Reports (*1998 y 1999*).

El siglo del consumidor

El nuevo milenio ha dado nacimiento a un siglo global del consumidor, que requiere nuevas habilidades de los analistas del consumidor que deseen formular e implementar estrategias de *mercadotecnia* para las organizaciones. El desarrollo de una estrategia corporativa basada en el consumidor requiere de la completa comprensión de las *tendencias del consumidor, los mercados globales del consumidor, de modelos para predecir patrones de compra y consumo, y de métodos de comunicación para alcanzar los mercados objetivo con mayor efectividad*. Este capítulo está enfocado en estas ideas; métodos y habilidades que usted, como individuo involucrado en comprender cómo formular e incrementar estrategias impulsadas por el consumidor, necesitará para generar en el futuro estrategias de mercadotecnia. Incluyen la segmentación del mercado y las estrategias del consumidor, los programas de retención del consumidor, y las estrategias globales de mercadotecnia y comunicación.

Del análisis del mercado a la estrategia de mercado; ¿dónde encaja el comportamiento del consumidor?

La palabra clave del siglo XXI de minoristas, mayoristas y fabricantes por igual será "Déle servicio al consumidor". Se trata de importantes estrategias impulsadas por el mercado y su ejecución en épocas de intensa competencia y de elevadas expectativas por parte del consumidor. Las características de las estrategias impulsadas por el mercado incluyen:

1. Desarrollar una visión compartida respecto al mercado y cómo se espera cambie en el futuro.

2. Seleccionar caminos de cambio para la entrega de valores superiores a los clientes.

3. Situar a la organización y sus marcas en el mercado, utilizando competencias que las distingan.

4. Reconocer el valor potencial de las relaciones de colaboración con los clientes, los proveedores, los integrantes del canal de distribución, las funciones internas e, incluso, con los competidores.

5. Volver a inventar los diseños organizacionales para implementar y administrar estrategias futuras.[1]

La meta de cualquier organización es dar a los consumidores más valor que el que dan sus competidores. **Valor** es la *diferencia entre lo que pagan los consumidores* (con tiempo, dinero y otros recursos) *por un producto, en comparación con los beneficios que reciben*. Valor es el paquete total de beneficios recibidos por los consumidores en comparación con el paquete total de inutilidades que deben pagar. En el entorno actual, sensibilizado al valor, los vendedores deben hacer hincapié en el valor total de sus productos.[2]

La calidad, que con frecuencia se piensa como sinónimo de valor, no es suficiente para apoyar a la ventaja competitiva en el entorno actual,[3] pero la combinación de otros componentes del valor, como marca, imagen, precio y características del producto, sí consigue dicha ventaja. Sin embargo, no es clara la forma en que estos componentes comunican valor a los clientes,[4] por ejemplo, los zapatos deportivos Nike y los Reebok proporcionan la misma función y calidad básicas, pero Nike pudiera ofrecer un acolchonado especial en la suela y la famosa swoosh en su parte exterior, también es la marca patrocinada por Michael Jordan. Y Reebok pudiera ofrecer un reflector nocturno y costar un poco menos. Los consumidores eligen el producto que les proporciona el mejor valor, no necesariamente en términos de ahorros sino en beneficios totales, lo que pudiera incluir, en este ejemplo, la aprobación del mismo grupo de consumidores.

La **estrategia de mercadotecnia** involucra la *asignación de recursos para desarrollar y vender productos y servicios que los consumidores perciban al comprarlos que proporcionan más valor que productos o servicios de la competencia*. El proceso incluye *análisis del mercado*, *segmentación del mercado*, *estrategia de mercadotecnia* e *implementación*, considerando el estudio de los consumidores como el eje. Como se puede observar en la figura 2.1, el consumidor se relaciona directamente con cada una de estas áreas de formulación e implementación de la estrategia. Con la finalidad de obtener los frutos de la investigación del consumidor y la planeación

Figura 2.1   Estrategia del mercado impulsada por el consumidor

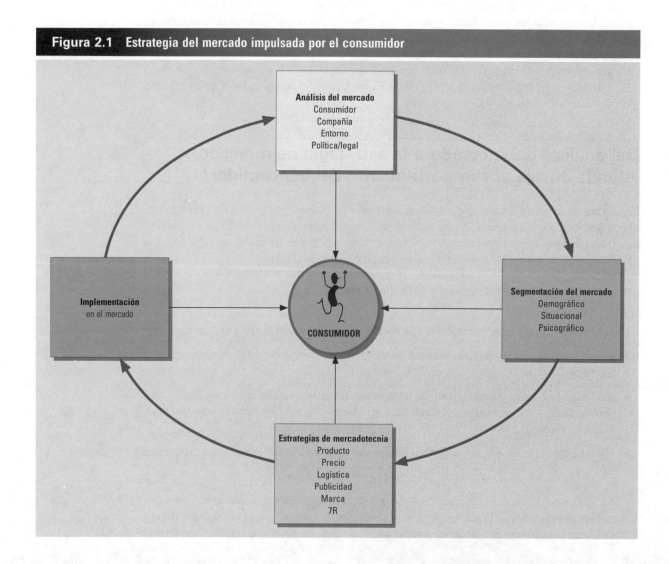

del mercado, es importante comprender la forma en que el comportamiento del consumidor encaja en el proceso de mercadotecnia. ¿Cuál es el papel que desempeñan consumidores y comportamiento del consumidor en el análisis del mercado, en la estrategia de mercadotecnia, y en la totalidad del proceso de mercadotecnia? La figura 2.1 muestra los cuatro puntos principales de la mercadotecnia para introducir cualquier producto o servicio en el mercado.

Análisis de mercado

El **análisis de mercado** es el *proceso de analizar los cambios y tendencias del consumidor, los consumidores actuales y potenciales, los puntos fuertes, los recursos de la empresa y el entorno tecnológico, legal y económico.* Todos estos factores aportan dimensión y conocimientos al éxito potencial de un plan para un nuevo producto o servicio.

Conocimientos del consumidor y desarrollo del producto   Cuando los mercadólogos intentan hacer que los consumidores adquieran sus productos, con frecuencia fracasan. Kuczmarski & Associates estudió las tasas de éxito para 11 000 productos nuevos lanzados por 77 compañías diferentes y encontró que cinco años después solamente 56% todavía estaban en el mercado.[5] El grupo EFO Ltd. informa de cifras aún más desalentadoras: Solamente 8% de los nuevos conceptos de productos ofrecidos por un grupo de 112 fabricantes y detallistas principales llegó al mercado; 83% de éstos fracasaron y no llenaron los objetivos de mercadotecnia[6] o del cliente.

¿Por qué es tan elevada esta tasa de fracasos? La respuesta es simple: *un nuevo producto debe satisfacer las múltiples necesidades y expectativas de los clientes, no las correspondientes al equipo gerencial.* Aunque los análisis formales pudieran apuntar a ciclos de vida del producto, un mal desempeño o planes de comunicación fracasados, a menudo el problema final es una carencia de comprensión del mercado objetivo. Por ejemplo, muchas empresas no comprenden la forma en que los consumidores objetivo probablemente reaccionarán hacia productos nuevos. Los diferentes consumidores poseen niveles distintos de innovación, lo que afecta la forma en que las estrategias de publicidad y de distribución resultarán más efectivas. Por ejemplo, consumidores muy innovadores le dan más importancia al estímulo, la creatividad y la curiosidad,[7] características que los mercadólogos pueden utilizar para dirigir ofertas de productos y publicidad a segmentos específicos.

Las organizaciones en todo el mundo gastan miles de millones de dólares en ideas de productos que no se introducirían jamás en el mercado si se probaran de cerca con el discernimiento del consumidor. Se puede definir el **discernimiento del consumidor** *como la comprensión de las necesidades expresadas o no expresadas por los consumidores, así como las realidades que afectan la forma en que hacen elecciones de vida, marcas y productos.*[8] El discernimiento del consumidor combina *hechos* (ya sea a partir de una investigación primaria o secundaria, datos de venta o información del cliente) con la *intuición*, resultando en un *conocimiento* que puede llevar a un producto nuevo, la innovación de un producto ya existente, la extensión de una marca o un plan revisado de comunicación. Conforme las empresas recurren a la retroalimentación del consumidor como guía para productos e ideas nuevos, los investigadores y mercadólogos buscan maneras de canalizar el proceso de ideas con el fin de permitir que los consumidores estén más enfocados y productivos, y proporcionen mejor información a los mercadólogos.[9]

En una era de mercadotecnia enfocada al consumidor, los mercadólogos necesitan tener acceso directo con la realidad mediante la investigación de acciones o por lo menos, tener una observación participativa.[10] Cualquiera en una empresa puede llevar a cabo una investigación, incluyendo el director ejecutivo. El ejecutivo de Eastman Kodak, Raymond H. DeMoulin estaba, una mañana, en un mercado de pescado de Tokio, cuando observó a un fotógrafo intentando abrir un contenedor de película con los dientes, mientras sujetaba su cámara. Esta observación dio lugar a un cambio en el producto, de manera que ahora es posible abrir los contenedores de película Kodak utilizando sólo una mano.[11] Esa mañana DeMoulin estaba haciendo una investigación, aun cuando no llevara un cuaderno de notas ni se inmiscuyera en un análisis computarizado de los datos. Hizo un uso inteligente de la observación, misma que posteriormente se combinó con la experiencia e intuición (discernimiento creativo) para formular una estrategia práctica realizable de mercadotecnia. Igual que con otras iniciativas corporativas, mientras mayor sea la importancia percibida en el conocimiento del consumidor por parte de la gerencia, más probable será que afecte las estrategias del desarrollo del producto.

Entorno del consumidor   Cuando los mercadólogos estudian el *entorno del consumidor* pueden buscar cierto número de características, incluyendo tendencias demográficas, influencias personales y de grupo, motivación, actitudes, conocimientos del consumidor, necesidades y deseos cambiantes del consumidor, patrones de consumo y estilos de vida del mismo. La relación entre el consumidor en el centro del modelo de la figura 2.1 y la etapa de análisis del mercado es importante. La comprensión de cambios en el entorno del consumidor nos puede llevar a nuevas ideas de productos, adaptaciones a los mismos, nuevos empaques e, incluso, a generar servicios que ayuden a los consumidores a llenar sus necesidades cambiantes.

En promedio, los consumidores trabajan más horas por día que en el pasado, y sus estilos de vida en una sociedad móvil también hace que utilicen más tiempo en transportarse. Afectados por la tensión de restricciones en tiempo y de fechas a cumplir, los consumidores desean flexibilidad. Apelando a estas tendencias del mercado, la figura 2.2 muestra un anuncio de Mitsubishi, ofreciendo su computadora Mini-Notebook Amity CN y el teléfono celular inteligente Mobileaccess (que también funciona como un módem inalámbrico). Mitsubishi reconocía que a veces los consumidores no pueden o no desean trabajar solamente en sus oficinas, para ellos es importante la portabilidad de computadoras y otros elementos relacionados con el trabajo. La empresa vio una oportunidad en el mercado para la adaptación de un producto con la finalidad de que llenara diferentes necesidades del consumidor. La última línea de la parte inferior del anuncio "we see the big picture" se refiere a la visión de la empresa: comprender el comportamiento del consumidor y preparar tecnología y productos para llenar necesidades y deseos de los consumidores.

Figura 2.2   Mitsubishi aborda soluciones a problemas de consumo

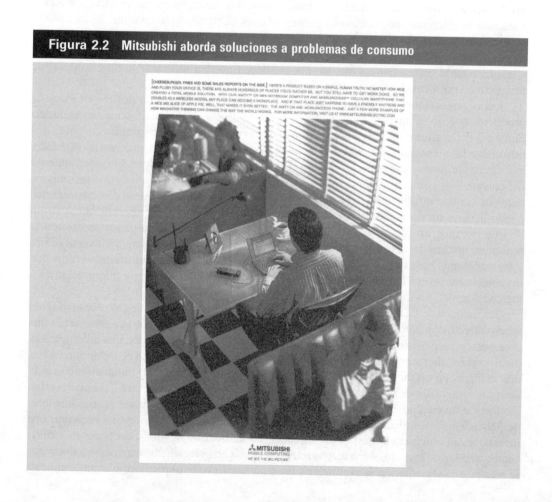

Puntos fuertes y recursos corporativos   Las empresas también deben analizar sus *puntos fuertes y recursos corporativos* para comprender si, como en el caso de Mitsubishi, es factible desarrollar el Amity y Mobileaccess. Esto incluiría examinar la estabilidad financiera de la empresa, así como sus capacidades de personal, gerencia, producción, investigación y mercadotecnia. ¿Cuánto puede invertir la empresa, de estos recursos, en el desarrollo y la mercadotecnia de este producto? ¿De qué recursos carece la compañía, y de qué manera pudiera encontrar las soluciones correctas para superar estas debilidades (trátese de subvenciones, préstamos financieros o socios estratégicos) para desarrollar componentes especiales del producto? Y dado que se trata de un producto basado en tecnología, debe darse adicional consideración a la tecnología misma: ¿existe incluso? o ¿debe Mitsubishi o alguna otra empresa desarrollarla primero?

Competidores actuales y potenciales   Un análisis completo del mercado también examina a los *competidores actuales y potenciales.* Un procedimiento tradicional para ese tipo de análisis enfoca el pensamiento estratégico por delante de la competencia, lo que pudiera incluir buscar productos competitivos existentes y averiguar cómo agregarles alguna característica que en la mente del consumidor pudiera hacerlos "apenas un poco mejor" que el producto de la competencia. Otras empresas más innovadoras prestan menos atención en estar a la par o superar a sus competidores, y se enfocan más en restarle importancia a sus competidores en el mercado innovando sus productos.[12] ¿Ha innovado Mitsubishi lo suficiente para hacer que sus competidores no sean de importancia, o que sean menos poderosos en el mercado?, ¿de qué manera reaccionarán los competidores actuales de Mitsubishi a la introducción de este nuevo producto?, ¿qué tan fácil será para ellos entrar en el mercado?, o si ya están comercializando un producto similar, ¿de qué manera reaccionarán ante esta nueva marca?

Las empresas tienen que prever varias reacciones de sus competidores actuales, como los bombardeos publicitarios masivos, las reducciones en precios, los regalos en producto, y otras estrategias de ventas y de promoción. Y deben prever qué empresas, aunque no sean en este momento competidoras, pudieran entrar al mercado con productos similares. ¿Están conjuntamente mejor posicionados para promover y vender este tipo de computadora especializada?

Entorno del mercado Los mercadólogos también deben examinar el estado del *entorno general del mercado* en el cual se introducirá el producto o servicio. Factores tales como la economía, las reglamentaciones gubernamentales, las condiciones físicas y la tecnología juegan un papel importante en el éxito potencial de un producto o servicio en el mercado. Si la economía no está bien (hay una tasa de desempleo elevada, la inflación es alta o los salarios están a la baja) la introducción de una computadora especializada, relativamente costosa, al mercado masivo puede fracasar. Aunque pudieran existir segmentos del mercado que comprarían este producto, independientemente de condiciones económicas generales, el volumen puede resultar demasiado pequeño para justificar la introducción, y pudieran modificarse las estrategias de precio y distribución. Las consideraciones legales y gubernamentales, especialmente al vender en mercados globales, deben estudiarse para comprender restricciones de importación y otros problemas legales. Y finalmente, las condiciones físicas, como el estado del entorno o de la infraestructura de algún país, también son consideraciones de importancia.

Segmentación del mercado

El siguiente paso en la creación de una estrategia de mercado es la **segmentación del mercado**, el *proceso de identificar un grupo de personas similares en una o más formas*, con base en una diversidad de características y comportamientos, según se resalta en la figura 2.3. La meta es identificar los grupos de personas con comportamiento similar, de manera que se pueda adaptar el producto o ajustar el empaque o la estrategia de comunicación para llenar sus necesidades específicas, incrementando por tanto la posibilidad de venta a este grupo objetivo. Un **segmento del mercado** es un *grupo de consumidores con necesidades y comportamientos similares, que difieren de los del mercado masivo total.*

La necesidad de segmentación es el resultado de las diferencias entre personas. Si los hombres fueran idénticos en sus preferencias y actitudes, no sería necesaria la segmentación

Figura 2.3   Estrategia de mercadotecnia impulsada por el consumidor

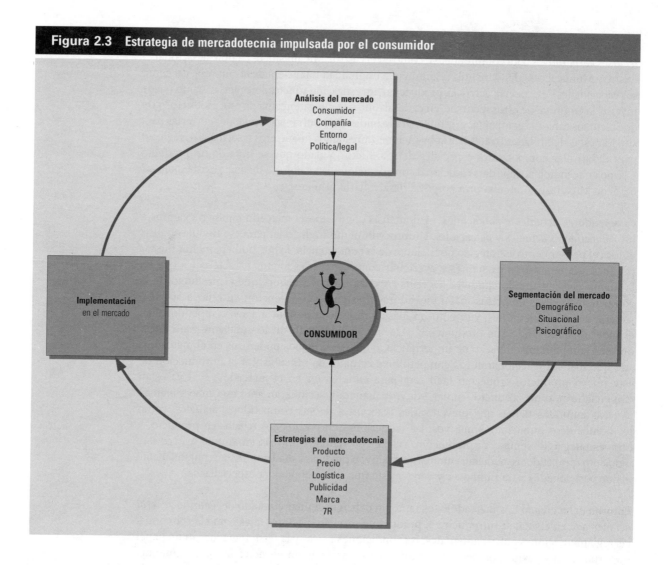

del mercado, ya que todos los productos serían los mismos. Dado que las personas difieren mucho en sus motivaciones, necesidades, procesos de decisión y comportamiento de compra, idealmente para darles máxima satisfacción a los consumidores, los productos tendrían que ser personalizados para cada usuario.

La meta en la medición de los segmentos del mercado es distribuir a los consumidores en categorías que minimicen las variaciones dentro de los grupos y que maximicen las variaciones entre grupos. Al identificar segmentos de mercado similares en su comportamiento, se pueden desarrollar productos que coinciden de cerca con las preferencias de dicho grupo. Al maximizar las variaciones entre los segmentos, se obtiene una ventaja diferencial que, idealmente, puede resultar tan atractiva como para justificar un precio superior al costo de atender a las preferencias especializadas de un segmento en particular. Pero mientras más individualizado sea el producto y más pequeño sea el segmento para el cual se diseñe, mayor será la probabilidad de que se incrementen los costos para el mercadólogo. La adaptación a la necesidad de un segmento específico puede requerir un precio más elevado del que los consumidores de dicho segmento estén dispuestos a pagar; por ejemplo, la ropa y los hogares personalizados llenan necesidades de clientes individuales, pero incorporan etiquetas de precios más elevados, haciendo difícil competir con los menores precios de bienes producidos en serie.

El opuesto a la segmentación de mercado es la **acumulación de mercado** o **mercadotecnia en masa:** *cuando las organizaciones deciden poner en el mercado y vender el mismo producto o servicio a todos los consumidores.* Esta estrategia puede ser efectiva en economías en desarrollo, donde existe una demanda acumulada de productos básicos. Estos mercados desean beneficios funcionales a los precios más bajos, lo cual, significa un producto estandarizado, producido a bajo costo, en corridas de producción largas y homogéneas, y vendidas por medio de canales básicos de distribución, con pocos servicios o extras añadidos.

Aunque algunas empresas a pesar de todo se deciden por un proceso de acumulación del mercado, la realidad es que en la mayor parte de los países industrializados los mercados masivos siguen el camino del dinosaurio. En los mercados de Estados Unidos y Europa no sería muy atrevido decir que ya no existen más mercados masivos, sólo variantes en el tamaño de segmentos de mercado. Esto se debe a varios factores:

- Afluencia: los consumidores se pueden permitir el lujo de productos que están más personalizados para adecuarse a sus gustos, necesidades y estilos de vida.

- Base de datos del consumidor: los diseñadores de productos tienen la información necesaria para abordar variantes en los patrones de consumo y comportamiento de los consumidores, y los mercadólogos tienen la información para anunciarse y comunicarse individualmente con los consumidores.

- Tecnología de producción: los procesos de producción pueden ser controlados por computadora y personalizarse para corridas más pequeñas, sin correspondientes incrementos en costos.

- Múltiples canales de distribución: varios métodos de menudeo, incluyendo ventas directas y menudeo por la internet, permiten que la distribución esté relacionada íntimamente con las necesidades y deseos de segmentos específicos.

Cómo identificar los segmentos   En aplicaciones de estrategias de mercadotecnia, un principio es que la segmentación se basa en identificar y atraer a *consumidores con un comportamiento similar, no necesariamente con características similares.* Los analistas del consumidor utilizan las características del consumidor para la segmentación porque existen correlaciones, o "apoderados" para el comportamiento y no porque las características resulten determinantes de por qué compran las personas. Por ejemplo, los segmentos de mercado que compran un estéreo con un precio de 3 000 dólares son muy diferentes de los que compran un estéreo de 300 dólares. No sólo serán diferentes producto y precio, con base en un comportamiento distinto de audición de la música, sino que lo más probable es que los canales de distribución y los componentes promocionales de la mezcla de mercadotecnia sean diferentes. A primera vista, uno pudiera concluir (equivocadamente) que los segmentos que adquieren el estéreo de 3 000 dólares son de ingresos elevados y los que compran el de 300 dólares serían de bajos ingresos. De hecho, unos cuantos estudiantes de bajos ingresos pudieran adquirir el estéreo costoso, y algunos consumidores de altos ingresos comprarían el estéreo de precio bajo.

Es difícil medir el comportamiento con la finalidad de desarrollar una mezcla de mercadotecnia objetiva. Resulta relativamente fácil, sin embargo, medir características del consumidor como por ejemplo ingresos, edad o género. Por tanto, la base para desarrollar una estrategia de mercadotecnia a menudo se apoya en estos tipos de características del consumidor, dado que indican probables comportamientos del mismo. La figura 2.4 resume variables utilizadas para segmentar poblaciones. La demografía, la psicografía, los comportamientos de compra y de consumo, las características geográficas y los factores situacionales son variables que típicamente se utilizan para definir segmentos de clientes potenciales con un comportamiento similar. Estos segmentos con base en variables a veces se superponen, como muestra la figura 2.5, dando como resultado un segmento mejor definido. A menudo esto mejora la predicción y sensibilidad sobre cómo los segmentos responderán a tipos específicos de publicidad, promociones, variaciones en el producto y canales de distribución.

Cómo resolver las necesidades de los segmentos de mercado   Los consumidores se vuelven más sofisticados y demandan productos más personalizados que se adecuen a sus necesidades, preferencias y gustos individuales. La meta de estar impulsado por el consumidor ha hecho que

---

Figura 2.4   **Cómo segmentar los mercados del consumidor**

Características del consumidor

Demografía
Edad	Educación	Estado civil
Género	Tamaño de la familia	Ocupación
Grupo étnico	Nacionalidad	Religión
Ingresos	Etapa de la vida	Nivel de vida

Psicografía
Actividades	Intereses	Opiniones

Comportamientos de compra y consumo
Preferencias de localizaciones de compra	
Frecuencia de compra	Lealtad a las marcas
Medios utilizados	Beneficios que se buscan
Sensibilidad a los precios	Forma en que se utilizan
	Velocidad de uso

Valores
Cultura
Personalidad

Características geográficas

Fronteras nacionales
Fronteras estatales y regionales
Medio urbano en comparación con el medio rural
Código postal

Características situacionales

Uso en el trabajo en comparación con el entretenimiento
Tiempo
Dónde se utiliza

---

muchas empresas de éxito ofrezcan productos o servicios distintos a segmentos del mercado diferentes, lo cual es una tarea costosa y compleja, especialmente conforme los clientes y sus necesidades aumentan en diversidad. La **personalización masiva**, que *personaliza los bienes o servicios para clientes individuales en volúmenes altos y con costos relativamente bajos*, es una manera de que las empresas ofrezcan un valor único a los clientes de manera eficiente. La clave para hacer que la personalización masiva dé resultado, en términos de valor, a la empresa es comprender cuál es el tipo de personalización que los clientes valoran más, lo que varía en situaciones diferentes.[13] Una organización puede obtener ese tipo de información investigando en su base de clientes y ofreciendo incentivos a quienes den información.

Algunas empresas practican la forma final de segmentación y personalización del mercado, al crear y poner en el mercado segmentos de uno. Este proceso fue identificado en años recientes en publicaciones de mercadotecnia y se popularizó en el bestseller *The One To One Future,*[14] donde los autores, Rogers y Pepper describen una tienda de flores en Bowling Green, Ohio, especializada en vender arreglos florales y pequeños regalos, igual que la mayor parte de las tiendas de flores de tamaño similar. Pero en vez de esperar que los clientes acudan a la tienda o llamen para solicitar un pedido, esta tienda se apoya en su base de datos para realizar un mercadeo proactivo. Cuando un cliente hace un pedido, la información de contacto y facturación se registra junto con su pedido, para quién y para qué ocasión. Si el 13 de octubre un cliente envía rosas amarillas con motivo del cumpleaños de su madre, el año siguiente la tienda de flores entra en contacto con el cliente unas semanas antes y le pregunta si este año debe enviar un *bouquet* similar. Aunque su negocio son las flores, realmente venden soluciones y simplicidad. Con este estilo de mercadotecnia basado en los individuos, la tienda crea clientes leales y satisfechos. ¿Funciona este proceso para segmentos mayores que uno a

Figura 2.5   Definición del mercado con base en múltiples características

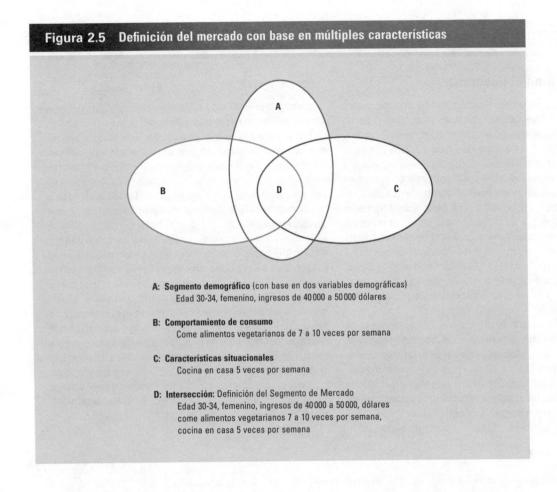

A: **Segmento demográfico** (con base en dos variables demográficas)
   Edad 30-34, femenino, ingresos de 40 000 a 50 000 dólares

B: **Comportamiento de consumo**
   Come alimentos vegetarianos de 7 a 10 veces por semana

C: **Características situacionales**
   Cocina en casa 5 veces por semana

D: **Intersección:** Definición del Segmento de Mercado
   Edad 30-34, femenino, ingresos de 40 000 a 50 000, dólares
   come alimentos vegetarianos 7 a 10 veces por semana,
   cocina en casa 5 veces por semana

uno, pero aun así muy individualizados, como por ejemplo para la fabricación de automóviles? Busque la respuesta vea El consumidor en la mira 2.1.

Rentabilidad de la segmentación del mercado   La meta final de la segmentación es una mayor satisfacción del cliente y una mejor rentabilidad. La rentabilidad más grande ocurre cuando el valor económico para los consumidores es mayor que el costo de crear dicho valor. Por ejemplo, un programa de cómputo pudiera estar adaptado a las necesidades especiales de algunos usuarios, y situado con base en los beneficios más deseados de este segmento específico.[15] Si los costos de adaptación fueran elevados, pero el programa valiera cientos o incluso miles de dólares para muchos usuarios, el sobreprecio que pudiera cargarse en relación con un producto estandarizado generaría millones de dólares de rentabilidad adicional. Agregar valor mediante la identificación de segmentos de mercado rentables es un proceso que creó fortunas a Michael Dell y Bill Gates en la industria de las computadoras.

La segmentación puede incrementar la rentabilidad al reducir gastos en mercadotecnia. BalletMet, empresa de ballet profesional reconocida a nivel nacional, con base en Columbus, Ohio, redujo sus gastos promocionales e incrementó su velocidad de respuesta al dirigirse a auditorios específicos para representaciones específicas. Lleva registro de sus suscriptores y asistentes habituales y analiza el tipo de presentaciones que prefieren. BalletMet da una representación de tres ballets de renombre cada año (producciones populares y bien conocidas como el *Lago de los cisnes* y el *Cascanueces*) y una serie completa de ballets menores, que varían desde los muy contemporáneos a los tradicionales. En vez de enviar material promocional a todos los registrados en la base de datos para los ballets de serie, BalletMet envía promociones especiales a aquellos patrocinadores que más probablemente asistirán. No pierde patrocinadores potenciales al limitar sus promociones por correo directo a todos, ya que las críticas y los artículos acerca de las representaciones aparecen en publicaciones de noticias específicas.

El consumidor en la mira 2.1

Diseñe su propio automóvil

Los automóviles personalizados han sido siempre populares entre ciertos consumidores. Por lo general, confiaban en un "taller especializado" para tomar un automóvil nuevo y literalmente cortar los automóviles para personalizarlos al gusto del comprador, aplicar pintura nueva y, quizás, volver a rehacer los interiores. Durante las décadas de los cincuenta y sesenta, el sueño de los consumidores jóvenes eran los Chevrolets, Fords y Plymouths, con parabrisas delanteros recortados, salpicaderas anchas, y otras variantes sobre los modelos básicos, por lo general creados con base en hágalo usted mismo. Muchos que en dicha época no podían darse el lujo de ello en la actualidad son miembros de la Street Rod Association, y recrean el pasado para aquellos que no tuvieron la oportunidad de automóviles personalizados en los años cincuenta.

El siglo xxi trajo una nueva generación de conductores de automóviles que también se suscriben al proceso de personalización masiva, pero ahora es posible pedir estos automóviles directamente de la fábrica. ¿Desea para su Porsche un color o un interior únicos? Están disponibles de fábrica y resulta muy popular —aproximadamente la mitad de los compradores de Porsche eligen algún programa de personalización del fabricante. BMW y Audi ofrecen también opciones similares.

Mercedes-Benz lleva el proceso de personalización aún más adelante con su programa Designo, el equivalente automotriz de ropa hecha a la medida. Por un costo de aproximadamente 10% arriba del precio normal del automóvil, el cliente puede diseñar su propia mezcla de colores e interiores especiales. Puede ordenar su convertible "edición especial" SLK en color cobre, verde eléctrico, azul pizarra, expreso o negro metálico. Todo desde la elección de madera (maple carbón, maple natural, olmo natural) hasta los tapetes del piso se personalizan de acuerdo con la forma en que usted los diseñe. Mercedes descubrió que aunque los consumidores desean más selecciones para expresar su estilo personal, no desean ocupar mucho tiempo recorriendo el muestrario de pintura y hablando acerca de las fibras para la alfombra. El paquete Designo responde a esa necesidad con una paleta establecida de decoración de colores y combinaciones radicales incorporadas en el proceso de manufactura. Una entrega de último minuto y la integración en línea de ensamble de volantes verdes y salpicaderas azul pizarra mantiene bajos los costos y permiten al comprador ponerse tras el volante de un automóvil diseñado de manera personalizada a sus gustos individuales al instante.

Fuente: parcialmente basado en Morgan Murphy, "The Chop Shop in Stuttgart", en Forbes *(marzo 22, de 1999), 172.*

Reduce, sin embargo, los costos de promoción, pues puede producir menos material para enviar por correo y disminuir los costos en este rubro. También utiliza un diseño visual para promover sus representaciones de manera distinta, dependiendo del tema del ballet y el ambiente de la representación. Las figuras 2.6a y 2.6b muestran el material promocional enviado para el *Lago de los cisnes* (ballet tradicional) y el correspondiente para una representación contemporánea. Para cualquier representación, BalletMet puede modificar la imagen en el material del correo directo, dependiendo de si su objetivo es el público femenino, masculino, atletas, familias u otros segmentos. Si está dirigido hacia patrocinadores masculinos, el bailarín que se presenta pudiera ser femenino, en vez de masculino.

Criterios para elegir segmentos   ¿De qué manera escoge una empresa su segmento objetivo? ¿Cuándo se han identificado muchos segmentos potenciales? La determinación del atractivo de un segmento de mercado involucra analizar los segmentos con base en cuatro criterios:

- **Capacidad de medición** se refiere a la *capacidad para obtener información sobre el tamaño, naturaleza y comportamiento de un segmento del mercado.* Los consumidores pueden comportarse de manera similar, pero sus comportamientos deben ser susceptibles directamente o mediante correlaciones cercanas, con objeto de formular o implementar estrategias de la mezcla de mercadotecnia.

- **Accesibilidad** (o capacidad de alcance) es el *grado en el cual los segmentos se pueden alcanzar*, ya sea por medio de varios programas de publicidad o de comunicación, o mediante varios métodos de menudeo.

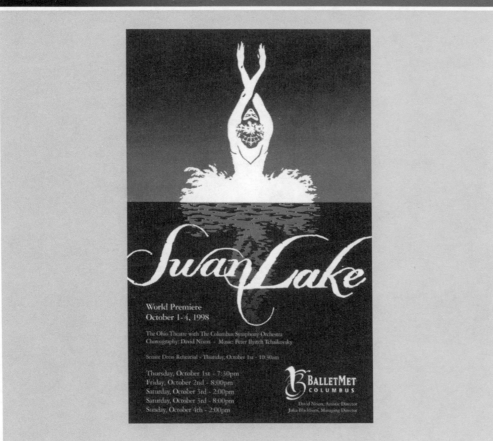

Figura 2.6a   BalletMet adapta las promociones al auditorio

- **Sustancialidad** se refiere al *tamaño del mercado*. Los segmentos pequeños pudieran no generar un volumen suficiente para apoyar los costos de desarrollo, producción y distribución involucrados para satisfacer estos segmentos. En general, mientras más sustancial sea el segmento, mejor servirá como mercado objetivo.

- **Congruencia** se refiere *a qué tan similares son los miembros del segmento en comportamiento o características que se correlacionan con el comportamiento*. Mientras más congruente sea un segmento, más eficientes serán las ofertas del producto, la promoción y los canales de distribución específicamente dirigidos a dicho segmento.

Como nota final, los métodos y estrategias de segmentación siguen siendo motivo de afinación por los mercadólogos. En una era que se caracteriza por una diversidad creciente del mercado resultando de la fragmentación del mismo,[16] la estrategia de la segmentación, con base en la fuente de información, y a la tecnología personalizada de la manufactura, permite a las empresas alcanzar segmentos más pequeños pero potencialmente más rentables.

Estrategias de la mezcla de mercadotecnia

La estrategia de mercadotecnia (resaltada en la figura 2.7) involucra un plan para llenar las necesidades y deseos de mercados objetivos específicos, al proporcionar mejor valor a dicho objetivo que los competidores. Este plan debe especificar los componentes esenciales de la mezcla de mercadotecnia, a menudo descrita por sus siglas en inglés como las cuatro P (Producto, lugar [place], precio y promoción). La investigación del consumidor es esencialmente importante tanto en el desarrollo de la estrategia de la segmentación, como en la formulación

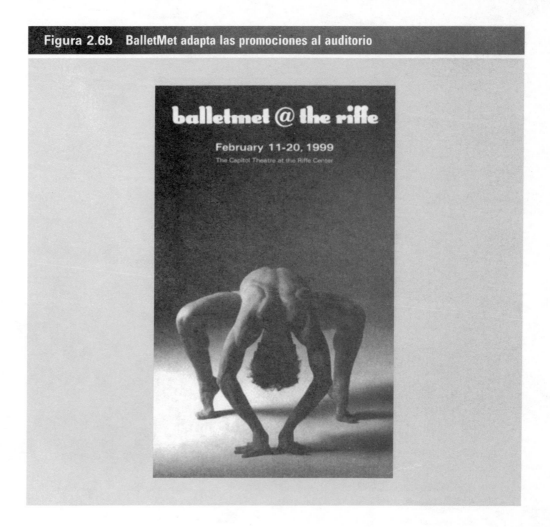

Figura 2.6b   BalletMet adapta las promociones al auditorio

de la mezcla de mercadotecnia, dado que ambas también quedan afectadas por el proceso de decisión de los consumidores, como se podrá ver en el capítulo 3.

El primer elemento de la mezcla de mercadotecnia es el **producto**, que incluye el *paquete total de* beneficios *que obtienen los consumidores en el proceso de intercambio*. Los productos incluyen tanto bienes y servicios como atributos tangibles e intangibles. Los productos se adquieren por una diversidad de razones, que van desde la satisfacción de una necesidad básica (alimentos) hasta por el gusto de obtener algo que lo hace a uno sentirse bien (masaje). De manera interna, una empresa analiza sus capacidades y los costos asociados con la producción, distribución y venta del producto. Externamente, sin embargo, el enfoque del desarrollo del producto está en el modo como el comportamiento del consumidor afectará dicho producto. ¿Qué forma de producto sirve mejor a los patrones de consumo para el segmento objetivo? ¿Qué empaque atraerá más a los consumidores y satisfacerá las condiciones de transporte, uso y disposición del producto?, ¿de qué manera comparará el consumidor ese producto con productos competitivos o sustitutos? Los mercadólogos deben responder a esas preguntas y vigilar los patrones de consumo, con innovaciones de producto que sigan de cerca la tendencia del consumo.

El siguiente elemento de la mezcla de mercadotecnia es el **precio**, es decir, el *paquete total de inutilidades* (costos) *que sacrifican los consumidores a cambio de un producto*. La inutilidad por lo general se refiere a dinero (o a una tarjeta de crédito) pagado por el producto, pero también se incluyen otras inutilidades como el tiempo, la molestia y el riesgo psicológico agregadas al "precio" de un producto. Para BalletMet, el producto primario es la representación, pero incluye otras utilidades, como la experiencia social con terceros. El "precio" incluye el costo del boleto

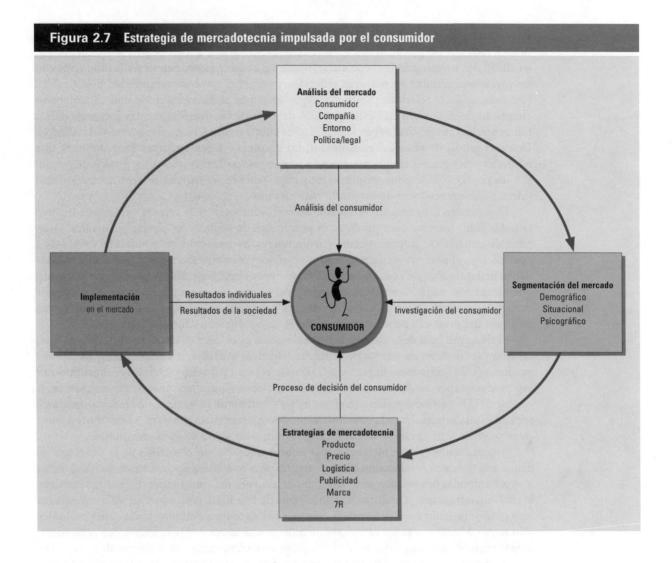

Figura 2.7　Estrategia de mercadotecnia impulsada por el consumidor

y el tiempo ocupado en el ballet, mismo que podría emplearse en productos competitivos, como deportes o conviviendo con la familia.

Muchos aspectos en la determinación de las políticas de precios necesitan la investigación del consumidor. ¿Cuál es la importancia que le dan los consumidores al precio, en comparación con otros aspectos de la mezcla de mercadotecnia? ¿Responderán mejor los consumidores a una política de "precios bajos" (implantada por empresas como Wal*Mart), o preferirán tiendas con precios promocionales (a veces conocidos como "hi-low" o "loss leader")? ¿El aumento del precio de un producto puede mejorar la percepción del consumidor sobre la calidad del mismo? (La respuesta a menudo es sí.) ¿Cuál es la importancia de tener el precio más bajo entre competidores?

De acuerdo con un estudio reciente realizado por el International Mass Retail Association, tener el precio más bajo no es tan importante como que el precio esté en el intervalo que los consumidores esperan pagar por el producto.[17] En dicho estudio, los consumidores indicaron que es más importante que el precio de un producto caiga dentro del intervalo que esperan pagar por dicho producto a que sea el producto con el precio "más bajo" de la categoría. Por ejemplo, si un consumidor espera pagar entre 25 y 28 dólares por una blusa, el precio exacto del producto —siempre y cuando esté en el rango— no es tan importante para la decisión de compra como otras características del mismo como la tela, el corte y el estilo.

La investigación del consumidor sobre el precio puede mostrar la forma de comunicar éste con mayor efectividad. La investigación indica que la determinación del precio (los centavos después de la cifra en dólares) afecta la percepción por parte del consumidor del producto.

Por ejemplo, los consumidores perciben un producto etiquetado en 25 dólares de una calidad más elevada que un producto con un precio de 24.98 dólares. En un estudio acerca del precio y calidad, los investigadores[18] encontraron que los consumidores perciben los productos con un precio que termina en números redondos y en ceros como de una calidad más elevada. Los consumidores relacionan los precios que terminan en números como 0.99 de dólar con elementos de descuento. Y, desde el punto de vista de las operaciones, las empresas deben poner precio a sus productos con la finalidad de cubrir costos y margen requerido de utilidad. Desde el punto de vista del consumidor, las empresas deben anticipar las reacciones que pudieran tener éstos a ciertos precios y la imagen asociada con diferentes puntos de precio: si a un producto se le pone un precio muy bajo, pudiera ser percibido como de una calidad inferior que un producto de un precio más elevado.

El siguiente elemento de la mezcla de mercadotecnia es la *promoción*, la cual incluye la publicidad, las relaciones públicas, la promoción de ventas y las ventas personales. Gran parte de este libro se enfoca en cómo comprender a los consumidores ayuda a las empresas a comunicarse y promoverse en sus mercados objetivos con mayor efectividad. Las organizaciones deben determinar a qué consumidores desean enviar el mensaje, las formas de comunicación que alcanzarán mejores segmentos específicos, el tipo de comunicación que debe ocurrir durante las etapas de los procesos de compra y consumo, y de qué manera los diferentes atributos del producto deben situarse a través de las diferentes formas de medios.

El elemento final de la mezcla de mercadotecnia es el *lugar* (o distribución). En esta fase, las empresas deciden los puntos de venta más efectivos mediante los cuales deben vender sus productos y de qué manera llegar mejor. ¿Dónde esperan y desean comprar los consumidores ese producto (por medio de minoristas masivos, minoristas electrónicos, ventas directas o catálogos)? Un producto pudiera venderse mejor en un punto de venta donde los consumidores reciben ayuda personal para la elección del producto y las instrucciones de operación, en tanto otros productos pudieran venderse mejor en puntos de venta de menudeo masivo.

Ninguna estrategia de mercadotecnia estaría completa sin el análisis de la *estrategia de marca*. Las marcas son esencialmente importantes para las estrategias de mercadotecnia de éxito y se ven influidas por muchas áreas del comportamiento del consumidor. Ésta es la razón por la cual encontrará que se analizan a todo lo largo de este libro, pero merecen ser mencionadas aquí porque la marca es un activo de la empresa que necesita ser administrado como cualquier otro activo. Mientras más consumidores identifican una marca con sus preferencias personales, es más probable que los productos de la empresa sean comprados y probablemente a un precio de promoción. Y si un beneficio de producto va incluido en el nombre de marca (por ejemplo, televisión PicturePerfect), es más probable que los consumidores recuerden la afirmación de beneficios anunciada.[19] Las marcas a veces se definen como una *promesa* —una promesa a los consumidores de que los atributos que ellos desean los obtendrán cuando adquieran la marca preferida.

Los mercadólogos que olvidan aumentar y mantener sus marcas están jugando una *ruleta de mercadotecnia*. No invertir en calidad del producto, desarrollo de publicidad y satisfacción del cliente reduce la estrategia competitiva primaria de una empresa a poco más que una guerra de precios, que es un juego peligroso, a menos que la empresa sea el productor de bajo costo. Incluso para los productores de bajo costo, la falla en la formación de marcas da usualmente como resultado bajos márgenes y rentabilidad, y probablemente un porcentaje decreciente del mercado. Los consumidores desean marcas que conocen y en las que puedan confiar. Una empresa crea el valor de una marca cuando desarrolla una posición favorecida en segmentos objetivos que pueden ejercer precios más elevados que los costos de construir dicha marca.

Implementación

Todas esas áreas de la mezcla de mercadotecnia se combinan para crear un plan basado en el consumidor para colocar y vender productos a mercados objetivo. Si la función de mercadotecnia se hace bien, la venta resulta mucho más fácil. La clave está en la *implementación*. Las mejores estrategias resultan inútiles si no se ejecutan bien en el lugar del mercado: el punto en el cual la interacción con el consumidor transforma la estrategia en una realidad.

Las características del siglo XXI probablemente son dar a la profesión de mercadotecnia grandes oportunidades y retos que tienen implicaciones de importancia para la implementación de la estrategia.[20] El resultado puede ser utilidades o problemas con consecuencias que afectan a individuos y empresas por igual, y a la larga a la sociedad. Por ejemplo, la aceptación generalizada del correo electrónico ha modificado la forma en que se comunican las personas. Los abuelos se pueden comunicar con eficiencia con sus nietos en otros países, las personas con dificultades auditivas pueden "hablar", y responder con mayor libertad a los otros, los socios de negocios pueden intercambiar de manera instantánea ideas, modificando con esto de manera dramática la dinámica de las relaciones de amigos y familia. Los negocios, al igual que las relaciones, funcionan con mayor eficiencia. Aunque el teléfono no ha sido reemplazado, los individuos, los negocios y la sociedad han cambiado drásticamente con el éxito de la mercadotecnia y la aceptación del consumidor del correo electrónico.

Las siete R de la mezcla de mercadotecnia

Las empresas grandes o pequeñas están buscando en el análisis de comportamiento del consumidor respuestas respecto a cómo desempeñarse bien en el mercado. Los mercadólogos han desarrollado las cuatro P de la mezcla de mercadotecnia y han incluido siete R (research, rate, resources, retailing, reliability, reward y relationship) (investigación, velocidad, recursos, menudeo, confiabilidad, recompensa y relaciones). La figura 2.8 resume las siete R y lo que cada uno de estos factores significa desde el punto de vista de la organización y el consumidor.

Cuando se le han satisfecho las siete R en los planes de mercadotecnia y en la implementación, el resultado puede ser la entera satisfacción del cliente. El grueso de la evidencia muestra que un porcentaje sostenido del mercado proviene principalmente de un enfoque

Figura 2.8   Las siete R de la mezcla de mercadotecnia

	Organización	Consumidor
Investigación	Metodología Realizar investigación Analizar investigación	Participar en la investigación Proporcionar información y acceso al pensamiento del mercado
Velocidad	Velocidad hacia el mercado	Velocidad a través del proceso de compra Velocidad de uso de los productos
Recursos	Compromisos para el proyecto: financieros, personal, etcétera Costo: efecto sobre el precio	Pago del producto: dinero, tiempo, atención, energía y emociones Escasez de recursos
Menudeo	¿Cuáles puntos de venta para el producto? Localización en la tienda y posición de la estantería	Dónde esperan comprar el producto y dónde les gusta comprar
Confiabilidad	Dependencia en los miembros de la cadena de suministros Evitar devoluciones de los productos	Calidad y consistencia del producto Confiabilidad del minorista Acceso a la empresa para preguntas o problemas acerca del producto
Recompensa	Programa para incrementar compras y lealtad	Premios por utilizar el producto Programas de recompensa
Relaciones	Relaciones dentro de la cadena de suministros Relaciones con los clientes Satisfacción del cliente	Lealtad a la marca y a la tienda Sentimiento de que es valioso y especial Satisfacción del cliente

continuo en la satisfacción y retención del cliente, un liderazgo en la calidad y un servicio superior o de alta calidad.

Estrategias de lealtad y retención del cliente

Muchos estrategas de mercadotecnia ponen más atención en la retención del cliente que en la obtención de nuevos, porque generalmente es menos costoso conservar a los clientes actuales que atraer nuevos. En los países industrializados de América del Norte, Europa y Japón, la pérdida de clientes puede ser desastrosa, porque existen cada vez menos consumidores nuevos para reemplazar los clientes perdidos. Por tanto, la lealtad del cliente basada en una satisfacción genuina y continua es uno de los activos más grandes que puede desarrollar una empresa. Al mismo tiempo, muchos consumidores se vuelven más demandantes, eligen probar productos nuevos promocionados de manera especial o por un nuevo minorista que entra en el mercado, en vez de mantenerse leales hacia la marca de un producto o un minorista.

¿Qué causa esta reducción en lealtad, y qué significa para las empresas? Conforme a los consumidores se les dan nuevas oportunidades de elección, se desvanecen las distinciones entre marcas, y las persona prueban nuevas cosas.[21] Piensan que tienen derecho a probar nuevas marcas, especialmente si no se sienten "recompensados" por mantenerse leales, y perciben que muchas marcas son iguales en términos de calidad y valor recibidos. Como resultado, se incrementa el comportamiento de cambio (reconocido de otra manera como desertar de una marca o producto dados), igual que se incrementan quejas, desapego hacia el concepto de lealtad y actividades contenciosas.[22] Para resolver el problema de la deserción de clientes, los investigadores están utilizando cambios en los patrones de transacción con el cliente, como una base para identificar a los probables desertores (incluso antes que ocurra la deserción)[23] y organizando para ellos promociones o incentivos especiales.

Programas de lealtad del cliente

En un esfuerzo para incrementar la lealtad hacia una marca de producto, un servicio o un minorista, las empresas han implementado una variedad de programas de lealtad o premios, mismos que por definición, reconocen y recompensan el "buen comportamiento" de los consumidores, en este caso, al comportarse de la manera en que la organización desea que se comporten. Muchos de ustedes puede que sean miembros de un programa de "viajero frecuente", mismo que les permite acumular "millaje" cuando viajan en la aerolínea. Una vez que usted alcanza un número especificado de millas, puede cobrarlas sustituyéndolas por un boleto gratuito de avión. A los viajeros más frecuentes se les concede un estatus de "élite" con tarjetas de oro o platino y se les premia con extras, como actualizaciones, líneas de revisión especiales (más cortas) y un estatus prioritario en listas de espera. Muchos hoteles, minoristas y restaurantes también ofrecen tarjetas de compra frecuente para alentar a los consumidores a comprarles a ellos y fomentar o desarrollar una relación con los mismos. Sin embargo, con frecuencia es poco claro, a partir de vigilar su comportamiento de compra, si los consumidores repiten el comportamiento debido a la costumbre y la conveniencia, o a una atracción más profunda por la marca.[24]

Hace varios años, las tiendas de comestibles buscaban diferenciarse de sus competidores, en una industria que experimentaba márgenes escasos y una competencia feroz. Un exceso de promociones impulsadas por los proveedores implicaba que la mayoría de las tiendas, en un área dada, tendría la misma promoción al mismo tiempo.[25] Muchas adoptaron las tarjetas de comprador frecuente, con la intención de pasar ahorros especiales a sus clientes más leales, en vez de premiar a aquellos clientes que sólo iban a la tienda a comprar las promociones semanales, y que se conocían como cherry-pickers *o pizcadores de cerezas*. Los compradores se unieron a estos programas de lealtad principalmente para aprovechar las promociones para los miembros.[26] Aunque estos programas funcionaron bien para diferenciar a los minoristas de comestibles, hoy día prácticamente 50% de todas las tiendas de comestibles han adoptado este tipo de programas, según el *Chain Store Age,* imitando el juego de nuevo.

Los programas de lealtad tienen la ventaja de proporcionar premios a los consumidores e información a los minoristas. Desafortunadamente, muchas empresas han invertido millones de dólares en sistemas para recolectar datos de los consumidores, pero pocos han invertido en la interpretación de los mismos y aún menos en la implementación de los datos en estrategias. Cualquier recolección de datos sin análisis crea poco más que una sobrecarga en gastos. En la parte superior de las historias de éxito de los gerentes de programa de lealtad está el programa de Tesco U.K., que se presenta en *El consumidor en la mira 2.2*.

Los programas de lealtad del cliente ayudan a las empresas a identificar segmentos de la clientela que pueden ser objeto de ofertas especiales o de incentivos con mayor probabilidad de resultar valiosos para ellos.[27] Travelodge, cadena de hoteles económicos con base en Estados Unidos, segmentó su mercado de acuerdo con el tipo de viaje (vacación en contraste con negocios) y ofreció distintos premios a grupos diferentes. Por ejemplo, durante años el cliente principal era el que iba por entretenimiento y ocio, al cual el hotel alentaba con una "estancia de diez noches y la obtención de la decimoprimer noche gratuita". Una vez investigado el segmento de negocios, Travelodge empezó a ofrecer a los clientes de negocios un premio de millas de aerolínea, junto con la posibilidad de obtener una actualización en puntos de programa al llegar al hotel.[28]

Reforzar las relaciones con el cliente

Independientemente del tipo de programa de lealtad y de la forma en que se ejecuta en el mercado, la meta final es reforzar la relación con el cliente. La siguiente lista resalta algunas estrategias para llevar a cabo lo anterior:

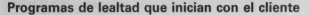

El consumidor en la mira 2.2

Programas de lealtad que inician con el cliente

El desempeño de Tesco en el Reino Unido lo coloca en el tope de las historias de éxito de los programas de lealtad. Diseñado y administrado por Clive Humby —presidente del consejo de Dunnhumby Ltd., empresa de consulta y administración de bases de datos—, el programa se enfoca en la administración de los clientes de Tesco, más que sólo en un programa de lealtad.

Cuando los compradores firman para afiliarse al programa cliente frecuente, se benefician de dos programas claramente distintos de Tesco: de *premios* e *incentivos*. El programa de premios está diseñado para recompensar a los consumidores que tengan un comportamiento específico, como quienes tengan compras totales en crecimiento, o que estén comprando en un nuevo departamento, o cualquiera que sea el comportamiento que la tienda desea que sigan teniendo los clientes. Por otra parte, el programa de incentivos de Tesco ayuda a que la organización modifique los comportamientos de los clientes, alentándolos con precios especiales u otros incentivos financieros y personales. Por ejemplo, los miembros del programa pueden recibir una reducción de 5% en el costo, si compran durante horas específicas, desplazando parte de la demanda de horas pico a horas de compra más desahogadas. También pueden recibir un beneficio si traen consigo sus propias bolsas de compra o si reciclan botellas. El programa de incentivos de Tesco está diseñado para modificar de alguna manera los comportamientos de los consumidores.

Estos programas difieren de muchos de los que se usan en Estados Unidos, donde los clientes son premiados de la misma manera, independientemente de su comportamiento. Por el simple hecho de poseer la tarjeta, obtienen un premio el mismo que reciben tanto los clientes mejores como los de menor importancia minorista, lo que hasta cierto punto derrota el propósito del programa. En vez de visualizar a sus miembros de programa como un solo segmento, Tesco utiliza un análisis de datos de sus 11 millones de tarjetahabientes para crear más de 37 000 segmentos de clientes y proporcionar diferentes premios e incentivos a cada uno de estos segmentos, con base en las metas de los programas promocionales. Algunos reciben premios, otros incentivos y otros más reciben ya sea ambos o ninguno.

Algunos escépticos pudieran todavía sentirse inclinados a preguntar: "¿realmente funcionan los programas de lealtad?" Si Tesco es un indicador, la respuesta es sí. Recientemente sobrepasó al rival de largo tiempo Sainsbury para convertirse en el número uno en ventas en las tiendas de alimentos en el Reino Unido. La clave no está sólo en tener los programas correctos, sino también en administrarlos e implementarlos bien y utilizar los datos resultantes.

Fuente: extracto basado en: Don E. Schultz, "Manage Customers, Not Loyalty Programs", en Marketing News *(enero 4 de 1999), 35-36.*

- *Haga de la mercadotecnia individual una realidad.* Pizza Hut opera un sistema que contiene perfiles electrónicos de 9 millones de clientes que han recibido entregas de pizza en el pasado, haciendo posible dirigir mensajes relevantes a clientes individuales.[29] Los programas de lealtad son una base vital de lo que se ha conocido como mercadotecnia de uno a uno.

- *Instituir una política de control de la calidad total.* El control de la calidad total (CCT) o administración de la calidad total (ACT) es una filosofía de administración que tiene sus raíces en los finales de los setenta, cuando los japoneses tomaron en serio las enseñanzas de W. Edwards Deming.[30] Demandaba un compromiso total hacia la excelencia, desde la alta gerencia, ejemplificado por un sistema efectivo de círculos de calidad (grupos de empleados que se reunían de manera periódica para ayudar a resolver problemas), un sistema de sugerencias de empleados, una amplia utilización de los principios de control estadístico de la calidad, una meta de "cero defectos" y programas constantes de capacitación. Un compromiso a la calidad ayuda a asegurar que los productos que produce una empresa satisfarán a sus clientes y por tanto incrementarán la confianza entre las partes y promoverán las compras repetidas.

- *Introducir un sistema de advertencia temprana para identificar problemas.* Para cuando se presenta un cliente como una cancelación en el sistema, normalmente resulta demasiado tarde para que funcionen las medidas de retención. Los sistemas de advertencia temprana identifican a aquellos clientes que compran menos e impulsan esfuerzos de mercadotecnia para que lleguen a ellos antes que se conviertan en clientes perdidos. El sistema identifica a los desertores potenciales mediante análisis y encuestas de comportamiento, sabiendo que la vigilancia de la calidad y el desempeño debe ocurrir a través de los ojos del consumidor.[31] En su manera más simple, informarse de lo que espera el cliente en calidad y desempeño, vigilar la respuesta del cliente de manera continua, mediante grupos de enfoque, encuestas periódicas o personal de ventas[32] proporciona la información necesaria para que las empresas refuercen las relaciones con el cliente.

- *Elaborar expectativas realistas.* Recuerde que la satisfacción se basa en una evaluación de la forma en que se llenan las expectativas de los consumidores respecto de un producto. Un consumidor que compra un teléfono celular basado en su oferta de "recepción más limpia dentro del área metropolitana" y que posteriormente encuentra límites geográficos en el intervalo de operación, estará descontento con la compra, con el producto y con la marca debido a la afirmación publicitaria no realista. La exageración, que a menudo nos lleva a la falta de satisfacción, trabaja contra otros programas organizacionales, diseñados para aumentar la lealtad y promover compras repetidas.

- *Proveer de garantías.* Las garantías de los productos han crecido de manera importante en el transcurso de los años, eliminando parte del riesgo percibido en la compra de una marca o producto en particular. Aunque existe evidencia de que las garantías tienen efectos mayores en la evaluación de marcas nuevas,[33] todas las empresas pueden utilizarlas para alentar una venta y empezar una relación con un cliente.

- *Proporcionar información acerca del uso del producto.* A los clientes se les debe dar información respecto de la manera en que deben utilizar los productos (para asegurar un mejor desempeño), en tanto que los diseñadores del producto deben anticipar la forma en que los consumidores pueden adaptar su uso a sus estilos de vida o sus condiciones reales de uso. Por ejemplo, a menudo los compradores amplían el uso pretendido de un tostador eléctrico de pan de caja, con la finalidad de incluir bagels, panecillos ingleses, bollos y otros tipos de panes horneados. Dado que estos elementos son más gruesos que el producto para el que está diseñado el tostador, hay falta de satisfacción y frustración, lo que lleva a una relación turbia con el cliente. Proporcionar información precisa acerca del uso correcto para el pan no sólo mejora la satisfacción del cliente, sino que puede crear oportunidades para que el fabricante venda hornos adicionales, o tostadores especializados para otros productos.

- *Solicitar retroalimentación por parte del cliente.* Si una organización desea fomentar la lealtad del cliente y un comportamiento de compras repetidas, necesita saber de qué manera se está desempeñando a los ojos del cliente. Para capturar esta información, un sistema de retroalimentación de clientes tan sencillo como un número 1-800, o una encuesta de satisfacción de clientes proactiva más compleja, permite a la empresa obtenerla. La retroalimentación debe llegar a todos los niveles de la gerencia y servir como entrada para una mejoría constante en términos de métodos de ventas, programas de publicidad y comunicaciones, y diseño de producto.

- *Reconocer, responder y rectificar quejas del consumidor.* Algunas empresas emplean a una persona (y a una escala más grande, un departamento de atención a clientes) para escuchar las quejas y tranquilizar a clientes insatisfechos. Es clave para el éxito de este proceso el reconocimiento de los problemas y la capacidad del representante de la empresa para resolverlos. Si se escucha una queja pero quien la atiende no tiene el poder ni la delegación de autoridad para rectificar el problema, se incrementará la frustración con el producto, la marca y la empresa. Las organizaciones también han fracasado en el proceso de quejas; desafortunadamente para los consumidores, la disposición de la empresa a escuchar y responder tiende a reducirse conforme se incrementan las quejas.[34]

    Algunas veces se presentan problemas a gran escala debido a defectos del producto, como ocurrió con la carne de hamburguesa en mal estado de la cadena de comidas rápidas estadounidenses Jack-In-The-Box y Coke, en Bélgica, en el verano de 1999. Muertes y enfermedades resultado del uso o mal uso del producto pueden ser devastadores para la reputación, aceptación y utilidades de una empresa. Lo que es más, la forma en que una compañía maneja estas tragedias puede afectar el desempeño a largo plazo en el mercado, tanto como los sucesos mismos. La negación de un problema sin un apoyo sustancial de "ningún ilícito corporativo" o asignar la culpa al consumidor por mal uso, puede destruir las relaciones con el cliente, que pudieran haber tomado años en formarse. A menudo el reconocimiento inmediato de un problema serio, acompañado por una retirada de mercancía puede eliminar el agravio, el pánico y la deserción del consumidor.

- *Reforzar la lealtad del cliente.* Según la teoría aprendida, los comportamientos premiados se repiten, los programas de lealtad del cliente ayudan a influir los comportamientos de compra. Desde simples cartas que recuerdan a los clientes que su empresa de seguros sigue interesada en ellos, hasta darles promociones especiales para compradores muy leales o frecuentes, estos programas han evolucionado hasta convertirse en herramientas valiosas que generan y mantienen las relaciones con el cliente.[35]

Cuando los programas de mercadotecnia se implementan bien, proporcionan una experiencia superior al consumidor. Éstos tienden a repetir su comportamiento de compra, a desarrollar lealtad a una empresa, a sus marcas y puntos de venta, lo que lleva a su vez a incrementar las ventas y utilidades y a obtener información invaluable en la forma de mejorar las estrategias existentes. Este flujo de información alimenta el proceso continuo de la estrategia de mercadotecnia y la mejora de los componentes de su implementación.

Estrategia global de mercadotecnia

Quizás ningún gerente debe ser promovido a una posición de responsabilidad importante en una organización contemporánea, si no puede "pensar de manera global". Corporaciones como Coca-Cola, IBM, Gillette, Nestlé, Sony y Unilever derivan más de 50% de sus ventas fuera de su país de origen, lo cual hace necesario una perspectiva global en la planeación estratégica de hoy. Pensar globalmente involucra la capacidad de comprender los mercados más allá de su país de origen, con respecto a:

1. Fuentes de la demanda: venta a los mercados en todo el mundo.

2. Fuentes de suministros: fuentes de materiales, conocimientos y administración del mundo.

3. Métodos de administración y mercadotecnia: aprender de empresas alrededor del mundo la forma de administrar mejor y colocar en el mercado global.[36]

Las empresas orientadas al crecimiento, luchando en pro de un valor mejorado para el accionista (VMA), han buscado de manera creciente la expansión global como forma de lograr los objetivos de crecimiento, especialmente una vez que han alcanzado el dominio en penetración en el mercado dentro de sus propios países. Algunos países y, por tanto, las empresas establecidas en ellos poseen más experiencia en prácticas globales. Holanda tiene una historia de comercio y operaciones globales que va más allá de 400 años. La Dutch East India Co. dominó económicamente al mundo durante muchos años, y recientemente Holanda fue el segundo propietario más grande de inversiones estadounidenses. Aunque las empresas de Estados Unidos fueron capaces de sobrevivir durante muchos años dando servicio a los mercados dentro de sus países en razón de su tamaño, si las empresas europeas deseaban crecer de manera sustancial, tenían que aprender a comercializar más allá de sus fronteras nacionales. Esta historia ha posicionado a gigantes corporativos como Unilever, Shell, KLM y Phillips, en la competencia y el éxito global.

La globalización, sin embargo, no está limitada a grandes empresas. La creciente población mundial, que alcanzó seis mil millones de personas en octubre de 1999, representa una posibilidad intrigante para el crecimiento y rentabilidad tanto para empresas grandes como pequeñas. Empresas pequeñas, relativamente insignificantes, con segmentos de mercado o "nichos" especializados que trascienden las fronteras nacionales probablemente exportan y tienen éxito. De hecho, 80% de las 100 mil compañías estadounidenses que exportan son negocios pequeños.[37] En razón a su tamaño las empresas pequeñas tienen tendencia a ser flexibles y adaptarse bien a los mercados locales; además se espera que continúen alimentando el crecimiento en el negocio global, conforme utilizan la internet para llegar a los mercados globales.

Análisis y estrategia del mercado global

El análisis del mercado global se inicia con la comprensión de los mercados de manera global en términos de las personas.¿Cuáles son sus necesidades, su capacidad y autoridad para comprar, y su deseo de gastar? ¿De qué manera difieren de los consumidores a quienes ya les vendemos? Tal y como se resalta en El consumidor en la mira 2.3, los consumidores de hoy tienen la oportunidad de comprar una infinidad de productos elaborados en el extranjero y de marca mundial, que lo mismo se encuentran en las tiendas de Londres, Sao Paulo o por internet. Sin embargo los consumidores también disciernen entre elegir ideas, anuncios y amistades que a su vez representan una diversidad de países y culturas. Las variables culturales, étnicas y de motivación afectan la forma en que los consumidores toman decisiones de compra, por tanto, se incrementa la necesidad de que los analistas e investigadores del consumidor se auxilien en el diseño de estrategias de mercadotecnia globales. Las empresas buscan a los analistas del consumidor para identificar poblaciones en crecimiento y segmentos de consumidores económicamente capaces de adquirir los productos, así como estrategias para llegarles con efectividad. Aunque este capítulo analiza la mercadotecnia global y el comportamiento del consumidor desde un punto de vista de la estrategia, el capítulo 7 está enfocado en la tendencia del consumidor global y de la población, y el capítulo 11 se centra en las variables culturales y étnicas.

¿Se puede estandarizar la mercadotecnia?

Aunque muchas empresas han adoptado una perspectiva global en la cual todas las áreas del mundo proporcionan mercados posibles a los cuales vender o de los cuales proveerse, ¿es posible utilizar un programa de mercadotecnia para todos los países objetivo?, o ¿deben modificarse para cada país? Existen muchas consideraciones estratégicas en función de costo, imagen de marca, mensaje y métodos de publicidad, y efectividad que deben ser evaluados, antes de decidir cuál es la mejor solución para un producto en particular. Debido a que los

El consumidor en la mira 2.3

Instantánea de menudeo global

Recorra Oxford Street, en Londres —la forma definitiva de "menudeo en calle elegante"— tendrá en cada una de las manzanas evidencias de un nuevo mercado. Usted podrá elegir entre varios conceptos de menudeo, incluyendo algunos de los minoristas ingleses más famosos como Boots, Selfridge's y Marks and Spencer. Sin embargo, si se detiene en Selfridge's, se habrá introducido en un mercado global que le ofrece mercancía de todo el mundo, con marcas que van desde Sony (Japón) a Miele (Alemania) en el departamento de bienes para el hogar, y de Lindt (Suiza) a Mars (Estados Unidos) en la sección de alimentos. Cuando compra en Boots, que ahora vende mucho más que productos farmacéuticos que tradicionalmente vendería un "farmacéutico", encontrará que también se ofrecen cajas registradoras y software de cómputo de la más avanzada tecnología, diseñados y producidos en diferentes países. Y si compra en Marks and Spencer, puede encontrar palomitas de maíz, nachos y otros bocadillos salados, que quizá se produjeron en Marion, Ohio.

Aventúrese aún más en la actividad comercial de High Street, de Londres, usted verá anuncios de tiendas, no sólo en inglés sino frecuentemente en árabe o japonés, probablemente escuchará otros compradores que hablan francés, yiddish, africano, alemán o cualquier otro idioma del mundo. Con la eliminación de los autobuses de dos pisos y el reemplazo de los taxis negros por amarillos, estas experiencias de compras podrían ocurrir en Nueva York, a lo largo de la famosa 5a. Avenida. Excepto por variantes en la proporción, los consumidores pueden pasearse por el distrito de compras de Manhattan y encontrar muchas de las mismas tiendas (o por lo menos de los tipos de tienda), marcas y la colección babilónica de lenguajes. Aun más importante desde la perspectiva de este libro, es probable que usted encontraría a algunos de los mismos consumidores.

programas de mercadotecnia deben ser modificados para cada cultura, las empresas fracasarán si no desarrollan productos, promociones y organizaciones específicas para cada país. Se consiguen, sin embargo, economías de escala y ventajas enormes de una imagen de marca unificada, siempre que se estandarice el programa de mercadotecnia.

En el nivel más básico, los mercadólogos deben preguntarse qué es mayor: las diferencias o las similitudes entre consumidores de diferentes países de distintas culturas. Si usted está de acuerdo con que el comportamiento del consumidor está expuesto a factores culturales universales, entonces reconocerá que se puede estandarizar la publicidad. Esta posición ha intrigado a los mercadólogos desde que Eric Elinder lo mencionó por primera vez en 1965[38] y el debate respecto a su validez se intensificó con el artículo de controversia de Ted Levitt, en el cual describe la globalización del mercado.[39] En cualquiera de estos casos, es una realidad que existen diferencias culturales inherentes entre los consumidores de culturas diferentes, que deben ser abordadas en algún nivel del plan de mercadotecnia.

El **análisis transcultural** es la *comparación de similitudes y diferencias en aspectos físicos y de comportamiento de las culturas.* Se incluyen los "sistemas de comprensión" de los consumidores en naciones donde son inteligibles dentro del contexto cultural de cada país. Los practicantes de la mercadotecnia necesitan una empatía cultural, con objeto de predecir la forma en que los consumidores comprarán y usarán nuevos productos y evitar "errores" al entrar en un mercado nuevo. La **empatía cultural** se refiere a *la habilidad de comprender la lógica interna y la coherencia de otras formas de vida y evitar juzgar otros sistemas de valores.*

La comunicación con los consumidores puede ocurrir en diferentes etapas del proceso de compra, incluyendo el momento de la venta. La **etnografía** ayuda a analizar *las formas sutiles en que interactúan los compradores y vendedores en el mercado y puede ser conveniente en los procesos de negociación comercial.* Mientras más se conozca acerca de las culturas de las partes involucradas en la transacción (estilos y hábitos diferentes), mayor será la probabilidad de una negociación exitosa.[40] La comunicación antes de la venta, en la publicidad, también se ve afectada por las variables culturales. Estas variables dilucidan respecto de varios problemas, incluyendo cuáles son los atributos de un nuevo producto que probablemente se consideren más valiosos que otros, qué lenguaje deberá ser utilizado en los anuncios, o quién podría ser un portavoz efectivo de la marca o del producto.

¿Cómo cambiarán los análisis culturales en el transcurso del tiempo conforme los consumidores de Asia y África vean más programas y películas de televisión estadounidenses, y se comuniquen con personas en Canadá o Europa por medio de la internet? ¿Adoptarán algunas características de estas culturas? Y, ¿podrán ellos, por tanto, ser objetivo de los anuncios y de las piezas de comunicación que se utilizan en Estados Unidos o Europa? O aún así, ¿mantendrán sus propias identidades y características culturales únicas, y requerirán de la formulación de programas de comunicación especializados? Estas interrogantes representan los tipos de preguntas que los analistas del consumidor tendrán que contestar en el futuro, conforme el mercado experimenta una creciente globalización.

Segmentación intermercados

Ya sea que se estén dirigiendo a consumidores europeos o consumidores de todo el mundo, muchos mercadólogos globales de éxito identifican y llegan a los consumidores mediante una **segmentación intermercado** —*la identificación de grupos de clientes que trasciende al mercado tradicional o las fronteras geográficas*—. Los segmentos de intermercado consisten en personas que tienen patrones de comportamiento similar, independientemente de donde vivan. Cuando se adopta la segmentación intermercado a un nivel estratégico, las estrategias de mercadotecnia se enfocan en el comportamiento similar de clientes, sin importar en qué país vivan, en lugar de enfocarse en fronteras nacionales como definición de mercado.[41]

La segmentación intermercado juega un papel clave para comprender las similitudes, así como las diferencias, entre consumidores y países que se convierten en la base de la estandarización de mercadotecnia, una estrategia de mercadotecnia internacional que las organizaciones cada vez adoptan más.[42] Un estudio de 27 corporaciones multinacionales (CMN), incluyendo empresas como General Foods, Nestlé, Coca-Cola, Procter & Gamble, Unilever y Revlon, demostró que 63% del total de los programas de mercadotecnia podían ser clasificados como "altamente estandarizados".[43] Estos mercadólogos han elaborado estrategias de éxito con base en el principio de que "las personas son básicamente iguales en todo el mundo", aun cuando pudieran variar en rasgos específicos, a menudo influidos por elementos estructurales como los recursos económicos, la urbanización y la edad de la población. *El reto es construir el núcleo de la estrategia de mercadotecnia sobre los elementos universales en lugar de las diferencias.*

Un ejemplo de esta estrategia sería el enfoque sobre el deseo de ser bella. En cierto sentido, las mujeres jóvenes en Tokio y en Berlín son hermanas no solamente "bajo la piel," también "sobre" la piel, labios, uñas e incluso en sus estilos de peinado. En consecuencia, probablemente adquirirán cosméticos promovidos con características similares.[44] Los atractivos que resaltan imágenes universales, como madre e hijo, no tener dolor y el reflejo de la salud, quizás crucen muchas fronteras.

Hugo Boss, empresa de ropa de alta calidad, logra la segmentación intermercado al atraer consumidores afluentes, conscientes del diseño. Los hombres que adquieren Boss se pueden encontrar en las mismas tiendas, leyendo el mismo tipo de anuncios en revistas de distribución global, mientras esperan el mismo tipo de ajuste y servicio, y compran a los mismos precios, independientemente que vivan en Munich, Londres, Nueva York, Ciudad de México o Hong Kong. Y lo que es más, las diferencias de comportamiento entre los hombres que compran los trajes Boss y los que compran los de Sears en Nueva York, son probablemente mayores a las de los hombres que compran Boss en Nueva York y Boss en Hong Kong. Éstos son tan similares como para constituir un segmento intermercado. De igual manera, Escada, marca de ropa y accesorios para mujer, se dirige a un segmento de mercado de mujeres de todo el mundo (figuras 2.9a y 2.9b).

Localización basada en las diferencias

Conforme la Unión Europea (EU) organiza su funcionamiento como un mercado único, con la introducción del euro en 2002, las empresas están definiendo segmentos de mercado formados por tipos similares de clientes y culturas a través de Europa, en vez de grupos dentro de

Figura 2.9a   Segmentación intermercado de la moda

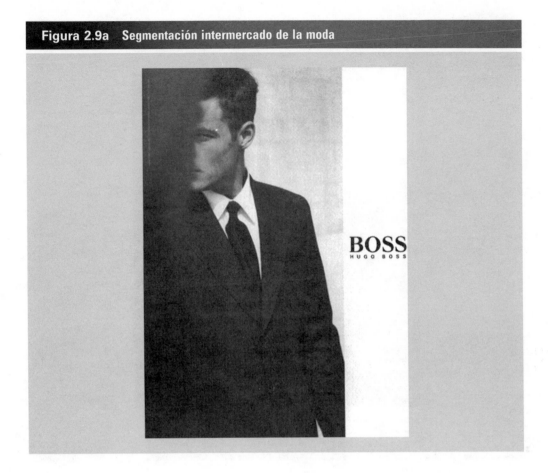

un país específico. Ahora bien, conforme más negocios traten a la Unión Europea como un mercado común, ¿desaparecerán las identidades culturales de cada uno de los países que la conforman? ¿Se convertirán los franceses en menos o más franceses si se les trata como europeos genéricos? La respuesta dependerá de si la implementación de las estrategias de mercadotecnia por parte de una empresa, se basan en las similitudes entre consumidores o en sus diferencias.

Una verdadera localización de las estrategias de mercadotecnia se inclinaría por productos y anuncios diferentes en cada país del mundo. A pesar de que esto es económicamente ineficiente o nada práctico, es necesario examinar las necesidades y deseos de los mercados específicos y adaptar los productos, empaques y la publicidad con base en las diferencias entre mercados y en los patrones de comportamiento del consumidor de los mercados objetivo. Por tanto, la elección de muchos mercadólogos se enfoca en ser global y actuar de manera local.

Antes que se introdujeran los automóviles japoneses en Estados Unidos, tenían que ser rediseñados de manera que los volantes quedaran del lado izquierdo del automóvil. ¿Cuántos estadounidenses hubieran comprado Hondas, si el volante hubiera estado del lado "equivocado"? Usted puede pensar que las medicinas son las mismas en todo el mundo, porque son genéricos para la especie humana. Aun así, no resulta extraño ver que el mismo medicamento tiene presentaciones de acuerdo con las preferencias locales: cápsulas en Estados Unidos y Canadá, tabletas en Inglaterra, inyecciones en Alemania, y supositorios en Francia.

Efectividad de la publicidad global

En un entorno de negocios global, muchas empresas recurren a la publicidad para comunicarse con los nuevos consumidores mundiales. Esto se puede llevar a cabo por medio de campañas de publicidad globalizadas o localizadas. Las campañas globales se centran en enviar un

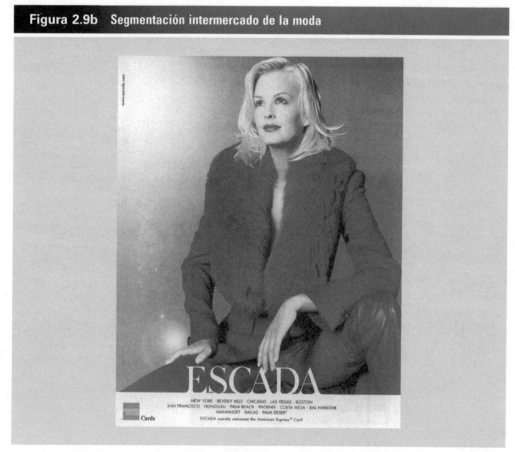

Figura 2.9b   Segmentación intermercado de la moda

mismo mensaje a los consumidores en todo el mundo. Las campañas localizadas adaptan los mensajes a las normas de las diferentes culturas a las cuales se enfrentan en un mercado particular.

Las agencias de publicidad global pueden ser eficientes en la implementación de campañas de publicidad globalizadas que transmiten el mismo mensaje a cada uno de los mercados, independientemente de su localización geográfica. Al principio, Nestlé encontró dificultades en la promoción de su línea Nescafé a consumidores en diferentes culturas, porque la definición de café es muy diferente para muchas personas. Japón tiene una cultura del té; Francia, Alemania y Brasil gustan del café molido; Reino Unido se ha decidido por el café instantáneo. Nestlé decidió vender la "bondad del café" alrededor del mundo en vez de vender café. Al vender el aroma y los sentimientos asociados con la bondad del café, permitieron que los consumidores decidieran qué significa el café para ellos; así Nescafé ha superado las diferencias culturales y ha vinculado la publicidad Nescafé en 50 países.

Ciertos mensajes de publicidad y algunas características específicas del producto tienden a estar mejor adecuadas que otras para un método de publicidad globalizado. Estas características se resumen como sigue:

1. El mensaje de comunicación se basa en estilos de vida similares.

2. El atractivo del anuncio es hacia necesidades y emociones básicas.

3. El producto satisface necesidades y deseos universales.[45]

A pesar de que las campañas globales de publicidad pueden ser efectivas para algunos productos y empresas, otras necesitan reconocer diferencias culturales y adaptar sus campañas de manera conveniente.[46] McCain Foods, distribuidor de una marca muy exitosa de papas fritas a la francesa congeladas, decidió adaptar su publicidad a los gustos locales y a las normas de mercados específicos. Los comerciales de televisión que se ven en Alemania muestran las papas servidas en la mesa, con un vaso de cerveza cerca. Si el mismo anuncio se mostrara en Francia, sería menos efectivo porque el vino es la bebida usual con los alimentos.

Los mercadólogos globales deben adoptar la eficiencia de la publicidad estandarizada y la efectividad y sensibilidad cultural de las campañas localizadas. Alguna publicidad global, aunque sea uniforme en su mensaje en todo el mundo, utiliza lenguaje o estereotipos para conservar el sentimiento que se asocia con la característica distintiva del producto. El uso de palabras de otra lengua adultera las expectativas gramaticales del lector, y llama la atención.[47] Aunque un texto extranjero puede llamar la atención de un lector, también puede causar un error en la comunicación, si no se entienden las palabras.

Independientemente del procedimiento de publicidad, la implementación de la campaña en un mercado nuevo puede ser exitosa únicamente si el panorama estratégico de dicho mercado se comprende. Por ejemplo, las empresas en Estados Unidos gastan aproximadamente 3% de las ventas en la publicidad. En Australia, la relación de publicidad a ventas en general oscila entre 7 y 8%; en Suecia aproximadamente 5%; en México, poco más de 5% y, finalmente, en Canadá entre 4 y 5%.[48] Una empresa estadounidense que publicite en Australia pudiera subpresupuestar la publicidad según las prácticas locales, lo que reduciría la efectividad de la campaña en razón a menores niveles de exposición. En Japón una publicidad comparativa no se permite según el Advertising Code, mismo que explica, "Evitemos calumniar, difamar y atacar a terceros".[49] Los programas de mercadotecnia en Japón están fuertemente influidos por el confucionismo, que pone un elevado valor en la autoestima, reciprocidad y armonía. También se derivan valores del budismo, que llevan a una necesidad de simplicidad y a un sentido estético dominante, así como a la lealtad y satisfacción en las relaciones interpersonales.[50]

Cómo superar los problemas del lenguaje

Los problemas de lenguaje deben ser superados para estandarizar los programas de mercadotecnia y evitar errores como los que siguen: En un hotel de París, un anuncio pide a los huéspedes "Por favor dejen sus valores en la recepción". En Bangkok, la publicidad de un lavado en seco sugiere que los clientes "Dejen caer sus pantalones aquí para un mejor resultado". En un bar noruego, el mensaje puede confundir un poco debido a un anuncio que dice "Se solicita a las señoras que no tengan hijos en el bar". Un lema de Coors en inglés "Turn it Loose", en español se convirtió en "Sufra de diarrea".[51] Las técnicas lingüísticas tomadas de metodologías transculturales son útiles para que los mercadólogos superen este tipo de problemas.

Una técnica útil para superar los problemas del lenguaje es la **traducción hacia atrás**. Con este procedimiento, *un mensaje* (palabra u oración) *se traduce de su lenguaje original al lenguaje deseado, y, de regreso al original utilizando varios traductores*. El propósito de estas interacciones es lograr una equivalencia conceptual en el significado, al controlar las diversas tendencias de los traductores.[52]

Nombres de marca

Los nombres de marca deben evaluarse desde una perspectiva transcultural, incluso si actualmente se utilizan sólo en los mercados domésticos. "Pensar globalmente" incluye considerar la posibilidad de que la marca se expandirá algún día a otros países, así como hacerla atractiva para diversas culturas dentro del país actual. Los nombres acuñados han aumentando en popularidad entre las empresas de *Fortune 500*, dado que no necesitan ser traducidos. Esto hace que en un mercado global los nombres como Exxon y Xerox sean muy efectivos.

Entre las preguntas que se deben considerar antes de decidir un nombre de marca en inglés (o en el idioma de origen) están las siguientes:

1. ¿Tiene el nombre del producto en inglés (u otro idioma) otro significado, quizás no favorable, en uno o más de los países donde pudiera comercializarse?

2. ¿Se puede pronunciar el nombre en inglés en todas partes? Por ejemplo, en algunos idiomas, no existe la "k" en sus alfabetos, una letra inicial de muchos nombres de marcas populares estadounidenses.

3. ¿Es el nombre parecido al de alguna marca extranjera, o duplica otro producto que se venda en otro país?

4. Si el producto es claramente estadounidense, ¿funcionará el orgullo y el prejuicio nacionales contra la aceptación del producto?[53]

Las marcas globales tienen ventajas sustanciales para crear conciencia de un producto o una marca a nivel mundial. Conforme los consumidores viajan a otros países, las marcas globales son fácilmente reconocidas y a menudo se confía en ellas. Las marcas globales tienen con frecuencia asociaciones útiles. La imagen de ser global a menudo le agrega legitimidad a la marca, además de la asociación de ser competitiva y tener poder de sostenerse. Frecuentemente ocurre la asociación del país con la marca. Grey Poupon es mostaza francesa, Steiff es una marca alemana de animales disecados, y Levi's son jeans estadounidenses.[54] Si en la mente de los consumidores, se tiene la percepción de que determinado país produce el mejor producto de una categoría específica, se crea una clara asociación de país de origen y su correspondiente ventaja. La figura 2.10 muestra la forma en que los publicistas han utilizado el país de origen o una asociación con el país, para dar atractivo a los compradores de un mobiliario nuevo.

Figura 2.10   El país de origen como atractivo publicitario

Aunque a menudo las marcas globales funcionan bien, muchas empresas se han dado cuenta que la globalización no es una proposición de todo o nada. Existen muchos componentes de una marca: nombre, símbolo, lema y asociaciones. Muchos mercadólogos, incluyendo Coca-Cola, han encontrado que, aunque tienen una marca global, no todos los elementos son globales. Diet Coke se vende en Estados Unidos, en tanto que el mismo producto se vende como Coca-Cola Light en Europa, debido a restricciones respecto del uso de la palabra *diet* cuando no se pretende una connotación medicinal. Muchos mercadólogos globalizan aquellos elementos para los cuales existe una rentabilidad en costo o impacto, pero permiten que otros elementos del valor de la marca de un producto se personalicen en función de mercados locales.

Resumen

Hemos visto que el enfoque al consumidor, una premisa básica de la mercadotecnia, se ha convertido cada vez más en una fuerza impulsora en la economía contemporánea. Mercadotecnia que funciona bien con el tiempo produce una serie de intercambios ganar-ganar con los consumidores, conocidos a veces como ventas de relaciones. Con el fin de que la mercadotecnia y las ventas fomenten una fuerte cimentación de crecimiento corporativo, durante el intercambio ambas partes involucradas necesitan quedar satisfechas.

Como podemos ver, varios factores clave determinarán el éxito o fracaso de las estrategias de mercadotecnia basadas en el consumidor: 1) acercarse al consumidor, 2) mercadotecnia individualizada, 3) el compromiso de prioridad a la satisfacción y retención del cliente y 4) un enfoque sobre una estrategia global de mercadotecnia. Y en el centro del análisis de mercado, de la segmentación del mismo y de las estrategias de mezcla de mercadotecnia estará siempre el consumidor.

Para los estudiantes del comportamiento del consumidor ha aparecido una nueva era. Han cambiado los tiempos fáciles del siglo XX (poblaciones en crecimiento, elevados niveles de demanda y de necesidades de producto, ritmo más lento de la sociedad, menores expectativas de parte de los consumidores, grandes reservas de mano de obra) que caracterizaron el éxito en la mayor parte de las naciones industrializadas; de modo que los académicos y ejecutivos estudian ahora las hipótesis fundamentales y las guías de acción subyacentes a la formulación de estrategias.[55] Lo que antes resultaba un entorno competitivo en el que muchos buenos jugadores podían y, de hecho, ganaban está evolucionando en uno que se caracteriza por ser "hipercompetitivo". Una intensa competencia ha originado la popularidad de los programas de retención del cliente (programas de lealtad) entre las empresas en una diversidad de ramas industriales. La retención del cliente se puede mejorar por medio de tácticas como la creación de expectativas realistas, asegurarse que la calidad del producto y del servicio llenan las expectativas, vigilar la satisfacción y los niveles de retención del cliente, ofrecer garantías y encarar la falta de satisfacción del cliente, mediante una respuesta rápida y apropiada.

A los analistas del comportamiento del consumidor se les requiere cada vez más que comprendan las decisiones de compra y consumo de manera global. Los análisis transculturales, la comparación sistemática de similitudes y diferencias en los aspectos del comportamiento y físicos de las culturas, proporcionan un procedimiento para comprender los segmentos del mercado, tanto a través de las fronteras nacionales como entre grupos dentro de una sociedad. El proceso de analizar a los consumidores en una base transcultural es particularmente útil para decidir qué elementos de un programa de mercadotecnia se pueden estandarizar en múltiples países y qué elementos deben ser localizados.

Preguntas de repaso y análisis

1. ¿Por qué existe la segmentación del mercado? ¿El uso de las estrategias de segmentación del mercado de parte de las organizaciones resulta perjudicial o útil para los consumidores y la sociedad?

2. ¿Cuáles son algunos de los fundamentos más comunes utilizados para la segmentación del mercado?

3. ¿Qué criterios para la selección de segmentos debe considerar la empresa al decidir los segmentos a los cuales dirigirse?

4. Con base en el concepto de conocimientos del consumidor y de la mezcla de mercadotecnia, elija un producto que haya sido introducido con éxito en el mercado en los últimos dos años, y explique a qué atribuye usted el éxito.

5. Suponga que usted es el gerente de mercadotecnia de un nuevo carro deportivo Ford. ¿De qué manera utilizaría la segmentación intermercados para desarrollar estrategias de mercado para Ford?

6. Con referencia a su respuesta a la pregunta 5, ¿de qué manera se comunicaría con el auditorio objetivo? Describa su campaña de promoción para Ford.

7. Suponga que usted es propietario y operador de una pequeña tienda de especialidades que vende panes y pastelería. ¿De qué manera podría crear un programa para maximizar la lealtad y la retención del cliente?

Notas

1. David Cravens, Gordon Greenley, Nigel Piercy y Stanley Slater, "Integrating Contemporary Strategic Perspectives", en *Long Range Planning* (agosto de 1997), 493-506.

2. Dhruv Grewal, Kent B. Monroe y R. Krishnan, "The Effects of Price-Comparison Advertising on Buyers' Perceptions of Acquisition Value, Transaction Value, and Behavioral Intentions", en *Journal of Marketing*, 52 (abril de 1988), 46-59.

3. Robert Woodruff, "Customer Value: The Next Source for Competitive Advantage", en *Journal of the Academy of Marketing Science, 25, 2* (invierno de 1998), 139-153.

4. A. Parasuraman, "Reflections on Gaining Competitive Advantage Through Customer Value", en *Journal of the Academy of Marketing Science, 25, 2* (primavera de 1997), 154-161.

5. "Flops," *Fitness Week* (agosto 16 de 1993), 79.

6. Cyndee Miller, "Survey: New Product Failure Is Top Management's Fault", en *Marketing News* (febrero 1 de 1993), 2.

7. Jan-Benedict E. M. Steenkamp, Frenkel Ter Hofstede y Michel Wedel, "A Cross-National Investigation into the Individual and National Cultural Antecedents of Consumer Innovativeness", en *Journal of Marketing*, 63, 2 (abril de 1999), 55-69.

8. Kristina Blackwell y Roger Blackwell, *Consumer Insight,* prepared for Kodak, Inc. (septiembre de 1999).

9. Jacob Goldenberg, David Mazursky y Sorin Solomon, "Toward Identifying the Inventive Templates of New Products: A Channeled Ideation Approach", en *Journal of Marketing Research*, 36, 2 (mayo de 1999).

10. Evert Gummersson, "Implementation Requires a Relationship Marketing Program", en *Journal of the Academy of Marketing Science*, 26 (verano de 1998), 242-249.

11. "Shoot Out at the Check-Out", en *The Economist* (junio 5 de 1993), 69.

12. W. Chan Kim, Renee Mauborgne, "Value, Innovation: The Strategic Logic of High Growth", en *Harvard Business Review* (enero/febrero de 1997), 103-114.

13. James H, Gilmore y B. Joseph Pine II, "The Four Faces of Mass Customization", en *Harvard Business Review* (enero/febrero de 1997), 91-102.

14. Martha Rogers y Bill Pepper, *The One To One Future* (Bantam, Doubleday, 1997).

15. Frenkel Ter Hofstede, Jan-Benedict E. M. Steenkamp y Michel Wedel, "International Market Segmentation Based on Consumer-Product Relations", en *Journal of Marketing Research*, 36 (febrero de 1999), 1-17.

16. Jagdish Sheth y Rajendra Sisodia, "Revisiting Marketing's Lawlike Generalizations", en *Journal of the Academy of Marketing Science*, 27, 1 (invierno de 1999), 71-87.

17. Roger Blackwell y Kristina Blackwell, "Changing Consumption Trends", en *International Mass Retail Association* (1997).

18. Mark Stiving, Greg Allenby y Russell Winter, "An Empirical Analysis of Price Endings with Scanner Data", en *Journal of Consumer Research* 24 (junio de 1997), 57-67.

19. Kevin Lane Keller, Susan E. Heckler y Michael J. Houston, "The Effects of Brand Name Suggestiveness on Advertising Recall", en *Journal of Marketing*, 62, 1 (enero de 1998).

20. Nigel Piercy, "Marketing Implementation: The Implications of Marketing Paradigm Weakness for the Strategy Execution Process", en *Journal of the Academy of Marketing Science*, 26, 2 (primavera de 1998), 222-236.

21. Steve Schriver, "Customer Loyalty: Going, Going…", en *American Demographics* (septiembre de 1997), 20-21.

22. *Ibid.*

23. Michael M. Pearson y Buy H. Gessner, "Transactional Segmentation to Slow Customer Defections", en *Marketing Management*, 8, 3 (verano de 1999).

24. Mark P. Pritchard, Mark E. Havitz y Dennis R. Howard, "Analyzing the Commitment-Loyalty Link in Service Contexts", en *Journal of the Academy of Marketing Science*, 27, 3 (verano de 1999), 333-348.

25. Matt Nannery, "Disloyalty Programs", en *Chain Store Age* (marzo de 1999), 126.

26. Marcia Mogelonsky, "Supermarket Loyalty", en *American Demographics* (noviembre de 1997), 36.

27. C. B. Bhattacharya, "When Customers Are Members: Customer Retention in Paid Membership Contexts", en *Journal of the Academy of Marketing Science*, 26, 1 (invierno de 1998), 31-44.

28. Doroty Dowling, "Frequent Perks Keep Travelers Loyal", en *American Demographics* (septiembre de 1998), 32-36.

29. Power, "How to Get Closer to Your Customers", 44-54.

30. Para un valioso resumen de los métodos de Deming, véase Mary Walton, *The Deming Management Method* (Nueva York: Dodd, Mead, & Company, 1986). Véase por ejemplo, Frank Rose, "Now Quality Means Service Too", en *Fortune* (abril 22 de 1991), 98-110; y Gilbert Fuchsberg, "Gurus of Quality Are Gaining Clout", en *The Wall Street Journal* (noviembre 27 de 1990), B1.

31. William Band, "Performance Metrics Keep Customer Satisfaction Programs on Track", en *Marketing News* (mayo 28 de 1990), 12.

32. Lawrence A. Crosby, Kenneth R. Evans y Deborah Cowles, "Relationship Quality in Services Selling: An Interpersonal Influence Perspective", en *Journal of Marketing*, 54 (julio de 1990), 68-81.

33. Daniel E. Innis y H. Rao Unnava, "The Usefulness of Product Warranties for Reputable and New Brands", en Holman and Solomon, *Advances*, 317-322.

34. Claes Fornell y Robert A. Westbrook, "The Vicious Cycle of Consumer Complaints", en *Journal of Marketing*, 48 (verano de 1984), 68-78.

35. Blaise Bergiel y Christine Trosclair, "Instrumental Learning: Its Application to Consumer Satisfaction", en *Journal of Consumer Marketing*, 2 (otoño de 1985), 23-28.

36. Salah Hassan y Roger Blackwell, *Global Marketing Perspectives and Cases* (Fort Worth, TX: The Dryden Press, 1993), 3.

37. "Three Small Businesses Profit by Taking on the World", en *The Wall Street Journal* (noviembre 8 de 1990), B2.

38. Erik Elinder, "How International Can European Advertising Be?" en *Journal of Marketing*, 29 (abril de 1965), 7-11.

39. Theodore Levitt, "The Globalization of Markets", en *Harvard Business Review*, 61 (mayo/junio de 1983), 92-102. Para la perspectiva de contraste, véase Yoram Wind, "The Myth of Globalization", en *Journal of Consumer Marketing*, 3 (primavera de 1986), 23-26.

40. Brian Mark Hawrysh y Judith Lynne Zaichkowsky, "Cultural Approaches to Negotiations: Understanding the Japanese", en *European Journal of Marketing*, 25 (1991), 51-60.

41. Salah Hassan y Roger Blackwell, *Global Marketing Perspectives and Cases* (Fort Worth, TX: The Dryden Press, 1993), 53-57.

42. Robert D. Buzzell, "Can You Standardize Multinational Marketing?", en *Harvard Business Review*, 46 (noviembre/diciembre de 1986), 102-113; Theodore Levitt, "The Globalization of Markets", en *Harvard Business Review* 61 (mayo/junio de 1983), 92-102; "Multinationals Tackle Global Marketing", en *Advertising Age* (junio 25 de 1984), 50 ss. También véase "Marketers Turn Sour on Global Sales Pitch Harvard Guru Makes", en *The Wall Street Journal* (mayo 11 de 1988), 1.

43. Ralph Z. Sorenson y Ulrich E. Wiechmann, "How Multinationals View Marketing Standardization", en *Harvard Business Review*, 53 (mayo/junio de 1975), 38-56. También véase William H. Davidson y Philippe Haspeslagh, "Shaping a Global Product Organization", en *Harvard Business Review*, 60 (julio/agosto de 1982), 125-132.

44. Arthur Fatt, "The Danger of 'Local' International Advertising", en *Journal of Marketing*, 31 (enero de 1967), 60-62.

45. Roger Blackwell, Riad Ajami y Kristina Stephan, "Winning the Global Advertising Race: Planning Globally, Acting Locally", en *Journal of International Consumer Marketing*, 3 (1991), 108,120.

46. H. Simon, "Lessons from Germany's Midsize Giants", en *Harvard Business Review* (marzo/abril de 1992), 115-123.

47. Hassan y Blackwell, *Global Marketing Perspectives and Cases*.

48. Charles E. Keown, Nicolas Synodinos, Laurence Jacobs y Reginald Worthley, "Can International Advertising Be Standardized?" World Congress of the Academy of Marketing Sciences, Barcelona, 1987. Para una perspectiva macroeconómica de este problema, véase Seymour Banks, "Cross-National Analysis of Advertising Expenditures", en *Journal of Advertising Research,* 26 (abril/mayo de 1986), 11-23.

49. Esta sección es un extracto de Dentsu Incorporated, en *Marketing Opportunity in Japan* (Londres: McGraw-Hill, 1978), 84-114. Dentsu es una de las agencias de publicidad más grandes del mundo.

50. Walter A. Henry, "Impact of Cultural Value Systems on Japanese Distribution Systems", en Pitts y Woodside, *Personal Values and Consumer Psychology,* 255-270.

51. Kevin Lynch, "Adplomacy, Faux Pas Can Ruin Sales", en *Advertising Age* (enero 15 de 1979), S–2 ss.; y "When Slogans Go Wrong", *American Demographics* (febrero de 1992), 14.

52. Richard W. Brislin, "Back-Translation for Cross-Cultural Research", en *Journal of Cross-Cultural Psychology*, 1 (septiembre de 1970); Oswald Werner y Donald T. Campbell, "Translating, Working through Interpreters and the Problems of Decentering", en Raoul Naroll y Ronald Cohen, eds., *A Handbook of Method in Cultural Anthropology* (Garden City, NY: National History Press, 1970), 298-420.

53. Walter P. Margulies, "Why Global Marketing Requires a Global Focus on Product Design", en *Business Abroad*, 94 (enero de 1969), 22-34.

54. David A. Aaker, *Managing Brand Equity* (Nueva York: The Free Press, 1991), 263-269.

55. David Cravens, "Implementation Strategies in the Market-Driven Strategy Era", en *Journal of the Academy of Marketing Science*, 26, 3 (verano de 1998), 237-241.

Lecturas recomendadas para la parte I

Narsh K. Malhotra, Mark Peterson y Susan Bardi Kleiser, "Marketing Research: A State of the Art Review and Directions for the Twenty-First Century", en *Journal of the Academy of Marketing Science*, 27, 2 (primavera de 1999), 160-183.

Kendra Parker, "How Do You Like Your Beef?", en *American Demographics* (enero de 2000), 35-37.

Kendra Parker, "Got Questions? All You Have to Do Is Ask", en *American Demographics* (noviembre de 1999), 36-39.

Kevin Lane Keller, "The Brand Report Card", en *Harvard Business Review* (enero/febrero de 2000), 147-157.

Frenkel Ter Hofstede, Jan-Benedict E. M. Steenkamp y Michel Wedel, "International Market Segmentation Based on Consumer-Product Relations", en *Journal of Marketing Research*, 36 (febrero de 1999), 1-17.

Ruth N. Bolton, P. K. Kannan y Matthew D. Bramlett, "Implications of Loyalty Program Membership and Service Experiences for Customer Retention and Value", en *Journal of the Academy of Marketing Science*, 28, 1 (invierno de 2000), 95-108.

Nancy Shepherson, "Holding All the Cards: Grocers want frequent-shopper programs to get up closer and very personal", en *American Demographics* (febrero de 2000), 35-37.

Mark P. Pritchard, Mark E. Havitz y Dennis R. Howard, "Analyzing the Commitment-Loyalty Link in Service Contexts", en *Journal of the Academy of Marketing Science*, 27, 3 (verano de 1999), 333-348.

Bernard Jaworski, Ajay K. Kohli y Arvind Sahay, "Market-Driven Versus Driving Markets", en *Journal of the Academy of Marketing Science*, 28, 1 (invierno de 2000), 45-54.

Jagdish N. Sheth, Rajendra S. Sisodia y Arun Sharma, "The Antecedents and Consequences of Customer-Centric Marketing", en *Journal of the Academy of Marketing Science*, 28, 1 (invierno de 2000), 55-66.

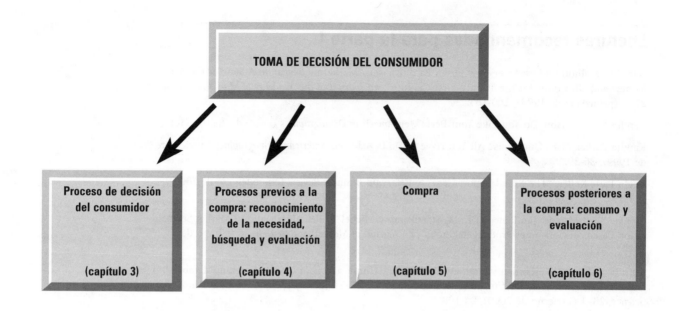

TOMA DE DECISIÓN DEL CONSUMIDOR

Proceso de decisión del consumidor	Procesos previos a la compra: reconocimiento de la necesidad, búsqueda y evaluación	Compra	Procesos posteriores a la compra: consumo y evaluación
(capítulo 3)	(capítulo 4)	(capítulo 5)	(capítulo 6)

PARTE II

Toma de decisión del consumidor

Dado que lo que compramos y utilizamos es finalmente resultado de alguna decisión, la comprensión del comportamiento del consumidor requiere valorar la forma en que las personas efectúan y toman sus decisiones de compra y consumo. La parte II del libro está diseñada para proporcionarle las bases de esa valoración.

El capítulo 3 introduce un modelo del proceso de decisión del consumidor, que incluye las siete etapas principales de la toma de decisiones y las variables que las afectan. El modelo muestra la forma en que los consumidores compran los productos para resolver problemas y resalta las actividades que ocurren antes, durante y después de la compra de un producto. Tome un momento para comprender este modelo, tal y como se presenta, ha servido como punto de partida en el estudio del comportamiento del consumidor y proporciona la estructura para el desarrollo de este libro.

El capítulo 4 se centra en las etapas *previas a la compra* en el modelo del proceso de decisión: reconocimiento de la necesidad, búsqueda de la solución y evaluación alternativa. Empieza con el reconocimiento de la necesidad y lo que hace que los consumidores busquen un producto, servicio o solución para llenar sus necesidades y deseos. El enfoque después se desplaza a la búsqueda interna y externa. ¿Dónde obtienen los consumidores información acerca de la forma de satisfacer sus necesidades? ¿Durante cuánto tiempo buscan la información necesaria para tomar decisiones, antes de estar listos para evaluar sus alternativas? Esto nos lleva al siguiente tema del capítulo: la evaluación previa a la compra de alternativas. Como verá, durante la toma de decisiones existen muchas formas diferentes en las cuales los consumidores pueden evaluar las alternativas de elección.

El capítulo 5 se enfoca en la compra: dónde y cómo los consumidores adquieren los productos, y qué factores influyen su comportamiento de compra. Ese capítulo examina las diversas opciones de menudeo disponibles para los consumidores, y las estrategias que los minoristas de éxito implementan para competir por obtener el patrocinio del consumidor.

El capítulo 6 explora las etapas posteriores a la compra en el proceso de decisión del consumidor: el consumo y la evaluación posterior al consumo. El consumo consiste en cómo y cuándo los consumidores utilizan los productos, incluye si los utilizan o no tal y como se instruye y como se pretende, si los usan enseguida de la compra o los almacenan para uso posterior. La toma de decisión no termina con el consumo, debido a que es probable que exista una evaluación continuada del producto o del servicio, que lleva a una respuesta de satisfacción o insatisfacción, y que tiene implicaciones significativas para la retención del cliente.

Proceso de decisión del consumidor

CASO DE INICIO

Procter & Gamble desea incrementar la cantidad de ropa que usted puede limpiar cuando utiliza sus productos. Aunque usted quizás ya lava su ropa con Tide y el suavizante de telas Bounce, la mayoría de los consumidores tienen necesidades de limpieza adicionales, aún no satisfechas con los productos de limpieza P&G. Para identificar las necesidades no satisfechas de cuidados a la ropa, de los consumidores, la empresa se apoyó en la investigación del consumo, en la cual los mercadólogos entrevistaron a miles de consumidores en relación con sus métodos y productos de limpieza actuales. P&G encontró que los consumidores tienden a utilizar su ropa "de lavado en seco" por más tiempo sin hacerle limpieza, a diferencia de lo que hacen con su ropa lavable. ¿Por qué? Se descubrieron muchas razones, entre éstas costos elevados de servicio de lavado en seco, desgaste de la ropa debido al lavado en seco comercial, así como falta de tiempo para llevar y recoger ropa de la tintorería.

Todos estos *problemas* llevaron a la introducción en el mercado de Dryel en 1998, que es un producto diseñado para permitir que los consumidores efectúen en casa su propio lavado en seco en sus máquinas secadoras, una *alternativa* a utilizar los servicios de una tintorería. Los consumidores pueden eliminar manchas y remozar su ropa al colocarlas en bolsas con un aplicador especial que libera un solvente durante el proceso.

P&G probó la alternativa de lavado en seco en el hogar, y los consumidores respondieron favorablemente. Les agradó la calidad del producto, la facilidad para *consumir o usarlo* y la apariencia y olor de su ropa después del lavado. También les gustó la conveniencia de *comprar* Dryel en las tiendas de comestibles y en los minoristas de descuento. Estos factores contribuían a la *satisfacción* general que sentían los consumidores con el producto y el proceso de limpieza en casa. Al estudiar la forma en que los consumidores usaban y reaccionaban ante el producto, P&G fue capaz de anticipar las calificaciones generales de satisfacción y la probabilidad de recompra, lo que llevó a su decisión de introducir el producto.

Para diseminar *información* acerca del nuevo producto a los consumidores, la empresa lanzó un conjunto de comerciales de televisión, cada uno resaltando un problema diferente del consumidor, resuelto por Dryel. Un anuncio presenta a una mujer corriendo a su tintorería local, saltando sobre obstáculos, para recoger ropa que necesita esa tarde. Llega al establecimiento sólo para ver colgado en la puerta un aviso de "cerrado". El anuncio sigue explicando cómo utilizar el producto y dónde comprarlo.

El fabricante y mercadólogo de algunas de las marcas más conocidas del mundo, incluyendo Pampers, Head & Shoulders y Folger's, utilizó la investigación relativa al consumo para identificar un problema no satisfecho por su línea actual de productos. Los mercadólogos de P&G formularon sus estrategias y mercadotecnia del producto —con base en el modelo de proceso de decisión del consumidor y entraron en el negocio del lavado en seco.

Con el fin de prosperar en el ambiente hipercompetitivo del futuro, las empresas de todos tamaños y tipos deben enfocarse hacia el punto principal de cualquier transacción de negocios, es decir, comprender la forma en que los consumidores toman sus decisiones respecto a los productos y las compras. En términos generales, tanto los negocios como las organizaciones no lucrativas deben analizar y comprender por igual las mentes de los usuarios finales de todo producto y de todo servicio ofrecido, con la finalidad de formular estrategias para conservar

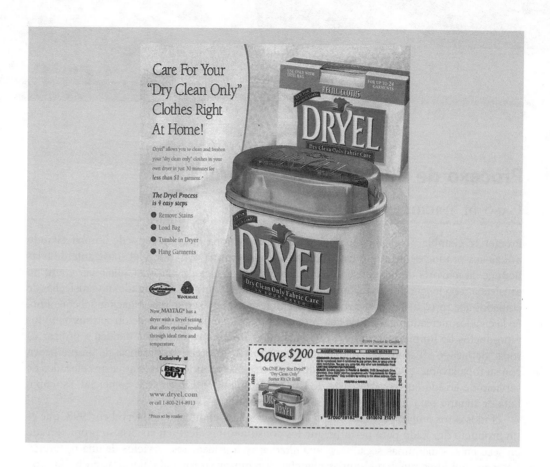

los clientes existentes y atraer nuevos. El ejemplo de Dryel ilustra que, al entender por qué los consumidores compran ciertos productos en vez de otros, de qué manera los compran y cómo ciertos factores de estilo de vida, demográficos y de entorno afectan sus preferencias, los mercadólogos determinan cómo llenar las necesidades y los deseos de sus clientes. Algunas veces llenar estas necesidades significa introducir nuevos productos, reformular los ya existentes o modificar las estrategias de comunicación, para llegar a los nuevos segmentos de consumidores. Y esto a veces provoca el retiro de productos de las estanterías de los minoristas.

Modelo del proceso de decisión del consumidor

Acaba de aterrizar en el aeropuerto de una ciudad desconocida y renta un automóvil para ir al hotel. Si no sabe cómo llegar, tiene dos alternativas: utilizar un conjunto de indicaciones detallando el camino que debe tomar (a la izquierda en High Street, a la izquierda en el segundo semáforo en Glenco Road, y así sucesivamente) o estudiar un mapa. A primera vista las indicaciones parecen mucho más sencillas, pero, ¿qué ocurre si se encuentra ante una desviación, necesita ir a un destino distinto, o simplemente se perdió en el camino? En este escenario una lista de calles resulta bastante inútil, pero un mapa lo puede guiar hacia donde desea ir.

En los mercados perturbadores e irregulares de los entornos de negocios contemporáneos y futuros, un "mapa" respecto a la forma en que los consumidores toman decisiones de compra es mucho más confiable que un conjunto de "indicaciones". El **modelo del proceso de decisión del consumidor (PDC)**, del cual se muestra una versión simplificada en la figura 3.1, representa *un mapa de las mentes de los consumidores que los mercadólogos y gerentes utilizan para guiar la mezcla de productos, la comunicación y las estrategias de venta.* El modelo captura en forma esquemática las actividades que ocurren cuando se toman decisiones y muestra

Figura 3.1   Cómo toman decisiones los consumidores para bienes y servicios

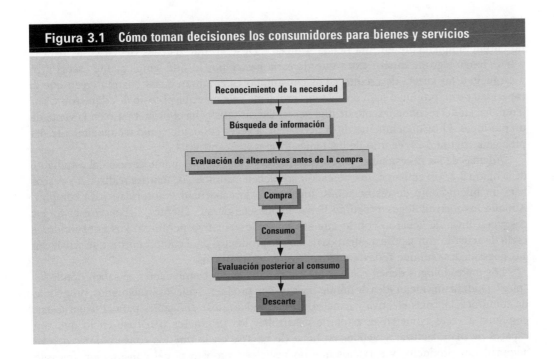

cómo interactúan las diferentes fuerzas internas y externas y cómo afectan la forma en que los consumidores piensan, evalúan y actúan.

Nadie adquiere un producto a menos que tenga un problema, una necesidad o un deseo, y el modelo (PDC) muestra la forma en que las personas resuelven problemas cotidianos que los hacen comprar y utilizar productos de todo tipo. El modelo PDC, en su estado más primario, fue desarrollado por los profesores Engel, Kollat y Blackwell en The Ohio State University, y se conocía como modelo EKB (fue la base de las primeras ediciones de este libro de texto). Conforme el libro evolucionó, también lo hizo el modelo, mismo que fue rebautizado como modelo EBM para reconocer el trabajo del profesor Paul Miniard, quien se unió al equipo como coautor del libro. La meta en la creación de este modelo era analizar la forma en que los individuos revisan hechos e influencias para tomar decisiones que les resulten lógicas y consistentes.

Como muestra el modelo, en la toma de decisiones típicamente los consumidores pasan por siete etapas principales: reconocimiento de la necesidad, búsqueda de información, evaluación de alternativas antes de la compra, compra, consumo, evaluación posterior al consumo, y descarte. Aunque los libros de texto de mercadotecnia y los investigadores del consumidor emplean a veces una terminología ligeramente distinta para cada una de las etapas, el estudio del comportamiento del consumidor se enfoca principalmente en estas siete etapas y en la forma en que diversos actores influyen cada una de las etapas de las decisiones del consumidor. Al comprender las etapas del mapa de toma de decisiones del consumidor, los mercadólogos pueden descubrir por qué las personas están o no comprando productos y qué se hace para conseguir que compren más o que compren a algún proveedor específico.

La primera parte de este capítulo se enfoca en cada una de las etapas del proceso de decisión del consumidor. Ponga atención especial en la manera en que las figuras 3.2 a 3.8 se acumulan una sobre otra para la creación del modelo PDC completo. Para hacer estas ideas más comprensibles, debajo de cada figura aparece un "ejemplo continuado" de la forma en que un estudiante universitario con necesidad de un automóvil pudiera moverse en el trayecto de cada etapa.

Etapa uno: reconocimiento de la necesidad

El punto de partida de cualquier decisión de compra es una necesidad (o problema) del cliente. Ocurre el **reconocimiento de la necesidad** cuando *un individuo siente una diferencia* *entre lo que percibe como el* ideal, *en relación con el estado* real *de las cosas.* Los consumidores no entran simplemente en una tienda y dicen: "Observo que ustedes tienen cosas para la venta. Tengo algo de dinero extra que desearía gastar por lo que simplemente escoja algo y cárguelo a mi tarjeta de crédito". Los consumidores compran cosas cuando creen que la capacidad de un producto para resolver un problema vale más que el costo de adquirirlo y, por tanto, hacen del reconocimiento de una necesidad no satisfecha el primer paso en la venta de un producto. El reconocimiento de la necesidad, a veces conocido como reconocimiento del problema (figura 3.2), es uno de los temas focales del capítulo 4.

Además de las necesidades, los consumidores tienen deseos, como el caso del estudiante de la figura 3.2. Sin embargo, los mercadólogos deben examinar, de manera realista, los deseos bajo un microscopio de restricciones, incluyendo la capacidad y autoridad para comprar. Aunque los mercadólogos procuran llenar los deseos de sus clientes, deben conservar los costos en línea de acuerdo con lo que sus mercados objetivo permiten. Los consumidores están de acuerdo con sacrificar algunos deseos de productos para comprar otros que satisfagan sus necesidades, aunque todavía puedan aspirar a sus deseos.

Los mercadólogos deben *conocer las necesidades de los consumidores;* si saben dónde les "pica", tendrán una mejor idea de dónde "rascar" con productos nuevos y mejorados, programas de comunicación más efectiva y canales de distribución más amigables para el usuario. Las empresas a veces cometen el error de desarrollar los productos con base en lo que son capaces de manufacturar y vender en lugar de basarse en lo que los consumidores desean adquirir. Los productos y servicios que no resuelven problemas del consumidor, fracasan

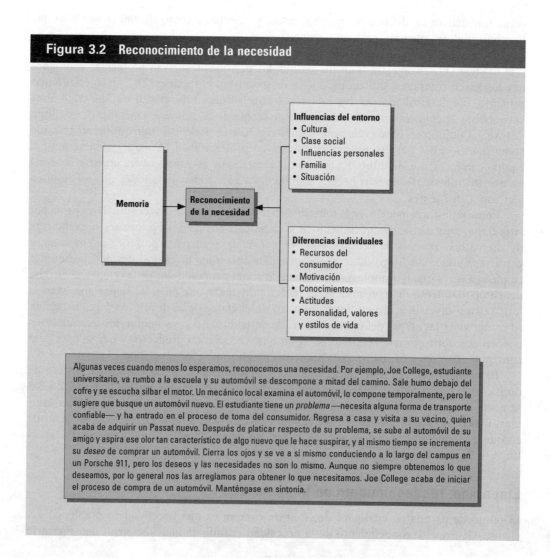

Figura 3.2 Reconocimiento de la necesidad

Algunas veces cuando menos lo esperamos, reconocemos una necesidad. Por ejemplo, Joe College, estudiante universitario, va rumbo a la escuela y su automóvil se descompone a mitad del camino. Sale humo debajo del cofre y se escucha silbar el motor. Un mecánico local examina el automóvil, lo compone temporalmente, pero le sugiere que busque un automóvil nuevo. El estudiante tiene un *problema* —necesita alguna forma de transporte confiable— y ha entrado en el proceso de toma del consumidor. Regresa a casa y visita a su vecino, quien acaba de adquirir un Passat nuevo. Después de platicar respecto de su problema, se sube al automóvil de su amigo y aspira ese olor tan característico de algo nuevo que le hace suspirar, y al mismo tiempo se incrementa su *deseo* de comprar un automóvil. Cierra los ojos y se ve a sí mismo conduciendo a lo largo del campus en un Porsche 911, pero los deseos y las necesidades no son lo mismo. Aunque no siempre obtenemos lo que deseamos, por lo general nos las arreglamos para obtener lo que necesitamos. Joe College acaba de iniciar el proceso de compra de un automóvil. Manténgase en sintonía.

independientemente de lo brillante de su tecnología o lo mucho que se gaste en la publicidad dirigida para convencer a los consumidores de su adquisición.

Incluso fabricantes estrella como Procter & Gamble han cometido el error de inundar el mercado con variantes innecesarias del producto. En la década de los ochenta, P&G experimentó un crecimiento más lento en ventas debido a una importante consolidación entre minoristas y un diluvio de productos de la competencia. La empresa respondió introduciendo cientos de productos ligeramente novedosos, pero no totalmente distintos, como 35 variedades de suavizantes de ropa Bounce. En su defensa, la empresa dijo que su meta era ofrecer más opciones a los consumidores, aunque desafortunadamente las opciones no llenaban ninguna necesidad no satisfecha. Después de años de confundir a los consumidores y alentar a los minoristas para que almacenaran productos que los consumidores no querían adquirir, Durk Jager, director y presidente de P&G, con base en entrevistas e informes de ventas, comenzó a recortar el número de variantes del producto para satisfacer más de cerca los deseos del consumidor.

Pottery Barn cayó en la categoría de minoristas que agregaron demasiados VA (unidades almacenadas) lo cual aumentó tanto el tamaño de las tiendas, que se volvieron improductivas. Con excesos de inventario en muchas clases de productos, Pottery Barn recortó sus VA en 30%. ¿La nueva apariencia? Tiendas más limpias, simples y amigables para el consumidor, que tienen lo que los consumidores desean. Antes de comprender el comportamiento de la compra, Pottery Barn siguió el ejemplo de otros minoristas que simplemente ponen más productos en sus estanterías, esperando que él o ella encuentre algo que necesita y lo compre. Ésta es la razón por la cual los mejores minoristas limitan las VA mediante programas de "administración de categorías" enfocados en menos VA y una más rápida rotación de los "inventarios".

Los minoristas igual que los fabricantes deben vigilar las tendencias del consumidor porque conforme cambian los consumidores también se modifican sus problemas y necesidades. Algunas influencias que con mayor probabilidad pueden alterar la forma en que los consumidores encaran a los problemas y la forma de resolverlos son *la familia, los valores, la salud, la edad, los ingresos* y *los grupos de referencia*. La detección de *cambios* en estas variables a menudo resulta la clave para nuevas oportunidades de mercadotecnia. Consumidores de 30 años con una familia necesitan adquirir más detergente y shampoo (por lo general en paquetes con cantidades más grandes) que consumidores de 70 años, que quizás estén viviendo solos y en hogares más pequeños, con menos espacio de almacenamiento. Conforme los consumidores recorren distintas *etapas de la vida*, sus necesidades y hábitos de compra cambian. El deseo también se incrementa con la *expectativa de ingresos crecientes*; ésa es la razón por la que Ford y otros fabricantes de automóviles envían información acerca de automóviles nuevos a los graduados universitarios, en anticipación a sus primeros puestos de trabajo de importancia.

Los mercadólogos a menudo comunican una necesidad, elevando de esta manera la concientización de los consumidores respecto de necesidades o problemas no percibidos. Hace muchos años, el enjuague bucal Listerine utilizó la publicidad para implementar la concientización respecto a la halitosis y con ello incrementó de manera dramática las ventas de enjuague bucal. Listerine no creó el problema del mal aliento; simplemente puso el dedo en la llaga del problema. Y Scope sigue haciéndolo hoy día con anuncios que hacen que las personas estén más conscientes de su "aliento matinal". ¿Pueden los mercadólogos crear necesidades? Realmente no, pero pueden mostrar la forma en que un producto llena necesidades o problemas no percibidos, que los consumidores pudieran no haber considerado.

Etapa dos: búsqueda de información

Una vez que ocurre el reconocimiento de la necesidad, los consumidores empiezan a buscar información y soluciones para satisfacer sus necesidades no satisfechas.La búsqueda puede ser **interna**, *recuperando conocimientos de la memoria o quizás de tendencias genéticas*, o puede ser **externa**, *recolectando información de sus iguales, de la familia o del mercado*, como se observa en la figura 3.3. Algunas veces los consumidores buscan de una manera pasiva simplemente siendo más receptivos a la información que los rodea, en tanto que en otras ocasiones entran en un comportamiento de búsqueda activo, como investigar publicaciones para el consumidor,

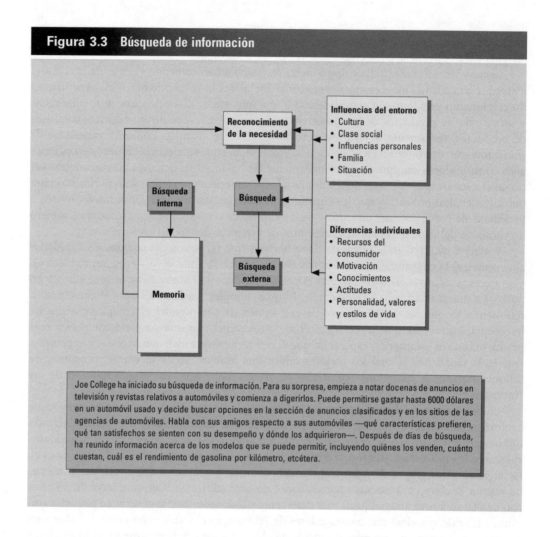

Figura 3.3 Búsqueda de información

Joe College ha iniciado su búsqueda de información. Para su sorpresa, empieza a notar docenas de anuncios en televisión y revistas relativos a automóviles y comienza a digerirlos. Puede permitirse gastar hasta 6000 dólares en un automóvil usado y decide buscar opciones en la sección de anuncios clasificados y en los sitios de las agencias de automóviles. Habla con sus amigos respecto a sus automóviles —qué características prefieren, qué tan satisfechos se sienten con su desempeño y dónde los adquirieron—. Después de días de búsqueda, ha reunido información acerca de los modelos que se puede permitir, incluyendo quiénes los venden, cuánto cuestan, cuál es el rendimiento de gasolina por kilómetro, etcétera.

fijándose en los anuncios, buscando en la internet, o aventurándose en los centros comerciales o a otros puntos de venta de menudeo.

Algunas veces los consumidores se ven empujados de una manera inesperada al proceso de búsqueda, impulsados por factores a menudo fuera de su control. Cuando de pronto un automóvil se descompone o un refrigerador deja de funcionar, los consumidores buscan información, de la misma forma que lo harían para compras planeadas. Pero estos factores pudieran establecer límites respecto al tiempo disponible para la búsqueda. Por ejemplo, si un refrigerador deja de funcionar, los consumidores necesitan un reemplazo rápido, no pueden darse el lujo de buscar tan concienzudamente como lo harían si hubieran planeado la adquisición.

La duración y profundidad de la búsqueda está determinada por variables como la personalidad, la clase social, los ingresos, el tamaño de la compra, las experiencias anteriores, las percepciones previas sobre la marca[1] y la satisfacción del cliente. Si los consumidores están encantados con la marca del producto que actualmente utilizan, es probable que vuelvan a comprarla con poco, si es que algún, comportamiento de búsqueda, haciendo más difícil que los productos competitivos llamen la atención. Por esta razón las empresas victoriosas tienen como alta prioridad mantener satisfechos a sus clientes. Cuando los consumidores no están contentos con los productos o marcas actuales, la búsqueda se amplía para incluir otras alternativas.

Fuentes de información   Como en el caso del estudiante comprador de automóviles, los consumidores buscan en una diversidad de fuentes para obtener la información necesaria para efectuar una selección de producto con la cual estén cómodos. Estas fuentes se pueden

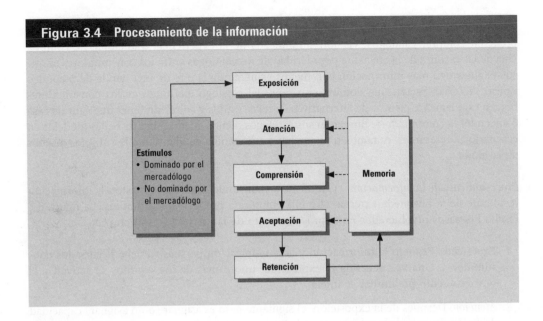

Figura 3.4   Procesamiento de la información

categorizar como: 1) dominado por el mercadólogo o 2) no dominado por el mercadólogo, según se observa en la figura 3.4. Cuando decimos dominado por el mercadólogo, nos referimos a cualquier cosa que el proveedor hace para efectos de información y persuasión, como por ejemplo el uso de la publicidad, los vendedores, los comerciales informativos, los sitios web y los materiales en punto de venta.

La búsqueda no está limitada a estas fuentes dominadas por el mercadólogo. Los consumidores también buscan información de fuentes respecto de las cuales los mercadólogos tienen poco control, que aun así son de suma importancia para ellos. Las fuentes no dominadas por mercadólogos incluyen a los amigos, la familia, los líderes de opinión y los medios. Muchas de estas influencias llegan en forma verbal; otras, de consultar fuentes de calificación objetivas del producto como *Consumer Reports* (o publicaciones especializadas en análisis de productos para el consumidor), informes del gobierno y de la rama industrial, o noticias en los medios masivos.

De manera creciente, la búsqueda de información está ocurriendo vía la internet. Aunque algunas búsquedas en este medio pueden tomar un tiempo razonablemente largo, otras son mucho más rápidas, dependiendo de la forma en que el sitio ha sido diseñado.[2] Algunos investigadores indican que si el menudeo en línea reduce el costo de buscar información sobre precios, los consumidores se harán más sensibles al precio.[3] Otros estudios han demostrado que modificando el diseño de la página web y haciéndolo más fácil de buscar y de comparar información de calidad, los consumidores se harán menos sensibles al precio y con mayor probabilidad adquirirán productos de calidad.[4] Es la ejecución del sitio web la que tiene influencia sobre la forma en que los consumidores lo utilizarán en el proceso de decisión.

Algunos consumidores prefieren el procedimiento "anticuado" de la búsqueda que se conoce como ir de compras. Muchos consumidores piensan que pasear y mirar en centros comerciales es divertido, en tanto que otros piensan que es una carga. Diferenciar cuándo es divertida la búsqueda y cuándo es una carga proporciona información valiosa a los minoristas. Por ejemplo, la búsqueda de información y de alternativas para un horno de microondas probablemente no estimula a muchos consumidores. En este caso, el canal más efectivo de mercadotecnia minimiza el tiempo y esfuerzo requerido para la obtención de la información. Ésa es la razón por la que Best Buy, minorista importante de aparatos domésticos, dispersa quioscos de vídeo en todas sus tiendas; los quioscos proporcionan *rápidamente* información efectiva. La búsqueda de un vestido de noche puede ser, sin embargo, distinta. Probar vestidos diferentes y sentir el ambiente de la tienda pueden lograr placeres de fantasía, asociación y anticipación. En ese caso, la experiencia es de mayor importancia que la velocidad con la cual se identifica y compra el vestido.

Aun cuando la búsqueda de información es atrayente para algunos consumidores, otros prefieren comprar catálogos, versión simplificada de la experiencia tradicional de compra. Una de las razones de la creciente popularidad de los catálogos entre los consumidores es que sus páginas dan más información con menos esfuerzo de la que da una tienda de menudeo típica. Victoria's Secret, que domina el campo del catálogo, permite que los consumidores hojeen rápidamente cientos de alternativas de telas, estilos y color, sin tener que salir de casa o encender la computadora. Buscar en sus catálogos, llenos de imágenes de bellas modelos en escenarios interesantes, es también una manera entretenida de identificar los últimos diseños de la moda.

Procesamiento de la información   Conforme un consumidor queda expuesto a la información resultante de la búsqueda externa, él o ella empieza a procesar los estímulos. La figura 3.4 resalta los pasos involucrados en el procesamiento de la información. Incluyen:

1. *Exposición.* Primero la información y la comunicación persuasiva debe *llegar* a los consumidores. Una vez ocurrida la exposición, uno o más de los sentidos se activan y el procesamiento preliminar se inicia.

2. *Atención.* Después de la exposición, el siguiente paso es asignar (o no asignar) capacidad de procesamiento de la información a la información que llega. Mientras más relevante sea el mensaje y su contenido, es más probable que se atraiga la atención. Los consumidores frecuentemente ignoran la persuasión comercial en esta etapa y se dedican a la atención selectiva.

3. *Comprensión.* Si se atrae la atención, el mensaje se analiza aún más contra categorías de significado almacenadas en la memoria. El mercadólogo espera que ocurra una comprensión precisa.

4. *Aceptación.* Una vez que ocurre la comprensión, el mensaje puede ser rechazado como no aceptable (un resultado común) o aceptado. La meta del mensaje es modificar o cambiar creencias o costumbres existentes, pero antes de que esto suceda el mensaje debe ser aceptado. Existe una buena posibilidad de que algo cambie si existe aceptación dentro del sistema o estructura.

5. *Retención.* Finalmente, la meta de cualquier convencedor es que esa nueva información sea aceptada y almacenada en la memoria, de manera que resulte accesible para uso futuro.

Todo el mundo está expuesto a un diluvio de mensajes que compiten por su atención, pero cada uno de nosotros comprende, acepta y retiene sólo unos pocos. El valor y una imagen de marca favorable en las mentes de los consumidores ayuda a las empresas a incluir sus mensajes en este subconjunto. El procesamiento de la información se analiza en detalle en los capítulos 14-16.

Etapa tres: evaluación de las alternativas antes de la compra

La siguiente etapa del proceso de decisión por parte del consumidor es la evaluación de las opciones alternativas que se han analizado en el proceso de búsqueda, según se observa en la figura 3.5. En esta etapa, los consumidores buscan respuestas a preguntas como: ¿"Cuáles son mis opciones"? y ¿"Cuál es la mejor"?, al comparar, contrastar y seleccionar de entre varios productos y servicios. Los consumidores comparan lo que saben respecto de diferentes productos y marcas con lo que ellos consideran de mayor importancia y empiezan a reducir el campo de alternativas, antes de decidirse finalmente a comprar una de ellas.

Los consumidores utilizan evaluaciones nuevas o preexistentes, almacenadas en la memoria, para seleccionar productos, servicios, marcas y tiendas que lo más probable es que resulten en su satisfacción por la compra y el consumo. Diferentes consumidores emplean **criterios de evaluación** diversos: *los estándares y especificaciones utilizados para comparar productos y*

Figura 3.5   Evaluación alternativa

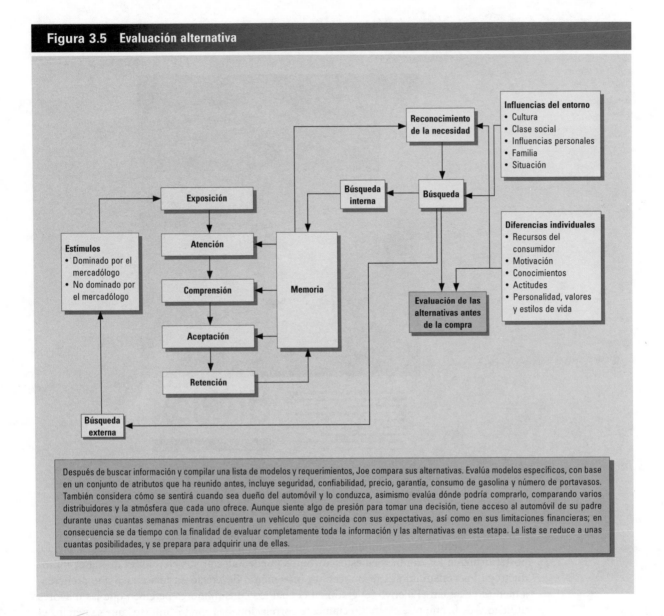

Después de buscar información y compilar una lista de modelos y requerimientos, Joe compara sus alternativas. Evalúa modelos específicos, con base en un conjunto de atributos que ha reunido antes, incluye seguridad, confiabilidad, precio, garantía, consumo de gasolina y número de portavasos. También considera cómo se sentirá cuando sea dueño del automóvil y lo conduzca, asimismo evalúa dónde podría comprarlo, comparando varios distribuidores y la atmósfera que cada uno ofrece. Aunque siente algo de presión para tomar una decisión, tiene acceso al automóvil de su padre durante unas cuantas semanas mientras encuentra un vehículo que coincida con sus expectativas, así como en sus limitaciones financieras; en consecuencia se da tiempo con la finalidad de evaluar completamente toda la información y las alternativas en esta etapa. La lista se reduce a unas cuantas posibilidades, y se prepara para adquirir una de ellas.

marcas diferentes. La forma en que los individuos evalúan sus opciones se ve influida tanto por factores individuales como de entorno, según se observa en la figura 3.5. Como resultado, los criterios de evaluación se convierten en una manifestación específica al producto, de las necesidades, valores, estilos de vida, etcétera, del individuo. Pero los consumidores deben también evaluar *dónde* van a comprar el producto deseado, y aplican criterios de evaluación relevantes a los puntos de venta de menudeo en los cuales comprarán.

Algunos atributos con base en los cuales se evalúan las alternativas son *sobresalientes,* y otros son *determinantes,* sin embargo, ambos afectan la estrategia de mercadotecnia y de publicidad. Los consumidores piensan que los **atributos sobresalientes** son potencialmente los de mayor importancia. En el caso de la compra de un automóvil, éstos incluirían el precio, la confiabilidad y factores que se piensa varían poco entre automóviles de tipos similares. La forma en que las alternativas difieren en lo que se refiere a los **atributos determinantes** (detalles como estilo, acabado y tipo de portavasos) por lo general *determinan qué marca o tienda escogerán los consumidores,* especialmente cuando piensan que los atributos sobresalientes son equivalentes. ¿Por qué prefieren los consumidores una marca de lavavajillas en lugar de otra? Dishlex, fabricante australiano, apela al deseo de los individuos de "silencio" y poderío al resaltar estos atributos (figura 3.6).

Figura 3.6 **Cómo resaltar las características del producto para influir en la evaluación**

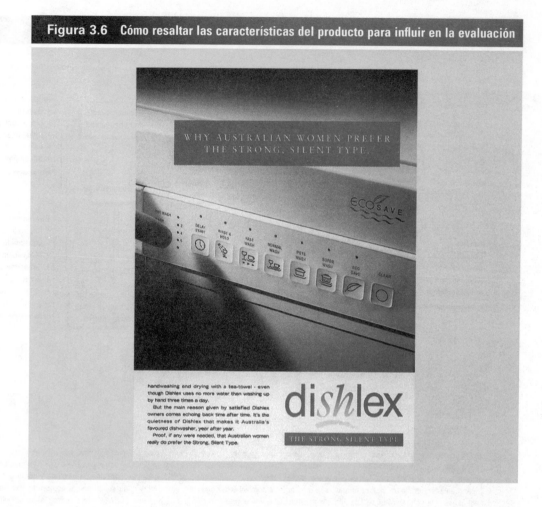

Los consumidores a menudo vigilan atributos como cantidad, tamaño, calidad y precio; posteriormente los cambios en estos atributos pueden afectar sus elecciones de marca y producto. Si los consumidores reconocen un incremento de precio en una marca que prefieren, a menudo evalúan el *motivo* (el grado en el cual los consumidores perciben que las mayores utilidades de la empresa están directamente correlacionadas con lo "injusto" que se percibe el incremento)[5] del aumento de precio, con objeto de determinar si el cambio es justo o no. La percepción de injusticia lleva a menores intenciones de compra.[6]

La investigación reciente se ha centrado en los elementos que afectan el proceso de elección para los productos que se experimentan, como el entretenimiento. Las películas son una buena clasificación de investigación, dado que se trata de bienes de experiencia, difíciles de evaluar antes de verlas.[7] Aunque ciertas variables, como la comunicación verbal y la crítica, han sido identificadas como influencias vitales en la elección del consumidor de las películas,[8] otras variables psicológicas, como las expectativas emocionales y el interés latente en el producto, también juegan un papel importante. El descubrimiento de que la elección de películas nuevas está influido por expectativas emocionales, no por un juicio de conocimiento de los atributos del producto, reconoce el papel de las emociones en ciertas áreas del comportamiento del consumidor.[9] De hecho, al evaluar las alternativas y hacer intercambios entre atributos del producto, los intercambios emotivos complican la forma en que éstos se efectúan y cuál es el valor que se les asigna durante el proceso de selección.[10]

Desde la perspectiva de dónde comprar, los consumidores evalúan comprar en una tienda que en otra de acuerdo con la afluencia de consumidores dentro de la tienda, limpieza de la misma, la frecuencia en que la tienda se queda sin existencias del producto necesario, y cuántas filas de pago están disponibles. Cuando los minoristas logran la equivalencia en los atributos sobresalientes, como el precio y la calidad, los consumidores efectúan elecciones con base en "detalles" como el ambiente o la atención personal que se le da al cliente.

Etapa cuatro: compra

La siguiente etapa del proceso de decisión del consumidor es la compra, que se observa en la figura 3.7. Después de decidir si compran o no, los consumidores se mueven a través de dos fases. En la primera fase, prefieren un minorista de otro (o alguna otra forma de menudeo como catálogos, ventas electrónicas por medio de la TV o la PC o ventas directas). La segunda fase involucra elecciones en la tienda, influidas por los vendedores, los despliegues del producto, los medios electrónicos y la publicidad en puntos de compra (POP, por sus siglas en inglés).

Un consumidor puede pasar por las tres primeras etapas del proceso de decisión siguiendo un plan e intención de compra de un producto o una marca en particular. Pero a veces los consumidores adquieren algo bastante diferente a lo que pretendían, u optan por no comprar nada, debido a lo que pasa durante la etapa de elección o compra. Un consumidor puede preferir un minorista, pero escoger otro en razón a una venta o un evento promocional en la tienda del competidor, las horas de operación, la localización o problemas de tránsito.

Figura 3.7 Compra

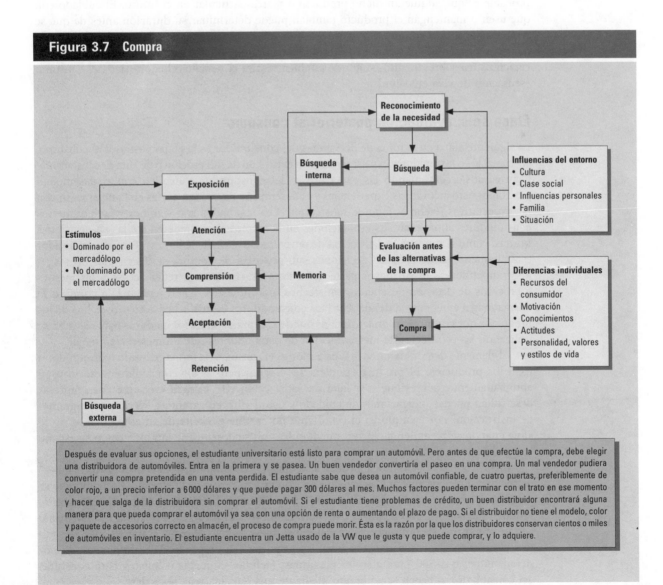

Después de evaluar sus opciones, el estudiante universitario está listo para comprar un automóvil. Pero antes de que efectúe la compra, debe elegir una distribuidora de automóviles. Entra en la primera y se pasea. Un buen vendedor convertiría el paseo en una compra. Un mal vendedor pudiera convertir una compra pretendida en una venta perdida. El estudiante sabe que desea un automóvil confiable, de cuatro puertas, preferiblemente de color rojo, a un precio inferior a 6 000 dólares y que puede pagar 300 dólares al mes. Muchos factores pueden terminar con el trato en ese momento y hacer que salga de la distribuidora sin comprar el automóvil. Si el estudiante tiene problemas de crédito, un buen distribuidor encontrará alguna manera para que pueda comprar el automóvil ya sea con una opción de renta o aumentando el plazo de pago. Si el distribuidor no tiene el modelo, color y paquete de accesorios correcto en almacén, el proceso de compra puede morir. Ésta es la razón por la que los distribuidores conservan cientos o miles de automóviles en inventario. El estudiante encuentra un Jetta usado de la VW que le gusta y que puede comprar, y lo adquiere.

En la tienda, el consumidor puede hablar con un vendedor quien cambia su decisión, ver un extremo de anaquel que promueve su preferencia de marca, aprovechar un descuento o hacer efectivos unos cupones, no encontrar el producto o marca pretendida, o carecer del dinero o la tarjeta de crédito correcta para efectuar la compra. Los mejores minoristas administran los atributos generales y la imagen de la tienda para lograr un patrocinio preferido en el mercado objetivo y administrar, en microdetalle, todos los aspectos de la experiencia de compra dentro de la tienda.

Etapa cinco: consumo

Una vez hecha la compra y el producto en posesión del consumidor, puede ocurrir el consumo: el momento donde los consumidores utilizan el producto. La figura 3.8 resalta tanto las etapas de consumo como de evaluación posterior al consumo. El consumo puede ocurrir de inmediato o posponerse. Por ejemplo, si un consumidor ve una promoción de alimentos congelados, él o ella pudieran "comprar" el platillo, adquiriendo más de lo que se puede utilizar en el tiempo normal de consumo. Esto requiere que los consumidores "almacenen" los productos en los congeladores o las estanterías de su alacena. La forma en que los consumidores utilizan los productos también afecta lo satisfechos que están con sus compras, y lo más probable es que adquieran dicho producto o marca particular en el futuro. El cuidado con que usen o mantengan el producto también puede determinar su duración antes de que se requiera hacer otra compra. La figura 3.9 muestra la forma en que Volvo resalta la etapa de consumo en uno de sus anuncios. No sólo llama la atención al consumo "de seguridad" (una característica sobresaliente), sino que también resalta el beneficio hedonístico del consumo (sensación de viva emoción).

Etapa seis: evaluación posterior al consumo

La siguiente etapa en la toma de decisiones del consumidor es la etapa posterior al consumo, en la cual los consumidores experimentan una expresión de satisfacción o de falta de satisfacción. Ocurre *satisfacción* cuando las expectativas del consumidor coinciden con el desempeño percibido; pero cuando las experiencias y el desempeño se quedan cortas en comparación con las expectativas, viene la *falta de satisfacción*. Los resultados son significativos, porque los consumidores almacenan sus evaluaciones en la memoria y se refieren a ellas en decisiones futuras, como se muestra en las flechas de retroalimentación de la figura 3.8. Si el consumidor está altamente satisfecho, las decisiones subsecuentes de compra se hacen más breves. A los competidores, en su mayor parte, les cuesta mucho trabajo tener acceso a las mentes y procesos de decisión de clientes satisfechos, porque éstos tienen tendencia a comprar la misma marca en la misma tienda. Pero los consumidores insatisfechos o no satisfechos de los productos que compran o con las tiendas donde compran son frutos maduros para cosecharse utilizando las estrategias de mercadotecnia de competidores que prometen algo mejor.

El elemento determinante en la satisfacción es el consumo: la forma en que los consumidores usan los productos. El producto pudiera ser bueno, pero si los consumidores no lo usan apropiadamente, sobreviene una falta de satisfacción. De manera creciente, las empresas desarrollan buenas indicaciones de cuidado y uso, y ofrecen garantías, servicio y programas de instrucción. Por ejemplo, si el estudiante no cambia el aceite de su automóvil, o no lo afina cuando se recomienda, el automóvil quizás no se desempeñe tan bien como se espera, haciendo que se decepcione con el resultado.

Incluso si el producto funciona bien, a menudo los consumidores "inventan justificaciones" de sus decisiones de compra, especialmente con artículos de precio elevado, haciendo que se pregunten, "¿he tomado una buena decisión?" o "¿tomé en consideración todas las alternativas?", "¿pudiera haberlo hecho mejor?". Este tipo de interrogatorio se conoce como *remordimiento posterior a la compra* o *disonancia cognoscitiva*; mientras más alto sea el precio, más elevado será el nivel de disonancia cognoscitiva. En respuesta, las empresas de éxito ponen a disposición números 1-800 para atender preguntas, facilitan etiquetas o folletos para consultas del consumidor, o hacen seguimiento mediante una llamada telefónica después de la venta.

Figura 3.8   Consumo y evaluación posterior al consumo

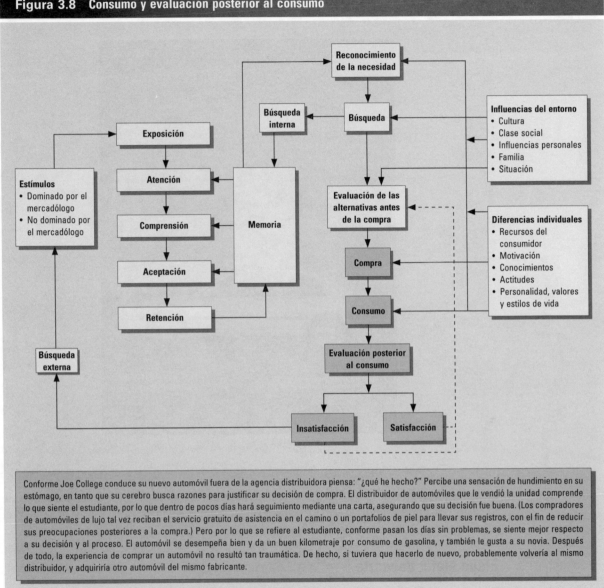

Conforme Joe College conduce su nuevo automóvil fuera de la agencia distribuidora piensa: "¿qué he hecho?" Percibe una sensación de hundimiento en su estómago, en tanto que su cerebro busca razones para justificar su decisión de compra. El distribuidor de automóviles que le vendió la unidad comprende lo que siente el estudiante, por lo que dentro de pocos días hará seguimiento mediante una carta, asegurando que su decisión fue buena. (Los compradores de automóviles de lujo tal vez reciban el servicio gratuito de asistencia en el camino o un portafolios de piel para llevar sus registros, con el fin de reducir sus preocupaciones posteriores a la compra.) Pero por lo que se refiere al estudiante, conforme pasan los días sin problemas, se siente mejor respecto a su decisión y al proceso. El automóvil se desempeña bien y da un buen kilometraje por consumo de gasolina, y también le gusta a su novia. Después de todo, la experiencia de comprar un automóvil no resultó tan traumática. De hecho, si tuviera que hacerlo de nuevo, probablemente volvería al mismo distribuidor, y adquiriría otro automóvil del mismo fabricante.

Estas tácticas confirman la satisfacción de los clientes, pero de una manera más importante, proporcionan información para reconfortar o tranquilizar a los consumidores.

Las emociones también juegan un papel en la forma en que alguien evalúa un producto o una transacción. Una emoción se puede definir como la reacción a un juicio cognoscitivo respecto a eventos o pensamientos, se ve acompañada por procesos fisiológicos, se expresa a menudo físicamente (por ejemplo, gestos, postura y expresiones faciales), y puede resultar en acciones específicas para enfrentarse a la emoción.[11] Por ejemplo, se ha encontrado que la satisfacción de un automóvil depende de una combinación de atributos de satisfacción e insatisfacción y de efectos o emociones positivas (felicidad) y negativas (enojo, culpa o desprecio).[12]

De la misma forma que los consumidores comparan el precio y evalúan lo justo del intercambio en la etapa de evaluación de alternativas, de igual forma vuelven a estos problemas durante la evaluación posterior a la compra. Cierta investigación indica que la forma en que los consumidores visualizan lo justo del intercambio *a lo largo del tiempo* afecta el comportamiento

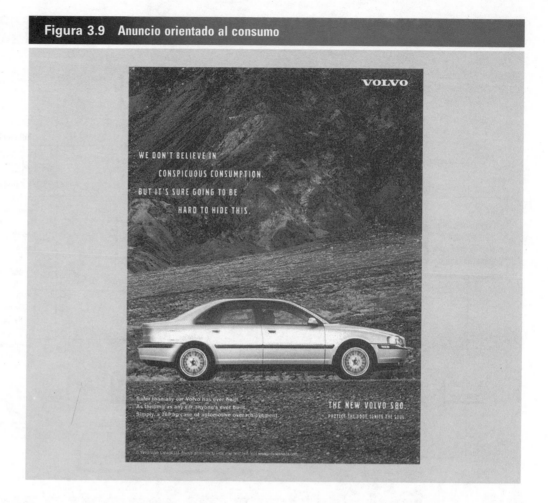

Figura 3.9   Anuncio orientado al consumo

de uso actual y futuro. El precio y uso también afectan sus evaluaciones generales acerca de lo justo del intercambio. A su vez, estas evaluaciones afectan la satisfacción general y el uso futuro.[13]

Etapa siete: descarte

El descarte es la última etapa en el modelo del proceso de decisión por parte del consumidor (figura 3.10). Los consumidores tienen varias opciones, incluyendo la disposición en el acto, el reciclado o la reventa. Cuando el estudiante del ejemplo haya terminado de utilizar el automóvil que compró, tiene que disponer de él de alguna manera. Puede elegir venderlo (volverlo a poner en el mercado) a otro consumidor, darlo como parte del pago de otro automóvil, o llevarlo al deshuesadero. Con otros productos, los consumidores se ven obligados a disponer del empaque o la literatura del producto, igual que del producto mismo. En estas situaciones, los problemas y preocupaciones de reciclaje y entorno juegan un papel en los métodos de descarte de los consumidores.

Cómo utilizan las organizaciones el modelo PDC

Una de las metas del modelo PDC es auxiliar a los mercadólogos, analistas de los consumidores e investigadores en el estudio de consumidores y clientes. Los gerentes examinan la forma en que sus clientes se mueven a través de los modelos de decisión (adaptados al producto o servicio que venden) y hacen preguntas, como las que se presentan al final del capítulo en la figura 3.15. Fabricantes como P&G y General Motors, minoristas grandes y pequeños, y organizaciones no lucrativas utilizan el modelo PDC para:

Figura 3.10   Descarte

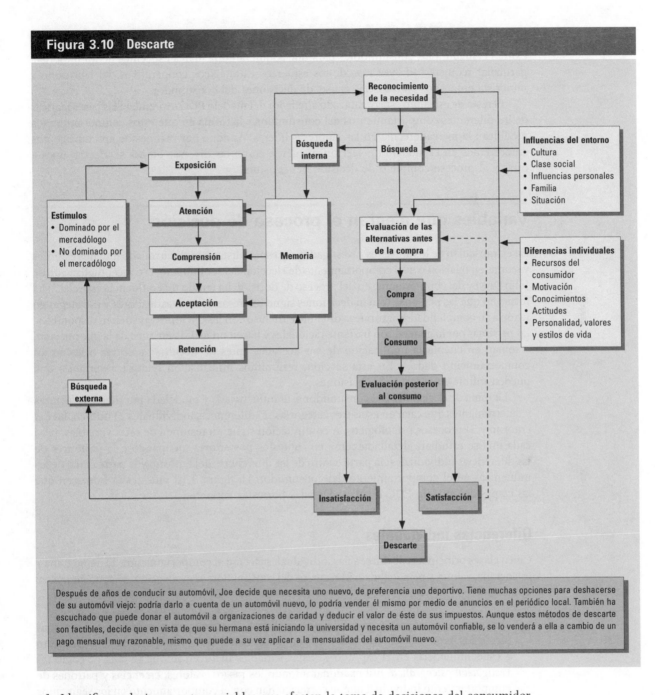

Después de años de conducir su automóvil, Joe decide que necesita uno nuevo, de preferencia uno deportivo. Tiene muchas opciones para deshacerse de su automóvil viejo: podría darlo a cuenta de un automóvil nuevo, lo podría vender él mismo por medio de anuncios en el periódico local. También ha escuchado que puede donar el automóvil a organizaciones de caridad y deducir el valor de éste de sus impuestos. Aunque estos métodos de descarte son factibles, decide que en vista de que su hermana está iniciando la universidad y necesita un automóvil confiable, se lo venderá a ella a cambio de un pago mensual muy razonable, mismo que puede a su vez aplicar a la mensualidad del automóvil nuevo.

1. Identificar relaciones entre variables que afectan la toma de decisiones del consumidor.
2. Identificar temas de investigación adicional.
3. Desarrollar e implementar estrategias de mezcla de mercadotecnia.

En el pasado los minoristas, sin proponérselo, tenían éxito para influenciar a los consumidores en cualquier etapa del proceso de decisión, excepto la compra. Los minoristas generalmente dejaban la preocupación correspondiente a las primeras tres etapas a los fabricantes que desarrollaban los productos nuevos, anunciaban las marcas y establecían el nivel de cada atributo en los productos, y que generalmente tomaban la delantera en las actividades de mercadotecnia fuera de la tienda. Hoy, los minoristas también se enfocan en las primeras etapas de la toma de decisiones del consumidor, en tanto que el fabricante asume una mayor responsabilidad por lo que ocurre dentro de la tienda. Ofrecen programas para capacitar a vendedores, aditamentos para la tienda y materiales POP (punto de compra por sus siglas en inglés). Juntos, minoristas y fabricantes trabajan para vincular la información de venta al menudeo con el reconocimiento del problema, la búsqueda y la evaluación de alternativas, ayudando a que cada uno de ellos tenga éxito. Persuadir a los consumidores para que adquieran una marca específica de un minorista particular requiere cada vez más de los esfuerzos estratégicos cooperativos del fabricante y minorista enfocados en *todas* las etapas de decisiones del consumidor.

El resto de este libro está organizado alrededor del modelo PDC. Aprenderá las bases teóricas de los diferentes comportamientos del consumidor y la forma en que estos comportamientos modifican la mercadotecnia en las empresas líderes. Aunque por razones de aprendizaje nos enfocaremos en el modelo de sección, recuerde cómo las diversas etapas se afectan unas a otras y al proceso completo de decisión del consumidor.

Variables que afectan el proceso de decisión

En el transcurso de los años, los investigadores y especialistas han desarrollado muchos estudios y teorías en relación con el comportamiento de elección del ser humano, la conceptualización de John Dewey del comportamiento del proceso de decisión ha tenido una influencia especial.[14] La forma en que las personas toman decisiones sigue interesando a investigadores y estrategas en razón a su complejidad y naturaleza dinámica. Incluso con las opciones que tienen disponibles, las personas por lo general son bastante racionales y hacen un uso sistemático de la información, y toman en cuenta la implicación de sus acciones antes de decidirse a entrar o no en un comportamiento dado.[15] En esta sección, resumimos información relativa a variables que pueden influir en la toma de decisiones.

La toma de decisiones del consumidor está influenciada y modelada por diversos factores y determinantes que caen en estas tres categorías: 1) diferencias individuales 2) influencias del entorno y 3) procesos psicológicos. A continuación sigue un resumen de estas variables, pero cada una se estudiará detalladamente en capítulos posteriores, ocupándose la parte tres de las diferencias individuales, la parte cuatro de las diferencias del entorno y la parte cinco de las influencias en el comportamiento del consumidor. La figura 3.10 muestra la forma en que las etapas del modelo PDC quedan afectadas por estas variables.

Diferencias individuales

Cinco clases principales de diferencias individuales afectan al comportamiento: 1) demografía y psicografía, valores y personalidad; 2) recursos del consumidor; 3) motivación; 4) conocimientos; 5) actitudes.

- **Demografía, psicografía, valores y personalidad**   La forma en que difieren las personas afecta los procesos de decisión y el comportamiento de compra. Usted leerá respecto a estas influencias en el capítulo 7. Estas variables incluyen lo que se conoce como *investigación psicográfica*, útil examinar a fondo los rasgos, valores, creencias y patrones de comportamiento individual que se correlacionan con el comportamiento en los segmentos del mercado.

- **Recursos del consumidor**   Cada persona trae consigo tres recursos primarios en cualquier situación de toma de decisiones: 1) tiempo, 2) dinero, 3) capacidades de recepción y procesamiento de la información (atención). Generalmente existen límites claros en la disponibilidad de cada uno de ellos, requiriendo por tanto alguna asignación cuidadosa. Los capítulos 5 y 7 proporcionan lineamientos de acción para ayudarle a juzgar las implicaciones de recursos limitados sobre motivación y comportamiento del consumidor.

- **Motivación**   Los psicólogos y mercadólogos por igual han llevado a cabo una amplia variedad de estudios para determinar lo que ocurre cuando se energiza y activa un comportamiento dirigido hacia una meta. El capítulo 8 analiza la motivación en profundidad.

- **Conocimientos**   Los conocimientos se definen en el capítulo 9 como información almacenada en la memoria. Abarca un vasto abanico de elementos como la disponibilidad y características de productos y servicios, dónde y cuándo comprar, y la forma de utilizar los productos. Una meta principal de la publicidad y la venta es darles conocimientos e información relevante a los consumidores, como forma de ayudarlos en la toma de decisiones, especialmente en la resolución de problemas existentes.

- **Actitudes**   El comportamiento está fuertemente influido por las actitudes hacia una marca o producto dado. Una actitud es simplemente una evaluación general de una alternativa, y va de positivo a negativo. Una vez formadas, las actitudes juegan un papel director en la elección futura y son difíciles de cambiar. Sin embargo, el cambio de actitud es una meta de la mercadotecnia, como verá en el capítulo 10.

Influencias del entorno

Los consumidores viven en un entorno complejo. Además de variables individuales, su comportamiento en el proceso de decisión se ve influenciado por factores del entorno, incluyendo: 1) cultura, 2) clase social, 3) familia, 4) influencia personal y 5) situación.

- **Cultura**   La cultura, como se aplica en el estudio del comportamiento del consumidor, se refiere a los valores, ideas, artefactos y otros símbolos significativos que ayudan a los individuos a comunicarse, interpretar y evaluar como miembros de la sociedad. El capítulo 11 ofrece un panorama completo de los problemas culturales tanto desde una perspectiva global como desde una étnica.

- **Clase social**   Las clases sociales son divisiones dentro de la sociedad que comprenden individuos que comparten valores, intereses y comportamientos similares. También se analizará esto en el capítulo 11. Las diferencias de estado socioeconómico pueden llevar a formas diferentes en el comportamiento del consumidor (los tipos de bebidas alcohólicas que se sirven, la marca y el estilo del automóvil que se maneja, y los estilos de las vestimentas preferidas).

- **Familia**   Desde que se fundó el campo de la investigación del consumidor, la familia ha sido centro de investigación. Aprenderá en el capítulo 12 que a menudo la familia es la unidad primordial en la toma de decisiones, con un patrón complejo y variable de papeles y funciones. Con frecuencia ocurren simultáneamente cooperación y conflicto, con resultados de comportamiento interesantes.

- **Influencia personal**   Como consumidores, nuestros comportamientos en ocasiones quedan afectados por aquellos con los cuales nos asociamos de manera íntima. Esto se conoce como *influencia personal*, y se analiza en el capítulo 13, los consumidores a menudo responden a una presión percibida que los hace ceñirse a las normas y expectativas proporcionadas por terceros, buscando y aceptando su consejo en las elecciones de compra, observando lo que están haciendo los demás, como información acerca de opciones de consumo y comparando sus decisiones con las de otros.

- **Situación**   Los comportamientos se modifican de acuerdo con las situaciones. Algunas veces estos cambios son erráticos e impredecibles, como perder el trabajo o ser despedido y otras veces se pueden predecir mediante la investigación. La situación se trata como una variable de investigación por derecho propio y se investiga en varios capítulos.

Procesos psicológicos que influyen en el comportamiento del consumidor

Finalmente aquellos que deseen comprender así como influir en el comportamiento del consumidor deben tener un conocimiento práctico a fondo de los tres procesos psicológicos básicos: 1) procesamiento de la información, 2) aprendizaje y 3) cambios en la actitud y en el comportamiento.

- **Procesamiento de la información** La comunicación es una actividad de mercadotecnia de primera importancia. Por tanto, los investigadores de los consumidores se han interesado desde tiempo atrás en descubrir la forma en que las personas reciben, procesan y les dan sentido a las comunicaciones de mercadotecnia. La investigación del procesamiento de la información, que se analiza en el capítulo 14, encara formas mediante las cuales la información se recupera, transforma, reduce, elabora, almacena, guarda y se recupera.

- **Aprendizaje** Cualquiera que intente influir en el consumidor intenta producir aprendizaje: el proceso mediante el cual la experiencia lleva a cambios en los conocimientos y en el comportamiento. Es importante el aprendizaje de la teoría (capítulo 16), especialmente para aquellos productos y servicios que se compran relativamente con poca reflexión y evaluación.

- **Cambios en la actitud y el comportamiento** Los cambios en la actitud y el comportamiento son un objetivo importante en mercadotecnia, que refleja las influencias psicológicas básicas y que han sido objeto de décadas de investigación intensa. El capítulo 15 repasa esta literatura desde la perspectiva del diseño de estrategias promocionales efectivas.

Tipos de procesos de decisión

La amplitud con la cual cada etapa de la figura 3.10 se sigue en la forma y secuencia sugerida puede variar de una situación a otra. Algunas veces los consumidores se enfocan a un proceso complejo de decisión que requiere cantidades sustanciales de tiempo y energía. Sin embargo, son más comunes los procesos más bien simples, en los cuales se dedica relativamente poco tiempo y esfuerzo a la decisión.

Escala del proceso de decisión

Una manera de pensar estas variaciones es imaginar una sucesión de la complejidad de la toma de decisiones, que va desde alto a bajo (figura 3.11). En situaciones en las cuales los consumidores tomen una decisión por primera vez, las acciones deben basarse en alguna forma de resolución de problemas. Cuando este proceso es muy complejo, se conoce como **resolución de problema extenso** (RPE). La **resolución de problema limitado** (RPL), sin embargo, representa un grado inferior de complejidad. Por conveniencia, nos referimos al proceso de venta en la parte media de la escala como **resolución de problema de rango medio** (RPRM).

En la figura 3.11, tomamos en consideración el hecho de que la mayoría de las compras de los consumidores se efectúa en una base repetida. Cuando éste es el caso, el individuo se puede involucrar de nuevo a la resolución del problema. De manera alterna, él o ella pueden simplificar las decisiones al pasar por alto cualquier deliberación de alternativas de compra y simplemente eligiendo la misma marca antes adquirida. Esto representa la **toma de decisiones habituales**, el menos complejo de todos los procesos de decisión.

Compra inicial

Cuando la decisión inicial se hace mediante RPE, a menudo se establecen patrones de compra duraderos, basados en lealtad a la marca. Sin embargo, RPL lleva a hábitos que se basan en la inercia, resulta más fácil hacer lo mismo de nuevo que cambiar. Las razones para estas distinciones se analizarán en esta sección.

Resolución del problema extenso Cuando el proceso de decisión es especialmente detallado y rigorista, a menudo ocurre la RPE, la cual se utiliza comúnmente por aquellos consumidores que compran automóviles (como nuestro ejemplo del estudiante), ropa costosa, estéreo y otros productos o servicios importantes, para los cuales los costos y riesgos de una decisión

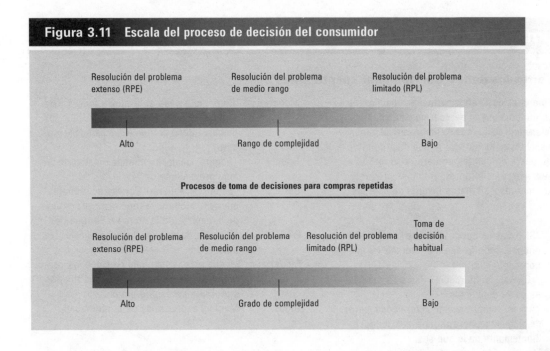

Figura 3.11 Escala del proceso de decisión del consumidor

Resolución del problema extenso (RPE)   Resolución del problema de medio rango   Resolución del problema limitado (RPL)

Alto   Rango de complejidad   Bajo

Procesos de toma de decisiones para compras repetidas

Resolución del problema extenso (RPE)   Resolución del problema de medio rango   Resolución del problema limitado (RPL)   Toma de decisión habitual

Alto   Grado de complejidad   Bajo

equivocada son elevados. Algunas veces la RPE está alimentada por dudas y temores; otras veces se basa en la falta de experiencia e información respecto a una compra costosa, significativa o de elevado compromiso. Independientemente de la razón, estos consumidores están abiertos a la información proveniente de varias fuentes, y están motivados para dar con "la elección correcta".

Cuando se activa la RPE, da inicio a las siete etapas del proceso de decisión, aunque no necesariamente en el mismo orden. Los consumidores que se dedican a la RPE generalmente evalúan muchas alternativas, consultan una variedad de fuentes de información respecto del producto e investigan opciones sobre cómo y dónde hacer la compra.

En suma, *por lo general pensar y evaluar preceden al acto de la compra y el uso, en razón a la importancia de llegar a una elección correcta.* El proceso de análisis y reflexión, sin embargo, no termina después de la compra y el uso. Si lo comprado se percibe como que no llena las expectativas, el resultado puede ser una insatisfacción sustancial y a menudo verbal. El resultado deseado es la satisfacción, expresada como recomendación positiva a terceros sobre la intención de volver a comprar, si es que llega a presentarse la ocasión.

Resolución del problema limitado   El otro extremo de la escala de toma de decisiones es la resolución de problemas limitados (RPL).[16] En la mayor parte de las situaciones, los compradores no tienen el tiempo ni los recursos, ni la motivación para dedicarse a la RPE. Es mucho más común simplificar el proceso y reducir de manera radical el número y diversidad de fuentes, alternativas y criterios utilizados para la evaluación. El consumidor en la mira 3.1 incluye un diálogo de un grupo de enfoque en relación con la pasta de dientes.

Varias de las personas de ese grupo expresan sentimientos como "compro una marca que reconozco" o "compro la marca más barata",[17] ambos son ejemplos "de reglas sencillas" que pudieran impulsar a decisiones de los consumidores. Un miembro del grupo de enfoque exprime hasta el último gramo del tubo de pasta, almacena una nota en su mente para detenerse en el supermercado de regreso a casa, ve una promoción de una marca nueva que reconoce, escoge un tubo grande y sigue su camino.

Con RPL, existe poca búsqueda de información y evaluación antes de la compra. En otras palabras, *el reconocimiento de la necesidad lleva a la acción de compra; se evitan la búsqueda y evaluación extensas, en vista de que la compra no es de gran importancia.* Aun así, cualquier proveedor que ofrezca una distinción competitiva, aunque sea muy pequeña, puede ganar una ventaja temporal; y una actitud de "por qué no probarla" lleva a menudo a probar una

El consumidor en la mira 3.1

Compra de artículos de tocador: terminar cuanto antes

Once hombres menores de 40 años participan en un grupo de enfoque, con un tema que al parecer no es demasiado interesante: preferencia de marcas de jabón para el baño y pasta de dientes. Nuestro moderador acaba de preguntar, "¿qué marca de pasta de dientes prefiere comprar?" Se mencionaron seis marcas diferentes, entonces preguntó, "¿compraría otra marca, si su marca favorita no está disponible?"

Ed: "Sí. Existe un par de ellas que son igual de buenas. Todo lo que me interesa es que contengan fluoruro."

Brad: "¿Cuál es la diferencia? Pasta de dientes es pasta de dientes."

Sam: "Así es, compraría alguna otra cosa, pero de ninguna manera pagaría más, independientemente de lo que sea."

Rick: "Seguro. Me gusta cambiar de marca de vez en cuando, simplemente por probar algo nuevo. Me canso de traer siempre la misma cosa."

Moderador: "Bien, ¿qué pasa si la nueva marca está al dos por uno, al mismo precio que las demás? ¿Sería probable que usted las probara?"

Greg: "Seguro, siempre y cuando no se trate de algo proveniente de Marte."

Bill: "Estoy de acuerdo con esto. Probablemente lo probaría si reconozco el nombre de la empresa o la marca. ¿Por qué no?"

Fred: "Bromea, lo que yo deseo es un precio bajo."

Moderador: "Lo que estoy escuchando es que les interesa más un precio bajo y están abiertos a probar marcas diferentes."

Todos: Muchas expresiones de conformidad.

---

marca nueva, como se puede ver en los comentarios de Greg, Bill y Fred en El consumidor en la mira 3.1.

Por ejemplo, una marca que se reconozca en el punto de venta es más probable que se pruebe, indicando la importancia de ganar la batalla del reconocimiento publicitario en la guerra para ganar participación de mercado. Además, un fuerte muestreo en punto de venta, despliegue, cupones y otros dispositivos intensivos en el punto de venta pueden resultar efectivos al probar una marca.

Resolución del problema de rango medio   Los RPE y RPL, como pudo observar, son los extremos en una escala del proceso de decisión, pero muchas decisiones se presentan entre estos polos. Piense acerca de cuál película ver. Generalmente toma un mínimo de información saber qué se exhibe, dónde se exhibe y a qué hora. Dado que hay varias opciones que suenan interesantes, existe una necesidad de su evaluación a menudo consultando críticas en el periódico o las recomendaciones de un amigo. Esto se puede llevar a cabo rápidamente, con sólo una moderada deliberación.

Compras de repetición

La mayor parte de las compras se repiten en el transcurso del tiempo. Cuando se presenten compras de repetición, existen dos posibilidades: 1) resolución repetida del problema y 2) toma de decisión habitual.

Resolución repetida del problema   Las compras de repetición a menudo requieren de la resolución continua del problema. Varios factores pueden llevar a este resultado, incluyendo la insatisfacción por una compra previa (lo que por lo general resulta en un cambio de marca) e inexistencia en el minorista (cuando éste no tiene el producto existente). En este tipo de comportamiento de compra, el comprador debe evaluar las consecuencias de invertir tiempo y energía en la búsqueda de otra alternativa.

Toma de decisión habitual   Es mucho más probable que las compras de repetición se efectúen con base en hábitos o rutinas que "simplifican" la vida para el consumidor. El comportamiento habitual toma diferentes formas, dependiendo del proceso de decisión que se haya seguido en la compra inicial: 1) lealtad a la marca o a la empresa o 2) inercia.

- *Lealtad a la marca o empresa*   Los consumidores tienen ciertas expectativas respecto de los productos que compran y acerca de los minoristas a los cuales les compran. La satisfacción que experimentan los consumidores cuando se llenan o exceden sus expectativas provoca lealtad a dicho producto o minorista. En la mayoría de los casos, los consumidores desean premiar a estas empresas con un uso continuo, esto es, con *lealtad* a la marca o a la empresa, mismos que pueden resultar muy resistentes al cambio.

Los mercadólogos ambicionan una elevada lealtad y a veces hacen todo lo necesario para conservarla. Cualquiera que intente ganarse a los compradores leales de una marca de película de 35 mm, por ejemplo Fuji, pudieran enfrentarse a un fuerte reto. Esta lealtad se sustenta con frecuencia en la naturaleza de gran involucramiento de la fotografía en los consumidores que toman en serio esta actividad y su creencia de que Fuji ofrece el color más brillante y la mejor calidad de imagen. Estos compradores no tienen ningún interés en cambiar, a menos que exista un avance de la competencia demostrable. De hecho, muchas empresas premian a los clientes por su continua preferencia mediante programas de lealtad, como los cupones aplicables a compras futuras de Fuji. Otros programas de lealtad premian a los consumidores con una cena gratuita después de su décima visita a un restaurante o la acumulación de puntos en un programa de aerolíneas.

- *Inercia*   La pasta de dientes es un producto en el cual existe una lealtad de marca limitada. Donde haya algún grado de lealtad, estará constituido por varias marcas, las cuales son aproximadamente iguales. Los hábitos de compra de este tipo se basan en la inercia y no son estables. A pesar de que no existe ningún incentivo para cambiar, puede ocurrir con bastante facilidad cuando se reducen los precios mediante un cupón, o se promueve otra marca mediante la oferta de algo nuevo.

Compras por impulso

La llamada compra por impulso (una acción no planeada, que ocurre en el momento, generada por la exhibición del producto o la promoción en el punto de venta)[18] es la forma menos compleja de RPL, pero es diferente en algunos aspectos importantes. A continuación se presentan sus características:[19]

1. Un deseo súbito y espontáneo de actuar acompañado por un sentido de premura.
2. Un estado de desequilibrio psicológico, en el cual la persona se puede sentir temporalmente fuera de control.
3. El establecimiento de conflicto y lucha, que se resuelve mediante una acción inmediata.
4. Existe una evaluación objetiva mínima, dominan las consideraciones emotivas.
5. No prever las consecuencias.

A pesar de que existe ausencia en el razonamiento cuidadoso característico de la RPE, no es indiferencia lo que acompaña a la RPL. Un elevado sentido de compromiso y urgencia emocional, en efecto, pone en corto circuito al proceso de razonamiento, motivando una acción inmediata.

Búsqueda de variedad

En este caso los consumidores a menudo expresan satisfacción con su marca actual, pero aun así, efectúan cambios de marca. El motivo es la búsqueda de variedad, que ocurre con mayor frecuencia cuando existen muchas alternativas similares, constantes cambios de marcas y una

Figura 3.12   Clases de comportamientos de compra

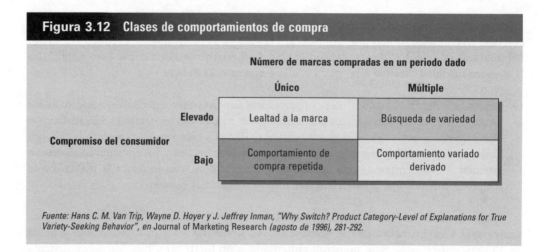

Número de marcas compradas en un periodo dado

		Único	Múltiple
Compromiso del consumidor	**Elevado**	Lealtad a la marca	Búsqueda de variedad
	Bajo	Comportamiento de compra repetida	Comportamiento variado derivado

Fuente: Hans C. M. Van Trip, Wayne D. Hoyer y J. Jeffrey Inman, "Why Switch? Product Category-Level of Explanations for True Variety-Seeking Behavior", en Journal of Marketing Research *(agosto de 1996), 281-292.*

elevada frecuencia de compra.[20] Puede ocurrir simplemente porque alguien está aburrido de su elección actual de marca y lo impulsan por señales externas como falta de existencia en la tienda o cupones que incitan el cambio. La figura 3.12 presenta cuatro categorías de patrones de compra, desde la lealtad de marca hasta la búsqueda de variedad. Incorpora factores como el compromiso del consumidor (lealtad hacia la marca) y el número de marcas compradas en un periodo en particular.[21] Cuando es probable la búsqueda de variedad, tienen mérito atractivos como los que se ilustran en la figura 3.13, que anuncia un postre diferente para cada día de la semana.

Figura 3.13   La variedad es la salsa de la vida

Factores que influyen la amplitud en la resolución de problemas

La amplitud del proceso de resolución de problemas que llevan a cabo los consumidores en diferentes situaciones de compra dependen de tres factores, claramente distintos: 1) grado de compromiso o involucramiento, 2) grado de diferenciación entre alternativas y 3) cantidad de tiempo disponible para deliberar.

Grado de involucramiento

El grado de *involucramiento personal* es un factor clave para conformar el tipo de proceso de decisión que seguirán los consumidores. El **involucramiento** *es el nivel de importancia y/o el interés personal percibido por un estímulo dentro de una situación específica.*[22] Hasta el punto en que esté presente, el consumidor actúa deliberadamente *para disminuir los riesgos y maximizar los beneficios* que se obtienen de la compra y el uso.

El grado de involucramiento va de bajo a alto, y está determinado por la percepción de importancia del consumidor hacia el producto o servicio. Dicho de una manera simple, mientras más importante es el producto o servicio para un consumidor, más motivado estará él o ella en buscar e involucrarse en la decisión. El involucramiento se activa y se siente cuando se confrontan las características personales intrínsecas (necesidades, valores, autoconcepto) con estímulos de mercadotecnia apropiados dentro de una situación dada.[23] Además, parece funcionar de manera comparable en varias culturas, aunque los productos y modos de expresión específicos tengan alguna variación.[24]

¿Qué tan involucrados están los consumidores en sus decisiones de compra para un producto como las multivitaminas? Hace varias décadas, cuando éstas eran objeto de una publicidad bastante intensa en los medios, los consumidores fueron impulsados a la idea de tomar "una vitamina al día". Se les dio información relativa a la importancia de su salud y la conveniencia de tomar una vitamina cada día. Con el tiempo, la elección y compra de multivitaminas pasó de ser una compra de involucramiento mediano a elevado, a una decisión de bajo involucramiento. Pero varios factores, como el interés en medicinas a base de hierbas y la evolución de la automedicación desencadenó la oportunidad para que las vitaminas One-A-Day proporcionaran nueva información a los consumidores e incrementaran el grado de involucramiento en la decisión de compra, como se observa en la figura 3.14. One-A-Day tiene ahora una variedad de productos herbales disponibles para los consumidores, que van desde Ginkgo (para la memoria) al Ginseng (para la energía), involucrando más a los consumidores en sus decisiones de compra.

Existen varios factores que determinan el grado de involucramiento que tienen los consumidores en la toma de decisiones. La investigación respecto de los factores que generan un involucramiento elevado o bajo es amplia y se resume en la sección siguiente. Repase los factores para comprender la forma en que juegan un papel en las diversas decisiones de compra que usted efectúa.

Factores personales   El grado de involucramiento tiende a ser más elevado cuando el resultado de la decisión afecta directamente a la persona. Los factores personales incluyen la imagen propia, la salud, la belleza y el estado físico. Sin la activación de la necesidad y el impulso, no habría involucramiento; éste es más fuerte cuando se percibe el producto o servicio como medio para mejorar la imagen propia.[25] Cuando éste es el caso, es probable que el involucramiento sea duradero y que funcione como un rasgo estable, en oposición a ser de tipo situacional o temporal.[26] Por ejemplo, la compra de cosméticos tiende a ser una decisión de gran involucramiento, ya que afecta de manera directa la imagen propia y la apariencia del usuario. Una discapacidad física del consumidor puede ser determinante cuando se involucra en la adquisición de una casa. ¿Tiene la casa escalones para llegar a ella? ¿Existe una recámara en el primer piso, y son las puertas lo suficientemente amplias para dejar pasar una silla de ruedas?

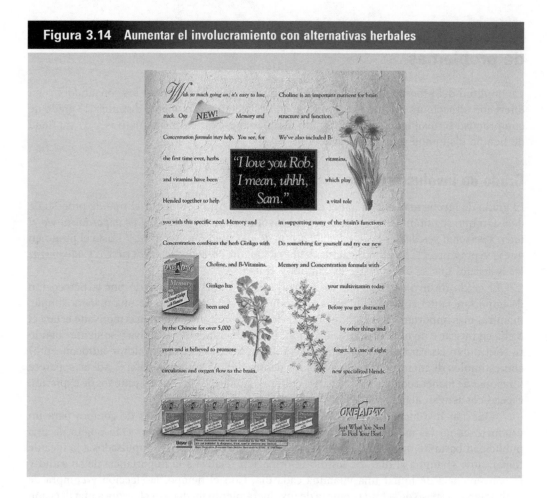

Figura 3.14   Aumentar el involucramiento con alternativas herbales

Factores del producto   Los productos o marcas también se hacen involucrantes si existe algún riesgo percibido en su compra y uso. Muchos tipos de riesgo percibido han sido identificados, incluyendo riesgo físico (de daño corporal), psicológico (especialmente un efecto negativo sobre la imagen propia), desempeño (miedo a que el producto no se desempeñe como se espera) y financiero (riesgo que los resultados nos hagan perder ingresos).[27]

Como uno esperaría de manera lógica, mientras mayor sea el riesgo percibido, mayor será la probabilidad de un elevado involucramiento. Cuando el riesgo percibido se hace inaceptablemente elevado, existe motivación ya sea para evitar completamente la compra o su uso, o minimizar el riesgo mediante las etapas de evaluación alternativa de búsqueda anterior a la compra en la solución de problemas extensos. Los consumidores, por ejemplo, pueden involucrarse de manera intensa en la elección y compra del servicio de un médico, especialmente cuando se requiere de cirugía, en razón del elevado riesgo percibido.

Factores situacionales   El involucramiento situacional (o instrumental) incluye factores, como por ejemplo, si el producto se adquiere para uso personal o como un presente, o si se consume solo o con otros. El involucramiento situacional cambia con el tiempo: puede ser fuerte al ser temporal y desvanecerse una vez que los resultados de compra se han resuelto.

Esto ocurre con las modas pasajeras como la ropa, donde el involucramiento es elevado, pero rápidamente disminuye una vez que dicha pieza ha sido utilizada y la moda empieza a cambiar. También sucede cuando un producto, que por otra razón no sería importante, toma un grado diferente de importancia en razón a la forma en la cual se utilizará,[28] por ejemplo, existe una gran diferencia entre la importancia percibida de una marca de gel de baño comprada para uso en el hogar y la que se compra como regalo.

Finalmente, el involucramiento puede incrementarse cuando se sienten presiones sociales. Por ejemplo, la investigación indica que los consumidores reaccionan de manera diferente cuando compran vino para consumo personal ordinario que cuando lo sirven en una cena.[29] Los consumidores pueden sentir presión para comprar un vino más costoso o más conocido al atender a amigos que cuando están comiendo solos.

Percepciones de las diferencias entre alternativas

Los mercadólogos encuentran que la RPE resulta más probable cuando las alternativas de elección se perciben como bien diferenciadas.[30] Sin embargo, mientras más similar se perciba la decisión mayor será la probabilidad de que los consumidores utilicen menos tiempo en la resolución de problemas. Una aplicación de lo anterior es que, si un consumidor va de compras y encuentra que no hay existencias del suavizador de telas Bounce y percibe que la marca Snoggle es similar, utilizará menos tiempo en la elección de la alternativa disponible que si percibe que la diferencia entre ambas es grande.

Disponibilidad de tiempo

Los factores relacionados con el tiempo también afectan el grado de involucramiento: cuánto tiempo tiene un consumidor para dedicarlo a la resolución del problema y con qué rapidez necesita tomar la decisión. Volviendo a nuestro comprador de automóvil, utilizó mucho tiempo evaluando varias opciones, porque tenía acceso al automóvil de su padre, y no necesitaba efectuar una compra de inmediato. Pero si no hubiera tenido una forma alternativa de transporte, hubiera tomado la decisión mucho más aprisa. En este caso, la situación coloca una limitante de tiempo sobre la decisión. Otro consumidor pudiera desear un automóvil nuevo, pero no tiene mucho tiempo para leer folletos, hablar con los amigos o probar varias marcas, debido a limitantes de tiempo por su trabajo y relacionadas con su familia, que lo hacen estar menos involucrado en la decisión. Por tanto, como una regla general, se sigue la RPE cuando las presiones de tiempo son bajas.

Estado de ánimo del consumidor

El estado de ánimo del consumidor puede influir de manera importante el proceso y la evaluación de la información[31] (cómo se sienten las personas en un momento en particular, se analiza en el capítulo 8), por ejemplo, si los consumidores están dispuestos y deseosos de comprar un regalo de Navidad, pudieran utilizar más tiempo en el centro comercial buscando el regalo perfecto. En tanto que otros pudieran no disfrutar las compras navideñas y utilizar el menor tiempo posible en el proceso de compra.

A veces, un efecto positivo sobre el estado de ánimo hace que los consumidores reduzcan la duración y complejidad del proceso de decisión;[32] pero otras, el estado de ánimo tiene el efecto opuesto.[33] Observe el proceso de decisión de compra de servicios funerarios. Si se compra antes que se necesite (como en el caso de funerales prearreglados), los consumidores utilizan más tiempo buscando opciones alternativas; en tanto que si se compra en el momento en que surge la necesidad, la familia se siente afligida, y reduce el tiempo del proceso de decisión. Aunque no siempre resulta claro de qué manera el estado de ánimo afectará el comportamiento del consumidor, podría afectarlo de alguna forma, como estudiará en el capítulo 10.

Diagnóstico del comportamiento del consumidor

El enfoque principal de este capítulo ha sido el proceso de decisión del consumidor, con énfasis en el modelo PDC como marco para el examen de la forma en que los consumidores

Figura 3.15   Cómo diagnosticar el proceso de toma de decisiones del consumidor

Reconocimiento de la necesidad

1. ¿Qué necesidades y motivaciones se satisfacen mediante la compra y uso del producto? (Por ejemplo, ¿qué beneficios buscan los consumidores?)
2. ¿Están estas necesidades en estado latente o en este momento los perciben los posibles compradores?
3. ¿En qué medida están involucrados con el producto los compradores más probables en el segmento de mercado objetivo?

Búsqueda de información

1. ¿Qué información relacionada con el producto y la marca está almacenada en la memoria?
2. ¿Está el consumidor motivado para recurrir a fuentes externas con la finalidad de encontrar información respecto de alternativas disponibles y sus características?
3. ¿Qué fuentes específicas de información se utilizan con mayor frecuencia cuando se procede a la búsqueda?
4. ¿Qué características o atributos del producto son el núcleo central de la búsqueda cuando ésta se efectúa?

Evaluación de las alternativas antes de la compra

1. ¿Hasta qué grado dedican tiempo los consumidores a evaluar y comparar alternativas?
2. ¿Qué alternativas de producto y/o marca están incluidas en el proceso de evaluación?
3. ¿Qué criterios de evaluación del producto (atributos del mismo) se utilizan para comparar alternativas?
    a. ¿Qué factor es el más importante en la evaluación?
    b. ¿Qué tan compleja es la evaluación (por ejemplo, el uso de un solo atributo, contra varios en combinación)?
4. ¿Cuáles son los resultados de la evaluación en relación con cada una de las alternativas de la compra candidato?
    a. ¿Qué se cree como cierto acerca de las características y detalles de cada una de ellas?
    b. ¿Se perciben como diferentes de manera importante, o se ven como esencialmente iguales?
5. ¿Qué tipo de regla de decisión se utiliza para determinar la mejor elección?

Compra

1. ¿Utilizará el consumidor tiempo y energía para buscar hasta que encuentre la alternativa preferida?
2. ¿Es necesario un comportamiento de proceso de decisión adicional, con la finalidad de descubrir el punto de venta preferido para la compra?
3. ¿Cuáles son los modelos preferidos de compra (por ejemplo tienda de menudeo, desde el hogar u otras formas)?

Consumo

1. ¿De qué manera utiliza el producto el consumidor?
    a. ¿Para el propósito previsto?
    b. ¿Tal y como se recomienda en las instrucciones de uso/cuidado?
    c. ¿Con el fin de resolver algún problema para el cual el producto no fue diseñado?
2. ¿Qué otros productos se utilizan en conjunto con el producto?
3. ¿Dónde se almacena el producto cuando no se usa?
4. ¿Cuál es la frecuencia normal de uso y la duración del consumo?
5. En relación con la compra, ¿dónde y cuándo ocurre el consumo?
6. ¿De qué manera se involucra a la familia en la compra o consumo?

Evaluación posterior al consumo

1. ¿Qué grado de satisfacción o insatisfacción se expresa respecto a alternativas anteriormente utilizadas en la categoría del producto o servicio?
2. ¿Qué razones se dan para la satisfacción o la falta de ella?
3. ¿Se ha compartido la satisfacción o insatisfacción percibida con otras personas, para ayudarlas en su comportamiento de compra?
4. ¿Han hecho los consumidores intentos de lograr la corrección de la insatisfacción?
5. ¿Existe intención de volver a comprar cualquiera de las alternativas?
    a. En caso de que la respuesta sea negativa, ¿por qué?
    b. Si la respuesta es afirmativa, ¿refleja la intención, lealtad a la marca o inercia?

Figura 3.15 *Continuación*

Descarte

1. ¿Cuándo descarta el producto el consumidor?
   a. ¿Cuándo el producto está consumido o usado?
   b. ¿Cuándo el consumidor se cansa del producto?
   c. ¿Cuándo se presenta una mejor alternativa?
2. ¿De qué manera dispone el consumidor del producto?
   a. ¿Desecha el producto en casa o en algún otro sitio?
   b. ¿Recicla el producto o lo revende?
   c. ¿Dona el producto a una organización no lucrativa, o se lo pasa a un amigo?
3. ¿De qué manera dispone el consumidor del empaque?
4. ¿Qué papel juega la preocupación por el entorno en la elección del descarte?

toman decisiones. La figura 3.15 incluye una guía para el plan estratégico, que incorpora el material tratado en este capítulo, incluyendo el proceso de decisión del consumidor, los tipos de decisiones y el grado de involucramiento. Se trata de una lista de preguntas que ayudarán en la formulación de una investigación de diagnóstico y en el desarrollo de estrategias de comunicación y mercadotecnia.

Resumen

El propósito de este capítulo ha sido presentar la naturaleza de la toma de decisiones del consumidor y las influencias que afectan este proceso. El modelo del proceso de decisión del consumidor (PDC) proporciona un "mapa" de la forma en que los consumidores encuentran su camino en un mundo de decisiones de consumo.

Las decisiones del consumidor, analizadas con ayuda del modelo PDC, se mueven a través de las etapas siguientes: 1) reconocimiento de la necesidad, 2) búsqueda de información, 3) evaluaciones de alternativas antes de la compra, 4) compra, 5) consumo, 6) evaluación alternativa posterior a la compra y 7) descarte. Conforme los consumidores se mueven en el curso de estas etapas, los mercadólogos tienen una oportunidad para reaccionar e influir el comportamiento mediante estrategias efectivas de comunicación y mercadotecnia dirigidas a cada una de estas etapas y a las variables que las afectan. La compra y el consumo están afectadas por un conjunto complejo de factores que influyen y forman el comportamiento del proceso de decisión, incluyendo las *diferencias individuales* y la *influencia del entorno*.

Los procesos de decisión pueden ir desde la resolución de un problema extenso (que se puede considerar como uno de los extremos de la escala de resolución de problemas) a una resolución de problema limitado (el extremo opuesto del espectro). La resolución de problema extenso (RPE) se caracteriza por la búsqueda intensa de información y la evaluación compleja, en tanto que la resolución de problema limitado (RPL) representa una motivación mucho menor para efectuar una amplia búsqueda de información y ocuparse de una evaluación alterna.

Cuando se presenta la ocasión de compras de repetición, muchos consumidores rápidamente desarrollan un proceso de decisión habitual. A veces, son leales a la marca y conservan su elección inicial. Esto ocurre a menudo cuando existe un elevado involucramiento percibido. Cuando no es así, es probable que los hábitos se formen con base en la lealtad o la inercia. Si un consumidor no tiene ninguna razón de cambiar, se hará una recompra; pero el consumidor tiene también una tendencia a cambiar si existe algún incentivo para ello. Esto ocurre con frecuencia cuando hay bajo involucramiento y poco compromiso de preferir una alternativa en lugar de otra.

Varios factores influencian el comportamiento del proceso de decisión, en función al grado de involucramiento. Los determinantes del involucramiento incluyen: 1) factores personales, 2) factores del producto y 3) factores situacionales.

Preguntas de repaso y análisis

1. Existen quienes argumentan que los consumidores realmente no llevan a cabo ningún proceso de decisión, sino que hacen sus elecciones más o menos al azar sin ningún razonamiento aparente. ¿Cuál es su posición respecto de este tema? ¿Por qué?

2. Defina los términos *resolución de problema extenso y resolución de problema limitado*. ¿Cuáles son las diferencias esenciales? ¿Qué tipo de proceso de decisión esperaría que siguiera la mayoría de las personas en la compra inicial de un producto o marca nuevo de las siguientes categorías: pasta de dientes, harina, colonia para hombre, alfombra, papel de baño, pan, focos, cámara de 35 mm, automóvil deportivo?

3. En relación con la pregunta 3, ¿es posible que el proceso de decisión pudiera diferir ampliamente de un consumidor a otro, en la compra de cada uno de estos elementos? Explique.

4. Un fabricante de lavadoras y secadoras automáticas, ¿de qué manera haría uso de un procedimiento en el proceso de decisión para comprender mejor la forma en que los consumidores adquieren estos productos?

5. ¿Cuál de los tipos siguientes de productos piensa que es más probable que se compre con base en la lealtad a la marca o a la inercia. Detergente para lavandería, aceite para motor, lápiz labial, grasa para zapatos, refrescos, productos para cuidado del pasto (fertilizantes, etc.) y bujías?

6. Suponga que es responsable de poner en el mercado una nueva cámara digital, su competencia es Kodak y Nikon, mismos que han creado una sustancial lealtad a la marca. ¿Qué estrategias sugeriría para lograr la penetración en el mercado?

7. Suponga que ha sido llamado como asesor de mercadotecnia en una estrategia de publicidad para una nueva marca de alimento seco para gatos. ¿Cuál de los tipos de procesos de decisión que se han analizado en este capítulo piensa que resulte más probable en la mayor parte de los compradores posibles? ¿Por qué? ¿Qué diferencia resultará en la estrategia de mercadotecnia?

Notas

1. Sridhar Moorthy, Brian T. Ratchford y Debabrata Talukdar, "Consumer Information Search Revisited: Theory and Empirical Analysis", en *Journal of Consumer Research*, 23, 4 (1997), 263-277.

2. Abeer Y. Hogue y Gerald Lohse, "An Information Search Cost Perspective for Designing Interfaces for Electronic Commerce", en *Journal of Marketing Research*, 36 (agosto de 1999), 387-394.

3. J. Alba, J. Lynch, B. Weitz, C. Janisqewski, R. Lutz, A. Sawyer y S. Wood, "Interctive Home Shopping: Consumer, Retailer, and Manufacturer Incentives to Participate in Electronic Marketplaces", en *Journal of Marketing*, 61 (julio de 1997), 38-53.

4. John Lynch y Dan Ariely, "Interactive Home Shopping: Effects of Search Cost for Price and Quality Information on Consumer Price Sensitivity, Satisfaction with Merchandise Selected and Retention", apuntes, Marketing Department, Duke University (1999).

5. Robert Franciosi, Praveen Kugal, Roland Michelitsch, Vernon Smith y Gang Deng, "Fairness: Effect on Temporary and Equilibrium Prices in Posted-Offered Markets", en *The Economic Journal*, 105 (julio de 1995), 938-950.

6. Margaret C. Campbell, "Perceptions of Price Unfairness: Antecedents and Consequences", en *Journal of Marketing Research* (mayo de 1999), 187-199.

7. Mohanbir Sawhney y Jehoshua Eliashberg, "A Parsimonious Model for Forecasting Gross Box Office Revenues of Motion Pictures", en *Marketing Science*, 15 (1996), 113-131.

8. Jehoshua Eliashberg y Steven Shugan, "Film Critics: Influencers or Predictors?", en *Journal of Marketing*, 61 (abril de 1997), 68-78.

9. Ramya Neelamegham y Dipak Jain, "Consumer Choice Process for Experience Goods: An Econometric Model and Analysis", en *Journal of Marketing Research*, 36 (agosto de 1999), 373-386.

10. Mary Frances Luce, John W. Payne y James R. Bettman, "Emotional Trade-Off Difficulty and Choice", en *Journal of Marketing Research*, 36 (mayo de 1999), 143-159.

11. Richard P. Bagozzi, Mahesh Gopinath, Prashanth Nyer, "The Role of Emotions in Marketing", en *Journal of the Academy of Marketing Science*, 27, 2 (primavera de 1999), 184-206.

12. Richard Oliver, "Cognitive, Affective, and Attribute Bases of the Satisfaction Response", en *Journal of Consumer Research*, 20 (diciembre de 1993), 418-430.

13. Ruth N. Bolton y Katherine N. Lemon, "A Dynamic Model of Customers' Usage of Services: Usage As an Antecedent and Consequence of Satisfaction", en *Journal of Marketing Research*, 36 (mayo de 1999), 171-186.

14. John Dewey, *How We Think* (Nueva York: Heath, 1910).

15. Icek Ajzen y Martin Fishbein, *Understanding Attitudes and Predicting Social Behavior* (Englewood Cliffs, NJ: Prentice-Hall, 1980).

16. Harold E. Kassarjian, "Consumer Research: Some Recollections and a Commentary", en Richard J. Lutz, ed., *Advances in Consumer Research*, 13 (Provo, Utah: Association for Consumer Research, 1986), 6-8.

17. Wayne D. Hoyer, "Variations in Choice Strategies across Decision Contexts: An Examination of Contingent Factors", en Lutz, *Advances*, 23-26.

18. Francis Piron, "Defining Impulse Purchasing", en Rebecca H. Holman y Michael R. Solomon, eds., *Advances in Consumer Research*, 18 (Provo, Utah: Association for Consumer Research, 1991), 512-518.

19. Dennis W. Rook y Stephen J. Hoch, "Consuming Impulses", en Elizabeth C. Hirschman y Morris B. Holbrook, eds., *Advances in Consumer Research*, 12 (Provo, Utah: Association for Consumer Research, 1985), 23-27.

20. Itamar Simonson, "The Effect of Purchase Quantity and Timing on Variety-Seeking Behavior", en *Journal of Marketing Research*, 27 (mayo de 1990), 150-162; Wayne D. Hoyer y Nancy M. Ridgway, "Variety Seeking as an Explanation for Exploratory Purchase Behavior: A Theoretical Model", en Thomas C. Kinnear, ed., *Advances in Consumer Research*, 11 (Provo, Utah: Association for Consumer Research, 1984), 114-119.

21. Hans C. M. Van Trijp, Wayne D. Hoyer y J. Jeffrey Inman, "Why Switch? Product Category—Level of Explanations for True Variety-Seeking Behavior", en *Journal of Marketing Research*, 33 (agosto de 1996), 281-292.

22. John H. Antil, "Conceptualization and Operationalization of Involvement", en Kinnear, *Advances*, 204.

23. Richard L. Celsi y Jerry C. Olson, "The Role of Involvement in Attention and Comprehension Processes", en *Journal of Consumer Research*, 15 (septiembre de 1988), 210-224.

24. Vea James Sood, "A Multi Country Research Approach for Multinational Communication Strategies", en *Journal of International Consumer Marketing*, 5 (1993), 29-50; Dana L. Alden, Wayne D. Hoyer y Guntelee Wechasara, "Choice Strategies and Involvement: A Cross-Cultural Analysis", en Thomas K. Srull, ed., *Advances in Consumer Research*, 16 (Provo, Utah: Association for Consumer Research, 1989), 119-125.

25. Meera P. Venkatraman, "Investigating Differences in the Roles of Enduring and Instrumentally Involved Consumers in the Diffusion Process", en Michael J. Houston, ed., *Advances in Consumer Research*, 15 (Provo, Utah: Association for Consumer Research, 1988), 299-303.

26. Robin A. Higie y Lawrence E. Feick, "Enduring Involvement: Conceptual and Measurement Issues", en Srull, *Advances*, 690-696.

27. Vea George Brooker, "An Assessment of an Expanded Measure of Perceived Risk", en Kinnear, *Advances*, 439-441; John W. Vann, "A Multi-Distributional, Conceptual Framework for the Study of Perceived Risk", en Kinnear, *Advances*, 442-446.

28. Russell W. Belk, "Effects of Gift-Giving Involvement on Gift Selection Strategies", en Andrew Mitchell, ed., *Advances in Consumer Research*, 9 (Ann Arbor, MI.: Association for Consumer Research, 1981), 408-411.

29. Judith L. Zaichkowsky, "Measuring the Involvement Construct", en *Journal of Consumer Research*, 12 (diciembre de 1985), 341-352.

30. Giles Laurent y Jean-Noel Kapferer, "Measuring Consumer Involvement Profile", en *Journal of Marketing Research*, 22 (febrero de 1985), 41-53.

31. La investigación de los consumidores fue influida en gran forma en 1980, por el descubrimiento de que los sentimientos y el estado de ánimo operan independientemente de las respuestas cognoscitivas. Vea Robert Zajonc, "Feeling and Thinking: Preferences Need No Inferences", en *American Psychologist*, 35 (febrero de 1980), 151-175. Esto fue seguido por

98 Cap. 3 *Proceso de decisión del consumidor*

y Olson. Vea Andrew Mitchell y Jerry Olson, "Are
Product Attribute Beliefs the Only Mediator of Advertising Effects on Brand Attitudes?", en *Journal of Marketing Research*, 18 (agosto de 1981), 318-322.

32. Meryl Paula Gardner, "Mood States and Consumer
Behavior: A Critical Review", en *Journal of Consumer
Research*, 12 (diciembre de 1985), 281-300.

33. Haim Mano, "Emotional States and Decision Making",
en Marvin E. Goldberg, Gerald Gom y Richard
W. Pollay, eds., *Advances in Consumer Research*, 17
(Provo, Utah: Association for Consumer Research,
1990), 577-589.

34. Hoyer, "Variations in Choice Strategies across Decision Contexts", 23-26.

35. J. Craig Andrews, "Motivation, Ability, and Opportunity to Process Information: Conceptual and Experimental Manipulation Issues", en Houston, *Advances*,
219-225.

36. Richard E. Petty, John T. Cacioppo y David Schumann, "Central and Peripheral Routes to Advertising
Effectiveness: The Moderating Role of Involvement",
en *Journal of Consumer Research*, 10 (septiembre de
1983), 135-144.

CAPÍTULO 4

Procesos previos a la compra: reconocimiento de la necesidad, búsqueda y evaluación

CASO DE INICIO

Los hogares estadounidenses gastan anualmente 825 millones de dólares en productos de plástico para almacenamiento, pero se trata de un renglón de bajo crecimiento. Rubbermaid, fabricante líder en ese tipo de productos, espera cambiar esto. Después de una ausencia de cinco años en la publicidad televisiva nacional, Rubbermaid está listo para lanzar una nueva campaña de publicidad, donde presenta sus productos como soluciones a problemas en una diversidad de áreas: hogares, oficinas, patios traseros, jardines y patios de recreo.

Los cuatro spots de televisión de 30 segundos muestran imágenes domésticas antes y después, donde los productos Rubbermaid llegan al rescate de refrigeradores demasiado llenos, cuartos de lavado desorganizados y recámaras rebosantes de cosas, con una voz sobrepuesta que dice "una de las miles de soluciones que tenemos para hacer que la vida sea un poco más fácil". Estos anuncios representan un cambio importante en el enfoque de Rubbermaid hacia el producto y su precio, que caracterizaba gran parte de su anterior campaña de mercadotecnia.

Rubbermaid ha reforzado su campaña de anuncios con un folleto de 89 páginas. "1001 soluciones para una mejor manera de vivir", que ofrece consejos acerca de la forma en que sus productos pudieran ayudar a sus consumidores a enfrentar problemas en sus hogares y en sus oficinas. Algunos consejos del folleto son prácticos, como por ejemplo colocar el forro de plástico Ultra Grip de Rubbermaid bajo el teclado de la computadora, para impedir que éste resbale; o utilizar un cucharón para helado Rubbermaid al llenar moldes con masa para pastel o pan. Otros están dirigidos de una manera más directa a incrementar las ventas, como una sugerencia para utilizar cestas de ropa de colores diferentes con el fin de separar la ropa blanca de la oscura y la delicada.

Fuente: tomado de Raju Narisetti, "Rubbermaid Ads Pitch Problem Solving", en The Wall Street Journal *(febrero 4 de 1997), B6.*

Al final, el futuro de todos los bienes y servicios dependerá de si los consumidores los perciben como capaces de llenar necesidades de consumo. El reconocimiento de estas necesidades lleva a los consumidores a un proceso de toma de decisiones, que determina lo que compran y lo que consumen. Identificamos la primera etapa del proceso de toma de decisiones como **reconocimiento de la necesidad**, definida como *la percepción de una diferencia entre el estado de cosas deseado y la situación actual, suficiente para generar y activar el proceso de decisión.* Empezamos el capítulo con esta etapa inicial de la toma de decisiones.

Reconocimiento de la necesidad

La figura 4.1 ilustra lo que ocurre durante el reconocimiento de la necesidad, el cual dependerá de a cuánto asciende la discrepancia que existe entre el estado real (la situación actual del

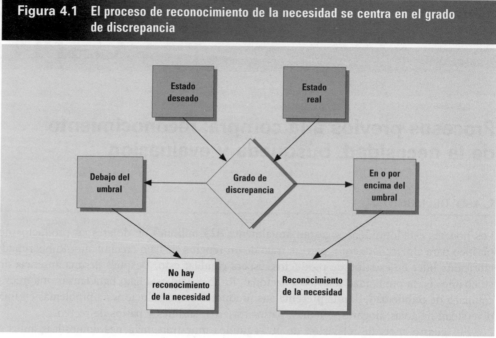

Figura 4.1   El proceso de reconocimiento de la necesidad se centra en el grado de discrepancia

consumidor) y el estado deseado (la situación en la cual desea estar el consumidor). Cuando esta diferencia alcanza o excede un cierto umbral, la necesidad se reconoce. Por ejemplo, un consumidor actualmente hambriento (estado real) y deseoso de cambiar esta situación (estado deseado) experimentará el reconocimiento de la necesidad cuando la discrepancia entre ambos estados sea de magnitud suficiente. Sin embargo, si la diferencia queda debajo del nivel del umbral, no ocurrirá el reconocimiento de la necesidad.

Por tanto, el reconocimiento de la necesidad ocurre cuando los cambios, ya sea en el estado real o en el deseado, hacen que ambos resulten de una manera notable fuera de alineamiento. Como cualquiera que no ha probado alimento por un periodo extenso, sabe que el simple paso del tiempo puede llevar a un deterioro desagradable en el estado real; así, la necesidad puede reconocerse simplemente debido a que los consumidores han terminado el inventario de producto existente. Las últimas rebanadas de pan fueron tostadas en el desayuno y se necesitarán más para la cena de esta noche. En este caso, el reconocimiento de la necesidad se origina debido a una necesidad anticipada en el futuro inmediato como resultado de un cambio en la situación actual.

También cambian el comportamiento o los deseos de los consumidores. Lo que deseamos cuando somos jóvenes pudiera no ser lo mismo que lo que deseamos al hacernos más viejos. Ahora muchos *baby boomers* del sexo masculino se cortan el cabello en cuanto empieza a tocar sus orejas, sin embargo, cuando eran jóvenes el reconocimiento de la necesidad nunca cruzó por sus mentes, ¡aun cuando el cabello les llegaba a los hombros! Piense en la pareja sin hijos que tiene poca necesidad de los productos indispensables para la crianza de niños. Sin embargo, después de enterarse que pronto serán padres, experimentarán un cambio en su estado deseado. Productos que antes no eran de importancia para ellos se convierten ahora en esenciales.

Como se indica en estos ejemplos, el reconocimiento de la necesidad a menudo ocurre por razones que quedan fuera del control de una empresa; sin embargo, pueden influir en éste. La activación del reconocimiento de la necesidad es a menudo un objetivo importante de los negocios que, cuando se descuida, puede tener consecuencias desfavorables para empresas individuales o para toda una rama industrial. En las secciones que siguen, analizamos el valor práctico de comprender el reconocimiento de la necesidad y describimos algunas formas en que las empresas intentan influir en él.

Por qué los negocios necesitan comprender el reconocimiento de la necesidad

Un beneficio potencial de la comprensión del reconocimiento de la necesidad es que puede revelar oportunidades, que una empresa pudiera explotar. La identificación de un segmento de mercado con deseos insatisfechos (es decir, el estado actual se queda de manera sustancial debajo del estado deseado) le proporciona a las empresas nuevas oportunidades de ventas. Éste es el caso de los motociclistas del género femenino, muchas de ellas no están contentas con los accesorios de montar en motocicleta disponibles para ellas. "O compro ropa de hombre o tengo que mandar hacer algo a la medida, —dice una motociclista—. Esto resulta muy costoso."[1]

La existencia de necesidades y deseos no satisfechos erige las bases para la creación de nuevos negocios y de las innovaciones en productos para el futuro. Para ver qué tan lejos nos pueden llevar estas necesidades insatisfechas, lea El consumidor en la mira 4.1.

Un análisis del reconocimiento de la necesidad pudiera también revelar barreras existentes para el éxito de una empresa. Piense en la industria mueblera.[2] Durante la década de los setenta, los estadounidenses compraron antecomedores una vez cada 12 o 13 años. En los años noventa la tasa promedio de reemplazo fue de 21 años. Entre 1987 y 1997, los hogares estadounidenses redujeron sus gastos de mobiliario en 13%.

El consumidor en la mira 4.1

Las necesidades insatisfechas representan oportunidades de negocio

¿Desearía viajar al espacio exterior? Si su respuesta es afirmativa no está solo. Una encuesta muestra que alrededor de 60 de los estadounidenses y 70 de los japoneses están interesados en los viajes espaciales. Otro dato que revela la fascinación por el espacio exterior de los consumidores es que durante los tres meses siguientes al aterrizaje del Pathfinder en Marte, la NASA recibió 500 millones de visitantes en su página.

Desafortunadamente, en la actualidad los consumidores carecen de medios para satisfacer sus deseos de una experiencia "fuera de este mundo", sin embargo en la mesa de diseño hay planes para hacer del turismo espacial una realidad. Pete Conrad, el hombre que hizo el primer alunizaje puntual sobre la superficie de la Luna, desea repetir esa historia, pero esta vez como pionero de la primera línea espacial. Y los japoneses hablan de construir un hotel fuera de este planeta.

"Pronostico que la gente volará al espacio de manera rutinaria en sus vacaciones", dice Conrad. Al mismo tiempo, se da cuenta que una aerolínea espacial no es factible en este momento, pero estima que en unas cuantas décadas los consumidores promedio podrán llegar al espacio tan fácilmente como ahora viajan de costa a costa. Para alentar la construcción privada de vehículos espaciales, la X Prize Foundation de San Luis ofrece 10 millones de dólares al constructor de una aeronave capaz de llevar por lo menos tres personas a una altitud de 62 millas, regresar y volar en las

siguientes dos semanas. Un miembro de la X Prize Foundation es Erick Lindbergh, nieto del legendario aviador Charles Lindbergh.

Una compañía, Space Adventures, está contando con que los constructores cumplan. Ha registrado reservaciones para vuelos suborbitales, mismos que dicen iniciarán de tres a cinco años. Se requiere de un depósito de 6000 dólares para reservar un asiento, mismo que se aplicará al costo general de los boletos, estimados entre 75 000 y 100 000 dólares cada uno. Space Adventures ya transporta viajeros en vuelos de aeroplano a gravedad cero, como los que se utilizaron para simular el vuelo espacial para la película *Apolo 13*, así como en un vuelo en un jet militar ruso MiG-25 que vuela a 70 000 pies por encima de la Tierra. Los precios iniciales son de 5500 dólares por persona.

Sin embargo, no todo el mundo es optimista en relación con el futuro del turismo espacial. John Pike de la Federation of American Scientists cree que los problemas de seguridad y costo hacen del turismo espacial una aventura riesgosa, y casi imposible. Las probabilidades de morir son de 1 en 100 en un transbordador espacial, y de 1 en un millón en un avión de pasajeros, según Pike. "El problema es tratar de averiguar quién volará durante las primeras miles de veces con el fin de que resulte lo suficiente seguro y económico para tener turistas —dice Pike—. No veo la forma en que podamos llegar allí desde aquí."

Fuente: tomado de Dina Elboghdady, "Far-out: Former Astronaut Wants to Start a Space Airline", en Miami Herald (agosto 7 de 1997), 9A; Robin Stansbury, "Space Tours No Longer Are Sci-fi", en Miami Herald (abril 12 de 1998), 1J, 4J; "Cheick Diarra", en Fast Company (septiembre de 1999), 136; "Like Grandpa, Like Grandson", en Miami Herald (julio 1 de 1999), 2A.

¿Por qué sucede esto? Aunque resulte extremadamente simplista apuntar a un solo culpable, no se puede negar que el fracaso de la industria para estimular de manera adecuada el reconocimiento de la necesidad es una de las principales razones. Dice un ejecutivo de la rama industrial: "La industria automotriz ha convencido a los estadounidenses de que adquieran automóviles de 25 000 dólares que tiran a la basura cada tres años, pero la industria mueblera sigue vendiendo recámaras que las personas heredan a sus hijos." "No hemos hecho una gran tarea para atraer al consumidor", agrega otro observador.

Hasta que la industria mueblera pueda motivar a los consumidores a redecorar con mayor frecuencia, su futuro no parece halagador. Deténgase por un momento y piense en las estrategias básicas que podrían tomarse en esta situación. En particular, ¿qué implicaciones se sugieren al considerar el requerimiento de la necesidad de acuerdo a cómo perciben los consumidores una diferencia significativa al interior de sus estados actuales e ideales? De manera más general, ¿en qué forma pueden las empresas estimular el reconocimiento de la necesidad?

Cómo pueden las compañías activar el reconocimiento de la necesidad

Para ilustrar algunas opciones útiles para activar el reconocimiento de la necesidad, sigamos con el ejemplo de los muebles. Aparentemente, muchos consumidores están conformes con tener el mismo conjunto de muebles durante muchos años, incluso décadas. Lo que poseen actualmente se juzga como suficiente. No experimentan un fuerte deseo de algo nuevo y diferente.

Una forma de activar la necesidad de un mobiliario nuevo es modificando su estado ideal. Esto es, ¡ofrecerles algo por lo que estén dispuestos a cambiar! Desarrolle y promueva nuevos estilos, diseños y telas. Muestre a los consumidores cuán atractivos y disfrutables serían sus hogares al ser remodelados con mobiliario nuevo.

Las innovaciones en el producto pueden causar el reconocimiento de la necesidad. Esto ocurrió cuando Reebok presentó su zapato atlético con bomba de aire. Esta innovación, en la cual el usuario podía ajustar el colchón de aire a la planta del zapato, modificó el estado ideal o deseado de muchos adolescentes. Lo mismo sucede con los sistemas de navegación para automóviles, éstos guían a los conductores, con una voz computarizada, esquina por esquina a su destino seleccionado. El éxito de estas innovaciones depende en gran manera de su capacidad de satisfacer necesidades antes insatisfechas.

Otra opción está disponible en la industria mueblera, una que se debe manejar con mucha delicadeza con la finalidad de no ofender a los consumidores. Con esta estrategia, se hace énfasis en influir la forma en que los consumidores perciben su estado presente. El objetivo sería minar la percepción de los consumidores en relación con lo adecuado de su mobiliario existente. La publicidad podría sugerir, quizás de manera humorística, la posibilidad que el mobiliario presente tiene una mayor necesidad de retiro que lo que anteriormente se aceptaba. En la medida que este tipo de publicidad tenga éxito en cuestionar a los consumidores sobre lo adecuado y atractivo de su mobiliario actual, éstos experimentarían un mayor reconocimiento de la necesidad.

En la figura 4.2 se presenta un ejemplo del uso de la publicidad para alterar la percepción de los consumidores respecto del estado presente de las cosas. Muchas mujeres quizás no reconozcan que sufren de una deficiencia de calcio. En vez de ello, pueden percibir de manera incorrecta, que su estado real es más sano de lo que verdaderamente es. Para estas mujeres, el anuncio de la figura 4.2, si es creíble, les hará reconocer la existencia de una discrepancia entre el estado real y el ideal.

El simple recordatorio a los consumidores acerca de una necesidad puede resultar suficiente para que se desencadene el reconocimiento de la misma. Los consumidores que curiosean en los pasillos de un minorista pudieran encontrar un desplegado que les recuerde una necesidad de compra antes reconocida pero ahora olvidada. Los dentistas le envían a sus pacientes de revisión y limpieza, un recordatorio simple por correo, indicándoles que es tiempo de programar una cita. Los anuncios como el de la figura 4.3 son otra forma de recordar a los consumidores

Figura 4.2 Este anuncio activa el reconocimiento de la necesidad al educar a los consumidores en relación con la situación real

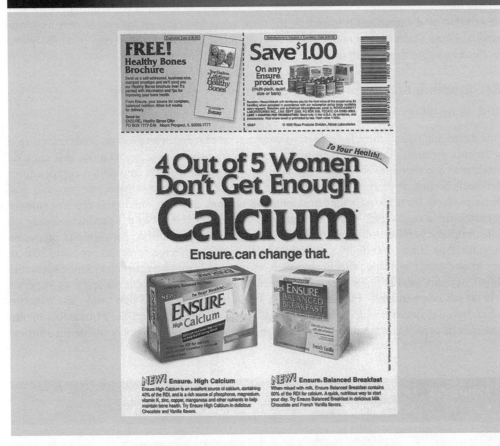

Figura 4.3 Recordar a los consumidores cuáles son sus necesidades puede activar el reconocimiento de la necesidad

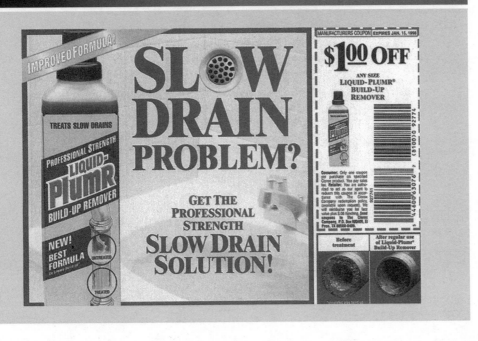

sus necesidades. Y algunos fabricantes han modificado sus productos con el fin de estimular el reconocimiento de la necesidad. Aunque la mayor parte de los cepillos de dientes se desgastan en tres meses, típicamente los consumidores los reemplazan sólo una vez al año. El fabricante de cepillos de dientes Oral-B introdujo un tinte azul patentado en las cerdas centrales, que gradualmente se desvanece con el uso. La ausencia de tinte azul indica que el cepillo ya no es efectivo y que debe reemplazarse.[3]

Reconocimiento de la necesidad genérica en contraste con la selectiva

Una distinción básica entre los esfuerzos para activar el reconocimiento de la necesidad es si se intenta estimular la demanda primaria (que representa las ventas totales de una clase de producto) o la demanda selectiva (representando la venta de cada uno de los competidores dentro de la clase de producto). Las empresas que buscan *aumentar el tamaño del mercado total de un producto (es decir, estimular la demanda primaria)* intentan obtener el **reconocimiento genérico de la necesidad**. Éste a menudo es el caso para categorías del producto donde los consumidores perciben sólo mínimas diferencias entre competidores. Por ejemplo, piense en la leche. Para la mayoría de los consumidores, la leche se percibe como un producto básico, por lo que una marca tiene prácticamente el mismo sabor que otra. Resulta extremadamente difícil para un productor de leche convencer a los consumidores que su leche es superior a la de sus competidores. En vez de ello, los productores de leche han unido sus recursos y han invertido millones de dólares en publicidad diseñada para activar el reconocimiento genérico de la necesidad y aumentar la demanda primaria. La figura 4.4 contiene un anuncio

Figura 4.4   La rama industrial de la leche se enfoca en el reconocimiento genérico de la necesidad

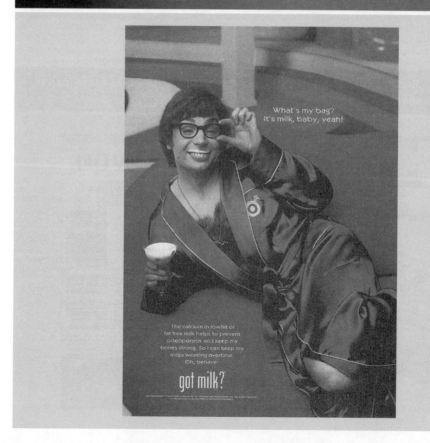

de esta rama industrial, proveniente de su actual campaña, "¿le queda leche?" que se inició en 1994.[4] Regresaremos a esta campaña en el capítulo 6 como un ejemplo de los beneficios posibles ofrecidos al comprender el consumo del producto por el consumidor.

El valor potencial de hacer crecer el mercado del producto no necesita limitarse a los productos comprendidos por marcas relativamente no diferenciados entre sí. De acuerdo con Jack Trout, asesor de mercadotecnia reconocido, "si usted es el líder, resulta mucho mejor ampliar la categoría, aun cuando esto pudiera ayudar a otros que están mordisqueando el mercado. Lo que desea es crear un mercado lo más grande posible y después defenderlo a muerte, como lo hacen Coke y Hertz".[5] Por tanto, incluso en mercados con marcas diferenciadas, el líder del mercado puede encontrar que es redituable estimular la demanda primaria. Esto finalmente dependerá de si el líder atrae y conserva un porcentaje suficiente del nuevo negocio logrado.

El **reconocimiento selectivo de la necesidad** ocurre cuando se *estimula la necesidad de una marca específica dentro de una clase de producto (demanda selectiva)*. Los expertos de mercadotecnia ahora se enfocan a persuadir a los consumidores que sus necesidades quedarán satisfechas por una marca en particular. A este respecto, la publicidad comparativa que describe las ventajas de una marca respecto de su competencia puede ser particularmente efectiva. El anuncio comparativo que aparece en la figura 4.5 tiene la finalidad de hacer que los padres perciban que los Drypers son una mejor selección para la satisfacción de necesidad de pañales de su bebé.

Búsqueda

El simple hecho de que los consumidores hayan experimentado el reconocimiento de la necesidad no significa necesariamente que seguirán adelante en el proceso de decisión. Ello dependerá de la importancia de la necesidad en el momento en que ésta se activa. Un consumidor con hambre, por ejemplo, pudiera no pensar que los ruidos en su estómago ameritan una acción inmediata. También depende de si los consumidores creen que está dentro de sus posibilidades una solución de la necesidad. Muchos consumidores desean un automóvil costoso, pero carecen del dinero necesario para satisfacer su deseo.

Figura 4.5   La publicidad comparativa es una forma de activar el reconocimiento de la necesidad

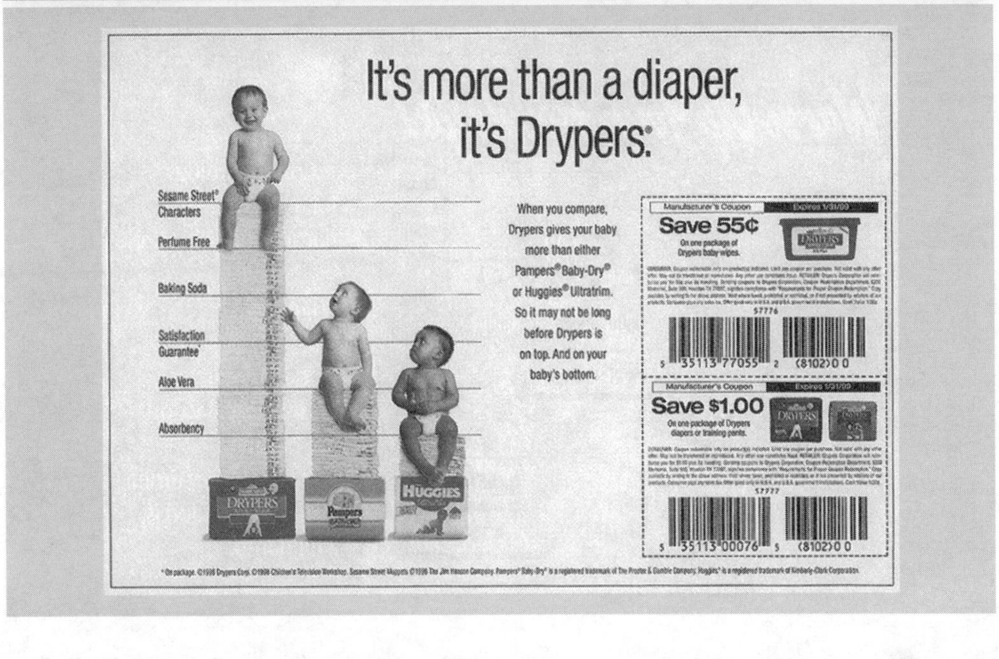

No obstante, con frecuencia los consumidores siguen el proceso de toma de decisiones después del reconocimiento de la necesidad. La **búsqueda**, la segunda etapa del proceso de toma de decisiones, representa *la activación motivada de conocimientos almacenados en la memoria o la adquisición de información del entorno en relación con satisfactores potenciales de la necesidad.* Como sugiere esta definición, la búsqueda puede ser interna o externa. La **búsqueda interna** involucra *rastrear y recuperar conocimientos relevantes, almacenados en la memoria.*[6] La **búsqueda externa** consiste en *recolectar información del mercado.*

Búsqueda interna

Como se indica en la figura 4.6, los consumidores que experimentan reconocimiento de la necesidad inician internamente su búsqueda. Muchas veces se recuerda e implementa una solución pasada. Por esta razón, a menudo los consumidores tienen poca necesidad de llevar a cabo una búsqueda externa antes de una compra, incluso para gastos mayores como mobiliario, aparatos domésticos y automóviles.[7] Más de la mitad de los consumidores participantes en un estudio informaron apoyarse únicamente en sus conocimientos existentes al seleccionar un servicio de reparación de automóviles.[8]

La confianza de los consumidores en la búsqueda interna dependerá tanto de lo adecuado, es decir de la calidad de sus conocimientos existentes, como de su capacidad de recuperar dichos conocimientos de la memoria. Los compradores primerizos, obviamente carecen de la información necesaria para tomar una decisión, únicamente con base en la búsqueda interna. Incluso los compradores experimentados pudieran necesitar una búsqueda externa, o pueden concluir que sus conocimientos son inadecuados para la clase de producto caracterizada por tiempos largos entre compra y compra (el tiempo entre compra) durante los cuales existen cambios significativos del producto en cuanto a precios, características, nuevas marcas y tiendas. Incluso si los cambios en el producto han sido mínimos, la búsqueda interna se ve entorpecida por los largos periodos entre compras, debido a problemas de olvido.

El grado de satisfacción con las compras anteriores también determina la confianza del consumidor con la búsqueda interna. Si el consumidor ha quedado satisfecho con los resultados de previas acciones de compra, la búsqueda interna pudiera ser suficiente.[9]

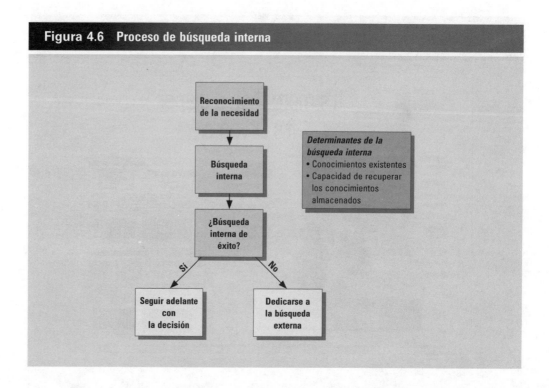

Figura 4.6   Proceso de búsqueda interna

Búsqueda externa

Cuando la búsqueda interna resulta inadecuada, el consumidor puede recolectar información adicional del entorno. *La búsqueda externa motivada por una decisión de compra inminente se conoce como* **búsqueda previa a la compra**. Este tipo de búsqueda se puede comparar con otro tipo conocido como **búsqueda continua o continuada**, en la cual la *adquisición de información ocurre en forma relativamente periódica, independientemente de necesidades de compra esporádicas.*[10] El aficionado a los automóviles, que disfruta leyendo revistas automotrices por gusto se estaría dedicando a una búsqueda continua. Los consumidores que leen estas mismas revistas debido a una compra inminente estarían en una búsqueda previa a la compra.

La motivación principal subyacente para la búsqueda previa a la compra es el deseo de efectuar la mejor elección de consumo. De manera similar, la búsqueda continua puede estar motivada por el deseo de desarrollar una base de conocimientos que se utilice en decisiones futuras. La búsqueda continua también ocurre en razón del placer derivado de esta actividad.[11] Los consumidores pueden curiosear en un centro comercial sin tener necesidades de compra específicas, simplemente porque lo encuentran "divertido".

¿Cuánto buscan los consumidores?

La respuesta es "depende". A veces invertimos cantidades sustanciales de tiempo y esfuerzo en la recolección de información para una decisión de compra pendiente. Por ejemplo, comprar una casa. Pocas, si es que alguna, de las decisiones de compra que se hacen durante nuestra vida excederán la cantidad de búsqueda efectuada al buscar una casa nueva. Uno de los autores de este libro recientemente terminó la búsqueda de una casa. Dedicó cientos de horas durante varios meses a buscar en el mercado de casas habitación. Con el auxilio de su corredor de bienes raíces, desarrolló una lista de las casas en venta que llenaban ciertos criterios (localización, precio, tamaño, etc.). Dedicaron uno o dos días para visitarlas. Este proceso fue repetido varias veces.

Finalmente, después de examinar docenas de casas, de mala gana decidió construir una casa nueva. Había escuchado muchas quejas de otros, que pasaron por esa experiencia, incluyendo a sus propios padres. También se daba cuenta que eso complicaba las cosas de manera importante. Deben tomarse gran cantidad de decisiones para la construcción de una casa nueva. ¿Deberá usted contratar un arquitecto para que haga los planos de la casa? Quizás resulte mejor encontrar un contratista, que ofrezca una diversidad de modelos de casa que se puedan personalizar. ¿Debe un contratista hacerlo todo? ¿O deberán ciertas partes de la casa (por ejemplo pisos, piscina, decoración exterior) manejarse mediante subcontratistas? ¿Qué hay de opciones y actualizaciones? Los constructores ofrecen opciones respecto a características sobre las cuales hay que decidir (por ejemplo el color de los mosaicos de la cocina). Y prácticamente cualquier cosa puede ser mejorado por el precio correcto.

Afortunadamente, muchas decisiones de compra son más simples que la de adquirir una casa. Piense en su última visita a la tienda de comestibles. Si es como la mayor parte de los compradores de comestibles, el tiempo que utilizó en cada una de la decisiones individuales de compra, ¡se puede medir en segundos! Los consumidores tienen poca paciencia en localizar lo que desean. De acuerdo con Anthony Adams, vicepresidente de investigación de mercadotecnia en Campbell Soup, "después de aproximadamente 45 segundos, nos damos cuenta que los consumidores simplemente se rinden".[12] Se emplea poco tiempo una vez que el comprador llega a la localización correcta. En promedio pasan aproximadamente 12 segundos desde el momento en que un consumidor se detiene en la estantería donde está el producto y coloca el producto en su carro de comestibles.[13]

¿Por qué efectuamos una búsqueda mayor para algunos productos y no en otros? De acuerdo con una perspectiva de **costo en comparación con beneficio**, las *personas buscan información relevante a la decisión, cuando los beneficios percibidos por esta nueva información son superiores a los costos percibidos para adquirirla.*[14] Un beneficio importante es llevar a cabo una mejor decisión de compra. El tiempo y esfuerzo que deben utilizarse representan dichos costos. Los consumidores buscarán hasta que los beneficios ya no superen los costos.

Los costos de búsqueda varían directamente con la facilidad con que se adquiere la información. Facilitar esta acción para los consumidores puede llevar a una mayor búsqueda. Éste es el caso de la información de precios unitarios disponible en las tiendas de comestibles.[15] La información de precios unitarios típicamente se presenta en etiquetas por separado, a lo largo de la estantería. La adquisición de esta información resulta mucho más fácil cuando se consolida y presenta en una sola lista. Por esta razón, las compras de los consumidores reflejaron una mayor búsqueda y uso de la información acerca de precios unitarios presentados en una lista, que cuando existen etiquetas por separado.

Una razón por la cual la internet está cambiando de manera dramática el comportamiento del consumidor, es que nos ayuda a buscar con mayor facilidad y eficiencia que antes. Con unos cuantos clic en la pantalla de la computadora, nos vemos conduciendo en la carretera de la información. Y para facilitar la vida, se ha desarrollado tecnología que hace la mayor parte del trabajo por nosotros. Simplemente teclee lo que necesita y el software busca en la internet para usted.

Como se anotó anteriormente, efectuar mejores decisiones de compra es el beneficio principal de la búsqueda previa a la compra. Este beneficio depende del **riesgo percibido**, que representa *la incertidumbre de los consumidores respecto a las posibles consecuencias positivas y negativas de la decisión de compra*. En general, conforme se incrementa el riesgo percibido de una decisión de compra, igual aumenta la búsqueda. Buscando más, los consumidores esperan reducir las posibilidades de efectuar una compra que después lamenten. No es de extrañarse que en 1999 40% de los compradores de automóviles buscaron vía la internet, antes de comprar.[16]

Cuando los consumidores perciben diferencias significativas entre productos, pero no están seguros de cuál es el mejor para sus necesidades, resulta más probable la búsqueda.[17] De manera similar, conforme se hacen más importantes las consecuencias posibles y aumenta el riesgo percibido, se origina una búsqueda mayor. Una mala elección es más fácil de sobrellevar cuando el precio es bajo, pero no cuando se gastan miles de dólares. En consecuencia, los consumidores invierten más esfuerzos en la búsqueda conforme se incrementa el precio del producto.[18]

El valor de comprender la búsqueda del consumidor

Las empresas se benefician al comprender la búsqueda del consumidor de muchas maneras: cuando, según se hizo notar antes, Campbell se dio cuenta de la renuencia de los consumidores a utilizar más de 45 segundos en localizar lo que desean, la compañía rediseñó sus selecciones de sopa de manera que los compradores pudieran tener lo que deseaban tan rápidamente como fuera posible.[19] En este caso, la compañía modificó la amplitud de su línea de productos, en respuesta a comprender la búsqueda del consumidor.

Las decisiones de precio también ayudan. Las empresas desean saber cuánto deberán cargar, con la finalidad de maximizar su rentabilidad. También, al establecer sus propios precios, necesitan saber cuánta atención deben dar a los precios cargados por los competidores.

Como una regla práctica, una empresa debe poner la misma atención en los precios de sus competidores que la que pongan sus consumidores en el mercado objetivo. Piense en el detallista que compite con otros dos detallistas en su área. Si los consumidores compararan los precios que cargan los detallistas, resaltaría la necesidad de poner atención particular a los precios de la competencia. En esta situación, el detallista no estaría en posición de vender elementos comparables a los ofrecidos por sus competidores a menos de que tenga un precio competitivo. Por esta razón, los ejecutivos de las tiendas de comestibles con mayor probabilidad responderán a la reducción de precios de un competidor respecto a elementos de "alta visibilidad" (refrescos, leche, plátanos) cuando los consumidores se dedican más a compras por comparación de precios.[20]

En contraste, un nivel reducido de búsqueda en la comparación de precios ofrece a la empresa mayor flexibilidad en el establecimiento de los mismos. No resulta extraño para los consumidores visitar un solo detallista antes de llegar a sus decisiones de compra. Cuando éste es el caso, el detallista puede salirse más fácilmente con la suya al cargar precios más elevados. Por tanto, comprendiendo el énfasis que le dan los consumidores al precio durante la búsqueda, una compañía puede valorar mejor la sensibilidad al precio de los consumidores.

La búsqueda del consumidor también conlleva complicaciones importantes para la estrategia promocional. De manera ideal, una empresa debe enfocar sus esfuerzos promocionales en aquellas áreas que tienden a una mayor búsqueda de los consumidores objetivo. Las compañías pueden sentirse más confiadas respecto al posible resultado de sus inversiones en publicidad y materiales promocionales en tienda, si éstos representan fuentes importantes de información utilizada en la toma de decisiones. Estas inversiones se desperdiciarían en consumidores que se apoyen únicamente en la búsqueda interna.

Algunas veces, otras personas sirven como fuentes valiosas de información. Las opiniones del farmacéutico acerca del producto más adecuado para aliviar ciertos síntomas, a veces lleva a la selección del producto deseado. Las opiniones de los amigos pueden resultar cruciales, particularmente cuando se perciben como fuentes bien informadas respecto de dicho producto. Los esfuerzos promocionales deben enfocarse a obtener una opinión favorable entre quienes sirven como fuentes valiosas de información.

Dado que lo que ocurre durante la búsqueda puede determinar lo que pasará durante la compra, también es importante que las compañías comprendan la relación entre las varias actividades de búsqueda y la marca adquirida. Es decir, más allá de comprender la frecuencia y naturaleza de las diferentes actividades, también necesitamos entender de qué forma cada actividad influye en la selección de los consumidores. Cada vez que una empresa descubre que una búsqueda de un tipo en particular mejora las probabilidades de que se compre su producto, acaba de descubrir otra oportunidad de ganar más clientes.

Una manera de hacerlo sería encuestando recientes compradores del producto respecto a sus comportamientos de búsqueda. Los que contesten se podrían clasificar en diferentes segmentos de búsqueda con base en la cantidad y/o naturaleza de su búsqueda. Se identificaría el porcentaje de consumidores dentro de cada segmento que elijan la marca de la compañía. Esto probaría si el porcentaje difiere de manera significativa entre segmentos de búsqueda.

Para ilustrar, suponga que una empresa descubrió que los consumidores que consultaban un farmacéutico durante la búsqueda estaban más dispuestos a comprar el producto de la empresa (35% de ese segmento de búsqueda le compra a la empresa) que quienes no recurrían a esta fuente (por ejemplo, sólo 10% adquirieron dicho producto). Por tanto, es claro que la empresa pondrá el mayor interés en alentar esta actividad de búsqueda. La figura 4.7 presenta un ejemplo del uso de la publicidad para proporcionar la búsqueda del consumidor en un sentido particular. Observe la forma en que el anuncio le pide al lector que hable con un farmacéutico o con un dermatólogo. La sabiduría de esta solicitud depende de que el consumidor compre la marca anunciada después de consultar con esas fuentes.

Por otra parte, suponga que la empresa llega a la conclusión de que es poco probable que los consumidores adquieran el producto si se dedican a una actividad específica de búsqueda. Cuando esto ocurre, claramente existe una razón sustancial para que la empresa no aliente este tipo de búsqueda. Sin embargo, son menos justificables los intentos por desalentar la búsqueda. Como se describe en El consumidor en la mira 4.2, estos esfuerzos pueden resultar contraproducentes.

Evaluación previa a la compra

Finalmente, la probabilidad de que se compre un producto depende de que éste sea evaluado favorablemente por los consumidores. Al decidir qué productos y marcas adquirir, los consumidores confiarán más su elección en sus evaluaciones de las alternativas disponibles, aquellos que no gusten se rechazarán rápidamente, si es que no se ignoran por completo. Las alternativas que gusten pueden ser consideradas y comparadas, seleccionándose aquellas que reciban la evaluación más positiva.

Figura 4.7   Este anuncio alienta la búsqueda por parte del consumidor

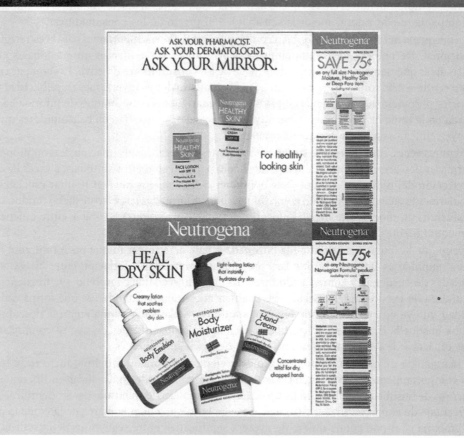

El consumidor en la mira 4.2

Cómo los esfuerzos no intencionales de una empresa para desalentar la búsqueda del consumidor resultaron contraproducentes

Ibiley School Uniforms, detallista de Miami, Florida, fue el motivo de un artículo que apareció en un periódico local, donde se describía la forma en que la reciente publicidad de este detallista tuvo poco éxito en los consumidores. De particular importancia era el lema de ventas "¡Hey, los uniformes escolares nunca estarán en barata, y de todas formas tendrá que ir a Ibiley!"

El problema es que los consumidores no tienen que ir a Ibiley. Las políticas de los consejos escolares permiten que los padres compren los uniformes en cualquier sitio. Aun así, ésta no fue la forma como los consumidores interpretaron la publicidad de Ibiley. Como explicó un consumidor: "al escuchar eso creí que *tendría* que adquirir los uniformes allí. Cuando llamé a Kendale Lakes Elementary, me dijeron que

eso no era cierto, que podía ir a Target o a cualquier otra tienda. Con ese anuncio confunden a la gente".

El presidente de Ibiley, Eddy Barea, apoyó su técnica de publicidad. "No es confuso, es cierto. Tienen que venir a Ibiley, porque somos la mejor empresa a la cual ir. Simplemente es mi manera de hacer publicidad, decirles que somos la mejor empresa con la mejor calidad."

También puede ser una forma de desalentar a los consumidores de comprar con la competencia. Y es fácil ver por qué a la compañía no le preocupa si esto ocurre. El artículo en el periódico contenía numerosas comparaciones entre los precios de Ibiley y sus competidores para una diversidad de ropa de niños y niñas. En su mayor parte, Ibiley cargaba más que la competencia.

Fuente: tomado de Maria A. Morales, "It Pays to Shop around for Uniforms", en Miami Herald (julio 20 de 1997), 1B, 2B.

La forma en que se evalúan las alternativas de elección es la parte medular de la tercera etapa del proceso de toma de decisiones del consumidor, la **evaluación previa a la compra**. Aunque por razones pedagógicas hemos presentado la búsqueda y la evaluación previa a la compra como etapas "por separado", usted deberá reconocer que las dos etapas se encuentran entremezcladas de manera compleja durante la toma de decisiones. La adquisición de información de un producto en el entorno, producirá algún tipo de evaluación (por ejemplo, "estos precios son demasiado elevados") que puede entonces servir de guía para una búsqueda subsecuente (por ejemplo "veamos los precios de la tienda de enfrente").

Antes de decidir qué comprar, los consumidores deben tomar otras decisiones. ¿Deberán o no considerar todas las ofertas del mercado posibles, o la consideración deberá restringirse a algún subconjunto de ofertas? De aquellas alternativas que parezcan merecedoras de consideración, ¿de qué manera deberán ser evaluadas? Estos aspectos fundamentales del proceso de evaluación anterior a la compra se presentan en la figura 4.8, misma que proporciona un mapa respecto a dónde vamos en esta sección.

Cómo determinar las alternativas de elección

Cuando se toman decisiones de compra, normalmente tenemos un cierto número de posibilidades para elegir. Aun así, quizás no tomemos en consideración todas las alternativas disponibles. Es altamente improbable que, la próxima vez que decida salir a comer fuera, tome en consideración todos los restaurantes de su área. En vez de ello, probablemente efectuará una elección después de haber considerado un subconjunto de restaurantes disponibles.

Estas alternativas consideradas durante la toma de decisiones forman lo que se conoce como el **conjunto de consideración** (también conocido como el **conjunto evocado**).[21] Como se sugiere en la información presentada en la tabla 4.1, el conjunto en consideración contiene un subconjunto del total de alternativas disponibles para el consumidor. Tome en cuenta que estos resultados representan el tamaño promedio del conjunto en consideración. Algunos consumidores prefieren conjuntos más grandes para considerar; otros, uno menor. Los consumidores que son extremamente leales a una marca en particular, incluirán únicamente esta marca en su conjunto de consideración.

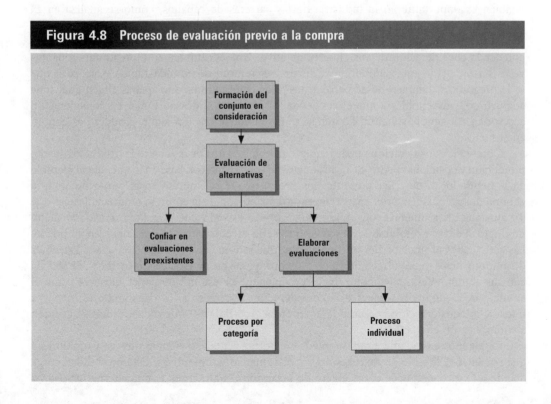

Figura 4.8   Proceso de evaluación previo a la compra

Tabla 4.1   Tamaño promedio de los conjuntos de consideración de los consumidores por clase de productos

Clase de producto	Tamaño promedio del conjunto de consideración	Clase de producto	Tamaño en promedio del conjunto de consideración
Analgésicos	3.5	Comidas congeladas	3.3
Antiácidos	4.4	Insecticidas	2.7
Aromatizante de ambiente	2.2	Detergente para lavandería	4.8
Barra de jabón	3.7	Laxantes	2.8
Limpiador para baño	5.7	Mantequilla de cacahuate	3.3
Cerveza	6.9	Hojas de rasurar	2.9
Cloro	3.9	Shampoo	6.1
Chile	2.6	Manteca vegetal	6.0
Café	4.0	Medicina para senos frontales	3.6
Galletas	4.9	Bebidas gaseosas	5.1
Desodorante	3.9	Yogurt	3.6

Fuente: John R. Hauser y Birger Wernerfelt, "An Evaluation Cost Model of Consideration Sets", en Journal of Consumer Research 16 (marzo de 1990), 393-408.

Dado que no estar en el conjunto de consideración significa que la oferta de un competidor será la que se compre, es esencial que se considere el producto propio. Jim Ivey, director ejecutivo de Savin Corporation, fabricante de copiadoras para oficina sabe la importancia de lograr la consideración. "Con todos los competidores y todas las marcas, es de máxima importancia asegurarse que usted está en la lista de consideración", dice. Incrementar la consideración también es importante en la industria de las carreras de caballos, como se analiza en El consumidor en la mira 4.3.

Afortunadamente las empresas tienen a su disposición una diversidad de formas para obtener la consideración de sus clientes objetivo. Una es simplemente preguntar: ¿cuántas veces ha ordenado una hamburguesa en un restaurante de comida rápida, sólo para que se le pregunte si también desea papas fritas? Los compradores que apenas eligen cuál traje adquirir son susceptibles a que el vendedor les pregunte si desean tomar en consideración accesorios. La simple solicitud de que se tome en consideración algún producto es común en el mercado.

Obtener la consideración puede requerir cambios en una de las cuatro P: producto, precio, promoción y posicionamiento. Si los productos se consideran con base en lo que está disponible en la tienda local, no tener presentes los productos de la empresa en el punto de compra elimina dicha consideración. La estrategia de distribución de la empresa tendría entonces que ser ajustada. Para muchos consumidores, un precio elevado puede excluir considerar dicho producto. Podría explorarse lo deseable que sería efectuar unas reducciones en el precio. Las actividades promocionales pueden alentar que se tome en consideración. Los fabricantes de automóviles a veces ofrecen regalos o dinero, para que se efectúen recorridos de prueba con sus automóviles. Los cupones juegan esencialmente ese mismo papel. Observe cómo el anuncio de la figura 4.9 refuerza la consideración al ofrecer a los consumidores, una vez tomada en consideración la oferta de la empresa, 100 dólares si de todas formas se deciden a comprar a un competidor.

En algunos casos, una empresa puede encontrar ventajoso alentar a los consumidores a que consideren no sólo su marca, sino también marcas competitivas. Esta posibilidad surge debido a lo que se conoce como **efecto de atracción**. El atractivo de una alternativa dada y

El consumidor en la mira 4.3

Cómo hacer que las carreras de caballos vuelvan a las pistas

El deporte de los reyes ha tropezado en la vuelta de atrás y está recurriendo a la mercadotecnia para ayudar a colocarlo al frente del grupo. Durante años, fuertes reducciones en el presupuesto de mantenimiento de la pista de carreras de pura sangre ha provocado que la mayoría de los hipódromos estén a la rebatiña para apenas salvar las relaciones con sus clientes y con los ingresos, y en menor medida atraer nuevos espectadores. Este deporte enfrenta un bajo interés y una competencia de otros juegos de apuesta en rápido crecimiento, como las casas de apuesta y los casinos, en barcos a lo largo de los ríos.

En 1998, la industria formó la National Thoroughbred Racing Association (NTRA), la cual planea poner en el mercado este deporte de una manera amplia, con el fin de elevar su perfil y popularidad, utilizando una campaña nacional de marca y una mayor cobertura en televisión. De acuerdo con Rick Baedeker, vicepresidente de mercadotecnia de la asociación: "La industria nunca ha sido comercializada como un todo, y nunca quiere decir nunca. Hemos pagado un precio por ello. Cada hipódromo ha desarrollado su propia mercadotecnia y publicidad para hacer que giren los torniquetes, que por necesidad ha sido de menudeo y nos hemos salido de la mente del consumidor. No es que piensen mal de nosotros. Simplemente no piensan en nosotros."

El NTRA planea desembolsar alrededor de 150 millones de dólares en un periodo de cuatro años, para superar esa falta de consideración. Igual que en "¡Amo este juego!" de la NBA, la industria ya ha adoptado un lema: "¡Corre, Baby Corre!" —en referencia a los gritos de ánimo que se escuchan en las graderías del hipódromo. Los consumidores en el grupo de edad de 25 a 54 años son el objetivo primordial. La base de aficionados existente es desproporcionadamente de mayor edad, y el envejecimiento de estos aficionados ha sido causa de preocupaciones adicionales en relación con los problemas de asistencia de esta rama industrial.

Fuente: tomado de Maricris G. Briones, "And They're Off!", en Marketing News (marzo 30 de 1998), 1, 14.

sus probabilidades de ser elegida aumenta cuando al conjunto de alternativas consideradas se le agrega una alternativa claramente inferior.[22]

Construcción del conjunto en consideración

Suponga que usted tiene hambre y decidió que esta noche sale a comer fuera. En este caso, existen por lo menos dos caminos que podría seguir para la formación de un conjunto en consideración. Podría dedicarse a una búsqueda externa, como sería investigar los restaurantes listados en las páginas amarillas, anotando mentalmente aquellos merecedores de mayor consideración. Un escenario más probable, sin embargo, involucraría una búsqueda interna en su memoria, que probablemente resultaría en varias posibilidades. En esta última situación, el conjunto en consideración dependería de su capacidad de *recordar alternativas de elección de la memoria* (conocidas como el **conjunto de recuperación**).[23]

No todas las alternativas que se recuperan de la memoria o que están disponibles en el punto de compra necesariamente recibirán atención. Cuando haya evaluaciones preexistentes, los consumidores pueden analizar y seleccionar las alternativas con base en lo favorable que son, en relación con cada una de ellas. Después de todo, si usted sabe que a sus papilas gustativas les aterroriza la cocina de un restaurante en particular, no tiene sentido pensar en ello ni un momento. En vez de ello, los consumidores en general limitarán su consideración a aquellas alternativas hacia las cuales están favorablemente predispuestos.

Obviamente, los consumidores no pueden organizar un conjunto en consideración con base en una búsqueda interna en la memoria, sin un conocimiento previo de por lo menos algunas alternativas. Aun así, los consumidores pueden carecer de conocimientos respecto a cuáles son las alternativas disponibles a elegir, en especial los compradores de primera vez en esa categoría de producto. Cuando esto ocurre, el conjunto en consideración se desarrollará en cualesquiera de varias maneras. El consumidor puede hablar con otras personas, buscar en la sección amarilla, tomar en consideración todas las marcas disponibles en la tienda, y así sucesivamente. Por lo que los factores externos, como el entorno del menudeo, tienen una

Figura 4.9 Oferta de incentivos para obtener consideración en la compra

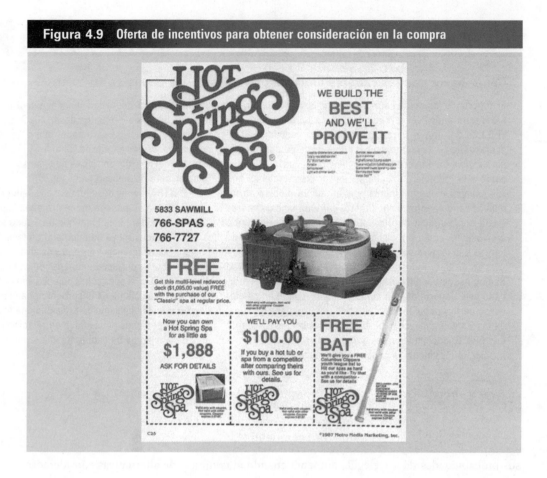

mayor probabilidad de modificar el conjunto en consideración de consumidores con menos conocimientos.[24]

La forma en que se elabora el conjunto en consideración puede modelar la estrategia de mercadotecnia. Piense en aquellas situaciones en las cuales los consumidores construyen un conjunto en consideración con base en una búsqueda interna en la memoria. Cuando esto ocurre, las posibilidades que una oferta dada sea elegida depende de que se recupere de la memoria. Consecuentemente, cuando los conjuntos en consideración se basan en la búsqueda interna, es muy importante que los consumidores sean capaces de *recuperar* la oferta de la empresa.

En otras ocasiones, el *reconocimiento*, más que recordar, resulta determinante en la elección del conjunto en consideración. Tome por ejemplo el consumidor que sin perder tiempo recorre la estantería de una tienda de abarrotes para determinar qué está disponible y selecciona de las marcas que reconoce, aquellas que le son familiares. El reconocimiento de alternativas disponibles en el punto de compra determinarían por tanto al conjunto en consideración. Más allá de asegurarse que su oferta esté disponible en la tienda, una empresa también desearía enseñar a los consumidores cuál es la apariencia del empaque del producto, con la finalidad de que pueda reconocerse fácilmente.[25]

Cómo decidir la forma de evaluar las alternativas de elección

Como se mencionó en la figura 4.8, la determinación del conjunto en cuestión es únicamente una parte de la evaluación previa a la compra. Además, los consumidores deben decidir de qué manera estas alternativas tomadas en consideración serán evaluadas. Para ello, básicamente existen dos opciones: 1) confiar en evaluaciones preexistentes del producto almacenadas en memoria, o 2) elaborando nuevas evaluaciones con base en información adquirida por medio de una búsqueda interna o externa.

Confianza en evaluaciones preexistentes

¿Cuál prefiere usted, Coca o Pepsi, McDonald's o Burger King, Colgate o Crest? Para la mayor parte de los consumidores estadounidenses sería relativamente fácil responder a esta pregunta. Esto se debe a que el consumo previo de estos productos los ha llevado a la formación de evaluaciones que almacenan en la memoria. Si las evaluaciones relevantes se recuperan durante una búsqueda interna, entonces cada una puede ser comparada, para determinar qué alternativa considerada les gusta más.

Obviamente la capacidad de los consumidores para el uso de esta estrategia de decisión depende de la existencia de evaluaciones preexistentes. Estas evaluaciones preexistentes pudieran basarse en experiencias anteriores de compra y de consumo en relación con un producto. En otras ocasiones, pueden estar basadas en experiencias indirectas o de segunda mano, como la impresión que nos pudiéramos formar, después de escuchar a nuestros amigos hablar de un producto.

Es importante conocer hasta dónde se basan estas evaluaciones preexistentes en experiencias directas, en contraste con experiencias indirectas. Dado que los consumidores tienen más confianza en evaluaciones derivadas de un uso real del producto, es probable que utilizarán esas evaluaciones preexistentes cuando efectúen sus decisiones de compra. Esto aplica para muchas decisiones de compra que efectuamos al comprar comestibles. Es por esta razón que los consumidores son capaces de llevar a cabo varias elecciones en unos cuantos segundos.

Cómo elaborar nuevas evaluaciones

En muchas circunstancias, los consumidores pudieran no ser capaces o no estar deseosos de confiar en sus evaluaciones preexistentes para efectuar una selección. A menos que usted sea algo más que un jugador ocasional, es poco probable que tenga alguna preferencia respecto a las bolas de boliche de poliuretano, en comparación con las de resina reactiva. Los consumidores sin experiencia cuando toman una decisión de compra por primera vez típicamente carecerán de evaluaciones preexistentes.

Incluso los consumidores experimentados con evaluaciones preexistentes pudieran decidir no usarlas. Después de décadas de comprar y conducir automóviles, los consumidores de mayor edad es probable que tengan sentimientos bastante profundos en relación con los diferentes fabricantes de automóviles. Sin embargo, si desde que hicieron su última compra ha transcurrido un tiempo considerable, quizás pongan en duda si están adecuadamente informados respecto a las ofertas actuales.

Existen dos procesos fundamentales durante los cuales los consumidores pueden elaborar evaluaciones. De acuerdo con un **proceso de categorización**, *la evaluación de una alternativa de elección depende de la categoría particular a la cual está asignada*. En contraste, bajo un **proceso individual**, *una evaluación se deriva de la ponderación de las ventajas y desventajas de la alternativa a lo largo de dimensiones de importancia del producto*. Analizaremos a continuación cada proceso.

Proceso de categorización   Un aspecto del conocimiento humano es la existencia de categorías mentales. Éstas pueden ser muy generales (formas motorizadas de transporte), muy específicas (motocicletas Harley-Davidson). Típicamente, estas categorías se asocian con algún grado de satisfacción o insatisfacción. Lo que es más, la evaluación asociada con una categoría puede ser transferida a cualquier objeto nuevo asignado a la misma.[26]

Este mismo proceso puede emplearse cuando los consumidores están elaborando su evaluación inicial acerca de un producto.[27] Siempre que el producto pueda ser asignado como miembro de una categoría en particular, recibirá una evaluación similar a la asignada para la categoría. Si los consumidores perciben un nuevo producto que encuentran en la tienda de comestibles como simplemente otro alimento naturista, entonces sencillamente pudieran evaluarlo con base en su gusto por los alimentos naturistas en general.

De acuerdo con lo anterior, cuando los consumidores confían en un proceso de categorización, la evaluación de un producto depende de la categoría en la cual éste es percibido como perteneciente. Por tanto, las empresas necesitan saber si los consumidores utilizan categorías que evocan evaluaciones deseadas. En la realidad, la forma en que un producto se clasifica puede influir de manera importante la demanda del consumidor. Por ejemplo, ¿qué productos son los que recuerda cuando usted piensa en la categoría de " bebidas para el desayuno"? Para desaliento de la industria de los refrescos, pocos de entre nosotros incluyen bebidas gaseosas en esta categoría. Se han hecho varios intentos de crear un sitio para las bebidas no alcohólicas en la mesa del desayuno, aunque con poco éxito.[28]

Las **extensiones de marca**, en las cuales *una marca bien conocida y respetada de una categoría de productos se extiende a otra categoría de productos,* son una forma en que las compañías emplean la categorización para su ventaja. Mediante la investigación del consumidor, se descubrió que la marca Dole, aunque tradicionalmente asociada con las secciones de frutas frescas y enlatadas de un supermercado, pudiera funcionar también en la sección de productos congelados. Esto llevó al lanzamiento de los Dole Fruit & Juice Bars.[29] La empresa espera que las opiniones favorables de los consumidores respecto al nombre "Dole" sean transferidas a sus nuevas extensiones de marca. Disney tiene aspiraciones similares por lo que se refiere a su reciente entrada en la industria de los cruceros.

Es un hecho conocido que las evaluaciones de los consumidores, de una extensión de marca pudieran depender de su gusto por la marca principal. Sin embargo, la efectividad de esta estrategia disminuye conforme las categorías del producto de extensión y la marca principal se hacen más diferentes.[30] La extensión del nombre Disney a la industria de los cruceros tiene sentido. La extensión de su nombre a otra clase de productos (por ejemplo, cerveza o cigarrillos) no lo tiene.

El proceso individual involucra esencialmente la elaboración de evaluación de una alternativa de elección utilizando fragmentos y piezas. Primero, los consumidores deben determinar los criterios o dimensiones del producto en particular, que se utilizarán en la evaluación de las alternativas de elección. Al decidir qué automóvil comprar, los consumidores considerarían criterios como la seguridad, la confiabilidad, el precio, la marca, el país de origen (dónde se fabrica), la garantía y el consumo de combustible por kilómetro. También considerarían los sentimientos producidos por posesión (como prestigio y estatus) y la conducción (como alegría y estímulo) del automóvil.

Las decisiones que involucran alternativas "no compatibles" pudieran requerir que el consumidor utilice criterios más abstractos durante la evaluación.[31] Piense en el consumidor que se enfrenta a la elección entre un refrigerador, una televisión y un estéreo. Estas alternativas comparten pocos atributos concretos (el precio es una excepción) respecto de los cuales se puedan efectuar directamente comparaciones, éstos se pueden hacer, sin embargo, utilizando dimensiones abstractas como por ejemplo la necesidad, el entretenimiento y el estatus.

Enseguida, los consumidores necesitan evaluar la solidez o debilidad de cada alternativa considerada por lo que se refiere a los criterios particulares considerados importantes para conformar su elección. ¿Es aceptable el precio del producto? ¿Proporciona el producto los beneficios deseados? ¿Es suficientemente amplia la garantía?

En muchos casos, los consumidores ya tienen almacenada en la memoria juicios o creencias acerca del desempeño de las alternativas de elección bajo consideración. La capacidad de recuperar esta información puede afectar en forma importante la alternativa que finalmente se escoja.[32] Sin embargo, aquellos consumidores que carezcan de este conocimiento almacenado tendrán que confiar en la información externa para elaborar sus creencias respecto a un desempeño alternativo.

Al juzgar lo bien que se desempeña una alternativa, a menudo los consumidores utilizan topes.[33] Un **tope** es *una restricción o un requisito para un desempeño aceptable.* Piense en el precio, por lo general los consumidores tienen un límite superior en el precio que están dispuestos a pagar. Un precio que exceda este límite será considerado como inaceptable.[34] De manera similar, los consumidores pudieran rechazar un artículo comestible porque excede el número de calorías que quieren consumir.

Los consumidores pueden confiar en ciertas **señales** al juzgar el desempeño del producto, éstos son *atributos del producto utilizados para inferir otros atributos del mismo.* Los atributos como el nombre de marca, el precio y la garantía pueden interpretarse como señales de la calidad del producto. Muchos de nosotros percibiríamos la calidad de un reloj de manera muy distinta, dependiendo de si ostenta el nombre de Rolex o Timex. A menudo los precios más elevados se interpretan como un indicador de una calidad superior.[35] De igual manera se puede interpretar una fuerte garantía.[36] Las empresas que no reconocen el poder de señalización de ciertos atributos pueden quedarse innecesariamente cortos. Lea El consumidor en la mira 4.4 para un ejemplo de lo anterior.

El paso final en un proceso individual involucra utilizar los juicios personales respecto del desempeño de las alternativas consideradas, para formarse una evaluación general acerca de la aceptabilidad de cada alternativa. Los investigadores del consumidor han identificado varias maneras de hacerlo. Una distinción fundamental entre estas estrategias de evaluación es si son compensatorias o no lo son.

Estrategias no compensatorias de evaluación   Este conjunto de estrategias de evaluación se caracteriza por la debilidad en el atributo de un producto que *no puede* compensarse con un desempeño fuerte en otro. Piense en los bocadillos. Al reducir la cantidad de grasa y sal en los productos, los fabricantes tienen la capacidad de llenar los deseos de los consumidores de consumir bocadillos más saludables; pero disminuya estos ingredientes y los bocadillos tendrán un sabor espantoso. Aunque el producto reformulado recibirá elevadas calificaciones

El consumidor en la mira 4.4

¿Está Whirlpool equivocado en la señal?

¿Qué marca de lavarropa es mejor? Para responder a esta pregunta, *Consumer Reports* calificó 16 marcas siguiendo varios parámetros: capacidad de carga, eficiencia en el uso del agua y de la energía, lo bien que la máquina podía manejar cargas no balanceadas, y así sucesivamente. Tal y como se informó en el número de febrero de 1991, los productos de Whirlpool recibieron las mejores calificaciones. Además de vender lavadoras que llevan el nombre Whirlpool, la empresa también hace las lavadoras que se venden bajo las marcas Kenmore y KitchenAid de Sears. Las tres marcas aparecían en la parte superior de la clasificación.

Pero, ¿qué pasaría si los consumidores no están conscientes de las calificaciones de *Consumer Reports*? ¿Cómo podrían juzgar la calidad? Como observamos en este capítulo, la garantía de un producto es una señal de calidad, aquí es donde Whirlpool pudiera estar equivocado. Piense en la información de garantía que se muestra más abajo, con base en una hoja de datos, desarrollada por el fabricante de la marca Amana, que se encontraba sobre sus lavadoras exhibidas por el minorista.

En esta información, los consumidores pueden llegar a conclusiones muy diferentes sobre qué marca es la mejor de lo implicado por las calificaciones de *Consumer Report*. Uno solamente puede imaginarse cuántas ventas ha perdido Whirlpool debido a la débil señal que transmite su garantía.

	Transmisión		Sin transmisión		
	Mano de obra	Refacciones	Mano de obra	Refacciones	Herrumbre en gabinete
Amana	5 años	10 años	1 año	2 años	5 años
Frigidaire	1 año	5 años	1 año	1 año	1 año
GE/Hotpoint	1 año	5 años	1 año	1 año	1 año
Kenmore	1 año	5 años	1 año	1 año	1 año
Maytag	1 año	10 años	1 año	2 años	5 años
Whirlpool	1 año	5 años	1 año	1 año	1 año

Fuente: "Washing Machines", en Consumer Reports *(febrero de 1991), 112-117.*

respecto a sus cualidades nutricionales, este punto fuerte no puede superar la debilidad en su sabor. De acuerdo con Dwight Riskey, psicólogo y vicepresidente de investigación de mercados en Frito-Lay: "en los bocadillos los consumidores no sacrificarán sabor por la salud".[37]

Las estrategias no compensatorias de evaluación se presentan en formas diferentes.[38] De acuerdo con una **estrategia lexicográfica**, *las marcas se comparan con base en el atributo de mayor importancia*. Si de acuerdo con dicho atributo una de las marcas se percibe como superior, se selecciona. Si dos o más marcas se perciben como igualmente buenas, se comparan entonces utilizando el segundo atributo de mayor importancia. Este proceso continúa adelante hasta que ocurra un desempate.

La **eliminación mediante estrategias de aspectos** se parece al procedimiento lexicográfico. Como antes, las marcas se evalúan primero con base en el atributo de mayor importancia. Ahora, sin embargo, *el consumidor impone topes*, puede, por ejemplo, establecer topes como "debe costar menos de 2 dólares" o "debe ser nutritivo".

Si únicamente una de las marcas llena las características del tope impuesto a la característica de mayor importancia, se selecciona. Si varias marcas cumplen con el tope, se selecciona el atributo siguiente de mayor importancia, y el proceso continúa hasta que se presenta un desempate. Si ninguna de las marcas es aceptable, el consumidor deberá revisar los topes, utilizar una estrategia de evaluación diferente, o posponer la elección.

Los topes también desempeñan una función importante en la **estrategia conjuntiva**.[39] Se establecen topes para cada atributo sobresaliente. *Cada marca se compara, una por una, contra este conjunto de topes*. Por lo que es necesario procesar por marca. Si la marca cumple con los topes de todos los atributos, es seleccionada. No alcanzar el tope de cualquiera de los atributos lleva al rechazo. Como antes, si ninguna de las marcas llena los requerimientos de los topes deberá ocurrir un cambio, ya sea en los topes o en la estrategia de evaluación. De lo contrario, la elección deberá posponerse.

Para ilustrar la operación de estas estrategias, considere la información de la tabla 4.2, que contiene calificaciones de desempeño de atributos (de excelente a malo) para cuatro marcas de comestibles, y clasificaciones de importancia de atributos (siendo uno el de mayor importancia). ¿Qué marca escogería, si se utilizara una estrategia lexicográfica? La respuesta es la marca A. Una comparación del atributo de mayor importancia, el sabor, produce un empate entre las marcas A, B y D. Ese empate se rompe en el atributo siguiente de mayor importancia, el precio, porque la marca A tiene la calificación más elevada de las tres marcas. Observe, sin embargo, lo que ocurriría si las clasificaciones de atributos de importancia fueran ligeramente distintas. Por ejemplo, si el precio fuera de mayor importancia, entonces se elegiría la marca C.

La elección basada en la eliminación por aspectos, dependería de los valores particulares de tope impuestos por quien toma la decisión. Suponga que los valores mínimos aceptables para sabor y precio fueran "excelente" y "muy bueno". De nuevo se elegiría la marca A, pero si el tope para sabor se redujera a "muy bueno" y el tope de precio se elevara a "excelente", entonces se seleccionaría la marca C.

Tabla 4.2   Calificaciones de marcas hipotéticas

Atributo	Calificación de la importancia	Calificaciones de desempeño de la marca			
		Marca A	Marca B	Marca C	Marca D
Sabor	1	Excelente	Excelente	Muy bueno	Excelente
Precio	2	Muy bueno	Bueno	Excelente	Regular
Nutrición	3	Bueno	Bueno	Malo	Excelente
Conveniencia	4	Regular	Bueno	Bueno	Excelente

Con el fin de ilustrar la estrategia conjuntiva, suponga que el consumidor insiste que en cada uno de los atributos la marca reciba una calificación de por lo menos "bueno". En la tabla 4.2, se rechaza la marca A debido a su calificación inadecuada (es decir, no llena el requisito tope de "bueno") sobre conveniencia, en tanto que la marca C es inadecuada en nutrición. La marca D se elimina, debido a una calificación inaceptable en precio. Únicamente la marca B llena todos los requisitos tope y por tanto, se evaluaría como una elección aceptable.

Estrategias compensatorias de evaluación   ¿Se dio cuenta de la difícil situación de la marca D en la tabla 4.2? A pesar de sus excelentes calificaciones en tres de los cuatro atributos sobresalientes (incluyendo el atributo de mayor importancia), la marca D nunca quedó como la marca superior. ¿Por qué? Debido a su pobre desempeño en precio. Verdaderamente ninguna de las estrategias no compensatorias permitieron que la pobre calificación de la marca en precio se compensara con su excelente desempeño.

Éste no es el caso para las estrategias de evaluación compensatorias. Ahora, una debilidad percibida en algunos atributos puede ser compensada por el punto fuerte percibido en otro atributo. Dos tipos de estrategias compensatorias son la aditiva simple y la aditiva ponderada.

Bajo la **aditiva simple**, *el consumidor simplemente cuenta o agrega el número de veces que cada una de las alternativas se juzga favorablemente, en términos del conjunto de criterios evaluativos sobresalientes*. La alternativa que tenga el número más grande de atributos positivos será la seleccionada. El uso de la aditiva simple es más probable cuando la motivación o la habilidad de procesamiento por parte de los consumidores es limitada.[40]

Una forma más compleja de la estrategia compensatoria es la **aditiva ponderada**. *El consumidor ahora entra en juicios más refinados acerca del desempeño de la alternativa, que un simple "sí es favorable, o no". Estos juicios se ponderan entonces en función de la importancia que se les da a los atributos.* En esencia, una regla aditiva ponderada es equivalente a los modelos de actitud multiatributo que se describirán en el capítulo 10.

En este punto, resulta útil detenerse y pensar qué significa todo esto para quien lo practica. ¿Qué valor tiene el conocimiento respecto de una estrategia de evaluación utilizada durante la toma de decisiones, para el desarrollo de las estrategias de mercadotecnia?

Básicamente, los mercadólogos necesitan comprender las estrategias de evaluación, puesto que afectan las decisiones del consumidor. La comprensión de la estrategia (o estrategias) utilizada por los clientes de una empresa, que es la que lleva a la elección de su producto, puede sugerir acciones que mantengan o faciliten el uso de dicha estrategia al consumidor. Por ejemplo, si los clientes utilizan la estrategia lexicográfica, siendo la calidad del producto el atributo de mayor importancia, la empresa puede encontrar que es redituable implementar una campaña de publicidad haciendo hincapié en la importancia de la calidad en el producto y en la calidad del producto de la empresa.

La comprensión de las estrategias de evaluación es también importante con el fin de identificar las acciones apropiadas para mejorar la evaluación del producto por parte de los consumidores.[41] Como ilustración, suponga que la marca C de la tabla 4.2 mejora la percepción de su sabor de "muy bueno" a "excelente". Ese cambio tiene considerable sentido, si los consumidores utilizan una estrategia lexicográfica porque esto conduciría a que se eligiera la marca C. Suponga, sin embargo, que los consumidores utilizan una estrategia conjuntiva con topes de "bueno". La mejoría en el sabor del producto sería de poco o ningún valor, dado que su calificación nutricional de "malo" no es aceptable. En vez de ello, resultaría vital mejorar el desempeño nutricional de la marca.

Cambiar las estrategias de evaluación de los consumidores les da a los mercadólogos otro mecanismo para influir en la elección. En algunos casos, esto involucra la modificación de la importancia de los atributos del producto. Por ejemplo, suponiendo una estrategia lexicográfica, el fabricante de la marca C de la tabla 4.2 pudiera alterar la importancia que le dan los consumidores al sabor y al precio. Una estrategia lexicográfica donde el precio es el atributo de mayor importancia, produciría la selección de la marca C, en tanto que esta estrategia llevaría a la elección de la marca A si el sabor es el de mayor importancia.

El cambio en los topes es otro mecanismo para alterar la elección. Tal y como se ilustra en el ejemplo del análisis anterior de eliminación por aspectos, los cambios en los valores mínimos aceptables de sabor y precio resultaban en la selección de marcas diferentes de la tabla 4.2.

¿Qué tan buenos somos para evaluar alternativas?

Numerosos ejemplos indican que los consumidores tienen poco de qué presumir cuando se trata de evaluar cuál es la mejor alternativa para ellos. Una demostración clásica de lo anterior involucraba ofrecer a los compradores de comestibles la oportunidad de ganar una cantidad importante de dinero si pudieran seleccionar con precisión cuál de las dos marcas era la mejor compra.[42] Hacerlo requiere que los compradores calculen el precio unitario de cada marca y escojan el más bajo. Para complicar las cosas, la marca que tiene el precio unitario más elevado se describía en oferta (aunque incluso al precio de venta, su precio unitario seguía siendo superior). Aparentemente, muchos compradores interpretaban esta venta como una señal de que la marca inferior era una mejor compra. En este caso, la señal era para confundir, y llegaban a la selección equivocada.

Estos errores son comunes. Los consumidores incapaces de darse el lujo de comprar, pero que desean evitar las elevadas tasas de interés al comprar a crédito, a menudo optan por lo que se conoce como "rentar para poseer". El consumidor paga una cuota semanal o mensual para rentar el producto con una opción de compra. ¡Y de verdad pagan! Cuando llega el momento en que el cliente ejerce la opción de comprar y completa todos los pagos requeridos, la tasa promedio es de 100% y puede llegar a valores tan elevados como 275%.[43]

La capacidad de los consumidores para evaluar con precisión las alternativas de elección es importante para su propio bienestar, así como el de la sociedad. Cada vez que tomamos una mala decisión pagamos el precio, aunque a menudo ni siquiera estemos conscientes de ello. Por ejemplo, tome el seguro que cubre la obligación financiera de quien pide prestado, en caso que él o ella se inhabilite o fallezca. De acuerdo con la Consumers Union, editor de *Consumer Reports*, —revista dedicada a facilitar a los consumidores una evidencia imparcial en relación con el desempeño de los productos—, los consumidores pagan por la cobertura que reciben un exceso de aproximadamente ¡2000 millones de dólares al año![44]

Tampoco ayuda a la sociedad que sus miembros consuman con ineficiencia. En consecuencia, los que dictan las políticas públicas están interesados en ayudar a los consumidores a tomar mejores decisiones de compra. Por esta razón el Congreso estadounidense obligó a que los paquetes de cigarrillos incluyeran etiquetas de advertencia. Las etiquetas nutricionales en los empaques de comestibles fueron decretadas por la legislación.

Resumen

El proceso de decisión empieza cuando una necesidad se activa y se reconoce, en razón a una discrepancia entre el estado deseado del consumidor y su situación real. Comprender el reconocimiento de la necesidad revela deseos no satisfechos, poniendo de manifiesto, por tanto, oportunidades potenciales de negocio. Algunas veces, los negocios influyen respecto del reconocimiento de la necesidad, como una forma de estimular la compra de productos.

La búsqueda de satisfactores potenciales de la necesidad ocurrirá a continuación del reconocimiento de la misma. Si una búsqueda interna en la memoria proporciona una solución satisfactoria al problema del consumo, será innecesario que los consumidores busquen información en su entorno. A menudo, sin embargo, se requiere algún grado de búsqueda externa. Los consumidores buscarán siempre que los beneficios recibidos debido a la información recolectada sobrepasen el costo de su adquisición. Los esfuerzos para mejorar dicha búsqueda se justifican en tanto una búsqueda de alguna naturaleza en particular del consumidor aumente las probabilidades de compra de un producto.

La evaluación de alternativas antes de la compra representa la etapa de toma de decisiones en la que los consumidores evalúan las alternativas consideradas con la finalidad de efectuar una elección. A veces se recuperan evaluaciones preexistentes en la memoria y con base en ellas se actúa. Otras veces los consumidores tienen que elaborar nuevas evaluaciones para efectuar una elección. La comprensión de la forma en que se hacen estas evaluaciones revela cierto número de oportunidades para que los negocios influyan en el comportamiento del consumidor.

Preguntas de repaso y análisis

1. ¿Cuáles son las estrategias básicas disponibles para las empresas que buscan influir en el reconocimiento de la necesidad?

2. Analice cómo el reconocimiento de la necesidad originó su última compra en bebida no alcohólica. ¿Fue éste distinto al reconocimiento de la necesidad que le llevó a la adquisición de zapatos nuevos? ¿Qué papel, si es que existe alguno, piensa que jugaron los esfuerzos de mercadotecnia en ambas situaciones?

3. Explique la forma en que cada uno de los factores siguientes pudieran afectar la búsqueda del consumidor: a) lealtad a la marca, b) lealtad a la tienda, c) incertidumbre respecto a qué marca llena mejor las necesidades del consumidor, d) la importancia que le dan los consumidores a pagar un precio bajo.

4. Considere dos segmentos objetivo alternativos, que difieran sólo en su propensión a buscar información. Durante la toma de decisiones uno de los segmentos se aboca a una cantidad sustancial de búsqueda externa. En contraste, los consumidores en el otro segmento son mucho menos activos en sus comportamientos de búsqueda. ¿Qué segmento, si es que hay alguno, resultaría un mejor mercado objetivo? Suponiendo que se atacaran ambos, ¿de qué manera diferirían las actividades de mercadotecnia en la consecución de cada segmento?

5. Un estudio reciente ha clasificado a los consumidores en uno de tres segmentos, con base en la cantidad de búsqueda que efectúan al llegar a sus decisiones de compra. Para cada segmento, fue motivo de examen el porcentaje que adquirió su marca, en contraste con marcas competitivas. Los resultados son como sigue:

Cantidad de búsqueda	Compra en porciento	
	Su marca	Marcas de la competencia
Mínima	3	97
Moderada	9	91
Extensa	17	83

¿Qué implicaciones tienen estos resultados para la estrategia de mercadotecnia?

6. Acaban de llegar a su escritorio los resultados de un proyecto de investigación del consumidor llevado hasta la compra real, que examina las preferencias de marca de los consumidores objetivo, en el momento del reconocimiento de la necesidad. A los consumidores que apenas estaban iniciando sus procesos de decisión se les preguntó cuáles eran sus preferencias acerca de las marcas de la empresa, así como respecto de las marcas de los competidores. Los resultados, así como cada uno de los porcentajes de marca de las compras, son como sigue:

Marca	Preferencia de los consumidores en el momento del reconocimiento de la necesidad	Porcentaje de compra
Marca de la compañía	50%	30%
Competidor A	30%	50%
Competidor B	20%	20%
Total	100%	100%

¿A qué conclusiones llegaría a partir de esta información?

7. En el capítulo, indicamos que ofrecer incentivos era una manera de que un producto adquiera consideración durante la toma de decisiones del consumidor. ¿De qué otra manera podría el producto entrar en el conjunto en consideración?

8. Un restaurante necesita decidir el método apropiado para juzgar el conjunto en consideración de los consumidores al elegir dónde comer. Una persona menciona un método de recordación, en el cual pide a los consumidores que se acuerden de nombres de restaurantes sin ninguna pista. Otra persona recomienda otro método de reconocimiento en el cual se les da a los consumidores una lista de los restaurantes locales y se les pide que pongan un círculo en los nombres apropiados. ¿Qué método recomendaría usted? ¿Cambiaría su respuesta si los consumidores consultaran de manera normal las páginas amarillas cuando toman una decisión?

9. Una compañía que actualmente ofrece una garantía de producto bastante similar a las garantías ofrecidas por los competidores, considera las ventajas de ampliar su cobertura. Se efectuó un estudio de mercado al examinar la respuesta del consumidor a una garantía ampliada. A los estudiantes universitarios se les mostró el producto acompañado ya sea por la garantía original o por la ampliada. Los estudiantes percibieron la ampliada como mucho mejor. Lo que es más, la calidad del producto fue calificada como más elevada cuando se le asoció con la garantía ampliada. Aunque la empresa consideró estos resultados como muy alentadores, se presentaron dudas respecto del uso apropiado que le darían los estudiantes universitarios, quienes en su mayoría tienen todavía que efectuar un gasto en la categoría de este producto; en consecuencia, se hizo una réplica del estudio utilizando consumidores de mayor edad con más experiencia de compra. Igual que antes, la garantía ampliada, se consideró que era mucho mejor. Sin embargo, los juicios de calidad no fueron afectados por la garantía. ¿De qué manera puede usted explicar esta diferencia entre lo encontrado en ambos estudios en relación con la influencia de la garantía sobre la calidad percibida del producto? Además, ¿cree usted que la compañía debe ofrecer la calidad mejorada?

Notas

1. Faye Penn, "Motorcycle Mamas: Women Bikers Ride Down Stereotypes", en *Miami Herald* (agosto 7 de 1997), 1G, 5G.

2. Este análisis de la industria mueblera fue tomado de las fuentes siguientes: Cheryl Russell, "The New Consumer Paradigm", en *American Demographics* (abril de 1999), 50-58; Jennifer Steinhauer, "Traditions Hurting Some Big Names in Furniture Industry", en *Miami Herald* (septiembre 14 de 1997), 8F; Teri Agins, "Furniture Firms Try Show Biz to Woo Public", en *The Wall Street Journal* (noviembre 12 de 1993), B1, B6.

3. Ian MacMillan y Rita Gunther McGrath, "Discovering New Points of Differentiation", en *Harvard Business Review* (julio/agosto de 1997), 133-145.

4. Paula Mergenhagen, "How 'got milk?' Got Sales", en *Marketing Tools* (septiembre de 1996), 4-7.

5. Raju Narisetti, "Rubbermaid Ads Pitch Problem Solving", en *The Wall Street Journal* (febrero 4 de 1997), B6.

6. La búsqueda interna ha recibido relativamente poca atención en la literatura acerca del comportamiento del consumidor. Como excepciones, *véase* James R. Bettman, *An information Processing Theory of Consumer Choice* (Reading, MA: Addison-Wesley, 1979), 107-111; Gabriel J. Biehal, "Consumers' Prior Experiences and Perceptions in Auto Repair Choice", en *Journal of Marketing*, 47 (verano de 1983), 87-91. Para trabajos de investigación respecto de cuánto puede afectar la búsqueda interna a la búsqueda externa, véase Girish Punj, "Presearch Decision Making in Consumer Durable Purchases", en *Journal of Consumer Marketing*, 4 (invierno de 1987), 71-82.

7. John D. Claxton, Joseph N. Fry y Bernard Portis, "A Taxonomy of Prepurchase Information Gathering Patterns", en *Journal of Consumer Research*, 1 (diciembre de 1974), 35-42; David H. Furse, Girish N. Punj y David W. Stewart, "A Typology of Individual Search Strategies Among Purchasers of New Automobiles", en *Journal of Consumer Research*, 10 (marzo de 1984), 417-431; David E. Migley, "Patterns of Interpersonal Information Seeking for the Purchase of a Symbolic Product", en *Journal of Marketing Research*, 20 (febrero de 1983), 74-83; Joseph W. Newman, "Consumer External Search: Amount and Determinants", en Arch G. Woodside, Jagdish N. Sheth y Peter D. Bennett, eds., *Consumer and Industrial Buyer Behavior* (Nueva York: North Holland, 1977), 79-94.

8. Biehal, "Consumers' Prior Experiences and Perceptions in Auto Repair Choice".

9. Geoffrey C. Kiel y Roger A. Layton, "Dimensions of Consumer Information Seeking Behavior", en *Journal of Marketing Research*, 18 (mayo de 1981), 233-239.

10. Peter H. Bloch, Daniel L. Sherrell y Nancy M. Ridgway, "Consumer Search: An Extended Framework", en *Journal of Consumer Research*, 13 (junio de 1986), 119-126.

11. *Ibid.*

12. Patricia Braus, "What Is Good Service?", en *American Demographics* (julio de 1990), 36-39.

13. Peter R. Dickson y Alan G. Sawyer, "The Price Knowledge and Search of Supermarket Shoppers", en *Journal of Marketing*, 54 (julio de 1990), 42-53. *También véase* Wayne D. Hoyer, "An Examination of Consumer Decision Making for a Common Repeat Purchase Product", en *Journal of Consumer Research*, 11 (diciembre de 1984), 822-829.

14. Joel E. Urbany, "An Experimental Examination of the Economics of Information", en *Journal of Consumer Research*, 13 (septiembre de 1986), 257-271. *También véase* Narasimhan Srinivasan y Brian T. Ratchford, "An Empirical Test of a Model of External Search for Automobiles", en *Journal of Consumer Research*, 18 (septiembre de 1991), 233-242.

15. J. Edward Russo, "The Value of Unit Price Information", en *Journal of Marketing Research*, 14 (mayo de 1977), 193-201; J. Edward Russo, Gene Krieser y Sally Miyashita, "An Effective Display of Unit Price Information", en *Journal of Marketing*, 39 (abril de 1975), 11-19.

16. David Altaner, "Dot-com Deals", en *Sun-Sentinel* (febrero 13 de 2000), 1F, 7F.

17. Urbany, "An Experimental Examination of the Economics of Information": *También véase* Joel E. Urbany, Peter R. Dickson y William L. Wilkie, "Buyer Uncertainty and Information Search", en *Journal of Consumer Research*, 16 (septiembre de 1989), 208-215; Calvin P. Duncan y Richard W. Olshavsky, "External Search: The Role of Consumer Beliefs", en *Journal of Marketing Research*, 19 (febrero de 1982), 32-43.

18. Kiel y Layton, "Dimensions of Consumer Information Seeking Behavior".

19. Braus, "What Is Good Service?"

20. Joel E. Urbany y Peter R. Dickson, "Consumer Information, Competitive Rivalry, and Pricing in the Retail Grocery Industry", ponencia, University of South Carolina (1988).

21. Para investigación sobre conjuntos en consideración, *véase* Joseph W. Alba y Amitava Chattopadhyay, "Effects of Context and Part-Category Cues on Recall of Competing Brands", en *Journal of Marketing Research*, 22 (agosto de 1985), 340-349; Juanita J. Brown y Albert R. Wildt, "Consideration Set Measurement", en *Journal of The Academy of Marketing Science*, 20 (verano de 1992), 235-243; John R. Hauser y Birger Wernfelt, "An Evaluation Cost Model of Consideration Sets", en *Journal of Consumer Research*, 16 (marzo 1990), 393-408; Frank R. Kardes, Gurumurthy Kalyanaram, Murali Chandrashekaran y Ronald J. Dornoff, "Brand Retrieval, Consideration Set Composition, Consumer Choice, and the Pioneering Advantage", en *Journal of Consumer Research*, 20 (junio de 1993), 62-75; Prakash Nedungadi, "Recall and Consumer Consideration Sets: Influencing Choice Without Altering Brand Evaluations," en *Journal of Consumer Research*, 17 (diciembre de 1990), 263-276; John H. Roberts y James M. Lattin, "Development and Testing of a Model Consideration Set Composition", en *Journal of Marketing Research*, 28 (noviembre de 1991), 429-440.

22. Joel Huber, John W. Payne y Christopher Puto, "Adding Asymmetrically Dominated Alternatives: Violations of Regularity and the Similarity Hypothesis", en *Journal of Consumer Research*, 9 (junio de 1982), 90-98; Joel Huber and Christopher Puto, "Market Boundaries and Product Choice: Illustrating Attraction and Substitution Effects", en *Journal of Consumer*

Research, 10 (junio de 1983), 31-44; Barbara Kahn, William L. Moore y Rashi Glazer, "Experiments in Constrained Choice", en *Journal of Consumer Research,* 14 (junio de 1987), 96-113; Sanjay Mishra, U. N. Umesh, Donald E. Stem, Jr., "Antecedents of the Attraction Effect: An Information-Processing Approach", en *Journal of Marketing Research,* 30 (agosto de 1993), 331-349; Yigang Pan y Donald R. Lehmann, "The Influence of New Brand Entry on Subjective Brand Judgments", en *Journal of Consumer Research,* 20 (junio de 1993), 76-86; Srinivasan Ratneshwar, Allan D. Shocker y David W. Stewart, "Toward Understanding the Attraction Effect: The Implications of Product Stimulus Meaningfulness y Familiarity", en *Journal of Consumer Research,* 13 (marzo de 1987), 520-533; Itamar Simonson, "Choice Based on Reasons: The Case of Attraction and Compromise Effects", en *Journal of Consumer Research,* 16 (septiembre de 1989), 158-174.

23. Alba y Chattopadhay, "Effects of Context and Part-Category Cues on Recall of Competing Brands".

24. Joseph W. Alba y J. Wesley Hutchinson, "Dimensions of Consumer Expertise", en *Journal of Consumer Research,* 13 (marzo de 1987), 411-454.

25. Wayne D. Hoyer y Stephen P. Brown, "Effects of Brand Awareness on Choice for a Common, Repeat-Purchase Product", en *Journal of Consumer Research,* 17 (septiembre de 1990), 141-148.

26. Carolyn B. Mervis y Eleanor Rosch, "Categorization of Natural Objects", en *Annual Review of Psychology,* 32, 89-115.

27. Mita Sujan, "Consumer Knowledge: Effects on Evaluation Strategies Mediating Consumer Judgments", en *Journal of Consumer Research,* 12 (junio de 1985), 31-46.

28. Robert M. McMath, "The Perils of Typecasting", en *American Demographics* (febrero de 1997), 60.

29. Elinor Selame y Greg Kolligian, "Brands Are a Company's Most Important Asset", en *Marketing News* (septiembre 16 de 1991), 14, 19.

30. Para investigación en extensiones de marca, *vea* David A. Aaker y Kevin Lane Keller, "Consumer Evaluations of Brand Extensions", en *Journal of Marketing,* 54 (enero de 1990), 27-41; Michael J. Barone, Paul W. Miniard y Jean B. Romeo, "The Influence of Positive Mood on Brand Extension Evaluations", (1999) ponencia; David M. Boush y Barbara Loken, "A Process-Tracing Study of Brand Extension Evaluation", en *Journal of Marketing Research,* 28 (febrero de 1991), 16-28; Kevin Lane Keller, "Conceptualizing, Measuring, and Managing Customer-Based Brand Equity", en *Journal of Marketing,* 57 (enero de 1993), 1-22; Kevin Lane Keller y David A. Aaker, "The Effects of Sequential Introduction of Brand Extensions", en *Journal of Marketing Research,* 29 (febrero de 1992), 35-50; Barbara Loken y Deborah Roedder John,

"Diluting Brand Beliefs: When Do Brand Extensions Have a Negative Impact?", en *Journal of Marketing,* 57 (julio de 1993), 71-84; C. Whan Park, Sandra Milberg y Robert Lawson, "Evaluation of Brand Extensions: The Role of Product Feature Similarity and Brand Concept Consistency", en *Journal of Consumer Research,* 18 (septiembre de 1991), 185-193.

31. James R. Bettman and Mita Sujan, "Effects of Framing on Evaluation of Comparable and Noncomparable Alternatives by Expert and Novice Consumers", en *Journal of Consumer Research,* 14 (septiembre de 1987), 141-154; Kim R. Corfman, "Comparability and Comparison Levels Used in Choices among Consumer Products", en *Journal of Marketing Research,* 28 (agosto de 1991), 368-374; Michael D. Johnson, "Consumer Choice Strategies for Comparing Noncomparable Alternatives", en *Journal of Consumer Research,* 11 (diciembre de 1984), 741-753; Michael D. Johnson, "Comparability and Hierarchical Processing in Multialternative Choice", en *Journal of Consumer Research,* 15 (diciembre de 1988), 303-314; Michael D. Johnson, "The Differential Processing of Product Category and Noncomparable Choice Alternatives", en *Journal of Consumer Research,* 16 (diciembre de 1989), 300-309; C. Whan Park y Daniel C. Smith, "Product-Level Choice: A Top-Down or Bottom-Up Process?" en *Journal of Consumer Research,* 16 (diciembre de 1989), 289-299.

32. Gabriel Biehal y Dipankar Chakravarti, "Information Accessibility as a Moderator of Consumer Choice", en *Journal of Consumer Research,* 10 (junio de 1983), 1-14; Gabriel Biehal y Dipankar Chakravarti, "Consumers' Use of Memory and External Information in Choice: Macro and Micro Perspectives", en *Journal of Consumer Research,* 12 (marzo de 1986), 382-405; John G. Lynch, Jr., Howard Marmorstein y Michael R. Weigold, "Choices from Sets Including Remembered Brands: Use of Recalled Attributes and Prior Overall Evaluations", en *Journal of Consumer Research,* 15 (septiembre de 1988), 169-184.

33. Para investigación en el uso de topes, *vea* Barton Weitz y Peter Wright, "Retrospective Self-Insight on Factors Considered in Product Evaluations", en *Journal of Consumer Research,* 6 (diciembre de 1979), 280-294; Peter L. Wright y Barton Weitz, "Time Horizon Effects on Product Evaluation Strategies", en *Journal of Marketing Research,* 14 (noviembre de 1977), 429-443.

34. Susan M. Petroshius y Kent B. Monroe, "Effects of Product-Line Pricing Characteristics on Product Evaluations", en *Journal of Consumer Research,* 13 (marzo de 1987), 511-519.

35. William B. Dodds, Kent B. Monroe y Dhruv Grewal, "Effects of Price, Brand, and Store Information on Buyers' Product Evaluations", en *Journal of Marketing Research,* 28 (agosto de 1991), 307-319; Gary M. Erickson y Johnny K. Johansson, "The Role of

Price in Multi-Attribute Product Evaluations", en *Journal of Consumer Research,* 12 (septiembre de 1985), 195-199; Michael Edgar y Naresh K. Malhotra, "Determinants of Price Dependency: Personal and Perceptual Product Evaluations", en *Journal of Consumer Research,* 8 (septiembre de 1981), 217-222; Zarrel V. Lambert, "Product Perception: An Important Variable in Price Strategy", en *Journal of Marketing,* 34 (octubre de 1970), 68-76; Irwin P. Levin y Richard D. Johnson, "Estimating Price-Quality Tradeoffs Using Comparative Judgments", en *Journal of Consumer Research,* 11 (junio de 1984), 593-600; Kent B. Monroe, "The Influence of Price Differences and Brand Familiarity on Brand Preferences", en *Journal of Consumer Research,* 3 (junio de 1976), 42-49; Akshay R. Rao y Kent B. Monroe, "The Effect of Price, Brand Name, and Store Name on Buyers' Perceptions of Product Quality: An Integrative Review", en *Journal of Marketing Research,* 26 (agosto de 1989), 351-357.

36. William Boulding y Amna Kirmani, "A Consumer-Side Experimental Examination of Signaling Theory: Do Consumers Perceive Warranties as Signals of Quality?" en *Journal of Consumer Research,* 20 (junio de 1993), 111-123.

37. Robert Johnson, "In the Chips", *The Wall Street Journal* (marzo 22 de 1991), B1-B2.

38. Para un análisis de otras formas de estrategias no compensatorias de evaluación, *véase* James R. Bettman, *An Information Processing Theory of Consumer Choice* (Reading, MA: Addison-Wesley, 1979), 181-182.

39. Para un estudio de la regla de decisión conjuntiva, *véase* David Grether y Louis Wilde, "An Analysis of Conjunctive Choice: Theory and Experiments", en *Journal of Consumer Research,* 10 (marzo de 1984), 373-385.

40. Joseph W. Alba y Howard Marmorstein, "The Effects of Frequency Knowledge on Consumer Decision Making", en *Journal of Consumer Research,* 14 (junio de 1987), 14-25.

41. Peter L. Wright, "Use of Consumer Judgment Models in Promotion Planning", en *Journal of Marketing,* 37 (octubre de 1973), 27-33.

42. Noel Capon y Deanna Kuhn, "Can Consumers Calculate Best Buys?", en *Journal of Consumer Research,* 8 (marzo de 1982), 449-453. *También véase* Catherine A. Cole y Gary J. Gaeth, "Cognitive and Age-Related Differences in the Ability to Use Nutritional Information in a Complex Environment", en *Journal of Marketing Research,* 27 (mayo de 1990), 175-184.

43. Melanie Eversley, "Interest Rising in Regulations on Rentals", en *Miami Herald* (agosto 21 de 1997), 1C, 3C.

44. Marcy Gordon, "Groups Urge Consumers to Pass on Credit Insurance", en *Miami Herald* (marzo 18 de 1999), 19A.

CAPÍTULO 5

Compra

CASO DE INICIO

Para analizar las opiniones de los consumidores acerca de las compras, principalmente en los minoristas masivos, clubes de precios, grandes tiendas y tiendas de comestibles se efectuó una serie de entrevistas de grupos de enfoque en Estados Unidos para el International Mass Retail Association. Se analizó el proceso de compra, incluyendo el transporte a la tienda, las experiencias en la misma, lo que influye en la compra (como la publicidad y los desplegados en punto de compra), y el pago. Algunas razones por las que los consumidores eligieron un minorista en lugar de otro son las siguientes:

- "Elegí la tienda cuyo interior conozco mejor, de esa forma puedo abreviar mi visita. Desearía que las tiendas colocaran un pizarrón mostrando dónde han colocado los productos, de manera que los pueda encontrar. Cuando Kroger (tendero) cambia el sitio donde se encuentra la salsa, simplemente que me lo diga, de manera que para encontrarla no tenga que buscarla por toda la tienda."

- "Soy un comprador, y no voy de compras. Prefiero una tienda donde pueda entrar, comprar lo que necesito y salir tan aprisa como sea posible. Siempre me ha complacido el sistema de cajas de Target donde usted parece moverse con mayor rapidez."

- "Voy a la tienda que tenga la menor cantidad de cosas en sus pasillos. No me gusta que mi carrito choque contra exhibidores de productos que no deseo adquirir."

- "Solía ir a grandes tiendas, donde era posible comprar de todo, desde calcetines hasta filetes de res. Pero ahora que tengo más edad, me cuesta trabajo pasar por esas tiendas. En la actualidad voy a varias tiendas más pequeñas y divido mis compras a lo largo de la semana."

- "Deseo que la publicidad me diga algo respecto de la tienda. Díganme si han ampliado los pasillos o han puesto en servicio más cajas, y me presentaré."

- "No iré a una tienda que no me muestre con claridad lo que estoy pagando por un producto. Me gusta Target porque se puede estudiar un producto y las computadoras le dicen cuál es su precio."

- "Para mí una parte importante de una tienda es la presentación. Es como la sopa... usted piensa que si se ve bien, debe saber bien. Independientemente de lo buena que sepa, si se ve como una porquería, no voy a comprarla."

- "No me gusta ir a una tienda cuyos vendedores no saben de qué están hablando. En Lowes (tienda de suministros para la construcción), todo el mundo es muy educado y le ayuda a encontrar lo que necesita. Pero en Home Depot, realmente sí saben cómo funciona el producto que está buscando, conocen sus características. Prefiero pagar más por la ayuda y el consejo."

En general, al decidir dónde comprar, los consumidores se enfocaron directamente en la tienda, limpieza, surtido del producto, cajas de pago y disponibilidad de los productos. Principalmente, la elección de tiendas de los consumidores se veía influida por la conveniencia, la forma en que la tienda se desempeñaba en relación con los detalles y la percepción que tenían respecto de la misma.

Fuente: con base en "*Consumer Logistics: A Qualitative Look at the Shopping Process*", Understanding Your Customer II, *Roger Blackwell y Kristina Blackwell, para the International Mass Retail Association (1998).*

Comprar o no comprar

¿Comprar o no comprar? Ésta es la pregunta que se responde con la etapa 4 del modelo PDC: la compra. En el *proceso de la decisión de compra*, los consumidores deciden:

1. Si compran.

2. Cuándo compran.

3. Qué compran (tipo y marca del producto).

4. Dónde compran (tipo de minorista y minorista específico).

5. Cómo pagan.

Como leyó en el caso de inicio, muchos factores influyen estas decisiones de compra, incluyendo promociones dentro de la tienda, la limpieza de la misma, el nivel de servicio, el valor y la experiencia general en el menudeo. Los minoristas compiten entre sí respecto a estos atributos, para ganarse la preferencia de los consumidores. Éstos, a su vez, deben seleccionar las opciones disponibles para ellos y decidir no sólo qué producto y marca comprar, sino dónde y de qué manera hacerlo. También se ha incrementado la posibilidad de que un consumidor jamás entre en una tienda, debido a que puede efectuar la compra a través de la internet, un catálogo o de un representante de ventas.

El primer obstáculo es tomar la decisión de comprar. Los consumidores siempre se enfrentan con la opción de abandonar el proceso por muchas razones, incluyendo modificaciones y circunstancias cambiadas, información nueva o la carencia de productos disponibles, posponiendo por tanto la decisión.[1] Una vez tomada la decisión de comprar, pueden ocurrir varias cosas; por ejemplo, un consumidor puede entrar en el distrito Abiyuki, en Tokio, con la intención de adquirir un aparato de televisión Sony, pero salir con una televisión Panasonic y un lavavajillas Bosch. La decisión de comprar puede conducir a una *compra totalmente planeada* (tanto el producto como la marca han sido seleccionados por anticipado), una *compra parcialmente planeada* (existe la intención de comprar el producto, pero se pospone la elección de la marca hasta la búsqueda) o una *compra no planeada* (*tanto* el producto como la marca se eligen en el punto de venta).

Compra totalmente planeada   Los mercadólogos promueven la lealtad a la marca y a la tienda con publicidad y otros programas que alienten a los consumidores a planear sus compras. La investigación indica que la planeación de la compra ocurrirá con mayor probabilidad cuando el compromiso con el producto es elevado[2] (como en los automóviles) aunque también puede ocurrir en compras con menor compromiso (comestibles). El hecho de que ocurra o no la compra según se había planeado se ve afectado por factores propios de la tienda, como conocer cuál es la disposición y el diseño de la misma, y las presiones de tiempo que restringen la búsqueda y la toma de decisiones dentro de la misma.[3] La compra planeada también puede interrumpirse o desviarse por tácticas de mercadotecnia que pudieran cambiar a los consumidores apartándolos de su marca preferida, incluyendo el *muestreo de producto, reducciones de precio, cupones, desplegados en puntos de venta y otras actividades promocionales.* La forma en que los esfuerzos de mercadotecnia afectan la compra depende de la lealtad. Los estudios indican que los anuncios de cupones que proporcionan una información útil del producto funcionan bien con consumidores que están interesados en un cambio de marca, pero imágenes atractivas resultan más efectivas en consumidores que son leales a una marca competitiva.[4]

Compra parcialmente planeada   Los consumidores pueden planear parcialmente los productos que desean comprar, pero retrasan la elección de la marca, estilos o tamaños específicos del producto, hasta que están en la tienda o en el sitio Web. Cuando el compromiso es bajo, los consumidores a veces recurren a comprar "una de las marcas que conozco y que me gustan". La decisión de marca o estilo final se vería influida por reducciones en precio o desplegados y empaque especiales.[5]

Compra no planeada   Los estudios indican que 68% de los productos comprados durante una salida de compra de importancia así como 50% de las salidas menores son no planeadas.[6] Estas ventas de "impulso", adquiridas por los consumidores de una forma a menudo caprichosa, pueden ser estimuladas por desplegados en el punto de venta, un precio de venta de un producto relacionado,[7] o simplemente ver un producto nuevo en la tienda. Esto también muestra que los consumidores utilizan influencias del interior de la tienda para guiarse en la elección de productos y marcas efectuada dentro de la misma.[8] Los compradores a menudo utilizan de manera intencional desplegados del producto y materiales de catálogo como lista de compras sustituta. En otras palabras, un desplegado puede hacer que un consumidor recuerde alguna necesidad y provoque una compra.

Factor de compra   Cuando y si ocurre la compra puede verse afectado por *factores de tiempo* como la estacionalidad; por ejemplo un establecimiento de gran demanda tiene que estar capacitado para ofrecer productos como aire acondicionado, sopladores para nieve, paraguas e indumentaria estacional cuando los consumidores los necesitan, o la compra pudiera jamás ocurrir. De manera similar, los minoristas incrementan sus utilidades al decidir, promover y suministrar la cantidad correcta de inventarios para Navidad, Hanukkah, Cinco de Mayo, y otras necesidades de compras de días festivos. Además, algunas promociones que ofrecen reembolsos y otros beneficios futuros a cambio de algún "esfuerzo" del consumidor (como guardar los recibos o recolectar los códigos UPC) parecen atractivas en el momento de la elección de la marca, pero no tanto posteriormente, cuando se tienen que completar las tareas requeridas.[9] Estas promociones pudieran acelerar el ritmo de la compra.

El ritmo también afecta el precio, y por tanto, la probabilidad de una compra. Por ejemplo, un estudiante que tiene la intención de comprar un boleto de avión para visitar a su familia durante sus vacaciones quizás no pueda comprar el boleto, si él o ella esperan demasiado tiempo para obtener una reservación a un precio aceptable. Los factores de tiempo resultaron un impulso principal subyacente al nacimiento y éxito de las tiendas de conveniencia, como Seven-Eleven y United Dairy Farmers, que descubrieron que los consumidores desean adquirir leche, cerveza, gas u otros productos siempre que lo deseen. Una clave del éxito de los minoristas electrónicos, como E-Trade y Amazon.com, es su capacidad de ofrecer oportunidades de compra las 24 horas del día.

Al efectuar una compra, el consumidor también debe decidir *cómo pagar*. Aunque el efectivo y los cheques siguen siendo importantes en muchas compras, varios consumidores pagan con tarjeta de crédito, frecuentemente atraídos por la disponibilidad de pagos diferidos o de un fácil acceso al crédito. Los mercadólogos a menudo prefieren que los consumidores utilicen tarjeta de crédito o cheques, pues éstos les permiten crear una *base de datos para desarrollar comunicaciones y relaciones continuas con el consumidor*, un proceso conocido como **mercadotencia basada en datos** o **minería de datos**.[10] La base de datos basada en tarjetas de crédito del minorista más grande pertenece a Sears Roebuck & Co., cuya base de clientes contiene la cifra asombrosa de 44 millones de cuentas, es decir prácticamente la mitad de los hogares en Estados Unidos. Sears obtiene más utilidades de sus operaciones con tarjeta de crédito que la totalidad de sus ventas por 30 mil millones en sus tiendas de menudeo.[11]

En este capítulo, usted aprenderá más sobre la compra, específicamente acerca de aplicaciones y estrategias de menudeo. Piense cuidadosamente en la forma en que usted y otros consumidores toman decisiones de compra. Puede descubrir que hace mejor sus propias compras, recibiendo más valor por su dinero. Si trabaja para un minorista, obviamente usted está interesado en la forma como ocurren los procesos de compra y menudeo, y cómo influir en los consumidores para que compren en su tienda.

Menudeo y proceso de compra

El menudeo es el proceso de reunir a los consumidores y los mercados. Es, en general, el punto donde culminan los esfuerzos de los socios de las cadenas de suministros para satisfacer las demandas de sus consumidores. El proceso de compra, llevado a su término, requiere que los consumidores reaccionen con minoristas de algún tipo.

¿Por qué las personas van de compras?

Ya sea que los consumidores compren en bazares, mercados de pulgas o tiendas departamentales, la pregunta fundamental que debe contestarse al examinar los comportamientos de compra es "¿por qué las personas van de compras?". La respuesta más obvia es "con la finalidad de adquirir algo", pero existe una infinidad de razones personales y sociales por las cuales los consumidores van de compras, tal y como se describe en la figura 5.1. Para algunos consumidores, ir de compras mitiga la soledad, disipa el aburrimiento, proporciona satisfacción por escape y fantasía y alivia la depresión. Otros consideran ir de compras como un deporte (con la meta de derrotar al sistema) o de una forma moderna de "cacería" primitiva (el comprador actuando como "el gran proveedor").

También existen consumidores a quienes no les gusta ir de compras, aproximadamente 20% de la población evita frecuentar el mercado o las tiendas al detalle.[12] Estos consumidores son, en su mayoría, ajenos e insensibles a los esfuerzos de mercadotecnia para situar las compras al menudeo como una "experiencia divertida", pero pueden comprar vía la internet o mediante la mercadotecnia directa, que promete hacer compras más rápidas, fáciles y con un menor compromiso personal.

Al planear las estrategias de menudeo para sus tiendas o productos, muchos mercadólogos determinan la forma en que sus clientes principales piensan acerca de ir de compras: *¿Es divertido para ellos o es una carga que deben cumplir?* Si los consumidores van de compras por alguna interacción social o por alguna de las demás razones resaltadas en la figura 5.1, es más probable que disfruten ir de compras que los consumidores que simplemente "compran" productos. Si ir de compras se considera trabajo, los mercadólogos deben trabajar para hacer este proceso más fácil. Con cajas más rápidas, guías y mapas de la tienda sencillos de leer, pasillos fáciles de recorrer y productos de primera necesidad convenientemente localizados.

Figura 5.1   ¿Por qué van las personas de compras?

Motivos personales

Representar un papel
Diversión
Autogratificación
Aprendizaje de nuevas tendencias
Actividad física
Estimulación sensorial

Motivos sociales

Experiencias sociales fuera del hogar
Comunicación con terceros con intereses similares
Atracción del grupo de iguales
Estatus y autoridad
Placer en negociar o regatear

Fuente: tomado de Edward M. Tauber, "Why Do People Shop?", en Journal of Marketing 36 (octubre de 1972), 46-59.

Si ir de compras se considera divertido, la meta es proporcionar más razones para visitar la tienda y quedarse más tiempo. Para muchos consumidores, ir de compras significa ambas cosas, dependiendo del producto y del minorista. El reto para los analistas del consumidor es saber qué consumidores y en qué situaciones ir de compras es una cosa u otra.

Usted puede analizar con base en este principio si el menudeo por la internet reemplazará las tiendas de comestibles, las tiendas minoristas de ropa, las librerías y la mayoría de los minoristas establecidos en un lugar. Cuando los consumidores planean totalmente su compra de comestibles y lo consideran un trabajo, y consideran que comprar de manera electrónica es menos trabajo, sin que los precios sean significativamente más elevados, los servicios de compras electrónicos como Peapod, Webvan, Home Grocer y Streamline pueden ganar un porcentaje sustancial del mercado. Sin embargo, si los consumidores consideran que ir a comprar comestibles es divertido: como una ocasión social de pasear con un compañero, en tiendas de olor agradable y buena apariencia con la finalidad de ver productos, comparar etiquetas, obtener ideas, recibir información,[13] y quizás probar los productos —entonces el menudeo electrónico tendrá dificultad en obtener un porcentaje del mercado de minoristas que tienen un local.

Proceso de decisión de compra

Gran cantidad de investigación y la experiencia de minoristas de éxito proporcionan pistas para comprender la forma en que los consumidores deciden dónde comprar los productos. En un proceso de elección del consumidor, la consideración de *qué tipo de minorista* (internet, correo directo, catálogo o minoristas establecidos) por lo general antecede a la elección del *tipo de tienda* (minorista masivo, hipermercado, tienda de departamentos, tienda de especialidades y así sucesivamente) y *qué minorista específico patrocinar* (Wal*Mart contra K-mart). La figura 5.2 muestra la forma en que los consumidores usualmente deciden si compran en una tienda de descuento o una tienda departamental, antes de escoger entre Wal*Mart y Target o entre Bloomingdale's y Marshall Field's. Sin embargo, en realidad la elección del minorista es a menudo un proceso interactivo, en el cual el *tipo* de lugar y el *minorista específico* se afectan uno al otro.

El proceso de elegir una tienda específica involucra que coincidan las características del consumidor y las de la compra con las características de la tienda. Un individuo puede utilizar criterios diferentes para evaluar qué tienda cumple mejor sus necesidades, dependiendo del tipo de compra. Los consumidores comparan opciones de menudeo y de tienda con base en la forma en que perciben cada una desempeñándose en relación con los diversos criterios.

Pero los consumidores no siempre pasan por la serie completa de opciones: del concepto de menudeo a minoristas competitivos hasta la elección específica de una tienda. La experiencia del pasado y la imagen de la tienda pueden llevar a los consumidores directamente a la elección de la tienda específica. Si en el pasado usted ha adquirido jeans en Gap y está satisfecho del producto y de la experiencia, puede proceder de inmediato, partiendo de la necesidad de compra, a la selección de la tienda. Pero si adquiere algo por primera vez o anteriormente tuvo una mala experiencia, entonces quizás evalúe más alternativas.

Los consumidores en diferentes segmentos del mercado se forman imágenes de las tiendas con base en su percepción de los atributos que consideran de importancia. La investigación indica que *los clientes pueden con rapidez identificar una tienda* (esto es, recuperar de la memoria a largo plazo) *cuando se les pregunta qué tienda recuerdan para ciertos atributos específicos*, por ejemplo "precios en general más bajos" y "muy conveniente".[14] Estas respuestas sin pensar se describen como **procesamiento cognoscitivo automático** y están fuertemente asociadas con las elecciones principales de tienda de los consumidores, dentro de cada segmento del mercado. Mucho del proceso de elección de tienda, mostrado en la figura 5.2, se explica por el procesamiento cognoscitivo automático, que resulta muy importante para comprender cómo se desarrolla la imagen de los minoristas para colocar una tienda en el "primer pensamiento" dentro de cada segmento del consumidor.

Figura 5.2   Decisión de compra

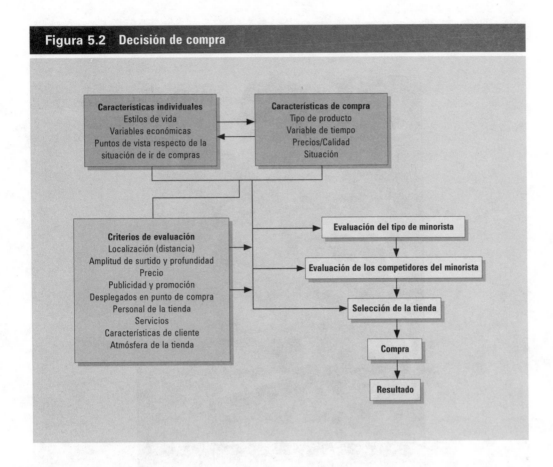

Imagen del menudeo

Los consumidores rara vez conocen todos los hechos de las tiendas a las cuales van de compras. Para efectuar una elección, los *consumidores se basan en su percepción general de una tienda*, lo que se conoce como la **imagen de la tienda**. Aunque se ha definido este concepto en varias maneras,[15] la idea de la personalidad de la tienda se describe mejor como "la forma en que una tienda está definida en la mente del comprador, parcialmente debido a sus cualidades funcionales y parcialmente debido a un aura de atributos psicológicos".[16] La imagen de un minorista, respecto de ciertas variables clave, influye en el hecho de si los consumidores compran sus productos o no y en qué tiendas. Dado que la imagen es la realidad perceptiva sobre la cual se apoyan los consumidores al efectuar una elección, la medición de ésta es una herramienta importante para los analistas del consumidor. Se mide con base en varias dimensiones, que reflejan los atributos sobresalientes. No es de sorprender que prácticamente la gama completa de métodos de investigación de actitud se utilice, desde diferenciales semánticas hasta escalas multidimensionales.[17]

Otro aspecto del escenario del minorista que puede afectar el comportamiento de compra es el nivel percibido de aglomeración dentro de la tienda. Grandes amontonamientos pueden llevar a reducciones en el tiempo de compra, en la posposición de compras no necesarias, y menos interacción con el personal de ventas.[18] Sin embargo, para algunos segmentos de los consumidores, especialmente los jóvenes, las tiendas atestadas pueden connotar popularidad de la misma y de sus productos, dando a los adolescentes una sensación de "adecuación" con sus iguales si van de compras ahí. Abercrombie & Fitch, minorista de ropa, ha desarrollado una marca e imagen que atrae a sus consumidores (rebeldes, de moda y sofisticados) según se observa en la figura 5.3, pero la imagen no sería exitosa si esta imagen de excelente calidad no correspondiera con los productos que vende.

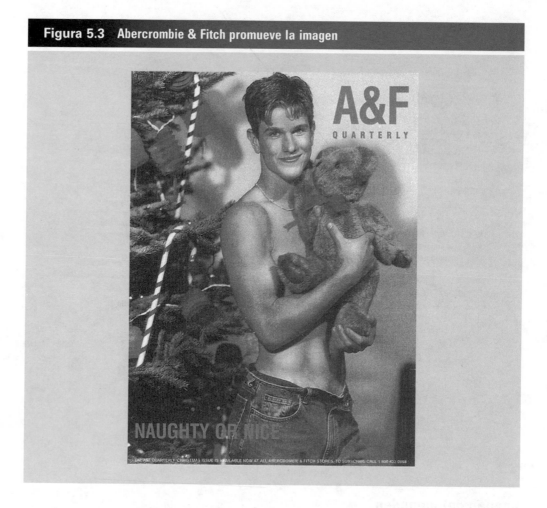

Figura 5.3 Abercrombie & Fitch promueve la imagen

Determinantes del éxito o del fracaso del minorista

Aunque los determinantes de la elección de la tienda pueden variar según el segmento de mercado y la clase de producto, los atributos de mayor importancia determinan cuáles son los minoristas que tienen éxito y cuáles fracasan. Estos determinantes caen en las siguientes categorías, ilustrados en la figura 5.2: 1) localización, 2) naturaleza y calidad del surtido, 3) precio, 4) publicidad y promoción, 5) personal de ventas, 6) servicios ofrecidos, 7) atributos físicos de la tienda, 8) naturaleza de la clientela de la tienda, 9) atmósfera de la tienda y 10) servicio y satisfacción posterior a la transacción. Cada una de estas variables es importante en la determinación de la elección del consumidor, aunque la ponderación que se les da varía según el segmento de mercado.

Localización

Para la mayoría de los consumidores, la localización no se percibe en términos de tiempo y dificultades, ni en función de la distancia real. Los consumidores generalmente sobreestiman tanto la distancia funcional (real) como el tiempo funcional. En algunos mercados, la localización puede incluir la capacidad de caminar hasta el local o la disponibilidad de transporte público. Por ejemplo, en Japón, los minoristas a veces se conocen como "minoristas de ferrocarril" porque se agrupan en las principales estaciones de ferrocarril, que prácticamente todos los consumidores utilizan para ir y regresar del trabajo.

Los mapas cognoscitivos o percepciones del consumidor respecto de la localización de las tiendas y de las áreas de compra son más importantes que la ubicación real.[19] Representan la distancia y el tiempo que los consumidores perciben que tienen que recorrer para llegar y comprar en la tienda. Las variaciones entre la distancia cognoscitiva y la real están relacionadas con factores como la facilidad de estacionamiento en el área, la calidad de la mercancía ofrecida por las tiendas del área, los procedimientos de cajas de pago, la ubicación y presentación de la mercancía y la facilidad de conducir hasta un área. Otros factores que afectan los mapas cognoscitivos de los consumidores incluyen el precio de la mercancía y lo útil que son los vendedores.[20]

Naturaleza y calidad del surtido

La variedad, amplitud y calidad del surtido son determinantes importantes en la elección de la tienda. Esto es especialmente cierto para las tiendas en los centros comerciales.[21] Una razón por la cual las tiendas de especialidades como Gap, Bebe y The Limited han tenido tanto éxito, es su capacidad de conjuntar y presentar surtidos dominantes, definidos ya sea con base en clasificación, uso final o estilo de vida.[22] Estas tiendas de especialidades tienen surtidos reducidos pero completos, atrayendo por lo general a un nicho o segmento específico de consumidores.

Un surtido dominante de la mercancía también es esencial para el éxito de comerciantes masivos conocidos como "captadores de clase", que se especializan en una clase de mercancía. Un ejemplo es Toys'R'Us, con cientos de tiendas dispersas, desde Alemania hasta Hong Kong. Otros captadores de clase incluyen a las mega tiendas Virgin, Circuit City (electrónica), Lenscrafters (ópticas), Home Depot, Wickes (mantenimiento doméstico) y Staples (artículos de escritorio). Los captadores de clase y los minoristas de nichos compiten efectivamente con las tiendas departamentales, porque éstas típicamente tienen una menor rotación de inventarios, junto con gastos de operación más elevados, menores ventas por metro cuadrado y pérdidas mayores en los inventarios.

Precio

La importancia del precio como un determinante del soporte de una tienda varía según el tipo de producto. Desde la década de los treinta, cuando King Kullen, en Long Island, Nueva York, fue pionero del concepto, los supermercados han puesto gran énfasis en el precio, cuya importancia depende de la naturaleza del consumidor. Algunos clientes que prefieren factores como la conveniencia, modificarán dicha consideración a cambio de precios más elevados.[23] Recuerde que se trata de la percepción del precio que tiene el consumidor, que usualmente es más importante que el precio real.[24]

El precio puede ser la variable más mal entendida en el menudeo. Cuando Wal*Mart alcanzó a Sears como el minorista más grande de Estados Unidos, Sears redujo sus precios en un intento equivocado de recuperar los clientes. Lo que Sears no comprendió es que Wal*Mart tiene no sólo la política de "precios bajos todos los días", sino que también tiene políticas de relaciones con los empleados muy efectivas para hacer valer la política "tratar a todos los clientes como si fueran huéspedes". Sólo después de que Sears se abocó a una política de hacer que sus tiendas fueran más amigables para el cliente, simbolizado por el lema "acérquese al lado blando de Sears", pudo recuperar parte de su éxito anterior. No confunda, "precio más bajo" con "margen aceptado de precios" como determinante de la elección de una tienda. La tabla 5.1 muestra que los consumidores prefieren precios que estén dentro de un margen aceptable (combinado con otros atributos que prefieren los consumidores) a precios que siempre sean los más bajos. Un error común de los minoristas es utilizar una estrategia que haga énfasis en el precio más bajo, con el fin de atraer aquella minoría de consumidores que valoran el precio más bajo, a expensas de perder la mayoría de los consumidores que prefieren otros atributos que un precio bajo.

Durante muchos años, los minoristas confiaron en el precio para aumentar el patrocinio, una estrategia cuya eficiencia se pone más en duda, a pesar de su uso generalizado.[25] La promoción de precios puede únicamente trasladar la demanda de un periodo a otro, o de una marca a otra dentro de la tienda, sin incrementar las ventas totales de la misma.

Tabla 5.1   Importancia del precio dentro de las decisiones del producto

Forma en que los consumidores reaccionan a la importancia de pagar el precio más bajo en comparación con pagar un precio en el margen que esperan pagar* en la elección de la marca

Categoría del producto	Precio más bajo (%)			Margen de precio (%)		
	Total	Mujeres	Hombres	Total	Mujeres	Hombres
Televisión	57	55	59	80	84	74
Medicinas	63	64	60	58	62	53
Sudaderas	58	60	56	75	79	70
Jeans	59	59	60	74	79	68

*La investigación indica que las mujeres valúan los productos más en el margen esperado de precio y los hombres valúan más en el precio más bajo.

Fuente: *Roger Blackwell y Tina Blackwell,* Understanding Your Customer, Part I *(International Mass Retail Association, 1997), 24.*

Sin embargo, la publicidad del precio se utiliza con frecuencia para mantener la igualdad competitiva, con base en la creencia de que la penetración en el mercado entre minoristas en competencia se ve influida por la publicidad del precio más bajo. A pesar de que un segmento de los consumidores está afectado por la publicidad del precio, la lealtad puede durar únicamente hasta que el siguiente conjunto de precios anunciados atrae a este segmento a otra parte. Datos detallados de seguimiento de ventas y de cambios en el precio están disponibles ahora para todo tipo de bienes de consumo; esto permite que los mercadólogos descubran qué funciona[26] y conviertan esa información en acciones estratégicas enfocadas al cliente.[27]

Los mercadólogos necesitan abordar la forma en que los segmentos del mercado responden a cambios a corto plazo en precios y promociones de marca.[28] Las preguntas acerca de la efectividad relativa de las promociones de precios, la publicidad, la promoción de ventas, etcétera, frecuentemente son analizadas con datos de seguimiento.[29] La investigación indica que las promociones de precios, y en menor grado, los desplegados en la tienda, tienen efectos de sustitución de marcas, pero también efectos de sustitución de tiendas en un minorista y sus competidores. Finalmente, los consumidores de un minorista cuentan con su imagen general para filtrar los efectos de la publicidad de precios.[30]

Publicidad y promoción para el posicionamiento de la marca de menudeo

La publicidad y otras formas de promoción son herramientas importantes para crear una marca de menudeo: un resumen de percepciones del consumidor respecto de la tienda y la imagen general. La publicidad para crear una marca de menudeo incluye imagen e información. Cuando un minorista crea su imagen inicial en un mercado o intenta situarse a sí mismo de una manera diferente al pasado, la publicidad debe enfatizar la "imagen". La **publicidad de imagen** utiliza *componentes visuales y palabras para ayudar a los consumidores a formarse una expectativa acerca de sus experiencias en la tienda y qué tipo de consumidores quedarán satisfechos con la misma.* Usted puede ver eso como un objetivo en el anuncio de Abercrombie & Fitch de la figura 5.3 y en el anuncio de Target en la figura 5.4a. La **publicidad informativa**, por otra parte, *proporciona detalles respecto de productos, precios, horarios de operación de la tienda, ubicaciones y otros atributos que pudieran influenciar las decisiones de compra,* como se observa en el anuncio Bauhaus de la figura 5.4b.

Figura 5.4a   Desarrollo de la marca de menudeo y mercadotecnia en Target

La publicidad de menudeo parece evolucionar para hacer énfasis en la publicidad de imagen e informativa distinta al precio, en vez de la publicidad de precios que era la práctica común de los minoristas en el pasado. Si los consumidores necesitan información específica acerca de ubicaciones u horarios de operación y, quizás, respecto a precios, esta información a menudo está disponible con mayor detalle en el sitio del minorista. Esto libera fondos para "desarrollo de marca" o posicionamiento de la publicidad en medios de difusión e impresos.

El enfoque del menudeo también ha evolucionado para centrarse en la mercadotecnia. Históricamente, las empresas de menudeo hacían énfasis en comerciar: adquirir la mercancía

Figura 5.4b   Desarrollo de la marca de menudeo y mercadotecnia en Bauhaus

adecuada, distribuirla y almacenarla, fijar precios y ofrecer rebajas en el momento oportuno.

Los minoristas ponían poca atención a actividades de mercadotecnia fuera de la tienda, a excepción de la publicidad de precios. Actualmente, en un esfuerzo por cambiar la percepción de la tienda y atraer consumidores, están añadiendo actividades de mercadotecnia, como por ejemplo horarios y servicios especiales para "clientes preferidos" y la comunicación con los segmentos por medio de bases de datos computarizadas.

Personal de ventas

You Win with People! es el título del libro acerca del éxito de Woody Hayes. La filosofía del entrenador de fútbol universitario Hayes es tan cierta en el menudeo como lo es en el fútbol. A pesar de que gran parte del menudeo se caracteriza por la autoselección sin la intervención de un vendedor, personal de ventas con conocimientos y deseos de ayudar, sigue siendo importante al seleccionar una tienda o un centro comercial.[31] Las tiendas europeas reconocen la importancia de la venta personal y contratan individuos que asisten a programas de aprendizaje y completan requisitos educativos y pruebas específicas. En Estados Unidos, las bajas tasas de desempleo han hecho que los minoristas tengan personal que con frecuencia no está a la altura de las expectativas del consumidor.

¿Qué hace efectivo a un vendedor? La investigación muestra que aunque las características personales (como personalidad, temperamento, edad y apariencia) tienen alguna relación con el desempeño, resultan incluso más importantes los niveles de habilidad y motivación.[32] Estas características se pueden modificar mediante una mayor capacitación y experiencia, un liderazgo visionario y una cultura corporativa.

Lo que esto quiere decir es que el éxito en las ventas está determinado por dos factores: 1) la relación durante la transacción y 2) las estrategias de persuasión utilizadas.[33] La capacidad del vendedor para ganarse la confianza del comprador y completar de manera exitosa un proceso de negociación se ve afectada por:

- *Conocimientos y experiencia percibidas*. La capacidad de un vendedor para ejercer una influencia persuasiva se ve afectada por su experiencia percibida. Cuando se da la impresión de que el vendedor es un conocedor, es más probable que el consumidor adquiera un producto con base en la confianza y seguridad que le da el asociado.[34]

- *Honradez percibida*. Las creencias previas de un comprador sobre cuán digno de confianza es un vendedor afectan la totalidad del proceso de negociación. Los acuerdos comprador - vendedor, así como la disposición del comprador a hacer concesiones, se incrementan cuando existen elevados niveles de confianza percibida. La severidad en la negociación se considera más positiva cuando la confianza es elevada.[35]

- *Conocimiento del cliente*. Varios estudios recientes han demostrado que mientras más familiarizado esté un vendedor con su cliente, es más probable que pueda cerrar una venta.[36] Los representantes de ventas conocedores pueden describir y clasificar diferentes tipos de clientes (incluyendo conocimientos respecto de rasgos, motivos y comportamiento) y cuentan con información acerca de otras experiencias de ventas para guiarlos en situaciones similares.

- *Adaptabilidad*. La estructura de conocimientos sofisticados del cliente, a su vez, parecería estar relacionada con la adaptabilidad. Con esa estructura en su sitio, un vendedor es capaz de responder a necesidades cambiantes e individuales del cliente, así como a sus expectativas.

Aun cuando con frecuencia la confianza del consumidor en los vendedores al menudeo es reducida, algunas tiendas encuentran forma de reclutar, capacitar y motivar personal de ventas de alta calidad. Home Depot se ha convertido en una tienda de éxito, de hágalo usted mismo, de mejoras al hogar en parte debido a su política de capacitar a los vendedores para que recorran los pisos y ayuden a los consumidores. Se espera que los vendedores aprendan todo lo posible respecto de cada uno de los productos de su pasillo y de los pasillos adyacentes. A los vendedores, a menudo reclutados de las filas de carpinteros y electricistas, se les alienta a utilizar todo el tiempo que necesiten con los clientes, incluso horas si es necesario.[37]

El personal también es el centro de la estrategia de Starbucks, la mega estrella del mundo del café y de los bocadillos, y uno de los minoristas de especialidad con crecimiento más rápido del mundo. La empresa proporciona opciones en acciones, incluso para sus trabajadores de tiempo parcial, así como tremendos programas de capacitación. ¿El resultado? La rotación de personal es la mitad o menos de la de otras empresas de alimentos. El presidente ejecutivo Howard Schultz explica: "Nuestra única ventaja competitiva sustentable es la calidad de nuestra fuerza de trabajo. Estamos edificando una empresa nacional de menudeo al crear orgullo —y valor— en los resultados de nuestro trabajo".[38]

Servicios ofrecidos

Instalaciones de autoservicio convenientes, facilidad de devolución de mercancías, entrega, crédito y buen servicio en general son aspectos que afectan la imagen de la tienda. Esto varía dependiendo del tipo de punto de venta y de las expectativas del consumidor, por ejemplo, Marshall Field's y otras tiendas departamentales exclusivas ofrecen asistencia personalizada a los clientes en la conformación de conjuntos completos, incluyendo accesorios y zapatos. Un comprador personal también puede llamar de manera proactiva a un cliente, al recibir la tienda mercancía que pudiera coordinarse bien con su guardarropa existente. Harrod's y Selfridge's en el Reino Unido, Coles-Meyer en Australia y C & A en Europa, Brasil y Argentina son algunas empresas enfocadas en proporcionar un excelente servicio para atraer a los clientes. El consumidor en la mira 5.1 analiza la forma en que Loblaw's, la cadena más grande de supermercados de Canadá, se ha convertido en líder e innovador en proporcionar servicios a los consumidores.[39]

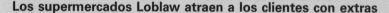

El consumidor en la mira 5.1

Los supermercados Loblaw atraen a los clientes con extras

Cuando usted atraviesa sus puertas delanteras, Loblaw's desea que se despoje de todas sus ideas acerca de lo que debe o no debe ser una tienda de comestibles. Naturalmente, la cadena más grande de Canadá vende todos los comestibles y vegetales que se encuentran en las tiendas de comestibles de todo el mundo, pero los extras que ofrece atraen por igual tanto a los consumidores como a los expertos industriales. Líder en el terreno de servicio auxiliar, Loblaw's renta locales dentro de la tienda a tintorerías, vinaterías, cafés, farmacias y servicios bancarios para sus clientes. Aunque otras tiendas han seguido su ejemplo, Loblaw's mejoró la apuesta al ofrecer puntos de venta de videojuegos y teléfonos celulares en algunas tiendas y espacio para rentar al Club Mónaco Inc. (cadena de ropa).

En una acción audaz, a finales de 1999 Loblaw's aumentó los servicios extra, al incluir un club de gimnasia de 7 mil pies cuadrados en su nueva supertienda de 80 mil pies cuadrados.

El GoodLife Fitness Club de Loblaw's permite que los consumidores hagan ejercicio, tomen clases de aerobics, entren al sauna, dejen a sus hijos en la guardería, y compren sus comestibles del día o de la semana todo ello en una sola visita. Las consumidoras presionadas por tiempo, que buscan formas creativas de manejar una multitud de responsabilidades al mismo tiempo, gustan tanto de la idea que la empresa planea inaugurar 10 clubes GoodLife Fitness más en Canadá.

La estrategia de Loblaw's es crear lealtad y aumentar las ventas con excelentes servicios auxiliares además de buenos productos. Y la estrategia está funcionando. Incluso aunque los gigantes estadounidenses Costco Wholesale (tienda de descuento de comestibles al mayoreo) y Wal*Mart tienen algún porcentaje del mercado de comestibles canadiense, Loblaw's sigue registrando tasas de crecimiento anual de 20%.

Fuente: basado parcialmente en Joel A. Baglole, "Loblaw Supermarkets Add Fitness Clubs to Offerings", en The Wall Street Journal *(diciembre 27 de 1999), B4.*

Atributos físicos de la tienda

Los elevadores, iluminación, aire acondicionado, sanitarios bien ubicados y visibles, diseño del interior, colocación y ancho de pasillos, servicios de estacionamiento, alumbrado y la arquitectura afectan la imagen y la elección de la tienda. *Las propiedades físicas del entorno de menudeo, diseñadas para crear un efecto sobre las compras del consumidor,* a menudo se conocen como **ambiente o atmósfera de la tienda**.[40] Desde el punto de vista del mercadólogo, la atmósfera ayuda a modelar tanto la dirección como la duración de la atención del consumidor, e incrementar la probabilidad de que un consumidor compre productos que de lo contrario pasarían desapercibidos. El entorno del menudeo también puede expresar carácter e imagen a los consumidores. Finalmente, la presentación de la tienda puede originar reacciones emocionales particulares, como el placer y la excitación, que influyen en relación con el tiempo y dinero que los consumidores utilizan al comprar.[41]

Supermercados como Byerly's, en Minneapolis, son la delicia de los clientes, con lujosos candelabros y un alfombrado cálido y acogedor sobre los pisos, en tanto que los Hard Rock Cafés estimulan la imaginación de los consumidores al desplegar discos, instrumentos y ropa de músicos famosos. El consumidor en la mira 5.2 muestra cómo Sephora atrae a los clientes con su atmósfera de tienda única.

La atmósfera puede involucrar múltiples sentidos para atraer un comportamiento de compra del consumidor. La música puede afectar la compra,[43] aquella que se reproduzca en una tienda a bajo volumen puede alentar una mayor interacción social entre compradores y personal de venta. Una música más rápida o más lenta influye en la percepción del tiempo utilizado en la tienda, y la música clásica puede dar una imagen de más clase o de precio más elevado que otra música.[44] El ritmo de la música (lento en contraste con rápido) también afecta la compra. La investigación indica que una música de ritmo lento incrementa tanto el tiempo como los desembolsos de la compra, en comparación con la música más rápido de las tiendas de comestibles.[45] En los restaurantes y bares, los clientes pasaron cerca de 25% más de tiempo y consumieron 50% más en bebidas, cuando el ritmo de la música fue lento.[46]

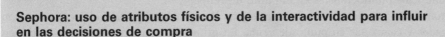

El consumidor en la mira 5.2

Sephora: uso de atributos físicos y de la interactividad para influir en las decisiones de compra

Sephora, la más reciente mega estrella de los productos cosméticos y de belleza, luchando por cambiar la cara del menudeo. El minorista, con base en Francia, formado en 1993 y adquirido en 1997 por LVMH Moet Hennessy Louis Vuitton, pone el mercadeo un paso hacia adelante al combinar color, perfume y diseño para crear una fiesta de los sentidos. El resultado es que a los consumidores les es imposible pasar frente a la tienda y no sentir la urgencia de entrar. Una vez dentro, Sephora se centra en la forma en que los consumidores adquieren productos de belleza, no en la forma en que los minoristas los venden.

En el interior de una tienda Sephora de París, una mujer joven se acerca a un elegante estuche negro y rojo, que contiene 365 diferentes tonos de lápiz labial, literalmente un tono diferente para cada día del año, y prueba diversos colores, de verde a morado, a tonos de amarillo y rosa. En la mayoría de las tiendas de cosméticos esto sería inapropiado,[42] pero en Sephora es una parte esperada de la experiencia. Organizado por categoría de productos, en vez de por marcas, los consumidores pueden experimentar con todos los tipos de productos.

Sephora actualmente opera más de 230 tiendas en Europa, Estados Unidos y Asia, además de abrir su tienda líder, de 21 mil pies cuadrados, en Rockefeller Center, Estados Unidos, recientemente abrió su primera tienda en el Japón, para atacar el segundo mercado de belleza y cosméticos más grande del mundo. La atmósfera de autoservicio, colores brillantes, diseño contemporáneo y edificio extravagante de tres pisos se espera traigan un nuevo sentido del lujo a la experiencia de compra de cosméticos en el Japón.

Fuente: basado parcialmente en: www.sephora.com *y Phyllis Berman y Katherine Bruce, "Makeover at the Makeup Counter", en* Forbes *(abril 19 de 1999).*

Los colores en el interior de la tienda también inciden en la percepción y el comportamiento de los consumidores. Éstos han calificado los interiores de colores fríos como más positivos, atractivos y relajantes que los de colores más calientes, mismos que a veces resultan más adecuados para el exterior de la tienda o los escaparates con el fin de atraer a los clientes hacia el interior de la misma.[47] Aunque el color no afecta la percepción de calidad de la misma, sí afecta cuánto creen los consumidores que están actualizados los desplegados de mercancía.

Clientela de la tienda

El tipo de persona que va de compras a una tienda afecta la intención de compra del consumidor, en razón a la tendencia a hacer coincidir la imagen propia con la de la tienda. Una tienda de cómputo de la costa oeste de Estados Unidos es famosa por su mal educado personal de ventas y su apariencia desordenada, pero millones de aficionados a la tecnología se agolpan en la tienda debido a su amplia selección de mercancías y existe la creencia de que es la tienda preferida de los aficionados de la tecnología.[48]

Algunos clientes también evitan tiendas porque no desean vincularse con ellas. Algunas personas pueden preferir tiendas departamentales en vez de comerciantes masivos, como Wal*Mart y K-mart, aunque parece que aumenta el número de consumidores que consideran "inteligente" comprar en tiendas minoristas que proporcionan valor. Los consumidores jóvenes podrían evitar un minorista porque tiene "demasiadas personas de edad ahí" y algunos consumidores de más edad evitarían tiendas que atraen a "demasiados jóvenes". Los restaurantes frecuentemente reflejan una tendencia respecto del tipo de personas que desean como clientes y por tanto, ofrecen razones positivas o negativas para su patrocinio. Algunos consumidores evitan restaurantes que se cree son atractivos para los niños, en tanto que otros segmentos de mercado se ven atraídos a restaurantes "amigables con los niños."

Materiales de punto de venta

Los desplegados o señales en el punto de venta (POP [point of purchase]) incrementan las posibilidades de capturar la atención de los consumidores y por tanto, de estimular la compra y aumentar las ventas.[49] Algunos informes indican que 70% de las decisiones de compra en las tiendas de comestibles y medicinas se efectúan en los pasillos de la tienda, a menudo con ayuda de anuncios promocionales en el punto de venta.[50]

Los promotores por tiempo son lucrativos para las agencias especializadas en la creación de desplegados y campañas en punto de venta. En primer término, resultan económicos en comparación con otras formas de promoción; segundo, llegan a las personas donde adquieren los productos; y en tercer término, agregan atmósfera a las tiendas de menudeo. Además, los materiales en punto de venta informativos y fáciles de utilizar ayudan de manera parcial a compensar la reducción en la cantidad y calidad de personal de ventas al menudeo.[51] Esto ocurre cuando una unidad de venta adicional ("Your extra salesman", YES) en el punto de venta puede resultar útil, esta unidad cuelga de la estantería y funciona como una persiana, donde la información del producto está impresa.[52] Los diseñadores de material en punto de venta están desarrollando aún más su creatividad para crear desplegados masivos de cartón, figuras y una infinidad de otros atractivos para llamar la atención, como se describe en la figura 5.5.

Logística del consumidor

El análisis del consumo cubre más de lo que compra una persona; examina la forma en que compran. La **logística del consumidor**[53] es la *velocidad y facilidad con las cuales los consumidores se mueven a través del proceso de menudeo y de compra* —desde el momento en que inician el proceso de ir de compras hasta el momento en que llevan los productos al hogar—. Examina las características de la tienda (como señalización, iluminación, servicio al cliente y cajas), considerando los comportamientos de compra de las personas. Contiene siete etapas principales del consumidor: 1) preparación para ir de compras; 2) llegada; 3) entrada a la tienda;

Figura 5.5 Lenguaje especial en punto de venta	
Interruptor de pasillo	Señal de cartón que se coloca a la mitad del pasillo para romper el patrón visual
Colgante	Señal que cuelga de una estantería y que oscila cuando pasan los compradores
Contenedor	Desplegado en forma de caja que contiene en su interior productos colocados en desorden, facilitando su relleno y permitiendo que los consumidores los toquen y los regresen
Glorificador	Pequeña plataforma plástica que eleva un producto sobre los demás
Bamboleador	Una señal que se mueve para llamar la atención
Pizarrón	Superficie plástica en la cual se escriben mensajes con crayola (que se pueden cambiar fácilmente)
Collarín	Cupón que cuelga del cuello de una botella
Unidad YES	"Su vendedor adicional", hoja con información que baja como una persiana
Anuncio de techo	Letrero que cuelga del techo, que da la apariencia de estar atravesado desde el otro lado del cielo raso

Fuente: basado en Ymiko Ono, "Wobblers and Sidekicks Clutter Stores, Irk Retailers", en The Wall Street Journal *(septiembre 8 de 1998), B1 y B4.*

4) movimientos dentro de la tienda; 5) caja; 6) retorno y almacenamiento en el hogar y 7) falta de existencias en el inventario que incitan a la recompra. Estas etapas, como se puede observar en la figura 5.6, cubren la ubicación de las tiendas, la disposición de las mismas, el ancho de los pasillos, los desplegados en punto de venta, las filas de espera en cajas, la afluencia dentro de la tienda, el personal y servicio al cliente, los métodos de pago, la señalización y la seguridad, desde la perspectiva del consumidor. Los minoristas pueden utilizar esta lista para dividir y organizar la investigación que han efectuado respecto del particular, así como la forma en que afectan las ventas de la tienda y la satisfacción del cliente.

El proceso de compra se ve facilitado, positiva o negativamente, por la logística del consumidor. Por ejemplo, la cantidad de la afluencia en las tiendas afecta las ventas: un exceso de personas en una tienda a menudo hace que éstas queden menos satisfechas, por otro lado, ensanchar los pasillos ayuda a incrementar el deseo de compra del consumidor, especialmente en situaciones de compras que requieren de carritos. Si lo anterior no es físicamente posible, permitir que los consumidores tengan alguna opción sobre el manejo de las condiciones de aglomeración pudiera convertirlos en más positivos respecto a la tienda.[54] La oferta de una caja exprés para pequeñas compras es una opción, Safeway, en Inglaterra, y Meijer's en Estados Unidos ofrecen cajas automáticas, como se observa en El consumidor en la mira 5.3. Las tiendas también pueden reorganizarse, colocando los elementos de consumo más cotidiano, como leche y pan, en la parte delantera de la tienda, de manera de atraer compras pequeñas, que con frecuencia se pierden a favor de las tiendas de descuento.

En general, las tiendas están incorporando tecnología, personal y capacitación para incrementar el servicio y reducir el tiempo que los consumidores utilizan esperando en la tienda y en la caja. Target (y más recientemente Wal*Mart) coloca checadores de precio o

Figura 5.6	Etapas de la logística del consumidor

1. Preparación	2. Llegada a la tienda	3. Entrada a la tienda	4. Movimientos a través de la tienda	5. Caja de salida	6. Regreso a la casa y almacenamiento	7. Reposición del inventario
• Cupones • Publicidad • Compra de marcas circulares • Listas: obtener productos y tiendas • Planeación del camino a recorrer • Punto de salida • Agrupamiento de paradas • Horas de operación • Percepción de lo ocupado que estará • Necesidades de productos • Inspección del catálogo de la tienda si está disponible • Percepciones respecto de la tienda	• Entorno fuera de la tienda • Seguridad: patrulla de servicio • Señalización • Iluminación • Clientela • Cantidad de gente • Clima	• Recepcionistas • Obtención y separación de los carritos • Entrada: obstruida o limpia • Cámaras • Primeras paradas • Comodidad con el tamaño • Familiaridad • Capacidad de ver de un lado a otro de la tienda	• Disposición de los productos • Cambios en la localización de los productos • Señalización de las secciones • Iluminación • Música • Personal de la tienda • Mecanismos de ayuda/ asistencia • Surtido de productos • Carritos • Pasillos • Promociones o materiales en punto de compra • Evaluaciones de precios • Evaluaciones de marcas • ¿Quién está comprando con ellos? • Tamaño de la tienda • Limitaciones • Etiquetas de lectura • Tránsito en la tienda	• Tiempo en la fila de espera • Número de personas en la fila • Selección de la mejor fila • Tamaño de los pasillos • Caja automática • Métodos de pago • Carga sobre la banda transportadora • Vigilancia de los precios • Verificaciones y precisión del precio • Cupones y su canje • Colocar en bolsas • Rastreo de precios • Seguridad	• Salida hacia el automóvil • Facilidad para salir del estacionamiento • Productos en el automóvil • Dónde colocar los artículos en la casa • Carga de la alacena • Problemas de descarte	• Necesidad de empezar el proceso de nuevo • Satisfacción/ insatisfacción con el producto, marca, tienda.

escáners por toda la tienda, para aquellos compradores que necesitan verificar los precios. Si un producto no está marcado o está en barata, los consumidores pueden tomarlo, rastrear el código de barras y obtener una lectura del precio y decidir si compran o no, antes de llegar a la caja. Esperar en la fila es una experiencia frustrante para los consumidores, especialmente cuando ven recursos sin usar, como mesas vacías en un restaurante o cajas cerradas en una tienda de comestibles.[55] Ofrecer algún tipo de distracción mientras las personas esperan, (como pequeños productos de impulso y revistas para su lectura) o trasladar personal de atrás de la tienda con la finalidad de poner en servicio más cajas cuando sea necesario, hace que la experiencia de compra sea más satisfactoria, e incrementa la posibilidad de una repetición de compra. Usted puede analizar, cuántos de los elementos analizados en esta sección afectan el proceso de logística del consumidor.

Lo que los consumidores esperan y demandan de una situación de compra cambia dependiendo del tipo de tienda que visitan. Por ejemplo, conforme aumentan las presiones de tiempo sobre los consumidores, éstos buscan maneras de incrementar la eficiencia de sus patrones de compra.[56] Veamos ahora *dónde* ocurren las compras de los consumidores en el mundo y de qué forma los minoristas adaptan sus estrategias para llenar los comportamientos cambiantes de los consumidores.

El consumidor en la mira 5.3

Verifique esto

Aunque la forma de autopago quizás se intentó por primera vez en Holanda y en Estados Unidos, las tiendas Safeway, en Gran Bretaña, fueron el primer minorista en ponerlo en operación a un nivel masivo. A principios de 1988 se instalaron checadores de precio de autopago en más de 150 tiendas Safeway con la finalidad de reducir la frustración de los consumidores al tener que esperar en largas filas de caja.

He ahí cómo funciona: cuando los consumidores entran en la tienda utilizan su tarjeta de lealtad magnética para liberar de su soporte uno de los 96 checadores de mano disponibles y empezar el proceso de compra. Registran sus compras conforme llenan sus carritos y van recorriendo la tienda. Cuando regresa el checador a su soporte, se genera un recibo, que se paga en la caja correspondiente. Para vigilar la honestidad de las personas, Safeway lleva a cabo rastreos ocasionales, en los cuales una persona en cajas volvió a registrar los artículos con el fin de comparar los totales. Esto es probable que ocurra en una de cada 16 visitas. En otras tiendas, como en Meijers en Estados Unidos, se está experimentando con un sistema que hace que el consumidor registre cada artículo conforme éste es descargado del carrito en la caja. Este sistema también permite a los consumidores pagar sus compras mediante tarjetas de crédito o de débito. Un empleado se localiza frente a las seis unidades para detectar cualquier problema que pudiera ocurrir.

Las reacciones iniciales de los consumidores y detallistas son positivas. A los consumidores les agrada la conveniencia del proceso rápido de pago, en tanto que los detallistas han experimentado una buena rentabilidad en sus inversiones en términos de satisfacción y ahorro de mano de obra. En un esfuerzo por ser más competitivos en el campo de la conveniencia, minoristas como Kroger (Estados Unidos) y Tengelmann (Alemania) han seguido los pasos de la división Albert Heijn de Royal Ahold's, que ha hecho extensiva la tecnología a varias de sus tiendas holandesas.

Fuente: tomado parcialmente de: Matt Nannery, "Britain's Safeway Expanding Self-Checkouts to 150 Stores", en Chain Store Age *(enero de 1997), 150-155.*

El panorama cambiante del menudeo

Hoy día, los consumidores desean adquirir bienes y servicios por medio de una diversidad de formatos de menudeo; por tanto, los mercadólogos de mayor éxito están recurriendo al **menudeo multicanal**, *llegando a diversos segmentos de consumidores por medio de una diversidad de formatos, en base a sus estilos de vida y a sus preferencias de compra.* El menudeo multicanal incluye muchas alternativas: menudeo basado en la ubicación, venta directa, mercadeo directo y menudeo electrónico. Incluso para un mismo segmento de mercado, los consumidores demuestran un deseo de adquirir por medio de múltiples canales, dependiendo de la situación. Los mercadólogos de éxito encuentran más fácil modificar sus formatos de menudeo para adecuarlos a los estilos de vida de los consumidores, que cambiar los estilos de vida y el comportamiento de los consumidores, para que se adecuen a los formatos existentes o en surgimiento. Los minoristas tradicionales confían en técnicas de mercadeo y de descuentos de precios para promover bienes, en vez de entender con claridad lo que desean los compradores.[57]

Menudeo basado en la localización

Generalmente los consumidores compran la mayor parte de los productos de los minoristas que tienen un establecimiento —tienda— ubicada ya sea en un centro comercial, en un conjunto de tiendas, un mercado central, o una zona comercial. Los formatos basados en localización incluyen tiendas de especialidades, tiendas de comestibles y medicamentos y tiendas de descuento. Pero en años recientes, los minoristas orientados al valor, como las tiendas de descuento, las supertiendas, los hipermercados, y las tiendas de "caja grande" han experimentado un mayor crecimiento.

Minoristas orientados al valor

Los minoristas de valor por lo general ofrecen a los consumidores precios menores que otras tiendas de menudeo, debido a sus grandes economías de escala y a las elevadas rotaciones de sus volúmenes.[58] Muchos consumidores también los creen convenientes porque pueden encontrar diferentes tipos de productos en una tienda o inspeccionar un gran surtido de productos, como en el caso de las tiendas de caja grande. La figura 5.7 define los varios minoristas de valor y resume sus ventajas a los consumidores.

Una forma de menudeo basado en la localización, que prospera en algunos países, es el **hipermercado**. Estas tiendas *incorporan tecnología de avanzada en el manejo de los materiales, en un perfil de operación tipo bodega que proporciona a los consumidores tanto una sensación de bodega como un fuerte atractivo de precio.* Ejemplos incluyen Carrefour, con base en Francia, y que se encuentra en países de todo el mundo, Cara en el Benelux; Pick'n Pay, en Sudáfrica; y Big W en Australia. Aunque Estados Unidos no tiene verdaderos hipermercados, muchos principios de esta forma de menudeo se han incorporado a Meijer, BigK, Home Depot, Lowes y las supertiendas Wal*Mart.

Centro comercial

En promedio, los consumidores estadounidenses asisten a los centros comerciales con menos frecuencia de lo que solían hacerlo, y cuando lo hacen, visitan aproximadamente la mitad de las tiendas que solían visitar, —3.5 tiendas por viaje en contraste con 7.[59] Algunas causas de la disminución es su menor tiempo de ocio, congestiones en el tránsito, mayores niveles de estrés, miedos económicos, preocupaciones por la seguridad y compras vía internet.

Figura 5.7   Minoristas orientados al valor

Tipo de minorista	Descripción	Ventajas para los consumidores	Características
Tienda de caja grande *Home Depot* *Circuit City* *Best Buy*	Especialización en categorías específicas de productos	Profundidad en el producto, muchas marcas y productos relacionados Precios más bajos Procesos de compra más fáciles	Una gran presencia y volumen en el mercado Margen de servicios A menudo "expertos en su categoría"
Minorista de descuento/masivo *Wal*Mart* *Target* *Kmart*	Mercancías en general, organizadas por áreas como automotriz, ropa, decoración y mobiliario del hogar	Cobertura en el producto, marcas nacionales, precios más bajos, conveniencia, consistencia entre tiendas Proceso de compra más fácil	Productos de elevada rotación en tiendas de 100 mil o más pies cuadrados Ventajas negociadas con proveedores nacionales y privados Buena comercialización de los productos Grandes espacios traseros (pero haciéndose más eficientes con la logística)
Supertienda *BigK* *Meijer*	Tienda de menudeo masivo, con venta de comestibles	Disponibilidad de comestibles implica una verdadera compra en una sola visita	Igual que arriba Gran rotación de comestibles
Hipermercado *Pick'n Pay* *Carrefour* *Vertkauf*	Similar a una supertienda (bienes de consumo, comestibles y ropa) incluidos otros artículos como aparatos domésticos Productos desplegados sobre tarimas	Bajos precios en comparación con los minoristas del área Amplitud de productos Conveniencia de comprar en una sola visita	Hasta 200 mil pies cuadrados De la manufactura directamente al menudeo, empaque y desplegados sobre tarimas Se reduce el costo de mano de obra para poner en estantería los productos, utilizando montacargas Verticalización del espacio (apilado hasta el techo, con el fin de eliminar espacios traseros)

No obstante esto no ha sido suficiente para que los desarrolladores estadounidenses construyeran nuevos espacios de menudeo. En la década de los setenta se tenían ocho pies cuadrados de espacio de menudeo por persona, y hoy, se ha incrementado a más de 20 pies cuadrados. Una tendencia similar ocurre en Europa y en Australia —a pesar de que la cantidad de espacio de menudeo por persona es mucho menor en otras naciones que en Estados Unidos.

Los centros comerciales regionales han progresado de una manera dramática desde que J. C. Nichols construyó el primero, el Country Club Plaza, en Kansas City, en 1922. Ahora existen más de 28 500 centros comerciales en Estados Unidos, en comparación con sólo 2000 en 1957, mucho más que en cualquier otro país.

A pesar de que el Plaza sigue ofreciendo una de las colecciones más excitantes de minoristas de clase alta de Estados Unidos, hoy el centro más refinado se encuentra en Edmonton, Alberta, Canadá. El West Edmonton Mall, reconocido generalmente como el más grande del mundo, fue el primer megacentro, con 5.2 millones de pies cuadrados y 800 tiendas y servicios. Ofrece un parque acuático de 5 acres (el parque acuático interior más grande del mundo), 19 salas de cine, un hotel, 110 puntos de venta de alimentos, docenas de paseos, una pista de hielo, un campo de golf miniatura, una capilla, una agencia automotriz y un zoológico. Los consumidores llegan de todo Estados Unidos para comprar y jugar durante unos cuantos días en este "centro de compras destino".

Otros han seguido su ejemplo. Bluewater, la nueva joya de la corona europea en cuanto a centros comerciales, se encuentra a 17 minutos de Londres y a 2 horas de París, una vez que sea abierto el enlace de ferrocarril bajo el canal en 2003.[60] Otro gigante, The Mall of America, en la Minneapolis suburbana, presume de más de 400 tiendas, incluyendo Bloomingdale's, Macy's y Nordstrom's. El centro de 4.2 millones de pies cuadrados está pasando por una fase de expansión en la que espera duplicar su tamaño. Quizás la versión más moderna de megacentro es el Easton en Columbus, Ohio, con casi 4 millones de pies cuadrados de espacio de menudeo, instalados alrededor de un "Centro cívico" diseñado para actuar como un lugar de reunión para los compradores, y donde los niños pueden jugar alrededor de las grandes fuentes exteriores. Easton celebra los patrones de compra tradicionales de las pequeñas ciudades de Estados Unidos de hace un siglo. En vez de centros cerrados, que controlan las actividades del consumidor y patrones de tránsito, Easton incorpora una zona comercial exterior, en la cual los peatones y los vehículos "conviven" en un centro de entretenimiento y menudeo. El centro tiene innovadores restaurantes y tiendas locales como Ocean Club y The Modern Object, y cadenas nacionales como Cheesecake Factory, Potterybarn y Nordstrom. También incluye minoristas de valor en forma de tiendas perimetrales, además de una pista de patinaje sobre hielo, campos de fútbol sóccer y gimnasio. Easton como otros centros comerciales contemporáneos, busca ser más que simplemente un lugar de compras; procura ser "*el* lugar donde se debe *estar*".

Mercadotecnia directa

Un porcentaje creciente de las actividades de compra y adquisición de los consumidores ocurre ahora en otro lugar diferente a una tienda. Las estrategias utilizadas para llegar hasta los consumidores en el hogar, oficina o avión, en vez de confiar en que los consumidores visiten las tiendas, se conoce como mercadotecnia directa. Dicha mercadotecnia está creciendo en Estados Unidos y en la mayoría de los países en desarrollo, incluyendo algunos países en África, China e India. En comparación con la población en general, los compradores desde el hogar son algo más jóvenes, con ingresos por casa ligeramente superiores, tienen una educación e ingresos por encima del promedio y lo más probable es que vivan en una ciudad más pequeña o en un área rural. Muchos son activos compradores de menudeo, desde su casa por razones distintas que alguien que evita la tienda o el centro comercial.[61] Incluso, el mercadeo directo también atrae a consumidores de mayor edad, consumidores limitados a su casa o discapacitados y a otros segmentos especiales de la población. Los productos más frecuentemente ordenados son ropa, revistas, accesorios para el hogar, equipo de mantenimiento del hogar y de la cocina y artículos de oficina para el hogar.

Existen seis procedimientos de mercadeo directo: 1) venta directa, 2) anuncios de correo directo, 3) catálogos de correo directo, 4) telemarketing, 5) anuncios de respuesta directa, y 6) medios electrónicos interactivos, incluyendo notablemente, la internet. La mercadotecnia directa, en todas sus formas, involucra un contacto directo con los consumidores. Aunque las tarjetas de crédito, los programas de lealtad y los datos de seguimiento están haciendo cada vez más posible que las tiendas recolecten datos acerca de los consumidores, la mercadotecnia directa ofrece una posibilidad de seleccionar mercados objetivo específicos mediante el uso de listas de correo especializadas, bases de datos o los medios. Esto permite llamadas personalizadas y una estrategia creativa basada en los estilos de vida y las necesidades de los segmentos del mercado objetivo.

Venta directa   Se define como *cualquier forma de contacto personal entre un vendedor y un cliente, lejos de un establecimiento de menudeo*. A pesar de que es difícil obtener estadísticas precisas, la venta personal directa ahora representa aproximadamente 2% de todas las ventas de mercancía general y principalmente ocurre en un hogar, el lugar de trabajo u otra localización fuera de una tienda de menudeo. El método de menudeo de puerta en puerta de Avon pudiera parecer como un sistema arcaico, pero la empresa sigue confiando en su fuerza de ventas para lograr aproximadamente 98% de sus ventas.[62] Sin embargo, gastará hasta 90 millones en publicidad global para promover su sitio Web.[63] The Longaberger Company confía en sus más de 37 000 asesores de ventas para promover sus elegantes canastas hechas a mano, y sus accesorios para el hogar, a clientes mediante fiestas en el hogar. Con sus oficinas centrales en un edificio gigante en forma de canasta cerca del Dresden, Ohio, las ventas de Longaberger se acercan a los mil millones de dólares. Una clave para su éxito a largo plazo es la posibilidad de coleccionar sus canastas y demás productos. Cuando los consumidores "invierten" en productos Longaberger, se convierten en parte de la red familiar Longaberger, que patrocina el comercio y las oportunidades de ventas durante el año.

Anuncios de correo directo   Las compras en respuesta a llamados por correo directo han demostrado que llenan necesidades reales del consumidor, como la disponibilidad de mercancía, conveniencia, bajo precio y mejor calidad. A pesar de que muchos individuos a menudo suponen equivocadamente que el correo directo es una invasión no deseada dentro del hogar, las encuestas consistentemente demuestran que más de la mitad de los consumidores consideran el correo directo bienvenido, lo abren y lo leen, aunque esto disminuye conforme aumenta el nivel de educación e ingresos.

Catálogos de correo directo   La compra por catálogo ha experimentado un crecimiento dramático en años recientes, promediando aproximadamente 7% de crecimiento anual en ventas (por lo menos el doble que el de los minoristas establecidos). De acuerdo con estudios, más mujeres que hombres compran vía catálogo, más de dos terceras partes de los compradores por catálogo han asistido a la universidad, entienden la tecnología y gastan más tiempo y dinero en eventos relacionados con el ocio. En Estados Unidos, los catálogos actualmente atraen a consumidores de clase alta, en tanto que en muchos países, el catálogo es preferido por los consumidores de clase baja.

Telemercadotecnia   Prácticamente 20% de los pedidos de respuesta directa son ahora incitados por una llamada telefónica, conocida como telemercadotecnia de salida. Utilizando datos de los censos, disponibles por los códigos postales, se puede apuntar a los hogares objetivo con una elevada precisión demográfica. Además, se logra una verdadera personalización si quien llama es hábil y consciente. La **telemercadotecnia hacia adentro**, por otra parte, se refiere al *uso de un número 01-800* (o de un número 1-888) *para colocar directamente los pedidos*. Los usuarios más considerables son las familias más jóvenes, mejor educadas, con ingresos más elevados y niños en el hogar.[64] La telemercadotecnia funciona mucho mejor con los clientes actuales (donde una base de datos de los clientes contiene sus intereses y preferencias) en vez de llamadas en frío.

Anuncios de respuesta directa   Aproximadamente 20% de las compras en el hogar están impulsadas todos los años por anuncios en los periódicos, revistas y páginas amarillas, que requieren de una respuesta directa como por ejemplo devolver un formulario de pedido. En esta categoría se ubica el gran crecimiento en las compras del hogar por TV, tanto en Estados Unidos como en el extranjero. La "venta en pantalla" parece funcionar bien con una diversidad de productos, especialmente cuando existe la necesidad de una demostración. Eastman Kodak Co., introdujo sus nuevas cámaras Cameo con lente zoom en la red de compras QVC y en sólo 70 minutos 9700 se vendieron.[65] También Kodak se benefició al presentar simultáneamente algunos productos relacionados con la empresa.

Comportamiento de compra en la revolución del comercio electrónico

El niño encantador del mercadeo directo hoy día es el comercio electrónico. De la misma forma que la revolución industrial cambió radicalmente la naturaleza del trabajo, creó una enorme riqueza, alteró la estructura familiar, generó nuevos estilos de vida y finalmente afectó incluso la forma fundamental de gobierno en todo el mundo; se espera que la revolución del comercio electrónico provoque cambios no menos profundos. Los analistas del consumidor deben prepararse para entender e interpretar estos cambios y sus efectos tanto en la sociedad como en las estrategias de mercadotecnia.

Los ganadores en el menudeo de "hacer clic y pedir", como sus predecesores en el menudeo de "ladrillos y mortero" serán aquellos que sepan cómo atender al cliente mejor que sus competidores y proporcionar mejores soluciones que las disponibles para los consumidores en el pasado. La tecnología del menudeo electrónico determina lo que se puede ofrecer a los consumidores, pero sólo éstos determinan cuáles tecnologías serán aceptadas. El reto para los analistas del consumidor es darle sentido a esta forma de menudeo. La figura 5.8 aplica las primeras cuatro etapas del modelo de decisión del consumidor (PDC) al menudeo y compra en el comercio electrónico.

Al examinar la forma en que los consumidores toman decisiones de compra, un punto débil de la internet es la no capacidad de tocar y experimentar el producto antes de su compra. En Le Printemps, Francia, una de las tiendas departamentales más famosas del mundo, los consumidores pueden ponerse en línea y hablar con un vendedor en la tienda. Los vendedores: conocidos como "Webcamers", están equipados con computadoras portátiles superligeras, equipo inalámbrico de red y cámaras de vídeo. También utilizan patines, lo que les permite trasladarse rápidamente a través de la tienda insignia de 1.5 millones de pies cuadrados de Le Printemps (localizada en 24 pisos, en 3 edificios).[66] Los consumidores hablan en línea con los vendedores, quienes les muestran la prenda exacta, solicitando quizás la asistencia de otra persona para modelar la pieza. Incluso mantiene un registro global de bodas y regalos (www.printemps.fr) disponible para su base de datos global de clientes. La tienda de departamentos ha implementado otras innovaciones, como desfiles de modas, compras las 24 horas y anfitriones que efectuarían presentaciones de mercancías, de una manera similar al Home Shopping Network de la televisión.

De los miles de consumidores que visitan el sitio de un minorista electrónico, sólo unos cuantos realmente compran algo. Incluso entre aquellos consumidores que toman la decisión de adquirir un producto, introduciendo información del producto y personal en un "carrito de compras" en el sitio, y anotan información de crédito y embarque, la mayor parte da por terminado el proceso sin completar la transacción. A pesar de que las razones no son todavía claras, aunque se está investigando, la consecuencia es que muchos minoristas electrónicos no han logrado obtener una utilidad de las transacciones. Algunos proyectan su futuro crecimiento más en ingresos por publicidad que en transacciones reales.

Figura 5.8   Análisis de consumidor del comercio electrónico

Reconocimiento del problema

¿Cuáles etapas de la compra causan a los consumidores problemas que pueden resolverse mejor vía la internet o por medio de un minorista electrónico?
- No poder ir a una tienda cuando ésta está abierta
- La tienda está alejada (ya sea en otra ciudad o en otro país)
- Necesita productos especiales que muchos minoristas no tienen en existencia (tamaños especiales, materiales agotados, preferencias personales o productos para fines médicos especiales)

Ejemplo   Un consumidor puede encontrar dificultades al adquirir zapatos del número 14 a un minorista tradicional, que no puede darse el lujo de mantener en inventario productos especializados que no tienen una rápida rotación. Comprar a un minorista electrónico o hacer la compra directamente del fabricante resuelve mejor el problema para ese consumidor, que el canal de menudeo existente. Los minoristas electrónicos pueden tener mayor posibilidades de resolver el problema de sus consumidores *al vender productos que atraen segmentos demasiado pequeños para los minoristas que tienen un establecimiento*.

Limitaciones   Probar el ajuste y comodidad de los zapatos, una parte importante de la compra, es un problema que el minorista electrónico no resuelve muy bien. Incluso cuando alguna prenda le gusta a un consumidor y la solicita, la tasa de devolución es tan elevada que los minoristas basados en localización pudieran tener menores costos que los minoristas electrónicos.

Búsqueda

¿En qué instancias se ve el proceso de búsqueda mejorado o simplificado vía la internet?
- Buscar una amplia variedad de fuentes de información, quizás de manera global
- Identificar un título específico de producto, un nombre o una marca y un minorista que lo venda
- Buscar información respecto de marcas competitivas o acerca de algún tema de interés
- Capacidad de "ir de compras" en varios minoristas, por lo que se refiere a productos y precios

Ejemplo   En el pasado, si los consumidores buscaban un libro o un CD de música específicos, probablemente tenían que recorrer varias tiendas para encontrarlo. El proceso de búsqueda podría involucrar varias llamadas telefónicas o viajes a varias tiendas. Con la internet, sin embargo, los consumidores pueden buscar los inventarios en línea de los minoristas establecidos y elegir comprar de la tienda o comprar en línea. También, el acceso a información respecto de productos o intereses se puede llevar a cabo desde la casa en vez de desde la librería.

Limitaciones   Si los consumidores no están exactamente seguros de lo que buscan, la búsqueda puede complicarse si no existe asistencia disponible para limitarla. La búsqueda conducirá a comprar en países donde los servicios postales o los servicios comerciales pueden entregar productos con facilidad y a bajo costo, especialmente si no se resuelven satisfactoriamente problemas como cargos, daños en el embarque, y gastos e impuestos en las aduanas.

Evaluación de las alternativas antes de la compra

¿En qué casos se mejora o simplifica el proceso de evaluación mediante la internet?
- Al comparar los precios de los productos entre diversos minoristas (especialmente en establecimientos en todo el mundo)
- Al comparar las características de los productos

Ejemplo   El menudeo electrónico tiene la ventaja de que los consumidores pueden comparar los atributos de un producto ofrecido por varias empresas, especialmente el precio. Están disponibles numerosos programas de búsqueda, así como sitios para comparar precios, una vez que los consumidores han definido otros atributos o marcas que se encuentran en su juego en consideración.

Limitaciones   Dos problemas principales dificultan evaluar alternativas sobre variables diferentes al precio a los consumidores. En primer término, muchos datos para estas evaluaciones no se recuperan de las bases de datos de los competidores, que evitan de manera activa la publicación de este tipo de datos. El segundo problema es que los atributos de mayor importancia puede que no sean digitalmente comparables.

Compra

¿Cuándo la compra vía internet es más eficiente y preferible que otras formas de compra?
- Cuando físicamente no es posible que vaya a la tienda
- Cuando llamar por teléfono es difícil o inconveniente
- Cuando se repite el mismo pedido
- Cuando el consumidor está familiarizado con los productos que se están pidiendo
- Cuando el consumidor no necesita el producto de inmediato

Ejemplo   Los consumidores que en el pasado han adquirido camisas de L. L. Bean, les parece cómodo visitar el sitio y ordenar camisas adicionales. La ventaja es que se puede hacer en cualquier momento, de noche o de día, sin miedo de que la talla resulte equivocada. Algunas similitudes existen para artículos no perecederos, de uso rutinario, que se encuentran en las tiendas de comestibles.

Limitaciones   Cuando un consumidor recorre una tienda de comestibles para comprar en promedio 18 diferentes productos, utiliza aproximadamente 21 minutos para buscar en la tienda, seleccionar los productos, pagar y cargar su automóvil. ¿Puede el menudeo electrónico de comestibles compararse en tiempo y ayuda? Únicamente si el minorista electrónico ofrece información respecto de selecciones y disponibilidad de los productos, dando "utilidad en tiempo" y ofreciendo un precio similar o inferior. Si resulta más fácil y más conveniente el uso de un minorista electrónico, entonces los consumidores pudieran estar dispuestos a absorber los costos más elevados de la entrega a domicilio y de un "asistente de compras"

Recursos del consumidor: lo que gastan las personas cuando compran

Independientemente de cómo y qué compren, los consumidores tienen varios presupuestos para adquirir productos y servicios; cuando compran gastan dinero, tiempo y atención. Por tanto, todos los productos tienen un costo monetario, de tiempo y de conocimientos, que los consumidores tienen que pagar en el proceso de la compra.

Presupuestos de dinero y tiempo

La economía básica nos indica que mientras más dinero gane una persona, más tendrá él o ella para gastar en el mercado. El capítulo 7 resaltará tendencias de ingresos de los consumidores en el mundo, pero aquí deseamos enfocarnos en cómo los consumidores utilizan sus recursos para comprar. Los estudios muestran que mientras más dinero tengan las personas, más ocupados estarán, incrementando por tanto el valor de su tiempo. Aunque las personas gasten una cantidad infinita de dinero (por lo menos en teoría), sólo tienen 24 horas al día para actividades tan fundamentales como dormir y comer, hacer deporte, trabajar y comprar.[67] La forma en que los consumidores asignen este tiempo dependerá de sus **estilos de tiempo**.

Los presupuestos de tiempo del consumidor, que gastan en actividades vitales, se solían dividir en dos componentes: trabajo y ocio. Se suponía que todo el tiempo que se utilizaba fuera del trabajo era ocio. En contraste, una concepción contemporánea del tiempo, como se puede observar en la figura 5.9, lo divide en tres bloques: tiempo pagado, tiempo obligatorio y tiempo discrecional. El **tiempo discrecional es el tiempo de ocio,**[68] *en el que los individuos no tienen compulsión u obligación económica, legal, social o física.* En años recientes, conforme las personas trabajan más horas y se ven obligadas a efectuar más trabajo o actividades familiares, el tiempo de ocio en el presupuesto de tiempo se ha reducido de manera significativa. El **tiempo no discrecional** incluye las *obligaciones físicas* (dormir, ir de un lugar a otro, cuidados personales), las *obligaciones sociales* (mismas que aumentan con la urbanización y la creciente proporción de ocupaciones profesionales y de actividades no manuales), así como *las obligaciones morales*. Las obligaciones físicas y morales aumentan al incrementarse los ingresos.

Los acosados consumidores se las arreglan de muchas maneras con estilos de vida apretados de tiempo. Muchas personas simplemente reducen sus horas de sueño. Otros utilizan menos tiempo haciendo lo que realmente desean hacer o escogen actividades que requieren de menos tiempo. La toma de decisiones del consumidor también toma tiempo, según se observa en la figura 5.10. El tiempo que los consumidores están dispuestos a gastar en actividades de compra, a menudo disminuye conforme aumenta la cantidad de dinero que ganan. Esto hace que las marcas sean una parte importante del proceso de compra. Si un consumidor confía en una marca, él o ella pueden utilizar menos tiempo volviendo a comprar el producto. Factores

---

Figura 5.9   Componentes de los presupuestos de tiempo del consumidor

Componentes tradicionales del ocio   24 horas

Trabajo	Ocio

Componentes contemporáneos del ocio   24 horas

Trabajo	Tiempo no discrecional	Ocio

Tiempo pagado   Tiempo obligado   Discrecional

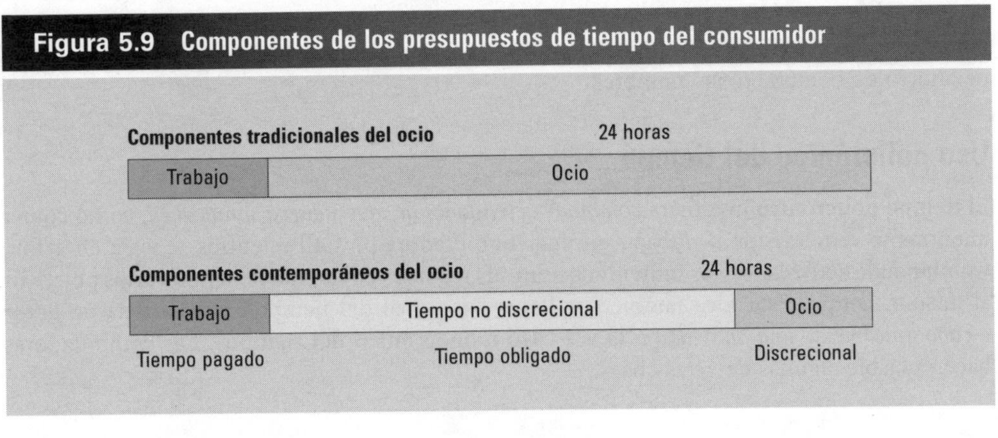

Figura 5.10   Actividades de compra del consumidor que involucran uso de tiempo

Previos a la compra	Compra	Posterior a la compra

• Reunión de la información
  • Conversación
  • Uso de medios misceláneos (por ejemplo, *Consumers Reports*)
  • Examen, mirar escaparates
  • Otra publicidad (por ejemplo, anuncios espectaculares)
• Búsqueda de características que "ahorran tiempo"
• Compra por comparación
	• Compra
	  • Por correo/teléfono
	  • En la tienda
	  • Forma de pago (por ejemplo, efectivo, cheque, tarjeta de crédito)
	• Tiempo de recorrido relacionado y espera en cola
		• Recolección de información y conocimiento del uso del producto
		• Llenado de formularios de garantía
		• Reparaciones y mantenimiento
		• Uso real y continuado del producto
		• Deshacerse del producto (preselección de aluminio y plástico, viaje al tiradero de la ciudad)

Fuente: John P. Robinson y Franco M. Nicosia, "Of Time, Activity, and Consumer Behavior: An Essay on Findings, Interpretations, and Needed Research", Journal of Business Research *22 (1991), 171-186.*

como el placer de comprar influyen sobre el tiempo que los consumidores están dispuestos a dedicar a actividades de compra.[69]

Bienes que utilizan tiempo   Algunos productos y servicios requieren el uso del tiempo, por ejemplo, ver la televisión, esquiar, pescar, jugar golf o tenis. La probabilidad de que los consumidores compren bienes que utilicen tiempo dependerá de su uso del tiempo en un día de 24 horas típico. Conforme los consumidores ganan más dinero, estarán más dispuestos a gastar más dinero en el tiempo que sí tienen. Esto ha incrementado el mercado de los viajes, de los deportes extremos y de comer fuera de casa. Por ejemplo, algunos consumidores deciden jugar tenis en vez de golf. Además de necesitar menos tiempo, el tenis es más estimulante desde un punto de vista físico.[70]

Bienes que ahorran tiempo   Los consumidores pueden ganar tiempo de ocio al reducir gastos de tiempo no discrecionales mediante bienes y servicios. La contratación de un adolescente del vecindario o de ChemLawn para cortar el césped puede liberar a un consumidor de más trabajo (lo que pudiera incrementar los ingresos) o más ocio. La puericultura, la limpieza del hogar, los restaurantes y una amplia gama de otros servicios, son sustitutos directos de obligaciones de tiempo y son mercados que crecen más rápido entre las economías industrializadas. Los lavavajillas y los hornos de microondas son ejemplos de cómo atributos ahorradores de tiempo crean enormes oportunidades de mercado. Este concepto también es válido para alimentos y bienes empacados. De hecho, Minute Rice y Minute Maid destacan sus beneficios de ahorro de tiempo en sus nombres.

Uso policrónico del tiempo

El **tiempo policrónico** involucra *combinar actividades de una manera simultánea*, como comer mientras se ve televisión o trabajar en una computadora portátil mientras se viaja en avión. Combinando actividades, los individuos usan sus recursos en tiempo llenando varios objetivos al mismo tiempo. Esta idea también se llama "uso dual del tiempo" a diferencia de *llevar a cabo únicamente una actividad a la vez* (**uso monocrónico del tiempo**). Las computadoras hacen posible algunas de estas cosas.

Muchos productos son puestos en el mercado con la finalidad de enriquecer los presupuestos de tiempo de los consumidores mediante el uso policrónico del tiempo. Los lavacoches automáticos, los alimentos preparados adquiridos en el supermercado, las estanterías para facilitar la lectura mientras se está utilizando una bicicleta fija, así como beepers para pacientes dentales que desean comprar en tiendas cercanas mientras esperan su cita, son apenas unas cuantas innovaciones impulsadas por tendencias de tiempo policrónico.[71] Los teléfonos celulares fueron aceptados con rapidez parcialmente debido a que permiten que las personas vayan de un lugar a otro y hablen por teléfono de una manera simultánea. Spinner.com permite que las personas escuchen su música favorita al mismo tiempo que trabajan en su computadora.

Precios del tiempo

Los productos tienen precios monetarios así como "precios de tiempo", que a menudo se presentan en un anuncio como una ventaja del producto, por ejemplo un anuncio que afirma que el producto sólo requiere dos horas para su instalación. Algunas tiendas anuncian pasillos más anchos y más cajas de cobro para indicar a los consumidores que comprar les tomará menos tiempo que antes. Los acosados consumidores —quienes se sienten apresurados y presionados por el tiempo— visitan menos tiendas y efectúan menos comparaciones al tomar en consideración menos marcas y atributos que los compradores que están relajados.[72] Los atributos del producto comunican la capacidad de reducir el precio de tiempo de un producto, como unos nuevos desodorantes "secos", pintura de secado rápido y podadoras de césped de alta potencia.

Recursos cognoscitivos

Al caminar por un supermercado, puede verse gran cantidad de consumidores mirando por los pasillos arriba y abajo, analizando estanterías, tomando los productos y comparando etiquetas, invirtiendo minutos, incluso horas, en la tienda, y a veces confundirse. No se trata de una nueva forma de comportamiento ritual de compra; es para ilustrar que los consumidores tienen otro recurso, del cual deben hacer uso para comprar productos y servicios: los recursos cognoscitivos, resaltados aquí y examinados de manera adicional en el capítulo 14.

Los **recursos cognoscitivos** representan la *capacidad mental disponible para proceder a varias actividades de procesamiento de la información*. De la misma forma que los mercadólogos compiten por el tiempo y el dinero de los consumidores, igualmente compiten por los recursos cognoscitivos, es decir por la atención de los consumidores. La **capacidad** se refiere a los *recursos cognoscitivos que tiene disponible un individuo en cualquier momento dado para el procesamiento de la información*.

A la *asignación de la capacidad cognoscitiva* se le conoce como **atención**, la cual se forma por dos dimensiones: dirección e intensidad.[73] La *dirección* representa el foco de la atención. Dado que los consumidores no son capaces de procesar los estímulos internos y externos disponibles en un momento dado, deben ser selectivos en la forma en que asignarán este recurso limitado. Algunos estímulos llamarán la atención; otros serán ignorados. La **intensidad**, sin embargo, se refiere a *la cantidad de capacidad enfocada hacia una dirección en particular*. Los consumidores a menudo asignarán únicamente la capacidad necesaria para la identificación de un estímulo, antes de redirigir su atención a otro sitio. En otras ocasiones, pondrán suficiente atención para comprender lo esencial del anuncio. Algunas veces darán al anuncio su total concentración y escudriñarán cuidadosamente el mensaje, como por ejemplo un consumidor en busca de un automóvil nuevo, al leer un anuncio de un automotor.

La obtención de la atención del consumidor representa uno de los retos más formidables que puede encarar un mercadólogo. Los consumidores se ven acosados continuamente por muchos estímulos, que compiten por ganar su capacidad limitada. En un día típico, los consumidores encuentran cientos de anuncios, acorralados con publicidad por radio, televisión, revistas, periódicos, anuncios exteriores y la internet. Aún más, se espera que este volumen aumente, conforme los mercadólogos desarrollan nuevos caminos para llegar a los consumidores (por ejemplo, el uso de anuncios en vídeos para rentar, o desplegados de vídeo en carritos de supermercado o en cajas). Un factor muy importante del éxito de un anuncio, entonces, es su efectividad para ganar la atención del consumidor.

Llamar la atención en el punto de venta puede ser igualmente importante. El uso de los desplegados llamativos en POP, como se describió, puede ser elemental para ayudar a que un producto sobresalga del conjunto de marcas apiñadas en la estantería de un minorista. El empaque tiene una finalidad similar. Lograr sobresalir en las "estanterías de la tienda" fue una consideración importante en el diseño de las latas para las diversas marcas de Coca Cola. Pringles también llamó la atención al colocar las hojuelas de papas en un recipiente alto, en vez de ponerlos en una bolsa.

Poca atención   Muchos productos simplemente no son tan importantes para que los consumidores justifiquen una "gran" inversión de sus limitados recursos cognoscitivos, como el caso de productos de bajo involucramiento. En muchos aspectos, los consumidores son "avaros cognoscitivos" cuando buscan soluciones aceptables, en vez de óptimas, para muchas de sus necesidades de consumo. Esta misma barrera se presenta para las comunicaciones de mercadotecnia. Incluso si un anuncio puede ganar la atención de los consumidores, éstos pueden no dedicar mucha atención al mismo, lo que reduce el aprendizaje y la retención. Los estudios sugieren que los estímulos —ya sean mensajes en publicidad, desplegados en punto de venta o comunicación— que no tengan un alcance suficiente, no es probable que dejen una impresión duradera en el consumidor.

Peligro de exceder la capacidad cognoscitiva   Dado que la capacidad es limitada, resulta posible incluir demasiada información y exceder dicha capacidad.[74] ¿Qué ocurre cuando se presenta una sobrecarga de información? Hay quienes han especulado que demasiada información en el empaque provoca confusión y hace que los consumidores efectúen una peor elección, aun cuando dicha información pudiera hacerlos sentir mejor respecto de sus decisiones.[75] Los críticos, sin embargo, no están de acuerdo;[76] sostienen que la sobrecarga de información, aunque posible, es poco probable, porque los consumidores dejarán de procesar la información antes de sobrecargarse.[77] Sin embargo, un estudio sugiere que los consumidores quizás no sean capaces de detenerse antes de sobrecargarse cuando se encuentren en un entorno rico en información.[78]

La atención que le da un consumidor a un producto o una elección específica de compra depende de factores como el involucramiento, la situación, la personalidad y otras variables. Un grupo de consumidores puede detenerse mucho tiempo en un desplegado de un producto nuevo y excitante en un supermercado, otros pueden leer las etiquetas, ya que están interesados en el contenido nutritivo y de grasas; otros más se informarán acerca de un concurso asociado con la compra del producto, y aún otros leerán las instrucciones de preparación. Las razones por las cuales las personas gastan sus presupuestos de tiempo, dinero y atención en los productos varían, dependiendo de las características del individuo.

Comunicación con los consumidores: comunicaciones integradas de mercadotecnia

El paso final en la promoción de la compra y de llevar la estrategia de menudeo a los consumidores es el desarrollo de un programa de comunicaciones de mercadotecnia integrados (CMI),[79] que difiere en varias maneras de las comunicaciones tradicionalmente programadas:

1. Los programas CMI son completos. La publicidad, los sitios web, las ventas personales, la atmósfera de menudeo y los programas en la tienda, los programas de modificación del comportamiento, las relaciones públicas, los programas de relaciones con los inversionistas, las comunicaciones con los empleados y otras formas se consideran dentro de la planeación de un CMI.

2. Los programas CMI están unificados. Los mensajes entregados por todos los medios (influencias diversas tales como el reclutamiento de empleados y la atmósfera en los minoristas) son iguales o de apoyo a un tema unificado.

3. Los programas CMI están dirigidos a un objetivo. El programa de relaciones públicas, los programas de publicidad, los programas en la tienda y en el punto de venta, tienen todos el mismo mercado objetivo o uno relacionado.

4. Los programas CMI tienen la ejecución coordinada de todos los componentes de las comunicaciones de la organización.

5. Los programas CMI hacen énfasis en la productividad para llegar a los objetivos designados, cuando se seleccionan los canales de comunicación y se asignan los recursos a los medios de mercadotecnia.

Los estudios indican que sólo la mitad de todas las promociones generan beneficios económicos a los anunciantes, haciendo que resulte importante la necesidad de una publicidad y esfuerzos de promoción integrados.[80] El menudeo electrónico proporciona oportunidades para la *formación de marcas en la internet*, así como para dar información específica sobre dónde encontrar dicha marca con el distribuidor o en el punto de venta al menudeo local. Por ejemplo, Burton Snowboards ha desarrollado un programa de mercadotecnia muy efectivo que tiene en su sitio web, los eventos y patrocinios Snowboard, así como los medios convencionales. Como ejemplo visite el sitio de www.Burton.com.

La publicidad en la internet se ha convertido en un medio de importancia, compitiendo con la televisión, la radio, los periódicos, las revistas, los anuncios exteriores y otros medios directos, que en el pasado eran las formas preferidas de búsqueda de la información y productos de los consumidores. Los navegantes en la web son conscientes de los millones de banderas en la parte superior de cada página (que son mucho más efectivas para atraer a los consumidores que en la parte inferior de la misma), y en prácticamente todos los demás sitios. Estas banderas invitan a los consumidores a "hacer clic aquí" para hipervincularse con algún otro sitio, o para adquirir un producto en el sitio actual. En caso de que a usted le preocupe que los medios tradicionales desaparezcan, es útil saber que, con el fin de atraer a los consumidores a su sitio web, los minoristas electrónicos gastan la mayor parte de su presupuesto de publicidad en los medios tradicionales.

Resumen

Atraer a los consumidores para que compren en más de una tienda incluye desempeñarse bien respecto de los atributos que los consumidores consideren más importantes: ubicación, naturaleza y calidad del surtido, precio, publicidad y promoción, personal de ventas, servicios ofrecidos, atributos físicos, clientela, atmósfera de la tienda y servicio posterior a la transacción.

De manera creciente, los minoristas se dirigen a los consumidores por medio de una diversidad de formas. El menudeo multicanal incluye el menudeo en la tienda y fuera de la tienda. El menudeo en la tienda incluye las tiendas tradicionales, las tiendas de especialidades, los comerciantes masivos y las tiendas directas de fábrica, en tanto que los formatos fuera de la tienda incluyen la venta directa, la mercadotecnia directa, y el menudeo electrónico. Aun cuando muchos formatos promueven la autoselección de los productos, los consumidores siguen apoyándose en la asistencia del personal de ventas, cuando está disponible. Los factores que diferencian vendedores de éxito de sus homólogos son: 1) conocimiento y experiencia percibidos, 2) confianza percibida, 3) conocimiento de su cliente y 4) adaptabilidad.

Cuando los consumidores efectúan una compra, tienen varios presupuestos de los cuales gastar: tiempo, dinero y atención. Mientras más dinero ganan los individuos, más valioso se convierte su tiempo. Los productos y servicios clasificados por sus propiedades en tiempo pueden ser llamados bienes de tiempo. Los bienes que gastan tiempo requieren del uso del tiempo, en tanto que los bienes que ahorran tiempo permiten a los consumidores incrementar su tiempo discrecional.

Los consumidores atienden varias actividades de la vida. Dado que esta capacidad es limitada, las personas deben ser selectivas respecto de a qué prestan atención y cuánta de ésta es asignada durante el procesamiento de la información. Llamar la atención del consumidor puede ser un reto para los mercadólogos, especialmente cuando el producto es de una limitada importancia. Para obtener la atención del consumidor, los mercadólogos diseñan programas CMI, que comunican mensajes e imágenes similares a través de varios medios, en un esfuerzo para incrementar el potencial de su presupuesto promocional.

Preguntas de repaso y análisis

1. Defina el término *imagen de tienda* y explique por qué es importante como concepto de administración de menudeo. Escoja un minorista y evalúe su imagen y la forma en que ésta se refleja en su publicidad.

2. Usted es el gerente de mercadotecnia de un fabricante de relojes de especialidad, diseñados para corredores. ¿Vendería estos productos por medio de tiendas de menudeo o intentaría usted mercadotecnia directa (ya sea sólo o en combinación con distribución al menudeo)? ¿Por qué?

3. Muchos afirman que los medios electrónicos interactivos revolucionan los patrones de compra del consumidor. ¿Cuál es su opinión? ¿Qué ventajas se ofrecen? ¿Se hará la compra al menudeo tradicional en gran parte obsoleta?

4. Escoja un minorista al cual frecuenta a menudo. Evalúe la tienda con base en los elementos de logística del consumidor. ¿De qué manera modificaría la tienda?

5. ¿De qué forma afectaría la relación entre el presupuesto de tiempo y el presupuesto económico la estrategia de mercadotecnia de un minorista de importancia?

6. ¿Cuáles son algunas tendencias que afectan los presupuestos de tiempo para la mayoría de los consumidores? ¿De qué manera piensa usted que estas tendencias cambiarán en el futuro?

7. Genere una estrategia CMI para una marca específica de ropa. ¿Qué elementos promocionales incluiría y cuál sería la apariencia y la sensación y el mensaje?

Notas

1. Ravi Dhar, "Consumer preference for a No-Choice Option", en *Journal of Consumer Research*, 24 (septiembre de 1997), 215-231.

2. Alain d'Asdtous, Idriss Bensouda y Jean Guindon, "A Re-Examination of Consumer Decision Making for a Repeat Purchase Product: Variations in Product Importance and Purchase Frequency", en Thomas K. Srull, *Advances in Consumer Research*, 16 (Provo, Utah: Association for Consumer Research, 1989), 433-438.

3. C. Whan Park, Easwar S. Iyer y Daniel C. Smith, "The Effects of Situational Factors on In–Store Grocery Shopping Behavior: The Role of Store Environment and Time Available for Shopping", en *Journal of Consumer Research*, 15 (marzo de 1989), 422-433.

4. France Leclerc y John D. C. Little, "Can Advertising Copy Make FSI Coupons More Effective?", en *Journal of Marketing Research*, 4 (noviembre de 1997), 473-484.

5. Para un análisis cuidadoso del impacto de las promociones de menudeo, *véase* Rodney G. Walters, "Assessing the Impact of Retail Price Promotions on Product Substitution, Complementary Purchase, and Interstore Sales Displacement", en *Journal of Marketing*, 55 (abril de 1991), 17-28.

6. J. Jeffrey Inman y Russell Winer, "Impulse Buying", en *The Wall Street Journal* (abril 15 de 1999), A1.

7. Pradeep K. Chintagunta y Sudeep Haldar, "Investigating Purchase Timing Behavior in Two

Related Product Categories", en *Journal of Marketing Research*, 35 (febrero de 1998), 43-53.

8. David I. Kollat y Ronald P. Willett, "Customer Impulse Purchasing Behavior", en *Journal of Marketing Research*, 4 (febrero de 1967), 21-31.

9. Dilip Soman, "The Illusion of Delayed Incentives: Evaluating Future Effort-Money Transactions", en *Journal of Marketing Research*, 35 (noviembre de 1998), 427-437.

10. Laura Loro, "Data Bases Seen as 'Driving Force'", en *Advertising Age* (marzo 18 de 1991), 39.

11. Joseph B. Cahill, "Sear's Credit Business May Have Helped Larger Retailing Woes", en *The Wall Street Journal* (julio 6 de 1999), A1.

12. James U. McNeal y Daryl McKee, "The Case of Antishoppers", en Lusch *et al.*, eds., *1985 AMA Educators' proceedings*, 65-68.

13. Jack A. Lesser y Sanjay Jain, "A Preliminary Investigation of the Relationship Between Exploratory and Epistemic Shopping Behavior", en Robert E. Lusch *et al.*, eds., *1985 AMA Educators' Proceedings* (Chicago: American Marketing Association, 1985), 75-81.

14. Arch G. Woodside y Randolph J. Trappey III, "Finding Out Why Customers Shop Your Store and Buy your Brand: Automatic Cognitive Processing Models of Primary Choice", en *Journal of Advertising Research*, 32 (noviembre-diciembre de 1992), 59-78.

15. *Véase* Jay D. Lindquist, "The Meaning of Image", en *Journal of Retailing*, 50 (invierno de 1974/1975), 29-38; Robert A. Hansen y Terry Deutscher, "An Empirical Investigation of Attribute Importance in Retail Store Selection", en *Journal of Retailing*, 53 (invierno de 1977/1978), 59-72; Leon Arons, "Does Television Viewing Influence Store Image and Shopping Frequency?", en *Journal of Retailing*, 37 (otoño de 1961), 1-13; Ernest Dichter, "What's in an Image", en *Journal of Consumer Marketing*, 2 (invierno de 1985), 75-81.

16. Pierre Martineau, "The Personality of the Retail Store", en *Harvard Business Review*, 36 (enero/febrero de 1958), 47.

17. Para un diferencial semántico, *véase* G. H. G. McDougall y J. N. Fry, "Combining Two Methods of Image Measurement", en *Journal of Retailing*, 50 (invierno de 1974/1975), 53-61. Para prototipos de clientes, *véase*: W. B. Weale, "Measuring the Customer's Image of a Department Store", en *Journal of Retailing*, 37 (primavera de 1961), 40-48. Para Q-sort, *véase*: William Stephenson, "Public Images of Public Utilities", en *Journal of Advertising Research*, 3 (diciembre de 1963), 34-39. Para escala Guttman, *véase*: Elizabeth A. Richards, "A Commercial Application of Guttman Attitude Scaling Techniques", en *Journal of Marketing*, 22 (octubre de 1957), 166-173. Para escalas mul-

tidimensionales, *véase*: Peter Doyle y Ian Fenwick, "How Store Image Affects Shopping Habits in Grocery Chains", en *Journal of Retailing*, 50 (invierno de 1974/1975), 39-52. Para psicolingüística, *véase*: Richard N. Cardozo, "How Images Vary by Product Class", en *Journal of Retailing*, 50 (invierno de 1974/1975), 85-98. Para un procedimiento multiatributo, *véase*: Don L. James, Richard M. Durand y Robert A. Dreves, "The Use of a Multi-Attribute Model in a Store Image Study", en *Journal of Retailing*, 52 (verano de 1976), 23-32.

18. Gilbert D. Harrell, Michael D. Gutt y James C. Anderson, "Path Analysis of Buyer Behavior under Conditions of Crowding", en *Journal of Marketing Research*, 17 (febrero de 1980), 45-51. *Véase también* Michael K. Hui y John E. G. Bateson, "Perceived Control and the Effects of Crowding and Consumer Choice on the Service Experience", en *Journal of Consumer Research*, 18 (septiembre de 1991), 174-184.

19. David B. Mackay y Richard W. Olshavsky, "Cognitive Maps of Retail Locations: An Investigation of Some Basic Issues", en *Journal of Consumer Research*, 2 (diciembre de1975); y Edward M. Mazze, "Determining Shopper Movements by Cognitive Maps", en *Journal of Retailing*, 50 (otoño de 1974), 43-48.

20. R. Mittelstaedt *et al.*, "Psychophysical and Evaluative Dimensions of Cognized Distance in an Urban Shopping Environment", in R. C. Curhan, ed., *Combined Proceedings* (Chicago: American Marketing Association, 1974), 190-193.

21. Hansen y Deutscher, "An Empirical Investigation"; Lindquist "The Meaning of Image"; Gentry y Burns, "How Important"; y John D. Claxton y J. R. Brent Ritchie, "Consumer Prepurchase Shopping Problems: A Focus on the Retailing Component", en *Journal of Retailing*, 55 (otoño de 1979), 24-43.

22. Walter K. Levy, "Department Stores: The Next Generation", en *Retailing Issues Letter*, 1, (1987), 1.

23. Robert H. Williams, John J. Painter y Herbert R. Nicholas, "A Policy-Oriented Typology of Grocery Shoppers", en *Journal of Retailing*, 54 (primavera de 1978), 27-42.

24. Kent B. Monroe, "Buyers' Subjective Perceptions of Price", en *Journal of Marketing Research*, 10 (febrero de 1973), 73-80.

25. Joseph N. Fry y Gordon H. McDougall, "Consumer Appraisal of Retail Price Advertisements", en *Journal of Marketing*, 38 (julio de 1974); V. Kumar y Robert P. Leone, "Measuring the Effect of Retail Store Promotions on Brand and Store Substitution", en *Journal of Marketing Research*, 25 (mayo de 1988), 178-185.

26. Alan L. Montgomery y Peter E. Rossi, "Estimating Price Elasticities with Theory-Based Priors", en

Journal of Marketing Research, 36 (noviembre de 1999), 413-423.

27. John Roberts, "Developing New Rules for New Markets", en *Journal of the Academy of Marketing Science*, 28, 1 (invierno de 2000), 31-44.

28. Randolf E. Bucklin, Sunil Gupta y S. Siddarth, "Determining Segmentations in Sales Response Across Consumer Purchase Behaviors", en *Journal of Marketing Research*, 35, 2 (mayo de 1998) 189-197.

29. Greg Allenby, "Reassessing Brand Loyalty, Price Sensitivity, and Merchandising Effects on Consumer Brand Choice", ponencia, 1993.

30. Stephen K. Keiser y James R. Krum, "Consumer Perceptions of Retail Advertising with Overstated Price Savings", en *Journal of Retailing*, 452 (otoño de 1976), 27-36.

31. "Service: Retail's No. 1 Problem", *Chain Store Age Executive* (enero de 1987), 19.

32. Gilbert A. Churchill Jr., Neil M. Ford, Steven W. Hartley y Orville C. Walker Jr., "The Determinants of Salesperson Performance: A Meta-Analysis", en *Journal of Marketing Research*, 22 (mayo de 1985), 103-118.

33. Esta categorización tiene sus raíces en Peter H. Reingen y Arch G. Woodside, *Buyer-Seller Interactions: Empirical Research and Normative Issues* (Chicago: American Marketing Association, 1981).

34. Arch G. Woodside y William Davenport Jr., "The Effect of Salesman Similarity and Expertise on Consumer Purchasing Behavior", en *Journal of Marketing Research*, 11 (mayo de 1974), 198-203. *También véase*: Paul Busch y David T. Wilson, "An Experimental Analysis of a Salesman's Expert and Referent Bases on Social Power in the Buyer-Seller Dyad", en *Journal of Marketing Research*, 13 (febrero de 1976), 3-11.

35. Paul H. Schurr y Julie Ozanne, "Influences on Exchange Processes: Buyers' Preconceptions of a Seller's Trustworthiness and Bargaining Toughness", en *Journal of Consumer Research*, 11 (marzo de 1985), 939-953.

36. Siew Meng Leong, Paul S. Bush y Deborah Roedder John, "Knowledge Bases and Salesperson Effectiveness: A Script-Theoretic Analysis", en *Journal of Marketing Research*, 26 (mayo de 1989), 164-178; Harish Sujan, Mita Sujan y James R. Bettman, "Knowledge Structure Differences Between More Effective and Less Effective Sales People", en *Journal of Marketing Research*, 25 (febrero de 1988), 81-86; y David M. Syzmanski, "Determinants of Selling Effectiveness", en *Journal of Marketing*, 52 (enero de 1988), 64-77.

37. "Customer Rapport", en *Direct Marketing* (enero de 1994), 46.

38. Howard Schultz y Dori Yang, "Pour Your Heart Into It: How Starbucks Built A Company One Cup at a Time", en *Hyperion* (enero de 1999).

39. Joel A. Baglole, "Loblaw Supermarkets Add Fitness Clubs to Offerings", en *The Wall Street Journal* (diciembre 27 de 1999), B4.

40. Philip Kotler, "Atmospherics as a Marketing Tool", en *Journal of Retailing*, 49 (invierno de 1973/1974), 48-63. *También véase*: Robert J. Donovan y John R. Rossiter, "Store Atmosphere: An Environmental Psychology Approach", en *Journal of Retailing*, 58 (primavera de 1982), 34-57; Elaine Sherman y Ruth Belk Smith, "Mood States of Shoppers and Store Image; Promising Interactions and Possible Behavioral Effects", en Melanie Wallendorf y Paul Anderson, eds., en *Advances in Consumer Research*, 14 (Provo, Utah: Association for Consumer Research de 1987), 251-254.

41. Peter Doyle y Ian Fenwick, "How Store Image Affects Shopping Habits in Grocery Chains", en *Journal of Retailing*, 50 (invierno de 1974/1975), 39-52.

42. Phyllis Berman y Katherine Bruce, "Makeover at the Makeup Counter", en *Forbes* (abril 19 de 1999).

43. Para un repaso y análisis de la utilidad de la música para los mercadólogos, *véase*: Gordon C. Bruner II, "Music, Mood, and Marketing", en *Journal of Marketing*, 54 (octubre de 1990), 94-104.

44. Richard Yalch y Eric Spangenberg, "Effects of Store Music on Shopping Behavior", en *Journal of Consumer Marketing*, 7 (primavera de 1990), 55-63.

45. Ronald E. Milliman, "Using Background Music to Affect the Behavior of Supermarket Shoppers", en *Journal of Marketing*, 46 (verano de 1982), 86-91.

46. Ronald E. Milliman, "The Influence of Background Music on the Behavior of Restaurant Patrons", en *Journal of Consumer Research*, 13 (septiembre de 1986), 286-289.

47. Joseph A. Bellizzi, Ayn E. Crowley y Rondla W. Hasty, "The Effects of Color in Store Design", en *Journal of Retailing*, 59 (primavera de 1983), 21-45.

48. Rick Brooks, "Alienating Customers Isn't Always a Bad Idea, Many Firms Discover", en *The Wall Street Journal* (enero 7 de 1999), A1, A12.

49. V. Kumar y Robert P. Leone, "Measuring the Effect of Retail Store Promotions on Brand and Store Substitution", en *Journal of Marketing Research*, 25 (mayo de 1988), 178-185; Gary E. McKinnon, J. Patrick Kelly y E. Doyle Robison, "Sales Effects of Point-of-Purchase In-Store Signing", en *Journal of Retailing*, 57 (verano de 1981), 49-63; Arch G. Woodside y Gerald L. Waddle, "Sales Effects of In-Store Advertising", en *Journal of Advertising Research*, 15 (junio de 1975), 29-33.

50. Ymiko Ono, "Wobblers and Sidekicks Clutter Stores, Irk Retailers", en *The Wall Street Journal* (septiembre 8 de 1998), B1, B4.

51. John A. Quelch y Kristina Cannon-Bonventre, "Better Marketing at the Point of Purchase", en *Harvard Business Review*, 61 (noviembre/diciembre de 1983), 162-169.

52. Howard Schlossberg, "P-O-P Display Designer Wants to Keep Shoppers Shopping Longer", en *Marketing News* (noviembre 11 de 1991), 15.

53. Según se define en Roger Blackwell y Tina Blackwell, *Understanding Your Customer; Consumer Logistics*, International Mass Retail Association (1998).

54. Michael K. Hui y John E. G. Bateson, "Perceived Control and the Effects of Crowding and Consumer Choice on the Service Experience", en *Journal of Consumer Research*, 18 (septiembre de 1991), 174-184.

55. Julie Baker y Michaelle Cameron, "The Effects of the Service Environment on Affect and Consumer Perception of Waiting Time: An Integrative Review and Research Proposition", en *Journal of the Academy of Marketing Science*, 24, 4 (verano de 1996), 338-349.

56. Benedict Dellaert, Theo Arentze, Michel Bierlaire, Aloys Borgers y Harry Timmermans, "Investigating Consumers' Tendency to Combine Multiple Shopping Purposes and Destinations", en *Journal of Marketing Research*, 35, 2 (mayo de 1998).

57. Roger D. Blackwell y Wayne Talarzyk, "Lifestyle Retailing: Competitive Strategies for the 1980's", en *Journal of Retailing*, 59 (invierno de 1983), 7-27.

58. Frederick E. Webster, "Understanding the Relationships Among Brands, Consumers and Resellers", en *Journal of the Academy of Marketing Science*, 28, 1 (invierno de 2000), 17-23.

59. "The Changing Face of Retail", en *The Retailer* (invierno de 1994), 6-15.

60. Mary Beth Knight, "The New Crown Jewel", *Chain Store Age* (marzo de 1999), 177-179.

61. *Véase por ejemplo*, Peterson y Albaum, "Nonstore Retailing in the United States"; Martin P. Block y Tamara S. Brezen, "A Profile of the New In-Home Shopper", en Rebecca Holman, ed., *Proceedings of the 1991 Conference of the American Academy of Advertising* (Nueva York: Rebecca H. Holman, D'Arcy Masius Benton & Bowles, Inc., 1991), 169-173; Paul I. Edwards, "Home Shopping Boom Forecast in Study", *Advertising Age* (diciembre 15 de 1986), 88.

62. Erin White, "Ding-Dong, Avon Calling (on the Web, Not Your Door)", en *The Wall Street Journal* (diciembre 28 de 1999), B4.

63. *Ibid.*

64. "Behavior and Attitudes of Telephone Shoppers", en *Direct Marketing* (septiembre de 1987), 50.

65. Riccardo A. Davis, "QVC Clicks for Kodak Cameras", en *Advertising Age* (enero 17 de 1994), 17.

66. Kevin J. Delaney, "Where the E in E-Shopping Stands for 'Extreme'", en *The Wall Street Journal* (octubre 14 de 1999), B1 y ss. y en el sitio de la empresa: www.printemps.fr y www.webcamer.com.

67. Este marco conceptual se desarrolló en Justin Voss y Roger Blackwell, "Markets for Leisure Time", en Mary Jane Slinger, ed., *Advances in Consumer Research* (Chicago: Association for Consumer Research, 1975), 837-845; y Justin Voss y Roger Blackwell, "The Role of Time Resources in Consumer Behavior", en O. C. Ferrel, Stephen Brown y Charles Lamb, eds., *Conceptual and Theoretical Developments in Marketing* (Chicago: American Marketing Association, 1979), 296-311.

68. Justin Voss, "The Definition of Leisure", en *Journal of Economic Issues*, 1 (junio de 1967), 91-106.

69. Howard Marmorstein, Dhruv Grewal y Raymond P. H. Fishe, "The Value of Time Spent in Price-Comparison Shopping: Survey and Experimental Evidence", en *Journal of Consumer Research*, 19 (Junio de 1992), 52-61.

70. Douglass K. Hawes, W. Wayne Talarzyk y Roger D. Blackwell, "Consumer Satisfaction from Leisure Time Pursuits", en Mary J. Slinger, *Advances*, 822.

71. Carol Felker Kaufman, Paul M. Lane y Jay D. Lindquist, "Exploring More than 24 Hours a Day: A Preliminary Investigation of Polychronic Time Use", en *Journal of Consumer Research*, 18 (diciembre de 1991), 392-401.

72. Aida N. Rizkalla, "Consumer Temporal Orientation and Shopping Behavior: The Case of Harried vs. Relaxed Consumers", en Robert L. King, ed., *Retailing: Its Present and Future*, 4 (Charleston, SC: Academy of Marketing Science, 1988), 230-235.

73. Scott B. MacKenzie, "The Role of Attention in Mediating the Effect of Advertising on Attribute Importance", en *Journal of Consumer Research*, 13 (septiembre de 1986), 174-195.

74. James R. Bettman, "Issues in Designing Consumer Information Environments", en *Journal of Consumer Research*, 2 (diciembre de 1975), 169-177.

75. Jacob Jacoby, Donald Speller y Carol Kohn Berning, "Brand Choice Behavior as a Function of Information Load", en *Journal of Marketing Research*, 11 (febrero de 1974), 63-69.

76. Jacob Jacoby, Donald Speller y Carol Kohn Berning, "Brand Choice Behavior as a Function of Information Load: Replication and Extension", en *Journal of Consumer Research*, 1 (junio de 1974), 33-42; J. Edward Russo, "More Information Is Better: A Reevaluation of Jacoby, Speller, and Kohn", en *Journal of Consumer Research*, 11 (noviembre de 1974),

467-468; William L. Wilkie, "Analysis of Effects of Information Load", en *Journal of Marketing Research*, 11 (noviembre de 1974), 462-466; Jacob Jacoby, Donald E. Speller y Carol A. K. Beming, "Constructive Criticism and Programmatic Research: Reply to Russo", en *Journal of Consumer Research*, 1 (septiembre de 1975), 154-156; Jacob Jacoby, "Information Load and Decision Quality: Some Contested Issues", en *Journal of Marketing Research*, 15 (noviembre de 1977), 569-573. *También véase* Debora L. Scammon, "Information Load and Consumers", en *Journal of Consumer Research*, 4 (diciembre de 1977), 148-155; Naresh K. Malhotra, "Information Load and Consumer Decision Making", en *Journal of Consumer Research*, 8 (marzo de 1982), 419-430; Naresh K. Malhotra, Arun K. Jain y Stephen W. Lagakos, "The Information Overload Controversy: An Alternative Viewpoint", en *Journal of Marketing*, 46 (primavera de 1982), 27-37; Naresh K. Malhotra, "Reflections on the Information Overload Paradigm in Consumer Decision Making", en *Journal of Consumer Research*, 10 (marzo de 1984), 436-440.

77. Jacob Jacoby, "Perspectives on Information Overload", en *Journal of Consumer Research*, 10 (marzo de 1984), 432-435.

78. Kevin Lane Keller y Richard Staelin, "Effects of Quality and Quantity of Information on Decision Effectiveness", en *Journal of Consumer Research*, 14 (septiembre de 1987), 200-213.

79. Esta sección se basa en Roger D. Blackwell, "Integrated Marketing Communications", en Gary L. Frazier y Jagdish N. Sheth eds., *Contemporary Views on Marketing Practice* (Lexington, MA: Lexington Books, 1987), 237-250.

80. Marnik G. Dekimpe y Dominique M. Hanssens, "Sustained Spending and Persistent Response: A New Look at Long-Term Marketing Profitability", en *Journal of Marketing Research*, 36 (noviembre de 1999), 397-412.

Capítulo 6

Procesos posteriores a la compra:
consumo y evaluación

Caso de inicio

Los fabricantes de champaña se han convertido en víctimas de su propio éxito. Han hecho un excelente trabajo para situar su producto como parte esencial en las celebraciones. Más de 50% de las ventas anuales de champaña ocurren en la temporada de las fiestas de Navidad y Año Nuevo.

Sin embargo, después de llegar a un tope a mediados de los años ochenta, el consumo de champaña en Estados Unidos ha permanecido en un mismo nivel durante varios años. Con el fin de estimular las ventas, los fabricantes de champaña intentan extender el consumo fuera de la temporada de fiestas. Un líder del mercado, Korbel, se ha ubicado a la vanguardia en estos esfuerzos. Ha realizado varias promociones para levantar las ventas anuales: patrocinó un barco en la carrera de yates America Cup y fue el vino oficial de la Olimpiada del verano de 1996. Estas actividades promocionales ayudaron a Korbel a acaparar un porcentaje del mercado. No obstante, como hace notar Andrew Varga, gerente de marca senior de Korbel, "no obtuvimos nuevos usuarios, ni logramos elevar el consumo diario de champaña".

Ahora Korbel cifra sus esperanzas en un producto nuevo: champaña chardonnay. Esta bebida se envasa en una botella de vidrio tipo chardonnay, color verde y el sabor es más parecido a un vino de mesa que al de la champaña tradicional. También ha persuadido a los principales minoristas para que exhiban el producto en la estantería de chardonnay, junto con otros vinos espumosos.

Korbel espera que los consumidores consideren esta bebida como algo que puede tomarse diariamente con los alimentos. Sin embargo sabe que esto no será fácil. Como explica Varga: "Uno de los aspectos más difíciles en la categoría de la champaña es modificar la imagen que se tiene de un producto directamente ligado con las celebraciones".

Fuente: tomado parcialmente de Elizabeth Jensen, "Champagne Makers Are Hoping Chardonnay Adds Fizz to Sales", en The Wall Street Journal (marzo 21 de 1997), B5.

Vender más de un producto no significa vender a un mayor número de personas. Otra opción para aumentar las ventas es incrementar el consumo por cliente, es decir, hacer que los consumidores utilicen más del producto en cada consumo (por ejemplo, quien toma la orden en un restaurante de comida rápida le sugiere que modifique su pedido de papas fritas de tamaño normal a extra grande). O aumentar el número de veces que ocurre el consumo. Como se describe en el caso al inicio del capítulo, Korbel espera que su champaña chardonnay tendrá un consumo mayor que su champaña tradicional.

Este capítulo se inicia con la etapa de consumo del proceso de decisión del consumidor, la cual se considera la parte más importante de dicho proceso, porque en ella se puede evaluar lo que ofrece el producto. ¿De qué manera funcionó el producto? ¿Contenía lo que se esperaba? Con base en estas respuestas, los consumidores desarrollarán evaluaciones más o menos favorables respecto de sus experiencias de consumo. Estas evaluaciones posteriores al consumo representan la etapa final del proceso de decisión del consumidor, y se analizarán en este capítulo.

Consumo

El consumo implica el uso que el consumidor hace del producto adquirido. Aunque esta definición es simple, es mucho más complejo comprender el consumo. De hecho existen varios puntos de vista respecto del consumo. Empecemos con el comportamiento de consumo propiamente dicho.

Comportamientos de consumo

¿Cuándo fue la última vez que comió pizza congelada? ¿Asistió a un juego de fútbol el año pasado? ¿Ve el programa de televisión *Ally McBeal*? ¿Alguna vez ha realizado un viaje en crucero? ¿Es miembro de alguna liga de boliche?

Sus respuestas revelarán si usted es o no consumidor de esos productos. **Usuario** y **no usuario** son términos que se utilizan para distinguir entre *quienes consumen el producto y quienes no lo consumen*. El número de personas —usuario y no usuario— es muy importante para las empresas. Conocer el número de usuarios actuales en una categoría de productos es un indicador del tamaño del mercado para la empresa. En general, mientras mayor sea el mercado (es decir, conforme se incrementa el número de usuarios), mayor será su rentabilidad.

El tamaño del segmento del mercado no usuario reporta futuras oportunidades de crecimiento. La conversión de los no usuarios en usuarios no es una opción viable para incrementar las ventas si el mercado contiene pocos no usuarios. Conforme se incrementa el número de no usuarios, la posibilidad de atraerlos aumenta. Considere los productos para el crecimiento del cabello como Regaine: Aproximadamente 3 millones de estadounidenses los utilizan; pero esto significa sólo una pequeña porción de los 40 millones de hombres que sufren de pérdida hereditaria del cabello.[1] Conforme mejoran los productos para el crecimiento del cabello, existe la oportunidad de incrementar el tamaño del mercado de usuarios. De manera similar, existe un gran mercado de no usuarios de cruceros, ya que alrededor de 90% de estadounidenses nunca ha utilizado uno.[2]

Comprender los comportamientos de consumo requiere más que simplemente distinguir entre aquellos que consumen y los que no lo hacen. De hecho, los comportamientos del consumo se pueden clasificar en dimensiones importantes, como se ilustra en la figura 6.1, y que a continuación analizamos.

Cuándo ocurre el consumo

Una característica fundamental de los comportamientos de consumo involucra cuándo ocurre éste. En muchos casos, la compra y el consumo van de la mano. Esto es, al efectuar la compra, establecemos cuándo ocurrirá el consumo. En esta categoría están la compra de boletos para un concierto o algún evento deportivo, comer en un restaurante y llevar el automóvil al establecimiento de lavado. Otras veces se efectúan compras sin saber con precisión cuándo ocurrirá el consumo. Los alimentos adquiridos en la última compra, es probable que queden en la despensa o en el refrigerador hasta que decida consumirlos.

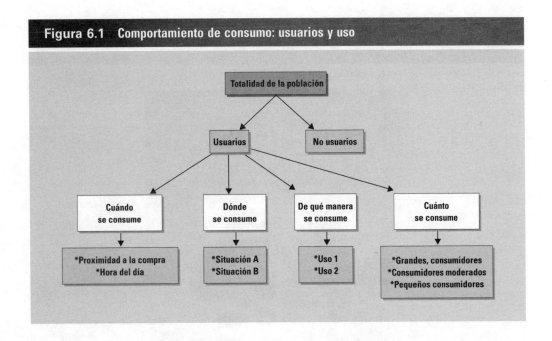

Figura 6.1   Comportamiento de consumo: usuarios y uso

Cuando las decisiones de consumo se efectúan independientemente de las decisiones previas a la compra (por ejemplo cuando elige algo y lo guarda en su alacena para después comérselo), una empresa puede considerar útil esforzarse por alentar el consumo, en vez de enfocarse sólo en promover la compra. Un fabricante de alimentos descubrió que quienes compran sus productos, los dejaban durante mucho tiempo en las alacenas antes de consumirlos. Esto impulsó a la empresa a desarrollar una campaña publicitaria por televisión, animando a los consumidores a consumir dicho alimento como bocadillo de medianoche. La industria vitivinícola aporta otro ejemplo: en 1999, como respuesta al decreciente consumo de vino, lanzó una nueva campaña de publicidad multimedios con el lema: "Vino: ¿para qué lo guarda?".[3]

El momento en que se da el uso es otro factor para comprender el "cuándo" de los comportamientos de consumo. El consumo de alimentos depende en especial de la hora del día. No es común comer espagueti en el desayuno, o cereal al mediodía. El jugo de naranja, por lo general, se consume en el desayuno. Hace tiempo, la industria del jugo de naranja intentó romper esta restricción con su famoso lema de campaña publicitaria: "Ya no es sólo para el desayuno". Un tema similar se ve reflejado en el anuncio de Pop-Tarts de la figura 6.2. En contraste, los fabricantes de pizzas han posicionado en el mercado "pizzas para el desayuno" con la esperanza de obtener un porcentaje de consumo en esta comida.

Para quienes toman ciertos medicamentos es muy importante cuándo ocurre el consumo. Lea El consumidor en la mira 6.1. para ver cómo la efectividad de una medicina puede depender de la hora en que ésta se toma.

Algunas veces da buen resultado segmentar el mercado, con base en cuándo ocurre el consumo. Aquellos que promueven los Florida Keys, han encontrado diferencias importantes entre los turistas que los visitan durante el verano y aquellos que los visitan durante el invierno. Los visitantes de la temporada de invierno,en general, no son hispanos, son adultos mayores y más solventes, que gustan de hacer turismo. La estadía de los visitantes de verano es más corta (alrededor de cuatro días en promedio), en su mayoria son hispanos y gente de color y gustan más de bucear con snorkel en los arrecifes. Información de este tipo permite dirigirse con mayor efectividad y eficiencia a los segmentos apropiados.[4]

Figura 6.2   Kellogg desea algo más que el simple consumo de su producto en el desayuno

El consumidor en la mira 6.1

La efectividad de los medicamentos puede depender de cuándo se toman

Nuestros cuerpos tienen ritmos internos, que hacen que ciertas enfermedades empeoren a ciertas horas del día. Piense en la presión sanguínea, que en la mayoría de las personas aumenta por la mañana, justo cuando se despiertan. Para los pacientes con hipertensión, este aumento es peligroso. Durante la mañana son más frecuentes los ataques cardiacos y las apoplejías.

La cronoterapia involucra utilizar los ritmos biológicos internos de las personas para tratar las enfermedades con mayor efectividad, e incluso minimizar efectos colaterales. Los ataques de asma a menudo ocurren durante la noche y son más severos. Algunos pacientes que padecen asma han reducido los ataques nocturnos tomando medicamentos que contienen teofilina, durante la tarde, para pasar mejor la noche. Un tipo de medicina para el control del colesterol,

las drogas "statin" funcionan mejor cuando se suministran por la noche ya que actúan sobre una enzima del hígado relacionada con el colesterol, cuya actividad es mayor de noche. Y la Food and Drug Administration recientemente aprobó una droga para la hipertensión, recubierta especialmente, de manera que no llegue a su potencia pico sino hasta las 6 a.m., que es cuando se necesita más.

Desafortunadamente, los conceptos acerca de la cronoterapia no son del conocimientos de todos. "La mayoría de los doctores no están familiarizados con el hecho de que resulta crítica la hora en que tomamos nuestras medicinas", y de lo bien que funcionan, dice el experto en cronobiología Michael Smolensky de la University of Texas-Houston Health Science Center.

Fuente: tomado de Lauran Neergaard, "Research Finds Internal Clock Important in Drug Effectiveness, Health", en Miami Herald *(mayo 1 de 1999), 11A.*

Dónde ocurre el consumo

Además de cuándo, es útil comprender dónde ocurre el consumo. Por ejemplo, las ventas de cerveza dependen de si el consumo ocurre dentro o fuera del hogar. Gran parte de las ventas de cervezas locales están generadas por el consumo en el hogar. En contraste, las cervezas importadas en su mayoría se venden en establecimientos como bares y restaurantes.[5] Muchas personas llegan a creer que consumir cervezas importadas proyecta una imagen social más favorable.

No comprender dónde ocurre el consumo puede resultar un error costoso. Ésta fue la lección aprendida por la cadena de comida rápida Wendy's cuando ofreció un desayuno, que era entregado en el automóvil, cuyo contenido podían ser huevos revueltos, omeletes, torrejas y panqués. "A los clientes les entusiasmaba el producto, pero decían, 'no puedo manejar con él', por tanto, no lo compraban", dice el vicepresidente de comunicaciones Denny Linch.[6] En contraste, Burger King evitó este problema al ofrecer palitos de torrejas y panques miniatura fácilmente sostenibles en la mano y que se podían introducir en jarabe de maple.

Cómo se consume el producto

Diferentes personas pueden comprar un mismo producto pero consumirlo de distintas maneras. Piense en el arroz: algunas veces se utiliza como un ingrediente que se mezcla con otros alimentos (por ejemplo, en una paella). En otros se sirve como platillo auxiliar. La marca preferida del arroz que se compra a menudo depende de la forma en que será utilizado. Cuando los usuarios planean servir el arroz como un platillo auxiliar, es probable que adquieran una marca conocida, a pesar de su precio más elevado. Sin embargo, si el arroz va a ser utilizado como ingrediente, optan con más frecuencia por adquirir una marca más económica. ¿Sabe usted por qué ocurren estas diferencias?

Muchos consumidores creen que la marca de precio más alto tiene mejor sabor que el arroz menos costoso, pero si se trata de servir arroz solo, están dispuestos a pagar el precio más elevado, con la finalidad de disfrutar del mejor sabor. Cuando el arroz se combina con otros ingredientes, su sabor se hace menos notorio. Por esta razón, para los consumidores no resulta atractivo gastar dinero adicional por algo que no se nota. Por lo que, una modificación en la forma en que se consumirá el producto lleva a un cambio en lo que se compra.

Comprender la manera en que los consumidores utilizan la leche resultó un elemento esencial en el desarrollo de la campaña de publicidad "¿Tiene usted leche?". Dicha publicidad se refería a la leche como un producto que se toma solo. A pesar de eso, la leche típicamente se consume junto con alguna otra cosa, como galletas, brownies, cereal o un sándwich. En consecuencia, la campaña "¿Tiene usted leche?" reflejaba este hecho, al mostrar a las personas pasando un mal rato por falta de leche durante el consumo de ciertos alimentos. En un comercial, un despiadado comerciante fallece y teme haberse ido al infierno. Para su alivio, encuentra un plato de galletas gigantes con chispas de chocolate y un refrigerador lleno de envases de leche. Después de saborear las galletas, se dispone a tomar algo de leche, y descubre que los envases están vacíos. Comerciales como éste han ayudado a la industria de la leche a mantener constante el consumo *per cápita*, después de muchos años de un consumo decreciente.[7]

Comprender la forma en que se utiliza el producto también puede llevar al encuentro de nuevas oportunidades de negocios. Algunas veces, las empresas descubren que los consumidores utilizan sus productos mediante nuevas e innovadoras formas. Éste fue el caso de un fabricante de jabón quien se percató que sus ventas en una región rural excedían de manera importante sus expectativas, basadas en la población de dicha área. Después de una investigación, descubrió que muchos granjeros utilizaban el jabón para proteger sus árboles frutales contra insectos y otros depredadores.

Algunas veces las empresas obtienen buenos resultados al modificar la forma en que su producto será consumido. Un ejemplo de esto se descubre en El consumidor en la mira 6.2.

El consumidor en la mira 6.2

Cambia la forma en que los rusos consumen vodka

En una habitación del segundo piso del cine Rossiya en Uglich, Rusia, Vladimir Shabalin le enseña a la gente cómo beber vodka. "Primero huélalo" —le dice a los visitantes, que sujetan antiguos vasos de licor sucios—. "Tomen un sorbo y consérvenlo en la boca un momento. Enseguida tráguenselo y después coman un bocadillo suave."

Vladimir es director de una novedosa "biblioteca" de vodka, en Uglich, que permite a los visitantes conocer y degustar cerca de 800 marcas de vodka. Shabalin y sus socios forman parte de un proyecto que tiene la finalidad de crear una nueva cultura relativa a la manera en que se bebe el vodka, ¿Por qué? Porque los negocios que dependen de las ventas de esta bebida están preocupados debido a que los rusos ahora consumen lo que se consideran bebidas más refinadas: ginebra, whisky y vinos de precios elevados. "Las personas temen volverse alcohólicos, y en sus mentes el

vodka está asociado con el alcoholismo", dice Natalya Karchazhkina, analista senior de Qualitel Data Services, empresa moscovita de investigación de mercados.

Estas preocupaciones respecto del alcoholismo son bastante comprensibles. El Russian Health Ministry estima que el consumo doméstico de bebidas alcohólicas fuertes es de 3.7 galones *per capita*. La World Health Organization considera 2.1 galones *per capita* como muy peligroso, lo que se ve reflejado en la menor expectativa de vida promedio (58 años) de los hombres rusos.

La nueva cultura del consumo de bebidas alcohólicas espera modificar la reputación del vodka al enseñar a las personas a que lo beban por su sabor, en vez de por sus efectos. "No es posible prohibir el vodka, por lo que se tiene que enseñar a las personas cómo beberlo correctamente", dice Viktor Minayev, socio de la biblioteca del vodka de Uglich.

Fuente: tomado de Neela Banerjee, "Russia Learns to Savor Its 'Spirit'", en Miami Herald *(junio 5 de 1999), 1C, 9C.*

Cuánto se consume

Aunque un grupo de consumidores puede compartir un vínculo común respecto de un mismo comportamiento de consumo (por ejemplo, bebedores de vino) pueden diferir acerca de la cantidad del consumo. Algunos quizás tomen de manera ocasional un vaso de vino; otros beben vino todos los días y algunos sólo durante la comida; de manera cotidiana, en el transcurso del día.

Estas diferencias en el consumo son los elementos base para la segmentación del mercado de consumidores, la cual se conoce como **segmentación por volumen de uso**, y que *clasifica a los usuarios en tres segmentos: grandes consumidores, consumidores moderados y pequeños consumidores.* Los grandes consumidores reportan niveles más elevados de consumo del producto. En Estados Unidos, 16% de los consumidores adultos representa 80% de todo el consumo de vino.[8] Los pequeños consumidores consumen cantidades reducidas del producto. Los moderados se encuentran entre estos dos extremos. Los grandes usuarios representan un mercado objetivo principal. En la mayoría de los casos, el potencial de utilidades que se gana al venderle a un gran consumidor excede de manera importante lo que se obtiene con consumidores moderados y pequeños.

Modificar la cantidad del consumo es un objetivo importante de los negocios. Considere el anuncio que se muestra en la figura 6.3. Observe cómo el texto que aparece en la parte inferior ("Murphy's Once a Week" [Murphy's una vez a la semana]) incita de manera explícita al aumento en el consumo de los usuarios actuales. La campaña de publicidad "¿Tiene usted leche?" está dirigida a incrementar el consumo entre los bebedores actuales de leche, en vez de enfocarse en los no usuarios.[9]

Los negocios intentan alentar el consumo al modificar la oferta de sus productos. Como vio anteriormente, los fabricantes de champaña esperan que su nueva oferta incremente el consumo. Los fabricantes de películas para cámara fotográfica tienen esperanzas similares para las cámaras nuevas pequeñas, algunas de las cuales no exceden el tamaño de una tarjeta de crédito. Es probable que los consumidores lleven consigo estas minúsculas cámaras, lo que aumentará las oportunidades de tomar fotografías.[10]

Quienes están interesados en el bienestar del consumidor hacen propuestas para modificar la cantidad en el consumo del producto. En años recientes, se han hecho importantes esfuerzos, por ejemplo para reducir el consumo de cigarrillos, el uso ilegal de drogas y el consumo de alcohol por parte de menores. Los nutriólogos sugieren que comamos menos alimentos chatarra y al mismo tiempo incluyamos en nuestra dieta alimentos más nutritivos. Por esta razón, se han aprobado leyes que exigen que en las etiquetas de los alimentos se incluyan las propiedades nutricionales del producto. De manera similar, como se analiza en El consumidor en la mira 6.3, a los fabricantes de pastas de dientes se les ha requerido que incluyan etiquetas de advertencia acerca del riesgo potencial a la salud debido a la ingestión de pasta por los niños pequeños.

Experiencias de consumo

En la sección anterior, nos hemos enfocado en características particulares del comportamiento de consumo, como cuándo y dónde ocurre. Ahora pasamos a la experiencia del consumo propiamente dicha.

Cómo se siente

Una característica en los comportamientos de consumo involucra los sentimientos experimentados durante éste.[11] ¿Cómo se siente al comer su caramelo preferido? ¿Cuándo fue la última vez que visitó a un dentista? ¿Cómo se sintió? ¿Qué sentimientos (si es que los tiene) experimenta al usar detergente en su lavadora?

Los sentimientos se presentan de muchas formas e intensidades. Pueden ser positivos (por ejemplo excitación, placer, alivio); o ser negativos (por ejemplo rabia, aburrimiento, culpabilidad, arrepentimiento). Algunas veces pueden ser abrumadores o de menor intensidad.

Una de las experiencias más intensa e inspiradora que he vivido fue durante mi primer vuelo en helicóptero durante mis vacaciones en las islas hawaianas. Floté por encima de un volcán extinguido, de exuberante vegetación debido a que es un área con la mayor precipitación

El consumidor en la mira 6.3

Cómo controlar la ingestión de pasta de dientes

Dado que los niños menores de seis años son incapaces de controlar su reflejo de deglución, típicamente se tragan la pasta de dientes al cepillarlos. Un estudio del Medical College del Georgia School of Dentistry encontró que aproximadamente la mitad de los niños de esta edad no escupen o enjuagan la pasta. En vez de ello, se la tragan. Esto es peor si se les deja solos ya que tienen tendencia a utilizar demasiada pasta de dientes, especialmente si se trata de pasta de dientes de sabores.

Entonces, ¿cuál es el problema?, demasiado fluoruro. Si el floruro es ingerido en grandes cantidades puede ser mortal, especialmente para niños pequeños. "El fluoruro en la pasta de dientes se considera una droga —dice Regina Miskewitz, director de investigación y desarrollo de Church & Dwight, fabricante de los productos Arm & Hammer—. Cuando se recibe el fluoruro en el laboratorio, lleva impresa una calavera."

Para reducir los riesgos del sobreconsumo, se han agregado las siguientes instrucciones y advertencias en el tubo de pasta de dientes: "No se trague. **Niños menores de seis años:** Para minimizar la ingestión utilice una cantidad de tamaño de un guisante y supervise el cepillado hasta que se formen buenos hábitos. **Manténgalo lejos del alcance de niños menores de seis años de edad.** Si accidentalmente traga más de lo necesario, busque asistencia profesional o llame a algún centro de control de venenos."

Sin embargo, algunos perciben esta advertencia como innecesaria. Pensamos que se excedieron un poco, —dice Clifford Whall, director de evaluaciones del producto para el Council on Scientific Affairs del American Dental Association—. No creemos necesaria una etiqueta como ésta, ya que podría asustar a los consumidores incitándolos a no utilizar la pasta de dientes.

Fuente: tomado de Don Oldenburg, "How Safe Is Toothpaste? FDA Orders Warning Labels with Chilling Message", en Miami Herald *(junio 20 de 1997), 4F.*

pluvial de nuestro planeta. Me sorprendí ante espectaculares caídas de agua, dispersas por remotos rincones de la isla. Vi acantilados magníficamente tallados por los vientos del océano. En un momento dado, me encontré conteniendo lágrimas de alegría conforme me sorprendía ante las maravillas de la naturaleza que estaban frente a mí.

Desafortunadamente, estas experiencias de consumo son la excepción, más que la regla. Muchos comportamientos de consumo son bastante ordinarios y se experimentan con poca emoción. Verter el detergente en la lavadora, tomar vitaminas o cargar gasolina en un automóvil son actividades que por lo general se llevan a cabo sin mucha emoción.

Naturalmente, incluso una actividad de consumo ordinaria puede evocar fuertes emociones cuando las cosas salen mal. ¿Alguna vez le ha pasado que en la tintorería se pierdan sus prendas de vestir? ¿Y qué dice cuando al romperse una bolsa llena de basura, ve que su contenido se desparrama por todos lados? Los sentimientos negativos, como la desilusión y el arrepentimiento, quizás incluso la ira, pueden presentarse siempre que la experiencia de consumo no sea lo que se esperaba.

Los sentimientos negativos durante el uso del producto no son deseables, tanto desde la perspectiva del cliente como de la empresa. A pesar de que quizás algunas veces resulten ser parte inherente de la experiencia de consumo (como los nervios y ansiedad que acompañan la extracción de un diente) a menudo son el resultado de no proporcionar lo que el cliente desea y espera. Sentimientos como desilusión, arrepentimiento e ira son claros indicadores de un problema. La implementación de acciones correctivas requiere identificar las razones de estas emociones negativas.

Dependiendo de la naturaleza de la experiencia de consumo, las empresas pueden considerar benéfico situar sus productos con base en las emociones experimentadas durante el consumo. Existen dos procedimientos básicos para posicionar el producto en función de las emociones de consumo. Un procedimiento es enfocarse en las emociones positivas que aporta el consumo. Analice el anuncio de York Peppermint Pattie que se muestra en la figura 6.4, el cual solicita a los consumidores que "Sientan la sensación", haciendo énfasis en las emociones que se experimentan durante el consumo. Los fabricantes de automóviles a menudo promueven lo apasionante de conducir sus autos deportivos. Algunas veces subrayan la emoción de poseer un símbolo de estatus, como en un anuncio de periódico de un Jaguar que decía: "¿Desea sentirse bien consigo mismo? Repítase, 'Yo tengo un Jaguar'".

¿Cuál cree que sería el segundo procedimiento para un posicionamiento basado en las emociones? Si considera que consiste en mostrar la forma en que el producto reduce o elimina los sentimientos negativos, está en lo correcto. Una empresa de renta de automóviles se promueve mediante una publicidad donde manifiesta la frustración e irritación que los consumidores podrían experimentar si la renta la hacen con la competencia, emociones que naturalmente se evitan al rentar con ellos. De manera similar, muchos consumidores experimentan culpa al comer, especialmente si los alimentos son menos que saludables. Como se observa en la figura 6.5, un fabricante de alimentos responde a esas preocupaciones situando su producto como "libre de culpa".

Qué tan gratificante o desgastante resultó la experiencia

Las experiencias de consumo difieren en función de si los consumidores las encuentran gratificantes o desgastantes. Desde esta perspectiva, se pueden caracterizar en aquellas que proporcionan un refuerzo positivo, y las que producen un refuerzo negativo o un resultado negativo. En la figura 6.6, se muestra un diagrama de ellas.

Figura 6.4 Este producto se posiciona a sí mismo como una forma para que los consumidores experimenten emociones positivas

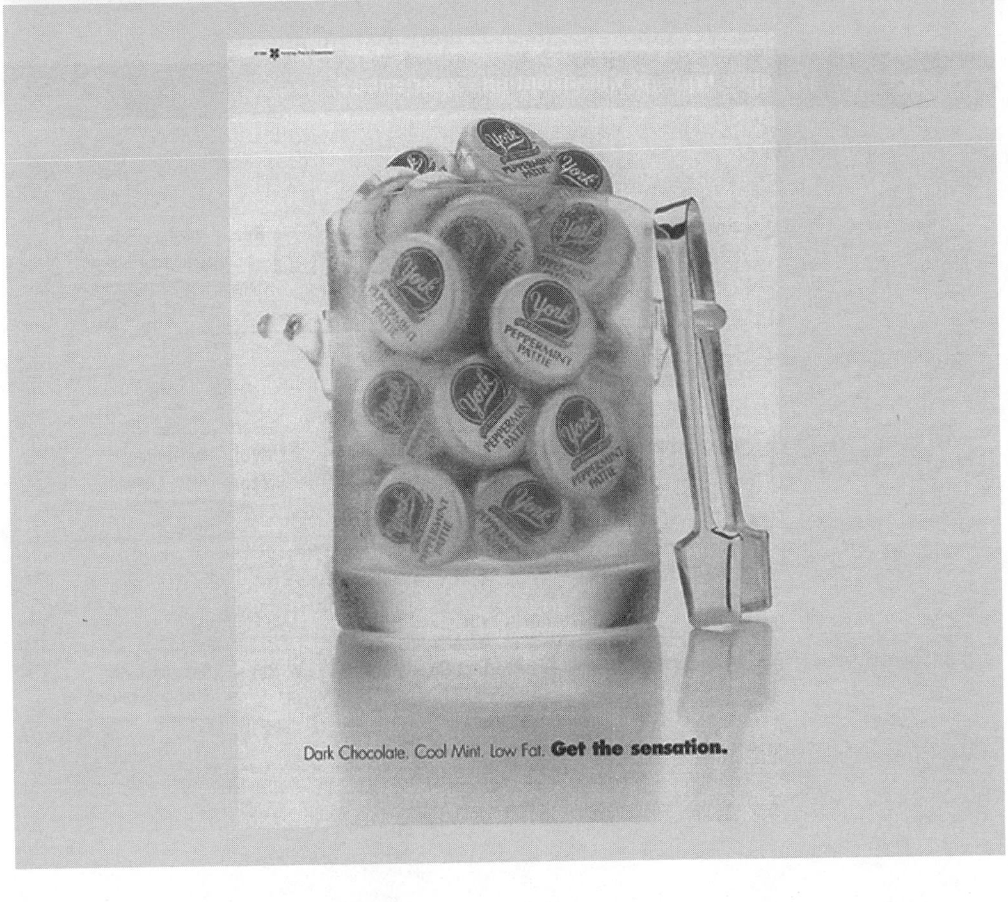

Dark Chocolate. Cool Mint. Low Fat. **Get the sensation.**

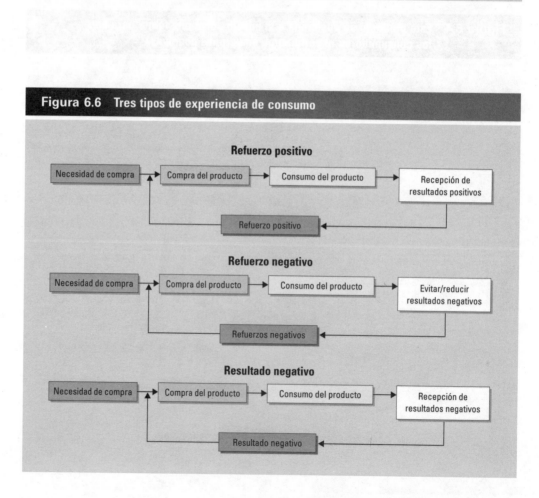

Figura 6.5 Este producto se posiciona a sí mismo con intención de evitar emociones negativas durante su consumo

Great Taste Without Guilt.
Sara Lee Reduced Fat Baked Goods
Sara Lee
55¢
Sara Lee
REDUCED FAT
POUND CAKE
55¢
Sara Lee
REDUCED FAT
APPLE PIE
55¢
Sara Lee
REDUCED FAT
RASPBERRY COFFEE CAKE
55¢
Sara Lee
REDUCED FAT
CHEESECAKE

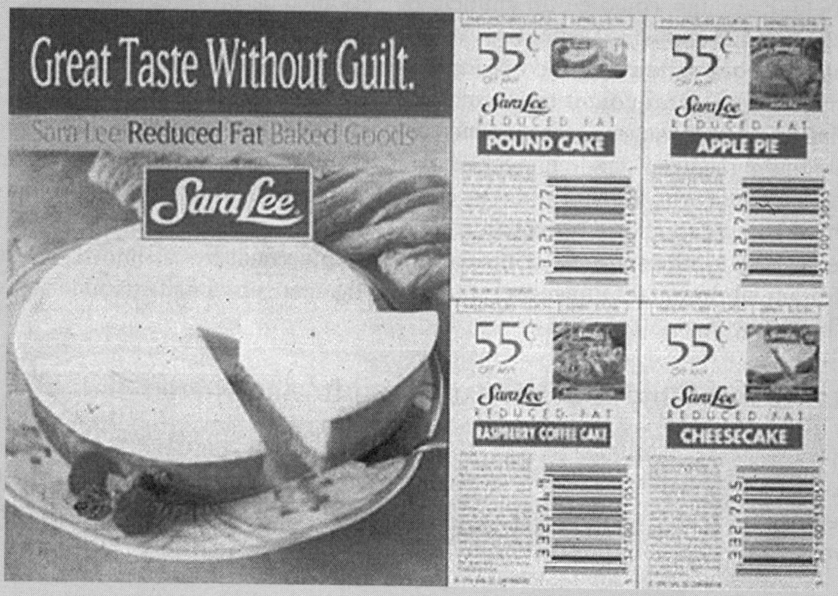

Figura 6.6 Tres tipos de experiencia de consumo

Refuerzo positivo
Necesidad de compra
Compra del producto
Consumo del producto
Recepción de resultados positivos
Refuerzo positivo
Refuerzo negativo
Necesidad de compra
Compra del producto
Consumo del producto
Evitar/reducir resultados negativos
Refuerzos negativos
Resultado negativo
Necesidad de compra
Compra del producto
Consumo del producto
Recepción de resultados negativos
Resultado negativo

Una experiencia de consumo proporciona un **refuerzo positivo** cuando el consumidor percibe algún *resultado positivo al hacer uso del producto*. Por ejemplo, a muchos de nosotros nos gusta visitar parques de diversiones, debido a la excitación y alboroto experimentados al subir a ciertos juegos. Ocurre un **refuerzo negativo** cuando el *consumo permite que los consumidores eviten algún resultado negativo*, por ejemplo las gotas para los ojos, se utilizan con el fin de eliminar la sensación de ardor cuando los ojos están irritados. Algunas veces, puede ocurrir tanto un refuerzo positivo como negativo durante el consumo. Un aromatizador puede reemplazar olores (refuerzo negativo) mediante un olor refrescante (refuerzo positivo).

En general las empresas esperan que sus productos aporten refuerzos. Lograrlo significa mayor probabilidad de que los clientes se conviertan en compradores de repetición. Desafortunadamente, hay ocasiones en que la experiencia de consumo tiene un resultado negativo. El **resultado negativo** ocurre cuando el *consumo lleva a experiencias poco gratas*. Las cirugías plásticas que empeoran la condición física de las personas son un resultado negativo. Al vivir una experiencia negativa es poco probable que el consumidor vuelva a intentar el uso sobre todo si los resultados negativos experimentados durante el consumo sobrepasan cualquier refuerzo que se haya recibido.

Es menos probable que los consumidores disfruten comprar y utilizar productos de refuerzo negativo que productos de refuerzo positivo.[12] En consecuencia, a menudo gastará menos tiempo y esfuerzo en adquirir estos productos. Esto, a su vez, limita la oportunidad del producto de superar la mezcla de marcas competitivas y obtener la consideración del consumidor.

Las empresas que ofrecen productos de refuerzo negativo deben dirigirse a tres segmentos del mercado. Primero, los consumidores que comprueban la solución del problema mediante el uso del producto. Segundo, los consumidores que tuvieron algún problema pueden ser receptivos a los llamados que alientan al uso de otro producto, que garantice la solución difinitiva del problema. Tercero los consumidores que no han experimentado el problema pueden formar un segmento viable. Es posible alentar el consumo del producto como una manera de reducir la probabilidad de que los consumidores experimenten alguna vez el problema. Un comercial que actualmente se transmite en TV tiene como protagonista a un hombre joven que está hablando acerca del historial de su familia respecto de la pérdida del cabello. Explica que a pesar de que aún no tiene el problema, utiliza el producto anunciado con la finalidad de reducir la posibilidad de una pérdida futura del cabello.

¿Se confirmaron o no las expectativas?

Otro punto relativo a las experiencias de consumo, consiste en si las expectativas de los consumidores tanto en la compra como en el consumo se confirman o no. Considere los siguientes comentarios de una persona que hizo un recorrido en canoa alrededor de Biscayne Bay, Florida: "Fui persuadido de hacer este viajes. Se me dijo que sería fácil e interesante y no fue así. También me aseguraron que vería muchos animales salvajes y vi muy pocos. Simplemente estoy contento porque se terminó."[13] Es obvio, que la experiencia de consumo no estuvo a la altura de las expectativas de esta persona.

El grado al cual la experiencia de consumo confirma o no las expectativas ejerce una gran influencia en las evaluaciones que harán los consumidores, después del consumo del producto. Analizaremos esta influencia más adelante en el capítulo, cuando consideremos las evaluaciones posteriores al consumo.

Normas y rituales de consumo

Las **normas de consumo** representan las *reglas informales que gobiernan nuestro comportamiento de consumo*. Traje y corbata es el atuendo esperado de los hombres de negocios. Los regalos que representan expresiones de amor se intercambian el día de San Valentín. Un prendedor es parte fundamental de la pareja del baile de graduación.

Muchas actividades de consumo están ritualizadas. Los **rituales de consumo** se definen como "un tipo de actividad expresiva, simbólica, elaborada con base en múltiples comportamientos que ocurren en una secuencia determinada y que se repiten con el tiempo. El comportamiento ritual se escribe y actúa dramáticamente, y se lleva a cabo con formalidad, seriedad e intensidad interna".[14] Mientras se redactaba este capítulo, estaba próximo el día de Acción de gracias, por lo que utilizamos esta fiesta con la finalidad de ilustrar los rituales de consumo.[15]

Los orígenes del día de Acción de gracias se remontan allá por 1621, cuando los peregrinos invitaron a los indios de la localidad a una fiesta para celebrar una buena cosecha. Desde entonces, se ha convertido en una de las festividades más respetadas por los estadounidenses. El guión es muy conocido. La familia y los amigos íntimos convergen en un lugar para un día de relajamiento, conversación y, naturalmente, comida. En muchas mesas, se encontrará pavo relleno, puré de papas, arándanos y tarta de calabaza. A pesar de que la mayoría de la gente piensa que el día de Acción de gracias es un día de reunión familiar, también representa, de manera simbólica, una celebración de abundancia material. La mesa se ve cargada de gran variedad de alimentos que no se pueden ver en cualquier otra ocasión durante el año; los platos se sirven con abundancia, y ¡la anfitriona no queda contenta hasta que algunos de los participantes anuncien que han comido demasiado!

Algunas empresas refuerzan el sitio que sus productos ocupan en los rituales de consumo. En la figura 6.7 se muestran dos ejemplos de publicidad. Observe la forma en que cada uno de los anuncios sitúa el producto como parte de la tradición familiar.

Los rituales de las festividades son sólo uno de los muchos tipos de rituales de consumo. La mayoría de nosotros llevamos a cabo ciertos rituales de aseo, que seguimos de manera rutinaria cuando nos alistamos por la mañana[16]. El intercambio de regalos también se puede caracterizar como un ritual[17].

Consumo compulsivo

El comportamiento de consumo puede tomar formas y direcciones contraproducentes. El término **consumo compulsivo** se refiere a *aquellas prácticas que, aunque se llevan a cabo para mejorar la autoestima, son inapropiadas, excesivas y nocivas para las vidas de los involucrados.*[18] A menudo, los consumidores experimentan una falta de control sobre sus propias acciones. La gratificación recibida es temporal y el resultado incluye culpa y un sentimiento de impotencia profundos.

Para muchas personas, el juego es una forma ordinaria de consumo compulsivo.[19] De acuerdo con la National Gambling Impact Study Commission, más de cinco millones de estadounidenses tienen un problema de juego. Este problema no se limita a los adultos, más de un millón de adolescentes de 12 a 17 años de edad son jugadores compulsivos. El costo económico del problema del juego representa miles de millones de dólares.[20]

La adicción a las compras es otra forma de consumo compulsivo. El llamado comprador vicioso encuentra alivio en ese comportamiento en forma muy similar al que los alcohólicos y adictos encuentra en las drogas[21]. El elemento común es, que la adicción se refiere *al proceso de comprar* y no a la posesión de los productos. Los adictos a las compras a menudo confiesan que los productos adquiridos no tienen ningún propósito útil.

La internet ha dado nacimiento a un nuevo tipo de consumidor compulsivo: el webadicto. Los que dependen de la web pasan cerca de 40 horas a la semana en la internet. Prácticamente la mitad son amas de casa y estudiantes universitarios sin empleo. Ocupan la mayor parte de su tiempo en "Chats" donde a menudo asumen identidades diferentes. Son comunes las cartas que buscan el consejo de los columnistas Ann Landers y Abigail Van Buren en relación con la dependencia de la web. Una madre fue arrestada por poner en peligro a su familia, luego que la policía encontró a sus hijos en un cuarto de juego cubierto de excremento, mientras ella se encontraba en una sala de cómputo impecable.[22]

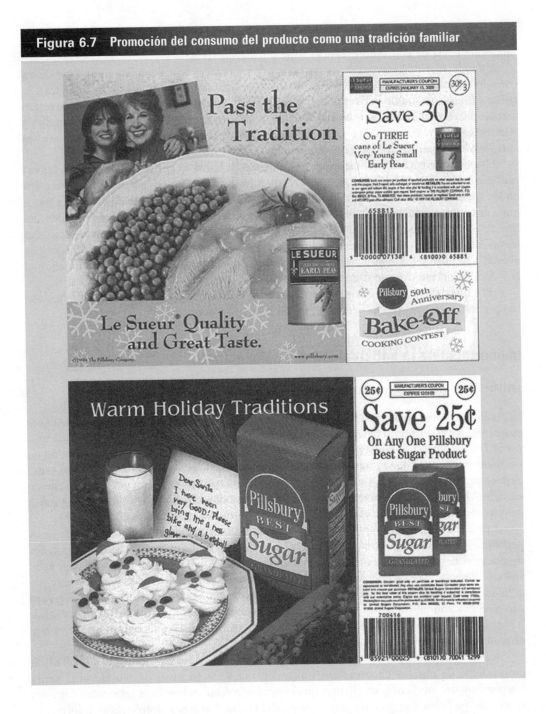

Figura 6.7   Promoción del consumo del producto como una tradición familiar

Evaluaciones posteriores al consumo

Tal y como se analizó en el capítulo 4, la evaluación de las alternativas de elección es fundamental en la fase previa a la compra durante el proceso de toma de decisiones. Asimismo la evaluación de la alternativa elegida es determinante en las etapas posteriores a la compra en el proceso de toma de decisiones. Durante y luego del consumo, los consumidores hacen evaluaciones del producto y de la experiencia de consumo, los que pueden parecerse mucho a aquellas que se tuvieron con anterioridad a la compra, sobre todo cuando la experiencia de consumo es satisfactoria. En otras ocasiones pudieran ser diferentes de las evaluaciones efectuadas antes del consumo. Una evaluación favorable previa a la compra puede desvanecerse ante una experiencia de consumo decepcionante o insatisfactoria.

Un indicador de lo favorable de las evaluaciones posteriores al consumo por parte de los consumidores es el American Customer Satisfaction Index (ACSI, por sus siglas en inglés). Se encuestan más de 50 000 consumidores estadounidenses respecto de su nivel de satisfacción con las principales empresas y servicios del gobierno. La tabla 6.1 informa lo encontrado en relación con aquellos que recibieron las calificaciones de satisfacción más elevadas y más bajas entre las 190 empresas y servicios de la encuesta ACSI realizada en 1997.[23]

Mercedes-Benz, con una calificación promedio de satisfacción de 87 de 100, recibió la calificación más elevada. El resto de los primeros diez, constituidos por empresas que compiten en los supermercados de Estados Unidos, seguían de cerca, con calificaciones de 86 a 84. A guisa de comparación, aquellos en los últimos diez lugares recibieron calificaciones de 65 o menos. Por cuarto año seguido, el Internal Revenue Service (IRS) fue calificado como la entidad menos satisfactoria. La calificación promedio de 54 del Internal Revenue Service lo coloca al final, una distinción que ha mantenido durante los últimos cuatro años. Descontando el IRS, McDonald hubiera ocupado el último lugar.

¿Por qué deben estas empresas preocuparse de si los consumidores están satisfechos con sus productos? La respuesta la encontrará en la sección que sigue.

Importancia de la satisfacción del consumidor

Influencia sobre la compra de repetición

La razón más obvia por la cual las empresas deben poner atención a la satisfacción del cliente es que influye en el hecho de si los consumidores volverán a comprar o no en la misma empresa. Las evaluaciones positivas posteriores al consumo son esenciales para la retención de los clientes. Aquellos que obtienen evaluaciones negativas del producto después del consumo es poco probable que vuelvan a comprar. En general resulta más económico retener un cliente existente que reclutar uno nuevo.[24] Las empresas por tanto se esfuerzan más para asegurarse de que sus clientes tengan experiencias de consumo satisfactorias.

A pesar de ello, la relación entre la satisfacción del cliente y la retención del cliente no es perfecta.[25] De acuerdo con un artículo publicado en *Harvard Business Review,* "en el negocio después del negocio de 60 a 80% de los clientes perdidos reportaron en una encuesta, justo antes de desertar, que estaban satisfechos o muy satisfechos. La mayoría de los fabricantes de automóviles todavía perciben que 90% de sus clientes declaran estar satisfechos y 40% regresan para volver a comprar".[26] No obstante, no es de sorprender que muchos clientes satisfechos hoy se lleven sus preferencias a otra parte mañana. Siempre habrá muchos competidores que ofrecen atractivos incentivos como señuelo para atraer a clientes.

A pesar de que una experiencia satisfactoria de consumo no garantiza la lealtad, la probabilidad de que los clientes sean leales dependerá de su nivel de satisfacción. Xerox Corporation descubrió que los clientes que informaban estar "totalmente satisfechos" era seis veces más probable que recomprarían sus productos, que quienes simplemente informaron estar "satisfechos".[27] Por esta razón, las empresas se han dado cuenta que el simple satisfacer a los clientes puede no ser suficiente. Más bien, deben esforzarse en "encantar al cliente" lo cual ocurre cuando los consumidores están completamente satisfechos.[28]

Propiciar la comunicación oral

Además de influir en los futuros comportamientos de compra, las evaluaciones posteriores al consumo afectan otros comportamientos. Una actividad común es analizar las experiencias de consumo de uno mismo con otras personas. ¿Cuántas veces ha escuchado a sus conocidos hablar de sus vacaciones, de la última película vista, de cenar en algún restaurante, o de

Tabla 6.1	Los diez más altos y los diez más bajos en el índice de satisfacción del cliente estadounidense en 1997		
Empresa/servicios	**Clasificación**	**Calificación***	**Cambio en relación con 1996**
Mercedes-Benz	1	87	ninguno
H.J. Heinz (alimentos procesados)	2	86	– 4.4%
Colgate-Palmolive (alimento para mascotas)	3	85	NA
H.J. Heinz (alimento para mascotas)	4	85	NA
Mars (alimentos procesados)	5	85	– 1.2%
Maytag	6	85	+ 2.4%
Quaker Oats	7	85	+ 3.7%
Cadillac	8	84	– 4.5%
Hershey Foods	9	84	– 4.5%
Coca-Cola	10	84	– 3.4%
Wells Fargo	181	65	– 8.5%
Continental Airlines	182	64	– 3.0%
Northwest Airlines	183	64	– 4.5%
Ramada	184	64	– 8.6%
Pizza Hut	185	63	– 4.5%
Policía (ciudades metropolitanas)	186	63	+ 6.8%
American Airlines	187	62	– 12.7%
Unicom	188	62	– 8.8%
McDonald's	189	60	– 4.8%
Internal Revenue Service	190	54	+ 8.0%

*La calificación máxima es de 100.
Fuente: Ronald B. Lieber, "Now Are You Satisfied? The 1998 American Customer Satisfaction Index", en Fortune (febrero 16 de 1998), 161-164.

haber sido estafados por alguna empresa poco escrupulosa? Para muchos, las conversaciones relacionadas con experiencias de consumo son una actividad cotidiana.

Lo conveniente de este tipo de comunicación verbal depende directamente de lo favorable de la experiencia de consumo.[29] Las experiencias de consumo negativas no sólo reducen la probabilidad de compradores de repetición, sino que también impulsan a los consumidores a decir cosas poco halagüeñas al analizar sus experiencias ante otros. Los consumidores insatisfechos procuran compartir sus opiniones negativas con otros, incluso entre desconocidos. Analice el descontento del arrendatario, quien cubrió los gastos de copiado y distribución de cientos de volantes como se ilustra en la figura 6.8.

Observe, que la capacidad de una empresa para ofrecer experiencias satisfactorias de consumo se verá afectada en la retención de los clientes actuales, así como en atraer a los nuevos. Los clientes decepcionados no sólo se llevarán su compra a otra parte, sino además al difundir sus impresiones entre terceros, disminuirá la posibilidad de reclutamiento de la empresa. Los clientes satisfechos se convierten en compradores de repetición y son valiosos mensajeros para llegar a clientes potenciales.

Figura 6.8 La insatisfacción puede llevar a una comunicación verbal negativa

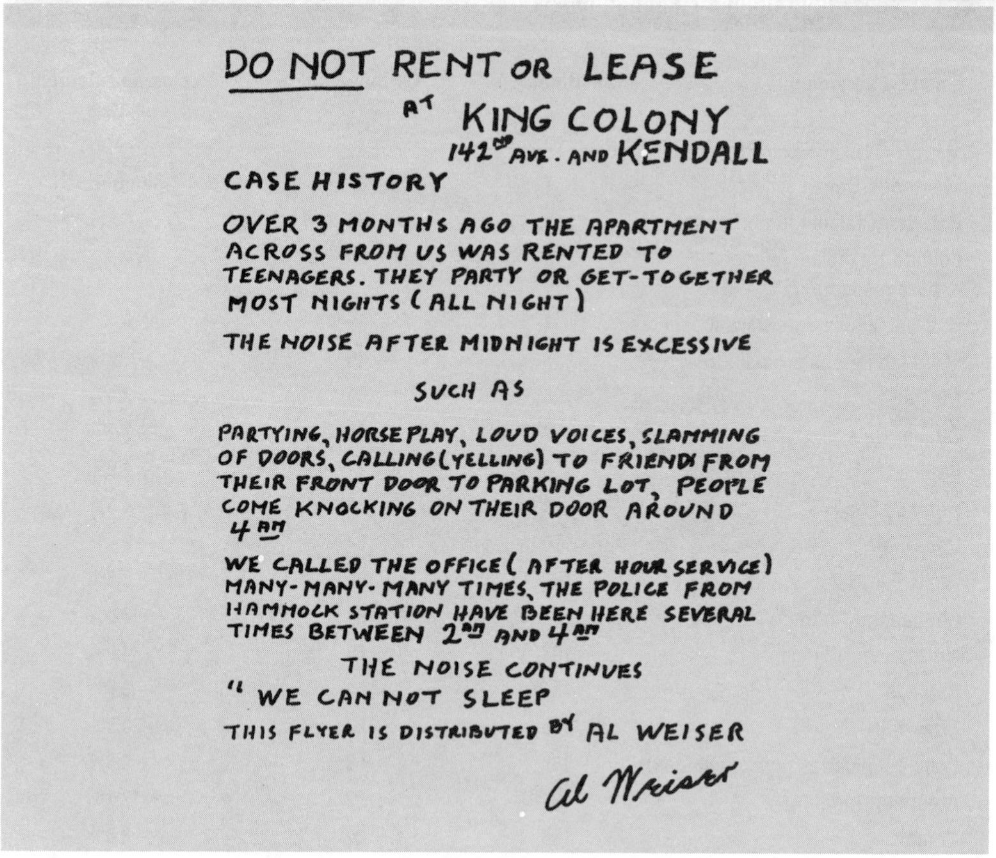
DO NOT RENT OR LEASE
AT KING COLONY
142ND AVE. AND KENDALL
CASE HISTORY
OVER 3 MONTHS AGO THE APARTMENT ACROSS FROM US WAS RENTED TO TEENAGERS. THEY PARTY OR GET-TOGETHER MOST NIGHTS (ALL NIGHT)
THE NOISE AFTER MIDNIGHT IS EXCESSIVE
SUCH AS
PARTYING, HORSEPLAY, LOUD VOICES, SLAMMING OF DOORS, CALLING (YELLING) TO FRIENDS FROM THEIR FRONT DOOR TO PARKING LOT, PEOPLE COME KNOCKING ON THEIR DOOR AROUND 4 AM
WE CALLED THE OFFICE (AFTER HOUR SERVICE) MANY-MANY-MANY TIMES, THE POLICE FROM HAMMOCK STATION HAVE BEEN HERE SEVERAL TIMES BETWEEN 2 AM AND 4 AM
THE NOISE CONTINUES
" WE CAN NOT SLEEP
THIS FLYER IS DISTRIBUTED BY AL WEISER
Al Weiser

La insatisfacción desencadena quejas

Además de difundir comunicaciones verbales negativas, los clientes insatisfechos también pueden presentar quejas formales y demandas legales contra la empresa. Esto, a su vez, puede generar publicidad negativa y absorber tiempo y recursos requeridos para la defensa legal de la empresa y ante la prensa.

Aunque la insatisfacción es un prerrequisito esencial para un comportamiento de queja, no todos los clientes insatisfechos se quejan.[30] Aun así, sin conocer las razones del disgusto del cliente, tomar acciones correctivas con el fin de evitar o minimizar el desencanto se hace más retador. Por lo anterior, es probable que los clientes insatisfechos, que no manifiestan sus quejas, se lleven su compra a otra parte.[31] Por estas razones, las empresas deben establecer medidas para que los clientes insatisfechos expresen fácilmente sus molestias.[32] Una empresa de renta de automóviles anuncia un número 1-800 justo para esta finalidad.

¿Por qué se quejan tanto? Algunas veces, los consumidores no consideran al producto directamente responsable de su malestar. En cambio pueden atribuir la experiencia de consumo insatisfactoria a ellos mismos ("no lo usé correctamente") o a circunstancias externas, fuera de control ("el mal tiempo hizo que mi vuelo se retrasara").[33] Incluso si los consumidores responsabilizan al producto o al minorista, el comportamiento de queja pudiera no ocurrir al considerar que no son merecedores de su tiempo y esfuerzo.[34]

Para aquellos que se toman el tiempo y esfuerzo de registrar sus quejas, una intención sincera de rectificar los problemas puede aliviar el descontento, y producir además, nuevas intenciones de volver a comprar.[35] Es muy importante la rapidez de respuesta que dé la empresa a una queja. Los clientes se sienten más satisfechos cuando ésta es inmediata.[36] Y, naturalmente, es vital la naturaleza de la respuesta por parte de la empresa. Para las quejas que involucran pérdidas monetarias, la satisfacción de los clientes en relación con la empresa aumenta conforme el porcentaje compensado por la empresa es mayor.[37]

Implicaciones para una estrategia competitiva

Además de comprender las evaluaciones posteriores al consumo de sus propios clientes, también es de utilidad para las empresas comprender las evaluaciones de los clientes de sus competidores. Al hacerlo se obtiene una valiosa guía para el desarrollo de estrategias de reclutamiento de clientes. Los esfuerzos de quitarle clientes a la competencia tienen poco éxito cuando éstos están contentos con su preferencia actual. En vez de ello, se tiene un mayor rendimiento cuando se trata de competidores que están dando servicios a clientes insatisfechos. Los clientes descontentos tienen una mayor disposición para considerar otras ofertas. En los mercados maduros, donde pocos no consumidores se convierten en consumidores, el crecimiento de una empresa depende en gran medida de atraer clientes insatisfechos de la competencia.

El reclutamiento de clientes insatisfechos es importante, incluso, en mercados en crecimiento. Analice lo que ocurrió hace algunos años, cuando American Online (AOL) hizo un cambio en su estrategia de precios. AOL pasó de cuotas por horario a un acceso ilimitado por una cuota única. El número de usuarios aumentó de tal forma, que se hizo prácticamente imposible tener acceso. Se volvieron comunes los relatos acerca de clientes frustrados, que decidieron cambiar su opción. Los competidores de AOL se movieron con rapidez, con la finalidad de aprovechar la situación. Un anuncio de CompuServe durante el Super Bowl de 1997 iniciaba con una pantalla vacía y con el sonido característico, que se escucha cuando el registro a internet es fallido. En seguida le decía al observador: "¿Busca un acceso confiable en internet? CompuServe. Adelante con ello."[38]

Algunas empresas que tienen éxito en la satisfacción de sus clientes encuentran ventajoso difundirlo. Con esto se refuerzan las actitudes de los clientes actuales. También pueden mejorar las evaluaciones previas a la compra de aquellos consumidores que la empresa desea reclutar. Un ejemplo de ese tipo de publicidad aparece en la figura 6.9, donde un anuncio de la empresa telefónica BellSouth se dirige a los consumidores que están clasificados como número uno en satisfacción del cliente para informarle acerca del servicio telefónico residencial local. Esta clasificación se hizo con base en una encuesta conducida por J. D. Powers and Associates, empresa de investigación de mercados que fincó su reputación en la medición de la satisfacción del cliente. En 1998, los ingresos de J. D. Powers eran de casi 65 millones de dólares, representando con ello la organización de investigación de mercado con el treceavo sitio en tamaño en Estados Unidos.[39] La empresa encuesta a más de un millón de personas en el mundo sobre su satisfacción en relación con varias clases de productos y empresas.

¿Qué determina la satisfacción?

Un determinante fundamental de la satisfacción es la percepción del consumidor acerca del funcionamiento del producto durante el consumo. Un mal desempeño y experiencias de consumo desfavorables dan por resultado consumidores insatisfechos con el producto a menos que se presenten circunstancias atenuantes. En general, mientras más favorable sea el servicio de un producto, mayor será la satisfacción del cliente.

Aun así, un buen desempeño no asegura clientes satisfechos. Debido a que la satisfacción del cliente depende de algo más que el cumplimiento real. De acuerdo con el **modelo de disconfirmación de expectativas** de Richard Oliver, *la satisfacción depende de una comparación de las expectativas previas a la compra con los resultados reales.*[40] Por ejemplo suponga que llega a tiempo a su cita con el doctor, y se le informa que el médico lo verá en unos cuantos

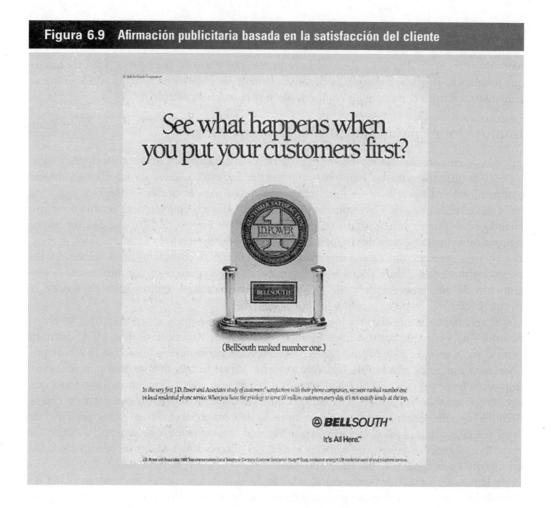

> **Figura 6.9**   Afirmación publicitaria basada en la satisfacción del cliente

minutos. Transcurre media hora, y finalmente lo pasan a consulta. ¿Estaría contento por haber esperado ese tiempo, sobre todo, si le informaron que sólo esperaría unos cuantos minutos? Ahora, piense que le dijeron que esperaría una hora, para pasar con el médico, de pronto le anunciaron a los 15 minutos que pase. ¿Se sentiría diferente, por haber esperado sólo 15 minutos? Es muy probable que sí. En este caso, sus expectativas fueron excedidas. La mayoría de nosotros nos sentimos mejor al esperar menos tiempo del que creíamos.

También un producto que proporciona un servicio relativamente bueno, puede llevar a una experiencia de consumo insatisfactoria, cuando el desempeño es menor de lo que el consumidor esperaba. Desafortunadamente, no llenar las expectativas de los clientes es un problema común en los negocios. Un ejemplo importante involucra las aerolíneas. Lea El consumidor en la mira 6.4 para aprender más respecto del particular.

Al comparar lo que se espera con lo que se recibe, existen tres resultados posibles. Uno, si el *producto entrega menos de lo esperado*, ocurre una **disconfirmación negativa**. Dos, se presenta la **disconfirmación positiva** cuando el *producto aporta más de lo esperado*. Tres, ocurre la **confirmación**, cuando el *desempeño del producto coincide con las expectativas*. La confirmación produce una mayor satisfacción que la existente después de una disconfirmación negativa. La disconfirmación positiva evoca los niveles más elevados de satisfacción.

El hecho de que la satisfacción puede depender de lo que se espera y de lo que se recibe plantea un dilema al poner en el mercado los productos. Las empresas a menudo alientan a los consumidores a tener expectativas muy elevadas respecto de lo que recibirán con el producto. Éste es el caso del anuncio de Softsoap de la figura 6.10 que promete que "la ducha jamás será lo mismo que antes". Al establecer expectativas elevadas, se espera que aumente la probabilidad de que los consumidores hagan una compra de prueba.

El consumidor en la mira 6.4

La insatisfacción del cliente presente en las aerolíneas

Los vuelos sobrevendidos, las "millas viajero" imposibles de compensar, el equipaje mal manejado y cuentos de horror acerca de pasajeros atrapados en aeroplanos incrementan el número de quejas respecto de las aerolíneas. Entre 1997 y 1998, las reclamaciones de los pasajeros al Transportation Department aumentaron 25%.

"Las aerolíneas obtuvieron libertad a partir de la desregulación y francamente muchas las explotaron injustamente", explica el senador Ron Wyden de Oregon. "Me parece que se tiene una situación donde las utilidades de las aerolíneas salen por el techo y el servicio a los pasajeros se queda en la puerta." Los principales transportistas estadounidenses alcanzaron utilidades netas de 5100 millones de dólares en 1998, apenas un poco menos que su récord de todos los tiempos de 5200 millones en 1997. El transportista más grande de la nación, United Airlines, tuvo ingresos netos de 1340 millones.

Los funcionarios de United han reconocido que su servicio a los clientes se ha quedado corto respecto de lo que desean los viajeros de negocios más importantes. "Sería poco sincero de mi parte decir que no estábamos ya conscientes de que los viajeros estaban descontentos —dice el presidente de United, Gerald Greenwald—. Lo que nos llamó la atención fue la profunda insatisfacción que descubrimos."

Una forma en que la empresa respondió a la situación involucró el cambio de su publicidad. Tanto en el pasado como en 1965 la publicidad alentaba a los consumidores a "volar en los cielos amigables de United". Pero en el entorno actual de vuelos atrasados, equipaje perdido y personal malhumorado, "amigable" no es la palabra que utilizarían muchos pasajeros. En 1997, United descartó su vieja campaña, a favor de una campaña nueva de 125 millones de dólares, que sostiene que su servicio está "aumentando". De acuerdo con Greenwald, "transmite a nuestros clientes que estamos trabajando duro en nuestros productos, con el fin de llenar sus necesidades". Pero aun así, en una encuesta reciente de la opinión de los consumidores en relación con la calidad de las líneas aéreas, United terminó en último sitio entre los diez principales transportistas de la nación. Aparentemente, United no ha aumentado mucho.

Fuente: tomado de Glen Johnson, "Vexed With the Airlines? So Are Washington Lawmakers", Sun-Sentinel (febrero 14 de 1999), 1J, 4J; Glen Johnson. "U.S. Airways Tops Quality Survey", Miami Herald (abril 20 de 1999), 3C; "New United Ads Take Off from the Crowd", Miami Herald Business Monday (mayo 19 de 1997), 10.

Sin embargo, al establecer expectativas tan elevadas, las empresas incrementan el riesgo de que los consumidores queden menos satisfechos. A menos que el producto sea capaz de entregar lo que se ha prometido, la probabilidad de una disconfirmación negativa aumenta conforme se incrementan las expectativas. La insatisfacción resultante reduce las probabilidades de una compra repetida. En resumen, expectativas más elevadas deben alentar la compra de prueba, pero puede que lo hagan a costa de compras de repetición. Representa un reto para la mercadotecnia establecer expectativas a un nivel lo suficiente elevado con el fin de obtener esa compra inicial, sin por ello sacrificar compras futuras debido a la decepción que los consumidores experimentarán cuando el producto deje de entregar lo que se esperaba.

Un procedimiento ante este reto está ejemplificado por Levenger, una empresa de catálogo de pedidos por correo, especializada en "herramientas para lectores serios" (instrumentos para escritura, artículos de estudio, entre otros). El lema de la empresa: "Promete menos y entrega más." En esencia, la empresa busca sobrepasar las expectativas creadas entre sus clientes. Al adoptar un procedimiento conservador en el establecimiento de las expectativas (la parte de "prometer menos"), mejora su oportunidad de evocar una disconfirmación positiva.

Como se ilustra en la figura 6.10, la publicidad es una manera de que las empresas influyan las expectativas de los consumidores. Pero está lejos de ser el único método para ello. Diferentes marcas pueden evocar expectativas diferentes (considere Rolex con Timex). El empaque del producto también crea expectativas.[41] Lo que se espera del producto también depende del precio de éste. Un precio más elevado por lo general crea mayor expectativa respecto de cómo será su desempeño. Un fabricante de computadoras disminuyó de manera sustancial las características ofrecidas por su producto, con esto pudo reducir también el precio. Como resultado, la redituabilidad del producto bajó de 12 a 5%. Las expectativas de,

los consumidores disminuyeron y se hicieron menos demandantes cuando la computadora bajó de precio.[42]

Más allá de influir en la satisfacción mediante su impacto sobre la confirmación o la disconfirmación, las expectativas también pueden afectarla directamente. Debido a que llegan a distorsionar la interpretación de la experiencia de consumo misma. Un estudio clásico para ilustrar este principio básico consistía en que los consumidores probaran y calificaran diferentes marcas de cerveza. Cuando las cervezas consumidas no tenían etiqueta (es decir, los consumidores probaban las marcas sin saber la identidad), los consumidores no encontraban diferencia; calificaban esencialmente todas de igual forma. Pero no fue así cuando los consumidores probaban marcas conocidas (es decir, las cervezas tenían su etiqueta). Para algunas cervezas, la calificación de los consumidores se incrementó cuando la etiqueta estaba presente durante el consumo. Por lo que la expectativa creada por la etiqueta de la cerveza resultó ser tan poderosa como para modificar la interpretación, por parte de los consumidores, de lo que sus papilas gustativas les sugerían. [43] Descubrimientos como el anterior subrayan los beneficios adicionales que reciben las empresas por tener para sus productos nombres de marca reconocidas.

Las expectativas no siempre distorsionan las evaluaciones posteriores al consumo. Depende de la *ambigüedad* de la experiencia de consumo. ¿Pueden los consumidores realmente determinar si están beneficiándose por la ingestión de vitaminas? ¿De qué manera sabemos si la persona que nos reparó el automóvil o la televisión no se aprovechó de nosotros al reemplazar innecesariamente partes que estaban funcionando? En muchas experiencias de consumo, resulta imposible para los consumidores determinar si el producto se desempeña como se esperaba. Y en estos casos, las evaluaciones posteriores al consumo pueden ser susceptibles a las expectativas iniciales. En contraste, las experiencias de consumo donde no existe confusión mejoran la evaluación del producto, al reducir la posibilidad de que las expectativas previas influyan en ésta.

Para ilustrar lo anterior analice el estudio siguiente.[44] A algunas personas se les muestra un anuncio que hace énfasis en las cualidades y virtudes de la playera anunciada; a otras personas no se les muestra el anuncio. En esencia, el anuncio crea una expectativa de calidad del producto. Los participantes acto seguido juzgan la calidad de la playera, con base en una inspección visual. Esta inspección da como resultado una evidencia ambigua en relación con la calidad del producto (es decir, lo que a simple vista se ve bien, pudiera al tacto sentirse delgado y poco sólido). Los que vieron el anuncio, crearon una expectativa de calidad, y reportaron calificaciones más altas para la playera que aquellos que no lo vieron. Por lo que en presencia de una evidencia ambigua respecto de la calidad del producto, la expectativa creada por la publicidad afectó los juicios de calidad de los participantes.

Este estudio también incluyó una segunda clase de producto: toallas de papel. A las personas se les permitió comprobar la capacidad de la toalla de absorber el agua. Esta prueba dio una evidencia clara de la calidad del producto, que nulificó la influencia de la expectativa, ya que los participantes llegaron a las mismas calificaciones de producto, independientemente de si antes de llevar a cabo la prueba de agua habían visto o no un anuncio que promovía su calidad.

Finalmente, hablamos antes en el capítulo de cómo el consumo puede llevar a una diversidad de emociones de diferente intensidad y nivel favorable. Los sentimientos experimentados durante el consumo pueden también ser importantes en la determinación de la satisfacción.[45] Los sentimientos positivos mejoran la satisfacción; los negativos la reducen.

Resumen

Este capítulo examina las dos últimas etapas del proceso de decisión: el consumo y la evaluación posterior al consumo. Una parte fundamental de la segmentación del mercado para muchos productos involucra distinguir entre usuarios (aquellos que consumen) y no usuarios (aquellos que no lo hacen). Es también importante comprender la dinámica del consumo. ¿Cuándo ocurre el consumo? ¿Dónde ocurre? ¿De qué manera se consume el producto? ¿Cuánto se consume? Más allá de responder a estas preguntas, una total comprensión de la etapa de consumo del proceso de toma de decisiones requiere además enfocarse en la experiencia de consumo misma. Esto involucra tomar en consideración los tipos de emociones que se experimentan durante éste, en qué momento el consumo proporciona un refuerzo positivo a diferencia de uno negativo y si se confirman o no las expectativas posteriores a la compra.

De la misma manera que los consumidores forman evaluaciones previas a la compra que les ayudan a decidir qué productos deben comprar y consumir, también se forman evaluaciones posteriores al consumo respecto al producto consumido. La mayoría de las empresas examinan estas evaluaciones posteriores al consumo en función de la satisfacción del cliente. La comprensión de la satisfacción es esencial porque, el nivel de satisfacción o insatisfacción influye la compra de repetición, la comunicación oral y el comportamiento de las quejas. Además, comprender la satisfacción o insatisfacción de los clientes que le compran a la competencia le permite a la empresa acaparar negocio con más efectividad y eficiencia que aquélla.

La satisfacción de los consumidores en relación con un producto depende de manera importante de su desempeño. Pero más allá de esto, puede además depender de lo que esperan los consumidores. Las empresas deben cuidar que los clientes no esperen demasiado; de lo contrario, terminarán insatisfechos. Si los consumidores esperan poco, pueden no apreciar lo que el producto ofrece y en consecuencia comprar alguna otra cosa. Seguir la línea entre prometer demasiado y vender mal el producto es uno de los retos más difíciles de la mercadotecnia.

Preguntas de repaso y análisis

1. En el capítulo, analizamos cómo un fabricante de arroz descubrió que muchos de sus clientes se cambiaban a un competidor de precio inferior cuando utilizaban el arroz como ingrediente. ¿Qué sugerencias le daría este fabricante para alentar a los consumidores a comprar su marca cuando utilicen el arroz como ingrediente?

2. Describa las diferentes maneras en que una empresa podría segmentar el mercado con base en el consumo.

3. Considere los restaurantes de comida rápida. Ahora aplique los conceptos presentados en la sección de "Comportamientos de consumo" a esta clase de producto. ¿Qué implicaciones pudiera tener este análisis para el desarrollo de una estrategia comercial para un restaurante en particular?

4. El capítulo indica que la satisfacción depende de las expectativas por parte del consumidor acerca del desempeño del producto y de las emociones que se experimentan durante el consumo. ¿Cuál cree que sea la importancia que tengan cada uno de éstos para determinar la satisfacción con los productos siguientes: tijeras, un paseo en un parque de diversiones y pastillas de vitaminas?

5. Un negocio está interesado en comprender completamente las opiniones emitidas por sus clientes después del consumo del producto. Dado este objetivo, ¿qué sugerencias tiene acerca de lo que debería ser examinado?

6. "Venga a White Fence Farm, donde ofrecemos los mejores pollos del mundo." Esta declaración se ha escuchado durante muchos años en la radio de Chicago. ¿Recomendaría que continuara, desde la perspectiva de la satisfacción del consumidor? Cuáles son los riesgos posibles?

7. ¿Por qué son importantes las expectativas de los consumidores?

Notas

1. Yumiko Ono, "Pharmacia Bets New Rogaine Grows Sales", en *The Wall Street Journal* (agosto 4 de 1997), B6.

2. Gregg Fields, "Vessels Revamp Cruise Industry", en *Miami Herald* (noviembre 12 de 1999), 1C.

3. Robert P. Libbon, "How Popular Is Wine These Days?", en *American Demographics* (septiembre de 1999), 25.

4. Marika Lynch, "Keys Might Be Losing Allure", en *Miami Herald* (enero 31 de 1997), 1A.

5. Kevin T. Higgins, "Beer Importers Upbeat about Future, Despite Warning Signs", en *Marketing News* (octubre 25 de 1985), 1 y sigs.

6. Judith Weinraub, "Breakfast! The Drive-through Phenomenon", en *Miami Herald* (febrero 6 de 1997), 1E, 3E.

7. Paula Mergenhagen, "How 'got milk?' Got Sales", en *Marketing Tools* (septiembre de 1996), 4-7.

8. Libbon, "How Popular Is Wine These Days"?

9. Mergenhagen, "How 'got milk?' Got Sales".

10. Emily Nelson, "Camera Makers Focus on Tiny and Cute", en *The Wall Street Journal* (marzo 14 de 1997), 1B.

11. Richard L. Oliver, "Cognitive, Affective, and Attribute Bases of the Satisfaction Response", en *Journal of Consumer Research*, 20 (diciembre de 1993), 418-430; Robert A. Westbrook, "Product/Consumption-Based Affective Responses and Post-purchase Processes", en *Journal of Marketing Research*, 24 (agosto de 1987), 258-270; Robert A. Westbrook y Richard L. Oliver, "The Dimensionality of Consumption Emotion Patterns and Consumer Satisfaction," en *Journal of Consumer Research* (junio de 1991), 84-91.

12. Stanley M. Widrick, "Concept of Negative Reinforcement Has Place in Classroom", en *Marketing News* (julio 18 de 1986), 48-49.

13. Geoffrey Tomb, "Parks Offer a 2-hour Glide to Serenity" en *Miami Herald* (septiembre 10 de 1996), 1B, 6B.

14. Dennis W. Rook, "The Ritual Dimension of Consumer Behavior", en *Journal of Consumer Research*, 12 (diciembre de 1985), 251-264.

15. Para un artículo clásico acerca del tema, *vea* Melanie Wallendorf y Eric J. Arnould, "We Gather Together': Consumption Rituals of Thanksgiving Day", en *Journal of Consumer Research*, 18 (junio de 1991), 13-31.

16. Rook, "The Ritual Dimension of Consumer Behavior".

17. Russell W. Belk, Melanie Wallendorf y John F. Sherry, Jr., "The Sacred and the Profane in Consumer Behavior: Theodicy on the Odyssey", en *Journal of Consumer Research*, 16 (junio de 1989), 1-38.

18. Ronald J. Faber, Thomas C. O'Guinn y Raymond Krych, "Compulsive Consumption", en Melanie Wallendorf y Paul Anderson, eds., en *Advances in Consumer Research*, 14 (Provo, Utah: Association for Consumer Research, 1987), 132-135.

19. Alvin C. Burns, Peter L. Gillett, Marc Rubinstein y James W. Gentry, "An Exploratory Study of Lottery Playing, Gambling Addiction and Links to Compulsive Consumption", en Gerald A. Gorn y Richard W. Pollay, eds., en *Advances in Consumer Research*, 17 (Provo, Utah: Association for Consumer Research, 1990), 298-305.

20. "Report for Congress on Gambling Addiction Stirs Debate with Gaming Industry", en *Miami Herald* (marzo 19 de 1999), 3A.

21. Thomas C. O'Guinn y Ronald J. Faber, "Compulsive Buying: A Phenomenological Explanation", en *Journal of Consumer Research*, 16 (septiembre de 1989), 151-155.

22. Thomas G. Watts, "Caught in the Web: 'Dependents' Studied", en *Miami Herald* (agosto 16 de 1997), 10A.

23. Ronald B. Lieber, "Now Are You Satisfied? The 1998 American Customer Satisfaction Index", en *Fortune* (febrero 16 de 1998), 161-164.

24. Claes Fornell y Birger Wernerfelt, "Defensive Marketing Strategy by Customer Complaint Management: A Theoretical Ritual", en *Journal of Marketing Research*, 24 (noviembre de 1987), 337-346.

25. Richard L. Oliver, "Whence Consumer Loyalty?", en *Journal of Marketing*, 63 (Special Issue 1999), 33-44; Thomas A. Stewart, "A Satisfied Customer Isn't Enough", en *Fortune* (julio 21 de 1997), 112-113.

26. Citado de la página 59 de "Learning from Customer Defections", de Frederick F. Reichheld, en *Harvard Business Review* (marzo/abril de 1996), 56-69.

27. Thomas O. Jones y W. Earl Sasser, Jr. "Why Satisfied Customers Defect", en *Harvard Business Review* (noviembre/diciembre de 1995), 88-99.

28. Kevin T. Higgins, "Coming of Age: Despite Growing Pains, Customer Satisfaction Measurement Continues to Evolve", en *Marketing News* (octubre 27 de 1997), 1, 12; Jones y Sasser, "Why Satisfied Customers

Defect"; Steve Lewis, "All or Nothing: Customers Must Be 'Totally Satisfied'", en *Marketing News* (marzo 2 de 1998), 11-12; Richard L. Oliver, Roland T. Rust y Sajeev Varki, "Customer Delight: Foundations, Findings, and Managerial Insight", en *Journal of Retailing*, 73 (otoño de 1997), 311-336; Benjamin Schneider y David E. Bowen, "Understanding Customer Delight and Outrage", en *Sloan Management Review*, 41 (otoño de 1999), 35-45.

29. Para la investigación relativa a la actividad de comunicación oral por parte de los consumidores, *vea* a Marsha L. Richins, "Negative Word-of-Mouth by Dissatisfied Consumers: A Pilot Study", en *Journal of Marketing*, 47 (invierno de 1983), 68-78.

30. Richard L. Oliver, "An Investigation of the Interrelationship between Consumer Dissatisfaction and Complaint Reports", en Melanie Wallendorf y Paul Anderson, eds., en *Advances in Consumer Research*, 14 (Provo, Utah: Association for Consumer Research, 1987), 218-222.

31. Claes Fornell y Nicholas M. Didow, "Economic Constraints on Consumer Complaining Behavior", en Jerry C. Olson, ed., en *Advances in Consumer Research*, 7 (Ann Arbor, Mich.: Association for Consumer Research, 1980), 318-323.

32. Fornell y Wernerfelt, "Defensive Marketing Strategy by Customer Complaint Management: A Theoretical Analysis". Quizás de una manera sorprendente, los esfuerzos para alentar a nuestros clientes a quejarse puede causar finalmente que las empresas se hagan menos sensibles a esta forma de retroalimentación por parte del cliente. La evidencia que indica esta posibilidad informado por Claes Fornell y Robert A. Westbrook, "The Vicious Circle of Consumer Complaints", en *Journal of Marketing*, 48 (verano de 1984), 68-78.

33. Para información acerca del papel de las atribuciones como un determinante del comportamiento de quejas, *vea* Valerie S. Folkes, "Consumer Reactions to Product Failure: An Attributional Approach", en *Journal of Consumer Research*, 10 (marzo de 1984), 398-409; Valerie S. Folkes y Barbara Kotsos, "Buyers' and Sellers' Explanations for Product Failure: Who Done It", en *Journal of Marketing*, 50 (abril de 1986), 74-80; Valerie S. Folkes, Susan Koletsky y John L. Graham, "A Field Study of Causal Interferences and Consumer Reaction: The View from the Airport", en *Journal of Consumer Research*, 13 (marzo de 1987), 534-539.

34. Ralph L. Day, "Modeling Choices among Alternative Responses to Dissatisfaction", en Thomas C. Kinnear, ed., en *Advances in Consumer Research*, 11 (Provo, Utah: Association for Consumer Research, 1984), 496-499.

35. Mary C. Gilly y Betsy D. Gelb, "Post-Purchase Consumer Processes and the Complaining Consumer",

en *Journal of Consumer Research*, 9 (diciembre de 1982), 323-328; Denise T. Smart y Charles L. Martin, "Manufacturer Responsiveness to Consumer Correspondence: An Empirical Investigation of Consumer Perceptions", en *Journal of Consumer Affairs*, 26 (verano de 1991), 104-128.

36. Gilly y Gelb, "Post-Purchase Consumer Processes and the Complaining Consumer"; Chow-Hou Wee y Celine Chong, "Determinants of Consumer Satisfaction/Dissatisfaction Toward Dispute Settlements in Singapore", en *European Journal of Marketing* 25 (1991), 6-16.

37. Gilly y Gelb, "Post-Purchase Consumer Processes and the Complaining Consumer".

38. Jared Sandberg, "CompuServe Will Mock AOL's Woes in Super Bowl Ad", en *The Wall Street Journal* (enero 24 de 1997), B16; David Poppe, "AOL's Still Busy-Taking Cancellations", en *Miami Herald* (enero 31 de 1997), 1C, 3C.

39. "Honomichl Top Fifty", en *Marketing News* (junio 7 de 1999), H1-H39.

40. Richard L. Oliver, "A Cognitive Model of the Antecedents and Consequences of Satisfaction Decisions", en *Journal of Marketing Research*, 17 (noviembre de 1980), 460-469. *También vea* Ruth N. Bolton y James H. Drew, "A Multistage Model of Customers' Assessments of Service Quality and Value", en *Journal of Consumer Research*, 17 (marzo de 1991), 375-384; Gilbert A. Churchill, Jr. y Carol Suprenant, "An Investigation into the Determinants of Customer Satisfaction", en *Journal of Marketing Research*, 19 (noviembre de 1983), 491-504; Ernest R. Cadotte, Robert B. Woodruff y Roger L. Jenkins, "Expectations and Norms in Models of Consumer Satisfaction", en *Journal of Marketing Research*, 24 (agosto de 1987), 305-314; Richard L. Oliver y Wayne S. DeSarbo, "Response Determinants in Satisfaction Judgments", en *Journal of Consumer Research*, 14 (marzo de 1988), 495-507; David K. Tse y Peter C. Wilton, "Models of Consumer Satisfaction Formation: An Extension", en *Journal of Marketing Research*, 25

(mayo de 1988), 204-212; Robert B. Woodruff, Ernest R. Cadotte y Roger L. Jenkins, "Modeling Consumer Satisfaction Using Experience Based Norms", en *Journal of Marketing Research*, 20 (agosto de 1983), 296-304. Recientemente se ha cuestionado si en realidad las expectativas desempeñan una función en la determinación de la satisfacción. *Véase* Susan Fournier y David Glen Mick, "Rediscovering Satisfaction", en *Journal of Marketing*, 63 (octubre de 1999), 5-23.

41. Jennifer Lach, "The Price Is Very Right", en *American Demographics* (abril de 1999), 44-45.

42. Herbert M. Myers, "Packaging Must Keep Promises Made to Buyers," en *Marketing News* (julio 6 de 1998), 11-12.

43. Ralph I. Allison y Kenneth P. Uhl, "Influence of Beer Brand Identification on Taste Perception", en *Journal of Marketing Research*, 1 (agosto de 1964), 36-39.

44. Stephen J. Hoch y Young-Won Ha, "Consumer Learning: Advertising and the Ambiguity of Product Experience", en *Journal of Consumer Research*, 13 (septiembre de 1986), 221-233.

45. Laurette Dube y Bernd H. Schmitt, "The Processing of Emotional and Cognitive Aspects of Product Usage in Satisfaction Judgments", en Rebecca H. Holman y Michael R. Solomon, eds., en *Advances in Consumer Research*, 18 (Provo, Utah: Association for Consumer Research, 1991), 52-56; Laurette Dube-Rioux, "The Power of Affective Reports in Predicting Satisfaction Judgments", en Martin E. Goldberg, Gerald A. Gorn y Richard W. Pollay, eds., en *Advances in Consumer Research*, 17 (Provo, Utah: Association for Consumer Research, 1990), 571-576; Richard L. Oliver, "Cognitive, Affective, and Attribute Bases of the Satisfaction Response"; Robert A. Westbrook, "Product/Consumption-Based Affective Responses and Postpurchase Processes"; Westbrook and Oliver, "The Dimensionality of Consumption Emotion Patterns and Consumer Satisfaction".

Lecturas recomendadas para la parte II

Akshay R. Rao, Mark E. Bergen y Scott Davis, "How to Fight a Price War", en *Harvard Business Review* (marzo/abril), 107-116.

Mark Stiving, Greg Allenby y Russell Winter, "An Emperical Analysis of Price Endings with Scanner Data", en *Journal of Consumer Research*, 24 (junio de 1997), 57-67.

Leonard L. Berry, "Cultivating Service Brand Equity", en *Journal of the Academy of Marketing Science*, 28, 1 (invierno de 2000), 128-137.

Mary Jo Bitner, Stephen W. Brown y Matthew L. Meuter, "Technology Infusion in Service Encounters", en *Journal of the Academy of Marketing Science*, 28, 1 (invierno de 2000), 138-149.

Bart J. Bronnenberg, Vijay Mahajan y Wilfried R. Vanhonacker, "The Emergence of Market Structure in New Repeat-Purchase Categories: The Interplay of Market Share and Retailer Distribution", en *Journal of Marketing Research*, 37 (febrero de 2000), 16-31.

Duncan I. Simester, John R. Hauser, Birger Wernerfelt y Roland T. Rust, "Implementing Quality Improvement Programs Designed to Enhance Customer Satisfaction: Quasi-Experiments in the United States and Spain", en *Journal of Marketing Research*, 37 (febrero de 2000), 60-71.

Adrian J. Slywotzky, Clayton M. Christensen, Richard S. Tedlow y Nicholas G. Carr, "The Future of Commerce", en *Harvard Business Review* (enero/febrero de 2000), 39-47.

Charles S. Areni, Dale F. Duhan y Pamela Kiecker, "Point-of-Purchase Displays, Product Organization, and Brand Purchase Likelihoods", en *Journal of the Academy of Marketing Science*, 27, 4 (otoño de 1999), 428-441.

Roland T. Rust y Richard L. Oliver, "Should We Delight the Customer?", en *Journal of the Academy of Marketing Science*, 28, 1 (invierno de 2000), 86-94.

David Glen Mick y Susan Fournier, "Paradoxes of Technology: Consumer Cognizance, Emotions and Coping Strategies", en *Journal of Consumer Research*, 25 (septiembre de 1998), 123-143.

```
                    ┌─────────────────────────────────┐
                    │  DETERMINANTES INDIVIDUALES DEL   │
                    │  COMPORTAMIENTO DEL CONSUMIDOR    │
                    └─────────────────────────────────┘
          ↓                    ↓              ↓                    ↓
┌──────────────────┐  ┌──────────────┐  ┌──────────────┐  ┌──────────────────┐
│ Demografía,      │  │ Motivación   │  │ Conocimientos│  │ Intenciones,     │
│ psicografía      │  │ del          │  │ del          │  │ actitudes,       │
│ y personalidad   │  │ consumidor   │  │ consumidor   │  │ creencias y      │
│                  │  │              │  │              │  │ emociones        │
│                  │  │              │  │              │  │ de los consumidores│
│ (capítulo 7)     │  │ (capítulo 8) │  │ (capítulo 9) │  │ (capítulo 10)    │
└──────────────────┘  └──────────────┘  └──────────────┘  └──────────────────┘
```

PARTE III

Determinantes individuales del comportamiento del consumidor

Los consumidores son como las huellas digitales, no hay dos iguales. Por ejemplo, una persona puede tener tiempo disponible pero poco dinero, en tanto que otra tener mucho dinero pero poco tiempo. Un comprador puede tener años de experiencia en la compra y uso del producto. Otro quizá sabe muy poco y carece de experiencia previa. Por tanto, lo que motiva a un individuo a comprar no necesariamente es lo mismo que impulsa a alguien más a hacerlo.

La existencia de estas diferencias individuales hace que el trabajo sea un poco más complicado para quienes desean influir sobre los consumidores y su comportamiento. Después de todo, lo que funciona cuando se le vende a Juan pudiera ser totalmente ineficaz cuando se le vende a Jennifer. En consecuencia, al desarrollar una estrategia comercial, es importante comprender las características clave de los consumidores objetivo.

En esta sección del libro, nos enfocaremos en algunas características individuales que son particularmente útiles para analizar el comportamiento del consumidor. Tradicionalmente, las empresas se han enfocado en las características demográficas (por ejemplo, ingresos, estado civil) de sus consumidores objetivo. El capítulo 7 analiza la demografía, así como otras variables psicográficas y de personalidad útiles para comprender el comportamiento del consumidor. En el capítulo 8 consideramos la motivación del consumidor y la diversidad de necesidades que influyen en el comportamiento de compra. Los consumidores también difieren en lo que saben y cómo se sienten respecto de los productos que compran. El capítulo 9 se enfoca en los conocimientos del consumidor, los cuales, junto con sus emociones, determinan finalmente sus actitudes e intenciones. El capítulo 10 analiza la importancia de comprender las creencias, emociones, actitudes e intenciones de los consumidores.

Demografía, psicografía y personalidad

CASO DE INICIO

Constituida en 1990 por los hermanos Andrew y Thomas Parkinson, Peapod entrega alimentos a domicilio, a cambio de 5% adicional por entrega y de una cuota mensual por la membresía. Peapod creció a partir de un mercado de 400 hogares hasta convertirse en toda una empresa, con cerca de 100 000 hogares miembros en ocho estados estadounidenses. Utilizando software personalizado, el consumidor se registra vía internet y entra en el sitio de Peapod. Ahí, se le presenta un menú de elecciones, como por ejemplo "ver último pedido", "comentarios", "seleccionar lista" y naturalmente, "pedir". Peapod ofrece comestibles para entregarlos a domicilio, desde carnes, mariscos y derivados lácteos hasta productos congelados, productos para bebé y bebidas alcohólicas. Después de seleccionar el tipo de producto, Peapod lista varios tamaños, marcas y precios de cada uno de ellos. Los clientes simplemente seleccionan el producto, y éste se coloca en su "carrito de compras".

El mercado objetivo de Peapod "familias con altos ingresos", con poco tiempo disponible, no han manifestado queja, hasta ahora, del costo del servicio. De hecho, para aquellos padres de familia que prefieren pasar el tiempo en el hogar con sus familias o bien para solteros que no tienen tiempo de comprar, este servicio es una alternativa conveniente, a pesar de los costos adicionales y la propina que se le da al chófer. Pero para la mayoría, los cargos adicionales hacen prohibitivo el uso frecuente del servicio. Prefieren tomarse el tiempo de comprar en la tienda, a pagar para que alguna otra persona lo haga. Muchas familias con menores ingresos tampoco tienen computadoras en el hogar para comprar por vía electrónica. Pero incluso en el caso de consumidores que no tienen ingresos disponibles, algunos desean ser los primeros en probar cosas: Su personalidad afecta sus decisiones de compra. Otros consumidores son convencidos por sus valores — como apreciar el hecho de ir a la tienda y encontrarse con amigos y vecinos.

Los ingresos de Peapod alcanzaron 69 millones de dólares en 1998, aunque desde su constitución la empresa todavía no tiene utilidades. Peapod pronostica que para 2005, 20% de todas las compras de comestibles se harán a través de la línea. ¿Que piensa usted acerca de esto? Sólo los consumidores decidirán.

Fuente: www.peapod.com y Roger Blackwell y Kristina Blackwell, "The More Retailing Changes, The More It Stays The Same", Discount Merchandizer (junio 2000).

Análisis y pronóstico del comportamiento del consumidor

¿De qué manera está cambiando la composición demográfica? ¿Cómo utilizan las personas el tiempo, eligen a sus amigos, asignan recursos económicos a productos o minoristas y apoyan programas sociales? Estos temas involucran el estudio de la **demografía**, definida como *el tamaño, estructura y distribución de una población*. De acuerdo con David Foot, demógrafo canadiense: "La demografía explica dos terceras partes de todo. Por ejemplo ayuda a pronosticar los productos que estarán en demanda y las inscripciones en las escuelas que habrá en el futuro. También ayuda a pronosticar que las drogas estarán de moda dentro de diez años y qué tipo de crímenes aumentarán."[1] La demografía global nos da un panorama del entorno demográfico del mundo, como se muestra en la figura 7.1; algunos hechos mostrados en esta gráfica pudieran sorprenderle.

El análisis demográfico se utiliza de dos maneras: Como una *descripción de segmentos del mercado* (como se vio en el capítulo 2) y en el *análisis de tendencias*. Para crear una descripción *de segmentos de mercado*, los mercadólogos hacen coincidir los perfiles demográficos y psicográficos de un segmento con su comportamiento de consumo. Aquellas variables demográficas que se correlacionan con suficiente precisión con comportamientos específicos del consumidor, se utilizan para describir dicho segmento. La demografía es utilizada como un sustituto de la forma en que los consumidores se comportarán, con base en características como edad, nivel de ingresos y etnicidad. Cuando no se cuenta con una investigación primaria, o durante las etapas iniciales, puede utilizarse la información demográfica para guiar el desarrollo de productos nuevos, el reposicionamiento de productos existentes, la ampliación de la marca, las estrategias de distribución o los medios y llamados en los programas de comunicación. Además de la información que se puede extraer de la demografía, los valores personales y la psicografía permiten identificar y describir con mayor detalle el segmento específico de mercado, así como a sus miembros individuales.

Los analistas del consumidor utilizan las tendencias demográficas para predecir cambios en la demanda para, y el consumo de, productos y servicios específicos, con base en los grupos de población que en el futuro crecerán. Las instituciones no lucrativas y los negocios por igual observan los cambios demográficos, tecnológicos y del estilo de vida del entorno, con la finalidad de modificar la oferta de productos y servicios y la comunicación con los consumidores.

No resulta suficiente considerar únicamente la demografía. Personas en situaciones similares llegan a comprar los mismos productos que adquieren otros del mismo estrato en edad, área geográfica o ingresos. Las personas actúan de manera distinta debido a rasgos básicos y a su constitución sociopsicológica que refleja su personalidad, valores personales y estilo de vida. La mercadotecnia se enfoca en lo que las personas comprarán en el futuro. Para los analistas del consumidor la psicografía, la demografía y los estilos de vida, son elementos clave al predecir las tendencias de los consumidores. Éstas son las variables que se analizan en este capítulo 7.

Figura 7.1   Análisis demográfico

Si la población de la Tierra se redujera a la de un pueblo de 100 personas, conservando idénticas todas las relaciones humanas existentes, tendría la siguiente apariencia

- Habría 57 asiáticos, 21 europeos, 14 del hemisferio occidental y 8 africanos.
- 51 serían mujeres y 49 hombres.
- 70 no serían blancos; 30 serían blancos.
- 70 no tendrían una religión cristiana; 30 serían cristianos.
- 50% de la riqueza mundial estaría en manos de seis personas, y los seis serían estadounidenses.
- 80 tendrían viviendas abajo del estándar.
- 70 serían analfabetas.
- 50 estarían mal nutridos o desnutridos.

Fuente: con base en una conferencia dada por Mr. George F. Fussell, Jr., presidente de la Frank Russell Company, Tacoma, Washington (marzo 22 de 1999).

Análisis demográfico y políticas sociales

El análisis demográfico también proporciona información útil para asuntos de política relacionados con la **macromercadotecnia**, el *desempeño agregado de la mercadotecnia en la sociedad*. El análisis de la macromercadotecnia evalúa la mercadotecnia desde la perspectiva de la sociedad y busca comprender las acciones y transacciones de mercadotecnia en una sociedad. ¿Se necesitará más o menos alimento para dar de comer a la población de un país en el futuro? Si se propone una reducción de impuestos, ¿en qué gastarán los consumidores este dinero? ¿Qué políticas harán que los consumidores ahorren más y gasten menos en su consumo cotidiano? ¿Debe alentarse a los consumidores a adquirir casas, automóviles y ropa de segundo uso en vez de productos nuevos, lo cual implica usar menos recursos naturales y disminuiría la contratación de trabajadores que manufacturen productos nuevos?

En los mercados libres del mundo, las personas reaccionan a estas cuestiones y determinan políticas macroeconómicas mediante su voto electoral y su elección de compra. Aunque el estudio del comportamiento del consumidor actualmente se enfoca en la investigación micromercadotécnica (las políticas mercadotécnicas de organizaciones lucrativas y no lucrativas), sus raíces están en la macromercadotecnia; este tema se conoce como economía psicológica.[2]

Demografía y demanda industrial

El análisis de las tendencias del consumidor afecta, tanto a la mercadotecnia basada en el consumidor como a la mercadotecnia industrial, es decir la mercadotecnia de negocio a negocio ya que *la demanda industrial es finalmente un derivado de la demanda del consumidor*. El análisis del consumidor puede aportar datos importantes para las empresas en crecimiento que producen y ponen en el mercado bienes de consumo. Empresas como Cisco Systems y EMC, por ejemplo, han generado fortunas para sus inversionistas y empleados debido a que sus productos están dirigidos al mercado de la computación (especialmente internet).

Cómo modificar la estructura de los mercados de consumidores

Las empresas que no planean, es muy probable que fracasen. La planeación requiere de información acerca de los mercados y sus cuatro componentes principales: *Personas con necesidades, capacidad de compra, deseo de comprar* y *el poder de compra*. Si no se sabe cuántas personas comprarán, las empresas no pueden planear el desarrollo del producto o predecir una demanda del mercado en crecimiento o en disminución. Este capítulo se enfoca en pronosticar el número y la naturaleza de las personas en todo el mundo, así como su capacidad de comprar productos (con recursos económicos). También analiza la forma en que la capacidad de compra de las personas se relaciona con la edad y otros factores demográficos, así como la personalidad, valores, estilos de vida y características psicográficas. El poder de compra se analizará en el capítulo 12 en el tema relativo a la influencia de la familia y el hogar.

Personas: base del análisis de mercado

A pesar de que el título de este libro es *Comportamientos del consumidor*, lo que realmente estudiamos es el comportamiento de las *personas*, que son la base de los mercados y del análisis de mercado. El análisis demográfico es útil para conocer cuántas personas habrá en el futuro, cuál será la distribución por edad, dónde vivirán, etc. Combine la demografía con datos acerca del poder adquisitivo o la riqueza, y el resultado será la **demografía económica**, el *estudio de las características económicas de la población de un país* mismo que se examinará en este capítulo.

La predicción de las tendencias demográficas son confiables en comparación con otras variables del estudio del comportamiento del consumidor. Existen factores desconocidos, como fenómenos de la naturaleza, guerras, problemas de salud como las plagas o el sida en la actualidad, entre otras, que pueden afectar las proyecciones demográficas de manera inesperada. En general, son tres las variables que determinan el tamaño y la naturaleza de la población: *Nacimientos, muertes* y *migración neta.* Aunque las tasas de natalidad son importantes, también son difíciles de pronosticar.

¿Cuántos niños nacerán?

Se utilizan varios términos para describir y proyectar poblaciones futuras. La **tasa de natalidad** es el *número de nacimientos vivos por una población de 1000 en un año.* La **tasa de fertilidad** es el *número de nacimientos vivos por cada 1000 mujeres en edad de concebir* (entre 15 y 44 años). La **tasa de fertilidad total** (TFT), es el *número promedio de niños que nacerían vivos de una mujer durante su vida, si durante sus años de fertilidad cumpliera con las tasas de fertilidad específicas de su edad en un año dado.* ¿Cuántos niños tienen las mujeres actualmente? En muchos países en desarrollo, la cifra es más de 6.0. En Estados Unidos es de 2.0, en México es de 2.53.* La TFT es incluso menor en Europa y en la mayoría de los países desarrollados. Esto es significativo, porque la tasa de reemplazo (el número de nacimientos requeridos para mantener los niveles actuales de población) es de 2.1 niños, tomando en consideración la mortandad infantil. Las tasas de nacimientos no deben de confundirse con el **incremento natural**, que es el *superávit de nacimientos en relación con fallecimientos en un periodo dado.*

El **momento demográfico** es vital para comprender la dinámica del crecimiento demográfico. Se refiere que *el crecimiento futuro de cualquier población dependerá de su distribución actual por edades y es la razón por la cual la fertilidad de nivel de reemplazo no se traduce de manera inmediata en un crecimiento cero de población.* Incluso si en 2000 la fertilidad hubiera disminuido a este nivel, la población en el mundo seguirá creciendo 43% antes de estabilizarse después de 60 años.

Futuros escenarios de fertilidad   El pronóstico de nacimientos en las décadas futuras es difícil. A pesar de que la fecundidad, la capacidad fisiológica para reproducirse, es razonablemente predecible, la fertilidad (el desempeño reproductivo real) es más difícil de predecir. La solución al problema de pronosticar nacimientos vivos y por tanto pronosticar la población total es presentar varias proyecciones con base en diferentes hipótesis de fertilidad. El Census Bureau le llama a ésta Serie I (la más elevada), suponiendo 2.7 niños por mujer; Serie II (media), suponiendo 2.1 niños; y Serie III (más baja) suponiendo 1.7. Antes de 1993, la fertilidad se había mantenido en el nivel bajo durante 15 años, pero en los años noventa se presentó un incremento dramático, de casi 2.1, lo cual significa un movimiento temporal debido a la "última oportunidad" de los *baby boomers* de tener descendencia o, ¿es un cambio fundamental hacia una fertilidad más elevada? La respuesta será de gran importancia en las proyecciones de poblaciones futuras, como se puede observar en la figura 7.2.

¿Qué impulsa los nacimientos?   Para predecir cuánto cambiará el tamaño de la población, los mercadólogos examinan las variables que determinan las tasas de nacimientos. En primer término, está la *distribución de edad* demográfica. En segundo, la *estructura familiar,* que involucra hechos como, el número de personas casadas, la cantidad de mujeres empleadas fuera del hogar y la edad promedio de casamiento. La tercera causa de nacimientos son las *actitudes sociales* hacia la familia y los hijos. Finalmente, las tasas de nacimientos se ven afectadas por la *tecnología,* por ejemplo la disponibilidad y costo del control de la natalidad, según se ilustra en El consumidor en la mira 7.1.

Aunque el *número* de niños en una familia afecta sus patrones de compra y de consumo, los *efectos de orden* pueden afectar el consumo incluso cuando los nacimientos totales se

---

*Datos tomados del Instituto Nacional de Estadística, Geografía e Informática según el XIII Censo General de Población y Vivienda 2000.

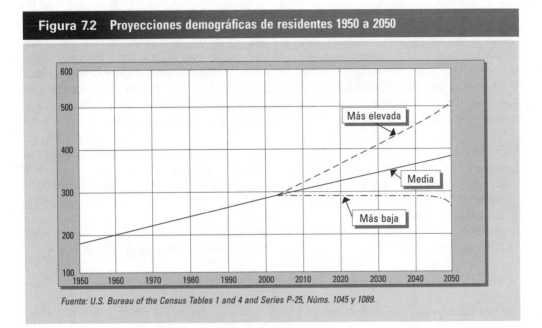

Figura 7.2   Proyecciones demográficas de residentes 1950 a 2050

Fuente: U.S. Bureau of the Census Tables 1 and 4 and Series P-25, Núms. 1045 y 1089.

El consumidor en la mira 7.1

El crecimiento demográfico impulsa los esfuerzos de venta de anticonceptivos en India

En Mirazfary, pequeño pueblo al norte de India, el curandero Sushil Bharati distribuye medicinas para la tos, así como consejos sobre el karma, desde un pequeño escritorio bajo un árbol. En los pueblos ubicados en las áreas más pobres de India, Bharati y sus colegas son el centro de la vida, y ahora se han convertido en el foco de una campaña de mercadotecnia para control de la natalidad conocida como Butterfly. El programa recluta a varios curanderos para hablarles a los indúes acerca de las pastillas anticonceptivas y los condones, a cambio de publicidad sin costo en la radio, el envío de clientes, carteles y un porcentaje de las utilidades por la venta de preservativos. Aunque los 10 000 ciudadanos de Mirazfary son muy pobres y tienen en promedio ocho niños que alimentar, vestir y alojar, con un ingreso promedio de 10 dólares al mes, el programa enfrenta gran escepticismo.

La necesidad de reducir el crecimiento demográfico es vital en este país, cuya población alcanzó 1000 millones en mayo de 2000, superado en tamaño sólo por los 1200 millones de China. En el pasado, el gobierno intentó controlar el crecimiento mediante la esterilización por mandato; sin embargo, hace tres años interrumpió esta práctica debido en parte a la presión de grupos de derechos humanos. Ahora se pueden encontrar mariposas (Butterflies) pegadas en anuncios y paredes de edificios en el estado de Bihar, e incluso en los cuadernos de recetas de Bharati.

Aunque el programa está dirigido a mejorar la calidad de la vida en India, también hay que decir que promociona marcas y formas de hacer dinero. Campañas similares, algunas patrocinadas por el gobierno de Estados Unidos y otras por instituciones privadas tratan de acercarse a las mujeres indúes por medio de redes establecidas de profesionales. Pero están encontrando dificultades para convencerlas de que prueben algún método de control. Algunas creen que la píldora causa cáncer, en tanto otras dejan que sean sus cónyuges quienes decidan todo. Una clave en el desarrollo de esa batalla es el analfabetismo y la educación. Tres estados del sur, en los cuales el analfabetismo es mucho más elevado entre las mujeres, han alcanzado las tasas de fertilidad de reemplazo de 2.1 niños por pareja. Y existen señales en el sentido que incluso los residentes de Bihar empiezan a usar los anticonceptivos.

Fuente: Miriam Jordan, "Selling Birth Control to India's Poor", en The Wall Street Journal *(septiembre 21 de 1999), B1-B4.*

mantienen constantes. Los niños de primer orden (primogénitos) generan 1500 dólares de ventas de menudeo, por ejemplo, en comparación con menos de la mitad de esto para niños de órdenes superiores. Las familias con un solo niño cuentan con más recursos para permitirse buenos restaurantes y productos como computadoras personales, ropa nueva y servicios como la educación privada, escuelas de ballet y lecciones de deportes. Tienen más recursos para gastar en el desarrollo de la educación y salud del niño que tendría esta misma familia si tuviera más niños. La familia sin niños también se ha hecho más frecuente.

Variaciones étnicas   Pequeñas variaciones en las tasas de fertilidad entre grupos étnicos generan grandes diferencias en la población. En 2010, las tasas de fertilidad para varios segmentos étnicos se espera que sean para negros (2.44), blancos (2.05), asiáticos (1.95) e hispánicos (2.98).[3] Cerca de 66% de todos los nacimientos actuales son blancos no hispánicos, pero ese porcentaje se pronostica que disminuirá a 42% en 2050. Se espera que las demás razas y grupos étnicos incrementen su porcentaje de nacimientos. El capítulo 11 examinará las características y efectos de la mercadotecnia respecto de la cambiante constitución étnica de la población.

¿Cuánto vivirán las personas?

Las expectativas de vida se han incrementado en la mayoría de los países. Hace 100 años, el estadounidense promedio fallecía a la edad de 47 años. Hoy día, un recién nacido puede vivir 75 años. Las mujeres blancas tienen una expectativa de vida de 79.3 años y los hombres de color, de 66 años. Las mujeres de color tienen una expectativa de vida de 74.5 años, y los hombres blancos de 72.6 años. Conforme las personas viven más, se incrementa la necesidad de cuidados a la salud en el hogar, las instalaciones de asilo, los centros de actividades de la tercera edad, entre otros.

¿Cuántas personas inmigrarán?

La inmigración representa 25% de crecimiento anual de Estados Unidos. La inmigración neta legal fue de 530 000 por año en los ochenta, aumentó a 700 000 de 1992 a 1994, y se ha proyectado que será de aproximadamente 880 000. Los inmigrantes no documentados elevan estas cifras. Aquí es relevante el problema de la cultura, pues conforme las personas emigran de otros países, ¿de qué manera sus culturas y valores actuales afectarán el país al cual emigran? y, ¿de qué manera se incorporarán a la población? Estos temas se verán en el capítulo 11.

Escenarios demográficos más probables

Nadie sabe cuál será el número de consumidores que existirá en el futuro. En la tabla 7.1 se muestra el escenario más probable. Esta información sirve para analizar los cambiantes segmentos de las páginas siguientes.

La población de Estados Unidos se proyecta pasará de los 260 millones reportados en 1994 a 274 millones para 2000 y 382 millones en 2050, con base en hipótesis de series medias. Si de hecho ocurren tasas bajas de fertilidad, el Census Bureau proyecta una población de 275 millones para el 2050.

¿Qué ocurrirá con las tasas de fertilidad y el tamaño de la población? ¿Las mujeres decidirán tener más hijos, o tendrán menos? Si fuera el administrador de una empresa, ¿de qué manera sus hipótesis influirían sobre su decisión de invertir dinero en nuevas instalaciones o en productos? Éstos son ejemplos de algunos tipos de decisiones que dependen de la comprensión del componente demográfico en el consumo.

Los analistas del consumidor deben estudiar las tendencias demográficas para identificar las oportunidades del mercado doméstico, además de analizar el crecimiento demográfico general o su declinación, deben comprender la forma en que están cambiando factores como edad, geografía y características económicas de la población. La figura 7.3 resume algunos recursos necesarios para la obtención de datos clave para que los mercadólogos inicien sus planes estratégicos de mercadotecnia.

Tabla 7.1   Proyecciones demográficas por edad, sexo, raza y origen hispánicos: 1995 a 2010 (en miles al 1 de julio. Incluye Fuerzas Armadas estacionadas fuera del país)

Edad, sexo, raza y origen hispánico	Serie más baja			Serie media			Serie más elevada		
	1995	2000	2010	1995	2000	2010	1995	2000	2010
Población total	260 715	268 108	278 078	262 754	274 815	298 109	264 685	281 306	317 895
Menores de 5 años	19 165	17 438	16 356	19 553	18 908	19 730	19 949	20 448	23 640
De 5 a 19 años	55 779	58 493	55 662	56 144	59 740	61 278	56 492	60 957	67 122
De 20 a 24 años	17 672	17 647	20 118	17 885	18 161	21 061	18 091	18 660	21 974
De 25 a 34 años	40 469	36 310	36 028	40 844	37 416	38 367	41 214	38 524	40 655
De 35 a 44 años	42 296	43 995	36 782	42 500	44 662	38 853	42 726	45 461	41 191
De 45 a 54 años	30 956	36 632	42 305	31 082	37 054	43 737	31 196	37 465	45 253
De 55 a 64 años	21 042	23 626	34 134	21 153	23 988	35 378	21 238	24 257	36 260
De 65 años y mayores	33 335	33 968	36 694	33 594	34 886	39 705	33 778	35 534	41 790
De 16 años y mayores	199 881	207 677	222 829	201 294	211 976	234 650	202 602	216 006	245 437
Blancos, total	216 151	220 092	223 922	217 511	224 594	237 412	218 811	229 063	251 352
De color, total	32 900	34 642	37 419	33 147	35 525	40 429	33 368	36 307	42 947
Hispanos, total	25 926	28 693	33 828	26 522	30 602	39 312	27 073	32 343	44 328
Indios, esquimales y aleutianos estadounidenses, total	2 241	2 383	2 658	2 247	2 409	2 772	2 250	2 422	2 833
Asiáticos y de las islas del Pacífico, total	9 422	10 991	14 079	9 849	12 287	17 496	10 257	13 514	20 763

Fuente: U. S. Bureau of the Census, Current Population Reports, *Series P-25, Num. 1092.*

Cambios en la distribución de la edad en Estados Unidos

El cambio en la distribución de la edad en Estados Unidos afecta en muchas formas el comportamiento del consumidor. La comprensión de los cambios en el mercado permite pronosticar qué tipo de productos serán comprados y consumidos, así como los comportamientos, actitudes y opiniones relacionadas.[4] Tómese tiempo para estudiar la tabla 7.1 y ver las formas en que los diversos segmentos de edades tienen la probabilidad ya sea de aumentar o disminuir en la próxima década. ¿Qué significa para un mercadólogo de juguetes para niños, mobiliario, lentes, alimentos naturales o sillas de ruedas? Conforme lea las páginas que siguen, encontrará algunas formas en que la demografía afecta las estrategias de segmentación actuales y futuras de una empresa.

Los niños como consumidores

El número de jóvenes es probable que disminuya durante este siglo, pero su importancia como consumidores no. Utilizando las series baja y media de las proyecciones de población, el número de niños menores de 5 años y aquellos entre 5 y 13 años disminuirá en varios millones

Figura 7.3   Guía de recursos demográficos*

Datos del censo	Información
Bureau of the Census U.S. Department of Commerce (www.census.gov.)	Publicaciones, gacetas y bases de datos que se pueden localizar en bibliotecas o en los U. S. Government Printing Offices, o bien se puede tener acceso a ellos en línea.
Statistics Canada.	Guía completa de recursos para estadísticas demográficas de Canadá. También está disponible el Statistics Canada Daily.
Population Reference Bureau (www.prb.org).	Recolecta y emite estadísticas de población para todos los países del mundo.
Survey of Current Business Bureau of Economics Analysis	Fuente principal de datos sobre ingresos, ahorro y riqueza.

Empresas privadas de datos	Información
Survey of Buying Power (SBP).	Publicado en julio, contiene datos sobre la población, el ingreso efectivo para comprar y las ventas al menudeo para todas las áreas metropolitanas en Estados Unidos para la mayor parte de las provincias, países y ciudades del Canadá.
American Demographics.	Revista mensual que proporciona información acerca de temas demográficos y estrategias de mercadotecnia. También disponible en un directorio anual de recursos demográficos.

En México se puede consultar la página del Instituto Nacional de Estadística, Geografía e Informática: www.inegi.gob.mx.

entre 2000 y 2010, y la serie alta sólo proyecta un pequeño incremento. Bajo cualquiera de estas hipótesis, la elevada proporción de niños de primer orden generará grandes demandas de productos y servicios de calidad. En 1998, los padres de familia gastaron 4860 millones de dólares en productos para bebés.[5] En respuesta a la demanda, las empresas están ofreciendo productos para niños de mejor calidad y más información al respecto. Los padres irán de compras a tiendas especializadas, tendrán mayores expectativas durante el uso de los productos, y pagarán etiquetas de marca, según se observa en la figura 7.4a. El capítulo 12 analiza en detalle el poder adquisitivo de los niños en las familias. Su capacidad de compra le da a los negocios una oportunidad para alentar la vinculación minorista-consumidor a largo plazo.[6]

Para muchas empresas la comunicación con los niños se ha convertido en una importante herramienta de mercadotecnia. Oilily, fabricante de ropa holandés, vende ropa vistosa y divertida para niños (y también para adultos). Su Fan Club está formado por más de 40 000 niños y adolescentes en todo el mundo. Además de recibir tarjetas de cumpleaños y un boletín, saben que se les da respuesta a todas las cartas que escriben a la empresa, cerca de 200 por día.[7] Oilily también obtiene ideas de los miembros de su club. Una niña escribió que aunque le gustaba mucho la ropa vistosa, sus lentes tradicionales le estaban "cortando las alas". Oilily respondió desarrollando una línea de monturas de colores brillantes. La meta es conectarse con los jóvenes consumidores y conservarlos.

Surgimiento de los adolescentes

El número de adolescentes se incrementó durante gran parte de los años noventa y se espera que siga en aumentó, lo que significa un mercado creciente para ropa, música y entretenimiento, comidas rápidas, gasolina y otros productos. Los mercadólogos están dirigiendo anuncios a los adolescentes, que tienen la responsabilidad de hacer las compras para la familia debido a que disponen de más tiempo y les gusta hacerlo.[8] Pero para conseguir su atención, los adolescentes esperan que los mercadólogos sean honestos, utilicen su sentido del humor, sean claros en sus mensajes y les muestren los productos en los anuncios.[9] Los consumidores

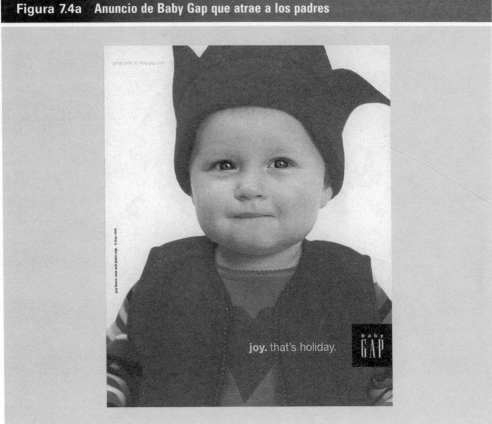

Figura 7.4a   Anuncio de Baby Gap que atrae a los padres

adolescentes tienden a ser más volubles,[10] es probable que cambien de preferencia de marca con mayor rapidez que otros grupos, debido a su gran necesidad de ser aceptados por sus compañeros. La investigación indica que lo que los adolescentes prefieren respecto de ir de compras es estar con sus amigos y que las empresas deberían enfocar sus esfuerzos de mercadotecnia hacia los líderes de opinión dentro de los grupos de adolescentes.[11]

El poder de las adolescentes como consumidoras ha aumentado: Han hecho posible que alcanzaran la popularidad celebridades como las Spice Girls y Mia Hamm, la mega estrella del *soccer*. Las adolescentes buscan productos y maneras de agruparse e interrelacionarse entre sí, y los mercadólogos encaran estas necesidades. La revista *Seventeen*, publicación tradicional para adolescentes (mujeres), aunque contiene artículos acerca de temas de interés para las jóvenes, los anunciantes muestran productos que tradicionalmente no estaban dirigidos a ellas, como por ejemplo el perfume Tresor de Lancôme, el Neon de Plymouth, la Fundación Clinique y Sears.[12]

Adultos jóvenes

A finales de los años noventa, el número de adultos jóvenes con edades entre 18 y 24 años se incrementó, en tanto que el número de personas entre 25 y 34 años disminuyó, como resultado del aumento de recién nacidos de 1965 a 1980. La totalidad del segmento de adultos jóvenes, sin embargo, se espera aumente en la siguiente década. La porción más joven de este segmento se considera a sí mismo como demasiado joven para preocuparse de problemas de "personas mayores", como la salud. Además del hábito de fumar, gran parte de este grupo no cuenta con seguro de salud o el servicio de doctor familiar;[13] viven la vida "ahora" más que el "porvenir". El segmento de los de edad entre 25 y 34 años disminuirá, durante los primeros cinco años de ésta década y para el año 2010 recuperará los niveles actuales.

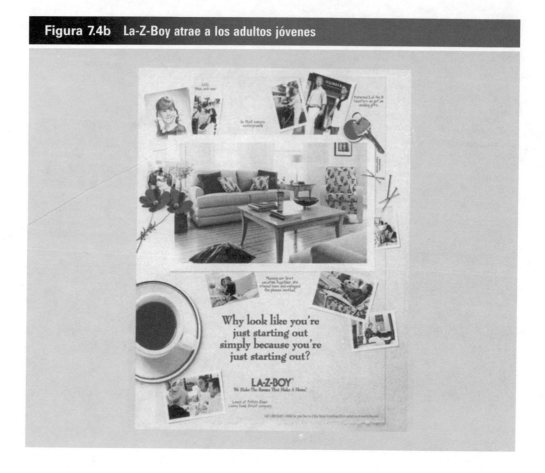

Figura 7.4b   La-Z-Boy atrae a los adultos jóvenes

Hoy día la edad entre 25 a 34 años es la época en que las familias se forman, tienen niños, y adquieren su primera casa y un automóvil nuevo, por tanto es de esperar que las ventas de estos productos y los relacionados se estanquen o reduzcan. Este grupo está haciendo las cosas más tarde de lo que lo hicieron sus padres: Permanecen en la familia más tiempo y se gradúan, casan e inician sus familias más tarde.[14] Cuando finalmente dejan el hogar, utilizan tarjetas de crédito para solventar sus "hábitos hogareños", hornos de microondas, DVD, y bienes de consumo similares, mismos que a menudo adquieren de minoristas orientados al valor, como Wal*Mart, Circuit City y Best Buy. A pesar de que cada vez son menos, los baby buster son un segmento importante del mercado, según se puede ver en el anuncio de La-Z-Boy en la figura 7.4b.

Baby boomers y muppies

En 1996, los baby boomers estaban llegando a los 50 años. Los "baby boomers" son las personas que nacieron después de la Segunda Guerra Mundial. Los 74 millones de nacimientos ocurridos antes de 1964 han afectado diversos mercados, organizaciones y aspectos de la sociedad durante décadas. En los años ochenta, los mercadólogos se enfocaron en los yuppies (jóvenes profesionales urbanos) en razón de sus elevados ingresos discrecionales y su influencia en las tendencias del mercado. Hoy día, los yuppies se han convertido en muppies (profesionales urbanos de edad mediana) y han creado mercados aún más redituables. Influyen sobre todo, desde el menudeo y la publicidad, hasta el desarrollo del producto y el desempeño del mercado de valores.[15]

Los baby boomers retrasaron sus casamientos y la iniciación de una familia para enfocarse en sus carreras, sus ingresos económicos crearon una propensión permanente al consumo.

Adquirieron mucho poder en el mercado por su número, y los mercadólogos se ocuparon de satisfacer sus deseos: productos de calidad, estéticamente placenteros, personalmente satisfactorios, naturales, etcétera. Otra tendencia de los baby boomers fue comprar más y ahorrar menos que las generaciones anteriores, gastando en productos que las generaciones que los precedieron, hubieran considerado un lujo: Aparatos electrónicos, automóviles y servicios domésticos.

Las decisiones acerca del estilo de vida de los consumidores baby boomers se vieron influenciadas por las nuevas tendencias en los casamientos, divorcios y consumo vigentes durante los años ochenta y los noventa. En la actualidad si adquieren un automóvil será de calidad superior a la que aceptaban cuando eran jóvenes. También será uno que restaure parte de la "juventud" que no desean ceder a la siguiente generación. Los automóviles Porsche, Mercedes y Lexus son marcas que cumplen ambos criterios. Asimismo cuando los baby boomers adquieren casas o productos para el hogar, encaran una menor urgencia y mayor capacidad de comprar calidad. En vez de los condominios horizontales que prefirieron en sus años de juventud, desean un hogar más agradable aunque quizás más pequeño, junto con una segunda casa donde podrían vivir en su retiro.[16]

Se proyecta que los grupos de edad de 45 a 55 años y de 55 a 64 años pasen de 6 a 10 millones de personas para el año 2010. Estos grupos se dan el gusto de realizar viajes de lujo, comer en restaurantes, y van al teatro, lo que significa la compra de ropa y joyería actual. Aunque no cocinan en casa tan a menudo como lo hacían sus padres, reconstruyen sus hogares con la finalidad de incluir cocinas "gourmets" (y grandes armarios visitables para almacenar sus "cosas").[17] Vigilan su dieta y son buenos prospectos para gimnasios, clubes de la salud, cosméticos, salones de belleza y alimentos más sanos. Son candidatos de primer orden para productos financieros orientados hacia la acumulación de activos y planes de jubilación. Tienen también actitudes jóvenes, como se muestra en el anuncio de AARP de la figura 7.4c.

Figura 7.4c   AARP es atractivo para actitudes y estilos de vida jóvenes

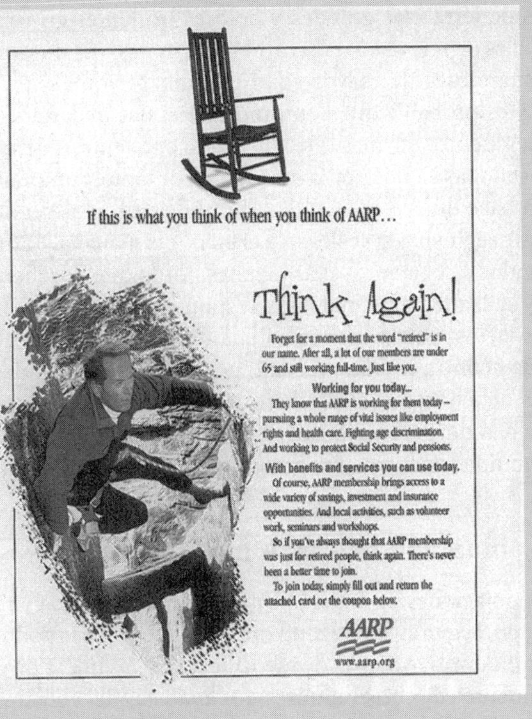

Mercado de los que se sienten de nuevo jóvenes

Otro segmento de crecimiento rápido es el mercado de los "jóvenes de nuevo", consumidores que han acumulado cierta edad cronológica, pero que se sienten y compran como si fueran jóvenes. Otros términos para describir este segmento sería el mercado de la madurez, los senior y los de la tercera edad.

La *edad* **cognoscitiva** es la *edad en la cual uno se percibe estar*. Se mide en función de la forma en que las personas sienten y actúan, expresan intereses y perciben su apariencia. Las mujeres cognoscitivamente jóvenes "de mayor edad", por ejemplo, manifiestan una mayor autoconfianza y más interés en la moda, están más orientadas al trabajo, tienen una mayor participación en actividades relacionadas con el entretenimiento y la cultura.[18] La edad cognoscitiva puede resultar útil en conjunción con la edad cronológica para dirigirse mejor a los segmentos, tener un contenido creativo más efectivo y seleccionar de manera eficiente los medios.

Las familias de mayor edad tienen más dinero para gastar, pero menos *necesidad* de hacerlo. Son frugales y cuidadosas del dinero que sí gastan[19] porque la inflación hace que los precios aumenten, pero no necesariamente incrementa su ingreso. Tienen experiencia en ir de compras y la habilidad de encontrar el mejor precio. Los patrones de consumo varían de manera sustancial entre quienes están retirados y los que siguen trabajando,[20] y por tanto, algunos pueden responder más a ofertas y cupones y estar dispuestos a desplazar sus compras a tiempos más relajados. Sin embargo, al haber liquidado las hipotecas o casi, sin financiar educación universitaria y con un inventario de aparatos domésticos y de mobiliario, las familias de la madurez son buenos candidatos para bienes lujosos, productos y servicios relacionados con viajes, cuidados a la salud y una amplia gama de servicios financieros.

La segmentación del mercado es importante especialmente para el mercado de la madurez,[21] que se basa en la edad, los ingresos y estatus de retiro. Otras variables de segmentación son nivel de actividad, tiempo discrecional y compromisos sociales. El género es también una variable importante. Las mujeres superan en número a los hombres debido a una mayor expectativa de vida, y muchas (a menudo viudas) no pueden obtener un ingreso, viven en un alojamiento inadecuado o peligroso y sufren de rechazo social y económico.[22]

La comunicación con los consumidores de más edad requiere cambios en los materiales y los mensajes tradicionales. Muchos consumidores de este grupo tienen problemas con los medios debido a capacidades sensoriales en declinación.[23] Su vista no es tan buena por lo que necesitan tipos de letra más grandes y colores brillantes en vez de tonos pastel y color tierra, y los comerciales de televisión con cambios visuales que duran pocos segundos resultan molestos. Los consumidores de mayor edad es probable que sean lectores de periódicos y escuchas de radio, y es probable que compren en tiendas departamentales tradicionales más que en tiendas de descuento, mismas que a menudo encuentran demasiado grandes. También tienen tendencia a estar más alertas por la mañana y, por tanto, compran más temprano que otros consumidores. Esto hace que en las tiendas la publicidad y los servicios especiales sean más convenientes para este segmento si se llevan a cabo por la mañana.[24] Los consumidores de mayor edad son muy parecidos a segmentos más jóvenes por lo que se refiere a su comportamiento[25] durante la compra y su lealtad a las marcas, y responden igualmente bien a modelos de desempeño jóvenes o más viejos, por lo menos en cuanto a productos neutros como el café.[26] Pero hay cierta sensibilidad contra revelar su edad, por tanto, no funcionará un anuncio que lance imágenes o palabras diciendo que el producto es para aquellos que tienen 60 años. Tampoco funcionará la publicidad dirigida a quienes tienen 30 años. La forma más efectiva de soslayar el problema es crear afinidades entre el producto y algún interés de la generación madura.

Efectos de una población que está envejeciendo

El hecho es que las poblaciones de Estados Unidos, Japón, Canadá y Europa se están haciendo más viejas; sin embargo, seguirán existiendo oportunidades para productos y servicios dirigidos hacia todos los consumidores. Además de identificar nuevas líneas de productos, programas de comunicación y segmentos de consumidores, los analistas del consumidor deben comprender lo que significa el crecimiento de su mercado cuando se refiere a políticas de trabajo y de retiro, elecciones políticas, estructuras familiares y económicas, cuidados a la salud y muchas otras áreas de la vida.

Cambios en la geografía de la demanda

La búsqueda de segmentos potenciales en una sociedad con bajo crecimiento casi siempre lleva a identificar áreas geográficas de crecimiento domésticas y globales. *Dónde vive la gente, la forma en que gana y gasta su dinero y otros factores socioeconómicos* —todo esto conocido como **geodemografía**— son vitales para comprender la demanda del consumidor. El estudio de la demanda relacionada con las áreas geográficas supone que las personas que viven en proximidad una de la otra también comparten patrones y preferencias de consumo similares.

Segmentación geográfica

Las ciudades son las unidades de análisis de mayor importancia en la mayoría de los planes de mercadotecnia, así como son fundamentales en la determinación de la prosperidad de las naciones.[27] Los suburbios han crecido con rapidez, pero hoy día los **exurbios** —*áreas más allá de los suburbios*— están experimentando el crecimiento más rápido. A menudo grupos de crecimiento rápido son no metropolitanos o rurales pero adyacentes a áreas suburbanas o metropolitanas. Los mercadólogos deben preguntarse de qué manera difieren las preferencias y necesidades de los consumidores que viven en la ciudad o los que viven en los exurbios, y cómo encarar esas diferencias en publicidad y en la comunicación.

Las ciudades son una unidad fundamental de análisis en la investigación del consumidor, especialmente en el diseño de los programas promocionales. Los medios publicitarios, por lo general, se compran con base en áreas geográficas a nivel de audiencia (rating), y muchas revistas nacionales como *Time* y *Business Week* venden secciones de publicidad regional en función de un estado o ciudad. Los medios impresos están pasando a ediciones basadas en áreas geográficas tan específicas como los códigos postales. Las ciudades son especialmente importantes para la mercadotecnia étnica. En 1990, más de la mitad de los estadounidenses vivían en las 50 áreas metropolitanas más grandes, junto con más de 70% de los asiáticos e hispanos.

¿Qué ciudad cree que sea más grande, San José o San Francisco? ¿Columbus o Boston? Si escogió San José y Columbus, está en lo correcto, porque la pregunta se refería a ciudades. Pero San Francisco y Boston poseen áreas metropolitanas más grandes. El **área metropolitana estadística (AME)** se define como un *área metropolitana independiente, rodeada por condados no metropolitanos y no relacionados íntimamente con otras áreas metropolitanas*. Un **área metropolitana estadística primaria** (AMEP), es un *área metropolitana que está íntimamente relacionada con otra ciudad*. Un agrupamiento de AMEP íntimamente relacionadas es un **área metropolitana estadística consolidada** (AMEC). Más de una tercera parte de las personas que viven en Estados Unidos viven en las 22 megalópolis, es decir AMEC, del país.*

¿Qué estados están creciendo?

Las tendencias del mercado varían sustancialmente entre estados. En la tabla 7.2 se muestran proyecciones respecto de cuáles estados crecerán más en las siguientes décadas. Se espera que California aumente 3 millones de personas de 1995 a 2005, en tanto que Florida crecerá más de 2 millones. Los estados que en los años noventa tuvieron los aumentos porcentuales mayores en población fueron Arizona, Colorado, Nevada, Utah y Texas.

Existen escollos asociados con el hecho de concentrarse únicamente en el crecimiento. Se espera que Idaho crezca 20% en las siguientes décadas, y Nevada en casi 40%. Aun así, estos dos estados tienen una población muy inferior. Esto ilustra la trampa de perseguir la

---

* En México la mayoría de la población se concentra en cuatro ciudades, Distrito Federal y área metropolitana, Puebla, Guadalajara y Veracruz.

Tabla 7.2 Proyecciones de las poblaciones totales de los estados: 1995 a 2025*

(Cifras en miles. Población residente. Para una información más detallada, *vea* Population Paper Listing No. 47, "Population Projections for States, by Age, Sex, Race, and Hispanic Origin: 1995 to 2025.")

Serie A	Julio 1, 1995	Julio 1, 2000	Julio 1, 2005	Julio 1, 2015	% Δ 2005–2015
Alabama	4 253	4 451	4 631	4 956	7.0
Alaska	604	653	700	791	13.0
Arizona	4 218	4 798	5 230	5 808	11
Arkansas	2 484	2 631	2 750	2 922	6.3
California	31 589	32 521	34 441	41 373	20.2
Carolina del Norte	7 195	7 777	8 227	8 840	7.5
Carolina del Sur	3 673	3 858	4 033	4 369	8.3
Colorado	3 747	4 168	4 468	4 833	8.2
Connecticut	3 275	3 284	3 317	3 506	5.7
Dakota del Norte	641	662	611	704	4.0
Dakota del Sur	729	777	810	840	3.7
Delaware	717	768	800	832	4.0
Distrito de Columbia	554	523	529	594	12.3
Florida	14 166	15 233	16 279	18 497	13.6
Georgia	7 201	7 875	8 413	9 200	9.4
Hawaii	1 187	1 257	1 342	1 553	15.7
Idaho	1 163	1 347	1 480	1 622	9.6
Illinois	11 830	12 051	12 266	12 808	4.4
Indiana	5 803	6 045	6 215	6 404	3.0
Iowa	2 842	2 900	2 941	2 994	1.8
Kansas	2 565	2 668	2 761	2 939	6.4
Kentucky	3 860	3 995	4 098	4 231	3.2
Louisiana	4 342	4 425	4 535	4 840	6.7
Maine	1 241	1 259	1 285	1 362	6.0
Maryland	5 042	5 275	5 467	5 862	7.2
Massachusetts	6 074	6 199	6 310	6 574	4.2
Michigan	9 549	9 679	9 763	9 917	1.6
Minnesota	4 610	4 830	5 005	5 283	5.6
Mississippi	2 697	2 816	2 908	3 035	4.4
Missouri	5 324	5 540	5 718	6 005	5.0
Montana	870	950	1 006	1 069	6.3
Nebraska	1 637	1 705	1 761	1 850	5.1
Nevada	1 530	1 871	2 070	2 179	5.3
New Hampshire	1 148	1 224	1 281	1 372	7.1
Nueva Jersey	7 945	8 178	8 392	8 924	6.3
Nuevo México	1 685	1 860	2 016	2 300	14.1
Nueva York	18 136	18 146	18 250	18 916	3.6
Ohio	11 151	11 319	11 428	11 588	1.4

Oklahoma	3 278	3 373	3 491	3 789	8.5
Oregon	3 141	3 397	3 613	3 992	10.5
Pennsylvania	12 072	12 202	12 281	12 449	1.4
Rhode Island	990	998	1 012	1 070	5.7
Tennessee	5 256	5 657	5 966	6 365	6.7
Texas	18 724	20 119	21 487	24 280	13.0
Utah	1 951	2 207	2 411	2 670	10.7
Vermont	585	617	638	662	3.8
Virginia	6 618	6 997	7 324	7 921	8.2
Washington	5 431	5 858	6 258	7 058	12.8
West Virginia	1 828	1 841	1 849	1 851	—
Wisconsin	5 123	5 326	5 479	5 693	3.9
Wyoming	480	525	568	641	13.0

proyecciones demográficas de la población total de los estados: 1995 a 2025.

*Para datos por estado en México consulte: www.inegi.gob.mx/estadistica/espanol/sociodem/sociodemografia.html.

tendencia ignorando la sustancia. Un porcentaje de 10% del mercado, de un mercado sin crecimiento como Ohio o Michigan, hubiera resultado preferible a un elevado porcentaje del mercado en un estado de crecimiento rápido, pero minúsculo como Alaska.

Recursos económicos

Como vio en el capítulo 5, los tres recursos principales que utilizan los consumidores al comprar son económicos, temporales y cognoscitivos. Los recursos económicos, es decir la capacidad de compra, es una variable demográfica clave para explicar por qué, quiénes y cuándo compran las personas. La combinación de edad y de ingresos es la variable demográfica más utilizada para definir los segmentos.

Los recursos económicos se pueden medir de varias maneras. El **ingreso** se define como *el dinero proveniente de sueldos y salarios, así como pagos por intereses y de beneficios sociales.* Las medidas oficiales no incluyen otros tipos de compensación como por ejemplo beneficios contractuales y gubernamentales. Aunque los ingresos determinan lo que los consumidores *pueden* comprar, no determinan lo que *desean* comprar (la mayor parte de los consumidores *desearían* un Porsche nuevo, pero pocos pueden permitirse el lujo de comprar uno). Los cuestionarios para la investigación de mercados a menudo preguntan respecto del comportamiento de un individuo, pero también preguntan acerca del ingreso de la familia, ya que se trata de un mejor determinante del comportamiento de compras de una unidad doméstica, como se analizará en el capítulo 12.

El ingreso medio por familia aumentó 3.5% en 1998, hasta llegar a un ingreso anual récord de 38 885 dólares.[28] Simultáneamente la tasa de pobreza se redujo en 12.7%, la más baja existente desde 1979. En tanto que los ricos se están haciendo más ricos, los pobres también se están haciendo más ricos, pero a una tasa mucho menor, llegando a lo que se conoce como una desigualdad de ingresos. Los ingresos para las familias más pobres se incrementaron por abajo de 1% entre 1988 y 1998, pero aumentó en 15% para el quintil más rico.[29] 5% de los hogares con ingreso más alto (aquellos que obtienen ingresos de 132 199 dólares o más) representó 21.4% de todos los ingresos de Estados Unidos en 1998.[30]

Confianza del consumidor

Los consumidores impulsan la economía, representan más de las dos terceras partes de toda la actividad económica en Estados Unidos y Canadá. El consumo está *influido por lo que piensan los consumidores que ocurrirá en el futuro*, conocido como **confianza del consumidor**. Influye respecto de si los consumidores incrementarán su deuda o posponen gastos con la finalidad de pagar la deuda. La medición de la confianza del consumidor es de importancia para los mercadólogos que toman decisiones acerca de niveles de inventarios, personal o relativos a presupuestos promocionales. A finales del verano, por ejemplo, los minoristas revisan la confianza del consumidor respecto de las condiciones económicas futuras, con el fin de colocar sus pedidos de inventarios para las ventas navideñas. Si la confianza del consumidor es elevada, en general los gastos durante las fiestas navideñas serán elevados.

Dos organizaciones son conocidas gracias a sus encuestas de la confianza del consumidor. Las encuestas por correo del Conference Board de 5000 hogares le pide a los encuestados que consideren los próximos seis meses y se centra en la disponibilidad de puestos de trabajo. La encuesta de la University of Michigan, que tiende a ser menos volátil, todos los meses pregunta a 500 hogares por teléfono acerca de temas como finanzas familiares y estado general de los negocios.

Riqueza

La **riqueza** es una *medida del valor neto o los activos de una familia, en cosas como cuentas bancarias, acciones y un hogar, menos su pasivo.* El valor neto tiene influencia en la predisposición a gastar, aunque no necesariamente en la capacidad de gastar, dado que gran parte de la riqueza no es líquida y no se puede gastar con facilidad. Existe una correlación entre el ingreso y el valor neto, pero lo que acumulan las personas a lo largo de los años es más en función de lo mucho que ahorran que de lo que ganan.[31] A finales de los años noventa, la riqueza para la mayoría de los estadounidenses se incrementó de manera sustancial, debido al aumento de valores en el mercado accionario. El valor neto de una familia típica subió 17.6% hasta 71 600 dólares en 1998, sobre los 60 900 dólares de 1995. A pesar de que los consumidores se han dividido principalmente con base en sus ingresos en vez de con base en riqueza, hoy la riqueza ha adquirido mayor importancia para los analistas del consumidor, gracias a este significativo incremento, aumentando la confianza del consumidor y llevando a los gastos a nuevos niveles.[32]

Los consumidores ricos, más que otros, gastan su dinero en servicios, viajes e inversiones. Debido a que le dan un valor mayor al tiempo, para ellos son considerados como muy valiosos; un mejor servicio al cliente, disponibilidad inmediata, manejo de los productos libre de problemas, y servicios confiables de mantenimiento y reparación. También son el objetivo de mercados que ensalzan la persona física (apariencia) los que devuelven o conservan la juventud (costosos cosméticos, cuidados a la piel, cirugía plástica y *spas*), así como los que ofrecen protección y aseguran sus propiedades y a ellos mismos (sistemas de seguridad, guardias de seguridad y seguros).

Cómo dirigirse al mercado de ingresos altos

El mercado de ingresos altos, a menudo conocido como "superafluente", representa el quintil superior de los consumidores en función a sus ingresos. Estas familias a menudo están formadas por dos personas con ingresos que le dan un gran valor al tiempo ya que para ellos, éste es más escaso que el dinero. Consideran valiosos los servicios adicionales que proporcionan algunos minoristas con el fin de capturar nuevos clientes.[33] Resultan un buen mercado objetivo para la joyería, la electrónica y los sistemas de entretenimiento en el hogar, automóviles de lujo, incluyendo SUV y modelos deportivos; arte y entretenimiento. Sin embargo, no porque este segmento gane más dinero que otros grupos, los mercadólogos deben suponer que se gastarán todo lo que ganan y que irán de compras sólo a tiendas y centros comerciales de lujo. Para muchos individuos de este grupo, es tan importante acumular el dinero que gastarlo. Compran en tiendas de descuento,[34] usan cupones y esperan las baratas para adquirir productos. Incluso tiendas para gente de bajos ingresos o de ofertas como Aldi, Odd Lots y tiendas de "un dólar", se ven frecuentadas por individuos con un valor neto por encima del promedio.

La comunicación con el mercado de altos ingresos está más orientada a lo impreso que otros segmentos del mercado. Es más frecuente la lectura de periódicos locales y dominicales así como de revistas, pero ven la televisión mucho menos, a pesar que este segmento representa el mayor número de suscriptores a la televisión por cable. A menudo funciona bien llamar la atención de los consumidores con anuncios simples que promueven la imagen. Este mercado también le da más importancia a la credibilidad de la fuente que vende o promueve el producto, por ello los informes acerca de productos o los artículos que se refieren a un producto o servicio a veces tienen una mayor influencia sobre este grupo que los anuncios pagados.

Cómo dirigirse al mercado de ingresos bajos

En todo el mundo, la mayoría de los consumidores tiene bajos ingresos. A pesar de que Estados Unidos y Canadá y otros países industrializados tienen una importante clase media, el número de consumidores de bajos ingresos es elevado. Wal*Mart ha encontrado el éxito al proporcionar buenos productos a precios razonables a los segmentos de menores ingresos. Está enfocado en ofrecer tiendas atractivas, productos de estilo y actualizados, así como un servicio amigable que trata a los clientes con respeto. En consecuencia, Wal*Mart ha atraído una proporción sustancial del mercado de altos ingresos a sus tiendas, así como el mercado de bajos ingresos. Las tiendas de ventas de saldos, como Closeout, Odd Lots TJ Maxx y Tuesday Morning, hacen accesible que consumidores de todos los niveles de ingresos compren productos de marca a precios bajos. Estas empresas se especializan en la adquisición de excedentes de productos de los fabricantes, o productos de tiendas en liquidación. Ofrecen el inventario de otras empresas a los consumidores con grandes descuentos.

Los ingresos de los consumidores pueden cambiar dependiendo de la inflación, de las recesiones o de situaciones personales, como por ejemplo cambios en el estado de salud, el trabajo o el estado civil. Aquellos mercadólogos alertas pueden reaccionar a los cambios en la economía, como una recesión, promoviendo valor. Por ejemplo, Campbell Soup notó que los consumidores pasaban de alimentos con precios más elevados como las sopas listas para servirse, a productos más baratos. Campbell retiró la crema de brócoli de marca Gold Label de alto precio y la empacó en la familiar lata roja y blanca, lo cual redujo el precio, la promovió como base de platillos hechos en casa, y vio que crecían las ventas hasta 55 millones de latas, hasta convertirse en la nueva sopa de más éxito desde 1935.[35]

Pobreza

La pobreza existe en todo el mundo, incluso en las naciones más avanzadas e industrializadas. Aunque los pobres de Estados Unidos tienen ingresos superiores que en el pasado, la tasa de aumento es mucho menor que la de los niveles superiores, generando de esta manera una brecha cada vez mayor entre los ricos y los pobres. El comportamiento del consumidor se preocupa de los patrones de consumo de las personas sin hogar y de los consumidores con escasos recursos económicos. Además de comprender cuál es la mejor manera de atender el mercado para este grupo, los analistas del consumidor están preocupados con el efecto que ocasionan varias políticas educativas, sistemas de valores y políticas económicas sobre este segmento del mercado.

Oportunidades del mercado global: reacción ante condiciones de crecimiento lento del mercado

Los países que experimentan un crecimiento demográfico lento o nulo a menudo recurren a los mercados globales para encontrar mercados de crecimiento. Si trabaja para una empresa con base en Estados Unidos y está encargado de hacer crecer las ventas en 20%, tiene varias opciones: Puede aumentar el porcentaje de mercado en Estados Unidos, pero si su mercado tradicional está disminuyendo y ya se ha expandido a nivel nacional, puede elegir expandirse hacia los mercados globales.

La población del mundo es de aproximadamente 6100 millones de personas y está creciendo a una tasa de cerca de 1.4% anualmente. Esto representa una disminución en relación con 2.04% de los años sesenta y la inversión durante dos siglos, de tasas de crecimiento en aumento. Se proyecta que el número de personas que se agregan anualmente a la población mundial disminuya durante el siglo XXI pero aun así producirá una población de 10 200 millones para el año 2090, fecha en la que la población en cifras absolutas deberá empezar a disminuir.

Poblaciones de crecimiento rápido

El país de crecimiento más rápido en el mundo es India. De seguir las tendencias actuales, India superará a China como el país más poblado antes de 2025. Kenia es el país de crecimiento más rápido en función al incremento porcentual, con un incremento de 4.2% anual; por ello tiene un potencial económico, en razón a su abundancia de mercaderías de exportación, como café y té. Sin embargo, como mercado consumidor, tiene algunos problemas. Siendo la mujer promedio, madre de ocho niños, estar a la par con las necesidades básicas de una población en rápido crecimiento pondrán a prueba recursos ya de por sí limitados.

El efecto de las tasas de crecimiento de los países desarrollados y en desarrollo, aparece indicado en la figura 7.5. En 1950, sólo 8 de los 15 más poblados eran países en desarrollo, y para el año 2050, se proyecta que serán 13, y sólo 3 de los 30 más poblados serán países industrializados. Desde una perspectiva de mercadotecnia, el reto más grande para los países "ricos" que esperan tener en el futuro mercados en crecimiento para sus productos es ayudar a los países "pobres" a desarrollarse hasta el punto en que sean lo suficientemente ricos para convertirse en mercados económicamente fuertes.

Demografía y atractivo del mercado global

Los mercados más atractivos son los de los países que están creciendo tanto en población como en recursos económicos. Los indicadores importantes del atractivo del mercado son el incremento natural (el aumento porcentual demográfico anual, tomando en consideración nacimientos y fallecimientos) y expectativas de vida (lo que implica la calidad general de la misma), según se observa en la figura 7.6.

La búsqueda tanto de crecimiento demográfico como de capacidad de compra, conduce a los analistas del consumidor de manera creciente a la cuenca del Pacífico. Hong Kong, Singapur, Malasia y Corea del Sur tienen tasas de crecimiento demográfico mucho más elevadas que Europa y relativamente elevados ingresos. China e India están atrayendo el interés de los mercadólogos del mundo, en razón al tamaño de la base demográfica y de la rapidez de sus crecimientos. Aunque un bajo producto nacional bruto es desventajoso al vender en estos países, resulta una ventaja para aquellas empresas que se surten de ellos. Además, existen concentraciones de consumidores capaces de adquirir muchos productos, incluso en los países más pobres del mundo. Con una población de gran tamaño, el porcentaje de consumidores de ingresos de medianos a altos no necesita ser tan elevado como en países con poblaciones más pequeñas.

Los siguientes resúmenes de mercado ilustran los hechos que un analista del consumidor deberá tomar en consideración al evaluar lo atractivo de un mercado. En general, un análisis completo se extiende más allá de la demografía con el fin de incluir las preferencias del mercado.

Comportamientos del consumidor en países en desarrollo

¿Cuáles son los atributos de mayor importancia de los países en desarrollo? Además de gran número de nacimientos y un fuerte crecimiento demográfico, en muchos de sus mercados

Figura 7.5 Principales 25 países medidos con base en la población

1950	2000	2025	2050
1. China	1. China	1. India	1. India
2. India	2. India	2. China	2. China
3. Federación Rusa	3. Estados Unidos	3. Estados Unidos	3. Estados Unidos
4. Estados Unidos	4. Indonesia	4. Indonesia	4. Nigeria
5. Japón	5. Brasil	5. Pakistán	5. Indonesia
6. Indonesia	6. Rusia	6. Brasil	6. Pakistán
7. Brasil	7. Pakistán	7. Nigeria	7. Brasil
8. Gran Bretaña	8. Bangladesh	8. Bangladesh	8. Bangladesh
9. Alemania Occidental	9. Japón	9. México	9. Congo (Kinshasa)
10. Italia	10. Nigeria	10. Rusia	10. México
11. Bangladesh	11. México	11. Filipinas	11. Etiopía
12. Francia	12. Alemania	12. Japón	12. Filipinas
13. Nigeria	13. Filipinas	13. Congo (Kinshasa)	13. Rusia
14. Pakistán	14. Vietnam	14. Vietnam	14. Vietnam
15. México	15. Egipto	15. Etiopía	15. Egipto
16. España	16. Turquía	16. Egipto	16. Irán
17. Vietnam	17. Irán	17. Irán	17. Turquía
18. Polonia	18. Tailandia	18. Turquía	18. Japón
19. Egipto	19. Etiopía	19. Alemania	19. Arabia Saudita
20. Filipinas	20. Gran Bretaña	20. Tailandia	20. Sudán
21. Turquía	21. Francia	21. Birmania	21. Uganda
22. Corea del Sur	22. Italia	22. Sudán	22. Birmania
23. Etiopía	23. Congo (Kinshasa)	23. Gran Bretaña	23. Tanzania
24. Tailandia	24. Ucrania	24. Colombia	24. Afganistán
25. Birmania	25. Birmania	25. Francia	25. Yemen

Nota: datos actualizados al 12-29-99.
Fuente: U.S. Census Bureau, International Database.

existe un bajo ingreso anual. La juventud es evidente, con un gran número de bebés y niños y una menor expectativa de vida. A pesar que la mayoría de los países en desarrollo son rurales, los consumidores, por lo general dependen de otros países para sus suministros de alimentos y de educación. De hecho, los mercadólogos se pueden encontrar ante la necesidad de enseñar a los consumidores acerca de los productos que utilizamos cotidianamente, como por ejemplo, desodorante. A pesar de que la meta es crear una conciencia de marca (porque siempre existirán competidores que entran al mercado), la estimulación de probar los productos, es a menudo el objetivo primordial. A pesar de que en muchas partes del mundo se ha responsabilizado a la televisión de contribuir con los problemas de la sociedad, hay estudios que indican que la atención debe enfocarse en los efectos a favor de la sociedad, producidos por programas televisivos de entretenimiento en los países en desarrollo.[36]

Johnson & Johnson utiliza el fuerte atractivo de la relación madre e hijo en el anuncio sudafricano que se muestra en la figura 7.7. La fotografía comunica el amor y preocupación de una madre por su bebé sin necesidad de palabras. El texto, sin embargo, incluye un llamado económico para el ahorro de 20 centavos. Lo que es más, la empresa se ha mostrado preocupada por el futuro de la niñez al donar 20 centavos de cada una de las compras al Child Welfare Fund. Este anuncio da un ejemplo útil de una estrategia efectiva con base en una comprensión de las realidades económicas y culturales del mercado africano.

El sur del continente africano ha recibido mucha atención en años recientes. Botswana ostenta un gran crecimiento económico y un avance en la educación para todos sus ciudadanos,

Figura 7.6   Población del mundo de países seleccionados

	Población a mediados de 1999 (millones)	Tasa total de fertilidad	Expectativa de vida en el momento de nacimiento (años)			Producto Interno Bruto per cápita 1997 (en dólares)
			Total	Hombres	Mujeres	
África						
Botswana	1.5	4.1	40	40	41	3310
Egipto	66.9	33	65	67	69	1500
Etiopía	59.7	7.0	42	41	42	110
Kenia	28.8	4.7	49	48	49	340
Nigeria	113.8	6.2	54	53	55	280
Sudáfrica	42.6	3.3	58	55	60	3210
Zimbabwe	11.2	4.0	40	40	40	720
América Latina						
Argentina	36.6	2.6	73	70	77	8950
Brasil	168.0	2.3	67	63	70	4790
Chile	15.0	2.4	75	72	78	4820
Colombia	38.6	3.0	69	65	73	2180
Cuba	11.2	1.6	75	73	78	–
México	99.7	3.0	72	69	75	3700
Perú	26.6	3.5	6	65	71	2610
Venezuela	23.7	2.9	73	70	76	3480
América del Norte						
Canadá	30.6	1.5	79	76	82	19640
Estados Unidos	272.5	2.0	77	74	79	29080
Asia						
Arabia Saudita	20.9	6.4	71	70	73	7150
China	1254.1	1.8	71	69	73	860
Corea del Sur	46.9	1.6	74	70	77	10550
Filipinas	74.7	3.7	67	66	69	1200
India	986.6	3.4	60	60	61	670
Indonesia	211.8	2.8	63	61	65	1110
Israel	6.1	2.9	78	76	80	16180
Japón	126.7	1.4	81	77	84	38160
Singapur	4.0	1.6	77	75	79	32810
Europa						
Alemania	82.0	1.3	77	73	80	28280
Bélgica	10.2	1.5	77	74	81	26730
Dinamarca	5.3	1.7	76	73	78	34890
Federación Rusa	146.5	1.2	67	61	73	2680
Francia	59.1	1.7	78	74	82	26300
Gran Bretaña	59.4	1.7	77	74	80	20870
Grecia	10.5	1.3	78	75	80	11640
Holanda	15.8	1.5	78	75	80	25830
Hungría	10.1	1.3	71	66	75	4510
Italia	57.7	1.2	78	75	80	20170
Polonia	38.7	1.5	73	69	77	3590
Suiza	7.1	1.5	79	76	82	43060
Oceanía						
Australia	19.0	1.7	78	76	81	20650

Fuente: World Population Data Sheet, Population Reference Bureau (1999).

convirtiéndolo en un mercado atractivo al cual dirigirse. Para muchos países en desarrollo de África, incluyendo Botswana y Sudáfrica, el turismo juega un papel significativo en el crecimiento económico y en la concientización de mercado. Sudáfrica, conocido a nivel mundial por su sistema político modificado y sus lujosos destinos de safaris y vacaciones, es de muchas maneras tanto una nación en desarrollo como desarrollada. Cuna de la cirugía a corazón

Figura 7.7   Atractivo publicitario basado en la cultura africana

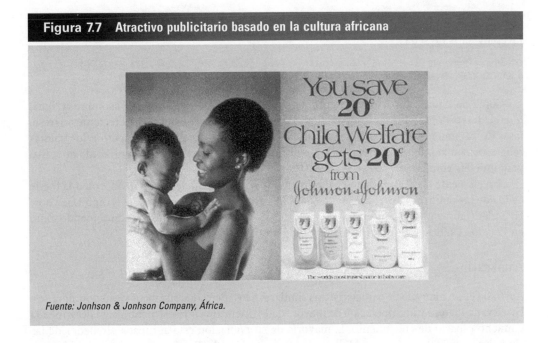

Fuente: Jonhson & Jonhson Company, África.

abierto, de la reconexión digital y otros adelantos médicos, este país está formado por mercados complejos en los cuales son aplicables las estrategias de mercadotecnia más avanzadas para segmentos específicos. El uso de la internet se ha elevado muchísimo, con 42% de los usuarios entre 18 y 24 años provenientes de los grupos de ingresos más elevados, formados principalmente por sudafricanos blancos.[37] Sin embargo, otros segmentos necesitan ser encarados al nivel más básico de mercadotecnia, algunas veces utilizando contactos visuales de lenguaje y de redes personales, según se describe en El consumidor en la mira 7.1.

Comportamiento del consumidor en la cuenca del Pacífico

La cuenca del Pacífico proporciona algunos mercados más atractivos para las empresas orientadas al crecimiento. Esta área incluye muchas bases de población de bajos ingresos pero de crecimiento rápido en el sureste de Asia, así como algunos mercados con mayor afluencia del mundo, como Japón, Singapur y Australia.

India

Como país que tiende a convertirse en el más grande del mundo, India está atrayendo un interés a nivel mundial entre los mercadólogos. Aunque es pobre, según los estándares occidentales su atractivo se basa en su infraestructura; su sistema legal bien desarrollado y grandes cantidades de doctores e ingenieros y otros altamente calificados necesarios para el crecimiento de una próspera clase media. India es un país con ingresos nacionales y productividad en crecimiento, pero con grandes problemas debido a su deuda, su carencia de divisas y coaliciones inestables en el gobierno.[38]

La clase media es la clave para la comprensión de los mercados del consumidor en India y la razón por la cual empresas como McDonald's se han introducido.[39] A pesar de que el gobierno no publica estadísticas poblacionales, tema políticamente sensible, algunos economistas estiman que la cifra oscila entre 7 y 12% de la población, es decir, un rango de mercado de 60 a 100 millones, superior al de Francia.[40] En consecuencia, la demanda de bienes de consumo está aumentando con rapidez, con grandes incrementos en las ventas anuales de automóviles, motocicletas, motonetas y otros bienes duraderos, que en promedio aumenta a la tasa de 20% anual. La familia de clase media con un ingreso anual de 1400 dólares, no vive en el lujo pero quizás adquiere una televisión, un radio y aparatos domésticos, como por ejemplo, una plancha y relojes eléctricos, y un vestuario que incluye zapatos, joyería y saris de seda.

Corea del Sur

En Corea del Sur, la capacidad de compra se ha incrementado a una tasa asombrosa, igual que el deseo de adquirir una diversidad de productos de consumo. El creciente ingreso, tasas de nacimiento menores, buenos cuidados a la salud, un elevado respeto a los valores religiosos, y una población joven y bien educada hace de Corea del Sur un mercado atractivo para muchas empresas.

Un elemento clave en el éxito de Corea ha sido su capacidad de exportación, con una fuerte ayuda de las políticas gubernamentales. Muchas grandes empresas coreanas, como Daewoo y Hyundai (fabricante del automóvil de mayor éxito en Estados Unidos), están teniendo éxito en Estados Unidos y en otros mercados industrializados.

Australia

Australia es un mercado de características similares a los mercados europeos y estadounidenses: Un elevado ingreso y una población de mayor edad.[41] Tiene una infraestructura bien desarrollada y mucho espacio de crecimiento, la mayoría de su población está agrupada alrededor de las ciudades principales, como es Melbourne, Sydney y Perth. En un momento dado, la inmigración era principalmente europea, pero en años recientes, prácticamente 50% de la inmigración es asiática. Los mercadólogos encuentran atractiva esta nación porque también tiene un sistema de publicidad y de investigación de mercados bien desarrollados, que podrían dar apoyo al desarrollo de nuevos productos y de marcas con estrategias y ejecuciones sofisticadas, así como excelentes minoristas, como Coles-Meyer y Woolworth. Los admiradores de *Cocodrilo Dundee*, Mel Gibson y Outback Steakhouse por igual pueden atestiguar respecto de la influencia de la "imagen" australiana en las películas y en los gustos.

China

China es la nación más grande del planeta. La demanda de 1200 millones de consumidores entusiasma a los mercadólogos del mundo. En el pasado, la mayor parte de las importaciones correspondían a bienes industriales, pero las nuevas políticas gubernamentales hicieron que los mercadólogos tomaran en consideración el potencial del mercado de consumo. China ha creado una economía basada en el mercado, a partir de una economía que durante décadas fue planeada para un país comunista, y actualmente goza de un significativo superávit comercial con los Estados Unidos.[42]

Con los salarios de los trabajadores urbanos en crecimiento y la aparición de nuevos empresarios en áreas económicas especiales de China, más personas pueden adquirir diversos bienes de consumo.[43] ¿Qué quieren comprar los consumidores chinos? En un estudio hecho en dos de las ciudades más grandes de China, Pekín (población 9.5 millones) y Guyangzhou (población 7 millones), los refrigeradores están en primer lugar en la lista siguiéndolos de cerca las lavadoras. Las televisiones son los aparatos eléctricos más adquiridos. Cerca de 9 millones de personas utilizan la internet, un incremento de 324% en relación con la cifra de 1998 de 2.1 millones.[44] Siendo 79% de los que están en línea hombres y 75% menores de 30 años, comunicarse con los jóvenes chinos pudientes y educados a través de internet es un método eficiente de mercadotecnia para muchas empresas internacionales.

En años recientes, más de un millón de chinos se han hecho *dakuan*, es decir, millonarios en dólares, y 5% de la población ha sido declarada rica según los estándares chinos. Existen muchos ejemplos de individuos que han sido capaces de desarrollar sus carreras y vivir rodeados de productos de lujo, y aun así la mayoría de los ciudadanos siguen viviendo en ciudades sobrepobladas, en pueblos pobres o en el campo. El cambio a un sistema impulsado por el mercado, está produciendo grandes transformaciones, así como un conflicto en China, lo que plantea preguntas de primer orden acerca de las funciones apropiados de la mercadotecnia.

También trae consigo cambios en la cultura. Hoy existe una generación en China, de hombres y mujeres jóvenes con orientación profesional; su enfoque es ser independientes.[45] Los adolescentes chinos también están retando las reglas autoritarias, incluso cuando se trata de la música. Los *Flowers*, banda popular pop, crea música para jóvenes de ambos generos, y encarando el punto de vista tradicional de que el *rock and roll* no es bueno para la sociedad China.[46]

Japón

A pesar de que Japón es más pequeño en área territorial que California, sus 127 millones de personas consumen más bienes y servicios que cualquier otro país del mundo, a excepción de Estados Unidos. La tierra es quizás el recurso natural más escaso y valioso en el Japón, que también carece de petróleo y de otros recursos naturales. A pesar de lo anterior sus activos principales son su cultura y su gente, que han contribuido al desarrollo de su poderosa economía.

Los japoneses adoran su cultura. A pesar de que algunos jóvenes adultos están cuestionando las estrictas éticas de trabajo y familiares de sus mayores, todavía existe un poderoso estilo de vida tradicional japonés y un sentido estético. Los japoneses han integrado alta tecnología en sus vidas tradicionales. Estudios de mercado, llegan a la conclusión de que la filosofía fundamental para el diseño y mercadotecnia de los productos en las empresas japonesas es la adaptación de productos de alta tecnología a la cultura de los países en los cuales se venden.[47]

En términos de mercadotecnia, la mayoría de los comerciales de televisión japoneses están dirigidos a aspectos afectivos más que cognoscitivos de la actitud. Los consumidores japoneses reaccionan más a un bello escenario de fondo, a una estrella del mundo del entretenimiento o al desarrollo de un relato que a recomendaciones de productos. Al auditorio japonés le desagrada la comunicación de ventas argumentativa; la información acerca del producto debe ser breve y transmitida con una canción que establezca la atmósfera. Éste es un punto de importancia para los fabricantes extranjeros acostumbrados a los anuncios de venta dura estadounidenses. La publicidad japonesa desarrollará un relato, describiendo la expresión de las personas y que aumente la atmósfera del producto. El mensaje, por lo general, se presentará al final del comercial, como una ocurrencia tardía en relación con el resto del anuncio.

América Latina

Conforme las empresas estadounidenses se familiarizan más con el comercio con México y comprenden mejor los mercados mexicanos, debido al Tratado de Libre Comercio (TLC), se ha creado un interés creciente en los países de América Central y del Sur. Los segmentos de mercado más atractivos incluyen los de Brasil, Venezuela, Colombia, Argentina y Chile.

A pesar de que la mayoría de los países latinoamericanos tiene elevadas tasas de crecimiento demográfico y amplios mercados de consumidores jóvenes, algunos presentan tasas prometedoras de crecimiento de ingresos. Brasil es el décimo país más grande del mundo, pero tiene una de las brechas más profundos entre ricos y pobres; 10% de sus 170 millones de personas pertenecen a segmentos de elevados ingresos. La cultura estadounidense se está haciendo muy popular en el Brasil con la llegada de más periódicos, revistas, automóviles y restaurantes de comida rápida. La aceptación de la cultura estadounidense también está ocurriendo en Chile, apareciendo con frecuencia marcas y tiendas (como Hallmark y Liz Claiborne) en los centros comerciales. Algunas tiendas de comestibles en Chile y en Perú rivalizan con las mejores y más grandes que se encuentran en Estados Unidos o en Europa, con más de 50 cajas de salida y con enormes pasillos de comestibles y bocadillos. De hecho, uno de los cambios más significativos de la década de los noventa fue el efecto que tiene la cultura latinoamericana sobre otros países, incluyendo Estados Unidos, lo que se analizará en detalle en el capítulo 11.

Los analistas del consumidor concluyen que los bajos niveles de ingresos per cápita reportados a veces ocultan segmentos sustanciales de mercado con elevados niveles de ingresos.

A pesar de que muchos consumidores en América Latina quizás no tengan la capacidad de comprar artículos de lujo e incluso artículos del mercado masivo, la segmentación entre mercados ayuda a identificar segmentos existentes que pueden permitirse muchos productos como aparatos domésticos, automóviles, ropa de marca, viajes y productos comestibles de especialidad.

Europa del Este

Las economías de Europa del Este se abrieron al comercio con el resto del mundo en los años noventa. Algunas tuvieron más éxito que otras. Hungría y Polonia han sido objeto de gran interés de parte de los mercadólogos y de los consumidores (en forma de turismo). El atractivo de los mercados de Europa Oriental para los mercadólogos globales es su similitud con las preferencias de consumidores occidentales. Los productos duraderos más deseados en Europa Oriental son los automóviles occidentales, las videocaseteras y los microondas, y los no duraderos más deseados son los perfumes, los zapatos deportivos y la ropa de moda. Ver la televisión es el pasatiempo más frecuente, haciendo viable la publicidad por este medio. Dado que menos consumidores tienen automóvil y su espacio de almacenamiento en el hogar es limitado, 85% de los europeos orientales salen todos los días de compras.[48]

Empresas como Procter & Gamble son ahora mercadólogos significativos en países como Hungría, Polonia y Yugoslavia. Los productos incluyen pañales desechables Pampers, pasta de dientes Blend-a-Med, shampú Vidal Sassoon, detergentes para lavandería Ariel y toda una multitud de marcas con un éxito comprobado en Europa Occidental. Con la asistencia de oficinas de publicidad internacional, P&G entró en el mercado utilizando anuncios culturalmente delicados, que presentaban el logotipo P&G para enfatizar la identidad corporativa y desarrollar la credibilidad para una futura introducción de producto. Otras marcas europeas occidentales de éxito adaptaron ligeramente sus estrategias y fueron bien recibidas en el mercado del Este. Hoy día, con la influencia de la televisión, películas y productos, los gustos en esa parte del mundo se han hecho bastante similares a los encontrados en Europa Occidental y Norteamérica.

Unión Europea

La Unión Europea (UE) es un mercado más grande que Estados Unidos. Su divisa común, el euro, facilita el comercio a través de fronteras nacionales y en el mercado. Las personas, el dinero y los bienes se mueven a través de las fronteras sin pasaporte, controles de cambio o aduanas.

Como se vio anteriormente, el crecimiento demográfico es inexistente en Europa. A cambio, los países se unieron económicamente, en los años noventa, en un intento de desarrollar eficiencias y crecimientos, de forma que se convirtió en patrón del Tratado de Libre Comercio (TLC). En Europa, las fábricas se hicieron más eficientes, ya que sirven a un mercado de 344 millones de personas que se espera adquieran 4 billones en bienes y servicios. Metas adicionales del sistema de mercado único fueron una mayor eficiencia en el movimiento físico de los bienes y el movimiento financiero de los fondos. El resultado es también una competencia más dura para muchas firmas, ya que cada una usa un enfoque europeo global hacia la mercadotecnia.

Las fronteras entre los países europeos quizá sólo tengan un letrero indicando el nombre del país y ostentando de manera prominente el símbolo UE. Además de la identidad nacional, incluso las empresas están identificándose a sí mismas usando el símbolo UE en su publicidad y en sus despliegues de punto de compra.[49] Sin embargo, no han desaparecido ni la identidad ni la cultura nacionales. De hecho, algunos dicen que, conforme ocurra el empuje hacia un mercado único, es más probable que los individuos se aferren a sus identidades.

El mercado más grande del mundo es el de la Unión Europea, y la fuerza dominante en dicho mercado es Alemania. Ha sido capaz de capitalizar sobre oportunidades comerciales con Europa Oriental y está empezando a experimentar el rendimiento de sus inversiones en la unificación con la anterior Alemania del Este. Aunque Bruselas es la ciudad capital de la UE, desde una perspectiva de mercadotecnia, Berlín se ha convertido en la capital.

Alemania ha sufrido cambios drásticos en prácticamente todas las áreas medibles, incluyendo población, ingresos promedio, edad promedio e incluso tamaño geográfico del país. Los analistas del consumidor pronostican un gran crecimiento; la reunificación de Alemania logró un crecimiento inmediato. La forma alemana de capitalismo está ubicada entre la japonesa, que promueve los negocios y la estadounidense, en la regulación. La combinación de negocios, gobierno y sindicatos con base en un sistema estructurado de valores, ha creado un estándar de vida que se sitúa entre los más elevados del mundo. Los alemanes no tienen un ingreso per cápita tan elevado como los japoneses, pero sí tienen mejores hogares, excelentes automóviles, buenos cuidados a la salud, carreteras muy rápidas, ciudades preocupadas por la ecología y rodeadas por bosques verdes, y ¡muy buena cerveza!

Canadá

Aunque Canadá es el país más grande del mundo, con 3.9 millones de millas cuadradas, 80% de los canadienses no viven a más de 200 kilómetros de distancia de la frontera con Estados Unidos. Esta geografía genera un mercado de 4000 millas de largo y 125 millas de ancho. El hecho de que los consumidores canadienses forman una cadena horizontal en contraste con los agrupamientos demográficos estadounidenses es un problema de logística en el Canadá. Muchos agrupamientos estadounidenses, que están orientados a centros urbanos, se encuentran alrededor de los principales mercados canadienses, especialmente Ontario. Resulta con frecuencia más eficiente proveer los mercados canadienses desde estos círculos de distribución de alto volumen, que partiendo de la angosta línea de suministros de Canadá. Como consecuencia, las empresas canadienses que operan en la parte norte de Estados Unidos y que utilizan estas ciudades como puntos de distribución para Canadá es probable que disfruten de costos más bajos que aquellas que sólo operan en Canadá.[50]

Influencia de las diferencias individuales sobre el comportamiento del consumidor

Los efectos de variables como la edad, los ingresos y la geografía son importantes para comprender el comportamiento del consumidor y desarrollar planes de mercadotecnia. Se puede obtener una mayor comprensión analizando diferencias individuales como la personalidad, los valores y los estilos de vida, así como la forma en que afectan al comportamiento del consumidor. Estas influencias se muestran a la derecha del modelo del proceso de decisión del consumidor que se ha presentado en este libro.

Personalidad y comportamiento del consumidor

Aunque los analistas del consumidor no pueden vigilar a los consumidores, como el guía suizo de El consumidor en la mira 7.2, para saber si comprarán un Ford o un Chevrolet, pueden analizar variables como la personalidad, los valores y la psicografía, para predecir los efectos de variables individuales sobre la compra y el consumo. Estas diferencias individuales arrancan donde termina la demografía y nos dan la posibilidad de comprender las características más determinantes del comportamiento.

Todos somos diferentes, basta observar cualquier huella digital. Se logran programas efectivos de mercadotecnia y publicidad con productos y mensajes que tienen un atractivo especialmente alto y hacen que los consumidores piensen: "Este producto o mensaje se ajusta a lo que creo (valores), a la forma en que normalmente me comporto (personalidad) y a

El consumidor en la mira 7.2

Desde el pueblo suizo de Zermatt, la primera vista al Matterhorn resulta escalofriante. Cerca existen otros picos más elevados, pero ninguno se presenta tan al desnudo, tan imponente como la desafiante pirámide de granito de 14 692 pies, que murmura "a que no te atreves" a los curiosos espectadores.

Anualmente suben al Matterhorn dos mil personas, durante la breve época de verano de mediados de julio hasta mediados de septiembre. Un equipo de 75 guías expertos hacen que la aventura de dos días sea relativamente segura para adultos en buen estado físico. Los guías reportan que los mejores candidatos son hombres y mujeres de 30 a 45 años, porque tienen una más elevada resistencia mental y física combinadas, en comparación con personas más jóvenes. Pero hacia arriba no hay límite de edad, una persona hizo el ascenso a los 90 años. El ascenso mismo requiere de dos días, iniciándose con una caminata hasta el campo base. "Bajar resultó muy penoso. Me quedé sin energías. Bajé a fuerza de control mental", dice Patricia Ruiz, una ex ejecutiva de IBM con base en París, quien durante seis meses se preparó corriendo todos los días escalones arriba hasta la parte superior de la torre Eiffel.

El Matterhorn puede ser inmisericorde. Todos los años, la montaña cobra entre 10 a 20 vidas de quienes no respetaron las reglas de seguridad. Los peores candidatos, dicen los guías, son los que buscan probar algo a los demás. Los mejores son aquellos que suben impulsados por un respeto a la montaña y una reverencia por la naturaleza. Pídale a cualquier guía de montaña que lo lleve a la cima, y primero le mirará a los ojos y verá qué tipo de persona es. Un guía explica: "Por lo general, puedo saber desde la oficina si alguien podrá hacerlo o no."

Fuente: tomado de Gail Schares, "A Peak Experience", Business Week *(junio 1 de 1992), 118.*

mi situación en la vida (estilo de vida). Estas variables son igual de importantes que otras que estudiará (conocimientos, motivación y actitudes), pero los estilos de vida y la personalidad subyacente que reflejan son con frecuencia más visibles. Cuando la comunicación de mercadotecnia tiene éxito, una persona siente que el comunicador lo comprende y respeta su individualidad.

Personalidad

La personalidad tiene muchos significados. En los estudios del consumidor, la **personalidad** se define como *respuestas coherentes a estímulos del entorno.*[51] Es una *composición psicológica única de un individuo, que de manera coherente influye sobre la manera en que responde dicha persona a su entorno.* ¿Por qué durante su tiempo libre ciertas personas gustan de ir al cine o dar un paseo y otras de correr maratones o tirarse en paracaídas? Decimos a menudo que es debido a la personalidad. Los analistas del consumidor responden estas respuestas con el apoyo de tres vertientes: psicoanalítica, sociopsicológica y del factor del rasgo de la personalidad.[52]

Teoría psicoanalítica

La teoría psicoanalítica reconoce que el sistema de personalidad está constituido por el *id, ego* y *superego.*[53] El id es la fuente de la energía psíquica y busca gratificación inmediata para las necesidades biológicas y del instinto. El superego representa las normas y servicios de la sociedad o de la persona como limitantes éticas del comportamiento. El ego encuentra un punto medio entre las demandas hedonísticas del id y las prohibiciones moralistas del superego. La interacción dinámica de estos elementos da como resultado motivaciones inconscientes que se manifiestan en el comportamiento humano observado. Sigmund Freud creía que la personalidad era el resultado del conflicto entre el deseo de satisfacer necesidades físicas y la necesidad de ser un miembro participativo de la sociedad.

La teoría psicoanalítica sirvió como base conceptual para el enfoque motivacional descrito brevemente en el capítulo 1 y que fue el antecesor de los estudios relativos a estilos de vida. De acuerdo con investigadores de la filosofía de la motivación como el doctor Ernest Dichter, el comportamiento del consumidor es con frecuencia resultado de motivos de consumo inconscientes, mismos que se pueden determinar por medio de métodos indirectos de juicio, por ejemplo, técnicas proyectivas y psicológicas relacionadas. El enfoque motivacional produjo algunos descubrimientos extraordinarios como por ejemplo: un hombre que compra un convertible lo considera su amante sustituto y los hombres esperan que sus cigarros sean olorosos, para demostrar su masculinidad.[54] De manera similar, los consumidores compran alimentos gourmet, automóviles de marca extranjera, vodka y perfume con el fin de expresar su individualidad.[55] Estos ejemplos se verán sujetos a serias preguntas de validez y proporcionan poco más que un punto de inicio para la planeación de la mercadotecnia. La personalidad del consumidor es un resultado de mucho más que impulsos inconscientes. Y aun así, gran parte de la publicidad se ve influida por el método psicoanalítico en la personalidad, especialmente su fuerte énfasis en instintos sexuales y biológicos profundamente aceptados.

Teoría sociopsicológica

La teoría sociopsicológica reconoce la interdependencia del individuo con la sociedad. El individuo pugna por llenar las necesidades de la sociedad, en tanto que la sociedad ayuda al individuo a alcanzar sus metas. La teoría sociopsicológica es, por tanto, una combinación de elementos sociológicos y psicológicos,[56] y difiere de la teoría psicoanalítica en dos aspectos importantes. En primer lugar, las variables sociales más que el instinto biológico se consideran los determinantes de mayor importancia en la conformación de la personalidad. Segundo, la motivación conductual está dirigida a llenar estas necesidades, por ejemplo, una persona puede adquirir un producto que simboliza una meta no alcanzable o socialmente inaceptable. A pesar de que la persona quizás no admita el porqué compró el producto, la adquisición llena "el deseo prohibido" subconscientemente que el consumidor tiene.

Un ejemplo de la teoría sociopsicológica de la personalidad es el paradigma de Horney (con base en la teoría desarrollada por Karen Horney), que sugiere que el comportamiento humano resulta de tres orientaciones interpersonales predominantes: conforme, agresivo y desinteresado. Las preguntas diseñadas para medir estas variables se conocen como una escala CAD.[57] Las personas conformes dependen de terceros en lo que se refiere al amor y al afecto, y se dice que se mueven hacia terceros. Las personas agresivas están motivadas por la necesidad de poder y se mueven contra terceros. Las personas desinteresadas son autosuficientes e independientes, y se alejan de los demás.[58]

Teoría del factor del rasgo de la personalidad

La teoría del factor del rasgo de la personalidad es un procedimiento cuantitativo hacia la personalidad, mismo que postula que la personalidad de un individuo está constituida por atributos de predisposición conocidos como rasgos. Un **rasgo** es *cualquier forma distinguible y relativamente duradera en la cual un individuo difiere de otros*, por ejemplo la sociabilidad, el estilo relajado, la cantidad de control interno y otras variables de diferencias individuales.[59] Los analistas del consumidor pueden considerar rasgos, como tomar riesgos, la autoconciencia y la necesidad de cognición[60] útiles en la planeación de la mercadotecnia.

Tres hipótesis delinean la teoría del factor del rasgo. Se supone que los rasgos son comunes para muchos individuos y varían en cantidades absolutas entre ellos, por tanto, se pueden utilizar para segmentar los mercados. También esos rasgos son relativamente estables y ejercen efectos razonablemente universales sobre el comportamiento independientemente de la situación del entorno. Se concluye entonces que pueden predecir una amplia diversidad de comportamientos. La suposición final afirma que los rasgos se infieren a partir de la medición de los indicadores del comportamiento.

Existen varias mediciones psicológicas estándar para los rasgos de inventario, como por ejemplo el California Psychological Inventory y el Edwards Personal Preference Scale (EPPS, por sus siglas en inglés). Ampliamente utilizados para las pruebas psicológicas, esas pruebas a veces se aplican a la mercadotecnia[61] pero a menudo producen resultados mixtos. Es probable que pruebas modificadas resulten de mayor utilidad para la investigación del consumidor.[62]

Quizás una de las aplicaciones más grandes de la teoría de los rasgos en la mercadotecnia, es el desarrollo de la **personalidad de marca** (*la personalidad que los consumidores interpretan a partir de una marca específica*). Las marcas se pueden caracterizar de una diversidad de formas, como anticuadas, modernas, divertidas, provocativas, masculinas o glamorosas. Alguna publicidad encara las tendencias de los consumidores a comprar y poseer productos que son una extensión de ellos mismos o un reflejo de lo que desearían ser.

Cómo predecir el comportamiento del consumidor

La teoría del factor de rasgos de la personalidad ha sido la base de la investigación de la personalidad en la mercadotecnia. El estudio típico intenta encontrar una relación entre un conjunto de variables de la personalidad y uno surgido de comportamientos del consumidor como compras, elección de los medios, innovación, influencia del entorno y de la sociedad, elección del producto, liderazgo de opinión, toma de riesgos y cambios de actitud. En las primeras investigaciones, se encontró que la personalidad se relacionaba con atributos específicos de la elección del producto.[63] La investigación también indicaba que las personas podrían tener relativamente buenos juicios sobre los rasgos de otras personas y su forma de relacionarse con marcas de automóviles, ocupaciones y elección de revistas.[64]

La predicción del comportamiento del consumidor, en los primeros años, era a menudo el objetivo de la investigación de la personalidad, cuyos estudios intentaban predecir la preferencia de marca o tienda, así como otras actividades del comprador, pero por lo general encontraban pocas variaciones en la elección de productos que fueran explicadas por la personalidad.[65] Viendo en retrospectiva, esos resultados no son sorprendentes; después de todo, la personalidad no es más que una variable en el proceso de toma de decisiones del consumidor. Si ha de establecerse alguna relación, las variables dependientes como la intención, resultarían mejores candidatos que el comportamiento. Incluso si los rasgos de la personalidad fueran factores de predicción válidos de las intenciones o del comportamiento, resultan difíciles de utilizar en la estrategia de mercadotecnia debido a que:

1. Las personas con personalidades comunes pueden representar amplias variaciones en las variables demográficas, y los medios masivos están principalmente segmentados en una base demográfica.

2. Las medidas que aíslan las variables de la personalidad, a menudo no demuestran tener una confiabilidad y validez adecuadas.

La personalidad ha podido explicar sólo aproximadamente el 10% de las variaciones en el comportamiento. Procter & Gamble llevó a cabo muchos estudios hace varias décadas, utilizando la personalidad como una variable de segmentación. Después de tres años de esfuerzos, abandonó el intento, porque los gerentes de marca y de publicidad no podían generar resultados que les permitieran desarrollar estrategias en mercadotecnia con una eficiencia mayor que con otras metodologías.

El fracaso de las medidas de la personalidad para predecir el comportamiento del consumidor ha estimulado el desarrollo de procedimientos más recientes. Un método es relacionar las medidas de la personalidad con variables o etapas intermedias dentro del proceso de decisión, como por ejemplo el reconocimiento de la necesidad, y comprender el papel de esta personalidad en el procesamiento de la información. Otro incorpora los datos de la personalidad con datos relacionados con las condiciones sociales y económicas de los individuos. Y otro método es utilizar conceptos más amplios como los valores y la psicografía.

Valores personales

Otra forma de interpretar por qué los consumidores varían en su forma individual de toma de decisión, son los valores. Igual que las actitudes, los valores representan las creencias del consumidor respecto de la vida y el comportamiento aceptable. A diferencia de las actitudes, los valores trascienden las situaciones o los sucesos y son más duraderos porque son más centrales en la estructura de la personalidad. Los valores representan tres requisitos universales de la existencia humana: Necesidades biológicas, requisitos de interacción social coordinada, y demandas de supervivencia y funcionamiento del grupo.[66] Expresan las metas que motivan a las personas así como formas apropiadas para alcanzarlas. Dado que las personas tienen los mismos valores pero difieren únicamente en la importancia que les dan y que los valores juegan un papel tan central en la cognición, los valores proporcionan una base poderosa para la comprensión del comportamiento del consumidor dentro y a través de culturas.[67] La naturaleza duradera de los valores y su papel central en la estructura de la personalidad han hecho que sean aplicados para comprender muchos aspectos del comportamiento del consumidor, incluyendo los conocimientos publicitarios, la elección del producto, la marca y la segmentación del mercado.

Los mercadólogos se pueden enfocar en valores individuales o de grupo. Cuando la importancia de un valor está tan ampliamente difundida que se convierte prácticamente en un estereotipo de un segmento o grupo del mercado, nos referimos a él como un *valor social*.[68] Cuando estudiemos el aspecto cultural en el capítulo 11, el énfasis se hará sobre **los valores sociales**, éstos *definen el comportamiento "normal" de una sociedad o de un grupo*. Los **valores personales** *definen el comportamiento "normal" de un individuo*, que es lo que nos interesa aquí. Sin embargo recuerde conforme lea las siguientes páginas, que los valores de los grupos a los cuales pertenece (valores sociales) tendrán una influencia capital sobre sus valores personales.

Los valores personales reflejan la elección efectuada por el individuo de entre una variedad de valores sociales o de sistemas de valores a los cuales dicho individuo se ve expuesto. Sus valores en relación con la ética del trabajo y la interacción social, por ejemplo, pudieran ser determinantes sobre cuánto tiempo estudiará este libro y, por tanto, de la calificación que obtendrá en el curso, y aún más importante, sus logros durante su vida. A pesar de que las personas se ven influidas por valores familiares, de sus compañeros y culturales, los individuos seleccionan y eligen de entre los valores sociales para desarrollar sus propios valores personales.

Escala de valores Rokeach

Las primeras investigaciones en relación con los valores estuvieron influenciadas por Milton Rokeach y su escala de valores Rokeach (EVR), aunque Burgess ha demostrado que los valores están implícitos o explícitos en muchas teorías psicológicas de Freud, Jung, Fromm, Adler, Horney, Erikson, Dichter y otros.[69] Rokeach creía que los valores se referían tanto a las *metas (elementos de estado final o terminales)* como a las *formas de comportarse (componentes instrumentales) para la obtención de metas*, según se puede observar en la figura 7.8. Su contribución principal fue definir los valores como creencias duraderas, que los modos de conducta o estados finales de la existencia específicos son preferibles personal o socialmente a los modos opuestos de conductas o de los estados finales de existencia.[70] LA EVR le pide a las personas que clasifiquen la importancia de una serie de metas y de formas de conducta, mismas que se analizan en función de género, edad, etnicidad, o cualquier variable que pudiera resultar de interés en el análisis del consumidor.

Varios estudios han vinculado los valores personales a la elección de la marca, uso de producto, segmentación del mercado y comportamiento innovador.[71] En un estudio de compra de automóviles, los investigadores encontraron que las variables relacionadas con el consumo están relacionadas con los valores esenciales orientados a la familia que estimulan la motivación.[72] En el caso de productos de bajo involucramiento como los desodorantes, los

Figura 7.8   Escala de valores Rokeach

Terminal (Estados finales deseables)	Instrumental (Modos de conductas)
Una vida confortable	Ambición
Una vida excitante	Tolerante
Un sentido de logro	Capaz
Un mundo de paz	Jovial
Un mundo de belleza	Limpio
Igualdad	Valiente
Seguridad para la familia	Misericordioso
Libertad	Honesto
Felicidad	Imaginativo
Armonía interna	Independiente
Amor maduro	Intelectual
Seguridad nacional	Lógico
Placer	Cariñoso
Salvación	Obediente
Respeto por sí mismo	Educado
Reconocimiento social	Responsable
Verdadera amistad	Autocontrolado
Sabiduría	

estudios encontraron que aquellos individuos que preferían Right Guard a Arrid, por ejemplo, eran consumidores con una elevada importancia en la EVR que mide "amor maduro". [73] La mayor parte de las aplicaciones en el pasado utilizaban la EVR para describir las diferencias entre segmentos definidos *a priori* sobre variables demográficas y otras más. Recientemente, los analistas del consumidor están utilizando los valores como el criterio para la segmentación demográfica en grupos de individuos homogéneos que comparten un sistema común de valores.[74]

Escala de valores Schwartz

El trabajo del psicólogo Shalom Schwartz se ha convertido en la influencia de mayor importancia en la investigación de valores en la mercadotecnia y en otras ciencias del comportamiento. La investigación de Schwartz se ha enfocado en identificar un conjunto universal de valores y determinar la estructura de sus relaciones. Su escala de valores Schwartz (EVS) y su cuestionario de retratos (CR), fueron diseñados para medir un conjunto completo de valores que se pensaba formaban parte de todas las personas del mundo.[75] Con base en estudios empíricos de más de 100 000 personas en más de 60 países, la teoría Schwartz propone que los *valores son metas transituacionales que sirven al interés de los individuos o de los grupos y expresan uno de entre diez tipos de motivaciones o valores universales*, retando por tanto la clasificación simple de Rokeach de los valores instrumentales y terminales.[76] Schwartz alega que el significado de un valor individual se refleja en el patrón de sus relaciones con otros valores, por lo general determinados utilizando una técnica analítica conocida como el análisis del espacio más pequeño (AEP). Estas relaciones son de diez tipos de valores, y los cuatro dominios de valores de orden superior que los contienen, representan un continuo de motivaciones relacionadas que dan lugar a una estructura circular (véase la figura 7.9). La persecución de un valor específico puede ser compatible o estar en conflicto con otros valores. Por ejemplo, cuidar su propia familia (benevolencia) es compatible con el cuidado hacia el entorno (universalismo), pero está en conflicto con anteponer sus propias necesidades que las de los demás con el fin de lograr las metas personales (logros).

Estos tipos de motivaciones o de valores son los principios que guían las vidas de los consumidores. La tabla 7.3 define los diez tipos de valores motivacionales y da algunos valores

Figura 7.9   Relación estructural de los tipos de valores motivacionales

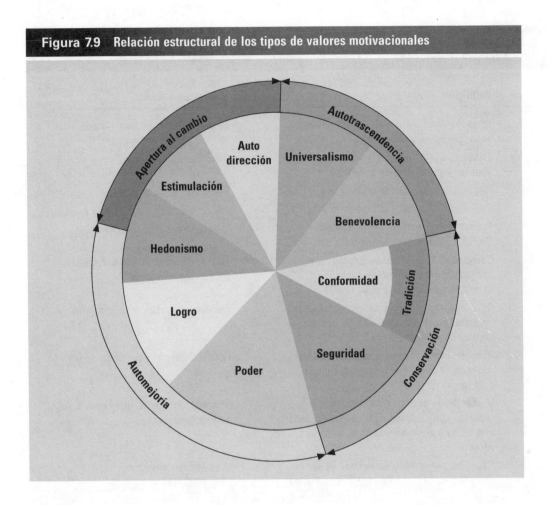

ejemplares para cada uno de ellos.[77] La EVS ha sido utilizada para comprender por qué algunos consumidores prefieren los bancos a las instituciones financieras competitivas, así como para comparar las preferencias de marca entre los segmentos de mercado.[78]

Valores y el proceso de decisión del consumidor

Los valores personales ayudan a identificar la forma en que respondemos a la pregunta, "¿es este producto para mí?" Los valores son de particular importancia en la etapa de reconocimiento de la necesidad en la toma de decisiones del consumidor, pero afecta a los consumidores en la determinación de los criterios de evaluación, dando respuesta a la pregunta, "¿es esta marca para mí?" Los valores influyen sobre la efectividad de los programas de comunicación al preguntar los consumidores, "¿es esta situación (según se muestra en el anuncio) una en la cual participaría yo?" Los valores son motivaciones duraderas, es decir "los fines" que las personas buscan en sus vidas. En un sentido, a menudo la mercadotecnia proporciona los "medios" para alcanzar estos fines.

Escalonamiento

Se puede facilitar el comprender la forma en que los valores determinan la demanda en el mercado mediante una técnica conocida como **escalonamiento**. El escalonamiento se prefiere a una *prueba en profundidad dirigida hacia descubrir significados de un nivel más elevado tanto en el nivel de beneficios (atributos), como en el nivel de valores*. El escalonamiento busca descubrir vínculos entre los *atributos del producto, los resultados personales (consecuencias) y los valores* que sirven para estructurar los componentes de la red cognoscitiva en la mente de un consumidor.[79]

Tabla 7.3 Definiciones de los diez tipos de valores motivacionales en función de sus metas y de los valores específicos que los representan

Tipo de valor	Definición	Valores ejemplares
Poder	Estatus y prestigio social, control o dominio sobre personas y recursos	Poder social, autoridad, riqueza
Logro	Éxito personal al demostrar competencia de acuerdo con las normas sociales	Éxito, capaz, ambicioso
Hedonismo	Placer y gratificación sensual para sí mismo	Placer, gozar de la vida
Estimulación	Excitación, novedad y el reto en la vida	Audaz, vida variada, una vida excitante
Autodirección	Pensamiento y acción independiente: elección, creación, exploración	Creatividad, curiosidad, libertad
Universalismo	Comprensión, apreciación, tolerancia y protección del bienestar de todas las personas y de la naturaleza	Tolerancia, justicia social, igualdad, protección al entorno
Benevolencia	Conservación y mejoría del bienestar de las personas con las cuales está en contacto personal frecuente	Servicial, honesto, misericordioso
Tradición	Respeto, compromiso y aceptación de las costumbres e ideas que proporcionan la cultura y la religión tradicionales	Humilde, devoto, aceptando mi porción de la vida
Conformidad	Limitación de acciones, inclinaciones e impulsos que pudieran desequilibrar o dañar a terceros y violar expectativas o normas sociales	Educado, obediente, que honra a sus padres o mayores
Seguridad	Seguridad; armonía; y estabilidad de la sociedad, de las relaciones y de uno mismo	Orden social, limpieza

Fuente: tomado de Shalom H. Schwartz; "Are There Universal Aspects in the Structure and Contents of Human Values?" en Journal of Social Issues *50, 4 (1994), 19-45.*

La figura 7.10 muestra los *atributos* que proporcionan las bebidas alcohólicas (gaseosas, secas, costosas, etiqueta, botella, menos alcohol, satisfactorios, tamaño menor) y cómo las consecuencias de estos *beneficios* (refrescantes, eliminadores de la sed, más femeninos, evitan lo negativo del alcohol, impresionan a terceros, etcétera) se relacionan con los *valores* (autoestima, logro, pertenencia, vida familiar) de varios segmentos del mercado. Cualquiera de estos mapas de percepción de las estructuras de valor podría conducir a desarrollar estrategias alternativas de mercadotecnia. A pesar de que los atributos pudieran ser los mismos, la imagen que debería desarrollarse para aquellos con el valor de autoestima haría énfasis en impresionar a los demás, quizás con una imagen sofisticada. Sin embargo, la otra imagen se desarrollaría con el valor de la vida familiar, haciendo énfasis en la socialización sin los efectos negativos del alcohol. Un análisis adicional pudiera indicar el tamaño de los segmentos, el grado de superposición entre ellos, los atractivos que pueden utilizarse para llamar la atención al mayor número posible de consumidores, y el nivel de abstracción que se utilizaría en los anuncios y en otros elementos de la estrategia de publicidad.[80] Los recientes adelantos en la teoría de la escalera o de escalonamiento se enfocan en ampliar el mismo para investigar en un margen más extenso de comportamientos dirigidos a la meta y en nuevas técnicas estadísticas como ayuda en la interpretación.[81]

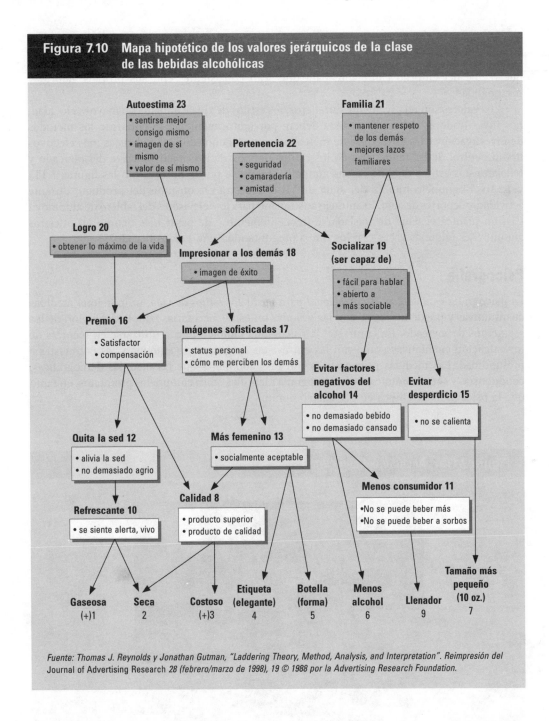

Figura 7.10   **Mapa hipotético de los valores jerárquicos de la clase de las bebidas alcohólicas**

Fuente: Thomas J. Reynolds y Jonathan Gutman, "Laddering Theory, Method, Analysis, and Interpretation". Reimpresión del Journal of Advertising Research 28 (febrero/marzo de 1998), 19 © 1988 por la Advertising Research Foundation.

Conceptos y medición de estilos de vida

El estilo de vida es un concepto popular para la comprensión del comportamiento del consumidor, debido a que es más contemporáneo que la personalidad y más completo que los valores. La mercadotecnia con base en el estilo de vida intenta relacionar un producto, a menudo por medio de la publicidad, con las experiencias cotidianas del mercado objetivo.

El **estilo de vida** es un constructo resumido definido como *patrones en los cuales las personas viven y gastan tiempo y dinero,* reflejando las actividades, interés y opiniones (AIO) de una persona, así como las variables demográficas anteriormente analizadas. La gente utiliza elaboraciones como los estilos de vida para entender los eventos que ocurren a su alrededor y para interpretar, conceptualizar y predecir eventos, así como para reconciliar sus valores con dichos eventos. Este tipo de sistema de elaboración es personal, pero también cambia continuamente en respuesta a la necesidad por parte de la persona de conceptualizar señales que recibe del entorno cambiante para que sean consistentes con sus propios valores y personalidad.[82]

Los valores son relativamente duraderos; los estilos de vida cambian con mayor velocidad. Los investigadores del estilo de vida deben, por tanto, mantener al corriente los métodos de investigación y las estrategias de mercadotecnia. Algunos de los publicistas más efectivos llevan control de las tendencias de los estilos de vida de los objetivos clave del mercado y reflejan estos estilos de vida en sus anuncios, según se puede observar en las figuras 7.11a y 7.11b. El anuncio francés del agua de Vittel muestra el consumo del producto durante actividad y deportes de ocio. El anuncio australiano para los televisores del tablero de automóvil Clarion plantea el tema de trasladarse frecuentemente y de pasar más tiempo en nuestros automóviles (algunas veces con los niños preguntando, "¿Ya hemos llegado?").

Psicografía

La **psicografía** es *una técnica operacional para medir los estilos de vida*; proporciona medidas cuantitativas y puede utilizarse con las grandes muestras necesarias para la definición de los segmentos de mercado. En contraste, la psicografía también puede utilizarse en técnicas de investigación cualitativas como son las entrevistas de grupos de enfoque y las entrevistas a profundidad. Las medidas psicográficas son más completas que las medidas demográficas, conductistas y sieconómicas —la demografía identifica *quién* compra los productos, en tanto que la psicografía se enfoca en *por qué* compran.

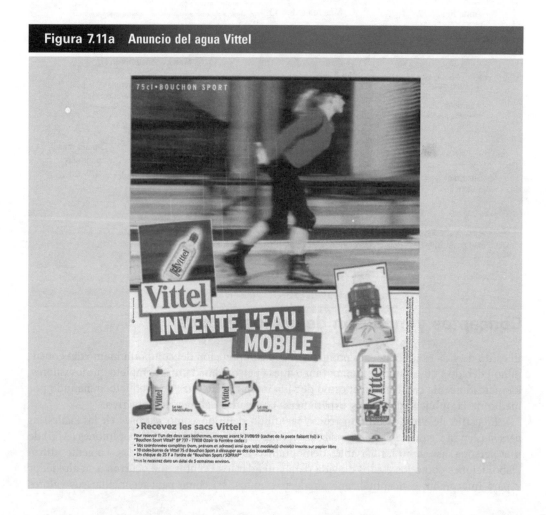

Figura 7.11a   Anuncio del agua Vittel

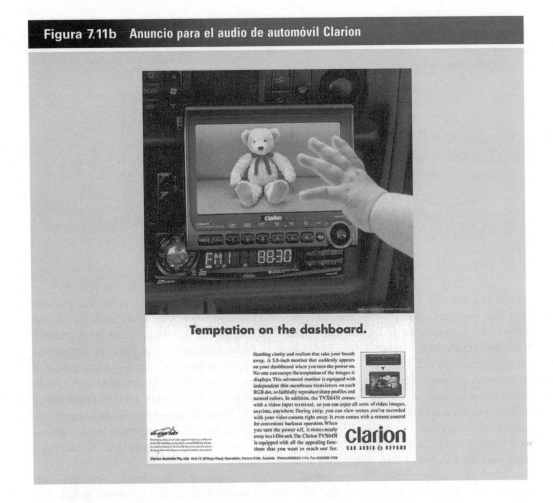

Figura 7.11b   Anuncio para el audio de automóvil Clarion

El término *psicografía* a menudo se utiliza de manera intercambiable con las **medidas AIO** —*enunciados que describen las actividades, intereses y opiniones de los consumidores*. Los componentes AIO se definen como sigue:

- **Actividad:** acciones como son el boliche, comprar en una tienda, o hablar por teléfono. A pesar de que estos actos por lo general son observables, las razones para las acciones rara vez son objeto de medición directa.

- **Intereses:** el grado de excitación que acompaña una atención tanto especial como continuada hacia un objeto, evento o tema.

- **Opinión:** una "respuesta" hablada o escrita que da una persona a una "pregunta". Describe interpretaciones, expectativas y evaluaciones —como son las creencias respecto de las intenciones de otras personas o anticipaciones relacionadas con eventos futuros.[83]

En la figura 7.12 se dan ejemplos de estas categorías.

Segmentación del mercado

Se utilizan los estudios psicográficos para lograr una comprensión en profundidad de los segmentos del mercado y a veces para definirlos —por ejemplo, mujeres solteras entre 25 y 30 años que participan de manera activa en deportes al aire libre y se preocupan por la nutrición—. Con el fin de identificar tendencias significativas del estilo de vida, los investigadores a menudo preguntan a los consumidores solicitando que respondan a enunciados AIO mediante una

---

Figura 7.12   Categorías AIO de estudios de estilos de vida

Actividades	Intereses	Opiniones
Trabajo	Familia	Ellos mismos
Pasatiempos	Hogar	Problemas
Eventos sociales	Trabajo	sociales
Vacaciones	Comunidad	Política
Entretenimiento	Recreo	Negocios
Membresía en	Moda	Economía
clubes	Alimentos	Educación
Comunidad	Medios	Productos
Compras	Logros	Futuro
Deportes		Cultura

---

escala de Likert. En un procedimiento popular, los consumidores eligen entre cinco respuestas posibles, que van desde estoy de acuerdo (calificado como +2) a estoy en desacuerdo (calificado como −2). La respuesta de los consumidores se puede analizar al tabular de manera cruzada cada enunciado con base en las variables que se crean de importancia para las estrategias de segmentación del mercado, como son género y edad, o buscando la respuesta mediana entre estas categorías. Si se incluyen demasiados enunciados AIO en la investigación, puede dificultarse la comprensión de la estructura básica de los estilos de vida del consumidor que influyen en el comportamiento de compra y de consumo. Por tanto, a menudo los investigadores utilizan técnicas como son las escalas multidimensionales, el análisis de componentes principales, o el análisis de factores de exploración para reducir el número de "dimensiones" o "factores" relacionados con base en su covarianza o intercorrelación.[84]

Utilizando un procedimiento psicográfico, Procter & Gamble identificó un conocimiento central del consumidor sobre el porqué las personas gustan tomar café y convirtió lo anterior en un atractivo de marca para el café Folgers. En sus anuncios, Folgers hacía un llamado a los recuerdos de los consumidores del olor del café preparándose en sus hogares cuando eran jóvenes. Para esta generación, Folgers significaba regresar al hogar, a la seguridad, y a la comodidad de la familia. En los años noventa, sin embargo, emergió un grupo más joven y móvil de bebedores de café, la generación Starbucks. El café no significaba un regreso al hogar (mismo que para muchos significaba el divorcio e infancias infelices), Starbucks, más bien, se convirtió en un símbolo de estatus y en un icono de libertad y de éxito. También significó que una gran parte del consumo de café estaba llevándose a cabo fuera del hogar. ¿De qué manera podía P&G competir con el café recién molido en la nueva imagen de Starbucks? Creó a Millstone, café de gourmet recién molido (en sabores de gourmet) situado para alcanzar ese segmento de estilo de vida de cafetería nuevo. Empacó el café en bolsas en vez de latas, ofreció más sabores, y dejó que los consumidores llevaran el café de cafetería y su aroma a la casa con una marca de tienda de comestibles.

Mediante el análisis psicográfico, los mercadólogos pueden comprender mejor los estilos de vida centrales de sus clientes y desarrollar programas de empaques y de comunicación que sitúen a los productos en sus varios atributos de estilo de vida. ¿De qué manera desea el mercadólogo que un paquete de cena consistente en pastas se muestre en un anuncio? ¿Debe ilustrar lo fácil que resulta preparar la pasta (mostrando al señor de la casa preparándolo sin crear un desorden en la cocina), o debe mostrar lo delicioso que es (con personas consumiéndolo en una mesa elegante a la luz de las velas y con flores)? La idea es ir más allá de la demografía estándar para situar el producto en línea con las actividades, esperanzas, temores y sueños de los mejores clientes del producto.

Los mercadólogos deben tener cuidado, sin embargo, de reconocer ciertos AIO y estilos de vida y de ignorar otros, que a veces representan una violenta reacción respecto de lo que se ha hecho popular. A finales de los ochenta, existió un incremento en el deseo de los estadounidenses por conservarse saludables y perder peso, lo que dio lugar al segmento de estilo de vida "saludable". Los productos libres de grasa, bajos en azúcar y sin cárnicos encontraron su camino, desde papas ligeras hasta sustitutos de huevo sin colesterol. Aunque estos productos siguen siendo populares, otros mercadólogos se enfocaron en "el resto de la población". Los helados Häagen-Dazs y Ben & Jerry siguen satisfaciendo los paladares del consumidor no tan consciente de la salud, así como los consumidores que si lo están, pero deciden "derrochar". El simple hecho de que los consumidores correspondan a un segmento particular de estilo de vida no significa que no exhiban algunos comportamientos "de cruce".

De manera similar, muchos consumidores viven llenos de tensión, y de muchas obligaciones que les impiden disfrutar las actividades cotidianas como son dar un paseo o estar con los amigos. Algunas de estas personas atrapadas en este acelerado estilo de vida están efectuando cambios drásticos. Salen de las grandes ciudades y optan por un estilo de vida más simple. Están dispuestos a vivir con menos con la finalidad de vivir menos tensiones, disfrutar más tiempo con sus familias, en actividades como la jardinería.[85]

Vals™

Un procedimiento ampliamente utilizado para la mercadotecnia del estilo de vida es el Sistema de Valores y Estilos de Vida [Values and Lifestyle System] desarrollado en SRI International. El programa original, basado en la forma en que los consumidores estaban de acuerdo o no con varios enunciados de problemas sociales, identificaban nueve estilos de vida, que se muestran en la figura 7.13. El problema era que la mayor parte de los consumidores se ubicaba en sólo dos de las categorías, dejando a las demás demasiado pequeñas para ser significativas para los mercadólogos. Lo que es más, conforme más consumidores comenzaron a estar de acuerdo con los temas sociales medidos, los resultados se convirtieron en menos indicativos del comportamiento.

Como resultado, en 1989 se formuló VALS2™. Éste captura las actitudes y los valores de los consumidores midiendo la intensidad con la que están de acuerdo o en desacuerdo con frases como "Me gusta mucha excitación en mi vida" y "Me gusta estar a cargo de un grupo". La forma en que los consumidores responde lleva a una clasificación de sus auto-orientaciones, lo que significa las metas y comportamientos a los cuales aspiran. Estas auto-orientaciones se pueden describir como sigue:

- **Orientado a los principios**: efectúan decisiones de compra con base en sus principios en vez de lo que otros piensan.

- **Orientado al estatus**: estos consumidores están fuertemente influidos por las creencias, opiniones y puntos de vista de terceros.

- **Orientados a la acción**: estos individuos adquieren productos que afectan a su entorno y buscan actividad, variedad y riesgo.

Además de la auto-orientación, la otra dimensión de la tipología VALS2™ comprende, lo que se refiere a los recursos físicos, psicológicos, materiales y demográficos de los cuales disponen los consumidores para seguir sus auto-orientaciones.

VALS2™ define ocho categorías de estilos de vida. Los mercadólogos pueden utilizar estas descripciones y cuántos consumidores representan esta categoría, para guiar la publicidad y situar los enunciados.

- **Actualizadores**: consumidores de éxito, activos y sofisticados con muchos recursos y una elevada autoestima. Le dan importancia a su imagen.

- **Satisfechos**: personas satisfechas, maduras, seguras y reflexivas que tienen tendencia a ser prácticas y a buscar funcionalidad, valor y durabilidad en los productos que adquieren.

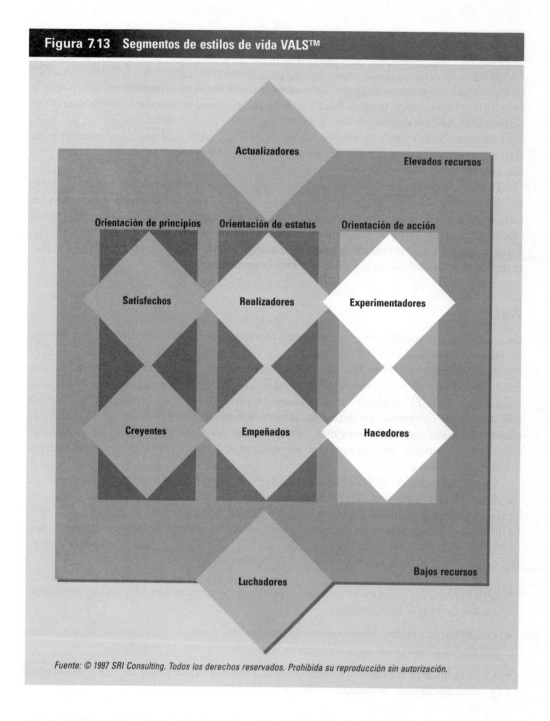

Figura 7.13   Segmentos de estilos de vida VALS™

Actualizadores

Elevados recursos

Orientación de principios   Orientación de estatus   Orientación de acción

Satisfechos   Realizadores   Experimentadores

Creyentes   Empeñados   Hacedores

Luchadores

Bajos recursos

- **Creyentes**: también orientados a los principios. Son conservadores, con creencias basadas en los códigos establecidos por la iglesia, la comunidad, la familia y la nación. Tienen tendencia a comprar marcas y productos comprobados, fabricados en Estados Unidos.

- **Realizadores**: personas orientadas a las profesiones, les agrada tener el control de sus vidas y prefieren lo predecible, no corren riesgos. Su vida social está alrededor de la familia, la iglesia y profesión. Prefieren marcas de prestigio.

- **Empeñados**: preocupados por la aprobación de terceros y buscan la autodefinición, seguridad e imagen de éxito. Aunque emulan a aquellos a quienes se esfuerzan en igualar, carecen de los recursos para lograr sus objetivos en ese momento.

- **Experimentadores**: consumidores jóvenes, entusiastas e impulsivos que les gusta tomar riesgos, variedad y excitación. Eligen productos y actividades nuevas y fuera de lo común. En razón a su edad, no han formulado valores de la vida, comportamientos o una afiliación política.

- **Hacedores**: se enfocan en la autosuficiencia, viven dentro del contexto de la familia y del trabajo, y se ocupan poco de problemas fuera de estas áreas. Se pueden encontrar reparando automóviles y enlatando alimentos, y solamente aspiran a posesiones materiales que sean funcionales, como nuevas herramientas o camiones.

- **Luchadores**: pobres y por lo general con poca educación, sin lazos sociales, y preocupados con los temas del momento, como es la obtención de alimento y cuidados a la salud. Son consumidores precavidos y buscan seguridad y protección.

Las agencias de publicidad y las organizaciones de mercadotecnia utilizan VALS™ para segmentar los mercados y para comunicarse con mayor efectividad con los segmentos. Mountain Dew se ha dirigido con efectividad a los experimentadores por medio de sus anuncios crudos, fuertes, orientados a la acción, que muestran a jóvenes saltando de aeroplanos y practicando deportes extremos. De hecho, se ha convertido en *la* bebida de los consumidores de este grupo. Wal*Mart se ha situado en el mercado de hacedores, atrayendo un sentimiento de "Hecho en Estados Unidos" y ofreciendo productos que son necesarios para cuidar a sus familias y el ser autosuficientes.

VALS™ y LOV

Aunque VALS obtuvo una **rápida** aceptación y un **amplio** uso en mercadotecnia, tiene sus limitaciones. En primer término, los consumidores no son "puros" en su estilo de vida. En segundo lugar, dado que VALS es una base de datos propietaria, los investigadores académicos pueden no sentirse cómodos con la confiabilidad y validez de la información resultante. La identificación completa de las variables utilizadas en el estudio, los análisis de los factores de confirmación de las diversas escalas utilizadas, y el número de relaciones estadísticas probadas, así como el significado exacto de las estadísticas de prueba, servirían de mucho para resolver estas preocupaciones.

Una alternativa a VALS es el procedimiento de la Lista de Valores (LOV por sus siglas en inglés).[86] LOV pide a los consumidores que califiquen siete enunciados derivados del RVS. A pesar que ni el RVS ni el LOV miden el conjunto completo de valores universales identificado por Schwartz, ambos han probado su utilidad en la investigación de mercadotecnia.[87] Los investigadores[88] compararon VALS con LOV y encontraron que cuando se utilizaban con datos demográficos, el procedimiento LOV predecía el comportamiento del consumidor mejor que VALS.[89] Cuando se le aumenta a LOV medidas de valores más generales —como el materialismo— el poder de predicción se mejora aún más.[90]

Estilos de vida globales

La creciente globalización de los mercados requiere que la estrategia de mercadotecnia se planee de manera global. Se han utilizado VALS y otros procedimientos para identificar segmentos de estilos de vida a través de fronteras de países,[91] y la tipología VALS se ha empleado con éxito para segmentar los mercados canadienses.[92] Uno de los estudios más completos de valores (respecto de varios temas) en Europa fue publicado por Ashford y Timms,[93] y merece un análisis cuidadoso por cualquiera que esté interesado en los valores de los europeos. Este estudio muestra cómo varían los valores entre los países de Europa Occidental, así como cuáles son los cambios con el transcurso del tiempo. Reporta que la mayoría de las personas en cada país dice que son felices. No existen diferencias significativas entre los hombres y las mujeres en cualquiera de los países encuestados, pero en algunos se disfruta de mayores niveles de felicidad que en otros. Los valores de Schwartz han demostrado ser especialmente útiles en economías de transición, como las de Asia, Europa Oriental, y el sur de África, para relacionar diferencias en valores con las características demográficas de los consumidores y para explicar diferencias en los intereses y estilos de vida, lealtad a las marcas, y un comportamiento innovador del consumidor.[94]

Medidas múltiples del comportamiento individual

Como ha podido observar en este capítulo, se utilizan varias medidas de comportamiento individual en el análisis del comportamiento del consumidor. La demografía, incluyendo los recursos económicos, tiene un efecto importante en la compra, pero los estilos de vida, los valores y la personalidad proporcionan un discernimiento mayor respecto de la forma en que la gente compra y consume productos. Utilizando alguna o todas estas medidas, tendremos una manera de definir los segmentos del mercado, así como una comprensión de los segmentos que estarán creciendo en el futuro.

Resumen

Se pueden utilizar muchas variables o bases para segmentar el mercado. Algunas incluyen: 1) personalidad, 2) demografía, 3) psicografía y 4) valores. La demografía se enfoca en cómo cambian las poblaciones del mundo, analiza las tasas de nacimiento, las de fallecimiento, la emigración y los recursos económicos. Los analistas del comportamiento del consumidor deben comprender las decisiones de compra de consumo a nivel global. El país con crecimiento demográfico más rápido del mundo es la India. Países africanos como Kenia y Nigeria tienen un crecimiento demográfico rápido pero bajos ingresos. Localizar mercados que tengan al mismo tiempo un crecimiento demográfico y condiciones económicas buenas nos dirige a la cuenca del Pacífico.

Más allá de la demografía, los mercadólogos necesitan analizar la personalidad, los valores y los estilos de vida. La decisión de qué productos comprar y utilizar varía entre individuos debido a las características únicas que posee cada uno de ellos. La personalidad se define como respuestas consistentes a los estímulos del entorno. Las tres teorías o los tres procedimientos principales para el estudio de la personalidad incluyen la psicoanalítica, la sociopsicológica y el factor de rasgos de la personalidad. Los valores personales también explican las diferencias individuales entre los consumidores. Rokeach desarrolló el RVS e identificó valores como terminales e instrumentales, es decir, los fines a los cuales está dirigido el comportamiento y los medios para alcanzar dichos fines. Schwartz desarrolló el SVS, que identifica el sistema de valores subyacente a las motivaciones, y que parece tener una amplia generalidad a través de culturas dispares.

Los estilos de vida son los patrones por medio de los cuales las personas viven, usan tiempo y gastan su dinero. Son el resultado de fuerzas económicas, culturales y de vida social que influyen en la calidad humana de una persona. La psicografía o la AIO miden la forma operacional de los estilos de vida. AIO quiere decir actividades, intereses y opiniones, y puede ser general o específico a un producto. VALS2 es un sistema que se utiliza para segmentar a los consumidores en ocho categorías principales y puede ser útil para guiar las estrategias de comunicación de mercadotecnia y de posicionamiento del producto.

Preguntas de repaso y análisis

1. "El análisis de las tendencias del consumidor es obviamente importante para empresas que ponen en el mercado productos de consumo, pero de un valor limitado para los mercadólogos industriales." Evalúe este enunciado.

2. ¿Habrán más o menos nacimientos en el futuro en Estados Unidos? ¿Qué variables deben tomarse en consideración para responder a esta pregunta?

3. Suponga que un mercadólogo de aparatos domésticos se interesa en la influencia que tienen los baby boomers sobre la demanda de los productos de la empresa. ¿Cuáles serían sus conclusiones, y qué investigación, si hay alguna, se debería llevar a cabo para responder de manera completa a la pregunta?

4. "Los mercados maduros están aumentando, pero son de poco interés para los mercadólogos porque aportan poco dinero en comparación con los mercados más jóvenes." Analice este enunciado.

5. ¿Qué países del mundo proporcionarán los mejores mercados para el consumidor en los siguientes 5-10 años? ¿En los siguientes 10-30 años? ¿Por qué?

6. ¿De qué manera confirmaría la creencia de que la India representa un mercado atractivo cuando los informes indican un producto interno bruto per cápita tan bajo?

7. Suponga que un fabricante de zapatos desea un análisis de mercado acerca de la forma de entrar en los mercados más redituables de África. ¿Qué debería incluirse en el informe?

8. ¿Conoce las diferencias de los términos siguientes?, estilos de vida, psicografía, medidas AIO, personalidad y valores.

9. Utilizando las categorías VALS2™ de estilos de vida, escoja un producto y dos segmentos diferentes, y describa de qué manera diferiría el posicionamiento y las estrategias de comunicación para ambos segmentos.

10. Describa la teoría del factor de rasgos de la personalidad y juzgue su importancia para la investigación de mercados pasada y futura.

11. Suponga que está desarrollando un programa de publicidad para una línea aérea. ¿De qué manera utilizaría usted el escalonamiento para ayudarse en el desarrollo del programa?

12. ¿De qué manera se utilizarían los valores personales para segmentar los mercados de los servicios financieros? ¿Se podrían utilizar procedimientos similares en países menos desarrollados, así como en los mercados industrializados?

Notas

1. David K. Foot, *Boom Bust & Echo* (Toronto: Macfarlane Walter & Ross, 1996), 2.

2. George Katona, *Psychological Economics* (Nueva York: Elsevier Scientific Publishing, 1975).

3. John Knodel, "Deconstructing Population Momentum", en *Population Today* (marzo de 1999), 1-2.

4. "Projected Fertility Rates", U.S. Department of Commerce, Bureau of the Census, No. 98, 79.

5. Joseph O. Rentz y Fred D. Reynolds, "Forecasting the Effects of an Aging Population on Product Consumption: An Age-Period-Cohort Framework", en *Journal of Marketing Research*, 28 (agosto de 1991), 355-360.

6. James Heckman, "Say 'buy-buy'", en *Marketing News* (11 de octubre de 1999).

7. James U. McNeal y Chyon-Hwa Yeh, "Born to Shop", en *American Demographics* (junio de 1993), 34-39.

8. "Teens, Toddlers Intriguing Market", en *Mass Merchandise Retailer* (19 de octubre de 1998), 16.

9. Heather Chaplin, "The Truth Hurts", en *American Demographics* (abril de 1999), 68.

10. Marcia Mogelonsky, "Product Overload?", en *American Demographics* (agosto de 1998), 65-69.

11. Dennis H. Tootelian y Ralph M. Gaedeke, "The Teen Market: An Exploratory Analysis of Income, Spending, and Shopping Patterns", en *Journal of Consumer Marketing*, 9 (Otoño de 1992).

12. Nina Munk, "Girl Power", en *Fortune* (8 de diciembre de 1997).

13. Alison Stein Wellner, "The Young and The Uninsured", en *American Demographics* (febrero de 1999), 73-77.

14. Bob Losyk, "Generation X: What They Think and What They Plan to Do", en *The Futurist* (marzo/abril de 1997), 39-44.

15. Harry Dent, *The Roaring 2000s* (Nueva York: Simon & Schuster, 1998).

16. Para ejemplos adicionales, *vea* Dale Blackwell y Roger Blackwell, "Yuppies, Muppies and Puppies: They Are Changing Real Estate Markets", en *Ohio Realtor* (agosto de 1989), 11-15; Roger D. Blackwell y Margaret Hanke, "The Credit Card and the Aging Baby Boomers", en *Journal of Retail Banking*, 9 (primavera de 1987), 17-25.

17. Carlos Tejada y Patrick Barta, "Hey, Baby Boomers Need Their Space, OK?", en *The Wall Street Journal* (7 de enero de 2000), A1-A6.

18. Robert E. Wilkes, "A Structural Modeling Approach to the Measurement and Meaning of Cognitive Age", en *Journal of Consumer Research*, 19 (septiembre de 1992), 292-301.

19. George Moschis, "Marketing to Older Adults", en *Journal of Consumer Marketing*, 8 (otoño de 1991), 33-41.

20. Thomas Moehrle, "Expenditure Patterns of the Elderly: Workers and Nonworkers", en *Monthly Labor Review*, 113 (mayo de 1990), 34-41.

21. Paula Fitzgerald Bone, "Identifying Mature Segments", en *Journal of Consumer Marketing*, 8 (otoño de 1991), 19-32.

22. Benny Barak, "Elderly Solitary Survivors and Social Policy: The Case for Widows", en Andrew Mitchell, *Advances in Consumer Research* (1984), 27-30.

23. Ivan Ross, "Information Processing and the Older Consumer: Marketing and Public Policy Implications", en Mitchell, *Advances*, 31-39.

24. Carolyn Yoon, "Age Differences in Consumers' Processing Strategies: An Investigation of Moderating Influences", en *Journal of Consumer Research*, 24 (diciembre de 1997), 329-342.

25. Nark D. Uncles y Andrew S.C. Ehrenberg, "Brand Choice among Older Consumers", en *Journal of Advertising Research*, 30 (agosto/septiembre de 1990), 19-22.

26. Alan J. Greco y Linda E. Swayne, "Sales Response of Elderly Consumers to Point-of-Purchase Advertising", en *Journal of Advertising Research*, 32 (septiembre/octubre de 1992), 43-53.

27. Jane Jacobs, *Cities and the Wealth of Nations* (Nueva York: Random House, 1984).

28. "Charting the Pain Behind the Gain", en *The Wall Street Journal* (1 de octubre de 1999), B1.

29. Shannon McCaffrey, "Income gap for families is widening, report says", en *The Columbus Dispatch* (18 de enero de 2000), 1A-2A.

30. Jacob M. Schlesinger, Tristan Mabry y Sarah Lueck, "Charting the Pain Behind the Gain".

31. Thomas J. Stanley y William D. Danko, *The Millionaire Next Door* (Nueva York: Pocket Books, 1998).

32. Wendy Zellner, Rob Hof, Larry Armstrong, y Geoff Smith, "Shop Till The Ball Drops", en *Business Week* (10 de enero de 2000), 42-44.

33. Valarie A. Zeithaml, "Service Quality Profitability, and Economic Worth of Customers: What We Know and What We Need to Learn", en *Journal of the Academy of Marketing Science*, 28, 1, 67-85.

34. Marcia Mogelonsky, "Those With More Buy for Less", en *American Demographics* (abril de 1999), 18-19.

35. "Seizing the Dark Day", en *Business Week* (13 de enero de 1992), 26-28.

36. William J. Brown, "The Use of Entertainment Television Programs for Promoting Prosocial Messages", en *Howard Journal of Communications*, 3 (invierno/primavera de 1992), 253-266.

37. Nua Internet Surveys, Webchek: South African Teenagers Surge Online (17 de diciembre de 1999).

38. "Caged, a Survey of India", en *The Economist* (4 de mayo de 1991).

39. Valerie Reitman, "India Anticipates the Arrival of the Beefless Big Mac", en *The Wall Street Journal* (20 de octubre de 1993), B1.

40. Anthony Spaeth, "A Thriving Middle Class is Changing the Face of India", en *The Wall Street Journal* (19 de mayo de 1988), 22.

41. Grame Hugo, *Australia's Changing Population: Trends and Implications* (Oxford: Oxford University Press, 1987).

42. Bruce W. Nelan, "Watch Out for China", en *Time* (29 de noviembre de 1993), 36-39.

43. Jerry Stafford, "Vast China Market Just Waiting to Be Researched", en *Marketing News* (12 de septiembre de 1986), 1.

44. Nua Internet Surveys, China Internet Network Information Center: Amount of Chinese Internet Users Explodes (21 de enero de 2000).

45. Sandra Burton, "A New Me Generation", en *Time* (29 de noviembre de 1993), 39.

46. Leslie Chang, "Teenage Band Tries to Rock China", en *The Wall Street Journal* (21 de julio de 1999), B1.

47. Tohru Nishikawa, "New Product Development: Japanese Consumer Tastes in the Area of Electronics and Home Appliances", en *Journal of Advertising Research*, 30, 2 (1990), 30.

48. "Perestroika: The Consumer Signals", en *Euromarketing Insights*, 2 (febrero de 1991), 4. Para obtener información estadística acerca de la Comunidad Europea, consulte fuentes como Brian Morris, Klaus Boehm y Maurice Geller, en *The European Community* (Berlín: Walter, DeGruyter & Co., 1991); Secretariat of The Economic Commission for Europe, en *Economic Survey of Europe* (Nueva York: United Nations Publica-

tion, 1991); Alan Tillier, *Doing Business in Today's Western Europe* (Chicago: NTC Business Books, 1992).

49. Jim Engel, Roger Blackwell y Paul Miniard, *Consumer Behavior*, 8a. edición (Fort Worth: Harcourt, 1995), 124.

50. Randall Litchfield, "Competitiveness and the Constitution", en *Canadian Business* (agosto de 1991), 18.

51. H. Kassarjian, "Personality and Consumer Behavior: A Review", en *Journal of Marketing Research* (noviembre de 1971), 409-418.

52. Para descripciones de las principales teorías acerca de personalidad, *véase* a Walter Mischell, *Introduction to Personality: A New Look* (Nueva York: CBS College Publishing, 1986); y Larry Hjelle y Daniel Ziegler, *Personality Theories: Basic Assumptions, Research and Applications* (Nueva York: McGraw-Hill, 1987).

53. Para una perspectiva de mercadotecnia de la teoría psicoanalítica, *consulte* a W.D. Wells y A.D. Beard, "Personality and Consumer Behavior", en Scott Ward y T.S. Robertson, eds., *Consumer Behavior: Theoretical Sources* (Englewood Cliffs, NJ: Prentice-Hall, 1973).

54. El clásico ejemplo de esta literatura se encuentra en Ernest Dichter, *Handbook of Consumer Motivations* (Nueva York: McGraw-Hill, 1964). Para un ejemplo de investigación en motivación por el doctor Dichter, *consulte* el caso de "Swan Cleaners" en Roger D. Blackwell, James E. Engel y W. Wayne Talarzyk, *Contemporary Cases in Consumer Behavior* (Chicago: Dryden, 1990), 135-142.

55. Jeffrey F. Durgee, "Interpreting Dichter's Interpretations: An Analysis of Consumption Symbolism in The Handbook of Consumer Motivations", en Hanne Hartvig-Larsen, David Glen Mick y Christian Alstead, editores, *Marketing and Semiotics: Selected Papers from Copenhagen Symposium* (Copenague, 1991).

56. Para una explicación más completa de este punto, *véase* C. S. Hall y G. Lindzey, *Theories of Personality* (Nueva York: John Wiley & Sons, 1970), 154-155.

57. J. B. Cohen, "An Interpersonal Orientation to the Study of Consumer Behavior", en *Journal of Marketing Research*, 4 (agosto de 1967), 270-278; J. B. Cohen, "Toward an Interpersonal Theory of Consumer Behavior", en *California Management Review*, 10 (1968), 73-80. *Consultar también* a Jon P. Noerager, "An Assessment of CAD: A Personality Instrument Developed Specifically for Marketing Research", en *Journal of Marketing Research* (febrero de 1979), 53-59.

58. J. B. Cohen, "An Interpersonal Orientation to the Study of Consumer Behavior", en *Journal of Marketing Research*, 4 (agosto de 1967), 270-278: J. B. Cohen, "Toward an Interpersonal Theory of Consumer Behavior", en *California Management Review*, 10 (1968), 73-80. *Consultar también* a Jon P. Noerager, "An Assessment of CAD: A Personality Instrument Developed Specifically for Marketing Research", en *Journal of Marketing Research* (febrero de 1979), 53-59.

59. Una buena introducción a la teoría y la técnica de este punto puede encontrarse en A.R. Buss y W. Poley, *Individual Differencies: Traits and Factors* (Nueva York: Halsted Press, 1976).

60. Curtis Haugtvedt, Richard E. Petty y John T. Cacioppo, "Need for Cognition and Advertising: Understanding the Role of Personality Variables in Consumer Behavior", en *Journal of Consumer Psychology*, 1 (1992): 239-260.

61. Raymond L. Horton, "The Edwards Personal Preference Schedule and Consumer Personality Research", en *Journal of Marketing Research* 11 (agosto de 1974), 335-337.

62. Kathryn E. A. Villani y Yoram Wind, "On the Usage of 'Modified' Personality Trait Measures in Consumer Research", en *Journal of Consumer Research*, 2 (diciembre de 1975), 223-226.

63. Mark I. Alpert, "Personality and the Determinants of Product Choice", en *Journal of Marketing Research*, 9 (febrero de 1972), 89-92.

64. Paul E. Green, Yoram Wind y Arun K. Jain, "A Note on Measurement of Social-Psychological Belief Systems", en *Journal of Marketing Research*, 9 (mayo de 1972), 204-208.

65. Los estudios clásicos acerca de este tema son E. B. Evans "Psychological Objective Factors in the Prediction of Brand Choice: Ford Versus Chevrolet", en *Journal of Business*, 32 (1959), 340-369.

66. Shalom H. Schwartz, "Value Priorities and Behavior: Applying a Theory of Integrated Value Systems", en Clive Seligman, James M. Olson y Mark P. Zanna, editores, *The Psychology of Values: The Ontario Symposium*, 8 (Mahwah, NJ: Lawrence Erlbaum, 1996), 1-24.

67. Steven M. Burgess y Jan-Benedict E. M. Steenkamp, "Value Priorities and Consumer Behavior in a Transitional Economy", en Rajeev Batra, editor; *Marketing Issues in Transitional Economies* (Norwell, MA: Kluwer Academic Press, 1999), 85-105.

68. Lynn R. Kahle, "Contemporary Research on Consumer and Business Social Values", en *Journal of Business Research*, 20, 2 (1990), 81-82; Lynn R. Kahle, "Social Values and Consumer Behavior: Research from the List of Values", en Clive Seligman, James M. Olson, y Mark P. Zanna, editores, *The Psychology of Values: The Ontario Symposium*, 8 (Mahwah, NJ: Lawrence Erlbaum, 1996), 135-152.

69. Steven M. Burgess, "Personal Values and Consumer Research: An Historical Perspective", en Jagdish N. Sheth, editor, *Research in Marketing*, 11 (Greenwich, CT: JAI Press, 1992), 35-80.

70. Milton Rokeach, *The Nature of Human Values* (Nueva York: Free Press, 1973), 5; *también consultar* M. Rokeach y S. J. Ball-Rokeach "Stability and Change in American Value Priorities", 1968-1981, en *American Psychologist*, 44 (mayo de 1989), 773-784.

71. Klaus G. Grunert, Suzanne C. Grunert y Sharon E. Beatty, "Cross-Cultural Research on Consumer Values", en *Marketing and Research Today* (febrero de 1989), 30-39; J. M. Munson y E. F. McQuarrie, "Shortening the Rokeach Value Survey for Use in Consumer Research", en *Advances in Consumer Research*, 15 (Association for Consumer Research, 1988), 381-386; S. W. Perkings y T. J. Reynolds, "The Explanatory Power of Values in Preference Judgments Validation of the Means-End Perspective", en *Advances in Consumer Research*, 15 (Association for Consumer Research, 1988), 122-126; G. Roehrich, Pierre Valette-Florence, y Bernard Rappachi, "Combined Incidence of Personal Values, Involvement, and Innovativeness on Innovative Consumer Behavior", en *Is Marketing Keeping Us with the Consumer? Lessons* from *Changing Products, Attitudes and Behavior* (Vienna, Austria: ESOMAR, 1989), 261-279; D. K. Tse, J. K. Wong y C. T. Tan, "Towards Some Standard Cross-Cultural Consumption Values", en *Advances in Consumer Research*, 15 (Association for Consumer Research, 1988), 387-395; Pierre Valette-Florence y Alain Jolibert, "Social Values, A.I.O., and Consumption Patterns: Exploratory Findings", en *Journal of Business Research*, 20 (marzo de 1990), 109-122. Jan-Benedict E. M. Steenkamp, Frenkel Ter Hofstede y Michel Wedel, "A Cross-National Investigation into the Individual and Cultural Antecedents of Consumer Innovativeness", en *Journal of Marketing Research*, 36 (febrero de 1999), 1-17.

72. Donald E. Vinson, Jerome E. Scott y Lawrence M. Lamont, "The Role of Personal Values in Marketing and Consumer Behavior", en *Journal of Marketing*, 41 (abril de 1977), 44-50.

73. Robert E. Pitts y Arch G. Woodside, "Personal Values and Market Segmentation: Applying the Value Construct", en R. E. Pitts y A. G. Woodside (1984), 55-67.

74. Wagner A. Kamakura y José Alfonso Masson, "Value Segmentation: A Model for the Measurement of Values and Value Systems", en *Journal of Consumer Research* 18 (septiembre de 1991), 208-218.

75. Shalom H. Schwartz, Sonia Roccas y Lelach Sagiv, "Universals in the Content and Structure of Values: Theoretical Advances and Empirical Tests in 20 Countries", en *Advances in Experimental Social Psychology*, 25 (1992), 1-49; S. H. Schwartz, A. Lehmann y S. Roccas, "Multimethod Probes of Basic Human Val-

ues", en J. Adamopoulos y Y. Kashima, editores, en *Social Psychology and Cultural Context* (Newbury Park, CA: Sage Publications, 1999).

76. Shalom H. Schwartz y Lelach Sagiv, "Identifying Culture-Specifics in the Content and Structure of Values", en *Journal of Cross-Cultural Psychology*, 23 (1992).

77. Schwartz, Roccas y Sagiv, "Universals in the Content and Structure of Values".

78. S. M. Burgess y R. D. Blackwell, "Personal Values and South African Financial Services Brand Preference", en *South African Journal of Business Management*, 25, 1 (1994), 22-29.

79. Thomas J. Reynolds y Jonathan Gutman, "Advertising Is Image Management", en *Journal of Advertising Research*, 24 (febrero/marzo de 1984), 27-36.

80. Thomas J. Reynolds y Jonathan Gutman, "Laddering Theory, Method, Analysis, and Interpretation", en *Journal of Advertising Research*, 28 (febrero/marzo de 1988), 11-31.

81. Richard P. Bagozzi y Pratiba A. Dabholkar, "Consumer Recycling Goals and Their Effect on Decisions to Recycle: A Means-End Chain Analysis", en *Psychology & Marketing*, 11 (julio/agosto de 1994), 313-340; Richard P. Bagozzi y Pratiba A. Dabholkar, "Discursive Psychology: An Alternative Conceptual Foundation to Means-End Chain Theory", en *Psychology and Marketing*, 17 (2000); *véase también* la edición especial de *International Journal of Research in Marketing*, 12, 3, la cual se dedicó a la teoría del escalonamiento, especialmente R. Pieters, H. Baumgartner y D. Allen, "A Means-End Chain Approach to Consumer Goal Structures", en *International Journal of Research in Marketing*, 12, 3 (1995), 227-244.

82. George A. Kelly, *The Psychology of Personal Constructs* (Nueva York: W. W. Norton, 1955); *también consultar* Fred Reynolds y William Darden, "Construing Life Style and Psychographics", en William D. Wells, editor, *Life Style and Psychographics* (Chicago: American Marketing Association, 1974), 71-96.

83. Reynolds y Darden, "Construing Life Style", 87.

84. La introducción a estas técnicas con multivariables está disponible en J. F. Hair Jr., R. E. Anderson, R. L. Tatham y W. C. Black, *Multivariate Data Analysis with Readings*, 5a edición (Englewood Cliffs, NJ: Prentice-Hall, 1998); y George H. Dunteman, *Introduction to Multivariate Analysis* (Beverly Hills, CA: Sage Publications, 1984).

85. Glen Thrush, en *American Demographics* (enero de 1999), 67-72.

86. Lynn R. Kahle, *Social Values and Social Change: Adaptation to Life in America* (Nueva York: Praeger, 1983).

87. Lynn R. Kahle y Larry Chiagouris, editores, *Values, Life Styles and Psychographics* (Mahwah, NJ: Lawrence Erlbaum, 1997).

88. Lynn R. Kahle, Sharon E. Beatty y Pamela Homer, "Alternative Measurement Approaches to Consumer Values: The List of Values (LOV) and Values and Life Styles (VALS)", en *Journal of Consumer Research*, 13 (diciembre de 1986) 405-409; *consultar también* Burgess "Personal Values and Consumer Behavior: An Historical Perspective"; y Matthew Perri III "Application of the List of Values Alternative Psychographic Assessment Scale", en *Psychological Reports*, 66 (julio de 1990), 403-406.

89. Thomas P. Novak y Bruce MacEvoy, "On Comparing Alternative Segmentation Schemes: The List of Values (LOV) and Values and Life Styles (VALS)", en *Journal of Consumer Research*, 17 (junio de 1990), 105-109.

90. Kim P. Corfman, Donald R. Lehamann y Sarah Narayanan, "Values, Utility and Ownership: Modeling the Relationships for Consumer Durables", en *Journal of Retailing*, 67 (verano de 1991), 184-204.

91. Arnold Mitchell, "Nine American Life-styles: Values and Societal Change", en *The Futurist*, 18 (agosto de 1984), 4-13.

92. Ian Pearson, "Social Studies", en *Canadian Business*, 58 (1985), 67-73.

93. Sheena Ashford y Noel Timms, *What Europe Thinks: A Study of Western European Values* (Aldershot: Darthmouth Publishing Company Limited, 1992).

94. Burgess y Steenkamp, "Value Priorities and Consumer Behavior in a Transitional Economy"; Steven M. Burgess y M. Harris, "Values, Optimum Stimulation Levels and Brand Loyalty: New Scales in New Populations", en *South African Journal of Business Management*, 29, 4 (1998), 142-157.

CAPÍTULO 8

Motivación del consumidor

CASO DE INICIO

Por lo que se refiere al agua que bebemos encontramos dos segmentos: una mayoría en disminución todavía bebe agua del grifo a un costo mínimo y quienes beben agua embotellada, no obstante su alto costo. En 1976, en Estados Unidos el consumo de agua embotellada pasó de 255 millones de galones a 3 000 millones. Para 1997, los estadounidenses tuvieron un consumo per cápita de 12 galones de agua embotellada. En comparación, los franceses beben en promedio cerca de 25 galones, lo cual sugiere que existe un amplio margen para un consumo aún mayor en Estados Unidos.

Gracias a un gran crecimiento en las ventas de botellas de medio litro (que la hacen más fácil de transportar), el consumo de agua embotellada es mayor. Demográficamente, beber agua tiene mayor popularidad debido a la importancia que se da a la apariencia: jóvenes solteros y educados en lugares que tienen actividades al aire libre.

¿Por qué el consumo de agua embotellada es mayor que hace una generación? Las preocupaciones acerca de la salud son una razón. Los temores por parte de los consumidores respecto de la calidad del agua del grifo se ha debido a la presencia de epidemias locales cuyo origen es el agua. En 1993, una epidemia en Milwaukee afectó a más de 400 000 personas, 50 de las cuales fallecieron. No obstante, la muerte debida al consumo de agua del grifo es tan poco probable como el fallecimiento por una tormenta eléctrica. En 1997, una encuesta de la Asociación por la Calidad del Agua mostró que 75% de los estadounidenses adultos estaba preocupado por el suministro doméstico de agua. Esto representa un aumento de 50% respecto a 1995, y 33% expresó no creer que su agua fuera tan sana como debiera. Para estos consumidores, el agua embotellada es una alternativa más segura.

Otra razón es el sabor. Algunos consumidores perciben el agua embotellada como con un sabor más limpio y deseable que el regusto clorado del agua de la llave.

¿Existen otras razones por las cuales los consumidores compran agua embotellada? Los analistas de las conductas del consumidor dicen que la satisfacción que provoca beber agua embotellada, es una sensación (refrescante) que sólo quien la bebe se lo permite. Explica Laurie Ries, asesora de mercadotecnia en Atlanta: "Demuestra que usted tiene el nivel económico suficiente para pagar algo que no forzosamente necesita." Este simbolismo no se limita a lo que indica consumir agua embotellada en relación con su economía. El agua embotellada se ha convertido en un icono global de conciencia por la salud. Le permite a los bebedores proyectar una imagen saludable a quienes los ven cuando la consumen. En cualquier caso, es la imagen simbólica del producto la que motiva el comportamiento de compra.

Fuente: tomado parcialmente de Frank Greve, "Bottled Water: A Sign of Health or Wealth?", en Miami Herald (20 de mayo de 1998), 7A; "The Water We Drink: Bottled or from the Tap", en Health & You (Blue Cross/Blue Shield, 1998), 1.

Una de las preguntas que las empresas deben responder acerca del comportamiento del consumidor es: "¿Por qué la gente compra nuestros productos?" La respuesta requiere una explicación basada en la **motivación del consumidor**. Ésta representa *el impulso para satisfacer necesidades tanto fisiológicas como psicológicas mediante la compra y consumo del producto*.[1] La responsabilidad de los estudios de mercadotecnia de proporcionar productos que satisfagan las necesidades de los consumidores debe comenzar con una comprensión de cuáles son estas necesidades.

Como se muestra en el inicio del capítulo, existen múltiples razones por las cuales los consumidores están dispuestos a pagar por un producto que puede ser gratuito. La necesidad de una experiencia de consumo saludable impulsa a algunos a comprar. Otros buscan una experiencia de consumo de mejor sabor. Y algunos compran y consumen agua embotellada porque les interesa proyectar cierta imagen de sí mismos hacia terceros.

No es posible describir en este capítulo los diferentes tipos de necesidades que impulsan el comportamiento del consumidor, sin embargo es posible y vale la pena analizar algunos.

Tipos de necesidades del consumidor

Durante el siglo xx, los psicólogos y los mercadólogos por igual intentaron identificar y clasificar las necesidades de los consumidores.[2] Las necesidades pueden clasificarse en tipos muy amplios (por ejemplo, necesidades utilitarias y funcionales, en contraste con hedónicas y experimentales). Algunas veces se genera una lista demasiado extensa, por tanto, las necesidades que presentamos están entre estos extremos.

Necesidades fisiológicas

Las necesidades fisiológicas son las más elementales. En la realidad, nuestra supervivencia depende de la satisfacción de ellos (por ejemplo, proporcionarnos alimentos y agua). Y todavía no hace mucho tiempo que la satisfacción de estas necesidades absorbía grandes cantidades del tiempo y energía de la gente. Cultivar plantíos, buscar frutos y bayas silvestres, la cacería y/o la pesca, eran actividades que realizaban todos los grupos humanos.

A pesar de que la satisfacción de la necesidad de alimentos y agua sigue omnipresente para millones de personas en nuestro planeta, existen sociedades que viven en un periodo donde estas necesidades se llenan con un esfuerzo relativamente bajo. Se han desarrollado industrias que se ocupan de satisfacerlas. Los productores y fabricantes de comestibles, los fabricantes de bebidas, las tiendas de comestibles y los restaurantes han liberado a muchos consumidores de preocuparse respecto de dónde provendrá su siguiente alimento. Y con la entrega a domicilio, la satisfacción de la necesidad está a la distancia de una simple llamada telefónica.

De entre las necesidades fisiológicas más importantes se encuentra, el dormir. Esto ha dado origen a muchas clases de productos: camas, colchones, bolsas de dormir, almohadas, sábanas, etc. Las necesidades sexuales son también parte de nuestras necesidades fisiológicas. El éxito reciente del medicamento Viagra, para resolver la disfunción eréctil (impotencia), con ventas que alcanzaron 1 000 millones de dólares en su primer año en el mercado, es un testimonio evidente de la importancia respecto de las necesidades sexuales.[3]

Necesidades de seguridad y salud

En algún momento de la historia, las civilizaciones se preocupaban y cuidaban de la posibilidad de convertirse en la comida de algún depredador. Afortunadamente, hace tiempo que esos días han pasado. No obstante, hoy día, las amenazas a nuestra seguridad abundan; los desastres naturales, el terrorismo, la delincuencia, los conductores en estado de ebriedad, las enfermedades, las epidemias, el mal funcionamiento de los productos, o el simple error humano, entre otros, ponen en peligro nuestra salud y seguridad. Las necesidades de seguridad motivan la adquisición de armas y dispositivos de protección personal: persianas contra tormenta, sistemas de seguridad para el hogar y residencias cercadas y vigiladas. Durante los noventa, las preocupaciones por la seguridad incrementaron las ventas de automóviles deportivos y camionetas más grandes, que hicieran sentir a sus propietarios o conductores, menos vulnerables y con un mayor control. Incluso cuando la seguridad no es la preocupación prioritaria subyacente a la compra, continúa siendo un factor de decisión. Algunos evitan ciertas formas de transporte (por ejemplo, el avión) y de entretenimiento (el paracaidismo) porque se preocupan acerca de si sobrevivirán a la experiencia.

Dada la importancia de las necesidades de seguridad de los consumidores, las empresas e incluso industrias completas, se han beneficiado vinculando sus productos con esta necesidad. Como se refleja en el anuncio de la figura 8.1, la publicidad de Michelin intenta ganarse a los clientes haciendo un llamado a las necesidades de seguridad de los consumidores. La industria del acero ha mejorado su imagen al enfatizar la seguridad del metal. Para aprender más respecto del particular, vea El consumidor en la Mira 8.1.

De manera similar, con base en la necesidad de mantener o mejorar la salud, tanto mental como física, se han construido muchos bienes y servicios. Las medicinas, hospitales, complementos vitamínicos, clubes y equipos deportivos, alimentos saludables, libros, revistas y programas de televisión relacionados con la salud, deben su existencia a las necesidades de salud de los consumidores. Las ventas de medicinas de patente han aumentado prácticamente cinco veces desde 1989, en Estados Unidos se proyectó que excederían los 100 mil millones de dólares para el año 2000 (vea la figura 8.2).

Figura 8.1   Llamado de Michelin a las necesidades de seguridad de los consumidores

El consumidor en la mira 8.1

La industria del acero se vincula con la necesidad de seguridad de los consumidores

Durante los años ochenta, los fabricantes de acero invirtieron 50 000 millones de dólares para hacer el acero más ligero, económico y de mejor calidad. Sus clientes, los principales fabricantes de aparatos domésticos, reconocieron estas innovaciones. Pero los usuarios finales —los consumidores que conducían los automóviles y utilizaban las lavadoras— no tenían ni idea de qué se trataba. Si los consumidores no están conscientes de los beneficios del acero, quizá no demandarán este material en los productos que compran. Y un descenso en la demanda del consumidor llevaría a una caída en los pedidos de los clientes principales de la rama industrial.

La industria estaba particularmente preocupada por la baja opinión que las mujeres tenían del acero. En los hogares estadounidenses, son las mujeres las que deciden, o tienen una poderosa influencia respecto de la compra de los aparatos domésticos que se fabrican con acero. La investigación mostró que sus opiniones provenían de una carencia de concientización acerca del acero que de sentimientos negativos. En consecuencia, en 1997 se lanzó una campaña de publicidad nacional enfocada en la seguridad y en temas ecológicos, principales problemas expresados por las mujeres. Los elementos centrales de los comerciales eran imágenes que reflejaban la fuerza y confiabilidad del acero. Un anuncio mostraba un buzo en una jaula submarina de acero, rodeado de amenazadores tiburones.

En general, los consumidores asimilaron en los anuncios que el acero los podía proteger, esto alimentó su necesidad de seguridad. Dentro del primer año de la campaña, la concientización pública respecto del acero y sus productos pasó de 13 a 26%. Para agosto de 1998, las menciones positivas respecto de la rama industrial del acero llegaron a 78%, respecto del 24% de mayo de 1997. El total de menciones negativas descendió de 37 hasta 1%.

Fuente: tomado de "Tough But Sensitive", en American Demographics (marzo de 1999), 56.

Figura 8.2 Ventas de medicinas de patente en Estados Unidos: un mercado de crecimiento

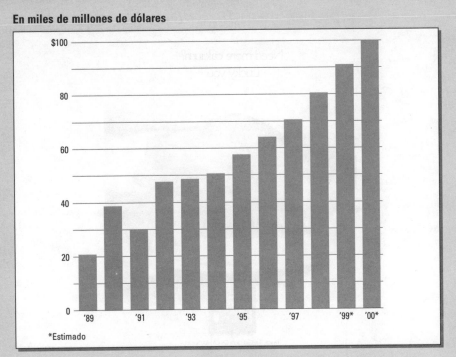

En miles de millones de dólares

*Estimado

Fuente: Robert O'Harrow Jr., "Drug-Company Consolidation Draws Concerns", en Miami Herald (30 de enero de 2000), 9E.

Conforme envejecemos, nuestra salud comienza a deteriorarse; en consecuencia, las necesidades de salud de los individuos de mayor edad son más urgentes que las de los jóvenes. Las personas que nacieron durante la explosión demográfica después de la Segunda Guerra Mundial y hasta mediados de los años sesenta (los baby boomers) están ahora en edades de 50 años y más. La primera mitad de este siglo tendrá un incremento sin precedentes en la cantidad de estadounidenses mayores a 50 años. Por esta razón, las industrias y empresas que se ocupan de la salud de los consumidores cosecharán los beneficios de servir a un mercado en crecimiento. Puede esperarse que muchas empresas abordarán el tema de la salud al promover sus productos. Dos ejemplos de esto aparecen en las figuras 8.3a y 8.3b.

Necesidad de amor y compañía

En general, los seres humanos somos animales sociales. Si bien la idea de quedarse solo puede atraer a algunas personas, la mayoría de nosotros preferiría compartir su vida con alguna otra persona, pues necesitamos amor y compañía. Los servicios de citas, los clubes sociales, los bares, los cruceros y centros vacacionales que atienden a los solteros, en busca de pareja prosperan gracias a esta necesidad. Lo mismo ocurre con productos que nos ayudan a atraer a otros durante el juego del cortejo (productos de higiene personal, ropa y cirugía plástica).

Lo que es más, algunos productos se utilizan como símbolos de amor y afecto.[4] Flores, caramelos y tarjetas de felicitación a menudo se obsequian como símbolos de nuestro afecto por alguien. Esto también es válido para la joyería y los diamantes. Estas industrias han cultivado el significado simbólico de sus productos. "Demuéstrale cuánto te importa sin decir una palabra", proclama un anuncio de joyería. Un folleto de diamantes comienza con la frase: "Todas las maneras de decir 'Te quiero'." El anillo de diamante de aniversario se ha convertido

Figura 8.3a   Llamado a las necesidades de salud de los consumidores

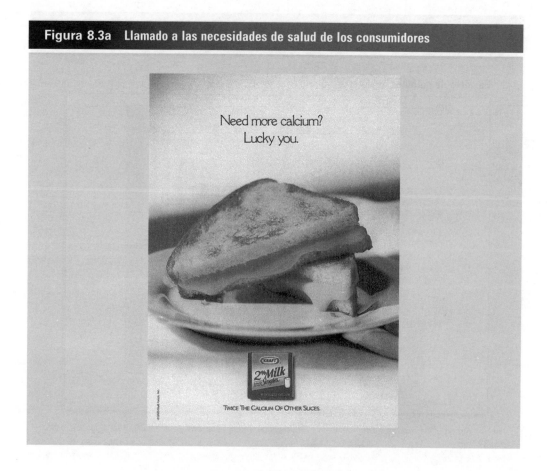

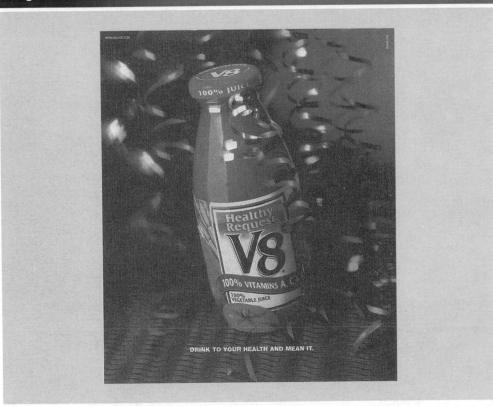

en símbolo del continuado afecto de una persona (véase la figura 8.4). Y como se ilustra en el anuncio de la figura 8.4, incluso productos ordinarios, como los que se encuentran en la tienda de comestibles, se sitúan a veces como símbolos de nuestro afecto por alguien más.

La necesidad de amor y compañía explica parcialmente la razón por la cual los estadounidenses tienen tantas mascotas. ¿Usted sabe cuál es la mascota más popular en Estados Unidos? Una pista: le gusta maullar. Los estadounidenses son dueños de 59 millones de gatos. Los peces están en segundo lugar, con 55.6 millones. El mejor amigo del hombre está en tercer lugar, con un total de 53 millones de perros. Otras mascotas populares son los pájaros (12.6 millones), los conejos y hurones (5.7 millones), los roedores (4.8 millones), los caballos (4 millones) y los reptiles (3.5 millones).[5]

Necesidad de recursos financieros y seguridad

El dinero es la herramienta que la mayoría de nosotros utiliza para la satisfacción de gran parte de nuestras necesidades. No puede comprar amor, pero seguramente puede adquirir muchas otras cosas. El grado al cual los consumidores pueden permitirse satisfacer sus necesidades actuales depende principalmente de sus ingresos. Pero, ¿qué pasará con sus necesidades futuras cuando hayan abandonado las filas de la fuerza de trabajo y no tengan esos ingresos? Aquí entra la necesidad de seguridad financiera. Es la necesidad de establecer recursos financieros adecuados, de manera que los "años dorados" se mantengan a la altura de su nombre.

En algunos países, el gobierno ofrece apoyo financiero a los retirados en forma de pagos, pero esto no es suficiente como para proporcionar recursos financieros para que los retirados mantengan su estilo de vida y sus patrones de consumo anteriores al retiro. Sin ahorros personales, la vida durante los años dorados no será dorada.

Figura 8.4   Símbolos de amor

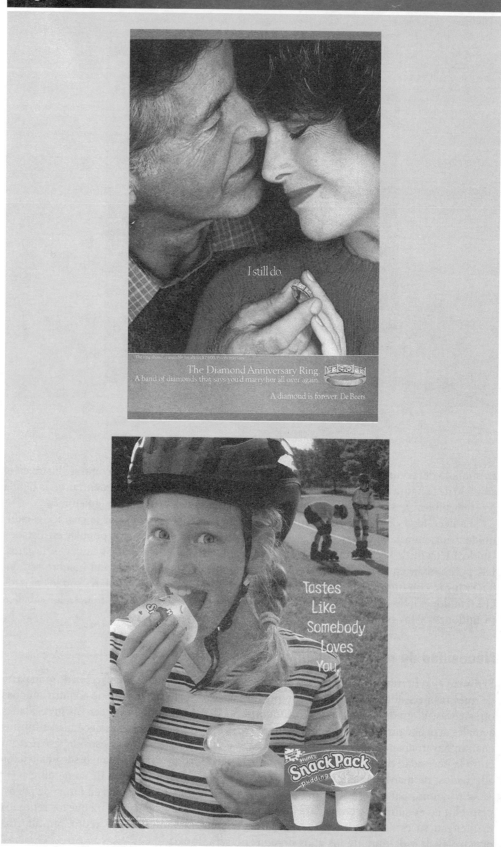

La necesidad de seguridad financiera también se extiende a otros aspectos importantes: "Mientras esté vivo y trabajando, a mi familia no le faltará nada." Pero, ¿qué pasará cuando ya no esté? Por esta razón millones de consumidores adquieren seguros de vida. Satisface nuestra necesidad de garantizar la seguridad financiera de nuestros seres queridos, una necesidad bien reconocida por la industria de los seguros.

Necesidad de placer

Existe un dicho: "Mucho trabajo y nada de juego hacen de Juan un chico aburrido." A pesar de que algunas personas pueden vivir sólo para su trabajo, la mayoría necesita distracciones placenteras. Sin diversión y emoción, la vida sería, sin duda, más bien aburrida y gris.

Los consumidores satisfacen sus necesidades de placer en muchas formas. Aunque nuestros requerimientos fisiológicos básicos demandan el consumo de alimentos, algunas veces éste ocurre aun cuando no tenemos hambre. En estos casos, comemos algo simplemente porque deseamos disfrutar la experiencia de consumo misma. Una persona que se siente deprimida puede reanimarse comiendo su alimento favorito. Vea la forma en que el anuncio de café en la figura 8.5 llama a la necesidad de placer de los consumidores al situar el consumo del producto como una forma de lograr un buen estado de ánimo.

La industria del entretenimiento está fincada en la necesidad de placer de los consumidores. La televisión, el cine, la música, el teatro, los libros, los eventos deportivos, los parques de diversiones, los boliches, los cruceros y los clubes nocturnos son populares debido a los

---

Figura 8.5   Llamado a la necesidad de sentirse bien de los consumidores

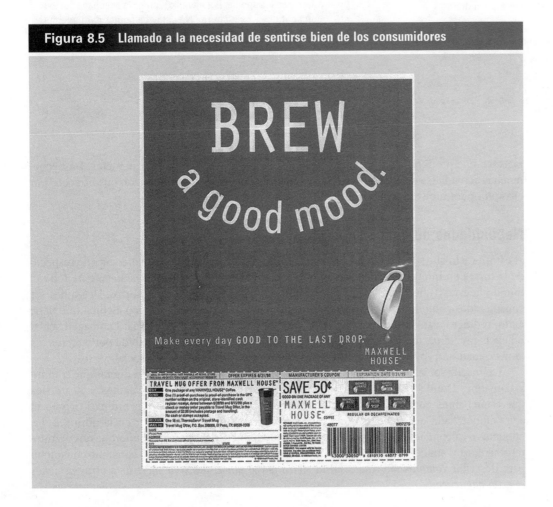

El consumidor en la mira 8.2

Calcomanías que envían el mensaje correcto

Su mamá es abogada; papá es un destacado cirujano dentista. ¿Qué hará su hijo? Vaya, pues crecer y vender etiquetas o calcomanías, naturalmente. Calcomanías coloridas, descaradas, cuyos lemas pudieran hacer que Dennis Rodman se ruborizara. "Provengo de una familia de profesionales. Pero mi familia todavía no descubre cuál es mi carrera", comenta Laurence Pokrasoff, de 34 años, cuya empresa en Huntington, California, Socially Hazardous, ha emergido en sólo cuatro años al efectuar ventas por 1 millón de dólares.

Socially Hazardous se basa principalmente en la imagen, y en la necesidad de la gente de proyectar imágenes. Las personas pegan calcomanías Socially Hazardous en las defensas de sus automóviles, sus portafolios y patinetas, o en cualquier parte. Estas calcomanías ovaladas se venden en cerca de 20 000 tiendas en el mundo, tiendas de surfing y de patinaje y en grandes cadenas como Tower Records, Sam Goody y Miller's Outpost. Se producen en dos variedades (locas y moderadas) y se venden en 2 o 3 dólares. A continuación presentamos algunos de los 600 lemas (de los más moderados) que aparecen en las brillantes calcomanías:

- Tengo una cinta negra en compras
- No temo a ninguna cerveza
- La gente normal me preocupa
- Reina del drama

- Diosa
- La popularidad es una enfermedad transmitida socialmente
- Somos la gente de la que nuestros padres nos prevenían
- Soy tan gótico, que estoy muerto

Laurence, quien se tituló en 1990 en la New School of Architecture en San Diego, pasaba el tiempo entre sus dibujos y trabajando en labores temporales, cuando se le ocurrió la idea de las calcomanías. Había visto las tradicionales en blanco y negro con letras de molde anunciando en dónde vivía el conductor —LF para Lake Forest, por ejemplo—, y decidió empezar a trabajar. "Socially Hazardous está al cien por ciento respecto de la libertad de expresión y de poder ser real, para expresarse en un mundo no tan relajado y de mente abierta", comenta Pokrasoff. La empresa se está expandiendo para producir indumentaria (tiene más de 60 diseños para camisetas) y artículos novedosos, como almohadas parlantes. Estas almohadas, con un costo de 50 dólares, se producen con una variedad de "personalidades", y hablan cuando se les oprime. Por ejemplo, oprima la almohada "Chica con actitud", y escuchará "No estoy de humor para que me estén viendo", así como otras cosas.

Fuente: tomado de Greg Hardesty, "Success Sticks to His Stickers", en Sun-Sentinel (2 de enero de 2000), 8G.

placeres que proporcionan. Lo mismo es cierto para la industria de los juguetes. De hecho, muchas actividades de consumo se valúan en razón a la diversión y emoción que ofrecen (por ejemplo, paracaidismo, subir a montañas rusas, navegar y pescar).

Necesidades de imagen social

¿Le importa lo que sus seres queridos o su familia piensan de usted? ¿Está preocupado respecto de la forma en que lo perciben sus amigos y compañeros de trabajo? Prácticamente todo el mundo lo está. Anhelamos que nuestra familia se sienta orgullosa de nosotros. Deseamos ser considerados como buenas personas. Algunos desean ser percibidos, como alguien que tiene éxito, o dinero; otros aspiran a proyectar una imagen atractiva y moderna. La imagen social refleja la preocupación de la persona respecto de la forma en que es percibida por terceros. Es la necesidad de proyectar cierta imagen de sí mismo hacia el entorno social.

La imagen social de una persona depende, al menos en parte, de los productos que compra y consume. Dónde vivimos, qué vehículo conducimos, la ropa que usamos y la música que escuchamos contribuyen a nuestra imagen social. Incluso algo tan ordinario como el agua embotellada que bebemos (o, como se describe en El consumidor en la mira 8.2, las etiquetas o calcomanías que compramos y pegamos) pueden tener un valor porque nos permite representarnos simbólicamente hacia otros. A menudo se utiliza el término **consumo conspicuo** para describir *compras motivadas hasta cierto punto por el deseo de mostrar a otras personas el éxito que tenemos.*

Las empresas continuamente refuerzan la idea de que sus productos permiten a los usuarios transmitir su imagen social. "Puede decir mucho acerca de una persona por la marca que usa", proclama un anuncio de cigarrillos Marlboro. "La ropa puede describir a una persona, pero yo prefiero ver lo que tiene en su cantina", dicta un anuncio de licor. Otro de joyería muestra a una mujer cuando admira el anillo de compromiso de otra persona y dice: "¡Qué diamante tan grande y tan bonito! Tu prometido debe ser realmente rico." Las tarjetas de crédito en colores platino y oro han sido posicionadas como una manera de ganar el respeto de los demás. Los fabricantes de automóviles enfatizan con frecuencia la capacidad de su producto para transmitir "quiénes somos" en función del vehículo que conducimos (véase la figura 8.6).

Necesidad de poseer

Durante más de 20 años, Roper Starch Worldwide, empresa de investigación de mercados, ha encuestado a los estadounidenses respecto de lo que consideran "la buena vida". En los años setenta, la gente definía la buena vida como, tener un trabajo seguro, una casa, un buen matrimonio y dar educación universitaria a sus hijos. Hoy, la lista es del doble de larga, ahora incluye una piscina, viajes al extranjero, un segundo automóvil y dinero, mucho dinero.[6]

La necesidad de poseer es un sello característico de nuestra sociedad de consumo y, como se muestra en las encuestas Starch, es una necesidad que está en aumento. Los consumidores desean y esperan una vida mejor, productos mejores y más grandes, y mejor servicio. Por ejemplo, en lo concerniente a la casa: En 1970, los hogares estadounidenses nuevos tenían 1 500 pies cuadrados; menos de la tercera parte tenía chimenea. Para 1996, dos terceras partes tenían chimenea y su tamaño promedio se incrementó en 40%, a 2 100 pies cuadrados. Las nuevas casas se construyeron con más habitaciones, aun cuando las familias son más pequeñas.[7]

De acuerdo con el American Moving and Storage Association, en 1977 la familia promedio al mudarse transportaba 5 645 libras de peso. Este promedio pasó a 7 262 libras en 1995, tuvo un incremento de 30%.[8] ¿Qué representa este incremento? Ciertamente, gran parte se puede atribuir a la necesidad de los consumidores de adquirir más y mejores productos. Veamos el inventario de las posesiones de un abogado de 29 años de edad: "Tengo una televisión de 61 pulgadas, misma que, en diagonal, es de una pulgada más que la de mi madre; un sistema de sonido *surround* con 11 bocinas; sofás de gran tamaño y una cocina grandísima con un enorme horno de pan y un mezclador tamaño comercial. Y tengo una recámara principal con un vestidor del tamaño de mi recámara en la casa vieja."[9]

¿Qué genera la necesidad de poseer de los consumidores? En primer término, la comodidad. De acuerdo con el abogado de posesiones "extra-grandes": "Es agradable que al final del día, pueda llegar a casa y sumergirse en una gran tina, hacer un asado en un gran patio trasero y mirar una televisión de 61 pulgadas. Esto permite escaparnos de las tensiones diarias. Uno trabaja duro, desea disfrutar de la comodidad."[10]

Si bien es un factor importante, la comodidad está lejos de ser la única razón subyacente a esta necesidad de poseer. Quizá queremos poseer algunos objetos simplemente en razón de su significado histórico. Como ejemplo extremo, está Todd McFarlane, artista y creador de tiras cómicas. Durante una subasta en 1999, superó las ofertas de todos los demás y ¡Pagó 3 millones de dólares por una pelota de béisbol! Naturalmente que no era una pelota cualquiera. Era la del septuagésimo jonrón disparado por Mark McGwire cuando éste estableció en 1998 el nuevo récord en ligas mayores de jonrones en una sola temporada. "Gasté todos mis ahorros en esto —comentó McFarlane—. No soy Donald Trump. No tengo mucho dinero."[11]

Los coleccionistas conocen muy bien "el poder" de la necesidad de poseer algo. En mis años mozos, coleccionaba monedas. Durante muchos años, utilicé parte de mi tiempo, para ir a la caja registradora de la cafetería de la escuela, en busca de monedas para agregarlas a mi colección. Visité tiendas numismáticas locales y compré (mi presupuesto era un poco más limitado que el de Todd McFarlane) algunas monedas que ya no estaban en circulación. De manera rutinaria, adquirí juegos de monedas del U.S. Mint, incluso logré que mi madre

Figura 8.6   Contribución del producto a la imagen social del consumidor

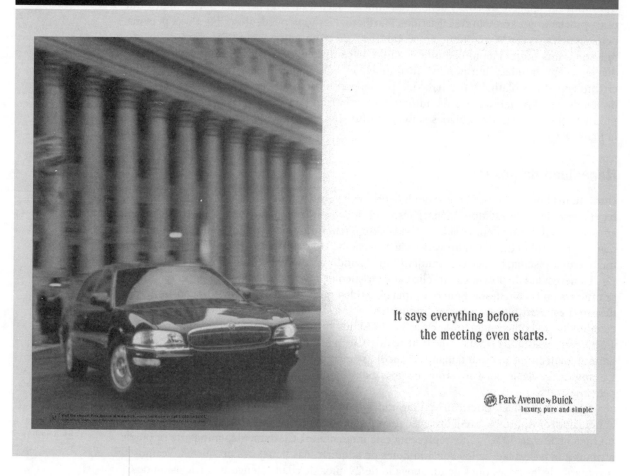

It says everything before
the meeting even starts.

Park Avenue by Buick
luxury, pure and simple.

y mi hermana me ayudaran. Y el tiempo que me pasé formando mi colección es poco en comparación con el que pasé mirándola, por ninguna otra razón que por disfrutar de su existencia.

Los objetos pueden tener valor porque nos hacen sentir vinculados con sus propietarios anteriores. A finales de los años noventa, algunos consumidores gastaron millones de dólares en la adquisición de objetos de individuos famosos (Marilyn Monroe, Jacqueline Kennedy). Las posesiones también juegan un papel importante al vincular a una persona con su pasado. Se pueden adquirir objetos para conservar el recuerdo y que sirvan de nostálgica marca permanente de un tiempo y lugar diferentes. Los vacacionistas, por ejemplo, adquieren cosas (camisetas, artesanías locales, etc.) con la finalidad de recordar las experiencias de sus viajes.

Como algo extremo, las posesiones pueden llegar a ser tan importantes que se cree que ayudan a definir quiénes somos. ¿Alguna vez ha escuchado la expresión "somos lo que comemos"? En este orden de ideas, se trata de "somos lo que poseemos". Se ha sugerido incluso "que 'somos lo que poseemos' quizás es el hecho más fundamental y poderoso del comportamiento del consumidor."[12] Desde esta perspectiva, el **autoconcepto** de los consumidores, representa *las impresiones acerca del tipo de persona que consideran ser*, lo cual depende, en parte, de lo que poseen.[13]

La necesidad de poseer juega un papel importante en las **compras de impulso**. Éstas ocurren cuando *los consumidores experimentan inesperadamente una urgencia súbita y poderosa de adquirir algo de inmediato.*[14] Su necesidad de poseer es tan fuerte que los impulsa a actuar con rapidez.

Necesidad de dar

¿Cuántas veces ha escuchado referencias acerca de alguien que alcanza el éxito y que siente la necesidad de devolver algo? A veces se trata del graduado universitario quien, después de alcanzar buenos ingresos durante su carrera, regresa a su escuela y aporta dinero para becas o para un nuevo edificio. O el atleta profesional que regresa al barrio donde creció y financia instalaciones con la finalidad de mantener a muchachos en peligro, alejados de problemas. La historia puede variar en los detalles, pero la constante es la necesidad de dar.

¿Alguna vez ha hecho donaciones para la caridad? La mayoría de nosotros lo hemos hecho, a menudo sin más razón que por ayudar a otros menos afortunados. Algunas veces damos en razón a las implicaciones relacionadas con nuestra imagen social. No deseamos que se nos considere egoístas o fríos, especialmente cuando la solicitud de una donación proviene de un amigo o de un colega. Las donaciones, especialmente las grandes, sirven como símbolos de la riqueza del donador. A pesar de que los donadores ricos a menudo solicitan mantenerse en el anonimato, muchos no son así. El éxito de la captación de fondos de las organizaciones de caridad depende en gran parte de su capacidad para comprender la influencia relativa de las diferentes razones que están detrás de la necesidad de dar.

La necesidad de dar no se limita al dinero, también abarca productos que se dan a terceros en forma de regalos. Obsequiar regalos es parte esencial de muchas festividades. El día de san Valentín, el día de las madres, el día del padre y la Navidad se celebran parcialmente por medio de rituales de intercambio de regalos. Los cumpleaños, aniversarios y graduaciones, también son ocasiones tradicionales para dar regalos.

Más allá de dar a los demás, a veces sentimos la necesidad de darnos a nosotros mismos. Lo hacemos bajo la forma de **autorregalo**.[15] Los autorregalos son *cosas que compramos o hacemos, con el fin de premiarnos, consolarnos o motivarnos a nosotros mismos*. El regalo puede ser tan pequeño como consumir un bocadillo favorito. O puede ser tan grande como la adquisición de un automóvil nuevo, o salir de vacaciones. Observe la forma en que la publicidad de la figura 8.7 alienta a los consumidores a adquirir el producto anunciado como autorregalo, en razón a que los consumidores se han portado "muy, muy bien este año".

Necesidad de información

Efectuar elecciones razonadas requiere estar informado, estar informado requiere contar con información. Como se ha analizado en capítulos anteriores, la toma de decisiones del consumidor depende de la información, tanto interna (lo que usted ya sabe), como externa (lo que puede aprender al buscar a su alrededor), disponible para el consumidor en el momento en que efectúa su elección. En el capítulo siguiente, hablaremos respecto de la importancia de la información interna. Ahora analizaremos la forma en que la necesidad de información llega a influir en el comportamiento del consumidor.

La compra y el consumo de muchos productos se puede atribuir a la necesidad de información del consumidor. Sin ella, tendría poco sentido ver programas de noticias en la televisión, e incluso leer el periódico. Desaparecerían los libros y los programas de "hágalo usted mismo". Las universidades y los colegios se quedarían sin trabajo. Una razón por la cual la internet se ha hecho tan popular es que permite a los consumidores satisfacer con facilidad su necesidad de información. De acuerdo con los resultados de una encuesta entre compradores de internet, todavía hay mucho margen de mejoría. Cuando se les preguntó acerca de qué es lo que haría que hicieran "clic" más seguido, la sugerencia más frecuente fue hacer el sitio más informado.[16]

La necesidad de información de los consumidores es también importante en razón a su papel en el proceso de persuasión. Suponga que planea comprar por primera vez cierta clase de artículo y se encuentra con un anuncio de una de las marcas del producto. Su necesidad de información acerca de éste, hará que observe con atención lo que se dice en el anuncio.

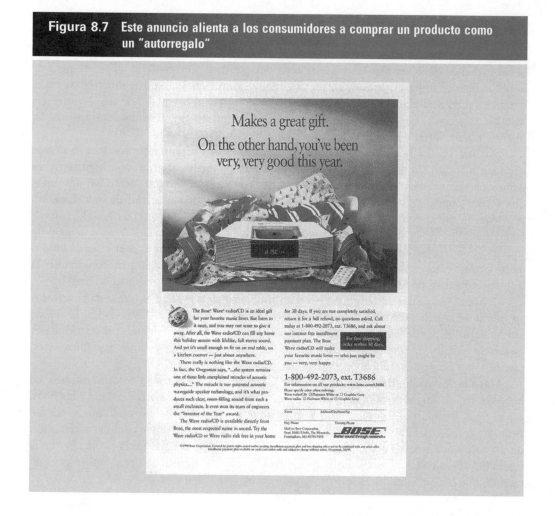

Figura 8.7   Este anuncio alienta a los consumidores a comprar un producto como un "autorregalo"

En contraste, suponga que se encuentra con el anuncio en un momento en que no necesita de la información que contiene. En este caso, habría pocas razones para prestarle atención. Y sin ésta, el anuncio no tiene ninguna oportunidad de persuadirlo. En consecuencia, para el anunciante es necesario utilizar algo para llamar la atención (por ejemplo, una cara bonita, un personaje famoso, o un animal que esté hablando). Nos ocuparemos de este tema en el capítulo 14. En el capítulo 15, analizaremos de qué forma la relativa capacidad de persuasión de los diferentes elementos de la publicidad (declaraciones, imágenes, música, etc.), depende de la necesidad de obtener información del consumidor.

Necesidad de variedad

¡Cuán cierto es el dicho "la variedad es la sal de la vida"! Demasiado de lo mismo una y otra vez puede volverse más bien aburrido. Esto es aplicable al consumo de productos. Casi siempre, bebo Diet Coke, pero de vez en cuando compro en la tiende un refresco de otra marca, simplemente porque deseo algo de distinto sabor.[17] Esta necesidad de variedad es en parte responsable de la reciente popularidad en el Japón de los teléfonos musicales móviles. Dice una persona de 21 años: "Pienso que es de locura que todos tengan un mismo o similar tono de llamada." Se han vendido más de cuatro millones de ejemplares del libro que da los números o símbolos para programar el tono de llamada del teléfono y con esto producir una melodía musical.[18]

Las empresas responden en varias formas a la necesidad de variedad de parte de los consumidores. Los fabricantes de comestibles pueden ofrecer diferentes versiones de su marca

El consumidor en la mira 8.3

Una mayor variedad estimula el interés de los coleccionistas de monedas

A partir de 1999 y hasta 2008, la U.S. Mint emitirá cada año cinco nuevas monedas de 25 centavos, están diseñadas para cada uno de los 50 estados en el orden en el cual se afiliaron a la U.S. Mint. Las primeras que se emitieron, fueron en conmemoración de los cinco primeros estados que ratificaron la constitución: Delaware, Pennsylvania, New Jersey, Georgia y Connecticut. Cada estado seleccionó su propio diseño para el reverso de la moneda, desde George Washington cruzando el río Delaware en la moneda de New Jersey, hasta una imagen de un bello árbol en la de Connecticut. El anverso de las monedas presenta en todas un retrato de Washington.

Emery Smith, de 72 años, quien ha estado coleccionando monedas desde su adolescencia, adora las nuevas monedas y piensa que son la chispa que necesitaba la colección. "Estas monedas de 25 centavos han ayudado más que ninguna otra cosa porque son tan distintas —dice Smith—. Saben, todas las monedas estadounidenses son de diseño obsoleto. Todas sólo tienen retratos de presidentes muertos y a nadie les gustan."

Y qué chispa resultaron ser. En 1999, un estudio hecho para el U.S. Mint estimó que 110 millones de personas (40% de la población) estaba coleccionando las monedas de 25 centavos y que cada coleccionista ha retirado un promedio de trece monedas de circulación. La moneda que conmemora a Connecticut, emitida en octubre de 1999, logró que el U.S. Mint vendiera en un día, un total récord, con valor de 2 millones de dólares, en su sitio web. Los coleccionistas adquieren las

monedas por bolsas enteras en la casa de moneda o van a los bancos y piden rollos. "Ésta es probablemente la pieza de colección más interesante de la década", dice Michael White, del U.S. Mint.

La casa de moneda obtiene una pequeña utilidad en cada moneda que produce, misma que vuelve a los cofres del gobierno federal. Cada moneda cuesta cinco centavos fabricarla, pero la Federal Reserve Board paga el valor completo. Los coleccionistas pagan un recargo por ediciones especiales.

La casa de moneda puso a disposición de los coleccionistas y del público más monedas para entusiasmarlos. En marzo de 2000 los estadounidenses tuvieron una nueva moneda de dólar, que tiene una imagen de Sacagawea, guía india shoshone de la expedición de Lewis y Clark de 1804-1806, cargando a su bebé en un *papoose*. La moneda es color oro, pero no su contenido. Se fabrica de una aleación de manganeso, latón y cobre. Esta nueva moneda de un dólar tiene varias características para evitar los problemas que tuvo la moneda de Susan B. Anthony, emitida en 1979, la cual resultaba demasiado parecida a una moneda común de 25 centavos y no era atractiva. Su canto liso y borde ancho, junto con el color oro, la distingue de la moneda de 25 centavos. Y para facilitar la aceptación del consumidor y del minorista, la casa de moneda ha negociado con un minorista importante, un acuerdo que permite utilizar el nuevo dólar en sus cajas registradoras, garantizando que se recibirán como cambio en algunas tiendas.

Fuente: tomado de Rafael Lorente, "Coin Collecting Gets Some Added Oomph", en Sun-Sentinel *(9 de enero de 2000), 1A, 15A.*

original. También promueven distintas formas para preparar y servir los productos. En el tema de El consumidor en la mira 8.3, se analizó con mayor detalle la necesidad de variedad de parte de los coleccionistas. Esta necesidad de variedad es en ocasiones el enfoque del posicionamiento de un producto. Una excursión de aventura se promueve ofreciendo a los vacacionistas algo diferente y único. La publicidad de una salsa para carne describe el producto como algo "deliciosamente diferente".

Conflicto motivacional y prioridad de las necesidades

Llenar una necesidad a menudo ocurre a costa de otra necesidad. El dinero que se gasta para satisfacer determinada necesidad, disminuye el destinado para las demás. El tiempo que se asigna para resolver una necesidad significa también menos tiempo para llenar otras. Estos *trueques en nuestra capacidad de satisfacer varias necesidades* causan un **conflicto motivacional**.

El conflicto motivacional puede asumir una de tres formas básicas. El **conflicto enfoque-enfoque** ocurre cuando la *persona debe decidir entre dos o más alternativas deseables* (por ejemplo, la adquisición de muebles o salir de vacaciones). El **conflicto evitación-evitación** involucra *elegir entre dos o más alternativas no deseables* (por ejemplo, cortar el césped o limpiar la piscina). El último tipo, el **conflicto enfoque-evitación** existe cuando el *comportamiento tiene a la vez consecuencias positivas y negativas.* El consumo de cigarrillos satisface la necesidad de nicotina de los fumadores, pero lo hace con riesgo de su salud. Trabajar horas extra puede significar un avance en su trabajo, pero quizás a expensas de su familia.

La resolución de los conflictos motivacionales requiere que la gente dé prioridad a sus necesidades. Hacerlo significa que tienen que decidir acerca de la importancia relativa de cada una de sus necesidades. Estas decisiones serán de naturaleza tanto a corto plazo (que necesita satisfacerse ahora) como a largo plazo (que necesita satisfacerse en el futuro). Los ruidos en su estómago pueden obligarle a satisfacer en ese momento su necesidad de alimentos. Sus preocupaciones respecto de tener solvencia económica durante el retiro pueden motivarlo para ahorrar dinero.

Los consumidores difieren en las prioridades que asignan a sus necesidades: Lo que es vital para una persona puede ser trivial para otra. En una encuesta reciente entre mujeres de 20 a 50 años, 24% estuvo de acuerdo con el enunciado: "Estoy preocupada por lo que otras piensan de mí."[19] Para este grupo, la necesidad de proyectar una imagen social deseable es muy importante, no así para aquellas que no están de acuerdo con el enunciado. Los productos que se perciben como mejores para satisfacer determinadas necesidades tienen mayores probabilidades de ser elegidos y consumidos, pero sólo por aquellos consumidores para quienes esa necesidad tiene una prioridad importante.

Un procedimiento para especificar la prioridad relativa asignada a necesidades diferentes es la pirámide de Maslow (véase la figura 8.8). De acuerdo con Maslow, algunas necesidades tienen precedencia sobre otras.[20] Las necesidades fisiológicas son las básicas en la jerarquía; tienen primera prioridad. Únicamente después que han sido satisfechas estas necesidades,

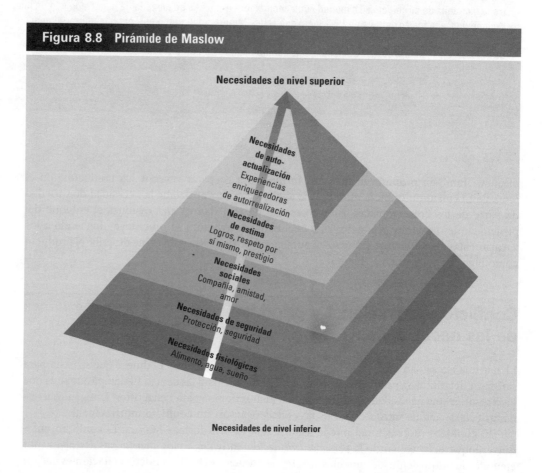

Figura 8.8 Pirámide de Maslow

Necesidades de nivel superior

Necesidades de auto-actualización
Experiencias enriquecedoras de autorrealización

Necesidades de estima
Logros, respeto por sí mismo, prestigio

Necesidades sociales
Compañía, amistad, amor

Necesidades de seguridad
Protección, seguridad

Necesidades fisiológicas
Alimento, agua, sueño

Necesidades de nivel inferior

las personas avanzan de acuerdo con la pirámide hacia el siguiente nivel de necesidades. En esencia, la pirámide de Maslow ordena las necesidades desde las más importantes (representadas en la parte inferior) hasta las menos importantes (en la parte superior).

La pirámide de Maslow es un concepto útil, respecto a las prioridades de las personas. Sin embargo, no debe considerarse como origen de una especificación definitiva de lo que pueden ser estas prioridades. Aunque el orden de Maslow coincide con el orden de muchas personas, ciertamente no refleja las prioridades de todas las personas frente a las situaciones. Algunas veces en la persecución de necesidades de orden superior, las personas ignoran necesidades de nivel inferior. El amor de una madre puede llevarla a olvidar su propia seguridad, cuando la vida de su hijo está en peligro. Otros buscan profesiones que satisfacen su necesidad personal de logro, pero puede ser a expensas de sus relaciones afectivas.

Las diferencias en la importancia que los consumidores asignan a sus necesidades finalmente afectan la forma en que valúan los productos que pretenden comprar y consumir. Necesidades diferentes conducen a los consumidores a buscar distintos beneficios en los productos. Los compradores de automóviles motivados por el deseo de proyectar cierta imagen persiguen un beneficio distinto a aquellos que buscan seguridad. En consecuencia, los criterios de evaluación (véase el capítulo 4) que se utilizan durante la toma de decisiones pueden cambiar, dependiendo de los beneficios que se desean y las necesidades que se deben satisfacer. Quienes están preocupados por la imagen darán mayor importancia al estilo y posición social de un automóvil. Las características de seguridad de un automóvil (es decir, bolsas de aire, frenos antibloqueo) y su historial de seguridad son motivo de mayor énfasis para aquellos impulsados por la necesidad de un transporte seguro.

Debido a estas variaciones en las prioridades motivacionales de los consumidores, las empresas deben encontrar de utilidad segmentar sus mercados. Una forma de hacerlo es con base en **segmentación de beneficios**, la cual involucra *dividir a los consumidores en segmentos diferentes del mercado, con base en los beneficios que buscan (es decir, las necesidades que desean satisfacer) de la compra y consumo del producto*. Las empresas pueden entonces adecuar sus esfuerzos de mercadotecnia a las necesidades de un segmento. Por ejemplo, la forma en que el agua embotellada se sitúa para el segmento motivado por necesidades de salud debe ser diferente a la manera en que se posiciona para el segmento que la percibe como una forma de transmitir algo acerca de sí mismos.

Intensidad motivacional

Hasta ahora hemos ignorado el tema de la **intensidad motivacional**, que representa *la intensidad con la cual los consumidores están motivados a satisfacer una necesidad en particular*. Algunas veces satisfacer una necesidad antecede a cualquier otra cosa. Otras, la intensidad motivacional es mucho más modesta.

En el capítulo 4, analizamos que el reconocimiento de la necesidad depende del grado de discrepancia entre la situación actual (en donde estamos ahora) y la situación ideal (donde deseamos estar). Conforme se incrementa una necesidad por carencia de satisfactores, aumenta la probabilidad de reconocerla. La intensidad motivacional también se hace más fuerte. Aquellos que no han comido nada durante el día, tendrán una urgencia mucho mayor de llenar sus estómagos. La intensidad motivacional también depende de la importancia de la necesidad. Las necesidades más importantes para los consumidores también se perseguirán con mayor intensidad.

Otra manera de considerar la intensidad motivacional es mediante la idea de participación. La **participación** representa *el grado al cual un objeto o un comportamiento resultan personalmente relevantes*.[21] Tanto como se piensa que algún objeto o comportamiento satisface necesidades importantes, mayor será su importancia personal. Mientras más motivados estén los consumidores en satisfacer sus necesidades, mayor será su participación en las posibles fuentes de satisfacción de la misma. Los consumidores interesados en proyectar una imagen social favorable, por ejemplo, recurrirán a productos que son percibidos como satisfactores de esta necesidad. De la misma manera, los productos que evocan una participación más elevada (aquellos de mayor importancia para nuestras necesidades) incrementarán la motivación de los consumidores para adquirirlos y consumirlos.

La participación y la intensidad motivacional son importantes porque determinan el esfuerzo que ejercen los consumidores al intentar satisfacer sus necesidades. Conforme la intensidad y la participación aumentan, los consumidores hacen mayores esfuerzos para satisfacer sus necesidades, pone más atención en información relevante, se dedican a pensar más y responden de manera diferente a comunicaciones persuasivas (véase el capítulo 15). La búsqueda externa aumenta.[22] Los consumidores podrían también tomar en consideración una mayor cantidad de alternativas de elección para alcanzar la satisfacción de la necesidad.

El reto de comprender la motivación del consumidor

Aquellos interesados en comprender la motivación del consumidor deben evitar el riesgo de creer que la investigación no es necesaria dado que las razones subyacentes al comportamiento de compra son "obvias". Para ilustrar el punto, deseamos relatar la historia de Mel Fisher. Mel buscó el tesoro de un galeón español hundido, en el fondo del océano, por una tormenta en 1622. En 1985, después de 15 años de búsqueda, y de sufrir muchas dificultades personales, (como la pérdida de un hijo al hundirse uno de los barcos de búsqueda), otro de los hijos de Mel encontró el tesoro a 41 millas de Key West. ¡Y qué tesoro era! Cerca de 400 millones de dólares en piedras preciosas, oro y plata. Prácticamente de la noche a la mañana, Mel se convirtió en una celebridad. Apareció en programas de entrevistas en televisión, también fue invitado en programas especiales de National Geographic, y la historia de su vida fue relatada en una película para la televisión.

Deténgase y piense por un momento acerca de lo que motivó a Mel en su búsqueda de un tesoro hundido. ¿Cuáles cree que fueron sus razones? La explicación más obvia por la cual Mel buscó durante tanto años y sacrificó tanto, es que estaba motivado por la riqueza que obtendría, de ser exitosa su búsqueda. Pero aun así, aquellos que lo conocieron dicen otra cosa. De acuerdo con Madeleine Burnside, directora ejecutiva de la Mel Fisher Maritime Heritage Society, "nada tuvo que ver el valor del oro; siempre se trató de la cacería y de la excitación. Después de encontrar el montículo principal, de hecho todos se deprimieron terriblemente. Porque se trataba de la búsqueda". Pat Clyne, vicepresidente de Treasure Salvors y amigo de Mel durante casi 30 años, tiene una opinión similar: "No es como los demás. No estaba interesado en el dinero. Para él la expedición, el rompecabezas, era todo."[23]

El punto al que queremos llegar, es que las explicaciones obvias del comportamiento de las personas quizá no siempre digan toda la historia. Los seres humanos son criaturas complejas y se dedican a ciertos comportamientos por razones que algunas veces son menos que transparentes. Esto también se aplica al comportamiento del consumidor. Ciertamente, la motivación para comprar y consumir puede ser a veces verdaderamente sorprendente, como aprendió la agencia McCann-Erickson al investigar por qué en ciertos mercados el rociador de cucarachas Raid se vendía más que los discos de insecticida Combat. La mayoría de los usuarios estaban de acuerdo con que Combat es un mejor producto, ya que mata a las cucarachas con un esfuerzo mínimo por parte del usuario. Por lo que, ¿por qué algunos de ellos siguen utilizando un rociador de cucarachas? Cuando a los usuarios más acérrimos del rociador —mujeres sureñas de bajos ingresos— se les pidió que dibujaran a sus presas, mostraron a las cucarachas como hombres. "Gran parte de sus sentimientos respecto a las cucarachas eran muy semejantes a sus sentimientos respecto a los hombres de sus vidas", —comenta Paula Drillman, vicepresidente ejecutivo de McCann-Erickson—. La cucaracha, igual que el hombre de sus vidas, "sólo se presenta cuando desea comida". Utilizar Combat era más fácil, pero no les daba la satisfacción derivada de rociar a las cucarachas y verlas morir. "Estas mujeres deseaban el control", —explica Drillman—. "Utilizaban el rociador porque les permitía participar en la matanza."[24]

Comprender por qué la gente se comporta como lo hace es un verdadero reto, ya que las personas pueden no estar dispuestas a poner de manifiesto las razones reales que las motivan. Los consumidores quizá no se sienten cómodos al divulgar a otras personas lo que los hace funcionar. El señor que compra un "automóvil potente" como una forma de aumentar su propio sentido de la masculinidad, es probable que no desee admitirlo. De manera similar, ¿cuántos donadores caritativos, motivados por la necesidad de hacer patente su riqueza, estarían dispuestos a admitirlo?

Cuando la gente cree que sus respuestas a una pregunta pueden ponerlos en una posición desfavorable, deciden no decir la verdad. Más bien, dan respuestas que para ellos son socialmente aceptables. Una demostración importante de lo anterior involucra la forma en que los consumidores distorsionan las respuestas, en relación con cuánta leche y alcohol beben. Estos autoinformes se comparan entonces con los recipientes vacíos de leche y alcohol que se encuentran en sus bolsas. Muchos informan beber más leche de lo que realmente beben y al mismo tiempo informan menos en su consumo de alcohol.

Otro factor es que no todas las personas pueden manifestar fácilmente por qué se comportan de la manera en que lo hacen. Sin duda, los consumidores gastan millones de dólares todos los años esperando que los psicólogos les ayuden a comprender mejor las razones de sus sentimientos y acciones. Al principio del siglo XIX, Sigmund Freud y sus seguidores introdujeron la idea de la **motivación inconsciente**, en la cual *las personas no están conscientes de lo que realmente motiva su comportamiento*. De acuerdo con Ernest Dichter, considerado por muchos el padre de la investigación motivacional: "Conocer nuestras motivaciones es una de las cosas más difíciles, porque intentamos racionalizarlas. La mayoría de nosotros trata de explicar nuestro comportamiento de manera inteligente, cuando a menudo no lo es."[25]

No obstante, los investigadores motivacionales han analizado durante décadas la psique de los consumidores. Dichter propuso hace mucho tiempo que las mujeres utilizaban jabón Ivory para lavar sus remordimientos antes de una cita. También sugirió que los automóviles convertibles sirven como amantes sustitutas para hombres sexualmente frustrados.[26] Cuando se les preguntó a los investigadores: "¿Por qué las mujeres hornean pasteles?" Algunos respondieron que, las mujeres horneaban pasteles debido a su deseo inconsciente de tener hijos. Quizás es por esta razón por la que Pillsbury creó su famoso personaje, el "niño de masa" (véase la figura 8.9).

Otro reto para comprender la motivación del consumidor proviene del hecho que la motivación puede cambiar. Lo que hoy motiva la compra puede no motivarla en el futuro. Por ejemplo, los motivos de los consumidores para usar jabón, de acuerdo con un ejecutivo: "Solían ser 'Me interesa verme bien para ti'. Ahora se trata más de 'Me interesa verme bien para deshacerme de ti'."[27] Las motivaciones de los estudiantes para asistir a la universidad también han cambiado con el transcurso del tiempo, de acuerdo con una encuesta anual a nivel nacional entre estudiantes de primer año, llevada a cabo por investigadores de la University of California de Los Ángeles. Tres cuartas partes de los encuestados durante el otoño de 1997, manifestaron "estar bien económicamente" como una meta importante para seguir con su educación. Cerca de 40% eligió "desarrollar una filosofía significativa de la vida". Sin embargo en 1968 las cifras mostraban lo contrario. "Desarrollar una filosofía" fue elegida por más de 80% y 40% prefirió la seguridad económica.[28]

Un cambio en la motivación del consumidor puede ser una buena o mala noticia para el negocio. Si éste involucra una necesidad que se vuelve importante para los consumidores, entonces aquellos negocios que se ocupan de esa necesidad obtendrán beneficios. De manera similar, si el cambio se produce porque la necesidad se vuelve menos importante, entonces los negocios que dan servicio a esta necesidad enfrentarán problemas. En Japón, por ejemplo, la necesidad de las mujeres, respecto de dar "chocolates por obligación" a sus amigos y compañeros de trabajo el día de san Valentín (a diferencia de los de "amor sincero" para sus novios) está disminuyendo; este hecho preocupa tanto a los fabricantes de chocolate como a los minoristas.[29]

Figura 8.9   ¿Responde el niño de masa de Pillsbury a las necesidades inconscientes de los consumidores?

Motivar a los consumidores

De acuerdo con los ejemplos presentados anteriormente, las empresas pretenden motivar la compra de los consumidores, al vincular sus productos con necesidades importantes. Sin embargo, existen otras formas para motivar a los consumidores. Algunas se vieron en el capítulo 4 cuando se analizó la etapa de reconocimiento de la necesidad de la toma de decisiones (es decir, el poder motivacional de recordarles a los consumidores sus necesidades). Ahora veremos algunas otras.

Superación de barreras de precio

Es un hecho que no podemos resolver todas las necesidades. Algunas veces logramos satisfacerlas, otras no, o, si se satisface, se hace con un producto menor de lo deseable (un producto más barato) debido a los costos. En la mayoría de los casos, la barrera que impide solucionarlos es, el costo que implican. La reducción del precio de un producto supera el razonamiento "Lo quiero pero no puedo permitírmelo".

Las empresas utilizan una variedad de métodos para superar la barrera de los precios: rebajas en el precio, ventas especiales, descuentos por temporarda (el descuento más antiguo conocido fue ofrecido en 1914 por Ford Motor Co. en la compra de su Modelo T), y cupones (el primer cupón de comestibles, con un valor de un centavo, fue ofrecido por el cereal Grape Nuts en 1895).[30] Con la finalidad de motivar la compra del producto, hacen una reducción en su costo. Generalmente lo consiguen, por ejemplo, cuando Southwest Airlines redujo en 62% el precio promedio, en un boleto de ida en cierta ruta, la cantidad de boletos vendidos se incrementó, ¡en más de 800%![31]

No obstante, motivar a los consumidores por medio del precio es una proposición de riesgo. Debido a que, a pesar que las ventas pueden aumentar, la rentabilidad quizás no. Después de todo, por lo menos algunos de los consumidores, que han comprado al precio reducido, lo hubieran adquirido al precio normal. De acuerdo con una estimación, los usuarios actuales de un producto representan más de 70% del canje de cupones.[32] En cada uno se pierde dinero y disminuye la rentabilidad. En consecuencia, a menos que la utilidad recibida por clientes adicionales (es decir, sólo los que adquirieron el producto sin reducción en el precio) sea lo suficientemente grande para compensar las pérdidas incurridas al venderles a aquellos que hubieran pagado más, entonces la empresa pierde dinero.

Otra preocupación de las reducciones en precio involucra el tipo de cliente que atrae. Pruebas de investigación del mercado, acerca de poner en el mercado nuevos productos con o sin cupón demuestran que, de aquellos que inicialmente adquieren el producto mediante cupón, la cuarta parte se convierten en compradores de repetición. En comparación, aquellos que hicieron su compra inicial sin cupón, la tercera parte vuelven a comprar.[33] Según estos datos, los consumidores que hoy son motivados a comprar por un reducción en el precio, es menos probable que se conviertan en clientes leales. Más bien tienden a trasladar sus intereses a donde se ofrezca el precio más bajo. Además, se ha encontrado que los incentivos basados en reducciones de precio, incrementan la búsqueda del menor precio, tanto de los consumidores leales, como de aquellos que no lo son. Como explica uno de los investigadores del estudio: "Con el transcurso del tiempo, las promociones en precios incentivan a los consumidores, particularmente los no leales, a buscar oportunidades en el mercado, en vez de alentarlos a tener preferencia a una marca dada, con base en atributos distintos al precio."[34]

No obstante, las rebajas en los precios siguen siendo una de las prácticas de mercadotecnia más populares para motivar el comportamiento de compra. Al concluir la huelga de los jugadores de la National Basketball Association en 1999, las franquicias redujeron los precios de los boletos de algunos asientos, con el fin de traer a los aficionados de regreso a las canchas.[35]

Oferta de incentivos

La reducción del precio de un producto es sólo una de las formas en que las empresas pueden impulsar el negocio. Otra es ofrecer un premio (un producto se da gratuitamente con la compra de otro), como se muestra en el anuncio de la figura 8.10. Por ejemplo, imagine la cantidad de comidas (para niños) que han sido vendidas por los restaurantes de comida rápida, gracias a que obsequian juguetes. Cuando McDonald's decidió incluir los Beanie Babies en miniatura en su Cajita Feliz, produjo cerca de 100 millones de estos juguetes, el pedido más grande jamás hecho para una promoción. Y aun así, no resultó suficiente. ¡La demanda del consumidor fue tan abrumadora, que McDonald's tuvo que recomendar a sus restaurantes limitar la venta a diez comidas por cliente, debido a que algunos de ellos empezaron a comprarlas por caja![36]

Algunas veces, el tamaño de los incentivos utilizados para motivar posibles clientes es mucho mayor que un juguete gratuito. ¿Alguna vez una empresa deseó su cuenta tanto que le ofreció una ida de compras de 25 000 dólares gratis? Probablemente no, a menos que usted sea una ballena. Ballena es el término utilizado por los casinos para los jugadores con mucho dinero dispuestos a apostar cientos de miles, incluso millones de dólares, durante su visita. Algunos casinos reservan sus mejores suites en el penthouse, a veces lo suficientemente grandes para que quepan cuatro hogares de tamaño promedio, sólo para las ballenas. ¿El costo? Ninguno. De hecho, virtualmente todo es gratis, excepto, naturalmente, el dinero que se apuesta. Alimentos, bebidas mayordomo para la suite disponible 24 horas al día, paseos turísticos a atracciones cercanas y recorridos por las tiendas, son utilizados como cebo durante la cacería de ballenas.

Los casinos apuestan que recuperarán más que suficiente dinero de las apuestas perdedoras de la ballena para compensar los miles de dólares en incentivos que han dado. Y una ballena es mucho más valiosa que un cliente ordinario. De acuerdo con un conocedor de la rama industrial, una sola ballena puede hacer que, a largo plazo, un casino gane más dinero que 1 000 clientes ordinarios. Pero hay que tener cuidado. A corto plazo, cazar una ballena puede ser un negocio riesgoso. ¡Un casino importante en Las Vegas perdió 20 millones de dólares durante una visita de 40 minutos de una ballena a la mesa de blackjack!

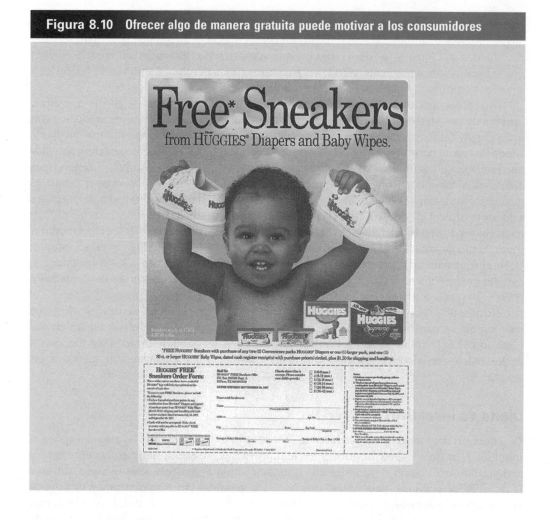

Figura 8.10   Ofrecer algo de manera gratuita puede motivar a los consumidores

Los concursos son otro tipo de incentivos para motivar a los consumidores. Toyota Corporation organizó un concurso en el cual los visitantes a su sitio en la red compitieron para ganar una furgoneta.[37] Publishers Clearing House ha hecho su reputación y su negocio (venta de suscripciones a sus revistas) por medio de sus famosos concursos, en los cuales dan a los consumidores la oportunidad de convertirse instantáneamente en millonarios.

Implementación de un programa de lealtad

Además de incentivar la compra inicial o de prueba, las empresas también se interesan en motivar negocios de repetición. Por ejemplo, los clubes deportivos han tenido éxito al reclutar nuevos miembros, pero no tanto en retenerlos, ya que 30% de éstos no renuevan su membresía.[38] Por ejemplo, en 1976 había 8.5 millones de bolichistas con membresía, hoy es menor de 4 millones.[39] Obviamente, resulta difícil para los negocios crecer cuando su capacidad de retener a los clientes es limitada.

Los **programas de lealtad** intentan *motivar la compra repetida al dar premios a los clientes con base en cuánto compran a una empresa.* ¿Cuándo iniciaron los programas de lealtad? En 1876, cuando un minorista, por medio de la emisión de las estampillas S&H Green Stamps logró que sus clientes regresaran. ¿Por qué? Porque mientras más compraba el cliente, más estampillas recibía; y éstas podían canjearse por regalos.[40]

En la actualidad, uno de los programas de lealtad más populares es el programa de "viajero frecuente" de las aerolíneas, en el cual los pasajeros ganan créditos aplicables a vuelos futuros.

El consumidor en la mira 8.4

Programa de lealtad de los hoteles Travelodge

Algunos han sugerido que la industria del alojamiento económico no necesitaba de programa de lealtad, porque el tipo de cliente de un hotel o motel económico sólo se interesa en el costo. Pero Travelodge Hotels pensó de otra manera, por lo que en junio de 1997, lanzó Travelodge Miles, un programa de premios para huéspedes. Cinco meses después, 30 000 personas se habían afiliado, y se inscribían diariamente, un promedio de 200 miembros nuevos.

El programa agradece a los huéspedes frecuentes de Travelodge y de Thriftlodge por su patrocinio mediante premios de valor agregado, por ejemplo millas de viajero en avión frecuente, noches gratuitas en el hotel, arrendamiento de automóvil gratuito y otros beneficios de viaje. Los huéspedes tienen derecho a una milla de Travelodge por cada dólar de alojamiento calificado que gasten en las propiedades participantes. Una vez acumuladas 250 millas, las pueden canjear por muñecas Sleepy Bear, playeras o un atlas de carretera.

También pueden guardarlas conforme persiguen premios aún mejores. Travelodge ha implementado varias promociones estacionales que premian a los miembros de los programas con todo, desde mapas de carretera hasta pases para los cines de verano y tarjetas prepagadas de larga distancia.

Una característica importante del programa es su uso de tarjetas de tecnología de punta que actualiza automáticamente las cuentas de los clientes, siempre que se alojen en un hotel participante. Para la administración, el sistema facilita llevar control y reunir datos acerca de los mejores clientes de la empresa, y ha permitido la creación de un "Gold Level" para clientes preferentes, quienes reciben habitaciones a un precio preferente y llamadas locales gratuitas. El nivel mejor ya está dando rendimiento, con un incremento en la estancia promedio de huéspedes preferidos, de casi una noche completa más por cada estancia.

Fuente: tomado de Dorothy Dowling, "Frequent Perks Keep Travelers Loyal", en American Demographics *(septiembre 1998), 32-36.*

Más de 32 millones de estadounidenses tienen este tipo de cuentas.[41] El kilometraje de avión gratuito es tan atractivo para los consumidores que aparece en programas de lealtad de muchos productos diferentes (hoteles, arrendamiento de automóviles, tarjetas de crédito). Las millas gratuitas de avión son un elemento clave en el programa de lealtad de los Travelodge Hotels, como se describe en El consumidor en la mira 8.4.

Los programas de lealtad se están convirtiendo en un elemento importante en la mezcla de mercadotecnia para los negocios de internet. "Usted puede esperar que más y más negocios procedan a introducir programas de lealtad de todo tipo", —afirma Irving Wladawsky-Berger, gerente general de la división internet de IBM—. "En la internet va a ocurrir una importante presión para que los negocios se diferencien entre sí mediante programas de lealtad."[42] Y los consumidores están de acuerdo. En una encuesta entre consumidores en línea, más de la mitad dijeron que sería probable que comprarían vía un sitio electrónico, si éste ofreciera programas de lealtad.[43]

Aumentar el riesgo percibido

Otra manera de motivar a los consumidores es aumentando el riesgo percibido por la compra y consumo del producto. El **riesgo percibido** representa *el temor del consumidor respecto de las consecuencias de su comportamiento.*[44] Los consumidores pueden dudar respecto de si un producto está a la altura de sus expectativas. También les preocupa que la compra y el consumo acarreen consecuencias negativas. Por tanto, el riesgo percibido depende, tanto de las creencias de los consumidores acerca de las consecuencias de comprar y consumir determinado producto (positivas o negativas), como de la importancia que tengan para el consumidor dichas consecuencias. Si uno desconfía que una costosa vacación que supuestamente ofrece una experiencia de consumo única resultará otra experiencia ordinaria, pero sobrevaluada, el riesgo percibido será mayor. La abrumadora evidencia médica acerca de los riesgos a la salud por fumar ciertamente ha aumentado el riesgo percibido por esta actividad de consumo.

Como se vio en el capítulo 4, el riesgo percibido también influye en la motivación de búsqueda del consumidor. Un mayor riesgo genera más búsqueda, debido a su influencia en la motivación del consumidor. En general, los consumidores están motivados para no ponerse en riesgo, especialmente cuando los resultados son de importancia. Una forma en que intentan reducir el riesgo es adquiriendo más información acerca de la decisión de compra. En esencia, el riesgo percibido afecta la necesidad de información. Dependiendo de lo que se aprendió durante la búsqueda, las elecciones de los consumidores pueden resultar diferentes que si se hubiera llevado a cabo una búsqueda menos extensa. Lo que es más, un riesgo percibido más grande puede hacer que los consumidores tengan mayor aversión al riesgo al escoger productos.

La educación de los consumidores acerca de sus riesgos puede motivarlos a efectuar elecciones que reduzcan su exposición al riesgo. De acuerdo con el encabezado de un anuncio de automóviles, "La mayor parte de los accidentes ocurren en el salón de exhibición". El anuncio seguía con la descripción de las consecuencias negativas (por ejemplo, pagar demasiado por muy poco) que los consumidores podrían experimentar por no haber hecho una buena búsqueda. Presumiblemente, el anuncio intenta motivar a los consumidores a realizar una búsqueda externa mayor, para incrementar las posibilidades de que el fabricante anunciante sea tomado en consideración durante la toma de decisión.

De manera similar, el anuncio de la figura 8.11 hace énfasis en el riesgo a la salud para las personas que tienen presión sanguínea elevada al escoger la medicina equivocada para el resfriado. A quienes este anuncio podría ser de importancia personal (los que tienen presión

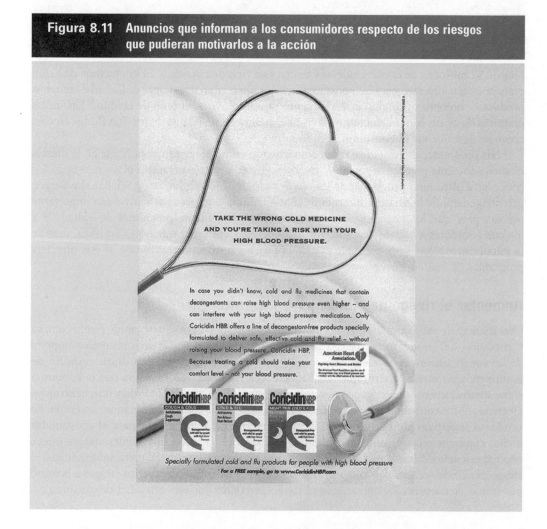

Figura 8.11   Anuncios que informan a los consumidores respecto de los riesgos que pudieran motivarlos a la acción

arterial alta y los que se preocupan respecto de alguien con este problema) podrían estar motivados a responder, aunque no necesariamente de la misma forma. Los que aceptan sin cuestionar lo dicho en el anuncio como verdadero, reconocerán la necesidad que llena la marca anunciada, lo cual puede llevarlos directamente a la compra. Consumidores más escépticos llegan a decidir que requieren de información adicional y llevarán a cabo una búsqueda externa, quizás consultar con doctores o farmacéuticos. Dependiendo de lo que aprendan, entonces decidirán comprar la marca anunciada o la marca de un competidor, si durante la búsqueda se descubre como un producto mejor. Incluso es posible que la compra no ocurra, si los consumidores llegan a la conclusión que el tipo de su resfriado no lo amerita.

Cómo despertar la curiosidad del consumidor

Las personas, son criaturas curiosas. La curiosidad a menudo nos motiva a conocer más acerca de aquello que ha llamado nuestra atención. La información respecto de nuevos productos (como automóviles eléctricos, cámaras digitales y televisores de web) es valiosísima, ya que es necesario hablarles a los posibles clientes acerca de sus beneficios y atributos, para motivarlos a comprar el producto. Estimular la curiosidad de los consumidores puede activar su necesidad de información. Una forma de hacer lo anterior es anunciando un beneficio que normalmente no está asociado con el producto (como una cámara, que permite que el usuario elimine parte de la imagen).[45]

Resumen

Una pregunta fundamental acerca del comportamiento del consumidor es: "¿Por qué compran las personas?" La respuesta a esta pregunta se encuentra en la comprensión de la motivación del consumidor. Los consumidores compran y buscan productos, con el fin de satisfacer sus necesidades. Como se vio en este capítulo, todos los consumidores tienen necesidades. Algunas (fisiológicas, de seguridad y de salud) son elementales para nuestra supervivencia. Otras (seguridad económica, entretenimiento y dar a los demás) pueden ser menos esenciales, pero siguen siendo vitales para el bienestar del consumidor. Las empresas que comprendan mejor las necesidades de los consumidores tendrán mayores oportunidades de atraerlos y conservarlos.

A veces, la motivación de comprar de los consumidores está impulsada por una sola necesidad. En otras, la motivación es más compleja y responde a múltiples necesidades. Satisfacer ciertas necesidades puede llevarse a cabo a expensas de otras, lo cual produce un conflicto motivacional. Cuando un consumidor debe decidir cuál necesidad tiene preferencia, le dará prioridad a la que en ese monento en particular, es más importante para él.

Aunque es esencial, la comprensión de la motivación del consumidor no es fácil. Cuando se les pregunta por qué compran, los consumidores pueden distorsionar su respuesta. En el caso de motivaciones inconscientes, no están totalmente conscientes de por qué se comportan de la forma en que lo hacen. Dado que la motivación puede cambiar con el transcurso del tiempo, las empresas deben analizar continuamente las razones por las cuales las personas compran y consumen.

Las empresas pueden estimular la motivación de los consumidores para comprar y consumir sus productos de varias maneras. Las reducciones de precios y otros incentivos (bajo la forma de un programa de lealtad) son estímulos de importancia para muchas personas. Los mensajes que sobrevalúan el riesgo percibido o que aumentan la curiosidad también tienen el potencial de motivar a los consumidores.

Preguntas de repaso y análisis

1. ¿Por qué es importante para las empresas comprender la motivación del consumidor?

2. Más allá de comprender la motivación del consumidor, ¿qué otros elementos debe considerar una empresa con el fin de conocer las razones por las cuales los consumidores compran productos y marcas específicas?

3. Un fabricante de productos de limpieza domésticos se interesa en conocer qué motiva a los consumidores a comprar sus productos. Cuando los consumidores compran estos productos, ¿qué necesidades cree usted que quieren satisfacer?

4. ¿Qué es la pirámide de necesidades de Maslow? ¿Cómo influyen las diferencias en las prioridades de necesidad en el comportamiento del consumidor?

5. ¿Cuáles son las posibles ventajas y desventajas de un producto que llena múltiples necesidades?

6. Algunos sugieren que es importante distinguir entre una necesidad y un deseo. Desde esta perspectiva, la necesidad es algo que debemos tener, en tanto que un deseo representa algo que deseamos pero sin el cual podemos pasarla. ¿Piensa usted que se trata de una diferencia significativa? ¿Por qué?

7. Se ha sugerido que los productos representan "símbolos de venta". ¿Qué significa esto para usted?

8. Un negocio está confundido por los resultados de su reciente campaña publicitaria y recurre a usted para que les ayude a comprender lo que pasó. Esta campaña se diseñó para incrementar la importancia personal para los consumidores (del producto anunciado), al enfatizar su capacidad de satisfacer necesidades antes poco apreciadas. Aun así, la campaña no tuvo ningún efecto notable en las ventas del producto. Más bien, estimuló las ventas de un competidor. ¿Cuáles son las posibles razones?

Notas

1. Harold W. Berkman, Jay D. Lindquist y M. Joseph Sirgy, *Consumer Behavior* (Chicago: NTC Publishing Group, 1997).

2. *Véase*, por ejemplo, Ernest Dichter, *Handbook of Consumer Motivations: The Psychology of Consumption* (Nueva York: McGraw-Hill, 1964); Jeffrey F. Durgee, "Interpreting Dichter's Interpretations: An Analysis of Consumption Symbolism in the Handbook of Consumer Motivations", en Hanne Hartvig-Larsen, David Glen Mick y Christian Alstead, eds., *Marketing and Semiotics: Selected Papers from the Copenhagen Symposium* (Copenhague, 1991); Morris B. Holbrook y Elizabeth C. Hirschman, "The Experiential Aspects of Consumption: Consumer Fantasies, Feelings, and Fun"; en *Journal of Consumer Research*, 9 (septiembre de 1982), 132-140; Abraham H. Maslow, *Motivation and Personality* (Nueva York: Harper & Row, 1970); David C. McClelland, *Personality* (Nueva York: William Sloane, 1941); William J. McGuire, "Psychological Motives and Communication Gratification", en J.G. Blumer y C. Katz, eds., *The Uses of Mass Communications: Current Perspectives on Gratification Research* (Nueva York: Sage, 1974), 167-196; A. H. Murray, *Explorations in Personality* (Nueva York: Oxford University Press, 1938).

3. Michele Chandler, "Viagra: A Drug-Business Boost, But No Cure-All", en *Miami Herald's Business Monday* (julio 13 de 1998), 7.

4. Para un artículo clásico acerca del significado simbólico de los productos, *véase* Sidney J. Levy, "Symbols for Sale", en *Harvard Business Review* (julio/agosto de 1959), 117-124. Para una reseña interesante de la era de la investigación de la motivación, vea los comentarios de Sidney J. Levy, en *ACR Newsletter* (marzo de 1991), 3-6.

5. "Pet Popularity Race Has New No. 2", en *Parade Magazine* (enero 4 de 1998), 16.

6. Brigid Schulte, "Big: It's Bigger Than Ever", en *Miami Herald* (diciembre 10 de 1997), 1D, 2D.

7. *Ibid.*

8. June Fletcher, "Latest Sign of Status: Big Garage", en *Miami Herald* (marzo 14 de 1999), 1H, 8H.

9. Schulte, "Big: It's Bigger Than Ever".

10. *Ibid.*

11. "The People Column", en *Miami Herald* (febrero 9 de 1999), 2A.

12. Russell W. Belk, "Possessions and the Extended Self", en *Journal of Consumer Research,* 15 (septiembre de 1988), 139-168. *Véase también* Joel B. Cohen, "An Over-Extended Self?"; en *Journal of Consumer Research,* 16 (junio de 1989), 125-128; Russell W. Belk, "Extended Self and Extending Paradigmatic Perspective", en *Journal of Consumer Research,* 16 (junio de 1989), 129-132.

13. Para información adicional respecto del autoconcepto, *véase* M. Joseph Sirgy, "Self-Concept in Consumer Behavior: A Critical Review", en *Journal of Consumer Research,* 9 (diciembre de 1982), 287-300; M. Joseph Sirgy, "Using Self-Congruity and Ideal Congruity to Predict Purchase Motivation", en *Journal of Business Research,* 13 (1985), 195-206.

14. Dennis W. Rook, "The Buying Impulse", en *Journal of Consumer Research,* 14 (septiembre de 1987), 189-199.

15. David Glenn Mick y Michelle DeMoss, "Self-Gifts: Phenomenological Insights from Four Contexts", en *Journal of Consumer Research,* 17 (diciembre de 1990), 322-332.

16. Elaine Walker, "From Browser to Buyer", en *Miami Herald* (abril 11 de 1999), 1E, 4E.

17. Para investigación respecto de la necesidad de tener variedad, *vea* Leigh McAlister, "A Dynamic Attribute Satiation Model of Variety Seeking Behavior", en *Journal of Consumer Research,* 12 (septiembre de 1982), 141-150.

18. "Japan's New Fad: Mobile Phones that Ring Musically", en *Miami Herald* (marzo 15 de 1999), 16A.

19. "Status Unconscious", en *American Demographics* (marzo de 1999), 28.

20. Abraham H. Maslow, *Motivation and Personality* (Nueva York: Harper & Row, 1970).

21. Richard L. Celsi y Jerry C. Olson, "The Role of Involvement in Attention and Comprehension Processes", en *Journal of Consumer Research,* 15 (septiembre de 1988), 210-224.

22. Peter H. Bloch, Daniel L. Sherrell y Nancy M. Ridgway, "Consumer Search: An Extended Framework", en *Journal of Consumer Research,* 13 (junio de 1986), 119-126; Judith Lynne Zaichkowsky, "Measuring the Involvement Construct", en *Journal of Consumer Research,* 12 (diciembre de 1985), 341-352.

23. Nancy Klingener, "Treasure Hunter Passes into Legend", en *Miami Herald* (diciembre 21 de 1998), 1A, 18A.

24. Rebecca Piirto, "Beyond Mind Games", en *American Demographics* (diciembre de 1991), 52-57.

25. Ibid. Para aquellos interesados en aprender respecto del pensamiento de Dichter, *véase* Ernest Dichter, *Handbook of Consumer Motivations: The Psychology of Consumption* (Nueva York: McGraw-Hill, 1964).

26. *Ibid.*

27. Tara Parker-Pope, "Dial Soap Aims at Soothing Fear of Germs", en *The Wall Street Journal* (enero 20 de 1998), B7.

28. "It´s What You Earn, Not What You Learn", en *Miami Herald* (enero 11 de 1998), 3A.

29. "Women Say *Sayonara* to Valentine Chocolates", en *Miami Herald* (febrero 13 de 1999), 20A.

30. Para un análisis muy interesante del desarrollo de las promociones, *vea* David Vaczek y Richard Sale, "100 Years of Promotion", en *PROMO Magazine* (agosto de 1998), 32-41, 142-145.

31. Tom Belden, "It's More Than Fare: Airlines Yield Key Data", en *Miami Herald's Business Monday* (julio 14 de 1997), 12.

32. Vaczek y Sale, "100 Years of Promotion".

33. *Insights,* NPD Research, Inc., 1979-1982.

34. Katherine Zoe Andrews, "Do Marketing Policies Change Consumer Behavior in the Long Run?" en *Insights from MSI* (invierno/primavera 1997), 1-2.

35. Mike Phillips, "NBA Learning Art of Self-Promotion", en *Miami Herald* (febrero 5 de 1999), 4D.

36. "McDonald´s Runs Low on Teenie Beanie Toys", en *Miami Herald* (abril 16 de 1997), 11B.

37. Jess McCuan, "Auto Companies Head Online in Search of Sales Leads", en *The Wall Street Journal* (julio 6 de 1999), A20.

38. Michelle Chandler, "More Than Just Dumb Bells", en *Miami Herald's Business Monday* (abril 20 de 1998), 18-20.

39. Dick Evans, "Strike Ten Just Not Generating Business", en *Miami Herald* (junio 13 de 1999), 7C.

40. Vaczek y Sale, "100 Years of Promotion".

41. Dorothy Dowling, "Frequent Perks Keep Travelers Loyal", en *American Demographics* (septiembre de 1998), 32-36.

42. David Poppe, "How Do Internet Retailers Foster Customer Loyalty?", en *Miami Herald's Business Monday* (febrero 8 de 1999), 13.

43. Jennifer Lach, "Carrots in Cyberspace", en *American Demographics* (mayo de 1999), 43-45.

44. James R. Bettman, "Perceived Risk and Its Components: A Model and Empirical Test", en *Journal of Marketing Research,* 10 (mayo de 1973), 184-190; Raymond A. Bauer, "Consumer Behavior as Risk Taking", en Robert S. Hancock, ed., *Dynamic Marketing for a Changing World* (Chicago: American Marketing Association, 1960), 389-398; Graham R. Dowling, "Perceived Risk: The Concept and Its Measurement", en *Psychology and Marketing,* 3 (otoño de 1986), 193-210; Lawrence X. Tarpey y J. Paul Peter, "A Comparative Analysis of Three Consumer Decision Strategies", en *Journal of Consumer Research* 2 (junio de 1975), 29-37.

45. Katherine Zoe Andrews, "The Power of Curiosity: Motivating Consumers to Learn", *Insights from MSI* (verano de 1999), 1, 6.

CAPÍTULO 9

Conocimientos del consumidor

CASO DE INICIO

Endless Games es una pequeña empresa de juguetes que se inició hace tres años con el juego de mesa Six Degrees de Kevin Bacon, y cuyas ventas fueron buenas. Pero hace dos navidades, sacaron a la venta Password, un juego que estuvo fuera de circulación durante 15 años. "Cuando lo revivimos —comenta Brian Turtle, gerente de ventas nacional— saltó una chispa."

Desde entonces, Endless Games se introdujo en los juegos de tablero de televisión y resucitó The Newlywed Game, Beat the Clock, The Price is Right, Family Feud y Concentration, que celebró su cuadragésimo aniversario en 1999. Sin embargo, Endless Games todavía no es un reto para Milton Bradley. "Pero nos encontramos en su espejo retrovisor —dice Turtle—. Poca gente puede decir lo mismo después de tres años en operación."

El éxito, según Turtle, se debe a que desde hace tiempo nos familiarizamos con el producto. "La gente ya sabe lo que hay dentro —explica—. Vender un juego de tablero es tan diferente a vender un juguete porque se trata de una caja cerrada. Las personas no saben mucho al respecto. Pero cuando se les da algo con lo cual ya están familiarizados, entonces se interesan."

Turtle piensa que las ventas provienen de todas las edades: personas que jugaron el juego hace años y gente que lo recuerda en los anaqueles de sus padres. Y los niños de ahora conocen todos los viejos programas de juego. El Game Show Network, red de televisión por cable, difunde muchos de estos programas de juego clásicos, tan viejos como los años cincuenta.

Fuente: tomado de Roger Bull, "Always in Style", en The Times-Union *(26 de noviembre de 1999), D1.*

Tal y como se ilustra en el caso de inicio, estar familiarizado con un producto puede determinar si lo dejamos en la repisa o si lo adquirimos y lo llevamos a casa. La familiaridad con el producto es un reflejo de lo que sabemos respecto de él.[1] ¿Hemos escuchado acerca de ese producto antes? ¿Qué sabemos de sus atributos, beneficios y usos? Las respuestas pueden ser información vital para la evaluación de alternativas de compra y para decidir qué comprar.

Este capítulo se enfoca en los **conocimientos del consumidor**, mismos que se pueden definir como el *subconjunto de toda la información almacenada en la memoria que es relevante a la compra y consumo del producto.* Por ejemplo, ¿qué es lo que representan los números SPF que se encuentran en los protectores solares? Analice lo siguiente: ¿Qué diferencias existen entre los relojes Rolex y Timex? "Cuando a usted le importa lo suficiente para enviar lo mejor", ¿sabe a cuál producto pertenece este lema? ¿Deben los niños pequeños beber jugos? ¿Tienen que reducir los diabéticos el consumo de alimentos que contengan sal o azúcar? ¿Qué clase de producto tiene una marca de nombre Topol? ¿Qué es lo que le viene a la mente cuando piensa en automóviles Volvo?

Aunque estas preguntas abarcan varios temas, comparten una conexión común en el hecho de que cada una depende de los conocimientos que tenga el consumidor. SPF por sus siglas en inglés quiere decir factor de protección solar y el número representa la potencia del producto para proteger la piel contra los rayos solares. Los relojes Rolex y Timex difieren en sus precios, calidad y el prestigio de poseer el producto. El lema proviene de Hallmark. Beber 12 onzas o más de jugos al día puede hacer que los niños no crezcan y aumenten de peso.[2] Los diabéticos deben evitar alimentos que contengan azúcar. Topol es una marca de pasta de dientes. Y sólo usted puede responder la pregunta acerca de los automóviles Volvo.

Lo que sabemos o no sabemos influye de manera poderosa en nuestros procesos de toma de decisiones. Piense en dos individuos que se preparan a comprar un automóvil usado. Uno de ellos, comprador experimentado, conoce bien los automóviles. El otro es un comprador inexperto, que posee pocos conocimientos del producto. Estas diferencias en conocimientos pudieran llevar a cada uno por caminos distintos. El individuo conocedor se siente confiado en su capacidad de evaluar razonablemente los puntos fuertes y débiles de los automóviles usados. El que tiene menos conocimientos no. Dada su incapacidad de evaluar el producto, puede solicitar la asistencia de un "amigo para comprar", alguien que él considera adecuado para evaluar las alternativas de elección.

Más allá de afectar la forma en que se toma una decisión, los conocimientos del consumidor pueden también determinar la decisión final misma. Aquellos automóviles usados, disponibles para la compra, pero desconocidos para el comprador, no pueden ser elegidos. O alguna señal indicadora de problemas en el motor, aunque pase inadvertida para un principiante, puede hacer que el experto lo descarte. Los consumidores conocedores son más capaces de evaluar los verdaderos méritos de un produto,[3] lo que les da una mayor oportunidad de seleccionar el mejor producto.

Dado el papel que juegan los conocimientos del consumidor durante la toma de decisiones y las muchas implicaciones comerciales y de política pública derivadas del examen de los conocimientos del consumidor (mismos que se analizarán en el capítulo) es esencial comprenderlos. En las secciones que siguen, analizaremos cinco tipos diferentes de conocimientos del consumidor: 1) conocimientos acerca de la existencia del producto, 2) conocimientos de atributos y asociaciones del producto, 3) conocimientos de compra, 4) conocimientos de consumo y de uso, y 5) conocimientos de persuasión.

Tipos de conocimientos del consumidor

Conocimientos sobre la existencia del producto

Uno de los aspectos fundamentales de los conocimientos del consumidor involucra si están conscientes o no de la existencia del producto. En nuestro anterior análisis respecto de la toma de decisiones del consumidor (capítulo 4) observamos que, antes de que un producto pueda incluirse en el conjunto bajo consideración, debe entrar en el conjunto consciente, el cual está formado por aquellos productos que el consumidor conoce. Mientras los consumidores no sepan que existe el producto, resulta imposible convertirlos en clientes.

Por esta razón, es esencial proporcionarles información a los consumidores, en especial cuando se trate de productos nuevos. Un paso fundamental al introducir un nuevo producto o una nueva tienda, es hacer que se tenga conocimiento de su existencia. Éste es el caso del anuncio que aparece en la figura 9.1. Incluso productos establecidos a menudo descubren que deben crear conciencia, como cuando entran en mercados nuevos. Saturn Corp. es muy conocido para los consumidores estadounidenses como un proveedor de automóviles. Sin embargo, pocos consumidores japoneses conocían la empresa cuando se introdujo en Japón en 1997. Sólo 1% de los japoneses encuestados mencionaba a Saturn cuando se les pedía que identificaran fabricantes de automóviles conocidos.[4] Mejorar los conocimientos de los consumidores japoneses respecto de Saturn resultará vital para el éxito de la compañía.

¿Qué nombres de marca son los más conocidos entre los consumidores estadounidenses? De acuerdo con un estudio, los cinco primeros, en orden, son la sopa Campbell, las tarjetas de felicitación Hallmark, UPS (United Parcel Service), Hershey's y McDonald's.[5]

Figura 9.1   Publicidad dirigida a crear conciencia de la tienda

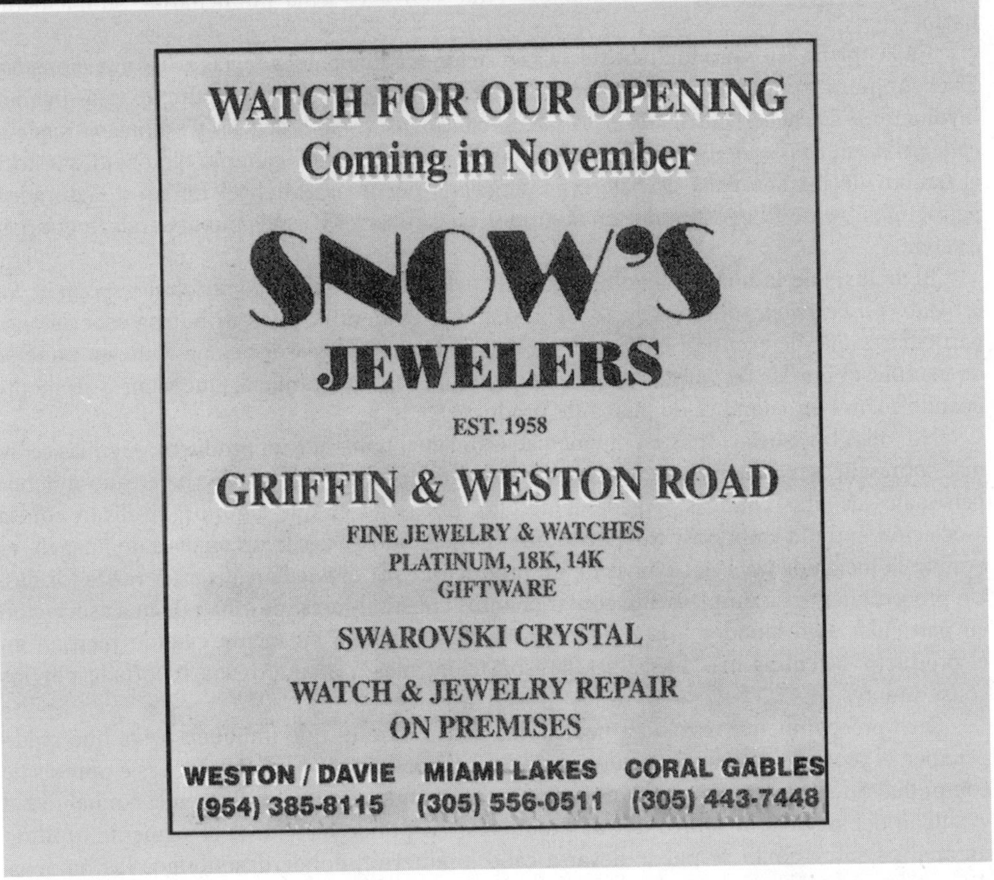

WATCH FOR OUR OPENING
Coming in November

SNOW'S
JEWELERS

EST. 1958

GRIFFIN & WESTON ROAD
FINE JEWELRY & WATCHES
PLATINUM, 18K, 14K
GIFTWARE

SWAROVSKI CRYSTAL

WATCH & JEWELRY REPAIR
ON PREMISES

WESTON / DAVIE	MIAMI LAKES	CORAL GABLES
(954) 385-8115	(305) 556-0511	(305) 443-7448

Existen dos procedimientos básicos para evaluar la conciencia. El primero se enfoca en lo que los consumidores pueden *recordar* de memoria. Antes de leer más allá de esta frase, deténgase y anote todas las marcas de pasta de dientes que le son familiares. El porcentaje de personas que incluyan una marca en particular proporcionaría un indicador de la conciencia del nombre de la marca. Además, podríamos examinar también la marca particular nombrada antes que cualquier otra. El *porcentaje de personas que identifican una marca dada en primer término* se conoce como **conciencia de primera instancia**.

El segundo procedimiento para medir la conciencia se enfoca en el *reconocimiento* del nombre. En vez de pedir a los consumidores que recuerden nombres conocidos, se les da una lista de nombres y se les pide identifiquen aquellos que les son familiares. Continuando nuestro ejemplo de pasta de dientes, piense en el siguiente conjunto de marcas de pastas de dientes: Aim, AquaFresh, Check Up, Close Up, Colgate, Crest, Gleem, Pearl Drops, Pepsodent, Sensodyne, Topco, Topol, Ultrabite y Zact. Es posible apostar que reconoció por lo menos una de estas marcas, pero no la recordó en el párrafo anterior cuando se le pidió que la anotara. Por esta razón, las medidas basadas en recordar producen estimaciones más conservadoras de la conciencia que las basadas en el reconocimiento.

Conocimientos de atributos y asociaciones del producto

Cada producto dentro del conjunto consciente tiene un juego de asociaciones entre sí y otra información almacenada en la memoria. Crest puede asociarse poderosamente con la protección por fluoruro. Es probable que Rolex y Mercedes-Benz se vinculen con el prestigio.

McDonald's es el hogar de los arcos dorados y de Ronald McDonald. Goodyear el dirigible. Y para muchos consumidores, el nombre Nike activa el lema publicitario "Simplemente hazlo".

Cada uno de estos productos poseerá asociaciones adicionales además de las mencionadas. Es el conjunto completo de asociaciones lo que define su **imagen de producto**, éstas pueden involucrar *propiedades y atributos físicos del producto, así como beneficios y sentimientos que se obtienen de su consumo.* También pueden incluir símbolos (por ejemplo el conejo que toca el tambor de los anuncios de baterías Energizer), personas (Michael Jordan y Gatorade), patrocinios (véase El consumidor en la mira 9.1), campañas y lemas publicitarios, logotipos, etcétera.

El **análisis de la imagen** involucra *examinar lo que los consumidores saben respecto de los atributos y asociaciones de un producto.* El paso, inicial es identificar los atributos y asociaciones particulares que determinan la imagen de un producto. Estas asociaciones pueden ponerse de manifiesto por las respuestas de los consumidores a la pregunta: "¿Qué viene a su mente cuando piensa en (nombre de marca de producto)?"

No todas las asociaciones están vinculadas de igual manera a un producto. Algunas serán más sobresalientes y fuertes que otras. A lo largo de los años Disney Co. ha creado muchos personajes de tiras cómicas. Y a pesar de ello, pocos (si es que alguno), rivalizan con la asociación entre la empresa y Mickey Mouse. El segundo paso, de un análisis de imagen, es evaluar la fuerza de las asociaciones de un producto. Esto se puede realizar en varias formas. Un procedimiento es simplemente contar cuántos consumidores informan de una asociación en particular al responder a la pregunta sobre qué viene a su mente cuando piensan en el producto. Mientras más fuerte sea la asociación, más a menudo será reportada por los consumidores.

Otro procedimiento involucra pedir a los consumidores que indiquen hasta qué grado perciben el producto como vinculado a atributos y asociaciones particulares. Las empresas de computadoras, por ejemplo, pueden pedir a los consumidores que califiquen la confiabilidad y calidad del servicio de apoyo de sus productos. Pospondremos hasta el siguiente capítulo un análisis sobre cómo se puede llevar a cabo lo anterior, donde describimos los modelos de actitud multiatributo.

El consumidor en la mira 9.1

Y la medalla de plata es para... ¿Nike?

Ser un patrocinador oficial de los Juegos Olímpicos no resulta económico. Los 11 principales patrocinadores olímpicos pagaron un mínimo de 40 millones de dólares cada uno, en efectivo y en servicios, por los derechos a nivel mundial de poner en el mercado sus nombres con los cinco anillos durante los juegos de Invierno de 1998 y los Juegos de Verano de 2000. Entonces, ¿cuánto éxito han tenido las empresas al establecer su conexión olímpica?

Para responder, la agencia de publicidad Leo Burnett encuestó a los consumidores y les pidió que identificaran cuáles eran los verdaderos patrocinadores olímpicos de entre una lista de grandes anunciantes. McDonald's se llevó los máximos honores con 85% identificándolo correctamente como patrocinador oficial. A continuación quedó Visa (70%), seguido por Coca-Cola (68%), IBM (65%) y Kodak (63%).

Y aun así, estas cifras por sí mismas no cuentan toda la historia. Llama la atención que 11 de los 20 nombres identificados con mayor facilidad como patrocinadores a nivel mundial no califican realmente. De hecho, el verdadero patrocinador Coca-Cola —con 68% de reconocimiento— no quedó muy adelante de Pepsi, que no era patrocinador, que 55% de los consumidores identificó incorrectamente. De la misma forma, el patrocinador United Parcel Service, con 50%, era seguido de cerca por Federal Express, que no es patrocinador, con 40%.

La cifra que registró Nike fue sorprendente. Entre los encuestados, 73% nombraron a Nike como patrocinador oficial y no lo era. Este porcentaje excedió al obtenido por todos los patrocinadores *bona fide*, a excepción de McDonald's.

Fuente: *tomado de Sally Goll Beatty, "Olympic-Sponsor Recognition is Rivaled", en* The Wall Street Journal *(18 de febrero de 1998), B8.*

Una comprensión total de la imagen de un producto a menudo requiere algo más que el simple vistazo al conjunto de asociaciones relacionadas con el producto. También es necesario explorar lo que una asociación en particular representa en la psique del consumidor. Más allá de saber que Clydesdales está fuertemente asociado con Budweiser, es necesario comprender lo que Clydesdales significa para el consumidor. Para algunos, puede representar poder, fuerza y tradición: "Se trata de caballos de labor... ésta es la forma en que solían repartir la cerveza". Otros podrían considerar que simboliza al hombre de la clase trabajadora: "Fuerte, trabajador y orgulloso." El resultado final de este tipo de sondeos es una apreciación enriquecida del significado del producto para el consumidor.[6]

El análisis de la imagen no debe limitarse a los productos solamente. También se puede aplicar a las empresas que producen los productos. En 1999, *The Wall Street Journal* reportó los resultados de un estudio sobre las imágenes corporativas de las empresas estadounidenses.[7] Más de 10 000 consumidores calificaron a las empresas con base en 20 atributos diferentes, incluyendo cuánto se respetaba y admiraba; la calidad, innovación, valor y confiabilidad de sus productos y servicios; y si la empresa era un buen ciudadano en sus tratos con la comunidad, empleados y entorno. Estas calificaciones se combinaron después para obtener un "coeficiente de reputación (CR)," donde calificaciones mayores representaban imágenes corporativas más favorables. Y el ganador es... Johnson & Johnson, la empresa de cuidados a la salud, famosa por su talco y shampoo para bebés. Vea la tabla 9.1 para un listado completo de las 30 empresas que recibieron las calificaciones CR más elevadas.

Es fácil ver la forma en que la imagen de una empresa puede influir en los consumidores, respecto de los productos que compran. Pero, ¿qué hay acerca de si la empresa es respetada o se percibe como responsable ecológicamente? ¿Toman los consumidores estos asuntos en consideración al decidir qué comprar? De acuerdo con el estudio de *The Wall Street Journal*, muchos sí lo hacen. Cerca de 25% de los consumidores informaron que el año pasado boicotearon los productos de empresas o intentaban convencer a los demás de hacerlo por estar en desacuerdo con sus políticas y acciones. Algunos indicaron que todavía tienen malos sentimientos hacia Exxon debido al derrame de petróleo en Alaska. Una mujer informó que no permitía que su novio se detuviera en una gasolinera de Exxon "ni por un paquete de chicles o para usar el baño".[8]

Tabla 9.1   Imágenes corporativas: las 30 más importantes

Clasificación y empresa	CR	Clasificación y empresa	CR	Clasificación y empresa	CR
1 Johnson & Johnson	83.4	11 Dell	78.4	21 FedEx	75.7
2 Coca-Cola	81.6	12 General Electric	78.1	22 Procter & Gamble	71.9
3 Hewlett-Packard	81.2	13 Lucent	78.0	23 Nike	71.3
4 Intel	81.0	14 Anheuser-Busch	78.0	24 McDonald's	71.2
5 Ben & Jerry's	81.0	15 Microsoft	77.9	25 Southwest Airlines	70.6
6 Wal*Mart	80.5	16 amazon.com	77.8	26 America Online	69.2
7 Xerox	79.9	17 IBM	77.6	27 DaimlerChrysler	69.1
8 Home Depot	79.7	18 Sony	77.4	28 Toyota	68.6
9 Gateway	78.8	19 Yahoo!	76.9	29 Sears	67.6
10 Disney	78.7	20 AT&T	75.7	30 Boeing	67.3

Fuente: Ronald Alsop, "The Best Corporate Reputations in America", en The Wall Street Journal *(2 de septiembre de 1999), B1, B22.*

Conocimientos de compra

Los **conocimientos de compra** abarcan las *diversas piezas de información que poseen los consumidores respecto de la compra de los productos*. Esto incluye lo que los consumidores saben acerca del precio, si es más barato en ciertas ocasiones y dónde se puede adquirir el producto.

¿Cuánto cuesta?

Uno de los aspectos críticos de los conocimientos de compra incluye el precio del producto, porque a menudo puede hacer o deshacer una venta. Este conocimiento es importante por un par de razones. Primero, piense qué tan a menudo ha buscado el precio más bajo. Los consumidores que desconocen los precios "adicionales" que se cargan por el producto, por lo general buscan la manera de adquirir dicha información, sobre todo en el caso de productos costosos. Además, el conocimiento acerca del margen de precios en una clase de productos, puede influir sobre las percepciones por parte del consumidor de si el precio que se carga por un producto específico es razonable.[9] Un precio exorbitante pudiera no parecer irrazonable para los no informados. En consecuencia, es vital la creación de un conocimiento de los precios para aquellas empresas que ofrecen a los consumidores significativos ahorros en el precio. Un ejemplo de lo anterior aparece en la figura 9.2, en el cual Buy.com comunica sus precios más bajos en relación con Amazon.com.

Las decisiones de precios, de los gerentes, pueden depender de sus percepciones en relación con qué tan informados están los consumidores acerca de éstos.[10] Los gerentes se ven obligados a mantener los precios bajos y a responder a las rebajas que hace la competencia, cuando creen que los consumidores están bien informados acerca de los precios que el mercado carga. Niveles bajos de conocimiento de precios, sin embargo, permiten que las empresas se

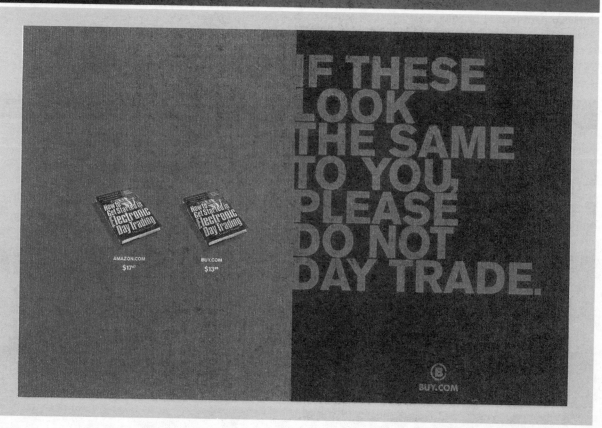

Figura 9.2   Creación del conocimiento del precio

preocupen menos de la diferencia de precios en relación con la competencia. Si en general los consumidores no están informados respecto de las diferencias relativas de precios, las empresas pueden beneficiarse de esto mediante precios más elevados. Por tanto, una parte clave del análisis de la imagen del producto involucra comprender el conocimiento de los consumidores respecto al precio absoluto (el precio de una lata de 1 libra de café Maxwell House) así como su precio en relación con la competencia (si la marca cuesta más o menos que otras).

¿Cuándo comprar?

Las creencias de los consumidores respecto de cuándo comprar son otro componente importante de los conocimientos de compra. Los consumidores que saben que un producto entra en barata durante ciertas épocas del año pueden posponer la compra hasta dicha época.[11] Este conocimiento puede determinar también cuándo se compran las innovaciones. Muchos consumidores no adquieren los productos nuevos de inmediato, porque creen que con el transcurso del tiempo bajarán de precio.

¿Dónde comprar?

Un problema que deben encarar los consumidores durante la toma de decisiones es dónde comprar el producto. Muchos productos pueden adquirirse por medio de diferentes canales de distribución. Los cosméticos se pueden comprar en una tienda al menudeo, de un catálogo, de un representante de ventas (como Avon o Mary Kay), e incluso mediante internet. Dado que un canal de distribución puede consistir en múltiples competidores, el consumidor debe decidir en cuál hacer la compra. Un consumidor que ha decidido adquirir sus cosméticos con un minorista establecido puede escoger entre varias tiendas departamentales, comercializadoras y tiendas de especialidad diferentes.

Las decisiones respecto a dónde comprar dependen de los conocimientos de compra. La falta de concientización impide la consideración de la compra. Uno de los retos que enfrentan los minoristas de internet es crear conciencia de su existencia. Los anuncios como el que aparece en la figura 9.3 tienen la intención de superar este reto. De manera similar, el U.S. Postal Service recientemente envió por correo a los consumidores un folleto informando acerca de las diversas formas en que podían adquirirse estampillas de correos: en el correo, por teléfono y por medio de internet (www.usps.com).

Para los minoristas establecidos, otro componente del conocimiento de compra es el sitio donde se localiza el producto en el interior de la tienda. En un estudio, se mostró a los compradores planos de piso de un supermercado y se les pidió que identificaran la ubicación de varios productos. Los compradores resultaron más precisos para productos colocados en pasillos periféricos que para los que se ubican en pasillos centrales. La precisión también era mayor en tiendas más pequeñas y de compradores asiduos que informaban tener niveles más elevados en esa tienda.[12]

Los conocimientos respecto de la ubicación de un producto dentro de una tienda pueden afectar al comportamiento de compra.[13] Cuando los consumidores no están familiarizados con la tienda, deben apoyarse más en información y desplegados para identificar la ubicación del producto. Este procesamiento adicional de estímulos en el interior de la tienda puede activar necesidades o deseos antes no reconocidos, llevando por tanto a compras no planeadas.

Conocimientos del consumo y uso

Los **conocimientos del consumo y uso** abarcan la *información en la memoria respecto de la forma en que un producto puede consumirse y lo que se requiere para utilizarlo.* Este conocimiento es importante por varias razones. En primer término, es poco probable que los consumidores adquieran un producto cuando carecen de información suficiente acerca de cómo utilizarlo. Por tanto, se necesitan programas de mercadotecnia diseñados para informar al consumidor respecto de la forma de consumir el producto. Por ejemplo, algunos consumidores evitan

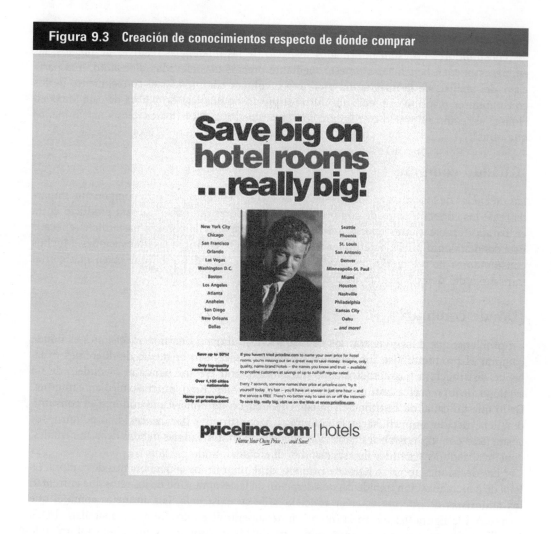

Figura 9.3 Creación de conocimientos respecto de dónde comprar

efectuar teleconferencias simplemente debido a la falta de conocimientos acerca de cómo hacerlo. Una forma de superar esta barrera, que se muestra en la figura 9.4, es proporcionando a los consumidores la información necesaria en una tarjeta de plástico que se puede almacenar para referencia futura. Incluso cuando los consumidores poseen conocimientos de uso, puede ser necesario algún esfuerzo educativo. Quizás recuerde del capítulo 6 (véase El consumidor en la mira 6.2) el ejemplo para enseñar a los rusos cómo beber "correctamente" el vodka.

Otra barrera para la compra se presenta cuando los consumidores poseen información incompleta acerca de las diferentes situaciones en las cuales se puede consumir un producto. De nuevo se justifican esfuerzos educativos, como en el caso del anuncio Bounce en la figura 9.5. El anuncio describe la forma en que Bounce, que tradicionalmente se encuentra en los secadores de ropa, se puede utilizar en toda la casa como un aromatizante. Estos esfuerzos resultan bastante comunes, ya que los negocios a menudo identifican y promueven nuevos usos del producto para aumentar su demanda.

Observe, que debe tenerse cuidado al seleccionar nuevos usos. Una preocupación importante es que un nuevo uso puede, de hecho, reducir el atractivo del producto para los consumidores. Por ejemplo, Avon empleó un posicionamiento de uso múltiple para su aceite de baño Skin-So-Soft. Además de describir su uso como un humectante para después del baño, sugirió que podía eliminar las manchas de alquitrán de los automóviles. ¡Algunos consumidores pueden sentirse menos que entusiasmados respecto de utilizar un humectante de la piel que también puede eliminar manchas de alquitrán en un automóvil!

Figura 9.4   Creación de conocimientos acerca de cómo utilizar un servicio

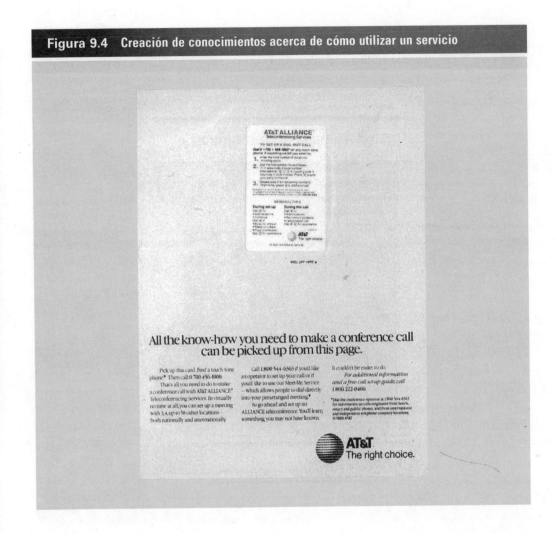

Incluso si un conocimiento inadecuado del consumidor no impide la compra del producto, puede tener efectos perjudiciales en su satisfacción. Un producto mal utilizado puede desempeñarse incorrectamente, haciendo que los clientes se sientan insatisfechos. Y aún peor, el mal uso puede conducir a lesiones corporales, por ejemplo accidentes que involucran sierras mecánicas de mano.[14]

Conocimientos de persuasión

El **conocimiento de persuasión** representa lo que saben los consumidores respecto de las metas y tácticas de quienes intentan persuadirlos.[15] Hagamos una prueba acerca de nuestros conocimientos de persuasión. Observe la figura 9.6, que reproduce un letrero colocado en la carretera, para aquellos que apoyan la elección del candidato al consejo de una escuela local. ¿Puede identificar las metas y tácticas de este intento de persuasión?

Si alguna vez ha votado en una elección donde numerosos candidatos compiten en muchas posiciones, es muy probable de que por lo menos algunos nombres mostrados en la casilla de votación le resulten poco familiares. Y algunas veces se verá obligado a elegir entre dos o más individuos desconocidos. Y aun así, esta elección podría modificarse fácilmente, si alguno de los candidatos le fuera conocido. Como se hizo notar en el caso de inicio al principio de este capítulo, esta familiaridad puede ser un factor decisivo. En consecuencia, al aumentar la familiaridad de los votantes con el nombre de un candidato, la balanza se puede inclinar a favor del mismo.

Figura 9.5 Ampliación de los conocimientos de los consumidores acerca de diferentes formas de utilizar un producto

Figura 9.5 Ampliación de los conocimientos de los consumidores acerca de diferentes formas de utilizar un producto

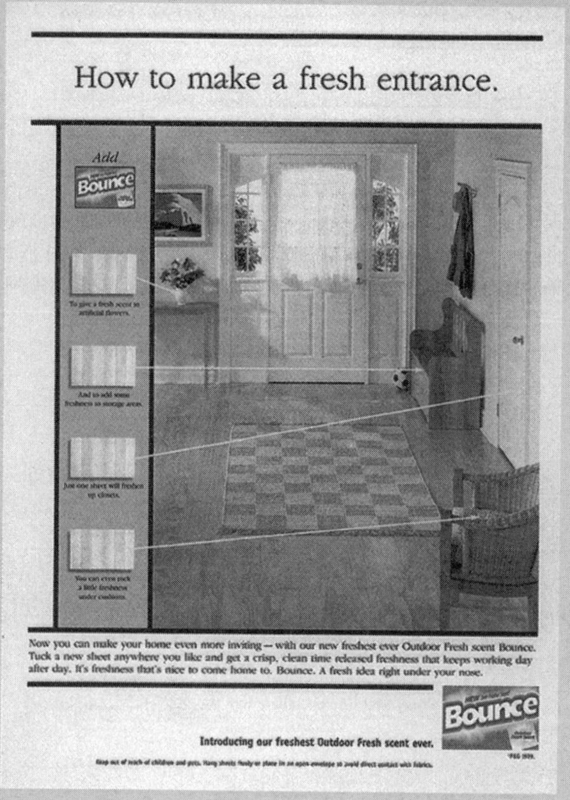

Una meta, entonces, del letrero de carretera de la figura 9.6 es crear conciencia respecto del nombre del candidato. Probablemente la mayoría de las personas reconoce lo anterior. Lo que pudiera escapar a mucha gente es el uso, en el letrero de la imagen visual para reforzar la memoria de los votantes respecto del nombre del candidato. En particular, el corazón rojo es una representación visual del nombre. Como veremos en el capítulo 16, las representaciones visuales de conceptos semánticos (por ejemplo, el nombre de una persona o un producto) puede ser una táctica muy efectiva para reforzar la memoria.

El uso del corazón rojo dentro del letrero tiene otro beneficio posible, dependiendo de si el corazón evoca emociones y asociaciones particulares favorables. De ser así, entonces estas emociones y asociaciones pueden ser transferidas al candidato. Mediante la simple asociación del candidato con un estímulo agradable, puede incrementarse la aceptación por parte de los votantes. Más adelante en el capítulo 15 analizaremos la forma en que la simple asociación de un objeto con otro puede influir sobre creencias, elecciones y actitudes de los consumidores.

El conocimiento de la persuasión es importante, ya que influye en la forma en que los consumidores responden a ésta. El conocimiento acerca de una táctica particular de persuasión quizás no sólo elimine su efectividad, sino también puede reducir dicha persuasión, como en el caso en que los consumidores resienten ser sujetos de tácticas que ellos perciben como manipulación.

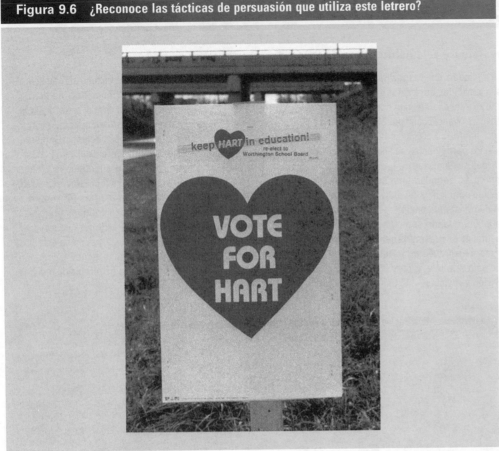

Figura 9.6   ¿Reconoce las tácticas de persuasión que utiliza este letrero?

Fuentes de conocimiento del consumidor

Las personas adquieren sus conocimientos como consumidores de una variedad de fuentes. Las opiniones de terceros, especialmente de aquellos percibidos como más conocedores respecto del producto en cuestión, son fuentes valiosas de información. Gran parte de lo que sabemos como consumidores puede encontrar su origen en lo que hemos aprendido de la familia, amigos, colegas y otros (vendedores, farmacéuticos, profesores, etcétera).

Los conocimientos del consumidor también se adquieren a partir de fuentes no personales de información. Los medios están llenos de relatos acerca de consumidores y productos. Las empresas desembolsan miles de millones de dólares al año en publicidad diseñada para educar a los consumidores respecto de sus productos (véase El consumidor en la mira 9.2). Las revistas, como el *Consumer Reports*, están llenas de calificaciones de productos y consejos relativos a cómo ser un comprador más inteligente. La internet ha proporcionado a los consumidores un fácil acceso a todo un cúmulo de información. La figura 9.7 contiene un anuncio de una empresa de internet (CNET.com) que ofrece información comparada de productos para consumidores que buscan adquirir una computadora. Y la Sección Amarilla ha sido durante décadas una valiosa fuente de información. Aun así, como se describe en El consumidor en la mira 9.3, intenta mejorar su imagen como libro de consulta del consumidor.

Una de las fuentes fundamentales de conocimientos del consumidor proviene de la experiencia misma. Independientemente de lo que digan los demás, no hay sustituto para la realidad. En la mayor parte de los casos, aprendemos mucho del simple hecho de comprar y consumir.

El consumidor en la mira 9.2

Publicidad en revistas y televisión como fuentes de información

Un nuevo estudio patrocinado por Magazine Publishers of America sugiere que la publicidad en revistas merece un poco más de respeto cuando se trata de transmitir conocimientos de marca que sean efectivos. Llevado a cabo por Millward Brown, el estudio encuestó por teléfono a 500 000 consumidores por un periodo de 2 años. A los participantes se les pidió recordar cualquiera de 113 marcas en 22 clases de productos y cómo supieron de dicha marca. La cantidad total de encuestados que dijeron habían tenido conciencia de cierto producto por medio de un anuncio de revista fue de 64% —29% mediante revistas únicamente y 35% cuando se combinan revistas y televisión—. La cifra total de encuestados que se declararon conscientes de una marca a través de la televisión fue de 71% —36% atribuible sólo a la televisión y 35% a anuncios combinados en televisión y revistas—. El estudio descubrió

también que las revistas eran casi 3 veces más efectivas que la televisión en la generación de una conciencia de marca.

Los resultados son mejores de lo esperado, dirían algunos. Las revistas desde hace tiempo se han visto opacadas por la televisión en términos de creación de una conciencia de marca. Pero de hecho, poco se ha sabido acerca del tema. Hasta ahora, era escasa la información que cuantificaba cuánto alcanzan los anuncios de revista en el índice de efectividad, lo que obligaba a los editores y compradores de medios a conformarse con la opinión general e información auxiliar. "Utilizábamos datos de Simmons o de MRI para observar el auditorio objetivo y sus hábitos de medios, así como estudios de caso exitosos, como la campaña '¿Tiene leche?'", comenta Anita Peterson, directora de grupo de la estrategia de revistas en DDB Needham/Optimum Media.

Fuente: tomado de Rachel X. Weissman, "Just Paging Through", en American Demographics *(abril de 1999), 28-29.*

El consumidor en la mira 9.3

La Sección Amarilla desea ampliar su imagen como fuente de información

El lema familiar "Deje que sus dedos caminen por usted" está siendo rebasado por el deseo de la Sección Amarilla de cambiar su imagen de un simple listado de números telefónicos, a un libro de recursos para el consumidor. El logotipo de los "dedos que caminan" apareció en 1961 y se convirtió en una de las campañas de publicidad más reconocidas. Más de la mitad de los editores de directorios hoy siguen utilizando este logotipo. Pero después de un uso de más de 40 años, el lema y los dedos han recibido sus cartas de retiro.

"Todo el mundo conoce la Sección Amarilla. Todo el mundo sabe de los dedos que caminan, pero francamente es un poco aburrido", dice Jim Logan, presidente y funcionario ejecutivo de la Yellow Pages Publishers Association, con sede en Denver. "Cuando comenzamos a pensar al respecto... rápidamente se encontró que si se deseaba incrementar el uso, era necesario hacer algo distinto."

Por tanto, esta industria de 12 mil millones de dólares al año inició una campaña de $24 millones, incluyendo al

comediante Jon Lovitz, en enero de 1999; su primera campaña desde la separación de AT&T en 1984. La campaña reemplaza los dedos que caminan por un bulbo de luz, junto con la frase "Tengo una idea". De acuerdo con Logan, el objetivo es modificar la imagen de la Sección Amarilla para convertirla en un libro de recursos para el consumidor.

Y aun así, no todo el mundo está seguro de que el cambio del logotipo de los dedos que caminan por del bulbo sea una idea tan brillante. "La gente en general utiliza la Sección Amarilla para un margen predeterminado de cosas que necesitan. Pienso que la idea de reposicionarlo como un libro mediante el cual usted puede tener una idea... estira la publicación hacia un área donde probablemente no podrá ser capaz de cumplir con esta promesa", opina Jim Johnson, presidente y director ejecutivo de Enterprise IG, empresa de asesoría de marcas e identidad corporativa de la ciudad de Nueva York.

Fuente: tomado de Sandy Shore, "Yellow Pages Seeks to Expand, Enhance Its Image", en Miami Herald *(15 de diciembre de 1998), 41A.*

Figura 9.7   Fuentes de conocimientos en la Internet

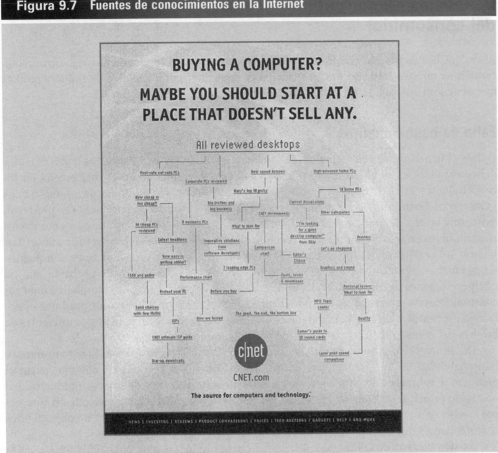

Algunas veces la compra y el consumo se seleccionan como una forma simple de aprender acerca del producto en vez de dedicarse a una búsqueda de información de gran esfuerzo. Podemos decidir que la forma más sencilla de aprender respecto de un nuevo alimento encontrado en la tienda de comestibles es llevarlo a casa y probarlo.

Es importante si el conocimiento está o no basado en la experiencia directa. La experiencia real nos hace sentir mayor confianza en lo que sabemos.[16] Mamá podrá decir que su nueva receta va a gustarle, pero usted realmente no lo sabrá hasta que de hecho la pruebe. Una mayor confianza, a su vez, significa que es más probable que se apoye en este conocimiento durante la toma de decisiones, reduciendo así la búsqueda externa. Finalmente, los interesados en modificar los conocimientos del consumidor se enfrentan a un reto más grande cuando estos conocimientos se basan en la experiencia directa. En comparación con los conocimientos basados en la experiencia indirecta (por ejemplo, lo que aprende de un anuncio o de un amigo), los conocimientos derivados de la experiencia real son más resistentes al cambio.[17]

A veces las empresas tienen que ajustar sus estrategias de mercadotecnia al dirigirse a consumidores que carecen de experiencia directa con el producto. Un ejemplo se encuentra en la rama industrial de los cruceros. Muchos consumidores no han hecho nunca un crucero, porque tienen temor respecto de si disfrutarán de la experiencia de consumo. Para reducir esta preocupación, Carnival Cruise Lines ofreció una garantía de la devolución del dinero de cualquier servicio no utilizado durante la travesía. Durante los primeros tres meses de existencia, únicamente 37 de más de 250 000 pasajeros solicitaron la devolución.[18]

Beneficios de comprender los conocimientos del consumidor

Ahora que hemos abarcado los tipos principales y las fuentes de conocimientos del consumidor, centremos nuestra atención en los principales beneficios comerciales y de política pública que ofrece un análisis de los conocimientos del consumidor.

Falta de conocimientos

Quizás el beneficio más elemental que se puede derivar de un examen de los conocimientos del consumidor es la identificación de **brechas en los conocimientos**. Una brecha en los conocimientos es el término utilizado para describir *una ausencia o falta de información en la memoria*. Cuando los consumidores no están conscientes de la existencia del producto, existe una brecha de conocimientos importante. Pero éstas no se limitan simplemente a si los consumidores están o no familiarizados con lo que está disponible en productos y minoristas. Incluso si la existencia del producto o minorista es conocida, los consumidores aún pueden tener brechas significativas en otros aspectos de sus conocimientos. Es probable que no estén conscientes de alguna asociación o atributo de importancia, por ejemplo, cuando los consumidores no saben cuál es el producto que ejerce el precio más bajo o qué producto ofrece la mejor garantía. Quizás ignoran algún uso valioso del producto. Existen tipos diferentes de brechas del conocimiento en la mente de los consumidores objetivo.

Desde una perspectiva comercial, la clave es identificar las brechas cuya existencia disminuye la probabilidad de que los consumidores, al efectuar sus decisiones de compra, elijan el producto. Las brechas de conocimientos son frecuentes en el caso de nuevos productos. Un obstáculo principal de Web TV, en la cual los consumidores pueden tener acceso a la internet por medio de su televisor en vez de su computadora, es conseguir que los consumidores comprendan lo que realmente es la televisión internet.[19]

Existen brechas de conocimientos, incluso para productos bien conocidos. Piense en lo que ocurrió cuando *60 minutos* de CBS puso al aire un segmento relacionando con el consumo moderado de vino rojo (pero no blanco) reduce el riesgo de ataques al corazón. ¡Las ventas de vino rojo se fueron al cielo en 40% Una empresa posteriormente colocó etiquetas sobre sus botellas de vino rojo con extractos del programa.[20] De manera similar, Dannon espera que al educar a los consumidores respecto de los beneficios médicos del consumo de calcio (véase la figura 9.8) mejorará la demanda de su yoghurt.

Desde la perspectiva de políticas públicas, el punto central son las brechas de conocimientos que socavan el bienestar del consumidor. Las oficinas gubernamentales, como The Federal Trade Commission, puede encuestar a los consumidores respecto de sus conocimientos para ayudar a guiar políticas dirigidas a proteger al consumidor "no informado". Para los que piensan que los consumidores carecen de información suficiente para efectuar una "elección informada", los que elaboran las políticas pueden emitir legislación que requiera la publicación de información apropiada. Ésta fue la motivación subyacente al requisito del gobierno hacia la industria cigarrera de reemplazar la advertencia original requerida por ley ("El Departamento de Salud ha determinado que el consumo de cigarrillos es peligroso para su salud"). Ahora a los fabricantes de cigarrillos se les requiere que periódicamente cambien una serie de etiquetas de advertencia describiendo peligros específicos (por ejemplo, "El consumo de cigarrillos causa cáncer de pulmón, ataques cardiacos, enfisema y puede complicar el embarazo"). De manera similar, el Centers for Disease Control y el American Academy of Dermatology han intentado educar a los consumidores acerca del riesgo de cáncer debido a una excesiva exposición al Sol.[21]

Conocimientos no deseables

Además de identificar las brechas de conocimientos, los negocios y quienes preparan las políticas públicas también deben ser sensibles a la posibilidad de que los consumidores pueden

Figura 9.8   Dannon desea educar a los consumidores respecto de los beneficios del consumo del producto

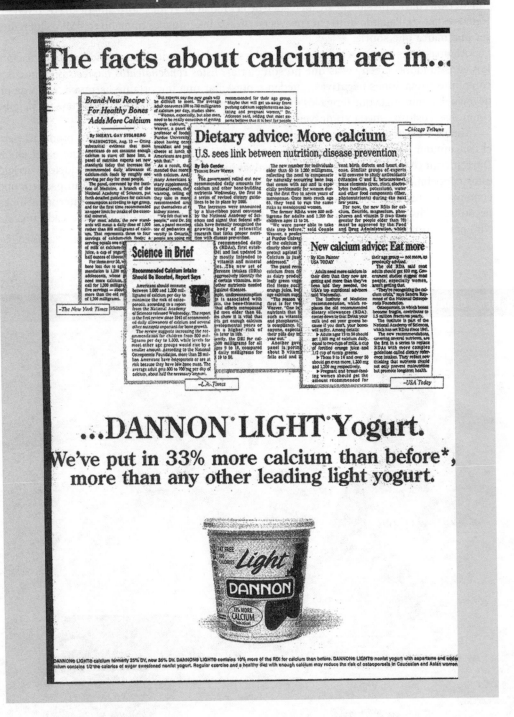

tener conocimientos no deseables desde la perspectiva de la empresa o del elaborador de la política. El análisis de la imagen de un producto, por ejemplo, puede revelar defectos que limitan su potencial de ventas. Mercedes-Benz ha tenido éxito al desarrollar una reputación de automóviles de alta calidad. Pero a pesar de ello, también tiene ciertas asociaciones que perjudican su imagen. De acuerdo con el director creativo en jefe de la agencia de publicidad de Mercedes, los consumidores consideran la marca como demasiado "fría y germánica".[22]

Algunas personas se sienten rechazadas por la imagen de presunción de la empresa. BMW ha experimentado problemas similares. "Antes, pienso éramos un poco fríos y distantes —comenta Jim McDowell, vicepresidente de mercadeo de la unidad de ventas norteamericana de BMW—. Hemos estado trabajando duro para proyectar un sentimiento más humano en BMW. Queremos ser una marca que sonríe."[23]

Algunas veces los conocimientos indeseables son el resultado de una deficiente información. Los consumidores creen cosas que no son ciertas. *Estos conocimientos imprecisos*, conocidos como **interpretaciones negativas**, pueden representar una importante barrera al éxito de un negocio. Un minorista que tenga los mismos precios que un competidor, pero que se le perciba como más costoso, queda en desventaja.

Cuando existen interpretaciones negativas que socavan el atractivo del producto para el consumidor, son necesarias acciones de corrección. Lever Brothers, fabricante del jabón Dove, identificó varias interpretaciones negativas indeseables respecto de su producto. Corrigió estos conocimientos imprecisos enviando por correo a los hogares objetivo un paquete que contenía, entre otras cosas, el folleto que aparece en la figura 9.9. Estas interpretaciones negativas se listaban en el folleto, seguidas por una explicación de por qué cada una de ellas era incorrecta.

Figura 9.9   Esfuerzo de una empresa para luchar contra interpretaciones negativas del producto

Otro ejemplo proviene de la industria de cuidados de jardines. A los consumidores se les pidió estimaran el precio de un servicio de la empresa. Aunque los clientes dieron estimaciones muy precisas, esto no fue así en el caso de los no usuarios. Su estimación de precios promedio era del doble del precio real, y muchos no usuarios exageraban el precio en un factor de 3 o 4. Este descubrimiento de interpretaciones desfavorables de precio de los no usuarios resultaron en un cambio en la estrategia publicitaria de la empresa. Pronto se lanzó una nueva campaña que se centraba en el tema "no es tan costoso como usted pudiera pensar". Este mismo tema básico se ve reflejado en el anuncio de Mercedes que aparece en la figura 9.10. El consumidor en la mira 9.4 describe los esfuerzos recientes de Hallmark para modificar las interpretaciones negativas de los consumidores respecto de los precios de sus tarjetas de felicitación.

Por tanto, a menudo la detección de un conocimiento indeseable desencadena esfuerzos para modificar la imagen del producto. Para hacerlo se requiere modificar las opiniones de los consumidores. Más adelante en el capítulo 15 se estudiará la forma en que esto puede llevarse a cabo.

Medición del éxito del posicionamiento de un producto

Tener una clara comprensión de los conocimientos del consumidor proporciona una "prueba real" del éxito de una empresa para lograr el posicionamiento deseado del producto en el mercado. Un producto que intenta situarse como "interesante" y "de moda" puede descubrir el éxito que ha tenido al examinar la imagen del producto entre los consumidores objetivo. La frecuencia con la que estas asociaciones deseadas aparecen representadas en los conocimientos del producto por parte de los consumidores envía una clara señal de lo bien que la empresa ha creado el estado mental deseado.

Figura 9.10   Mercedes-Benz no desea que los consumidores sobreestimen sus precios

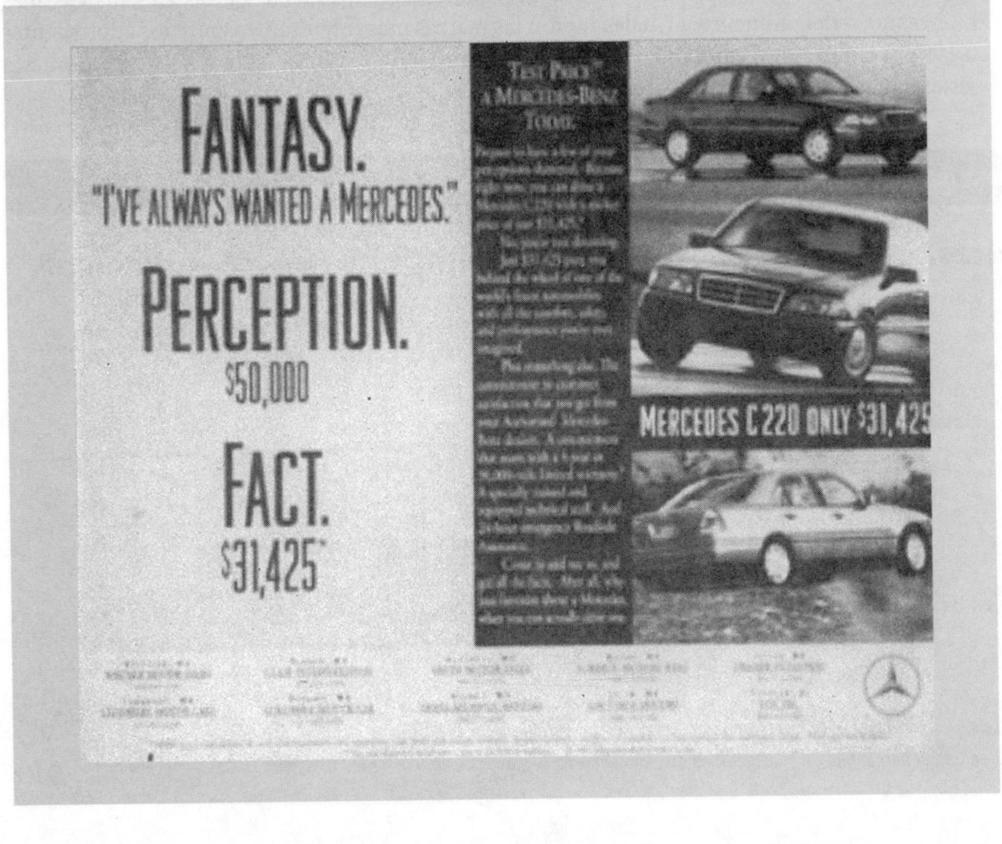

El consumidor en la mira 9.4

Hallmark intenta "corregir" el conocimiento del precio de los consumidores

Olvídese de todas esas tarjetas de san Valentín de 3 y 4 dólares que vio en la tienda. Hallmark Cards Inc. intenta levantar las ventas al declarar que sus tarjetas no son tan costosas como se piensa. En 1998, la empresa de tarjetas de felicitación lanzó una campaña de publicidad y mercadeo de 10 millones de dólares promocionando sus tarjetas económicas que se venden por menos de 2 dólares. Aproximadamente 30% de las tarjetas que vende Hallmark cuestan más que esto, y algunas cuestan hasta 4.75 dólares.

Los nuevos anuncios representan un giro importante para un anunciante de 175 millones de dólares al año, más conocido por insistir con los consumidores para que adquieran en función de marca. "Muchas personas piensan que las tarjetas en general son demasiado costosas —comenta Adrienne S. Lallo, vocera de Hallmark—. Nos hemos lanzado a corregir esta mala información." Hallmark tiene cuidado de hacer notar que no está reduciendo los precios de las tarjetas, sino que intenta corregir que lo que dicen se trata de una mala interpretación entre los clientes. Algunos consumidores creen que sus tarjetas tienen un precio "50% más elevado de lo que realmente son". comenta Lallo.

Desde 1990, las ventas totales anuales de tarjetas de felicitación se han mantenido estables, en 7 mil millones de dólares. Hallmark, que posee aproximadamente 42% del mercado de las tarjetas de felicitación, dice que una de las metas principales de la campaña es reforzar la totalidad de la categoría de tarjetas de felicitación, que durante años ha experimentado ventas sin cambio.

Un spot de televisión muestra una lata de sopa con la leyenda "Alimenta un resfriado". Una leyenda bajo una tarjeta dirigida a una persona amada dice "Inicia una fiebre". Otro spot muestra una bolsa de papas fritas marcadas como "Grasosas". Una tarjeta dirigida al jefe está marcada como "Mañosa". En ambos comerciales, el sonido "cha-ching" de una caja registradora se ve seguido por el precio de las tarjetas: 1.65 y 1.95 dólares, respectivamente.

Fuente: tomado de Calmetta Y. Coleman, "Hallmark Campaign Focuses on Card Costs", en The Wall Street Journal *(12 de febrero de 1998), B6.*

Por lo que, ¿cuál sido el éxito de las empresas en conseguir que los adolescentes piensen que sus productos son "interesantes"? Cada año, Teenage Research Unlimited, empresa de investigación de mercados, encuesta a 2 000 adolescentes respecto de las tres marcas más "interesantes" del momento. ¿Cuáles fueron las marcas más interesantes entre los adolescentes en 1998? ¿Hubo algún cambio en comparación con 1997? Véase la tabla 9.2 para la respuesta a estas preguntas.

Tabla 9.2   Marcas interesantes: 10 primeras entre los adolescentes

Primeras marcas de 1998 (Clasificación de 1997)	Total de 1998	1997	Hombres 1998	Mujeres 1998
1. Nike (1)	38%	52%	42%	33%
2. Adidas (6)	19%	8%	15%	23%
3. Tommy Hilfiger (2)	18%	16%	18%	18%
4. Sony (4)	11%	9%	17%	5%
5. Gap (3)	10%	11%	5%	14%
6. Pepsi (8)	9%	7%	11%	8%
7. Coca-Cola (9)	8%	7%	9%	7%
8. Levi's (5)	7%	9%	7%	8%
9. Ralph Lauren/Polo (11)	7%	6%	6%	8%
10. Nintendo (7)	6%	7%	11%	2%

Fuente: Jennifer Lach, Like, "I Just Gotta Have It", en American Demographics (febrero de 1999), 24.

Nota. Los números representan el porcentaje de adolescentes que identificaron la marca como una de las tres marcas más "interesantes".

Descubrimiento de nuevos usos

A menudo los consumidores tienen ingenio para descubrir nuevas formas de utilizar un producto viejo. Como tal, pueden resultar una fuente invaluable de ideas respecto de los usos de los nuevos productos. Un ejemplo clásico es el papel sanitario Kleenex de Kimberly-Clarke. Originalmente se vendía como algo que debía utilizarse junto con crema limpiadora para eliminar el cosmético. Finalmente, fue reposicionado como un pañuelo desechable una vez que la empresa recibió numerosas cartas de los consumidores describiendo nuevos usos del producto. En determinado momento, la empresa incluyó un inserto en el paquete listando otros 50 usos, descubiertos por los consumidores.[24] Al comprender los conocimientos de uso, las empresas pueden descubrir nuevos usos que se pueden promover, como forma de ampliar el atractivo de sus productos.

Medición de la severidad de las amenazas competitivas

Una evaluación de los conocimientos del consumidor en relación con los competidores es útil para medir las amenazas competitivas hacia el negocio propio. A guisa de ilustración, suponga que una empresa de alimentos hiciera una encuesta entre sus clientes respecto de sus opiniones acerca de la marca de la empresa, así como de marcas de la competencia. Ahora suponga que descubrió que el competidor A es percibido como muy similar a la oferta de la empresa, en tanto que el resto de la competencia se considera inferior. En consecuencia, la empresa debe preocuparse mucho más por el potencial que tiene el competidor A de robarle los clientes, y quizás desee llevar a cabo actividades que ayuden a diferenciar aún más en la mente de sus clientes su marca de la marca del competidor A.

Mejora en la efectividad de las actividades de reclutamiento de clientes

Finalmente, un examen de los conocimientos del consumidor puede ayudar en el desarrollo de actividades de reclutamiento de los clientes. Piense en los intentos de apropiarse el negocio de la competencia. En esta situación, es necesario enfocarse en las imágenes de marca que tienen los clientes de la competencia. De manera ideal, esto se llevaría a cabo para clientes de cada competidor por separado, dado que diferentes clientes de la competencia pueden tener imágenes muy distintas. Presumiblemente, existen razones por las que los consumidores llegaron a la decisión de llevar su negocio con la competencia. Estas razones deben convertirse en aparentes al comparar la forma en que los clientes del competidor califican el producto que en realidad adquieren, así como el producto que usted desea que adquieran. Probablemente consideran que su producto es más costoso. O quizá se le considera como de una calidad inferior. Cualquiera que sea la razón, debe comprender mejor las deficiencias que deben remediarse en su producto con el fin de convertir a los clientes de la competencia en sus clientes.

La identificación de lo que necesita modificarse es sólo una parte del problema. También es necesario identificar la forma en la cual deben realizarse estos cambios. ¿Deberá la empresa confiar en la publicidad para transmitir su mensaje? De ser así, ¿debe ésta dirigirse al cliente, o sería mejor enfocarse en una fuente de conocimientos en particular, como, por ejemplo, el farmacéutico? Quizás los vendedores pudieran tener más éxito en la transmisión del mensaje de la empresa. Al comprender en qué fuentes de conocimientos se apoyan los consumidores, las compañías pueden dirigir con efectividad y eficiencia sus esfuerzos en la dirección correcta.

La naturaleza de los conocimientos del consumidor también trae implicaciones relacionadas con si los mensajes de ventas deben enfocarse en información técnica de los atributos del producto o bien enfatizar los beneficios del producto que el consumidor objetivo pueda entender mejor. En tanto que los consumidores conocedores son capaces de utilizar la información técnica al formar sus evaluaciones del producto, los consumidores no conocedores están menos capacitados para ello. En vez de eso pueden ser persuadidos con mayor facilidad con mensajes que incluyen beneficios del producto que son fáciles de comprender.[25] Finalmente, la naturaleza de los conocimientos de persuasión del consumidor pueden sugerir la necesidad de evitar tácticas de persuasión que son obvias para el mercado objetivo.

Resumen

Los conocimientos del consumidor consisten en la información almacenada en la memoria. Este capítulo analiza cinco tipos principales de conocimientos del consumidor: 1) conocimientos acerca de la existencia del producto (es decir, conciencia), 2) conocimientos de atributos y asociaciones del producto (es decir, su imagen), 3) conocimientos de compra, 4) conocimientos de consumo y de uso, y 5) conocimientos de persuasión. Los análisis de la conciencia y de la imagen ayudan a las empresas a comprender mejor los conocimientos del consumidor. Y esta comprensión puede rendir muchos beneficios, como la identificación de brechas del conocimiento o de conocimientos indeseable (como las interpretaciones negativas), que socavan las oportunidades de que se elija el producto. El examen de los conocimientos del consumidor nos da una guía acerca del éxito del posicionamiento del producto. También puede llevar al descubrimiento de usos del producto anteriormente no reconocidos. Asimismo es útil para medir la severidad de las amenazas de la competencia y ayuda a las empresas a convertirse en más efectivas en sus actividades de reclutamiento de consumidores. Finalmente, las empresas deben comprender las fuentes de los conocimientos del consumidor y estar atentas a si éste conocimiento se basa en la experiencia directa.

Preguntas de repaso y análisis

1. ¿Por qué debería preocuparse una empresa respecto de la conciencia de primera impresión?

2. Tome en consideración el siguiente conjunto de resultados proveniente de un análisis de imagen en el cual los clientes de un producto comestible competitivo (marca A) calificaron su propia marca, la marca de usted (B) y la de otro competidor (marca C). ¿Qué conclusiones puede usted sacar de esta información?

   buen sabor <u>C</u>: <u>A</u>: <u>B</u>: _: _: _: _ mal sabor
   alta nutrición <u>C</u>: _: _: <u>A</u>: <u>B</u>: _: _ poco nutritivo
   costoso <u>C</u>: _: _: <u>A</u>: _: <u>B</u>: _ económico
   fácil de cocinar _: <u>B</u>: <u>A</u>: _: _: _: <u>C</u> difícil de preparar

3. ¿Qué sugerencias tiene usted para mejorar la capacidad informativa del estudio de imagen corporativa de *The Wall Street Journal* analizado en el capítulo?

4. Describa la forma en que la estrategia publicitaria puede depender de los conocimientos del consumidor.

5. Un abarrotero recientemente terminó un estudio de los consumidores frecuentes de su tienda. Uno de los descubrimientos más curiosos fue que las cantidades gastadas durante una salida de compras dependían del número de veces que el consumidor había comprado en la tienda. Los consumidores gastaban mucho más dinero cuando sólo era su primera o segunda visita. ¿De qué manera puede explicar este descubrimiento?

6. Usted está desarrollando algunos folletos que describen un producto complejo y técnicamente orientado. Los resultados de la investigación de mercado indican que los dos mercados objetivo principales tienen creencias muy diferentes respecto de cuánto conocen el producto. Un segmento se percibe a sí mismo como muy conocedor, en tanto que el otro piensa que es más bien ignorante respecto del producto. Con base en estas diferencias, ¿qué elementos tomaría en cuenta para el desarrollo de los folletos?

7. Un estudio reciente de mercado sugiere que los consumidores tienen un conocimiento muy limitado acerca de los precios que se cargan por sus productos y los de la competencia. Cuando se les pide que digan un precio específico, la mayor parte son incapaces de hacerlo. Y lo que es más, el error promedio de aquellos que ofrecen un precio es de alrededor de 25%. ¿Qué conclusiones puede extraer de estos resultados respecto de la sensibilidad al precio de los consumidores durante la toma de decisiones?

8. Una encuesta reciente entre varios mercados objetivo revela diferencias importantes tanto en el nivel de conocimientos del producto como en el uso de recomendaciones de amigos durante la toma de decisiones. Los consumidores que tienen un conocimiento limitado se apoyaban más en las recomendaciones de terceros, en tanto que los consumidores conocedores no lo hacían. ¿Cómo explica usted esta diferencia?

Notas

1. Joseph A. Alba y J. Wesley Hutchinson, "Dimensions of Consumer Expertise", en *Journal of Consumer Research 13,* (marzo de 1987), 411-454.

2. Fran Brennan, "Limit Kids' Juice Intake, Experts Say", en *Miami Herald* (enero 31 de 1997), 1F.

3. Mita Sujan, "Consumer Knowledge: Effects on Evaluation Strategies Mediating Consumer Judgements", en *Journal of Consumer Research,* 12 (junio de 1985), 31-46.

4. Alan L. Adler, "Saturn Faces Difficult Launch in Japan", en *Miami Herald* (15 de mayo de 1997), 4G.

5. Diane Crispell y Kathleen Brandenburg, "What's in a Brand?", en *American Demographics* (mayo de 1993), 26-32.

6. Para ver un estudio interesante acerca del análisis de imagen, consulte Sal Randazzo, "Build a BIP to Understand Brand's Image", en *Marketing News* (16 de septiembre de 1991), 18.

7. Ronald Alsop, "The Best Corporate Reputations in America", en *The Wall Street Journal* (23 de septiembre de 1999), B1, B22.

8. *Ibid.*

9. Para una investigación respecto del impacto del conocimiento previo en la aceptación de los consumidores del precio de un producto, consulte a Akshay R. Rao y Wanda A. Sieben, "The Effect of Prior Knowledge on Price Acceptability and the Type of Information Examined", en *Journal of Consumer Research* 19 (septiembre de 1992), 256-270.

10. Joel E. Urbany y Peter R. Dickson, "Consumer Information, Competitive Rivalry, and Pricing in the Retail Grocery Industry" (papeles de trabajo, University of South Carolina, 1998).

11. Para una investigación acerca de cómo afectan los conocimientos del consumidor durante el comportamiento de compra, consulte a Aradhna Krishna, "The Effect of Deal Knowledge on Consumer Purchase Behavior", en *Journal of Marketing Research,* 31 (febrero de 1994), 76-91.

12. Robert Sommer y Susan Aitkens, "Mental Mapping of Two Supermarkets", en *Journal of Consumer Research,* 9 (septiembre de 1982), 211-215.

13. C. Whan Park, Easwar S. Iyer y Daniel C. Smith, "The Effects of Situational Factors on In-Store Grocery Shopping Behavior: The Role of Store Environment and Time Available for Shopping", en *Journal of Consumer Research* 15 (marzo de 1989), 422-433.

14. Para un ejemplo acerca de la investigación concerniente a los conocimientos respecto de la seguridad de un producto, consulte a Richard Staelin, "The Effects of Consumer Education on Consumer Product Safety Behavior", en *Journal of Consumer Research,* 5 (junio de 1978), 30-40.

15. Marian Friestad y Peter Wright, "The Persuasion Knowledge Model: How People Cope with Persuasion Attempts", en *Journal of Consumer Research,* 21 (junio de 1994), 1-31.

16. Lawrence J. Marks y Michael A. Kamins, "The Use of Product Sampling and Advertising: Effects of Sequence of Exposure and Degree of Advertising Claim Exaggeration on Consumers' Belief Strength, Belief Confidence, and Attitudes", en *Journal of Marketing Research,* 25 (agosto de 1988), 266-281.

17. Chenghuan Wu y David R. Shaffer, "Susceptibility to Persuasive Appeals as a Function of Source Credibility and Prior Experience with the Attitude Object", en *Journal of Personality and Social Psychology,* 52 (1987), 677-688.

18. Dale K. DuPont, "Carnival Cruisers Just in Time for Money-back Offer", en *Miami Herald* (21 de noviembre de 1996), 1C, 5C.

19. Michel Marriott, "Will Computers on TV Go the Way of the 8-Track?", en *Miami Herald* (marzo 1 de 1998), 16H.

20. Carole Sugarman, "Wine's Benefits, Risks Argued on Labels", en *The State* (10 de noviembre de 1992), 4D.

21. Shannon Dortch, "There Goes the Sun", en *American Demographics* (agosto de 1997), 4-7.

22. Sally Goll Beatty, "Mercedes Hopes Duckie, Child Broaden Appeal", en *The Wall Street Journal* (21 de mayo de 1997), B1, B8.

23. Oscar Suris, "Now, BMW and Mercedes Seem Sensible", en *The Wall Street Journal* (6 de noviembre de 1996), B1, B8.

24. Los autores desean agradecer al profesor Jim Burroughs de la Rutgers University por este ejemplo.

25. Joseph A. Alba y J. Wesley Hutchinson, "Dimensions of Consumer Expertise", en *Journal of Consumer Research,* 13 (marzo de 1987), 411-454.

CAPÍTULO 10

Intenciones, actitudes, creencias y emociones de los consumidores

CASO DE INICIO

La confianza de los estadounidenses en la economía aumentó considerablemente en el mes de noviembre de 1999, resultando en una buena señal para los minoristas durante la temporada de compras decembrina. El Conference Board informó que el índice de confianza del consumidor en el mes de octubre era de 130.5, y en el mes de noviembre subió sorpresivamente a 135.8. Este incremento dio fin a una cadena de cuatro meses seguidos de declinación y dejó el índice sólo alrededor de 4 puntos por debajo de su pico de 139 durante junio de 1999, la lectura más elevada en más de 30 años.

La brusca elevación llega después de meses de preocupación en los que la confianza se estaba desvaneciendo, debido a temores de una reducción en el crecimiento de la economía. El Federal Reserve elevó las tasas de interés tres veces durante el año, intentando impedir el sobrecalentamiento de la economía y evitar una elevación adicional de la inflación. Las tasas crecientes de interés sacudieron a Wall Street, lanzando los valores en una carrera salvaje. Pero, "los consumidores se sobrepusieron pronto de su pesimismo en el otoño y se sienten mejor ahora, particularmente respecto al futuro", según Gary Thayer, economista en jefe en A.G. Edwards & Sons en St. Louis. Gracias a un repunte de Wall Street, a las bajas tasas de desempleo y al crecimiento en los ingresos personales, los consumidores están más seguros que el buen periodo de la economía no se detendrá bruscamente en ningún momento.

¿Por qué son importantes las opiniones de los consumidores respecto de la salud futura de la economía? Quienes son optimistas acerca del futuro están más dispuestos a gastar su dinero, particularmente cuando se trata de compras de importancia como casas y automóviles. La confianza del consumidor se considera un factor económico importante, dado que los gastos de los consumidores representan dos terceras partes de la actividad económica general de la nación.

Por lo que, ¿se hizo presente esta confianza de los consumidores en las cajas registradoras? Ciertamente así fue. Los estadounidenses salieron de compras con verdadero fervor en noviembre de 1999. Las ventas al menudeo durante ese mes se incrementaron en 0.9% y crecieron en la demanda sobre todo, desde automóviles y ropa hasta ferretería y mobiliario. En comparación, en octubre las ventas sólo se incrementaron 0.3%. "Parecería que los minoristas están destinados a tener una de las mejores, si no la mejor, de las temporadas de compras navideñas de esta década", dijo Mark Zandi, economista de Regional Financial Associates.

Fuente: tomado de Jeannine Aversa, "Retail Sales Soar as Prices Hold", en Miami Herald *(15 de diciembre de 1999), 4C; Rachel Beck, "In Good News for Retailers, Consumer Confidence Spikes", en* Miami Herald *(1 de diciembre, de 1999), 7C.*

La confianza en la salud futura de la economía es sólo una de las incontables opiniones que tienen los consumidores; éstos se hacen opiniones acerca de productos, tiendas, empresas, publicidad, vendedores, otros consumidores, compras, consumo, etc. Algunas de estas opiniones representan lo que nos gusta o disgusta. Otras representan lo que creemos y cómo nos sentimos. Incluso otras opiniones reflejan nuestros juicios acerca de la forma en que nos comportaremos en el futuro. Este capítulo se enfoca en los tipos de opiniones. Comenzamos con una consideración de las opiniones de los consumidores respecto de lo que pretenden hacer.

Intenciones del consumidor

Una de las habilidades más importante que puede poseer una empresa es la capacidad de predecir la forma en que la gente actuará como consumidores. Hacerlo les ayudará a responder preguntas tan básicas como: "¿Cuánto de mi producto existente debe fabricarse para hacer frente a la demanda?" y "¿Cuál será la demanda para mi nuevo producto?" Sin embargo, responder a estas preguntas no es nada fácil. Los negocios a menudo pierden dinero debido a que subestiman, o sobrestiman la demanda. La tasa de fracasos de productos nuevos (según ciertas estimaciones, de prácticamente 90%) es un convincente testimonio de las dificultades en pronosticar el comportamiento del consumidor. Y justo en las fechas navideñas, existe por lo menos un juguete que resulta tan popular que se agota rápidamente, colocando a los padres en una búsqueda desesperada, con la esperanza de encontrar aunque sea uno más. La insatisfacción que se generó cuando los consumidores fueron incapaces de adquirir un juguete Furby, anunciado como disponible en Walgreens, obligó de inmediato a este minorista a disculparse por escrito (vea la figura 10.1).

Más allá de qué compran los consumidores, las empresas también se interesan en predecir dónde, cuándo y cuánto comprarán. Y este interés va más allá que el simple comprar. Los departamentos de servicio al cliente deben determinar cuál será el personal necesario para el manejo de las preguntas y quejas de los consumidores. Este tipo de determinaciones deben basarse por lo menos parcialmente en estimaciones del número de consumidores que requerirán de atención diariamente. Las industrias que viven de actividades de consumo (por ejemplo, redes de televisión) se interesan en predecir el comportamiento del consumo (por ejemplo,

Figura 10.1   Walgreens subestimó la demanda del consumidor

El consumidor en la mira 10.1

Quienes dictan las políticas públicas también se interesan en predecir el comportamiento del consumidor

Los funcionarios gubernamentales que se ocupan de la salud predicen que 3.5 millones de estadounidenses dejarán de fumar, y solo quedarán jóvenes y minorías, si los oponentes del tabaco tienen éxito con su plan de elevar el precio de un paquete de cigarrillos 50%. Un total de 2.4 millones más reducirían el número de cigarrillos que fuman, de acuerdo con un estudio publicado por el Centers for Disease Control and Prevention (CDC). Incluidos quienes lo dejarían o reducirían su consumo después de una elevación de 50%, hacen un total de 13% de los 47 millones de fumadores de la nación. Si el precio se elevara sólo 25%, 6% de los fumadores o lo dejarían o reducirían su consumo, dijo el CDC.

Para este estudio el CDC encuestó durante 14 años a adultos, subdividiendo los resultados según nacionalidad, ingresos, edad y género. Si los precios se elevaran 50%, 95% de los hispanos lo dejarían o reducirían su consumo, en comparación con 16% de los negros y 2% de los blancos. Veintinueve por ciento de los fumadores entre 18 y 24 años dejarían de fumar o reducirían su consumo, en comparación

con 21% de quienes tienen entre 25 a 39 años y 5% de por lo menos 40 años. La encuesta también descubrió que la gente con menos ingresos es más probable que lo dejara, con 15% de quienes ganan un ingreso promedio de $33 106 o menos, ya sea dejándolo o reduciendo su consumo, en comparación con 9% de los que ganan más de la media. Es más probable que más hombres lo abandonaran que mujeres, 13% en comparación con 10%.

En junio de 1998, el senado de Estados Unidos detuvo una ley antitabaco, que hubiera elevado el precio por paquete. Los demócratas prometieron tomar el tema. "La industria del tabaco en particular intentó plantear el caso que aumentar el precio sería perjudicial para los grupos minoritarios y de bajos ingresos… pero justamente lo opuesto es la verdad" —dijo Michael Eriksen, director del Office of Smoking and Health del CDC—. "Lo que resulta ser una buena noticia, porque los mismos grupos sufren la carga más importante por enfermedades relacionadas con el tabaco."

Fuente: tomado de "Many Would Quit Smoking If Prices Rose, U.S. Says", en Miami Herald *(31 de julio de 1998), 14A.*

si el nuevo programa atraerá un auditorio lo suficientemente grande con el fin de justificar colocarlo en el rol). Como se describe en El consumidor en la mira 10.1, quienes elaboran las políticas públicas se interesan en predecir los efectos en el mercado cuando se produce una modificación del consumo (como incrementar el precio de los cigarrillos).

¿Cómo podemos predecir lo que hará la gente? Una práctica común es confiar en el comportamiento pasado para pronosticar el futuro. Si las ventas han aumentado de manera continua a una tasa de 15% anual a lo largo de los últimos años, se podría razonablemente anticipar un incremento similar para el año siguiente. Si un consumidor ha adquirido la misma marca de café en los últimos diez viajes a la tienda, una apuesta segura sería que comprará la misma en su siguiente visita.

Pero las cosas cambian, y lo que ocurrió en el pasado puede volverse mucho menos importante de lo que pasa hoy. Las ventas de banderas de Estados Unidos se incrementaron durante la Guerra del Golfo en 1991 al surgir una ola de patriotismo, que finalmente desapareció. La tendencia de las ventas es a veces errática, saltando de arriba hacia abajo. El consumo de cigarrillos en Estados Unidos pasó en 1973 por un máximo de 11 000 millones de cigarrillos. En 1993, sólo 3 400 millones de cigarrillos se convirtieron en humo. Posteriormente las ventas volvieron a subir, especialmente entre consumidores del sexo femenino. El consumo se elevó a 5 000 millones en 1997.[1] Estas fluctuaciones, a menos que sean de naturaleza periódica, reducen el poder de pronóstico con base en el comportamiento pasado. Y, naturalmente, el comportamiento pasado ni siquiera está disponible para pronosticar los comportamientos nuevos, como la compra de un producto nuevo.

Un procedimiento alterno para la predicción del comportamiento del consumo involucra preguntar a los consumidores qué piensan hacer. Las **intenciones** son *juicios subjetivos respecto de la forma en que nos comportaremos en el futuro.* Existen muchos tipos de intenciones del consumidor. Las **intenciones de compra** representan *lo que pensamos que compraremos.* Un tipo especial de intenciones de compra son las **intenciones de recompra**, que *reflejan si es que estamos anticipando comprar de nuevo el mismo producto o marca.* Las **intenciones de ir de**

Figura 10.2   Medición de los diferentes tipos de intenciones del consumidor

1. Intenciones de compra:

¿Comprará usted un automóvil Mercedes-Benz en los siguientes 12 meses?	De ninguna manera 1 2 3 4 5 6 7 Definitivamente sí

2. Intenciones de recompra:

La próxima vez que usted compre café, ¿comprará la misma marca?	De ninguna manera 1 2 3 4 5 6 7 Definitivamente sí

3. Intenciones de comprar:

¿Comprará en Wal*Mart en los siguientes 30 días?	De ninguna manera 1 2 3 4 5 6 7 Definitivamente sí

4. Intenciones de gastar:

¿Gastará por lo menos $1 000 dólares en regalos de Navidad este año?	De ninguna manera 1 2 3 4 5 6 7 Definitivamente sí

5. Intenciones de consumo:

¿Verá usted el siguiente SuperBowl?	De ninguna manera 1 2 3 4 5 6 7 Definitivamente sí

---

compras indican *dónde planeamos efectuar nuestras compras de productos*. Nuestras **intenciones de gastar** representan *cuánto dinero pensamos que gastaremos*. Nuestras **intenciones de búsqueda** representan *nuestras intenciones de dedicarnos a búsquedas externas* (tema tratado en el capítulo 4). Las **intenciones de consumo** representan *nuestras intenciones de dedicarnos a una actividad de consumo en particular* (por ejemplo, mirar la televisión, ejercicios, etc.). La figura 10.2 contiene ejemplos de la forma en que pudieran medirse estas diferentes clases de intenciones.

Por lo general, la gente hace lo que piensa. Nos imaginamos que piensa leer el resto de este capítulo, y probablemente lo hará. Espero presentar mi examen final mañana, y con suerte lo haré (lo hice). Los compradores de comestibles que piensan adquirir los artículos de su lista de compras por lo general lo hacen. Esto no quiere decir que las intenciones se cumplen siempre. Uno pudiera ir a la tienda de vídeos local con intención de rentar una película en particular sólo para descubrir que ya se rentaron todas. A pesar de lo anterior, las intenciones han demostrado repetidamente que representan una predicción significativa de la forma en que se comportan las personas.[2]

Como una demostración, piense en la elección presidencial estadounidense de 1992. Dos semanas antes de la elección, los votantes reportaron si tenían pensado votar por el presidente actual, George Bush, o por el retador Bill Clinton. Con base en las respuestas, se hicieron proyecciones basadas en estado por estado. Estas proyecciones aparecen en la figura 10.3. Observe que algunos de los estados están clasificados como "demasiado cerca para decidir" por qué los votantes estaban igual de divididos entre candidatos. Los resultados reales de la carrera presidencial aparecen en la figura 10.4. La comparación de las dos figuras revela que las encuestas pronosticaron con precisión todos los estados proyectados que se habían decidido por Bush o por Clinton.

Restricciones en el poder predictivo de las intenciones

Aunque las intenciones son un vaticinador significativo del comportamiento, están lejos de ser un pronosticador perfecto. Teníamos la intención de terminar este libro mucho antes de lo que realmente ocurrió. ¿Ha cumplido todas sus resoluciones de Año Nuevo? Algunas veces, incluso las mejores intenciones se quedan en el tintero.

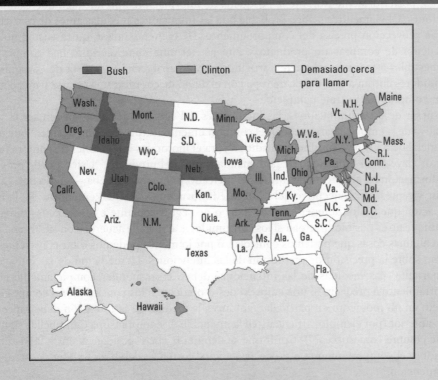

Figura 10.3   Pronósticos previos a la elección de la presidencia estadounidense de 1992

Fuente: recopilación de la última información disponible semanal de la votación por estado de la American Political Network.

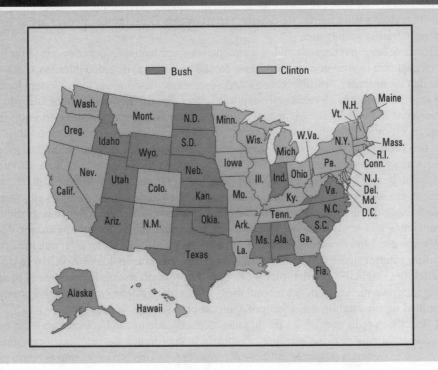

Figura 10.4   Resultados estado por estado de la elección presidencial de 1992

Las intenciones pueden cambiar. Circunstancias no previstas hacen que cambien.[3] Suponga que en este momento tiene toda la intención de comprar un producto en particular. Sin embargo, posteriormente durante la búsqueda de información, aprende algo que cambia sus intenciones. Obviamente, es poco probable que las intenciones medidas antes de este cambio den una proyección precisa del comportamiento. De manera similar, quizás usted no tiene la intención de comprar un producto y aun así termina comprándolo. Los compradores de comestibles a menudo adquieren artículos que no aparecen en su lista de compras. Los consumidores entran a una tienda de ropa con el deseo de comprar una camisa y una corbata, y salen comprando un traje completo.

A pesar de estas limitaciones, las intenciones del consumidor aún pueden ser la mejor alternativa de la empresa para predecir el comportamiento futuro. Cuando Quaker State probó el potencial de un nuevo producto de aditivo para el motor, las intenciones de compra fueron un factor clave en el pronóstico de la demanda futura del producto. "Usted puede proyectar esta información en el porcentaje futuro del mercado y el uso de prueba —según Bob Cohen, anterior vicepresidente ejecutivo del centro de innovaciones de Quaker State—. Es la mejor información que podrá obtener sobre si debe o no seguir adelante e invertir más dinero."[4]

Aunque no es posible controlar si los consumidores actúan de acuerdo con sus intenciones, existen algunas cosas que podemos controlar, o por lo menos podemos estar conscientes que influirán sobre la precisión de predicción de las intenciones. La medición de las intenciones es importante. Las medidas de las intenciones deben corresponder completamente con el comportamiento a predecir. Si una empresa desea predecir si los consumidores comprarán su producto en un momento en particular, entonces la medida de la intención debe especificar todo lo anterior (por ejemplo, "¿tiene usted la intención de comprar sopa Campbell la siguiente vez que compre comestibles?"). Conforme se debilita la correspondencia entre la medida de intención y el comportamiento a predecir, de igual forma se debilita el poder de predicción de la intención.[5]

La medición de lo que las personas tienen la intención de hacer a veces puede resultar menos predictiva de su comportamiento futuro que medir lo que esperan hacer.[6] Si usted le pide a los fumadores de cigarrillos que digan si tienen la intención de convertirse en no fumadores, muchos responderán con un fuerte "¡Sí!" Y a pesar de ello, cumplir con estas intenciones está lejos de ser fácil. A veces los hábitos son más poderosos que la voluntad. Un juicio más realista se obtendría midiendo **expectativas de comportamiento**, éstas representan la *probabilidad percibida de que se lleve a cabo un comportamiento*. Aunque los fumadores pueden abrigar intenciones muy fuertes de dejarlo, reportan más expectativas moderadas de hacerlo en razón de fracasos anteriores.

Además de la forma en que se miden las intenciones, también es importante cuándo se hacen. ¿Cuál cree que sea la precisión en pronosticar lo que hará dentro de cinco minutos, días y años, a partir de este instante? Probablemente usted se siente confiado sobre lo que estará haciendo dentro de cinco minutos (leyendo este capítulo, ¿no es cierto?), y quizás tiene una idea bastante buena de lo que hará dentro de cinco días. Pero es casi completamente cierto que sentirá bastante incertidumbre respecto a pronosticar su comportamiento dentro de cinco años.

La precisión en el pronóstico depende de qué tan lejos en el futuro se intente predecir. Si hoy les preguntamos a los consumidores cuáles son sus intenciones para mañana, nuestro pronóstico debe dar justo en el blanco. Se puede lograr la predicción de un comportamiento más lejano, como se vio lo bien que se midieron las intenciones de los votantes dos semanas antes de la elección de 1992. Pero conforme crece el intervalo de tiempo entre la medición de las intenciones y la ocurrencia del comportamiento a predecirse, existe una mayor oportunidad de que estas intenciones cambien. Las personas pueden aprender algo que invierta sus intenciones anteriormente anunciadas. Cualquiera que sea la razón, los pronósticos basados en las intenciones originales pierden precisión. Por lo que, conforme se incrementa el intervalo de tiempo entre la medición de las intenciones y el comportamiento mismo, se hace mayor la oportunidad de un cambio, minando por tanto la precisión de la predicción.[7]

El poder de predicción de las intenciones depende además del comportamiento que se va a predecir. Si una persona siempre compra la misma marca de café, las intenciones de comprar esta marca en la siguiente salida de compras es muy precisa. Lo mismo es cierto para la familia que suele visitar Disney World todos los veranos. Los comportamientos que se repiten con regularidad por lo general se pueden pronosticar con mayor precisión.

También de importancia es si el comportamiento está bajo el **control de la voluntad**, el cual representa *el grado al que el comportamiento puede llevarse a cabo a voluntad*. Muchos comportamientos están bajo control voluntario completo. Por ejemplo, usted controla si continuará o no leyendo el resto de este párrafo. Algunos comportamientos, sin embargo, pudieran no estar bajo nuestro control completo. No es posible rentar un vídeo si no está disponible. Usted puede tener la intención de obtener un diez en su siguiente examen, pero si lo consigue dependerá por lo menos en parte de lo difícil que haga el profesor el examen.

La existencia de factores no controlables interfiere con nuestra capacidad de hacer lo que tenemos la intención de hacer. Cuando esto ocurre, las intenciones se convierten en vaticinadores menos precisos del comportamiento. En consecuencia, el **control del comportamiento percibido** que representa *la creencia de la persona acerca de lo fácil que es llevar a cabo el comportamiento*, a veces se analiza junto con las intenciones para predecir el comportamiento.[8]

Otros usos de las intenciones del consumidor

Las intenciones del consumidor son útiles como un indicador de los posibles efectos de ciertas actividades de mercadotecnia. En la industria del cáñamo, existen opiniones en conflicto respecto de la prudencia de recordar a los consumidores la asociación existente del cáñamo con la marihuana. Algunos enfatizan esta asociación al hacer la mercadotecnia de sus productos; otros la evitan. Para determinar si esta asociación ayuda u obstaculiza, se hizo una encuesta entre los consumidores preguntando si comprarían más o menos un producto hecho de cáñamo al saber que proviene de la misma planta que la marihuana. Para los resultados de la encuesta y más información acerca de esta situación, consulte El consumidor en la mira 10.2.

El consumidor en la mira 10.2

Las intenciones de compra pueden depender de lo que los consumidores saben acerca del cáñamo

Los mercadólogos dan importancia al cáñamo, utilizándolo para hacer de todo, desde hamburguesas hasta ropa de cama. Prácticamente desapareció del mercado en los últimos 70 años, y muchos consumidores no entienden la diferencia entre el cáñamo industrial y su prima ilegal la *cannabis*, más conocida como marihuana. Aunque son similares, las cepas de cáñamo utilizadas para hacer el producto contienen sólo cantidades microscópicas de THC, el producto químico psicoactivo de la marihuana.

Sin embargo, algunos mercadólogos de productos de cáñamo aprovechan la relación de la planta con la droga. Una de las líneas publicitarias de productos para la piel a base de cáñamo lleva el nombre Body Dope y se anuncia como "Su dosis diaria". Esto ha desencadenado un fiero debate en la rama del cáñamo respecto de si los mercadólogos deben o no "separar la soga de la droga". Un estudio iniciado por *Marketing News*, publicación dedicada a la mercadotecnia y dirigida por Market Facts, empresa de investigación de mercados, indica que las empresas harían mejor eliminando cualquier referencia a su relación con la marihuana. Menos

de 3% de los 1 000 consumidores encuestados dijeron que con mayor probabilidad comprarían un producto de cáñamo si supieran que estaba hecho de la misma planta que la marihuana. Y a pesar de que casi 70% dijo que no afectaría sus compras, 25% dijo que ello haría que fuera menos probable que compraran un producto de cáñamo. Dos porciento dijo que no sabía de qué manera se verían afectados.

"Existe una bandera roja para los mercadólogos que juegan con el mensaje antiestablecido —comenta Thomas Mularz, vicepresidente de Market Facts—. La publicidad en *High Times* quizás no tiene mucha atracción. Las empresas estarían mucho mejor siguiendo un camino de mercadotecnia más elevado, sin dobles sentidos." De acuerdo con Kelly Wilhite, propietaria de Austin Hemp Company, la asociación del cáñamo con la marihuana "es definitivamente negativa y muchas empresas están llegando a esta conclusión. Intentamos mantenernos tan alejados de ella (la marihuana) como podemos. De lo contrario, estará haciendo mercadotecnia para un tipo de personas [y alejando clientes potenciales] que están contra la marihuana, pero que estarían a favor del cáñamo".

Fuente: tomado de Cyndee Miller, "Hemp Is Latest Buzzword", en Marketing News *(17 de marzo de 1997), 1, 6.*

De manera similar, imagine una empresa que contempla cambios significativos a su producto, porque piensa que hacerlo llevará a ventas mayores. A pesar de ello, reconoce que este cambio quizás no funcione, e incluso pueda perjudicar las ventas. Antes de realmente implementar el cambio, podría primero explorar si el cambio tiene influencia sobre la intención de los consumidores en la dirección deseada. Esta precaución pudiera evitar un error costoso. Tiene buen sentido comercial evaluar el impacto de actividades potenciales de mercadotecnia. A pesar que nadie sabe de forma segura lo que ocurrirá hasta que algo se implementa en el mercado, esto no elimina el valor de ver cómo viene la corriente del río. Y dada la fuerza de la relación intención-comportamiento, las intenciones resultan ser una prueba razonable.

Las intenciones también proporcionan información del posible éxito de una empresa en la retención de los clientes. Quizás recuerde del capítulo 6 que muchos clientes satisfechos, aun así, se llevan su negocio a otra parte. Por lo que los clientes que parecerían estar satisfechos podrían reportar pocas intenciones de recompra del producto de la empresa.

PC Magazine encuesta periódicamente a sus suscriptores acerca de sus opiniones respecto de diferentes computadoras personales. Entre otras cosas, a los *encuestados* se les pregunta si volverían a adquirir la misma marca la siguiente vez que efectuaran una compra. Los resultados de intenciones de recompra observados en una de las encuestas de la revista aparecen en la tabla 10.1. Aunque las intenciones de recompra de los consumidores eran más fuertes que el promedio para la mayoría de los fabricantes, otros no resultaban tan afortunados. Las intenciones de recompra claramente por debajo de la norma de la categoría del producto o de la rama industrial revelan una desventaja competitiva en la *retención* futura de clientes.

Aunque se puede aprender mucho al comprender las intenciones del consumidor, la lección no es completa. Para entender mejor por qué los consumidores tienen las intenciones

---

Tabla 10.1 Intenciones de recompra de algunos consumidores para computadoras personales

Fabricante de PC	Intenciones de recompra
Apple	Por debajo del promedio
Compaq	Por encima del promedio
Dell	Por encima del promedio
Gateway	Por encima del promedio
Hewlett-Packard	Por encima del promedio
IBM	Por encima del promedio
Micron	Por encima del promedio
MidWest Micro	Promedio
NEC	Por encima del promedio
Packard Bell	Por debajo del promedio
Quantex	Por encima del promedio
Sony	Por encima del promedio

Nota: la columna de intenciones de recompra representa si la proporción de encuestados a la Service and Reliability Survey de PC Magazine comprarían una nueva PC del mismo fabricante y difiere de una manera significativa del promedio basado en todos los fabricantes.

Fuente: Bruce Brown, "Home PCs", en PC Magazine (15 de diciembre de 1998), 120.

que tienen, es necesario sondear con mayor profundidad. Siguiente parada: actitudes del consumidor.

Actitudes del consumidor

El análisis anterior de intenciones ha ignorado una pregunta fundamental: ¿Qué es lo que determina la intención? La respuesta: las actitudes.[9] Las **actitudes** representan *lo que nos gusta o nos disgusta*. Por lo general, hacemos las cosas que nos gustan y evitamos las cosas que nos disgustan. Si a usted no le gusta comer sushi, es poco probable que tenga la intención de comerlo. Si realmente le gusta el sushi, probablemente tiene la intención de consumirlo en algún momento en el futuro.

Tener una actitud favorable hacia un producto es prácticamente siempre un prerrequisito esencial para que los consumidores tengan una intención favorable de compra o consumo. Si los consumidores no gustan de un producto, llevarán su negocio a otra parte. Sin embargo, las actitudes favorables hacia un producto no se traducen de manera automática en intenciones favorables de compra. Un consumidor puede disfrutar de una marca, pero tiene la intención de comprar otra que le gusta aún más. Por esta razón, las actitudes a veces se miden en forma de **preferencias**, éstas representan *actitudes hacia un objeto en relación con otro*. Por ejemplo, ¿qué refresco de cola prefiere, Coca o Pepsi?

Simplemente porque los consumidores prefieran un producto sobre el de sus competidores, no significa que tienen la intención de comprar el producto preferido. Usted puede preferir un automóvil Jaguar sin tener la intención de comprar uno, quizás de hecho no necesita un automóvil nuevo. Probablemente lo necesita, pero no tiene posibilidades de llegarle al precio de un Jaguar. Y quizás puede permitírselo, pero no está de acuerdo con gastar tanto dinero en un automóvil.

El punto fundamental es que tener una actitud favorable hacia un producto no es lo mismo que tener una actitud favorable hacia comprarlo o consumirlo. Ciertamente, los investigadores distinguen entre dos tipos de actitudes: **actitud hacia el objeto (A_o)** y **actitud hacia el comportamiento (A_b)**.[10] A_o representa *una evaluación del objeto actitud como un producto*. A_b representa *una evaluación de llevar a cabo un comportamiento en particular que involucra el objeto actitud* como la adquisición del producto. Dado su enfoque en comportamiento, no es sorprendente que A_b esté más relacionado que A_o con las intenciones.[11] En la figura 10.5 se muestran ejemplos de cómo medir actitudes y preferencias hacia el producto.

Diversas actitudes del consumidor

Hasta ahora nuestro análisis de las actitudes del consumidor se ha enfocado en si el producto es aceptado o no. Y aun así, las actitudes ante el producto representan sólo una parte de las actitudes que influyen sobre el comportamiento del consumidor. Como se señala en el tratamiento en el capítulo 9 de la imagen corporativa, algunas actitudes de los consumidores hacia una empresa afectan el hecho de si comprarán o no los productos de la misma. De manera similar, las actitudes de los consumidores hacia los minoristas influyen el lugar donde comprarán. Las actitudes incluso son importantes durante la etapa de búsqueda de información de la toma de decisiones (véase el capítulo 4). La búsqueda externa se hace más probable conforme las actitudes hacia esas actividades se hacen más favorables.

Son importantes las actitudes hacia los atributos de un producto. ¿Prefiere usted un refresco sin alcohol, con o sin cola? ¿Le gusta la pasta de dientes con sabor a menta? ¿Gusta de un vino de sabor dulce? ¿Prefiere mobiliario más tradicional o moderno? La comprensión de estas actitudes es esencial para el diseño de productos atrayentes.

Además de las actitudes hacia los atributos, es útil comprender las actitudes hacia otros tipos de asociaciones de marca. Estas asociaciones pueden incluir logotipos (¿le gusta el logo de Nike?), símbolos (¿le gusta el conejo tamborilero de los anuncios de baterías Energizer?)

Figura 10.5   Medición de actitudes y preferencias

Actitud hacia el comportamiento:

La compra de una computadora personal IBM sería	Muy buena	1 2 3 4 5 6 7	Muy mala
	Muy satisfactoria	1 2 3 4 5 6 7	Muy castigante
	Muy sabia	1 2 3 4 5 6 7	Muy tonta

Actitud hacia el objeto:

| ¿Cuánto le gusta o no las computadoras personales IBM? | Me gusta mucho | 1 2 3 4 5 6 7 | Me disgusta mucho |

Preferencias:

| En comparación con las computadoras Apple, ¿cuánto le gustan las computadoras IBM? | Me gusta IBM mucho más que Apple | 1 2 3 4 5 6 7 | Me gusta Apple mucho más que IBM |

---

y los patrocinadores de productos (¿le gusta Michael Jordan?). Si estas asociaciones mejoran o perjudican las actitudes del producto de los consumidores, dependerá directamente de si gustan o no gustan.

Las actitudes juegan un papel vital en la determinación de la efectividad de la publicidad. Un portavoz estimado puede mejorar la persuasión, uno que no es estimado puede destruirla. De manera más general, las actitudes de los consumidores hacia el anuncio mismo pueden determinar poderosamente su efectividad. Un estudio del Advertising Research Foundation indica que si un comercial les gusta a los televidentes, es un importante vaticinador del éxito del anuncio en el mercado.[12] Las actitudes hacia el anuncio han demostrado actuar repetidamente como un determinante significativo de las actitudes hacia el producto que se tienen después de ver el anuncio.[13]

Como puede observar, existen muchos tipos de actitudes que deben tomarse en cuenta al analizar el comportamiento del consumidor. Habiendo aceptado esta diversidad, seguimos con el problema fundamental de cómo se forman las actitudes.

Formación de la actitud

Suponga que una noche, mientras está viendo la televisión, mira un comercial de un nuevo restaurante que le interesa. Pone más atención al comercial, de la que le pondría normalmente. Procesa con cuidado la información presentada en el anuncio respecto de los atributos del mismo (cocina de mariscos, precios razonables, atmósfera relajada, localización a la orilla del mar y así sucesivamente). Se interesa aún más. Parecería como si fuera un sitio que pudiera proporcionar una experiencia de comida muy placentera, sin dar un gran mordisco a su billetera. Toma nota mental acerca de cenar en dicho restaurante la próxima vez que se presente la oportunidad.

En este ejemplo, usted se ha formado una actitud hacia el restaurante, misma que puede ser más bien tentativa. En este punto, todo lo que tiene para basarse es el comercial, no siempre la fuente más confiable de información. De hecho, todavía no lo ha visitado, ni siquiera ha platicado con alguien que haya comido ahí. Sin embargo, piensa que le gustaría lo suficiente para justificar probarlo.

Observe que esta actitud hacia el restaurante se basa en las creencias formadas respecto del mismo. Sus creencias en relación con la cocina, atmósfera, precios y localización lo conducen a concluir que se trata del tipo de sitio que le gustaría. La influencia de las creencias respecto de los atributos de un producto en la formación de la actitud se analiza en la sección que sigue.

Papel de las creencias en la formación de actitudes

¿Qué marca de pasta de dientes es más eficaz para prevenir la caries? ¿Indica un precio elevado una calidad de igual nivel? ¿Son confiables los vendedores de automóviles? ¿Piensa que dentro de un año la economía estará mejor, peor o igual que ahora? ¿Piensa que este libro contiene información útil?

Cada una de estas preguntas se centra en sus **creencias**, que pueden definirse como *juicios subjetivos respecto de la relación entre dos o más cosas*. En el capítulo 9 analizamos los conocimientos del consumidor: Las creencias se basan en los conocimientos. Lo que haya aprendido respecto de un producto determina lo que cree acerca del mismo. La comprensión de la imagen de un producto requiere entender las creencias de los consumidores respecto de éste.

De acuerdo con los modelos de actitud multiatributo, las creencias de los atributos o características de un producto son importantes, ya que determinan si la actitud de uno hacia el producto es favorable. A continuación, se analizan dos diferentes modelos multiatributo.[14]

Modelo Fishbein de actitud multiatributo La formulación de Fishbein ha sido utilizada ampliamente por los investigadores del consumidor desde su concepción, hace casi 40 años.[15] Simbólicamente se puede expresar de la forma

$$A_o = \sum_{i=1}^{n} b_i \, e_i$$

en donde
A_o = actitud hacia el objeto
b_i = intensidad de la creencia en el sentido que el objeto tiene el atributo i
e_i = evaluación del atributo i
n = número de atributos sobresalientes o de importancia

El modelo propone que la actitud hacia un objeto (por ejemplo, un producto) se basa en el conjunto sumado de creencias respecto de los atributos del objeto, ponderados según la evaluación de dichos atributos. Los atributos no están limitados a simples características del producto, como su precio y especificaciones; pueden incluir cualquiera de las asociaciones mencionadas en el capítulo 9 en el análisis de la imagen del producto. Los patrocinadores del producto, los lemas publicitarios, las relaciones con organizaciones caritativas, y así sucesivamente, también se clasificarían en la categoría de "atributos". Esto es únicamente para simplificar la presentación del siguiente ejemplo del modelo de propiedades y operaciones que utiliza exclusivamente características del producto como atributos de importancia.

Suponga que el modelo se utiliza para comprender las actitudes de los consumidores respecto de tres marcas de zapatos para correr. En primer término, hacerlo requiere identificar los atributos importantes o sobresalientes. Por lo general es suficiente preguntar a los consumidores qué atributos utilizan al evaluar las marcas de la clase de producto. Los atributos mencionados con mayor frecuencia se consideran los más sobresalientes. Suponga que se identifican los siguientes atributos:

- Si el zapato absorbe los golpes para poder correr sobre superficies duras

- Si tiene un precio inferior a 50 dólares

- Durabilidad del zapato

- Cuál es su comodidad de uso

- Si está disponible en algún color deseado

- Cantidad de apoyo del arco

A continuación, deben desarrollarse las medidas apropiadas b_i y e_i. El componente e_i, que representa la evaluación de un atributo, se mide en una escala de evaluación de 7 puntos, que va de "muy bueno" a "muy malo", de la forma:

La compra de zapatos para correr de precio inferior a 50 dólares es
muy buena __ : __ : __ : __ : __ : __ : __ : muy mala
+3   +2   +1   0   −1   −2   −3

Esto se haría para cada uno de los siete atributos sobresalientes previamente identificados.

El componente b_i representa la intensidad con que los consumidores creen que una marca de zapatos para correr en particular posee un atributo dado. Usualmente las creencias se miden en una escala de 7 puntos de posibilidad percibida, que va desde "muy probable" a "muy poco probable", por ejemplo,

¿Cuál es la posibilidad de que la marca de zapatos
para correr A tenga un precio inferior a 50 dólares?
muy probable __ : __ : __ : __ : __ : __ : __ : muy poco probable
+3   +2   +1   0   −1   −2   −3

En cada marca, sería necesario juzgar las creencias de los consumidores para cada uno de los atributos. Dado que se trata de tres marcas y de seis atributos, serán necesarias un total de 18 medidas de creencia.[16]

Entonces se administraría una encuesta que contenga las medidas b_i y e_i a una muestra de consumidores. Se calcularía una respuesta promedio para cada una de las mediciones. En la tabla 10.2 aparece un juego de resultados hipotéticos. Al interpretar los números de la tabla, es importante recordar que las escalas b_i y e_i van desde una calificación máxima de +3 a una calificación mínima de −3.

Los resultados para e_i indican que los atributos del producto más deseables son durabilidad y comodidad, seguidas por capacidad de amortiguar los golpes y soporte del arco, siendo el color una consideración relativamente menos importante, aunque aún sobresaliente. A diferencia de los atributos restantes, el precio bajo (menos de 50 dólares) recibe una calificación

Tabla 10.2   Resultados hipotéticos para el modelo multiatributo de Fishbein

Atributo	Evaluación (e_i)	Creencias (b_i)		
		Marca A	Marca B	Marca C
Amortiguación de golpes	+2	+2	+1	−1
Precio inferior a 50 dólares	−1	−3	−1	+3
Durabilidad	+3	+3	+1	−1
Comodidad	+3	+2	+3	+1
Color deseado	+1	+1	+3	+3
Soporte del arco	+2	+3	+1	−2
Calificación total $\Sigma b_i e_i$		+29	+20	−6

negativa, lo cual no significa que no sea importante. Más bien indica que un precio bajo se considera una característica no deseable. Este resultado era de esperarse, cuando los consumidores perciben una relación entre el precio y la calidad, están dispuestos a pagar un poco más por mejor calidad.

Los resultados de b_i indican que la marca A se considera favorablemente, ya que recibe calificaciones positivas de creencia en todos los atributos deseados. Alcanza calificaciones máximas tanto en durabilidad como en soporte del arco. Tampoco se cree que la marca A cuesta menos de 50 dólares. Dado que el precio bajo no es deseable, esta creencia opera a favor de la marca A.

Como regla práctica, las empresas desean que los consumidores perciban sus productos como: 1) en posesión de atributos deseables (cuando e_i es positiva, b_i también debe ser positiva) y 2) no poseyendo atributos no deseables (cuando e_i es negativa, b_i también será negativa). El anuncio de Duracell de la figura 10.6 ilustra lo anterior, al declarar que la potencia de la batería le permite durar por lo menos 50% más. El anuncio de Triaminic de la figura 10.7 muestra la ausencia de medicinas no necesarias, cuya presencia pudiera conducir a efectos colaterales.

A pesar de que en la tabla 10.2 la marca B excede a la marca A en comodidad y color, se percibe como inferior a la marca A en los demás atributos. La marca C se considera como de precio bajo, una creencia que socava la actitud, dada la evaluación negativa del precio bajo. Los resultados indican además que la marca C no se cree que se desempeña bien en función de absorción de golpes, durabilidad y soporte del arco. En el lado positivo, se considera como algo cómoda y con el color deseado.

Figura 10.6 Comunicación de la presencia de atributos deseables pueden crear actitudes favorables hacia el producto

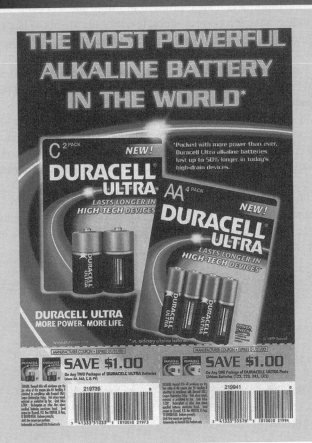

Para estimar la actitud de la marca, primero multiplicamos la calificación de la creencia por su calificación de evaluación correspondiente para cada atributo ($b_i \times e_i$). Por ejemplo, la calificación de creencia de la marca A de +2 para amortiguación de golpes se multiplica por la evaluación de +2, lo que produce un valor de +4 para este atributo. Este procedimiento se repite en los cinco atributos restantes. Las calificaciones $b_i e_i$ se suman entonces. Esto produce un total de $\Sigma b_i e_i$ de +29 para la marca A. Para las marcas B y C, los valores totales $\Sigma b_i e_i$ son de +20 y −6, respectivamente.

La calificación de la marca A es muy buena, tomando en cuenta que la calificación máxima, dado el conjunto actual de evaluaciones, es de +36. La calificación máxima se deduce suponiendo que la calificación de creencia "ideal" (+3 o −3, dependiendo si el atributo se evalúa positiva o negativamente) y combinándolo con las calificaciones existentes de evaluación.

Modelo de punto ideal de actitud multiatributo   En tanto que el modelo Fishbein fue desarrollado para comprender todo tipo diferente de actitudes, el modelo de punto ideal se diseñó específicamente para comprender las actitudes de los consumidores hacia los productos.[17] Se puede representar simbólicamente de la forma:

$$A_p = \sum_{i=1}^{n} W_i \left| I_i - X_i \right|$$

en donde:
A_p = actitud hacia el producto
W_i = importancia del atributo i
I_i = desempeño "ideal" del atributo i
X_i = creencia respecto del desempeño real del producto en el atributo i
n = número de atributos sobresalientes

Desde el modelo de punto ideal, los consumidores indican dónde queda un producto en una escala que representa los diversos grados o niveles de atributos sobresalientes. Los consumidores también reportarían dónde quedaría el producto "ideal" en esta escala de atributos. De acuerdo con el modelo, mientras más cerca esté la calificación actual del producto a la calificación ideal, más favorable será la actitud.

Como ilustración, suponga que aplicamos el modelo a las bebidas sin alcohol y se identifican los siguientes atributos como sobresalientes:

- Sabor dulce
- Grado de gasificación
- Cantidad de calorías
- Cantidad real de jugos de fruta
- Precio

A continuación, desarrollaríamos una escala que representa varios niveles de cada atributo sobresaliente. Utilizando como ejemplo el del sabor dulce, la escala se vería como sigue:

$$\text{muy dulce } \underset{1}{\_} : \underset{2}{\_} : \underset{3}{\_} : \underset{4}{\_} : \underset{5}{\_} : \underset{6}{\_} : \underset{7}{\_} : \textbf{muy amargo}$$

Los consumidores informarían acerca de su sabor ideal o preferido al colocar una I en la categoría de respuesta adecuada (la I_i de la ecuación modelo). Indicarían también sus creencias respecto de dónde se sitúan las diversas marcas en este continuo de sabor (la X_i de la ecuación modelo). Finalmente, los consumidores proporcionarían calificaciones de importancia del atributo en una escala como:

$$\text{de ninguna importancia } \underset{0}{\_} : \underset{1}{\_} : \underset{2}{\_} : \underset{3}{\_} : \underset{4}{\_} : \underset{5}{\_} : \underset{6}{\_} : \textbf{muy importante}$$

Supongamos que se encuentran los resultados de la tabla 10.3. La primera columna especifica los atributos sobre los cuales se tomaron las calificaciones ideales (la tercera columna) y reales (la cuarta y quinta columnas) de la marca. En la segunda columna aparecen las calificaciones de importancia de los atributos.

En este ejemplo, el sabor es el atributo de mayor importancia; la gasificación es el de menor importancia. Las calificaciones de punto ideal indican que la bebida sin alcohol ideal debe ser dulce, algo gasificada, relativamente baja en calorías, muy alta en jugos de fruta y mantener un precio bajo. La marca A se percibe como coincidiendo o muy cercana a la marca ideal para todos los atributos. Se piensa que la marca B se desempeña bien en algunos atributos (calorías), pero no en otros (gasificación).

Se estiman las calificaciones de actitud de la marca primero tomando la diferencia entre las calificaciones ideal y real de un atributo. En lo que se refiere al sabor, la marca A tiene una diferencia de 0 (2 − 2) y la diferencia en la marca B es −1 (2 − 3), ésta se convierte a una escala absoluta, como se indica por el símbolo que rodea $I_i - X_i$ en la ecuación modelo. Este valor absoluto se multiplica por la calificación de importancia, lo cual produce calificaciones de 0 para la marca A (0 × 6) y de 6 para la marca B (1 × 6) sobre el atributo del sabor. Repetiríamos este proceso para los atributos restantes y sumaríamos las calificaciones. Para la marca A, la calificación total es de 16; para la marca B, la calificación total es de 29. A diferencia del modelo de Fishbein multiatributo, en donde las calificaciones elevadas indican actitudes más favorables, en el modelo de punto ideal, las calificaciones inferiores son mejores. De hecho, la mejor calificación que puede recibir una marca es 0, lo que indica que la marca coincide perfectamente con la configuración de atributos ideal.

			Creencias (X_i)	
Tabla 10.3 Resultados hipotéticos para el modelo de actitudes multiatributo de punto ideal				
Atributo	**Importancia (W_i)**	**Punto ideal (I_i)**	**Marca A**	**Marca B**
Sabor:				
Dulce (1) – amargo (7)	6	2	2	3
Gasificación:				
elevada (1) – baja (7)	3	3	2	6
Calorías:				
elevadas (1) – bajas (7)	4	5	4	5
Jugos de fruta:				
elevados (1) – bajos (7)	4	1	2	2
Precio:				
elevado (1) – bajo (7)	5	5	4	3
Calificación total $\Sigma W_i |I_i - X_i|$			16	29

Beneficios del uso de los modelos de actitud multiatributo   Una atracción importante de estos modelos es su sustancial poder de diagnóstico. Las mediciones de la actitud nos indican si a los consumidores les gusta o no un producto, pero callan acerca de la *razón* por la que el producto les gusta o disgusta. Comprender lo anterior requiere estudiar lo que los consumidores creen respecto de los atributos de un producto y la importancia de los mismos.

Una forma útil de pensar sobre lo anterior es la red simultánea de importancia-desempeño que aparece en la figura 10.8. Se clasifica el desempeño de una marca a lo largo de un atributo en particular en una de ocho celdas. Esta clasificación depende de la importancia del atributo (alta o baja), del desempeño de la marca respecto del atributo (bueno o pobre) y el desempeño de una marca competitiva respecto del atributo (bueno o pobre). Para cada celda se han deducido implicaciones de mercadotecnia. Por ejemplo, cuando la marca de una empresa es verdaderamente superior a los competidores en un atributo de importancia, esto produce una ventaja competitiva que deberá ser explotada, quizás mediante una campaña de publicidad comparativa.

Un desempeño pobre para todas las marcas respecto de un atributo de importancia es señal de una "oportunidad despreciada". Al mejorar el desempeño de nuestra marca en relación con este atributo, lo podríamos convertir en una ventaja competitiva. El desempeño pobre de todas las marcas en un atributo no importante, sin embargo, representa una oportunidad baja. La mejoría en el desempeño de la marca resultaría, si acaso, en un pequeño impacto en actitudes y elecciones hacia el producto, siempre y cuando el atributo se mantuviera como poco importante para los consumidores.

Los modelos de actitud multiatributo también aportan la información necesaria para algunos tipos de segmentación; por ejemplo, pudiera ser útil segmentar a los consumidores con base en la importancia que asignan a diversos atributos. Las actividades de mercadotecnia difieren de manera considerable cuando se dirigen a consumidores preocupados principalmente por un precio bajo, en vez de una calidad elevada.

Otro beneficio de estos modelos es su utilidad para el desarrollo de nuevos productos.[18] Descubrir que la oferta actual no llega a la marca ideal nos revelará una oportunidad de introducir un producto nuevo que se parezca más al ideal. Un modelo multiatributo también ha sido utilizado con éxito por Lever Brothers Company para pronosticar la penetración en el mercado del jabón humectante Tone y el jabón desodorante Coast antes de su introducción en el mercado.[19]

Figura 10.8   La rejilla del estímulo importancia-desempeño

Importancia del atributo	Nuestro desempeño	Desempeño del competidor	Resultado simultáneo
Elevado	Pobre	Pobre	Oportunidad desaprovechada
		Bueno	Desventaja competitiva
	Bueno	Pobre	Ventaja competitiva
		Bueno	Competencia frente a frente
Bajo	Pobre	Pobre	Ninguna oportunidad
		Bueno	Falsa alarma
	Bueno	Pobre	Ventaja falsa
		Bueno	Falsa competencia

Fuente: Alvin C. Burns, "Generating Marketing Strategy Priorities Based on Relative Competitive Position", en Journal of Consumer Marketing, 3 (otoño de 1986), 49-56.

Finalmente, los modelos de actitud multiatributo guían el desarrollo de estrategias de cambio de actitud. En breve encontrará una sección dedicada al cambio de actitudes, que incluye un análisis de las implicaciones del cambio de actitud sugeridas por dichos modelos.

Papel de las emociones en la formación de actitudes

Antes de nuestra significativa desviación acerca del dominio de los modelos de actitud multiatributo, explorábamos la manera en que se generan las actitudes. Como quedó de manifiesto en estos modelos, las creencias respecto de los atributos sobresalientes de un producto proporcionan una base cognoscitiva sobre la cual se elaboran las actitudes. Pero ésta no es la única forma de elaborar actitudes, también pueden formarse como resultado de nuestras emociones respecto del objeto de la actitud.

Las **emociones** pueden definirse como un *estado afectivo* (como el estado de ánimo en el que usted está en este momento) o como *una reacción* (como las emociones experimentadas durante el consumo de un producto o el procesamiento de un anuncio). Las emociones pueden ser positivas (por ejemplo, sentirse contentos) o negativas (por ejemplo, decepcionados). Pueden ser abrumadoras (como una experiencia casi mortal) o pueden ser virtualmente inexistentes (como la ingestión de una píldora vitamínica).

Las emociones toman muchas formas. Un estudio consideró más de 60 emociones diferentes, que se agrupan en tres clases principales: optimistas, negativas y cálidas.[20] La tabla 10.4 lista estas emociones diferentes. Como se analizará a continuación, las emociones pueden influir sobre las actitudes formadas durante el consumo del producto y el procesamiento de los mensajes de persuasión.

Las emociones como parte de la experiencia de consumo   En el capítulo 6, observamos que a menudo las experiencias de consumo evocan emociones. Ciertamente, algunas experiencias se disfrutan principalmente debido a su capacidad de inducir ciertas emociones, ya sea la

Tabla 10.4   Tipos de emociones

Optimistas	Negativas	Cálidas
Activos	Enojado	Cariñoso
Aventureros	Molesto	Tranquilo
Vivo	Malo	Preocupado
Divertido	Aburrido	Contemplativo
Atento	Crítico	Emotivo
Atractivo	Retador	Esperanzado
Despreocupado	Deprimido	Bondadoso
Jovial	Disgustado	Conmovido
Seguro	Desinteresado	Pacífico
Creativo	Dudoso	Pensativo
Encantado	Hastiado	Sentimental
Exaltado	Harto	Enternecido
Enérgico	Insultado	De buen corazón
Entusiasta	Irritado	
Excitado	Solitario	
Motivado	Ofendido	
Bueno	Arrepentido	
Feliz	Triste	
Gracioso	Escéptico	
Independiente	Suspicaz	
Diligente		
Inspirado		
Interesado		
Jubiloso		
Alegre		
Vivaz		
Juguetón		
Complacido		
Orgulloso		
Satisfecho		
Estimulado		
Fuerte		

Fuente: Julie A. Edell y Marian Chapman Burke, *"The Power of Feelings in Understanding Advertising Effects"*, *en* Journal of Consumer Research, *14 (diciembre de 1987), 421-433.*

tranquilidad que proviene de escuchar las olas acariciar la orilla de un lugar de descanso tropical o la excitación del paracaidismo. Incluso para aquellos productos cuyo consumo está relativamente libre de emoción (por ejemplo, la bolsa de plástico para la basura), podrían experimentarse emociones bajo forma de frustración y arrepentimiento si el producto deja de desempeñarse correctamente (la bolsa de basura que se rompe, tirando suciedad que habrá que limpiar). En consecuencia, estas emociones influyen sobre las evaluaciones posteriores al consumo de los consumidores.[21] Éstos están más satisfechos cuando el consumo es acompañado de emociones positivas y carentes de emociones negativas. Esto a su vez produce actitudes más favorables hacia el producto.

Un ejemplo de medición de las emociones experimentadas durante el consumo (en este caso, comer chocolates) aparece en la figura 10.9. Observe que esta figura sólo contiene un subconjunto de las emociones mostradas en la tabla 10.4 que pudieran ser importantes para la experiencia de consumo.

Emociones como parte de la experiencia publicitaria   Más allá de comprender las emociones experimentadas durante el consumo del producto, es necesario comprender las emociones experimentadas cuando los consumidores procesan los mensajes publicitarios. Algunos anuncios nos pueden divertir. La campaña publicitaria de la cerveza Budweiser utiliza toda clase de reptiles parlantes para entretener a los espectadores. Algunos anuncios pueden incomodarnos, como aquellos que ya no son bien recibidos porque los han repetido demasiado.[22]

De la misma forma en que las emociones experimentadas durante el consumo determinan las evaluaciones posteriores, también aquellas experimentadas durante el procesamiento de los anuncios determinan las evaluaciones posteriores al mensaje de los consumidores.[23] Las actitudes hacia el producto anunciado son más favorables después de ver un anuncio que evoca emociones positivas. Por el contrario, los anuncios que generan emociones negativas pueden hacer que los consumidores se formen actitudes menos favorables hacia el producto.

Estado de ánimo   Hasta ahora, nos hemos enfocado en las emociones experimentadas durante el consumo del producto y el procesamiento del anuncio. Pero, ¿qué ocurre respecto de emociones que en esas situaciones ya traen consigo los consumidores? Esto es, antes del consumo y del procesamiento, los consumidores ya se sienten de cierta forma. ¿Cómo se siente en este instante? ¿Contento? ¿Triste? ¿Enérgico? ¿Cansado? ¿Aburrido? (¡Ciertamente, esperamos que no!) *La forma en que la gente se siente en un momento particular en el tiempo se conoce como su* **estado de ánimo**.[24]

Figura 10.9   Medición de las emociones

¿Qué tan a menudo, si es que ocurre, experimenta usted las siguientes emociones como resultado de *comer chocolate*?

Contento .... nunca __:__:__:__:__:__:__:__ muy a menudo

Excitado .... nunca __:__:__:__:__:__:__:__ muy a menudo

Encantado .... nunca __:__:__:__:__:__:__:__ muy a menudo

Jubiloso .... nunca __:__:__:__:__:__:__:__ muy a menudo

Satisfecho .... nunca __:__:__:__:__:__:__:__ muy a menudo

Orgulloso .... nunca __:__:__:__:__:__:__:__ muy a menudo

Molesto .... nunca __:__:__:__:__:__:__:__ muy a menudo

Deprimido .... nunca __:__:__:__:__:__:__:__ muy a menudo

Culpable .... nunca __:__:__:__:__:__:__:__ muy a menudo

Arrepentido .... nunca __:__:__:__:__:__:__:__ muy a menudo

Los estados de ánimo pueden tener mucha influencia durante la formación de actitudes.[25] Los participantes en un estudio escucharon música que evocaba un estado de ánimo más o menos favorable. Después de ello, probaron una marca desconocida de mantequilla de maní. Las actitudes hacia el producto se hicieron más positivas cuando el estado de ánimo durante el consumo era más favorable.[26] De manera similar, se ha demostrado que los estados de ánimo influyen en las actitudes hacia el producto formadas como resultado del procesamiento de los anuncios.[27] Una manera en que las empresas afectan las actitudes de los consumidores es influir en la forma como se sienten durante la formación de actitudes. Una nueva tienda, por ejemplo, puede encontrar provechoso dar a los compradores un pequeño obsequio cuando entran a ella, con el fin de mejorar su estado de ánimo. Los publicistas pudieran beneficiarse al colocar sus mensajes en programas de televisión que evocan estados de ánimo positivos y evitar aquellos que pueden deprimir a los consumidores.[28] Coca-Cola ha evitado anunciarse durante los programas noticiosos debido a que "se van a presentar algunas noticias malas en el programa y Coca-Cola es un producto activo y divertido".[29]

A pesar de lo anterior, los estados de ánimo no necesariamente influyen siempre en la formación de actitudes. En el estudio acerca de la mantequilla de maní que se acaba de describir, la influencia en el estado de ánimo desaparecía cuando se agregaba miel o bicarbonato a la mantequilla. Muchas personas gustaban del sabor dulce del uso de la miel; prácticamente todas rechazaban el sabor amargo producido por el bicarbonato. Es de presumir que estas emociones más intensas experimentadas durante el consumo superaban cualquier influencia en el estado de ánimo de los consumidores anterior al consumo.

Cambio de actitud

Las actitudes no están talladas en piedra. Ciertamente, a menudo son bastante volátiles. La moda actual puede convertirse fácilmente en cosas del pasado el día de mañana, como saben tan bien los fabricantes de ropa y de juguetes.

Debido a su naturaleza dinámica, las actitudes no deben dejarse de lado. Las actitudes favorables hacia el producto, si se desprecian, pueden erosionarse gradualmente hacia un estado menos favorable, de la misma manera que el nombre de un conocido hace tiempo olvidado. En la realidad, tanto las actitudes positivas como negativas pueden hacerse más neutras con el simple paso del tiempo.[30] La **persistencia de la actitud** representa *la inmunidad de una actitud a cambiar o a hacerse neutra con el transcurso del tiempo.*

Sin embargo, a menudo las actitudes cambian porque encontramos algo que justifica su revisión. ¿Recuerda el ejemplo utilizado al principio de la sección "Formación de actitudes", en el cual la persona se forma una actitud favorable hacia un restaurante con base en su publicidad? Suponga que la persona come en el restaurante y descubre que no se parece en nada a lo que había anticipado. La actitud sostenida antes del consumo se parecería poco a la actitud sostenida después del consumo. La publicidad puede funcionar de la misma manera, como cuando nos informan respecto de otro producto que tiene una ventaja significativa en relación con el producto que utilizamos actualmente.

El cambio de las actitudes del consumidor es un objetivo frecuente en los negocios. La conversión de los no usuarios en usuarios del producto puede requerir de un ajuste en la actitud. El reclutamiento de los clientes de la competencia por lo general requiere modificar sus preferencias. El deseo de una empresa a cambiar las actitudes del consumidor se representa en el anuncio de la figura 10.10 y se analiza en El consumidor en la mira 10.3.

Resistencia de la actitud

¿Con qué facilidad se pueden cambiar las actitudes del consumidor? Depende de su resistencia.[31] La **resistencia de la actitud** representa el *grado al cual una actitud es inmune al cambio.* Algunas actitudes son muy resistentes al cambio; otras son mucho más maleables. Idealmente, las empresas desean que las actitudes hacia el producto por parte de sus clientes sean muy resistentes. Con ello, se hacen menos vulnerables a ataques de la competencia.[32] Un indicador

Figura 10.10   Este anuncio desea que usted cambie su manera de pensar respecto del Cadillac

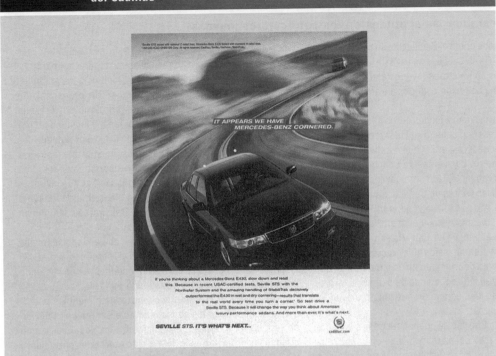

de la vulnerabilidad de una empresa a los ataques de la competencia es la resistencia de las actitudes de sus clientes hacia su producto. Por lo contrario, el reclutamiento de clientes de la competencia resulta mucho más fácil, cuando hacerlo requiere el cambio de sus actitudes, y estas actitudes son menos resistentes al cambio.

Por tanto, ¿qué es lo que determina la resistencia de la actitud? En última instancia depende de qué tan fuerte es la cimentación sobre la cual está constituida la actitud. Si los consumidores han comido un alimento que, para ellos, tiene un sabor repugnante, modificar sus actitudes hacia ese alimento pudiera ser virtualmente imposible. La experiencia directa con el objeto de la actitud a menudo conduce a actitudes firmemente atrincheradas, resistentes al cambio. En contraste, actitudes basadas en experiencia indirecta, como las que se forman después de ver un anuncio o después de escuchar lo que dice otra persona respecto del objeto de la actitud, son por lo general más susceptibles de cambio.[33]

Una fuerte cimentación proporciona la base para resistir ataques contra la actitud. El vendedor de la oferta de un competidor puede tener algunas cosas poco lisonjeras que decir respecto del producto que usted actualmente prefiere. Entre otras cosas, su capacidad de resistir este ataque depende de sus conocimientos acerca del producto. Hasta el punto que sea capaz de perforar agujeros en los argumentos del vendedor (es decir, al mostrarse conocedor respecto de las debilidades de la oferta del competidor), su preferencia es menos probable que cambie.

Implicaciones de los cambios de actitud de los modelos de actitud multiatributo

Desde la perspectiva del modelo multiatributo, existen tres formas básicas para cambiar las actitudes del consumidor: 1) cambiar las creencias, 2) cambiar la importancia del atributo y 3) cambiar los puntos ideales.[34]

El consumidor en la mira 10.3

Cadillac desea cambiar las actitudes de los conductores jóvenes

Cuando algo se describe como el Cadillac de su clase, la gente generalmente tiene la idea de que se trata de lo mejor. Pero en años recientes los conductores jóvenes acomodados no han hecho esta misma conexión cuando se trata de adquirir automóviles de lujo.

La marca tuvo su máximo a finales de los años cincuenta y a principios de los sesenta, cuando su Eldorado, poderoso y con estilo, con aletas traseras, era el que establecía la moda en la industria automotriz. Las ventas de Cadillac llegaron a su máximo en 1978 al vender 350 813 automóviles. Pero en las dos últimas décadas, las ventas de Cadillac han caído prácticamente en 50% (el año pasado se vendieron 182 151 automóviles) y se proyectaba una disminución en 2001. Tomando en consideración una economía en auge y la enorme cantidad de riqueza que se está creando estos días gracias al mercado accionario, las ventas en decremento en un momento en que los consumidores tienen más capacidad de permitirse el precio de un automóvil de lujo, es una gran razón para preocuparse.

Los problemas de Cadillac se pueden rastrear a los años ochenta y noventa cuando del extranjero llegaron varios retadores de los automóviles de lujo, incluyendo Mercedes-Benz, BMW, Lexus e Infiniti. Los conductores jóvenes acomodados a menudo se olvidan o dejan de lado a Cadillac, por tratarse de un símbolo de estatus de una generación más vieja. Verdaderamente, la edad promedio de un propietario de Cadillac es de aproximadamente 65 años. Claramente, el futuro de este fabri-

cante se basa en su capacidad de atraer a una clientela más joven. Hacerlo requiere modificar sus actitudes de marca.

Por tanto, ¿cómo intenta Cadillac modificar las actitudes de marca de los conductores jóvenes? Un procedimiento incluye una nueva campaña publicitaria, que sugiere que Cadillac crea automóviles que combinan los avances tecnológicos más recientes con un diseño de estilo. Los automóviles ofrecen el sistema de comunicaciones On-Star, que rastrea la posición del automóvil por satélite y proporciona orientación vía teléfono celular, tecnología Night Vision, que ayuda a los conductores a ver más allá de lo que permiten los faros delanteros solos, y el sistema StabiliTrak, para un manejo en carretera más fácil. Y anuncios como el que aparece en la figura 10.10, que describen la forma en que el Cadillac Seville STS se desempeñó mucho mejor que el Mercedes-Benz E430 en pruebas de manejo en carretera recientes, están haciendo llegar este mensaje a los consumidores.

Además, Cadillac ha descubierto los beneficios potenciales de hacer que los consumidores efectúen un recorrido de prueba. El director de publicidad, Kim Kosak, dice que cuando los propietarios de BMW y de Mercedes se subieron a un Cadillac para darle una vuelta, sus actitudes hacia el automóvil se volvieron mucho más favorables. De acuerdo con lo anterior, el mensaje de la figura 10.10 lo invita a hacer un "recorrido de prueba de un Seville STS, ya que cambiará la forma en que usted piensa acerca de los sedán de lujo americano de alto rendimiento".

Fuente: tomado de Skip Wollenberg, "Carmaker Hopes to Rejuvenate Image with New Ad Campaign", en Marketing News (6 de diciembre de 1999), 29.

Cambio de creencias   Como se ilustra en El consumidor en la mira 10.3 y en la figura 10.10, Cadillac desea modificar "la forma en que piensa". Y muchas otras empresas desean lo mismo. Mercedes-Benz paga publicidad que nos dice "no es tan costoso como usted pudiera pensar" (véase la figura 9.10 del capítulo 9). Hallmark desea cambiar las creencias respecto de sus tarjetas demasiado costosas (véase El consumidor en la mira 9.3 del capítulo 9). En todos los casos, la empresa espera que el cambio en las creencias de los consumidores respecto de sus productos resultará en actitudes más favorables hacia el producto, lo que finalmente tendrá influencia sobre lo que compran los consumidores.

Volviendo al ejemplo anterior acerca de las bebidas sin alcohol y la tabla 10.3, suponga que deseamos incrementar la actitud de los consumidores hacia la marca B en relación con la marca A. Modificar la creencia de la marca B a lo largo de cualquiera de los atributos, con excepción de las calorías, tiene el potencial de mejorar las actitudes. Dado que la creencia respecto de las calorías está en coincidencia con el punto ideal, cualquier cambio aquí sólo dañaría la actitud. Para los atributos restantes, el cambio de creencia en la dirección del punto ideal haría que la marca fuera más atractiva para los consumidores.

Es menester reconocer que la necesidad de modificar la oferta del producto para cambiar las creencias de los consumidores dependerá de la precisión de éstas. Cuando los consumidores tienen creencias no deseables porque han percibido mal la oferta (por ejemplo, los consumidores que sobrestiman el precio del producto), los esfuerzos deben enfocarse a llevar estas creencias en armonía con la realidad. Sin embargo, si los consumidores son precisos en su percepción de las limitaciones de un producto, tal vez sería necesario modificar el producto mismo.

Más allá de mejorar las creencias de los consumidores respecto a sí mismos, la marca B también podría intentar reducir las creencias respecto de la competencia. La publicidad comparativa, al exaltar las ventajas de la marca anunciada en relación con la de la competencia, puede socavar las creencias respecto de la marca de ésta.[35] En consecuencia, de ser posible, la marca B podría llevar a cabo una campaña de anuncios comparativos para reducir la percepción de parte de los consumidores de la marca A.

Cambio de la importancia de los atributos   Otra manera de modificar la actitud es cambiar la importancia que le otorgan los consumidores a los diversos atributos. Dependiendo de la forma en que se percibe la marca, uno pudiera desear ya sea incrementar o reducir la importancia de un atributo. Diversas investigaciones han demostrado el potencial de mejorar lo sobresaliente de un atributo que se considera de alguna importancia.[36] Sin embargo, como regla general, el cambio de la importancia de un atributo es más difícil de lograr que el cambio de las creencias.

Con respecto a la marca B de la tabla 10.3, ¿qué cambios en la importancia de los atributos recomendaría usted? Al responder a esta pregunta, es necesario considerar la forma en que se percibe cada marca en relación con el desempeño ideal. Cuando las creencias en ambas marcas coinciden con el punto ideal, poco se ganará si se altera la importancia del atributo. Independientemente de la importancia que se le otorgue a los jugos de fruta, la preferencia relativa entre las marcas A y B no cambiará con base en el conjunto actual de creencias.

Cuando, sin embargo, la marca A se considera más cerca que la marca B del punto ideal para un atributo en particular, disminuir la importancia del atributo es ventajoso para la marca B. Éste es el caso del sabor, la gasificación y el precio. Cualquier cosa que se pueda hacer para que estos atributos sean incluso menos importantes para los consumidores ayudará a reducir las preferencias hacia la marca A en relación con la marca B.

Es deseable incrementar la importancia de los atributos cuando la marca del competidor está más lejos del ideal que lo que usted ofrece. En la tabla 10.3, la marca A está más alejada que la marca B del punto ideal en lo que se refiere a los atributos de calorías. En consecuencia, mejorar la importancia de las calorías beneficiaría a la marca B.

Otra variante de la modificación de la importancia de los atributos involucra los esfuerzos para agregar un atributo nuevo. Esto es la forma como una empresa puede crear importancia sobresaliente para un atributo que actualmente no tiene. El asado a las brasas es de poca importancia para muchos consumidores al seleccionar un restaurante de hamburguesas de comida rápida, a pesar de que la publicidad de Burger King ha intentado modificar esta opinión. La adición de un nuevo atributo al juego de atributos sobresalientes esencialmente significa incrementar la importancia de algo que previamente no era sobresaliente.

Modificación de puntos ideales   Otra opción para cambiar las actitudes sugeridas por el modelo de punto ideal involucra modificar las preferencias de los consumidores sobre cuál debería ser la apariencia del producto ideal. Por ejemplo, ¿debería su marca ideal de lavado bucal contener mucho alcohol, algo de alcohol o nada de alcohol? Con base en la creencia de que el alcohol incrementa la efectividad del lavado bucal, algunas personas prefieren este ingrediente en su lavado. Sin embargo, el anuncio del lavado bucal de Rembrandt que aparece en la figura 10.11, argumenta de manera diferente. Declara que aunque el alcohol efectivamente mata a las bacterias, también puede irritar la boca de la persona. De creerse, este anuncio cambiaría el punto ideal para muchos consumidores.

Existen varios cambios de punto ideal en la tabla 10.3 que ayudarían a la marca B. Las actitudes hacia la marca B se harían más favorables, si los consumidores prefirieran o bien un sabor más amargo, menos gasificación o un precio mayor. Estos cambios reducirían las actitudes hacia la marca A, dependiendo de si se abriría la brecha entre las percepciones del desempeño de la marca A y el desempeño ideal.

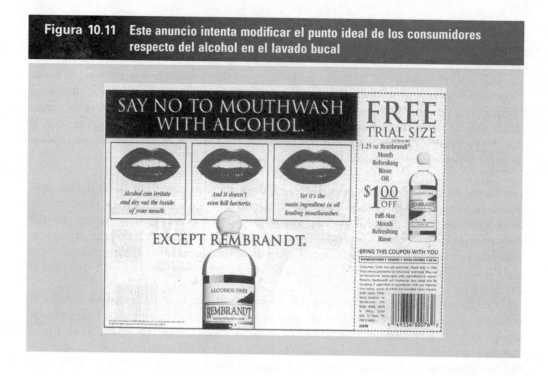

Figura 10.11   Este anuncio intenta modificar el punto ideal de los consumidores respecto del alcohol en el lavado bucal

Los cambios para los atributos restantes, las calorías y los jugos de fruta, no serían atractivos para la marca B. Dado que ésta se percibe como conteniendo la cantidad ideal de calorías, la modificación del punto ideal sería autodestructiva. A pesar de que la actitud hacia la marca B mejoraría si los consumidores prefirieran un poco menos de jugo de fruta en su bebida, este cambio produce el mismo impacto de actitud para ambas marcas, dado que ambas se perciben como iguales en este atributo, y cualquier cambio en el nivel preferido de jugos de fruta no puede alterar las preferencias de marca de los consumidores.

Estimación del impacto en las actitudes por cambios alternativos   Como ha podido observar, existen muchos cambios alternativos que se pueden implementar para incrementar la preferencia de los consumidores de la marca B en relación con su competidor. Las decisiones sobre qué cambios seguir dependen de varias consideraciones, algunos cambios serán descartados, ya que requieren modificaciones del producto prohibitivas en su costo de implementación o virtualmente imposibles de lograr (como mejorar de manera importante la calidad del producto y al mismo tiempo mantener un precio inferior a la competencia).

También debe tomarse en cuenta la resistencia al cambio del consumidor, porque algunos cambios pueden ser más probables que otros. Una creencia basada en información incorrecta del producto respecto del precio de la marca se puede corregir con bastante facilidad. En ausencia de un cambio real en el producto, pudiera resultar prácticamente imposible cambiar creencias derivadas del consumo real respecto del sabor de Spam. Tampoco debería subestimarse lo difícil que es cambiar la importancia y el punto ideal de los atributos. Una línea de aviación con un historial de seguridad pobre pudiera desear que los consumidores dieran menos importancia a la seguridad al seleccionar un transportista, pero lograrlo es imposible para la empresa.

Otra consideración, al decidir qué cambios deben implementarse, es la rentabilidad potencial de la actitud que cada cambio pudiera dar. Los modelos de actitud multiatributo ayudan a estimar esta rentabilidad. Volvamos por última vez a la marca B de la tabla 10.3. ¿Puede identificar el único cambio que, de tener éxito, tendría el impacto de actitud más favorable, desde el punto de vista de la marca B?

El cambio del punto ideal de gasificación de 3 a 6 sería el único cambio mejor. La calificación total multiatributo para la marca B se reduciría de 29 a 20 (recuerde, calificaciones totales inferiores son mejores para el modelo de punto ideal). Este mismo cambio incrementaría la calificación total de la marca A de 16 a 25, y le daría a la marca B una calificación más favorable que a la marca A.

El siguiente cambio involucraría desplazar el punto ideal para el sabor de 2 a 3. Las nuevas calificaciones totales para las marcas A y B serían de 22 y 23, respectivamente. Este proceso continuaría para cada uno de los cambios posibles, dando así información respecto de su impacto y actitud relativos. Quedando todo lo demás igual, deberían continuarse con aquellos cambios que ofrezcan el impacto más favorable.

Antes de cerrar, deberíamos reconocer que la cobertura que acabamos de ver acerca de la formación de actitudes y modificaciones está lejos de estar completa. En muchas formas, este capítulo sólo ha arañado la superficie. Volveremos a estos temas posteriormente en el libro (véase el capítulo 15).

Resumen

En muchas situaciones, es muy importante anticiparse a la forma en que se comportarán los consumidores. Una manera de pronosticar el comportamiento del consumidor involucra simplemente preguntarles lo que tienen intención de hacer. Bajo las circunstancias correctas, estas intenciones pueden predecir con precisión el comportamiento futuro.

También es importante comprender lo que les gusta y disgusta a los consumidores. Las actitudes que representan estos gustos y aversiones influyen fuertemente las intenciones. Estas actitudes se forman a partir de creencias y emociones personales respecto del objeto de la actitud.

El capítulo dedicó una considerable atención a los modelos de actitud multiatributo, que se enfocan en las creencias de los consumidores respecto de los atributos de un producto. Dos tipos de modelos de actitud multiatributo son el Fishbein y de punto ideal. Una ventaja principal del modelo de punto ideal es que identifica la configuración preferida o ideal de los consumidores sobre los atributos del producto. Estos modelos aportan discernimiento respecto de las razones que manejan los consumidores hacia las actitudes que tienen. También proporcionan guía al desarrollar estrategias alternativas de cambios de actitud.

Preguntas de repaso y análisis

1. Un estudio de investigación de mercado efectuado para un fabricante importante de aparatos domésticos puso de manifiesto que 30% de los encuestados planean la adquisición de un compactador de basura en los siguientes 3 meses, y 15% planean comprar una nueva plancha. ¿Cuánta confianza puede darse a la precisión de predicción de estas mediciones de intención? De manera más general, ¿variará la precisión predictiva de un producto a otro? ¿Por qué sí o no?

2. Usted está interesado en predecir si una persona comprará un nuevo Chrysler de la agencia automotriz de Bob Caldwell el mes que viene. Alguien sugiere la siguiente redacción para la medición de la intención: "¿Cuál es la probabilidad que usted adquiera pronto un automóvil nuevo?" ¿Por qué es poco probable que esta medida prediga el comportamiento de interés?

3. En enero de 2000, antes de la introducción en el mercado, el señor Dickson llevó a cabo una encuesta respecto de las actitudes de los consumidores hacia su nuevo producto. La encuesta reveló que 80% de los entrevistados tenía actitudes favorables hacia el producto. El producto fue introducido en junio de 2001, y las ventas de dicho producto han sido muy decepcionantes. ¿Qué explicaciones puede usted ofrecer, vista esta discrepancia entre la encuesta de actitud y las ventas del producto?

4. Considere los siguientes resultados para una televisión, con base en el modelo multiatributo de Fishbein.

Atributo	Evaluación	Creencias acerca de la marca
Imagen clara	+3	+2
Precio bajo	+2	−1
Durable	+3	+1
Mueble atractivo	+1	+3

En primer término, calcule la calificación general de actitud. Segundo, calcule la calificación máxima general que una marca podría recibir, dado el conjunto actual de evaluaciones de atributos. Tercero, describa los puntos fuertes y débiles del producto, tal y como los perciben los consumidores.

5. Utilizando los resultados multiatributo que se presentan en la pregunta 4, identifique todos los cambios posibles que mejorarían la actitud de la marca. ¿Qué cambio conduciría a mejorar la actitud?

6. Analice los compromisos entre los modelos de actitud multiatributo, las medidas de actitud hacia un producto y las medidas de intenciones de compra en función de: a) su poder de predicción relativa y b) su utilidad para la comprensión del comportamiento del consumidor.

7. Suponga que una empresa trata de decidir qué segmentos de los consumidores representan su mejor apuesta para la expansión futura. Para ayudar a esta decisión, el departamento de investigación ha recolectado información respecto de las actitudes hacia el producto de los miembros del segmento. Los resultados muestran las siguientes calificaciones promedio de actitud en una escala de 10 puntos, que va de "producto malo" (1) hasta "producto bueno" (10):

Segmento A 8.2

Segmento B 7.5

Segmento C 6.1

Con base en esta información, se ha seleccionado el segmento A como la mejor oportunidad de expansión. ¿Está de acuerdo? ¿Qué problemas pudieran presentarse al tomar esta decisión, con base en la información actual?

Notas

1. Gregg Fields, "Blowing Smoke?", en *Miami Herald* (enero 25 de 1998), 1F, 3F.

2. Para una investigación acerca de la relación intención-comportamiento, *véase* Donald H. Granbois y John O. Summers, "Primary and Secondary Validity of Consumer Purchase Probabilities", en *Journal of Consumer Research,* 4 (marzo de 1975), 31-38; Paul W. Miniard,

Carl Obermiller y Thomas J. Page, Jr., "A Further Assessment of Measurement Influences on the Intention-Behavior Relationship", en *Journal of Marketing Research,* 20 (mayo de 1983), 206-212; David J. Reibstein, "The Prediction of Individual Probabilities of Brand Choice", en *Journal of Consumer Research,* 5 (diciembre de 1978), 163-168; Paul R. Warshaw, "Predicting Purchase and Other Behaviors from General and Contextually Specific Intentions", en *Journal of Marketing Research,* 17 (febrero de 1980), 26-33. De manera interesante, la investigación sugiere que la simple medición de la intención conductista puede afectar la posibilidad que ocurra el comportamiento. *Consulte* Vicki G. Morwitz, Eric Johnson y David Schmittlein, "Does Measuring Intent Change Behavior?", en *Journal of Consumer Research,* 20 (junio de 1993), 46-62.

3. Joseph A. Cote, James McCullough y Michael Reilly, "Effects of Unexpected Situations on Behavior-Intention Differences: A Garbology Analysis", en *Journal of Consumer Research,* 12 (septiembre de 1985), 188-194.

4. Jennifer Lach, "Meet You in Aisle Three", en *American Demographics* (abril de 1999), 41-42.

5. Para un excelente análisis acerca de la importancia de la correspondencia de las mediciones, *véase* Icek Ajzen y Martin Fishbein, "Attitude-Behavior Relations: A Theoretical Analysis and Review of Empirical Research", en *Psychological Bulletin,* 84 (septiembre de 1977), 888-918. Para una demostración empírica, *véase* James Jaccard, G. William King y Richard Pomozal, "Attitudes and Behavior: An Analysis of Specificity of Attitudinal Predictors", en *Human Relations,* 30 (septiembre de 1977), 817-824.

6. Paul R. Warshaw y Fred D. Davis, "Disentangling Behavioral Intention and Behavioral Expectation", *Journal of Experimental Social Psychology,* 21 (1985), 213-228.

7. Icek Ajzen y Martin Fishbein, *Understanding Attitudes and Predicting Social Behavior* (Englewood Cliffs, NJ: Prentice-Hall, 1980); E. Bonfield, "Attitude, Social Influence, Personal Norms, and Intention Interactions as Related to Brand Purchase Behavior", en *Journal of Marketing Research,* 11 (noviembre de 1974), 379-389.

8. Icek Ajzen, "From Intentions to Actions: A Theory of Planned Behavior", en J. Kuhland y J. Beckman, eds., *Action Control: From Cognitions to Behavior* (Heidelberg: Springer-Verlag, 1985), 11-39; Icek Ajzen, "The Theory of Planned Behavior", en *Organizational Behavior and Human Decision Processes,* 50 (1991), 179-211; Thomas J. Madden, Pamela Scholder Ellen y Icek Ajzen, "A Comparison of the Theory of Planned Behavior and the Theory of Reasoned Action", en *Personality and Social Psychology Bulletin,* 18 (febrero de 1992), 3-9.

9. Otros factores además de las actitudes pueden también influir en las intenciones. *Véase* Ajzen, "The Theory of Planned Behavior"; Ajzen y Fishbein, *Understanding Attitudes and Predicting Social Behavior;* Martin Fishbein e Icek Ajzen, *Belief, Attitude, Intention, and Behavior: An Introduction to Theory and Research* (Reading, MA: Addison-Wesley, 1975); Paul W. Miniard y Joel B. Cohen, "Modeling Personal and Normative Influences on Behavior", en *Journal of Consumer Research,* 10 (septiembre de 1983), 169-180; Paul R. Warshaw, "A New Model for Predicting Behavioral Intentions: An Alternative to Fishbein", en *Journal of Marketing Research,* 17 (mayo de 1980), 153-172.

10. Fishbein y Ajzen, *Belief, Attitude, Intention, and Behavior.*

11. *Ibid.*

12. Cyndee Miller, "Study Says 'Likability' Surfaces as Measure of TV Ad Success", en *Marketing News* (enero 7 de 1991), 6, 14. *También véase* Cyndee Miller, "Researchers Balk at Testing Rough Ads for 'Likability,'" en *Marketing News* (septiembre 2 de 1991), 2.

13. Scott B. MacKenzie, Richard J. Lutz y George E. Belch, "The Role of Attitude toward the Ad as a Mediator of Advertising Effectiveness: A Test of Competing Explanations", en *Journal of Marketing Research,* 23 (mayo de 1986), 130-143; Paul W. Miniard, Sunil Bhatla y Randall L. Rose, "On the Formation and Relationship of Ad and Brand Attitudes: An Experimental and Causal Analysis", en *Journal of Marketing Research,* 27 (agosto de 1990), 290-303; Andrew A. Mitchell y Jerry C. Olson, "Are Product Attribute Beliefs the Only Mediators of Advertising Effects on Brand Attitudes?", en *Journal of Marketing Research,* 18 (agosto de 1981), 318-332.

14. Un análisis de modelos multiatributo adicionales puede verse en Frank A. Bass y W. Wayne Talarzyk, "Attitude Model for the Study of Brand Preference", en *Journal of Marketing Research,* 9 (febrero de 1972), 93-96; Jagdish N. Sheth y W. Wayne Talarzyk, "Perceived Instrumentality and Value Importance as Determinants of Attitudes", en *Journal of Marketing Research,* 9 (febrero de 1973), 6-9; Milton J. Rosenberg, "Cognitive Structure and Attitudinal Affect", en *Journal of Abnormal and Social Psychology,* 53 (noviembre de 1956), 367-372; Olli T. Ahtola, "The Vector Model of Preferences: An Alternative to the Fishbein Model", en *Journal of Marketing Research,* 12 (febrero de 1975), 52-59.

15. Martin Fishbein, "An Investigation of the Relationships between Beliefs about an Object and the Attitude toward That Object", en *Human Relations,* 16 (agosto de 1963), 233-240; Fishbein y Ajzen, *Belief, Attitude, Intention, and Behavior;* Ajzen y Fishbein, *Understanding Attitudes and Predicting Social Behavior.* Para reseñas generales de modelos multiatributo en la investigación del consumidor, *véase* Richard J. Lutz y James R. Bettman, "MultiAttribute Models in Marketing: A Bicentennial Review", en Arch G. Woodside, Jagdish N. Sheth y Peter D. Bennett, eds., *Consumer and Industrial Buying Behavior* (Nueva York: North-Holland, 1977), 137-149; William L. Wilkie y Edgar

A. Pessemier, "Issues in Marketing's Use of Multi-Attribute Models", en *Journal of Marketing Research,* 10 (noviembre de 1973), 428-441.

16. La evidencia sugiere que el orden en el cual se miden las creencias (por atributo sobre marca contra marca sobre atributo) puede ser importante. *Véase* Eugene D. Joffee e Israel D. Nebenzahl, "Alternative Questionnaire Formats for Country Image Studies", en *Journal of Marketing Research,* 21 (noviembre de 1984), 463-471.

17. Se pueden encontrar ejemplos de aplicación del modelo de punto ideal en James L. Ginter, "An Experimental Investigation of Attitude Change and Choice of a New Brand", en *Journal of Marketing Research,* 11 (febrero de 1974), 30-40; Donald R. Lehmann, "Television Show Preference: Application of a Choice Model", en *Journal of Marketing Research,* 8 (febrero de 1972), 47-55.

18. Para investigación sobre la utilidad del modelo en el desarrollo de nuevos productos, *véase* Morris B. Holbrook y William J. Havlena, "Assessing the Real-to-Artificial Generalizability of Multiattribute Attitude Models in Tests of New Product Designs", en *Journal of Marketing Research,* 25 (febrero de 1988), 25-35.

19. "Lever Brothers Uses Micromodel to Project Market Share", en *Marketing News* (noviembre 27 de 1981).

20. Julie A. Edell y Marian Chapman Burke, "The Power of Feelings in Understanding Advertising Effects", en *Journal of Consumer Research,* 14 (diciembre de 1987), 421-433.

21. Morris B. Holbrook y Elizabeth C. Hirschman, "The Experiential Aspects of Consumption: Consumer Fantasies, Feelings, and Fun", en *Journal of Consumer Research,* 9 (septiembre de 1982), 132-140; Haim Mano y Richard L. Oliver, "Assessing the Dimensionality and Structure of the Consumption Experience: Evaluation, Feeling, and Satisfaction", en *Journal of Consumer Research,* 20 (diciembre de 1993), 451-466; Richard L. Oliver, "Cognitive, Affective, and Attribute Bases of the Satisfaction Response", en *Journal of Consumer Research,* 20 (diciembre de 1993), 418-430; Robert A. Westbrook, "Product/Consumption-Based Affective Responses and Postpurchase Processes", en *Journal of Marketing Research,* 24 (agosto de 1987), 258-270; Robert A. Westbrook y Richard L. Oliver, "The Dimensionality of Consumption Emotion Patterns and Consumer Satisfaction", en *Journal of Consumer Research,* 18 (junio de 1991), 84-91.

22. Arno J. Rethans, John L. Swasy y Lawrence J. Marks, "Effects of Television Commercial Repetition, Receiver Knowledge, and Commercial Length: A Test of the Two-Factor Model", en *Journal of Marketing Research,* 23 (febrero de 1986), 50-61.

23. Marian Chapman Burke y Julie A. Edell, "The Impact of Feelings on Ad-Based Affect and Cognition", en *Journal of Marketing Research,* 26 (febrero de 1989), 69-83; Julie A. Edell y Marian Chapman Burke, "The Power of Feelings in Understanding Advertising Effects", en *Journal of Consumer Research,* 14 (deiciembre de 1987), 421-433; Thomas J. Olney, Morris B. Holbrook y Rajeev Batra, "Consumer Responses to Advertising: The Effects of Ad Content, Emotions, and Attitude toward the Ad on Viewing Time", en *Journal of Consumer Research,* 17 (marzo de 1991), 440-453; Douglas M. Stayman y Rajeev Batra, "Encoding and Retrieval of Ad Affect in Memory", en *Journal of Marketing Research,* 28 (mayo de 1991), 232-239.

24. Para un análisis general del papel del estado de ánimo en el comportamiento del consumidor, *véase* Meryl Paula Gardner, "Mood States and Consumer Behavior: A Critical Review", en *Journal of Consumer Research,* 12 (diciembre de 1985), 281-300.

25. Michael J. Barone, Paul W. Miniard y Jean Romeo, "The Influence of Positive Mood on Consumers' Evaluations of Brand Extensions", en *Journal of Consumer Research,* 26 (marzo de 2000), 386-400. Paul W. Miniard, Sunil Bhatla y Deepak Sirdeshmukh, "Mood as a Determinant of Post-Consumption Evaluations: Mood Effects and Their Dependency on the Affective Intensity of the Consumption Experience", en *Journal of Consumer Psychology,* 1 (1992), 173-195.

26. Miniard, Bhatla y Sirdeshmukh, "Mood as a Determinant of Post-Consumption Evaluations".

27. Rajeev Batra y Douglas M. Stayman, "The Role of Mood in Advertising Effectiveness", en *Journal of Consumer Research,* 17 (septiembre de 1990), 203-214; Gerd Bohner, Kimberly Crow, Hans-Peter Erb y Norbert Schwarz, "Affect and Persuasion: Mood Effects Are the Processing of Message Content and Context Cues and on Subsequent Behaviour", en *European Journal of Social Psychology,* 22 (1992), 511-530; Daniel J. Howard y Thomas E. Barry, "The Role of Thematic Congruence Between a Mood-Inducing Event and an Advertised Product in Determining the Effects of Mood on Brand Attitudes", en *Journal of Consumer Psychology,* 3 (1994), 1-27; Richard E. Petty, David W. Schumann, Stephen A. Richman y Alan J. Strathman, "Positive Mood and Persuasion: Different Roles for Affect Under High- and Low- Elaboration Conditions", en *Journal of Personality and Social Psychology,* 64 (1993), 5-20.

28. Marvin E. Goldberg y Gerald J. Gorn, "Happy and Sad TV Programs: How They Affect Reactions to Commercials", en *Journal of Consumer Research,* 14 (diciembre de 1987), 387-403; John P. Murry, Jr., John L. Lastovicka y Surendra N. Singh, "Feelings and Liking Responses to Television Programs: An Examination of Two Explanations for Media-Context Effects", en

Journal of Consumer Research, 18 (marzo de 1992), 441-451.

29. "GF, Coke Tell Why They Shun TV News", *Advertising Age* (enero 28 de 1980), 39.

30. Una excepción es el "efecto durmiente" en el cual las actitudes se agudizan con el tiempo. *Véase* A.R. Pratkanis, A.G. Greenwald, M.R. Leippe y M.H. Baumgardner, "In Search of Reliable Persuasion Effects: III. The Sleeper Effect Is Dead. Long Live the Sleeper Effect", en *Journal of Personality and Social Psychology,* 54 (1988), 203-218.

31. Para un excelente análisis y reseña de la literatura relacionada con la resistencia a la actitud, *véase* Alice H. Eagly y Shelly Chaiken, *The Psychology of Attitudes* (Fort Worth, TX: Harcourt Brace Jovanovich, 1993).

32. Una forma de aumentar la resistencia está sugerida por la teoría de la inoculación. *Véase* William J. McGuire, "Inducing Resistance to Persuasion: Some Contemporary Approaches", en L. Berkowitz, ed., *Advances in Experimental Social Psychology,* 1 (San Diego, CA: Academic Press, 1964), 191-229.

33. Russell H. Fazio y Mark P. Zanna, "On the Predictive Validity of Attitudes: The Roles of Direct Experience and Confidence", en *Journal of Personality,* 46 (junio de 1978), 228-243; Lawrence J. Marks y Michael A. Kamins, "The Use of Product Sampling and Advertising: Effects of Sequence of Exposure and Degree of Advertising Claim Exaggeration on Consumers' Belief Strength, Belief Confidence, and Attitudes", en *Journal of Marketing Research,* 25 (agosto de 1988), 266-281; Robert E. Smith y William R. Swinyard, "Attitude-Behavior Consistency: The Impact of Product Trial Versus Advertising", en *Journal of Marketing Research* 20 (agosto de 1983), 257-267.

34. Para una demostración empírica, *véase* Richard J. Lutz, "Changing Brand Attitudes through Modification of Cognitive Structure", en *Journal of Consumer Research,* 1 (marzo de 1975), 49-59.

35. Paul W. Miniard, Randall L. Rose, Michael J. Barone y Kenneth C. Manning, "On the Need for Relative Measures When Assessing Comparative Advertising Effects", en *Journal of Advertising,* 22 (septiembre de 1993), 41-58; Paul W. Miniard, Randall L. Rose, Kenneth C. Manning y Michael J. Barone, "Tracking the Effects of Comparative and Noncomparative Advertising with Relative and Nonrelative Measures: A Further Examination of the Framing Correspondence Hypothesis", en *Journal of Business Research,* 41 (febrero de 1998), 137-143; Cornelia Pechmann y S. Ratneshwar, "The Use of Comparative Advertising for Brand Positioning: Association versus Differentiation", en *Journal of Consumer Research,* 18 (septiembre de 1991), 145-160; Randall L. Rose, Paul W. Miniard, Michael J. Barone, Kenneth C. Manning y Brian D. Till, "When Persuasion Goes Undetected: The Case of Comparative Advertising", en *Journal of Marketing Research,* 30 (agosto de 1993), 315-330.

36. Scott B. MacKenzie, "The Role of Attention in Mediating the Effect of Advertising on Attribute Importance", en *Journal of Consumer Research,* 13 (septiembre de 1986), 174-195.

Lecturas recomendadas para la parte III

Verne Gay, "Fill It Out and Be Counted: The U.S. Census Bureau Tries Paid Advertising to Raise Mail-In Response Rates for Census 2000", en *American Demographics* (febrero de 2000), 28-31.

Kendra Parker, "Pent-up Spending Energy", en *American Demographics* (noviembre de 1999), 40-42.

Michael J. Weiss, "Parallel Universe" (extracto de su libro, *The Clustered World*), en *American Demographics* (octubre de 1999), 58-63.

Dana L. Alden, Jan-Benedict E. M. Steenkamp y Rajeev Batra, "Brand Positioning Through Advertising in Asia, North America and Europe. The Role of Global Consumer Culture", en *Journal of Marketing 63* (enero de 1999), 75-87.

Neeraj Arora y Greg M. Allenby, "Measuring the Influence of Individual Preference Structures in Group Decision Making", en *Journal of Marketing Research 36* (noviembre de 1999), 476-487.

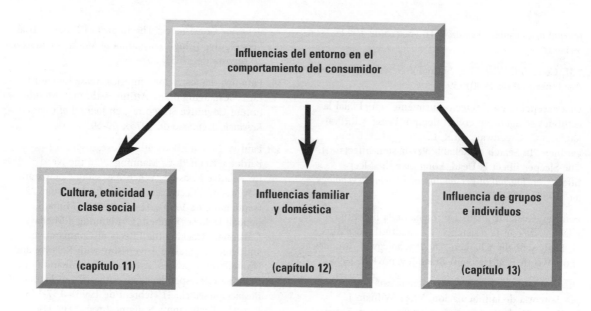

Influencia del entorno en el comportamiento del consumidor

Nadie es una isla. Esta afirmación es correcta en el estudio del comportamiento del consumidor. Existen individuos de todas formas, tamaños y tonos de piel, y, como se ha podido observar en las secciones anteriores de este libro, se comportan de diversas maneras. Estas características son las que hacen que usted sea único como individuo. Pero, ¿qué hace que usted sea como es? ¿Es predisposición genética, el entorno o alguna combinación de lo anterior lo que lo ha guiado en su evolución como un individuo singular? Incluso los científicos de muchas disciplinas no están de acuerdo sobre la respuesta a estas preguntas básicas.

Hay algo que está claro: Hasta cierto punto, los consumidores son modificados por el entorno en el cual viven, al que a su vez, afectan a través de su comportamiento. Los capítulos que siguen muestran cómo ocurre este proceso al estudiar el efecto de las influencias del medio ambiente o del entorno sobre las decisiones de compra y de consumo.

El tema de la cultura es básico para analizar la influencia del entorno. El capítulo 11 se enfoca en el papel de la cultura y de las influencias étnicas sobre el comportamiento del consumidor, incluyendo el papel de la religión, de los valores y de las clases sociales. La influencia familiar y del hogar se analizan en el capítulo 12, incluyendo el papel cambiante de la mujer y del hombre en la sociedad y la constitución mutante de la unidad familiar. El capítulo final de esta sección, el 13, se ocupa de las influencias personales y de grupo que caracterizan la manera en que nos comportamos y vivimos.

CAPÍTULO 11

Cultura, etnicidad y clase social

CASO DE INICIO

En la sociedad global de hoy día, los iconos y comportamientos culturales se transmiten de una generación a otra a través de los medios y de la internet. El resultado es una especie de competencia de intercambio cultural, en la cual los productos y las modas populares de una cultura son intercambiadas por aquellas que son populares en otra. La gente se enamoró de la princesa Diana de Gran Bretaña, la desaparecida princesa de Gales, que ha cubierto la portada de la revista *People*, publicación estadounidense, más veces que cualquier otra persona. Los diseñadores estadounidenses, como Anna Sui y Marc Jacobs, aprovecharon la transferencia hacia Estados Unidos de las modas *grunge,* popularizadas por el mercado joven de Inglaterra y que a menudo se presentan en MTV.

Muchos países recurren a Estados Unidos e Inglaterra en busca de nuevas modas y tendencias culturales. La atracción turística más grande en Rumania hoy día no es el castillo de Drácula, ni los monasterios con obras de Bukovina. Es una réplica con un valor de 1 millón de dólares del Southfork Ranch, la propiedad rural donde se filmó la telenovela estadounidense *Dallas*, que todavía se proyecta alrededor del mundo. En su primer año de operación, más de dos millones de personas visitaron este puente simbólico hacia el oeste, para admirar los lujosos escenarios, automóviles y vestidos que hasta ese momento sólo habían podido ser motivo de su fantasía. Similar a la popularidad de *Dallas* en todo el mundo, ha sido la aceptación de McDonald's y del personaje de Ronald McDonald como icono del oeste. Los adultos jóvenes chinos y rusos ahorran durante la semana con la finalidad de llevar a su pareja a McDonald's el fin de semana, y a veces a tomarse fotografías al lado de muñecos de Ronald.

Pero de la misma manera en que muchas modas e iconos culturales fluyen de Estados Unidos hacia otros países, también otras culturas están afectando la vida de la Unión Americana. Tome la música, por ejemplo. Desde que los Beatles invadieron el mundo en los años sesenta, oleadas de otros estilos han afectado la música. Más recientemente, los ritmos latinos han penetrado en las principales corrientes musicales estadounidenses, gracias a la creciente popularidad de grupos como Molotov y Ozomotli y la super estrella, Ricky Martin. Molotov y otra música hispánica representan al rock en español —mezcla de rock, hip-hop y estilos musicales latinos tradicionales—, y es una combinación popular de sonidos de grupos de origen latino que venden música en Estados Unidos. De hecho, los ritmos de este origen han logrado tal popularidad en muchos rincones de este país debido a la creciente población hispánica; tanto que la WSKQ, estación de música salsa en Nueva York, empató con WLTW (estación de música ligera) como una de las dos estaciones más populares en el mercado radiofónico más grande del país.

Fuente: Ira Matathia y Marian Salzman, "TransAtlantic Trend Tracking", en Bradweek *(29 de marzo de 1999), 27; Suein L. Hwang, "Salsa Radio Station Stirs Up New York", en* The Wall Street Journal *(10 de septiembre de 1998), B1; "¿Estás preparado para el rock en español?", en* The Wall Street Journal *(29 de abril de 1999), B1.*

Muchos factores afectan la forma en que nosotros, como individuos y como sociedad, vivimos, compramos y consumimos. Las influencias externas, como la cultura, la etnicidad y la clase social afectan la forma en que los consumidores *individuales* compran y utilizan los productos, y ayuda a explicar la forma en que se comportan los *grupos de consumidores*.

Históricamente, el estudio del comportamiento del consumidor se enfocaba en diferencias y en la toma de decisiones individuales, y aún es importante hoy día debido a la importancia que se otorga a comunicar y atraer segmentos de consumidores más pequeños. Sin embargo, Marcus y Kitayama[1] muestran que a menudo es más importante comprender *el yo interdependiente* que *el yo independiente*, especialmente en una economía global donde 70% de los consumidores del mundo viven en una cultura *colectivista* más que en la cultura *individualista* de Estados Unidos.[2] Influencias como la cultura y la etnicidad no sólo afectan la forma en que los individuos toman decisiones, sino que también sirven de base para elaborar estrategias de segmentación, ya que influyen sobre grandes grupos de individuos.

¿Qué es la cultura?

La **cultura** se refiere a un *conjunto de valores, ideas, instrumentos y otros símbolos significativos que ayudan a los individuos a comunicarse, interpretar y evaluar como miembros de una sociedad.* Se ha descrito como el "plan maestro" de la actividad humana que determina las coordenadas de la acción social y de la actividad productiva.[3] La cultura también ha sido definida como un conjunto de patrones de comportamiento socialmente adquiridos, que se transmiten de manera simbólica a través del lenguaje y otros medios, entre los miembros de una sociedad en particular.[4] Este concepto no incluye los instintos ni el comportamiento idiosincrásico que se presentan como una solución por una sola vez a un problema único. Refleja, sin embargo, ciertas influencias de factores como la etnicidad, la raza, la religión, la identidad nacional o regional, tal como se observa en la figura 11.1. Conforme algunos de estos elementos cambian dentro de una sociedad, de la misma forma cambia la cultura.

La cultura incluye tanto elementos abstractos como materiales, lo que nos permite describir, evaluar y diferenciar las diferentes culturas. Los **elementos abstractos** incluyen los *valores, actitudes, ideas, tipos de personalidad y constructos sumarios, como la religión o la política.*

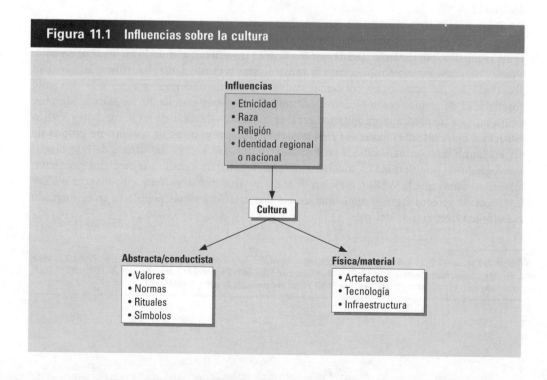

Figura 11.1 Influencias sobre la cultura

Influencias
- Etnicidad
- Raza
- Religión
- Identidad regional o nacional

Cultura

Abstracta/conductista
- Valores
- Normas
- Rituales
- Símbolos

Física/material
- Artefactos
- Tecnología
- Infraestructura

Algunas culturas también creen en mitos o tienen supersticiones, como se puede observar en El consumidor en la mira 11.1. Un *símbolo* también puede llegar a representar una cultura, como el águila calva, que representa las características de bravura y fuerza, así como la idiosincrasia de Estados Unidos. Este tipo de símbolo, que incorpora tres componentes centrales —lenguaje, sentidos estéticos y temas de relatos[5]— se convierte en representación de una cultura, definiendo sus características y valores de manera similar a la forma en que las marcas definen las características de una empresa o de un producto.

Los **componentes materiales**, conocidos a veces como **instrumentos culturales**, incluyen cosas como *libros, computadoras, herramientas, edificios y productos específicos*, como un par de jeans 501 de Levi's o el último CD de Aerosmith o de Garth Brooks. Las computadoras, los teléfonos celulares y los cafés Starbucks, pueden considerarse instrumentos culturales estadounidenses de las últimas dos décadas del siglo XX, en tanto que el uso de trajes y el aire acondicionado se han convertido en señales de cosmopolitismo y modernidad globales.[6] Los productos también brindan *símbolos significantes* de una sociedad[7] y a menudo representan relaciones familiares, como en el caso de una receta especial heredada a través de las generaciones, o que están asociados con nuestra propia identidad nacional o étnica. Los productos a veces se utilizan para realizar un *comportamiento ritual*, como los alimentos que se ingieren durante festividades o ceremonias religiosas. Ocasionalmente, los productos se convierten en un símbolo tan importante en una sociedad, que se transforman en *iconos*, como el caso de McDonald's o Coca-Cola.

En Brasil, la creencia en las propiedades míticas del guaraná (planta que se cree aumenta el poder, el espíritu y la potencia sexuales) representa un elemento abstracto de la cultura nacional, y las bebidas con base en esta hierba son, en todo Brasil, instrumentos culturales. Aún hoy, los consumidores brasileños gustan de la Coca-Cola, pero adoran las bebidas hechas con guaraná.[8] De manera similar, Unicum (licor húngaro tradicional hecho de hierbas), se ha convertido en parte de la cultura de ese país y actúa como *icono* cultural en el anuncio que aparece en la figura 11.2.

La cultura le da a las personas un sentido de identidad y la capacidad de comprender un comportamiento aceptable dentro de la sociedad. Algunas de las características de mayor importancia influenciadas por la cultura son las siguientes:[9]

El consumidor en la mira 11.1

La superstición puede afectar el comportamiento en una macrocultura

La superstición siempre ha ejercido un profundo efecto sobre el comportamiento humano. Incluso, a veces, ha generado efectos macroeconómicos en las sociedades más desarrolladas. Un ejemplo de los efectos de la superstición es la tasa de nacimientos japoneses de 1960 a 1990. Una reducción general y continua es evidente en décadas recientes. Pero lo que llama la atención es la caída de 25% en sólo un año, 1966. Este descenso súbito y la recuperación de las tasas de nacimientos significó todo tipo de problemas para aquellas empresas que vendían cunas en 1966 o que vendían bicicletas en 1972, para universidades y colegios en 1984, y para los empleadores en 1988.

¿Por qué el mercado bajó 25% en un año? En una gran parte de Asia (donde la influencia China es fuerte), cada año está asociado con alguno de doce animales. Por ejemplo,

1996 fue el año de la Rata. Tanto 1990 como 1978 fueron años del Caballo, igual que 1966. En la cultura japonesa, existe una creencia tradicional acerca de *heigo*, es decir, el año del Caballo de *Fuego*, que se presenta una vez cada 60 años, la última vez en 1966. De acuerdo con esta antigua superstición, una mujer nacida en el año del Caballo de Fuego está destinada a vivir una vida infeliz y a matar a su marido si se casa. De acuerdo con la tasa de nacimientos de dicho año, se puede suponer que las supersticiones relativas al año del Caballo de Fuego influyeron para que la población lo pensara dos veces antes de tener hijos. Aquí, el aspecto importante es que en países industrializados las supersticiones pueden afectar de manera sustancial el comportamiento a escala macroeconómica.

Fuente: tomado de Cathy Anterasian, John L. Graham, R. Bruce Morney, "Are U.S. Managers Superstitious about Market Share?", en Sloan Management Review (verano de 1996), 67-77.

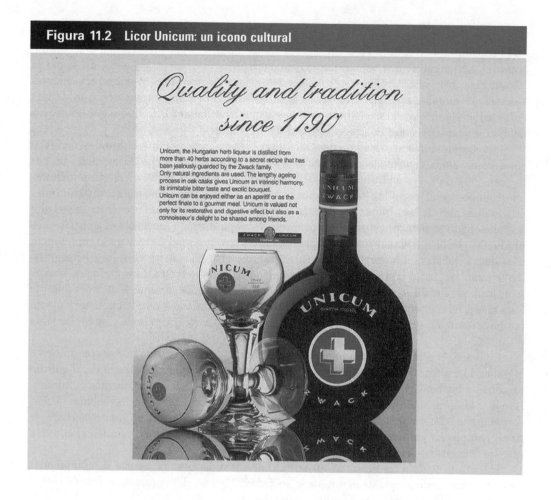

Figura 11.2   Licor Unicum: un icono cultural

1. Sentido de sí mismo y del espacio
2. Comunicación y lenguaje
3. Vestido y apariencia
4. Alimentos y hábitos alimentarios
5. Tiempo y conciencia del tiempo
6. Relaciones (familiares, organizaciones, gobierno, etcétera)
7. Valores y normas
8. Creencias y actitudes
9. Procesos mentales y aprendizaje
10. Costumbres y prácticas de trabajo

Estas características se pueden utilizar para definir y diferenciar una cultura de otra, e identificar similitudes entre ellas. Los mercadólogos a menudo utilizan las características culturales para segmentar los mercados con base global o para anunciar y vender productos a diferentes mercados. Por ejemplo, en su expansión mundial, McDonald's tuvo que enfrentar costumbres relativas a alimentos y comida de varias culturas. Aunque la investigación demostró que en la mayoría de los países los componentes básicos del menú se venderían bien, era necesario agregar otros para satisfacer las preferencias culturales de los mercados locales. En el Japón, se le añadió arroz (alimento básico del país). En India, en respeto a las sagradas creencias de la cultura hindú (que prohíben que las vacas se sacrifiquen para comer), se incluyeron hamburguesas de borrego. En realidad, es tan importante la población vegetariana de esta sociedad que también hubiera sido atinado agregar en el menú una hamburguesa elaborada con vegetales.

Valores y normas

Dos elementos importantes de la cultura son los valores y las normas. Las **normas** son las *reglas de comportamiento que siguen una mayoría o que por lo menos representa el consenso de un grupo, en relación con la manera en que deben comportarse los individuos.* Los valores culturales o sociales son los que comparten ampliamente diversos grupos humanos, en tanto que los valores personales, como se trató en el capítulo 7, son las creencias terminales (metas) o instrumentales (de comportamiento) de los individuos.

Los valores sociales y personales no son siempre los mismos, e incluso pueden ser diferentes entre miembros de una misma cultura. Para ilustrar este punto, examine los valores sociales respecto a la forma en que debemos tratar a los demás. A pesar de que los valores sociales pueden condenar el homicidio, los valores personales de un terrorista pueden aprobar este tipo de comportamiento. Otro ejemplo son los vegetarianos del mundo: Los de Estados Unidos presentan un comportamiento opuesto a las normas culturales de su país, que afirman que la ingestión de animales y de carne es aceptable; en la India, por el contrario, ser vegetariano es norma cultural y parte del sistema axiológico del país. Estos tipos de valores sociales, descritos en este capítulo, están íntimamente relacionados con los valores personales descritos en el capítulo 7, y a veces pueden medirse utilizando escalas psicográficas (AIO) o Rokeach (EVR).[10]

Los valores y las normas representan las creencias de diversos grupos dentro de una sociedad. La **macrocultura** se refiere a *los valores y símbolos aceptados por toda una sociedad o la mayoría de sus miembros.* La **microcultura** implica *valores y símbolos de un grupo o segmento restringido de consumidores, definido de acuerdo con variables como edad, religión, etnicidad, clase social o alguna otra subdivisión del todo.* Las microculturas a veces se conocen como subculturas, pero utilizaremos aquel término para evitar las connotaciones de inferioridad que significa llamar subculturas a los grupos étnicos.

Algunos países, como Estados Unidos, Suiza y Singapur, tienen culturas nacionales constituidas por muchas microculturas, en tanto que otros, como Japón, tienden a ser más homogéneos. Los primeros reflejan diversos componentes étnicos en sus culturas, lo que los hace más dinámicos y propensos al cambio. Los mercadólogos estadounidenses tienen que estar preparados para adaptarse a las necesidades cambiantes del mercado, a medida que éstas son influidas por cambios en los diversos grupos étnicos y en muchas microculturas. Por ejemplo, las hamburguesas son un icono cultural estadounidense, pero la influencia étnica del creciente mercado latino ha generado un cambio en los condimentos que se les agregan (de catsup a salsa). En contraste, un mercadólogo de Tokio puede mirar por su ventana corporativa y saber que muchos consumidores japoneses sostienen creencias similares respecto al honor, la familia, la religión, la educación y las costumbres de trabajo, todas ellas de importancia para comprender el comportamiento del consumidor.

¿Cómo se adquieren los valores?

A diferencia de los animales, cuyo comportamiento es más instintivo, los seres humanos no nacen sujetos a normas de comportamiento. En lugar de ello, *aprenden las normas por imitación y observación de los procesos de premio y castigo que aplican las personas que las aceptan o que se desvían de las normas del grupo. Los procesos mediante los cuales las personas desarrollan sus valores, motivaciones y actividades habituales* se conoce como **socialización** (el proceso de absorber una cultura). Las costumbres de los padres, a menudo directamente relacionadas con las normas culturales, pueden afectar la socialización del consumidor. Por ejemplo, la del consumidor japonés se caracteriza por una dependencia benevolente, lo que es coherente con una sociedad colectivista interdependiente, en tanto que la socialización del consumidor estadounidense se caracteriza por una independencia dirigida, lo que es congruente con una cultura individualista.[11] Aunque algunos estudios se enfocan en la forma en que los jóvenes aprenden habilidades de consumo, se reconoce que la socialización del consumidor es un proceso que dura toda la vida.[12]

En la figura 11.3 aparece el proceso mediante el cual los valores se trasmiten de una generación a la siguiente y las fuentes de donde los individuos obtienen sus valores. El modelo de transmisión muestra la forma en que los valores de una sociedad se ven reflejados en familias, instituciones religiosas y escuelas, estructuras que ponen de manifiesto y transmiten a su vez valores a los individuos. Estas instituciones y las experiencias tempranas de la vida se combinan para afectar los valores que los seres humanos internalizan o descartan.

También de importancia en el proceso de adopción es la influencia de los iguales y de los medios. Éstos no sólo *reflejan* los valores sociales, sino que pueden *influir* de manera significativa en las escalas axiológicas de los individuos. Por ejemplo, una película puede mostrar la ingestión de drogas o un conductor en estado de ebriedad (valores que la sociedad no aprueba) como aceptables o "interesantes", por lo cual influye posiblemente sobre los valores de los individuos. Los medios también pueden resaltar valores culturales importantes para una sociedad y ayudar a transmitirlos a otra generación o a reforzarlos dentro de esa sociedad. Las culturas europeas y germánicas hacen hincapié en la importancia de los niños en la familia. La figura 11.4 muestra un anuncio alemán de Sparkasse Bank, que recuerda a los padres que existen muchas razones para construir (una casa), pero ninguna mejor o más agradable que ésta, haciendo referencia a la imagen del niño.

A través del proceso de socialización que se presenta en la figura 11.3, las personas adoptan valores que influyen en la forma en que viven, en que definen lo que está bien y lo que está mal, en que van de compras y de lo que es importante para ellos, como placer, honestidad, seguridad financiera o ambición. Estas fuerzas vitales producen preferencias relacionadas con el color, empaque, conveniencia, horario para hacer las compras e interacciones características con vendedores y muchas otras personas. Además, los valores adoptados por los individuos prefiguran la forma de los valores de las sociedades futuras. Pero igual que adoptan ciertos valores, los seres humanos abandonan otros cuando éstos ya *no satisfacen las necesidades*

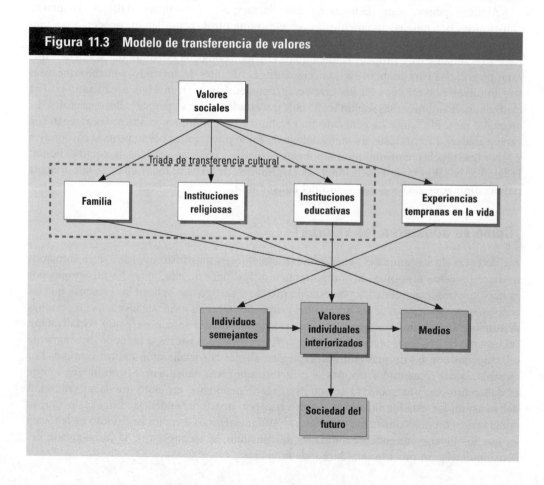

Figura 11.3   Modelo de transferencia de valores

Figura 11.4   Sparkasse hace un llamado a la cultura familiar

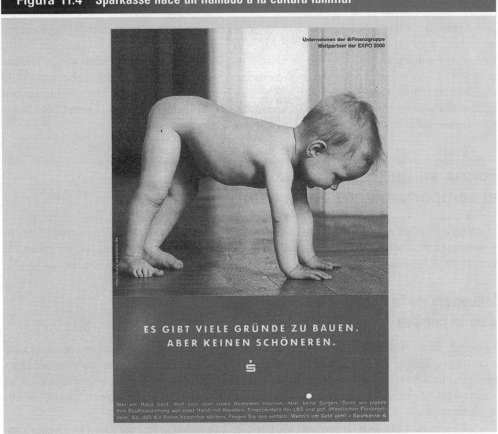

de la sociedad. De hecho, algunos antropólogos consideran que la cultura es una entidad al servicio de los seres humanos, en sus intentos de cubrir las necesidades básicas, biológicas y sociales de la sociedad. Cuando las normas ya no proporcionan una gratificación a la sociedad, se extinguen.

Adaptación de las estrategias a las culturas cambiantes

La cultura es capaz de *adaptarse*, y las estrategias de mercadotecnia basadas en los valores sociales también deben poder hacerlo. Cuando se producen cambios culturales, se desarrollan tendencias que son oportunidades de mercadotecnia para aquellos que detectan los cambios antes que sus competidores. A medida que evoluciona la cultura, los mercadólogos pueden asociar los beneficios del producto y de la marca con nuevos valores, o quizás deban modificar el producto si dicho valor ya no resulta gratificante para la sociedad. Por ejemplo, en la cultura masiva estadounidense la carne de res y otras solían ser alimentos básicos en el desayuno, almuerzo y cena. Debido a que la mayor parte de los consumidores trabajaba en granjas o en arduos trabajos de manufactura y mano de obra, resultaban valiosos y gratificantes los alimentos con elevados niveles de energía y calorías. A medida que estos trabajos fueron reemplazados por puestos de oficina y otros trabajos sedentarios, la industria de la carne otorgó mayor atractivo a carnes magras con menores índices de calorías, grasas y colesterol. En la actualidad, los estadounidenses consumen al año más libras de carne de aves de corral que de res y puerco.

Algunas veces, las normas culturales cambian con facilidad; otras se mantienen sin cambio durante décadas. Los mercadólogos deben ponerse a trabajar sobre la **socialización del**

consumidor, es decir, *la adquisición de conocimientos, actitudes y comportamientos relacionados con el consumo*. Las normas tempranamente aprendidas suelen ser muy resistentes a los esfuerzos promocionales. Cuando un anunciante se enfrenta a un comportamiento profundamente incrustado y culturalmente definido (respecto de alimentos, sexo, formas básicas de vestir, etcétera), resulta más fácil cambiar la mezcla de mercadotecnia con el objetivo de hacerla coincidir con los valores culturales, que modificar los valores a través de la publicidad. Así, la ingestión de perros, caballos, ojos de carnero e incluso pescados vivos es un comportamiento normal y saludable en algunas culturas. Sin embargo, la publicidad encontraría serias dificultades para convencer a otros consumidores de adquirir estos productos.

Forma en que la cultura afecta el comportamiento del consumidor

La cultura tiene un profundo efecto sobre las razones y la forma en que las personas compran y consumen productos. Afecta a los productos específicos que la gente compra, así como a la estructura del consumo, la toma individual de decisiones y la comunicación social.

Influencia de la cultura en la precompra y en la compra

La cultura afecta de diversas maneras las etapas de necesidad, búsqueda y evaluación alternativa a las formas en que los individuos toman decisiones de compra. Aunque los mercadólogos pueden influir en estas etapas a través de desplegados en punto de venta, mediante publicidad y estrategias de menudeo, ciertas fuerzas culturales son difíciles de superar, por lo menos en el corto plazo.

Las culturas conciben de manera diferente lo que se requiere para disfrutar de un buen estándar de vida. Por ejemplo, las personas solían tener un televisor, frente al cual se reunían los miembros de la familia para ver la programación. Actualmente, a menudo los consumidores adquieren varios televisores para la casa, y tener un segundo aparato en la recámara o en la cocina se ha convertido en norma cultural. ¿Experimentarán las computadoras la misma creciente importancia? Sin embargo, otras culturas consideran este tipo de consumo como frívolo; su definición de *necesidad* impone que un televisor es más que suficiente.

La cultura también afecta la forma en que los consumidores *buscan* la información. En algunas sociedades, la comunicación oral y el consejo de un miembro de la familia respecto de la elección de productos y marcas es de mayor importancia que la información contenida en un anuncio. En otras, es más usual buscar información en la internet. Independientemente del método, los mercadólogos deben comprender lo más valioso de una cultura en particular, con el fin de formular la estrategia de información más eficaz.

Durante la *evaluación alternativa*, algunos consumidores asignan más valor a ciertos atributos del producto que a otros, a menudo debido a su propia cultura. Por ejemplo, algunos consumidores ricos pueden pensar que un precio bajo es el atributo de mayor importancia, no porque les falte el dinero, sino en razón de que la "frugalidad" (un valor cultural) influye sobre su elección. En contraposición, un consumidor pobre podría adquirir un par de zapatos costoso debido a valores personales o de grupo que lo persuaden de seguir la tendencia de la moda.

Durante los procesos de *compra*, la amplitud esperada de la negociación del precio, tanto desde la perspectiva del vendedor como de la del comprador, está determinada culturalmente. En Grecia y en algunos países del Medio Oeste, por ejemplo, incluso el precio de los servicios de un médico es objeto de negociación, en tanto que en los mercados estadounidenses, los honorarios de un médico, por lo general, son predeterminados y no negociables. En Hong Kong, los consumidores están acostumbrados a recorrer mercados atestados, con un calor extremo, para examinar y adquirir carne recién sacrificada que cuelga al aire libre, como se observa en la figura 11.5. Algunos consumidores tendrían temor a la presencia de bacterias

Figura 11.5   Mercado de Hong Kong

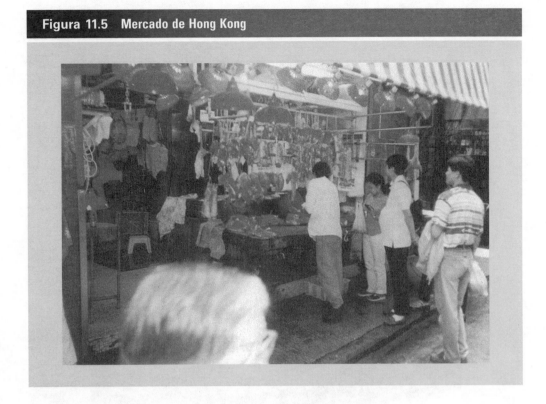

que pueden acumularse sobre la carne debido a la exposición a las altas temperaturas y a los insectos.

Influencia de la cultura en el consumo y el descarte

La cultura también afecta la forma en que los consumidores usan o consumen los productos. Los compradores adquieren productos para obtener función, forma y significado, elementos que deben ser estudiados por los mercadólogos, ya que están definidos dentro del contexto cultural del consumo.

Cuando los consumidores utilizan un producto, esperan que desempeñe una *función*, como por ejemplo, limpiar la ropa, en el caso de lavadoras. Pero las expectativas de los consumidores respecto de la función y de la forma a menudo varía entre culturas. En las sociedades europeas, se espera que las lavadoras duren décadas, que "hiervan" la ropa para que quede esterilizada, y que sean de tamaño pequeño. Empresas como Miele, fabricante con base en Alemania y proveedor de aparatos domésticos (véase la figura 11.6) venden con éxito en toda Europa y Asia máquinas muy eficientes, de carga frontal, con un costo de más de 1000 dólares. Sin embargo, cuando la firma trató de introducir su producto en Estados Unidos, sólo tuvo un éxito limitado. Los estadounidenses cambian de domicilio con mayor frecuencia que los europeos y no desean "invertir" en una máquina que poseerán sólo pocos años; además, prefieren la capacidad más conveniente aunque menos eficiente de lavadoras que se cargan por la parte superior.[13]

La cultura también influye en la forma en que los individuos se *deshacen* de los productos. En consecuencia, en Estados Unidos las máquinas lavadoras son prácticamente un producto desechable. Cuando se descomponen, o si el consumidor cambia de domicilio, a menudo se dejan o se descartan. Algunas culturas promueven la reventa de los productos después de su uso, "heredárselos" a otros para su uso, o su reciclaje y empaque si ello es posible, en tanto que otras se inclinan por deshacerse de ellas.

Figura 11.6 Función y forma del producto: Máquinas lavadoras de 1000 dólares

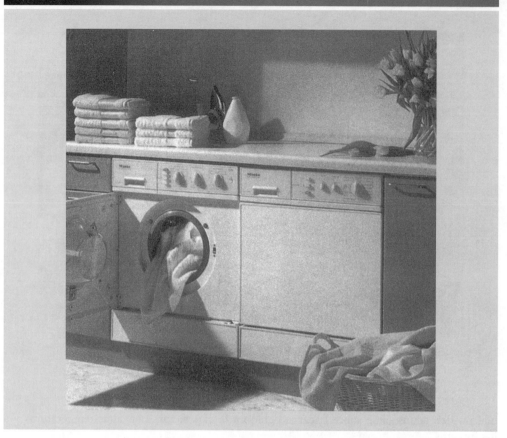

Manera en que los valores básicos afectan a la mercadotecnia

Los minoristas de éxito saben que *ofrecer un grupo básico de productos es esencial para el comercio, la lealtad del consumidor y las utilidades de una tienda.* Estos productos se conocen como **mercancía básica**. También existe un grupo de valores, conocidos como **valores básicos**, es decir, *fundamentales para comprender el comportamiento de las personas, que pueden ser de utilidad para los mercadólogos en diversas formas.*

- *Los valores básicos definen la forma en que se utilizan los productos en una sociedad.* No sólo determinan qué alimentos deben ingerirse, sino que también prescriben qué otros alimentos resultan apropiados, cómo se preparan y la hora adecuada para la ingestión.

- *Los valores básicos proporcionan valoraciones positivas y negativas de marcas y programas de comunicación.* Los mercadólogos pueden utilizar atletas o músicos célebres, como Tara Lipinski o Elton John para lograr evaluaciones positivas de sus marcas, una estrategia de éxito, a menos que la imagen de la celebridad se deteriore.

- *Los valores básicos definen relaciones aceptables en el mercado.* La cultura nativa (y sus valores) de una empresa influye en sus estrategias comerciales, en sus tácticas y prácticas en el mercado global,[14] y también afecta sus prácticas internacionales de compra.[15] Por ejemplo, en Japón, una empresa a menudo hará negocios con pequeños proveedores o empresas de distribución propiedad de viejos empleados, con los que conservan una relación o tienen una educación cultural similar. Pero en Estados Unidos, donde la cultura favorece relaciones impersonales, podría resultar más difícil desarrollar la confianza necesaria para una mercadotecnia con base en una relación efectiva.[16]

Los valores básicos definen el comportamiento ético de las empresas, el cual es influido por los valores o moral de sus empleados, igual que el clima ético de un país es afectado por los valores básicos de sus individuos e instituciones. En años recientes, se ha calificado a Estados Unidos como una "cultura del dinero", en la cual los ejecutivos de los negocios operan principalmente con base en la codicia.[17] De acuerdo con la ética personal de un individuo, éste puede considerar que varias metas corporativas son incompatibles con su propia escala axiológica,[18] lo cual genera tensión e insatisfacción. Los gerentes de ventas pueden reducir la probabilidad de un conflicto de este tipo si seleccionan y contratan individuos con valores y creencias congruentes con los de la organización, o que puedan internalizar los valores de la misma.[19]

Valores cambiantes

Los valores sociales cambian continuamente, aun cuando los valores básicos son relativamente permanentes. Los mercadólogos deben poner especial atención en los valores en transición, ya que afectan las dimensiones de los segmentos de mercado. Los cambios axiológicos pueden modificar las respuestas a la publicidad a las ofertas de servicio y a los formatos preferidos de menudeo. Una investigación realizada por Young & Rubicam determinó que algunas de las transformaciones ocurridas durante los años noventa (véase la tabla 11.1) representan un cambio de paradigma o un reordenamiento fundamental de la forma en que vemos al mundo que nos rodea.[20]

Los cambios en los valores de una sociedad se pueden pronosticar con base en una **explicación del ciclo de vida**, lo que significa que *a medida que los individuos envejecen, sus valores cambian*. Por tanto, los valores que distinguen a los jóvenes actuales, en unas cuantas décadas se parecerán a los que sustentan las personas de mayor edad, mientras que la escala axiológica del futuro será similar a la de hoy día conforme los jóvenes maduran e incorporan los valores de sus padres. Ésta es la teoría de la *asimilación conductual*. El **cambio generacional**, en contraste, sugiere que *gradualmente los valores existentes serán reemplazados por aquellos de los jóvenes que forman la generación líder en términos de valor*. Cuando los jóvenes de la actualidad maduren, conservarán los valores de su juventud y reemplazarán los valores sociales de los viejos consumidores de hoy.[21] ¿Qué piensa usted al respecto? En 30 años, ¿será más parecido a sus contemporáneos o a sus padres? Su respuesta dependerá de la forma en que sus valores se verán afectados por la tríada de transferencia cultural (familia, organizaciones religiosas y escuelas) y por experiencias tempranas de la vida.

Cambios de la influencia familiar

La familia es el agente de transferencia dominante en la mayor parte de las culturas. Están ocurriendo muchos cambios culturales, los cuales se examinarán más de cerca en el capítulo 12, pero algunos de los más significativos se presentan aquí.

- *Menos tiempo para influencia en el hogar o influencia entre padre e hijo.* Debido a que muchas madres trabajan fuera del hogar, aproximadamente 60% de los niños de entre 3 y 4 años asisten a escuelas preescolares o guarderías, en comparación con 5.7% en 1965. Hoy día, de forma cada vez más notable los niños adquieren sus valores fuera de la familia, por parte de nanas, escuelas y medios. El incremento en los índices de maternidad entre mujeres solteras también disminuye la posible influencia de los padres sobre los niños.

- *Tasas crecientes de divorcio.* En la actualidad, la mayor parte de los niños pasan una parte de sus vidas en hogares de un solo padre, lo que contribuye a reducir la influencia familiar.

Tabla 11.1 Valores cambiantes en la civilización occidental	
Valores tradicionales	**Nuevos valores**
Ética de autonegación	Ética de autorrealización
Estándar de vida más elevado	Mejor calidad de vida
Papeles tradicionales del sexo	Confusión de los papeles del sexo
Definición aceptada del éxito	Definición individualizada del éxito
Familias tradicionales	Familias alternas
Fe en la industria, en las instituciones	Confianza en sí mismo
Vivir para trabajar	Trabajar para vivir
Adoración de los héroes	Amor por las ideas
Expansionismo	Pluralismo
Patriotismo	Menos nacionalismo
Crecimiento sin paralelo	Creciente sensación de límites
Crecimiento industrial	Crecimiento en información y servicios
Receptividad a la tecnología	Orientación hacia la tecnología

Nota: las sociedades occidentales desarrolladas están descartando gradualmente los valores tradicionales y comienzan a abrazar nuevos valores emergentes a una escala cada vez más amplia.
Fuente: Joseph T. Plummer, "Changing Values", en Futurist *23 (enero/febrero de 1989), 10.*

Estos niños a menudo tienen menores probabilidades de formar familias tradicionales y vivir en ellas, lo que afecta los valores de la generación futura.

- *El núcleo familiar aislado.* La separación geográfica que sufre el núcleo familiar de abuelos y otros parientes (debido a la mayor movilidad de los trabajos y la educación) contribuye a la carencia de una herencia cultural o de un anhelo de raíces.

Cambios de la influencia religiosa

El grado al cual los individuos asisten a instituciones religiosas y creen en un "Dios" o "poder superior", así como el tipo de creencia religiosa que profesan, afecta la cultura de la sociedad. Las instituciones religiosas judeocristianas han jugado un importante papel histórico para formar los valores de las culturas occidentales. En años recientes, dichas instituciones han cambiado de manera sustancial. Los católicos han crecido de niveles mínimos en 1776 a la cuarta parte de la población de Estados Unidos, en gran medida debido a la inmigración europea de principios del siglo xx y a la inmigración actual de países hispanos. Los bautistas han reemplazado a los anglicanos (episcopales) como grupo protestante dominante.*

Lo que sigue resume algunas de las tendencias religiosas que se presentan en Estados Unidos:

- *Disminución de la lealtad a las iglesias y religiones tradicionales.* La declinación de las religiones institucionalizadas se aceleró después de la Segunda Guerra Mundial, con la búsqueda de los *baby boomers*. En 1958, uno de cada 25 estadounidenses había abandonado la denominación religiosa bajo la cual nacieron, cifra que, en 1999, llegó a ser de 1 de cada 3. Los grupos religiosos cuya magnitud en disminución incluyen actualmente los cultos moderados y liberales (luteranos, metodistas, presbiterianos, episcopales y otros).

---

* Para información sobre migración en México, consulte la página del Instituto Nacional de Estadística, Geografía e Informática: www.inegi.gob.mx.

- *Incremento de religiones no cristianas.* Con el aumento en la diversidad étnica, ha llegado un número creciente de budistas, musulmanes y otros. A menudo estas religiones enarbolan ideas conservadoras y respeto hacia los miembros de la familia.

- *Desplazamiento de la religión tradicional hacia la espiritualidad.* Muchos estadounidenses, especialmente los *baby boomers* maduros, buscan fe y espiritualidad en la experiencia, más que en la religión tradicional. La espiritualidad es más personal y práctica, e involucra reducir la tensión más que buscar la salvación, lo que significa sentirse bien, no sólo ser bueno.[22] Bajo esta definición tan vaga de fe y religión, millones de estadounidenses tienen una súbita pasión por la espiritualidad[23] y más personas que nunca se definen a sí mismas como "religiosas" incluso si rara vez asisten a la iglesia.

- *Las mujeres incrementan su grado de religiosidad.* Actualmente, las mujeres tienden a expresar su creencia religiosa y espiritualidad más que los hombres y están asistiendo a más estudios de la Biblia y a grupos de su mismo sexo para darse apoyo mutuo en estas actividades. Asimismo, más probablemente que los hombres definen el éxito en términos religiosos.[24] La figura 11.7 muestra la forma en que las mujeres conservan la fe en Estados Unidos.

- *La religión y la espiritualidad son buen negocio.* El incremento de la espiritualidad ha generado un incremento de las ventas de libros religiosos (sobre temas tales como prácticas de la nueva era hasta curas espirituales), de retiros espirituales, vestido, cuidados alternos de la salud, educación espiritual, estaciones de difusión pertenecientes a diversos cultos y regalos religiosos, especialmente los que se relacionan con los ángeles. De acuerdo con el Book Industry Study Group, en 1997 los consumidores gastaron 982 millones de dólares

Figura 11.7 Conservación de las creencias religiosas

¿Qué importancia tiene la religión en su propia vida? Muy importante, importante, no muy importante

julio de 98		mayo de 96
75%	Muy importante	69%
18	Importante	21
7	No muy importante	10

Las personas practican su religión de diferentes formas... Aparte de la asistencia a servicios religiosos, ¿usted reza varias veces al día, una vez al día, algunas veces por semana, una vez por semana o nunca?

julio de 98		mayo de 96
52%	Varias veces al día	38%
22	Una vez al día	25
13	Algunas veces por semana	18
9	Una vez por semana o menos	13
4	Nunca	5
*	No sabe/No contestó	1

Las últimas cifras provienen de una encuesta nacional telefónica entre 1000 mujeres adultas, entrevistadas entre el 30 de junio y el 22 de julio de 1998, estudio solicitado por el Center for Gender Equity, dirigida por Princeton Survey Research Associates. Las cifras de mayo de 1996 provienen de "May 1996 Religion and Politics Study", una encuesta nacional telefónica entre 1975 adultos de más de 18 años, llevada a cabo del 31 de mayo al 9 de junio de 1996 por The Pew Research Center para The People and The Press (PRC). Los resultados se basan en entrevistas de sólo 1034 encuestadas.

Fuente: G. Evans Witt, "Women Show Their Spiritual Side", en American Demographics *(abril de 1999), 23.*

en libros religiosos, 268 millones en libros de superación personal y 27 000 millones[25] en medicina alterna (tratamientos desde masajes hasta acupuntura).

Cambios de las instituciones educativas

La tercera institución fundamental en la transmisión de valores a los consumidores es la educación. La influencia de ésta parecería ir en aumento, debido en parte a la mayor participación de los estadounidenses en la educación formal y en parte al vacío dejado por la familia y las instituciones religiosas. Al mismo tiempo, existe preocupación sobre la naturaleza de la creciente influencia.

- *Incremento dramático de la educación formal.*   Hoy día, 1 de cada 4 trabajadores en Estados Unidos es graduado universitario, en comparación con aproximadamente 1 de cada 8 en 1970. Aunque actualmente menos mujeres que hombres que trabajan son graduados universitarios, el programa puede cambiar, ya que hoy en universidades y colegios la cantidad de inscritas supera a su contraparte masculina. Los programas MBA de fines de semana y nocturnos, así como otras innovaciones en los departamentos de educación continua de las universidades, favorecen niveles superiores de educación, incluso entre individuos de más edad. La University of Phoenix es una corporación lucrativa líder en muchos métodos educativos nuevos e innovadores que atrae a grupos de estudiantes no tradicionales.

- *Enseñanza: de la memorización al cuestionamiento.*   Anteriormente, a menudo la enseñanza hacía hincapié en la descripción y memorización de los hechos, sin ninguna posibilidad de cuestionamiento. La tendencia actual apunta hacia la adaptación de procedimientos analíticos, que otorgan prioridad a los cuestionamientos y a la formulación de nuevos procesos y soluciones. Los consumidores preparados en este nuevo entorno pueden rechazar definiciones rígidas de lo bueno y lo malo y practicar un consumismo agresivo. A su vez, las organizaciones de mercadotecnia deben revisar formatos de programas de ventas e información del producto, con la finalidad de proporcionar respuestas cuando los clientes hacen preguntas.

- *Aprendizaje vía la internet.*   Más estudiantes están experimentando alguna forma de aprendizaje vía la internet, ya sea una instrucción real por profesores a través de fuentes electrónicas, o al llevar a cabo investigación secundaria en la red. A medida que los consumidores jóvenes, cuyo contacto con las computadoras y la internet fue muy precoz, se convierten en consumidores adultos, sus expectativas sobre cómo y para qué utilizar la información y el comercio electrónico influirá en las estrategias de mercadotecnia de muchas empresas y organizaciones.

Influencia de la edad en los valores de microculturas

Además de las familias, instituciones religiosas y educativas, la cultura y los valores son modificados por experiencias tempranas en la vida. Los analistas del consumidor emplean el **análisis de cohortes** para *investigar los cambios en el comportamiento o en las actitudes de grupos conocidos como cohortes.* Una **cohorte** es *cualquier grupo de individuos relacionados de alguna manera*, generalmente por la edad. El análisis de estos conjuntos se enfoca en los cambios reales en el comportamiento o en las actitudes de los mismos, los que pueden atribuirse al proceso de envejecimiento, y aquellos asociados con eventos de algún periodo en particular, como la Gran Depresión o el escándalo de Watergate.[26] Aunque la contracultura de la década de los sesenta trajo consigo un incremento de los valores feministas y de los inmigrantes, algunos analistas sostienen que hemos entrado en una era postmoderna, en la cual las contradicciones se festejan y se mezclan.[27] Aunque las modas pueden cambiar (corte de pelo recto en los años cincuenta y perforaciones en el cuerpo en los noventa), la dinámica cultural es la

Figura 11.8   Phillips llama la atención

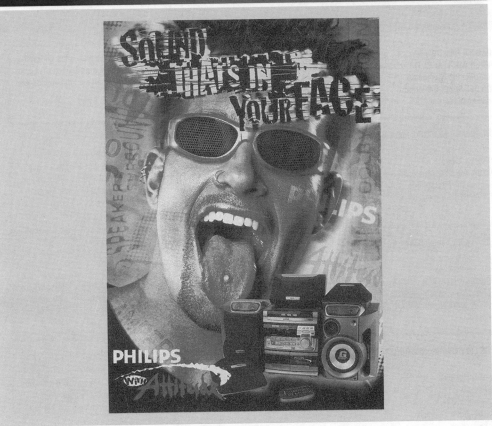

misma, es decir, los grupos minoritarios buscarán estos cambios, y la mayoría caerá en la categoría de "Yo no lo entiendo".[28] Phillips desarrolló un anuncio para intentar conectarse con esta última cohorte en el anuncio australiano de equipo de audio de la figura 11.8.

La figura siguiente destaca las diversas cohortes relacionadas con la edad a las cuales se incorporan los consumidores. El capítulo 7 definió estos grupos aún más y presentó descripciones demográficas de cada uno de ellos. A medida que usted estudia las descripciones de estas cohortes, piense sobre la forma en que sus experiencias podrían afectar sus valores, y de qué manera su cultura cambiará al envejecer.

Cultura nacional

La cultura tiene un efecto profundo en la forma en que los consumidores se perciben a sí mismos, a los productos que compran y utilizan, a los procesos de compra, y a las organizaciones a las cuales les compran. Los mercadólogos ponen cada día mayor atención, sin embargo, en comprender las macroculturas y en cómo afectan éstas el comportamiento del consumidor. Hofstede[29] detectó cuatro dimensiones de la cultura que son comunes en 66 países, las cuales sirven como base para caracterizar, comparar y contrastar culturas nacionales específicas y que, además, son útiles para identificar segmentos del mercado sensibles al entorno.[30]

- *Individualismo* versus *colectivismo*.   El individualismo describe la relación entre una persona y sus compañeros, o con la colectividad que prevalece en la sociedad. La figura 11.10 resume las diferencias de actitud y comportamiento asociadas con el individualismo y con el colectivismo.

Figura 11.9   Cohortes de edad del consumidor

COHORTE DE LA DEPRESIÓN (generación G.I.)

NACIDOS 1912-1921 EDAD EN 2000: 79 a 80 **PORCENTAJE DE POBLACIÓN ADULTA:** 7% (13 millones) **LEMA DE DINERO:** Ahorrar para los días malos **ESTADO MENTAL ACERCA DEL SEXO:** Intolerante **MÚSICA FAVORITA:** Grandes bandas	Las personas que estaban iniciándose en la era de la Depresión fueron marcados en formas que se conservan en la actualidad, especialmente cuando se trata de asuntos financieros como gastar, ahorrar y contraer deudas. Esta cohorte también fue la primera en ser influenciada por medios modernos como la radio y, especialmente, las películas.

COHORTE DE LA SEGUNDA GUERRA MUNDIAL (generación de la Depresión)

NACIDOS 1922-1927 EDAD EN 2000: 73 a 78 **PORCENTAJE DE POBLACIÓN ADULTA:** 6% (11 millones) **LEMA DE DINERO:** Ahorrar mucho, gastar poco **ESTADO MENTAL ACERCA DE SEXO:** Ambivalente **MÚSICA FAVORITA:** Swing	Las personas que llegaron a la **edad** adulta en los años cuarenta fueron unificados por la experiencia compartida de un enemigo y una meta comunes. En consecuencia, este grupo es intensamente romántico. Una sensación de autonegación que sobrevivió largamente a la guerra es especialmente fuerte entre los 16 millones de veteranos y sus familias.

COHORTE DE LA POSGUERRA (generación silenciosa)

NACIDOS 1928-1945 EDAD EN 2000: 55 a 72 **PORCENTAJE DE POBLACIÓN ADULTA:** 21% (41 millones) **LEMA DE DINERO:** Ahorrar un poco, gastar un poco **ESTADO MENTAL ACERCA DE SEXO:** Represivo **MÚSICA FAVORITA:** Frank Sinatra	Los miembros de esta cohorte de 18 años, los niños de la guerra, se beneficiaron de un largo periodo de crecimiento económico y de una tranquilidad social relativa. Pero la intranquilidad mundial y la amenaza del ataque nuclear hicieron surgir la necesidad de aminorar la incertidumbre en la vida cotidiana. El subconjunto más joven, conocido como la generación interesante, fue el primero en comprender el rock.

COHORTE DE LOS BOOMERS I (GENERACIÓN WOODSTOCK)

NACIDOS 1946-1954 EDAD EN 2000: 46 a 54 **PORCENTAJE DE POBLACIÓN ADULTA:** 17% (33 millones) **LEMA DE DINERO:** Gastar, pedir prestado, gastar **ESTADO MENTAL ACERCA DE SEXO:** Permisivo **MÚSICA FAVORITA:** Rock and roll	Vietnam es el punto de arranque de los primeros y últimos boomers. Los asesinatos de Kennedy y King señalaron el final del status quo y galvanizaron esta gran cohorte. A pesar de lo anterior, los primeros boomers siguieron experimentando bonanza económica y desean un estilo de vida por lo menos tan bueno como el de sus predecesores.

COHORTE DE BOOMERS II (zoomers)

NACIDOS 1955-1965 EDAD EN 2000: 35 a 45 **PORCENTAJE DE POBLACIÓN ADULTA:** 25% (49 millones) **LEMA DE DINERO:** Gastar, pedir prestado, gastar **ESTADO MENTAL ACERCA DEL SEXO:** Permisiva **MÚSICA FAVORITA:** Rock and roll	Todo cambió después de Watergate. El fervor idealista de la juventud desapareció. En lugar de ello, los últimos boomers exhibieron una preocupación narcisista que se manifestaba en cosas como el movimiento de autoayuda. En esta etapa inicial de movimiento retrogrado, la deuda como una manera de conservar el estilo de vida tenía sentido.

COHORTE DE LA GENERACIÓN X (baby-busters)

NACIDOS 1966-1976 EDAD EN 2000: 24 a 34 **PORCENTAJE DE POBLACIÓN ADULTA:** 21% (41 millones) **LEMA DE DINERO:** ¿Gastar? ¿Ahorrar? ¿Qué? **ESTADO MENTAL ACERCA DEL SEXO:** Confusa **MÚSICA FAVORITA:** Grunge, rap, retro	El grupo de los slacker no tienen nada a qué aferrarse. Los niños de picaporte de la era de los divorcios y de las guarderías están buscando anclaje con su comportamiento "retrógrado" aparentemente contradictorio que se manifiesta en el resurgimiento de los bailes de graduación, las fiestas de despedida y las fraternidades. Su conservadurismo político es motivado por un cinismo del tipo "¿Qué ventajas tiene para mí?"

Fuente: Faye Rice y Kimberly Seals McDonald, "Making Generational Marketing Count", en Fortune 131, 12 (26 de junio de 1995), 110.

- *Eliminación de la incertidumbre.*   Esta dimensión se refiere a las diferentes formas en que las sociedades reaccionan a la incertidumbre y ambigüedad inherentes a la vida. Algunas sociedades necesitan reglas bien definidas, es decir, rituales, para guiar el comportamiento, en tanto que otras son tolerantes a ideas y comportamientos anormales.

- *Distancia de poder.*   Esta variable refleja el grado hasta el cual una sociedad acepta desigualdad en el poder en diferentes niveles de organizaciones e instituciones. Puede afectar preferencias para la centralización de la autoridad, aceptación de premios diferenciales, y la forma en que personas de estatus desigual trabajan juntas.

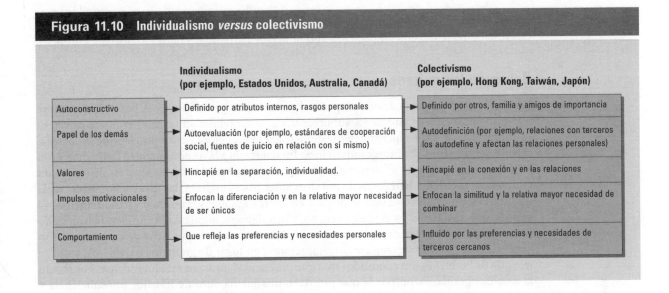

Figura 11.10 Individualismo *versus* colectivismo

	Individualismo **(por ejemplo, Estados Unidos, Australia, Canadá)**	**Colectivismo** **(por ejemplo, Hong Kong, Taiwán, Japón)**
Autoconstructivo	Definido por atributos internos, rasgos personales	Definido por otros, familia y amigos de importancia
Papel de los demás	Autoevaluación (por ejemplo, estándares de cooperación social, fuentes de juicio en relación con sí mismo)	Autodefinición (por ejemplo, relaciones con terceros los autodefine y afectan las relaciones personales)
Valores	Hincapié en la separación, individualidad.	Hincapié en la conexión y en las relaciones
Impulsos motivacionales	Enfocan la diferenciación y en la relativa mayor necesidad de ser únicos	Enfocan la similitud y la relativa mayor necesidad de combinar
Comportamiento	Que refleja las preferencias y necesidades personales	Influido por las preferencias y necesidades de terceros cercanos

- *Masculinidad-feminidad.* Este factor define el grado en el que las sociedades aceptan valores tradicionalmente considerados como predominantemente masculinos o femeninos. La capacidad de reafirmarse, el respeto por los logros y la adquisición de riquezas y de posesiones materiales están identificados con la masculinidad; por su parte, la crianza, la preocupación por el entorno y defender al desamparado están asociados con la feminidad de una cultura.

Cultura geográfica

A pesar de que pueden existir características culturales nacionales, las diversas áreas geográficas de un país a veces desarrollan su propia cultura. Por ejemplo, la región del sudoeste de Estados Unidos es conocido por su estilo de vida casual, caracterizado por ropa confortable, entretenimiento al aire libre y deportes activos. También presenta un punto de vista más flexible hacia nuevos productos, como la cirugía plástica, al ser comparados con actitudes conservadoras e inhibitorias que caracterizan a otras áreas de la nación. El clima, las inclinaciones religiosas de la población, la influencia de las nacionalidades y otras variables están interrelacionadas para producir un núcleo de valores culturales en un área geográfica. Aun así, la investigación indica que la cultura puede atravesar fronteras nacionales, estatales y provinciales e incorporar la visión del mundo, los valores, el clima, las instituciones, las organizaciones comerciales y los recursos de cada región.[31]

El conocimiento de los valores de las diversas regiones puede guiar los esfuerzos de los mercadólogos para situar los productos en ellas. Así, un anuncio que promueve la capacidad de autorrealización (por ejemplo, "libérese con Stouffer's") de un producto puede resultar más exitoso en el oeste que en el sur. La seguridad, por otra parte, puede ser una atracción más exitosa en el sur que en áreas con niveles de urbanización similares del oeste (por ejemplo, "Proteja su hogar contra el robo utilizando Electronic Touch Alarm").[32] Una campaña publicitaria para posicionar computadoras personales, que hace hincapié en la forma en que éstas pueden ayudar a una persona a alcanzar sus metas o en aquellos atributos de las mismas que facilitan dichos logros, probablemente será más eficaz en el este que el sur.[33]

Valores básicos

Los valores básicos se pueden observar en Canadá y Estados Unidos, aun cuando las poblaciones de ambos países reconocen distintos valores que reflejan diversos orígenes nacionales. Los valores son menos rígidos en el norte de América debido a que los países allí establecidos son de creación reciente, en comparación con la mayor parte de los países asiáticos y europeos.

Bases de los valores

Estados Unidos era una nación campesina hace sólo dos generaciones. A pesar de que ahora está principalmente urbanizada y suburbanizada, comprender su origen permite analizar su cultura actual. Se afirma que gran parte de su tradición religiosa y ética proviene de la doctrina calvinista (puritana) que otorga importancia fundamental a la responsabilidad individual y a la ética de trabajo positiva. "El derecho civil anglosajón, la autoridad de la ley y las instituciones representativas fueron heredadas de nuestros antecesores ingleses; las ideas sobre democracia igualitaria y un espíritu secular se originó en las revoluciones francesa y estadounidense. El periodo de la esclavitud y sus consecuencias, y tres siglos de inmigración europea, han afectado poderosamente el carácter estadounidense."[34] Aun cuando la mayor parte de las personas son empleados de grandes y complejas organizaciones, en lugar de granjeros o tenderos, y que la mayoría de los bienes son adquiridos más que producidos, muchos estadounidenses conservan la base campesina, razón por la que priorizan una buena ética de trabajo, autosuficiencia y enarbolan el principio filosófico que sostiene que un individuo puede hacer la diferencia.

Valores estadounidenses y la publicidad

¿Cuáles son los valores básicos que proporcionan los atractivos para programas de publicidad y mercadotecnia? Ocho de los más importantes se describen en la tabla 11.2. A veces se acusa a los publicistas de apelar principalmente al miedo, el esnobismo y la autoindulgencia, pero después de repasar los valores de la tabla 11.2, se puede apreciar que este tipo de procedimiento tendría un limitado atractivo. Los mercadólogos tienen más éxito cuando recurren a valores básicos fundados en el trabajo duro, en los logros y en los éxitos, el optimismo y en iguales oportunidades para un mejor estándar de vida material.

Los publicistas deben comprender los valores, con la finalidad de evitar la violación de ciertas normas. Benetton, minorista de ropa italiana, utiliza anuncios que reflejan problemas sociales. Pero la mayor parte de los estadounidenses nunca han visto algunos de los materiales más provocativos de Benetton. La figura 11.11 muestra uno de estos anuncios. En uno de ellos, se presenta a los lectores imágenes tipo globo color pastel. Una mirada más minuciosa revela que se trata de condones, parte de una campaña en favor del sexo seguro dentro de la cual algunas tiendas regalaban preservativos. Lo que algunas personas juzgaban como un anuncio religiosamente ofensivo se difundió en toda Europa, como ocurrió con un póster diseñado para promover la armonía entre razas, que se consideró demasiado provocativo para Estados Unidos. Otra fotografía de Benetton mostraba a un hombre negro y uno blanco encadenados para promover los "colores unidos". Fue retirado de Estados Unidos después de que grupos minoritarios denunciaron que el anuncio implicaba que el negro era un criminal, y acusaron a la empresa de racismo.[35]

Variaciones entre las escalas axiológicas de estadounidenses y canadienses

Canadá y Estados Unidos son similares en muchas formas, pero sus valores e instituciones difieren en aspectos importantes. En primer lugar, existe menos ideologización entre los canadienses que entre los estadounidenses. El origen de la importancia otorgada al individualismo y al logro se puede rastrear a la revolución de 1776, un cataclismo que Canadá no sufrió, por lo cual presenta una cara más neutra y afable, que lo distingue de su vecino, más exuberante y agresivo. Los canadienses están más conscientes de medios e instituciones estadounidenses, que sus vecinos del sur.

Canadá y Estados Unidos tienen situaciones e historias diferentes. Por ejemplo, la ley y el orden impuestos por la Northwest Mounted Police (ahora RCMP) controlada centralmente

Tabla 11.2 Forma en que los mercadólogos se adaptan a los valores básicos estadounidenses

Bienestar material

El logro y el éxito se miden principalmente por la cantidad y calidad de los bienes materiales. Existe un valor de lucimiento en los artículos que otros pueden ver, como es la ropa de diseñador, los automóviles de lujo y las casas habitación grandes. Aunque a veces se percibe cierta rebelión contra estos valores, el bienestar es fundamental para el sistema axiológico estadounidense, cuyos defensores creen en las maravillas de la comodidad moderna (buena transportación, calefacción central, aire acondicionado y aparatos domésticos que ahorren esfuerzos) y reivindican el "derecho" a tener este tipo de cosas.

Moralización dual

Los estadounidenses creen en una moralidad polarizada, según la cual las acciones son buenas o malas. Los juicios duales son la regla: legal o ilegal, moral o inmoral, civilizado o primitivo. Los consumidores emiten estos juicios sobre funcionarios públicos y empresas, considerándolos ya sea éticos o no éticos y no una mezcla de ambos. De manera similar, la publicidad que es parcialmente engañosa se considera inmoral incluso cuando el mensaje general sea correcto. Sin embargo, existen algunas condiciones que permiten que el mismo comportamiento sea juzgado como correcto o equivocado de acuerdo con la situación. El juego, en muchos casos, es ilegal o "impropio", pero cuando lo organiza la Lotería Estatal para beneficio de una buena causa, puede ser legal o "correcto".

Importancia del trabajo en comparación con el juego

Aunque el trabajo se asocia con ciertos valores estadounidenses como la resolución y la madurez, al juego se le relaciona con la frivolidad, el placer y los niños. En otras culturas, los festivales, vacaciones y niños divirtiéndose son sucesos de importancia mayor en la sociedad, en tanto que en Estados Unidos, incluso la socialización a menudo está relacionada con el trabajo.

El tiempo es dinero

Los estadounidenses perciben el tiempo de manera diferente a muchas otras culturas, pues para ellos tiene una naturaleza más exacta, mientras que en países como México, el tiempo es aproximado. Los estadounidenses tienen tendencia a ser puntuales, a hacer más actividades en horas específicas y esperan que los demás cumplan puntualmente sus citas.

Esfuerzo, optimismo y capacidad empresarial

Los estadounidenses creen que los problemas deben ser identificados y hacerse esfuerzos para resolverlos. Cuando se aplica el ánimo adecuado, uno puede ser optimista respecto del éxito. Los europeos se ríen de sus amigos estadounidenses que creen que para cada problema hay una solución. Esta actitud se basa en el concepto de que las personas son sus propios dueños y pueden controlar los resultados. En la cultura imperante en la Unión Americana, el esfuerzo es premiado, la competencia es impuesta y el logro individual está sobre todo lo demás. La capacidad empresarial es un resultado de los valores que destacan el esfuerzo, el optimismo y la importancia de ganar.

Dominio sobre la naturaleza

Los valores básicos estadounidenses producen una actitud de conquistador hacia la naturaleza, que es distinta al budismo y al hinduismo, donde las personas y la naturaleza son una sola cosa y trabajan juntas. Esa actitud de conquista estadounidense proviene de tres hipótesis: el universo es mecánico, las personas son dueñas de la Tierra, y además, son diferentes cualitativamente de cualquier otra forma de vida. La publicidad muestra a los individuos que controlan sus entornos naturales cuando presentan a los hombres luchando contra la pérdida del cabello o a las mujeres contra la aparición de las arrugas.

Igualdad

Los valores básicos estadounidenses sostienen que todas las personas deben tener igual oportunidad de logro. Aunque efectivamente hay algo de discriminación, los valores básicos, codificados legislativa y judicialmente, favorecen la igualdad entre todas las personas, especialmente aquellas que aceptan los valores y comportamientos de la mayor parte de la sociedad.

Humanismo

Los valores estadounidenses apoyan la asistencia a los menos afortunados, expresada en hacer donaciones a individuos y grupos necesitados de ayuda debido a desastres naturales, discapacidades o desventajas. Organizaciones como American Lung Association o American Cancer Society se benefician de las creencias estadounidenses en el humanismo. Para las corporaciones, el humanismo no es sólo una responsabilidad social, sino una forma importante a través de la cual se comunican con los consumidores.

Figura 11.11   **Forma en que los valores sociales afectan a la publicidad**

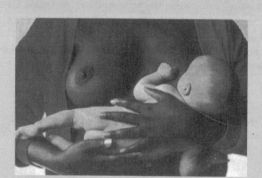
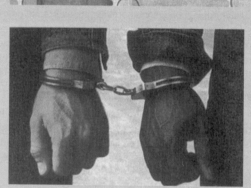

Fuente: cortesía de Benetton o "Benetton Ads: A Risqué Business", en Time *(marzo 25 de 1991), 13.*

civilizó la frontera del Canadá, mucho antes que en Estados Unidos. Seymour Lipset, uno de los analistas más prolíficos de las relaciones entre Canadá y Estados Unidos, piensa que ésta es la razón por la que hoy día los canadienses tienen más respeto por la ley y el orden, que los estadounidenses.[36] En la tabla 11.3 resumimos otras diferencias entre los valores de los dos países, con base en la investigación de Lipset.

Microculturas étnicas y su influencia en el comportamiento del consumidor

La etnicidad es un elemento importante en determinadas culturas pues proporciona elementos para predecir las preferencias y el comportamiento del consumidor. Se trata de un proceso de identificación de grupo, en el cual las personas utilizan etiquetas étnicas para definirse a sí mismas y a los demás. Una perspectiva "subjetivista" refleja las adscripciones que las personas hacen respecto de sí mismas. Por el contrario, las definiciones "objetivistas" se basan en categorías socioculturales. En la investigación del consumidor, la etnicidad se define mejor como alguna combinación de lo anterior, pues incluye la fuerza o debilidad de la afiliación que tengan las personas con el grupo étnico.[37] De acuerdo con el grado en que los miembros de un grupo étnico comparten percepciones y conocimientos comunes, diferentes a los de otros conjuntos raciales, o de la sociedad en general, constituyen un grupo étnico distinto que puede ser útil tratar como un segmento de mercado.[38]

Los consumidores individuales quizás no reflejan los valores del grupo étnico con el cual están identificados. Creer que una persona determinada acepta necesariamente los valores de cualquier microcultura específica sería otorgar patente de cargo a cualquier tipo de estereotipaciones. El comportamiento del consumidor es una función de "etnicidad sentida" así como de una identidad cultural, del entorno social y del tipo de producto.[39]

Tabla 11.3   Variaciones axiológicas entre Canadá y Estados Unidos

Canadá	Estados Unidos
Mayor observancia de la ley y del orden	Menos observancia
Hincapié en los derechos y obligaciones de la comunidad	Más hincapié en los derechos y obligaciones individuales
Los tribunales son percibidos como una parte del Estado	Los tribunales son percibidos como un control del poder del Estado
Sociedad legal	Mayor propensión a redefinir o ignorar reglas
Uso del sistema para modificar las cosas	Uso de medios informales agresivos y a veces fuera de lo legal para corregir lo que se piensa está mal. "La mayor ilegalidad y corrupción en Estados Unidos también se puede atribuir en parte a la exagerada importancia atribuida al logro"
Los canadienses encuentran que el éxito es un poco de mal gusto	"Los estadounidenses adoran el éxito"
Mayor valoración de las relaciones sociales	Mayor importancia atribuida al trabajo Mayor compromiso con la ética del trabajo Mayor valoración del logro (estudio Goldfarb)
Los canadienses son más prudentes	Los estadounidenses toman más riesgos
La red corporativa es más densa en Canadá. En 1984, 80% de las empresas en TSE [Toronto Stock Exchange], estaban controladas por siete familias; 32 familias y cinco conglomerados controlan aproximadamente 33% de todos los activos no financieros	Las 100 empresas más grandes son propietarias de aproximadamente 33% de todos los activos no financieros; pocas controladas por individuos
Cinco bancos poseen 80% de todos los depósitos	Literalmente, miles de pequeños bancos en Estados Unidos
Débil legislación contra la unión de empresas	Los negocios son afectados por sentimientos antielitistas y en contra de las grandes empresas
Favorecen la propiedad parcial o total por parte del gobierno	Fuertes leyes antimonopolio Competencia contra las grandes empresas
Es más probable que los líderes de negocios tengan un origen privilegiado y una educación menos especializada	Los líderes de negocios tienen mayores probabilidades de contar con educación especializada
Importancia de programas sociales y apoyo del gobierno	Más *laissez-faire*
La densidad sindical canadiense duplica la estadounidense	
Menos organizaciones de cabildeo en Canadá, incluso en proporción a la menor población canadiense. En vista de que los políticos siguen la línea del partido, el cabildeo no es tan importante	7000 organizaciones de cabildeo registradas en el Congreso, cuyos miembros pueden votar como deseen alguna ley, por la cual el cabildeo puede ser eficaz

Fuente: resumido de Seymour Martin Lipset, Continental Divide: The Values and Institutions of the United States and Canada *(Nueva York: Routledge, 1990).*

Microculturas étnicas estadounidenses

Estados Unidos, de manera similar a países como Suiza, Singapur y Sudáfrica, es un país formado por grupos de diferentes nacionalidades. Las cifras recientes registran 54 países representados, con 100 000 o más residentes en la Unión Americana. La figura 11.12 muestra la forma en que la inmigración a Estados Unidos ha cambiado con el transcurso del tiempo, con lo cual modificó la estructura de la población y la influencia sobre la cultura, y aun así se observan muchas similitudes entre las tasas migratorias del principio y del final del siglo xx.[40]

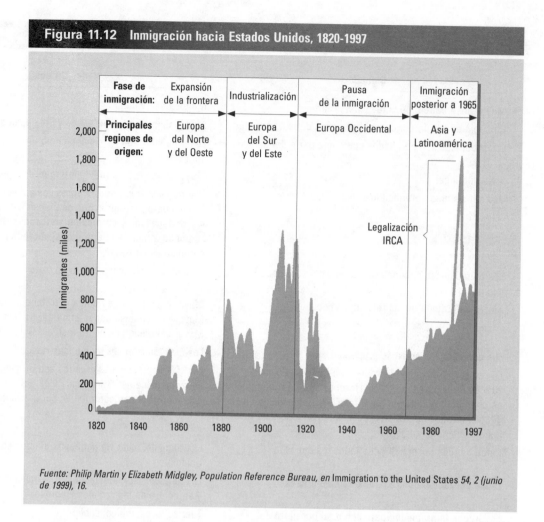

Figura 11.12   Inmigración hacia Estados Unidos, 1820-1997

Fuente: Philip Martin y Elizabeth Midgley, Population Reference Bureau, en Immigration to the United States 54, 2 (junio de 1999), 16.

Por ejemplo, el número de inmigrantes (más de 1 millón) que ingresan en Estados Unidos durante los años pico es aproximadamente el mismo, aun cuando los países de origen no sean los mismos a principios y a finales del siglo xx. Sin embargo, en ambos periodos, la economía sufría una reestructuración que se manifestaba por la transferencia de la agricultura a la industria a principios de siglo y un traspaso de los servicios a la información en los años noventa.[41] En cualquier caso, llegaron inmigrantes de países y culturas distintas a los del pasado, traían consigo nuevas religiones, culturas y lenguajes.

Algunos inmigrantes se identifican con gran parte de su cultura de origen; otros no lo hacen. Una variable íntimamente asociada con la identidad étnica nacional es la lengua que se habla en casa. Dos grupos de estadounidenses que a menudo hablan un lenguaje distinto al inglés son el chino y el hispano. Entre los chinoestadounidenses, 81% habla chino en su casa, en tanto que 43% de los hispanos emplean el español en el hogar, entre ellos los cubanoestadounidenses con 92% y los mexicanoestadounidenses con 77%.[42] Sus escalas axiológicas, sin embargo, determinan el grado hasta el cual los inmigrantes aceptan los valores estadounidenses básicos tradicionales y la forma en que contribuyen a la diversidad cultural de la Unión Americana. Cuando una familia de inmigrantes adquiere la nacionalidad, a menudo sus miembros manifiestan y refuerzan la ética de trabajo que es la base de los valores estadounidenses.[43]

A medida que los individuos entran en contacto con varias subculturas étnicas, a menudo se adaptan o toman las características de éstas. La **aculturación** mide el *grado hasta el cual un consumidor ha aprendido las costumbres de una cultura diferente, en comparación con la forma en que fue educado.* Los individuos se adaptan a los cambios culturales en situaciones tanto sociales como profesionales, por ejemplo al convivir, hacerse de amigos y vivir con otros. Los gerentes y los vendedores, que deben encarar el reto del negocio global, tienen más éxito cuando responden y se adaptan a las diferencias culturales de sus socios comerciales.[44]

De igual manera que los individuos se adaptan a los cambios culturales, también lo hacen las empresas y organizaciones que operan en un mercado cada vez más globalizado. Un estudio reciente llevado a cabo entre minoristas latinos, asiáticos, del Medio Oriente e ingleses comprobó que cuando se adaptaban a las culturas de sus clientes, ellos mismos, sus empresas, sus consumidores y, finalmente, el mercado sufrían ciertas modificaciones.[45] El consumidor en la mira 11.2 está enfocado en la forma en que Mony Life Insurance está en proceso de adaptación a un creciente mercado indoestadounidense con nuevas prácticas de reclutamiento.

Estadounidenses de ascendencia europea

Más de 200 millones de estadounidenses tienen ascendencia europea; Inglaterra es la nación de origen de 26.34% de ellos, seguida de cerca por Alemania con 26.14% e Irlanda con 17.77%. Además de los millones de euroestadounidenses de segunda y tercera generación, el número creciente de ellos nacidos en el extranjero está llamando la atención de los mercadólogos, que reconocen que los grecoestadounidenses tienen diferentes preferencias que los suecoestado-unidenses.

La inmigración europea, que había sufrido un proceso en disminución desde los años cincuenta, se incrementó dramáticamente de 1985 a 1995, hasta alcanzar un aumento de 155% en el periodo, es decir 161 000 personas en 1994.[46] De acuerdo con el Immigration and Naturalization Service, más de 1.2 millones de inmigrantes europeos llegaron a Estados Unidos durante esos diez años, debido principalmente a la caída del comunismo y a la libertad que pudieron ejercer los europeos del este. Los inmigrantes recientes y los estadounidenses nacidos en América con conexiones cercanas a su herencia europea se definen como *etnia euroestadounidense.*

Tradicionalmente, etnia ha estimulado la mentalidad de "trabajar duro, jugar mucho", y han estado dispuestos a trabajar horas adicionales para ahorrar dinero para cosas como educación, casas y retiro. Su frugalidad se manifiesta en su elevada tasa de uso de cupones —75%, en comparación con 64% de todos los blancos no hispanos— con el fin de alcanzar

El consumidor en la mira 11.2

La aculturización genera nuevas prácticas de reclutamiento

En esfuerzos para ingresar en el creciente mercado de los indoestadounidenses, Puneet Seth, director gerente de la sucursal New Jersey de Mony Life Insurance Co., intenta detectar nuevos reclutas en lugares no tradicionales. En una era de currícula electrónica y reclutamientos basados en web, visita templos hindúes en busca de empleados capaces de hablar el lenguaje y los dialectos específicos de sus mercados objetivo. En una visita reciente al templo de Bochasanwasi Akshar-Purshottam Sanstha, de Edison, Nueva Jersey, encon-tró a 400 fieles, muchos de los cuales todavía hablan gujarati, el idioma original del nicho al cual pretende vender seguros. En este caso, su meta es reclutar un miembro distinguido de la comunidad, que tenga influencia en el mercado, y que com-prenda su cultura. En general, espera contratar "un punjabi,

un gujarati y un bihari" con la finalidad de alcanzar otros segmentos del mercado indoestadounidense.

Los indoestadounidenses, una de las culturas étnicas de crecimiento más rápido en Estados Unidos, que tienen un ingreso medio por familia de 44 696 dólares, perciben los seguros como la herramienta de inversión de mayor importan-cia para la protección contra eventos imprevistos. Aun así, con este deseo de tener seguros, los miembros de este mercado étnico más probablemente le comprarán a un vendedor que hable su mismo lenguaje y que comprenda su cultura, en razón de un nivel implícito, subyacente, de confianza. Pero encontrar un vendedor que pueda hablar el idioma del cliente indoamericano puede resultar difícil, ya que esa comunidad reconoce 18 lenguajes oficiales.

Fuente: basado en "Insurers Court Indian-American Market", en The Wall Street Journal *(12 de octubre de 1999), B1.*

su meta principal de crear seguridad para sí mismos y sus familias. Cuando se les preguntó respecto de su actitud hacia el dinero, los rusos contestaron que la capacidad de efectuar compras materiales era más importante que la seguridad a largo plazo.[47] A pesar de que las etnias europeas gustan de ahorrar dinero, ello no significa que no lo gasten en artículos. De acuerdo con Mediamark Research, 92% de este grupo es propietario de VCR y estéreos, en comparación con 60 y 53%, respectivamente, de todos los blancos no hispanos. Parte de este consumo conspicuo ha nacido de un deseo de convertirse en "estadounidenses", un estatus rápidamente obtenido a través de la adquisición de los símbolos estadounidenses del éxito.

Los euroestadounidenses tienen tendencia a vivir en comunidades cerradas, lo cual los convierte en fáciles blancos de la publicidad y promociones dirigidas. Sin embargo, también tienen tendencia a elegir marcas o productos que reflejan las preferencias del grupo, lo que dificulta la penetración de una nueva marca en estos grupos étnicos.

Una de las empresas que busca atraer a estos mercados es AT&T. Durante los años noventa, el gigante de las telecomunicaciones lanzó una campaña publicitaria para el mercado masivo, que incluía a Whitney Houston cantando "your true voice", donde hacía hincapié en la calidad del sonido. Sin embargo, el auditorio de televisión de lengua rusa vio en su lugar a un famoso cómico de su nacionalidad en anuncios creados por YAR, firma de mercadotecnia étnica, dado que Whitney Houston no tenía ningún significado para ellos. De hecho, el problema de la calidad del sonido tampoco tenía mucha importancia para esta comunidad. Los rusos están acostumbrados a realizar muchos intentos fallidos antes de completar una llamada telefónica, para después tener que gritar en el teléfono simplemente para generar el sonido suficiente para comunicarse. Además, "your true voice" se tradujo como "la voz de Pravda", el desaparecido periódico ruso.

Cultura nativa estadounidense

En cierto sentido, la verdadera cultura "estadounidense" es aquella de los nativos de esta región, aunque los mercadólogos consideran a éstos como un grupo étnico minoritario en la cultura general del país de hoy día. Después de prácticamente un siglo de asimilación en la sociedad blanca, resurgió la identificación con la cultura tradicional, tanto por parte de los indios como de los *bahanas* (blancos). Casi 2 millones de personas en Estados Unidos se identificaron como indios estadounidenses en el censo de 1990, y más de 7 millones declaran tener algún antecesor de ese linaje. Algunos indios no gustan la idea de compartir su cultura y sus prácticas espirituales con los blancos, pero otros aceptan personas de cualquier raza en ellas. El interés en la cultura nativa ha incrementado la demanda del consumidor por productos que reflejen sus artesanías y habilidades ancestrales, las cuales se pueden encontrar en catálogos como el Sundance, de Robert Redford.

Microculturas multiétnicas

Una diversidad étnica creciente dentro de una nación a menudo genera relaciones y casamientos interraciales, lo que da como resultado niños que pertenecen a múltiples subculturas étnicas. Cuando ello ocurre, es difícil determinar cuál influencia afectará más el comportamiento y los valores. Por ejemplo, ¿cuál ejerce una influencia mayor sobre los valores y el comportamiento del superestrella del golf, Tiger Woods: la raza de su padre (afroestadounidense), o la de su madre (asiática)? El conocimiento de todas estas influencias y culturas étnicas permite a los mercadólogos llegar a él y a otros consumidores multiétnicos con mayor eficacia a través de mensajes diversos.

En 2000, por primera vez en su historia, el Bureau of Census comenzó a recolectar información interracial de ciudadanos estadounidenses. Cuando se le pedía describir su propia raza, se les permitía marcar varios cuadros, como asiático, negro y nativo estadounidense, en lugar de obligarlos a seleccionar una de cinco clases posibles. La dificultad se presenta en la tabulación, pues el nuevo formato incluye 64 posibles categorías raciales.[48] A pesar

Figura 11.13   Población de Estados Unidos por raza y grupo étnico

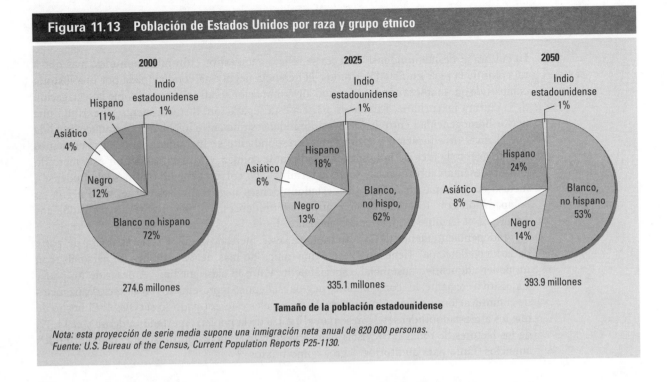

2000

Hispano 11%
Asiático 4%
Negro 12%
Indio estadounidense 1%
Blanco no hispano 72%

274.6 millones

2025

Indio estadounidense 1%
Hispano 18%
Asiático 6%
Negro 13%
Blanco, no hispo, 62%

335.1 millones

2050

Indio estadounidense 1%
Hispano 24%
Asiático 8%
Negro 14%
Blanco, no hispano 53%

393.9 millones

Tamaño de la población estadounidense

Nota: esta proyección de serie media supone una inmigración neta anual de 820 000 personas.
Fuente: U.S. Bureau of the Census, Current Population Reports P25-1130.

de las complicaciones, esta información proporciona datos más detallados y precisos sobre grupos raciales específicos, y permite identificar necesidades de publicidad y de investigación de mercados especializados.[49] La revista *Interrace* es un ejemplo de un producto dirigido hacia individuos multiétnicos.

Aunque los mercadólogos están interesados en el millón o dos de consumidores estimados que se clasifican a sí mismos como multiétnicos, una gran parte de su atención se enfoca en tres grupos étnicos: afroamericanos, hispanos (latinos) y asiaticoestadounidenses. La figura 11.13 muestra la subdivisión presente y proyectada de la población por raza y etnicidad, mientras que la 11.14 muestra el número de hogares y los ingresos correspondientes de cada segmento étnico principal. Estas cifras explican las razones por las cuales existe un gran interés en mercadotecnia transcultural en las empresas líderes, como Pepsi, McDonald's y Coca-Cola.[50] Su interés se debe a dos factores: *altas tasas de crecimiento proyectado* y *un sustancial poder de compras*. Se utiliza la **investigación de mercadotecnia transcultural** para *reunir datos de grupos étnicos específicos y compararlos con los recolectados en otros mercados, por lo general del mercado masivo.* La información identifica diferencias entre grupos, y sirve de guía para una comunicación y estrategias de mercadotecnia eficaces.

Figura 11.14   Hogares estadounidenses e ingresos promedio

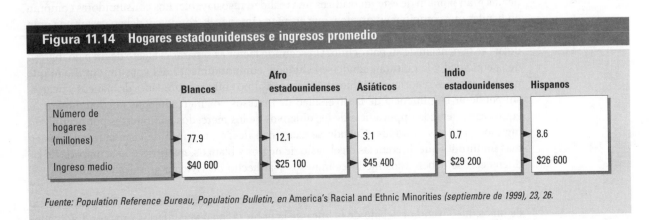

	Blancos	Afro estadounidenses	Asiáticos	Indio estadounidenses	Hispanos
Número de hogares (millones)	77.9	12.1	3.1	0.7	8.6
Ingreso medio	$40 600	$25 100	$45 400	$29 200	$26 600

Fuente: Population Reference Bureau, Population Bulletin, en America's Racial and Ethnic Minorities (septiembre de 1999), 23, 26.

Cultura negra o afroestadounidense

La cultura afroestadounidense o negra se refiere a ancestros culturales comunes, más que a un color de la piel. En Estados Unidos, la herencia negra está condicionada por una historia compartida que empieza con la esclavitud, discriminación y sufrimiento, así como la segregación de la cultura mayoritaria. Debido en parte a esta separación, históricamente ha existido una mayor homogeneidad entre los afroestadounidenses que entre los blancos, aunque a medida que el nivel de educación y el ingreso correspondiente se incrementa entre los segmentos de este grupo, la idea de la homogeneidad pierde solidez.[51] Aun así, al definir este mercado aún se presentan controversias sobre la terminología correcta (negro o afroestadounidense), incluso cuando más de 70% de los estadounidenses negros prefieren el término *negro*, en comparación con 15% que prefiere afroestadounidenses. La mayoría de los mercadólogos optan por el término *negroafroestadounidense*.[52]

Independientemente de la terminología, este mercado merece seria atención de parte de la mercadotecnia. Tiene una base demográfica de más de 32 millones de personas, con un poder adquisitivo sustancial, especialmente entre la clase media.[53] A pesar de un poder adquisitivo creciente, los consumidores negros están poco representados en anuncios y paquetes de comunicación y, a menudo, mostrados en papeles estereotipados o serviles.[54] El hecho de que los afroestadounidenses representan el 12.1% de la población estadounidense y el 11.3% de los lectores de todas las revistas parecería apoyar la inclusión de actores de color en los anuncios, tanto para auditorios negros como mixtos.[55]

Influencias estructurales en los mercados negro/afroestadounidenses

Las influencias estructurales principales que determinan la conformación de los mercados afroestadounidenses incluyen los ingresos, la educación, la familia y el entorno. Todos estos factores, al combinarse con las instituciones, las situaciones y la influencia personal, ayudan a predecir el comportamiento del consumidor en este mercado.

Ingresos   Aproximadamente 21% de los hogares negros tenían ingresos de 50 000 dólares o más en 1997, cerca de un 9% más que en 1967.[56] Aún así, 33% de las familias negras aún viven en niveles de pobreza, según está definida por el U.S. Department of Commerce, en comparación con 11% de las familias blancas y 29% de las hispanas. Aunque un *número* mayor de familias blancas están por debajo del nivel de pobreza, el *porcentaje* de familias negras es más elevado.[57] Los ingresos individuales de hombres y mujeres negros se han elevado en años recientes, alcanzando 7.5% de los hombres y 3.7% de las mujeres ingresos por encima de 50 000 dólares al año.[58] Dependiendo del estudio citado, el mercado afroestadounidense tiene un poder adquisitivo total de entre 450 000 millones y 533 000 millones de dólares.[59]

Al estudiar el comportamiento del consumidor son significativos dos valores relacionados con los ingresos bajos entre las familias negras. En primer término, el bajo poder adquisitivo de una gran porción de este mercado es una realidad insoslayable. Los consumidores compran en tiendas que compiten en precio y que aceptan cupones de comida, y deben gastar una gran parte de sus ingresos en productos básicos. Tiendas de comestibles como Aldi y las "tiendas dólar" se benefician de su patrocinio. Un segundo factor es separar el efecto de un bajo ingreso de la etnicidad y la cultura cuando se estudia el comportamiento del consumidor. Dado que muchos estudios reportan sólo diferencias de consumo entre comunidades de blancos y negros, sin ponderar la influencia de la diversidad de ingresos, los mercadólogos pueden minimizar equivocadamente la importancia de los objetivos de los mercados compuestos por negros con ingresos medios y elevados. Cuando se examinan desde un punto de vista cultural, existen más similitudes que diferencias en el gasto de negros y blancos, mientras que la mayoría de las diferencias se deben a los menores ingresos y al hecho de vivir en grandes ciudades.[60]

Educación   Entre los negros, el nivel de educación varía significativamente. Un gran número de niños que viven por debajo de la línea de la pobreza, o en vecindarios urbanos dominados por el crimen, reciben una educación inferior y carecen de la capacitación necesaria para obtener puestos de trabajo, buenos ingresos y las capacidades del consumidor. Muchos, de hecho, aprenden las habilidades y comportamientos en la calle, más que de profesores o padres. Y aún así, una mejor educación se ha convertido en una prioridad para una parte significativa de este segmento, como se puede observar en el incremento del número de estudiantes universitarios afroestadounidenses en las últimas dos décadas.

Características familiares   La cultura afroestadounidense es influida por una diversidad de características familiares. Una elevada proporción de familias afroestadounidenses —aproximadamente el doble que las familias blancas— están encabezadas por mujeres. Sólo 38% de los niños negros viven con sus dos padres, en comparación con 77% de los blancos.[61] Por lo tanto, las mujeres de raza negra influyen sobre muchas compras que tradicionalmente son efectuadas por los jefes de familia y tienen mucha autoridad sobre ésta, circunstancia que los mercadólogos deben comprender e ilustrar correctamente en los anuncios. Lo que es más, la familia negra promedio es más joven que su contraparte blanca. La edad media es de aproximadamente cinco años menor, factor que explica las distintas preferencias en ropa, música, abrigo, automóviles y muchos otros productos y actividades.[62]

Las investigaciones indican que los actores que se emplean en los anuncios dirigidos a este mercado deben ser coherentes con las expectativas de éste[63] y presentados de una manera realista, si se desea que influyan sobre el mismo. En el anuncio de la figura 11.15, Dove hace un llamado a la fuerza interior asociada con las mujeres afroestadounidenses y a su deseo de verse bellas.

Discriminación   Los efectos de la discriminación en la cultura afroestadounidense son tan masivos y duraderos que no pueden ignorarse en los análisis del comportamiento del consumidor.

Figura 11.15   Dove hace un llamado a la fuerza de las mujeres

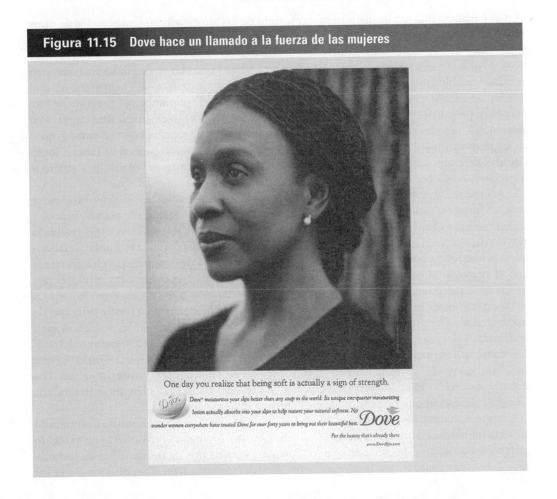

One day you realize that being soft is actually a sign of strength.

Dove* moisturizes your skin better than any soap in the world. Its unique one-quarter moisturizing lotion actually absorbs into your skin to help restore your natural softness. No wonder women everywhere have trusted Dove for over forty years to bring out their beautiful best. **Dove**

For the beauty that's already there.

www.Dove8304.com

Incluso después de años de programas de acción afirmativa, sobre los cuales existe una sustancial controversia acerca de su eficacia, no se ha logrado la equidad de empleo para los afroestadounidenses. Algunos estudios demuestran que la falta de representación de las minorías en los puestos de estatus alto e inferior aún se debe a la discriminación.[64]

Como resultado de años de esta incivilizada práctica, algunos consumidores negros abrigan gran escepticismo hacia los negocios blancos, pues muchos de éstos apoyaron hasta hace pocos años la vivienda segregada, las oportunidades limitadas de empleo y el empleo restringido de los negros en los medios. Hoy día, las empresas que hacen un esfuerzo especial para mostrar sensibilidad hacia la cultura negra, que utilizan los medios de comunicación negros sabiamente y se enfrentan a la discriminación, pueden ser capaces de convertir un problema en una oportunidad. Con el fin de crear mejores relaciones con este segmento, muchas empresas instrumentan programas de relaciones públicas y promociones especiales en oportunidad del mes de *Black History*. Por ejemplo, Kraft publica un folleto gratuito, que contiene recetas de cocina afroestadounidenses, y Coca-Cola patrocina un programa de becas "Compartir un sueño".[65]

No debería sorprendernos que los consumidores negros prefieran los programas de televisión que presentan a los de su misma raza de una manera positiva y se alejan de programas que incluyen estereotipos y situaciones raciales embarazosas. Programas como *ER* y *The Practice*, que son muy populares entre el auditorio blanco, han incluido en el reparto a actores negros en papeles principales, tanto como médicos y abogados. En su papel de reflejar los cambios en la sociedad e influir sobre la cultura, la televisión y otros medios han comenzado a dar importancia a los afroestadounidenses (así como a otras microculturas étnicas) en una diversidad de papeles, programas y anuncios diseñados para atraer a diversos tipos de consumidores.

Patrones de consumo afroestadounidenses

¿En qué manera difieren los patrones de consumo de los afroestadounidenses de los de otros segmentos del mercado? Durante décadas, la investigación del consumidor se ha enfocado en este tema y en las similitudes y diferencias entre blancos y negros en Estados Unidos.[66] En vista de que la mayor parte de estos estudios no podían controlar el estado socioeconómico u otras variables estructurales,[67] los investigadores del consumidor se encuentran ante el dilema de decidir cuál de los estudios mantiene su validez. Sin embargo, pregunte a Ray Haysbert, presidente y director ejecutivo de Parks Sausage, y probablemente le dirá que existen diferencias, pero las similitudes son aún más pronunciadas, de manera especial entre grupos de ingresos medios. Parks Sausage, empresa propiedad de negros con base en Baltimore, logró décadas de éxito con la venta de productos a todos los segmentos del mercado y artículos especiales, como por ejemplo, morcillas, a mercados étnicos.

Al desarrollar programas de mercadotecnia para los afroestadounidenses deben considerarse muchos factores. Varios estudios aportan guías de acción para el desarrollo de planes eficaces,[68] que consideran elementos tanto estructurales como culturales. Un estudio reciente, realizado por el African American Markets Group (AAMG), una unidad de Ketchem Public Relations Worldwide, revela información importante acerca de la forma de comunicarse efectivamente con el mercado afroestadounidense. Entre las revistas con las más elevadas calificaciones de credibilidad están *Essence, Ebony* (ambas publicaciones negras) y *Consumer Reports*. A pesar de que aproximadamente 85% de los encuestados indicaron que su fuente principal de información sobre productos y empresas son las noticias de la televisión local, 82% dijeron que buscan información de revistas dirigidas específicamente al mercado afroestadounidense.[69] Los encuestados manifestaron que confían en estas publicaciones más que en otras, lo que fue atribuido por los investigadores a su confianza en los reporteros y consejeros negros. Los noticieros de televisión y los periódicos locales de propiedad negra también tuvieron una más elevada calificación que otras fuentes, en lo que se refiere a confianza.[70]

Los minoristas y los fabricantes han adquirido un mayor grado de conciencia del mercado afroestadounidense. Minoristas como J.C. Penney, Sears y Montgomery Ward han introducido mercancías dirigidas específicamente a los consumidores negros. Sears identificó su línea de ropa Essence, y Spiegel Inc. lanzó catálogos "E Style" de ropa femenina, dirigida hacia los

El consumidor en la mira 11.3

La microcultura pasa a ser de primera línea

Algunas veces, lo que se inicia como una tendencia o estilo de un segmento étnico del mercado puede convertirse en una norma o un símbolo cultural de primera línea. Tome, por ejemplo, los jeans extra anchos, que los jóvenes llevan bien por debajo del nivel de la cintura, mostrando (con gran orgullo) la parte superior de su ropa interior. Lo que alguna vez fue un estilo urbano, que se encontraba principalmente dentro de las ciudades, en los años noventa encontró su camino hacia la corriente principal de la moda estadounidense para los adolescentes. La tendencia comenzó cuando los jóvenes de la ciudad, que trataban de mostrar una apariencia "interesante", comenzaron a imitar a jóvenes recientemente salidos de prisión. Uno de los primeros objetos que se le quita a una persona cuando entra a la cárcel, es el cinturón, lo cual provoca la caída de sus pantalones. Los uniformes de la prisión también tienden a ser anchos. La apariencia amplia comenzó a tener significado fuera de las paredes de la prisión, incluyendo una dura actitud de "no te metas conmigo".

Los artistas de rap pronto adoptaron esta apariencia, que hoy día se puede clasificar como "hip-hop", "urbano", o "ropa de calle". Los diseñadores como Tommy Hilfiger, y marcas como FUBU, se han beneficiado de apariencias inspiradas en negros y latinos, y han encontrado su sitio en las principales tiendas departamentales.

El hip-hop representa una microcultura, que evolucionó de una microcultura étnica y con base en la edad, hasta plasmar su significado en las costumbres de los jóvenes negros que viven en las ciudades. Su música, lenguaje y modas cambian constantemente con base en las experiencias de la vida real, haciéndola una cultura real, que los individuos pueden adquirir, más que una simple tendencia que los adolescentes adoptan y que después abandonan. De hecho, actualmente el hip-hop es tan ubicuo que prácticamente ha perdido su connotación racial.

A pesar que la mayoría de adolescentes suburbanos adquieren música y modas hip-hop, los investigadores apuntan que muchos de ellos realmente compran la cultura misma. Van más allá de la "rebelión" para declararse integrantes de la cultura negra urbana. Hilfiger y otros diseñadores constantemente comercializan sus prendas en el mercado a la juventud urbana (a menudo mediante una asociación con artistas de rap) esperando que sus marcas sean aceptadas como verdaderos símbolos hip-hop. Cuando ello ocurra, una porción significativa del segmento adolescente blanco suburbano probablemente hará lo mismo.

lectores de la revista *Ebony*. Tommy Hilfiger atravesó fronteras de mercado étnico al convertir los pantalones anchos y el estilo hip-hop en moda principal, como se puede observar en El consumidor en la mira 11.3. [71] Grandes empresas de cosméticos como Maybelline, Revlon, Cover Girl de Procter & Gamble y L'Oreal hacen esfuerzos especiales para dirigirse a mujeres de color, con productos para tonos oscuros de piel. AM Cosmetics concentra sus esfuerzos en mujeres afroestadounidenses de entre 18 y 34 años con su línea Black Radiance, que ofrece colores, matices y fórmulas adecuadas para sus necesidades de cuidado de la piel y maquillaje.[72] También los anuncios de cosméticos han cambiado en años recientes, pues ahora incluyen modelos afroestadounidenses, en lugar de las beldades rubias de ojos azules que dominaban los anuncios del pasado.[73] Victoria's Secret incorporó en su estrategia de mercadotecnia un papel principal para la supermodelo negra Tyra Banks.

Cultura asiaticoestadounidense

Los asiaticoestadounidenses tienen una fuerte relación de toma y daca con la cultura tradicional estadounidense. A pesar de que contribuyen a esta cultura estadounidense (en todos sus aspectos desde alimentos y sabores a valores y educación), también adoptan muchas filosofías occidentales en su propio estilo de vida y cultura. Combine su disposición a adoptar productos estadounidenses (como vestidos de moda) con el hecho de que en 1999 más de la cuarta parte de los inmigrantes a Estados Unidos provenían de Asia, y podrá ver por qué los asiaticoestadounidenses se han convertido en un objetivo deseable para las organizaciones de mercadotecnia.

Este grupo está conformado por chinos, japoneses, coreanos, vietnamitas, camboyanos, laosianos, filipinos, indios, pakistaníes, hawaianos, samoanos, guamanianos, de las islas Fiji y otros isleños asiáticos y del Pacífico, que viven en Estados Unidos. En general, se espera que este mercado mantenga su crecimiento absoluto y como porcentaje de la población, alcanzando quizás hasta 20 millones de consumidores en este siglo. A medida que lea las páginas siguientes, recuerde que puede existir una gran variación en preferencias y estilos de vida entre los asiaticoestadounidenses de diferentes orígenes nacionales.

Influencias estructurales

Ingresos   Como usted observó en la figura 11.14, en Estados Unidos los asiaticoestadounidenses tienen ingresos más elevados que los mercados mayoritarios (blancos) y de otras microculturas étnicas. Así 53% de los hogares asiáticos tienen por lo menos dos fuentes de ingresos, representadas por una fuerza de trabajo compuesta por 74% de hombres y 59% de mujeres. Debido a que cuentan con un poder adquisitivo que oscila entre 101 000 y 188 000 millones de dólares, respectivamente,[74] los mercadólogos intentan alcanzar este segmento.

También es más probable que los asiaticoestadounidenses sean propietarios de un negocio que en el caso de otras minorías.[75] De hecho, los coreanos dominan los riesgos empresariales, pues son propietarios de más de 113 negocios por 1000 de población, mucho más que cualquier otro grupo minoritario o no.[76] Los coreanos también tienen una mayor tasa de éxito en los negocios, debido en parte a su nivel de educación, más alto que el promedio, y a una diligente ética laboral. Resulta interesante que un estudio importante de inmigrantes coreanos llegara a la conclusión de que los valores del trabajo duro y de la capacidad comercial se han desarrollado como resultado de su llegada a Estados Unidos, más que debido a sus antecedentes nacionales.[77]

Educación   Los asiaticoestadounidenses creen en la importancia de la educación. Tienen la tasa más elevada de preparación entre cualquier categoría demográfica estadounidense: 83% de ellos ha obtenido un diploma de secundaria y 42% un grado universitario.[78] El más elevado nivel de ingresos de este grupo muestra una correlación directa con su más alto nivel educativo.

Características familiares   La cultura asiaticoestadounidense se caracteriza por trabajar duro, fuertes lazos familiares, apreciar la educación y otros valores que conducen al éxito en las actividades empresariales, en las habilidades técnicas y en las artes. Para este grupo étnico, la familia merece gran prioridad, y tienen tendencia a conservar lazos estrechos con los miembros de la misma, en el hogar y en el extranjero. Los niños son de gran importancia para la estructura familiar. Algunos asiaticoestadounidenses tienden a tener más hijos que los de la cultura mayoritaria, lo que contribuye al rápido crecimiento de este segmento. Desde muy temprana edad, se enseña a los infantes a respetar a sus mayores, a los padres y a otros miembros de la familia. A su vez, a menudo los padres se sacrifican para darles la mejor educación posible, así como las mejores oportunidades.

La influencia familiar también es muy fuerte entre muchos asiaticoestadounidenses. Por ejemplo, a menudo, cuando los consumidores chinoestadounidenses deben realizar una adquisición de importancia, prefieren hacerlo entre grandes grupos de parientes, previa aprobación de los miembros más ancianos de la familia. A pesar que un producto como un automóvil pudiera estar destinado a un adolescente o a un ingeniero de edad mediana, un procedimiento exitoso de ventas podría incluir comunicaciones dirigidas al abuelo o al anciano tío.

Patrones de consumo asiaticoestadounidenses

Entre éstos, 54% realiza sus compras como una actividad de entretenimiento, en comparación con 50% de la población general. También piensan que la calidad tiene mayor importancia que el precio cuando deben elegir una tienda. Es mucho más probable que utilicen tecnologías como máquinas automáticas en las cajas, también muchos más son propietarios de VCR, reproductores de CD, hornos de microondas, computadoras domésticas y contestadoras de teléfono.[79]

La sensibilidad cultural es clave para la mercadotecnia hacia los asiaticoestadounidenses. Tan es así que, a veces, las empresas necesitan recurrir al consejo de compañías de mercadotecnia multicultural. Por ejemplo, un mercadólogo quizás no sabe de la importancia de los números para este grupo, particularmente del número 8, que simboliza la prosperidad. También los colores son relevantes (especialmente el rojo), pues cada uno de ellos simboliza cosas distintas. Muchos creen que los sobres blancos no deben utilizarse en fechas cercanas a una festividad, porque este color, por lo general, simboliza la muerte. Citibank modificó uno de sus anuncios que aparecía durante el Año Nuevo reemplazando los tapones de corcho de las botellas de champaña, considerados inapropiados por los dragones. Las celebridades, especialmente aquellas de origen asiático, también pueden ser muy eficaces para llamar la atención de este mercado. Cuando Reebok presentó a la estrella de tenis Michael Chang en sus anuncios, las ventas de zapatos entre los asiáticos se incrementaron muchísimo.[80]

Los mercadólogos necesitan llegar a los consumidores asiaticoestadounidenses en diferentes formas no sólo a través de los medios masivos, sino también mediante publicaciones culturales y en lenguas extranjeras. Los medios nacionales y los orientados hacia el lenguaje pueden promover una mayor lealtad entre los lectores y el auditorio, así como proporcionar un excelente "costo por mil" de objetivos concentrados de mercado. Por ejemplo, de manera abrumadora, los vietnamitas prefieren leer y escuchar anuncios en su lengua materna y, ven más televisión en el mismo (aproximadamente 9.5 horas a la semana) que otros asiaticoestadounidenses, por lo que es de la mayor importancia que las empresas logren comunicarse en su lengua nativa.[81] Pero no todos son iguales. Los inmigrantes recientes de la India suelen preferir comunicarse entre sí en hindi, pero prefieren leer en inglés. Los mercadólogos podrían lograr mejores resultados si recurren a publicaciones en inglés, como *India Abroad*.[82]

Incluso con una eficaz estrategia de publicidad y de comunicación, el proceso de ventas no termina cuando los consumidores entran a la tienda. Algunos asiaticoestadounidenses, especialmente los chinos, esperan regatear el precio, pues para ellos resulta parte normal de la cultura comercial. Pero para alguien más acostumbrado a los negocios estadounidenses —incluso para un vendedor de automóviles— el intercambio podría parecerle verdaderamente mortal. Un distribuidor Volkswagen de San Francisco indica a sus vendedores: "Cuando la persona entra aquí y hace una oferta ridícula por un automóvil, no se enfaden. Contesten con algo igualmente ridículo y diviértanse. Acto seguido, pueden iniciar una verdadera negociación."[83]

Cultura hispana o latina

A pesar de que los afroestadounidenses son la microcultura étnica más numerosa en Estados Unidos y los asiaticoestadounidenses tienen los ingresos más elevados, es el grupo hispano o latino el que, actualmente, recibe la mayor parte de la atención de los mercadólogos y de los analistas del consumidor. La combinación de un crecimiento rápido, magnitud y un lenguaje que los distingue está en el centro del interés. Entre los censos de 1980 y 1990, el número de hispanos aumentó de 14.6 millones a 21.3 millones. Los expertos creen que en 2015 esta comunidad superará en número a los afroestadounidenses, en razón de la inmigración y de tasas de nacimientos más elevadas. Además, 88% de la misma está concentrada en las ciudades, un hecho que es atractivo para los planes de los medios, el diseño de las instalaciones de distribución y otros elementos de los programas de mercadotecnia. La diversidad cultural y otras variables de este segmento obligan a que se consideren como un conjunto heterogéneo de deseos y comportamientos más que el "segmento hispano",[84] por lo cual puede ser comparado con otros sectores minoritarios y mayoritarios por medio del empleo de la escala de valores Rokeach (EVR).[85]

¿Quién es hispano?

El lenguaje y la identidad, más que el origen nacional, son los elementos clave de la cultura hispánica, la cual puede incluir cualquier color o raza. Cuál es el término apropiado, *hispano o latino,* es una pregunta controvertida. El Census Bureau utiliza el término *hispano* para describir a los estadounidenses cuyos orígenes se encuentran en países de habla española del mundo occidental, y los medios y mercadólogos nuevos típicamente utilizan la misma terminología. Fuera de Texas y del suoeste, a menudo se prefiere el término *latino*, y de manera creciente, el patronímico del país de origen, como *mexicano, portorriqueño* o *cubanoestadounidense*. Los grupos académicos y los inmigrantes recientes tienen tendencia a preferir *latino* a *hispano*, en tanto que los migrantes y los inmigrantes viejos prefieren el término *hispano*,[86] término que en este libro se utiliza principalmente para reflejar su uso en estadísticas gubernamentales y en los medios. El adjetivo *latino* también se utiliza de manera creciente para reflejar, no sólo un estilo musical, sino una forma de cultura que atrae a muchos consumidores de más allá del segmento de ese origen. La televisión por cable, como Univisión, llega a muchos sectores de este mercado. Los sitios de internet, como **www.quepasa.com**, **www.miami.com** y **www.elmundo.es** proporcionan información actualizada de interés sobre el mismo.

Los consumidores hispanos a menudo se subdividen en cuatro grupos: mexicanos, cubanos, portorriqueños y los demás. Los primeros representan aproximadamente 60% del total (53% de los cuales nacieron en Estados Unidos) y están concentrados en los estados del suroeste; tienen tendencia a ser jóvenes, con familias numerosas. Los portorriqueños, que representan 15% de los hispanos, y se concentran en el noreste, especialmente en la ciudad de Nueva York. La mayor parte llegó a Estados Unidos en los últimos 25 años, y muchos de ellos son de edad madura, con niños pequeños nacidos en ese país. Los cubanos conforman aproximadamente 7% de la comunidad hispana (7% de los cuales nacieron en Estados Unidos) y se concentran en el sudeste. Los cubanos, que constituyen el grupo más antiguo, tienen menos hijos, y ocupan los mejores niveles de ocupación, educación e ingresos. Otros hispanos (que constituyen 18%) provienen principalmente de Centroamérica y están dispersos por Estados Unidos. 93% de los mismos nacieron en el extranjero y en su mayoría son adultos jóvenes, con pocos hijos.[87]

La diversidad de este mercado genera diferentes valores y motivaciones. Es más probable que los mexicanoestadounidenses sean asimilados por la cultura estadounidense. A pesar de que los cubanos no desean volver a su país de origen, en comparación con otros miembros de la comunidad, que piensan en sí mismos como hispanos en primer término y luego como estadounidenses en segundo.[88]

Influencias estructurales

Ingresos   Los hispanos representan el mercado étnico de crecimiento más rápido de Estados Unidos, con un poder adquisitivo que se acerca a 340 000 millones de dólares anuales[89] y con ingresos por familia más elevados que los negros. Si discriminamos, se puede observar que el ingreso promedio cubano es mucho más elevado que el de cualquier otro subgrupo, y es igual o superior al promedio nacional de ese país, en tanto que los portorriqueños tienen el ingreso más bajo.

Educación   El número de hispanos que asisten a la universidad y reciben sus títulos de bachiller se ha incrementado en años recientes. A principios de los años ochenta, los estudiantes de este origen representaban 2.3% de la población universitaria, porcentaje que se duplicó a 4.7% para el año 1996.[90] Es probable que a medida que se incremente el nivel educativo de este grupo, también aumente su nivel de ingresos.

Características familiares   La familia, de extrema importancia en la cultura hispana, difiere de la conformada por los blancos de otro origen, no sólo en valores, sino también en tamaño (mayor) y edad (más joven).[91] Se estima que para 2005, la juventud hispana será el grupo étnico más joven de Estados Unidos, tendencia que se espera se consolidará debido a las mayores tasas de fertilidad que presenta.[92]

Patrones y características del consumo de los hispanos

Muchas empresas han adaptado sus líneas de productos para llenar las necesidades del segmento latino. Pavion, que tiene una exitosa línea de cosméticos para consumidores negros, conocida como Black Radiance, agregó la sublínea Sólo Para Ti (Only For You) para las mujeres hispanas, la totalidad de cuyos aspectos (productos, promociones, incluso el nombre) se diseñó de acuerdo con diversos elementos de la cultura latina. Los productos están disponibles en alto brillo y tonos resplandecientes, ya que ésta es la preferencia de las mujeres latinas. Para llegar a este mercado, Pavion se anuncia en la televisión y en la radio en lengua española e incluye promociones en las tiendas, tanto en español como en inglés.[93] De manera similar, la cultura de esta comunidad ha afectado los gustos y preferencias de la cultura mayoritaria, por lo cual las empresas se han visto en la necesidad de reformar sus ofertas de productos.

Los latinos ven casi tanta televisión como el estadounidense promedio, pero la mayor parte del tiempo la dedican a la programación en su lengua materna. De acuerdo con Market Segment Research and Consulting (MSR), ven, en promedio, 15.3 horas de programación en español por semana y 10 horas en inglés.[94] Payless Shoes ha tenido gran éxito en alcanzar este mercado durante el programa *Sábado Gigante* (Gigantic Saturday) en la red en lengua española Univisión. Con mayor eficacia que aquellos que sólo difunden un anuncio en el transcurso del programa, los locutores representan una parodia de Payless Shoes y guían al auditorio mediante una canción relativa a la marca. Los portavoces de Payless aseguran que algunos de sus clientes hispanos (que representan 20% de su base total de clientes) entran los domingos en las tiendas cantando la estrofa de Payless.[95]

Las diferencias entre los segmentos del mercado hispano afectan en muchos aspectos el comportamiento de compra, entre ellos el uso de cupones. Debido a que están orgullosos de que cuentan con un mejor nivel de vida, algunos consumidores hispanos se oponen al uso de cupones, pues creen que los mismos son para "personas que no pueden darse el lujo de pagar el precio completo".[96] Webster comprobó que los hispanos que hablan español y que se identifican íntimamente con sus microculturas no confían en fuentes de información impresas tanto como los latinos de habla inglesa, pero confían mucho en los cupones, en los desplegados en punto de venta de la tienda, y en la comunicación oral.[97] Sin embargo, a medida que este mercado paulatinamente se asimila al mercado general más antiguo, muchas características de su microcultura —como una más elevada lealtad a la marca, un menor uso de cupones y más gusto por ir de compras— son cada vez más controvertidas.[98] La lealtad a la marca cada vez se cuestiona más como un comportamiento típico, aunque el precio, la calidad del producto y la facilidad de compra parecerían ser atributos de constante importancia para los hispanos.[99]

Evitar errores de mercadotecnia

No comprender la cultura latina puede conducir a errores de mercadotecnia. Humberto Valencia ha identificado tres tipos de errores: errores de traducción, malos entendidos culturales e idiosincrasias hispanas.[100]

Errores de traducción   A pesar de que la mayor parte de los integrantes de esta comunidad son bilingües, aproximadamente 94% hablan español en el hogar y piensan en español, lo cual genera para los mercadólogos la necesidad de comunicarse en esta lengua,[101] circunstancia que puede conducir a errores de traducción. Por ejemplo, un anuncio de cigarrillos deseaba decir que la marca contenía "menos alquitrán", pero la traducción decía "menos asfalto". Incluso los investigadores de mercado pueden cometer errores cuando piden entrevsitar a la *dama de la casa* (la dueña de casa) en lugar de la *señora de la casa*. Además de distorsionar el mensaje, los errores de traducción pueden ofender y provocar la antipatía de una subcultura étnica.

Malentendidos culturales   Serios malentendidos se presentan cuando los mercadólogos utilizan estereotipos de sus criterios de autorreferencia para elaborar estrategias de mercadotecnia y de comunicación. Por ejemplo, un comercial de una empresa telefónica mostraba una esposa que urgía a su marido a que "corriese" hacia abajo y llamara por teléfono a María" para decirle que "llegarían un poco tarde". En este anuncio se cometieron dos serios errores culturales. Primero, no es socialmente aceptable que una esposa latina dé órdenes a su marido. Segundo, los hispanos normalmente no llaman para avisar de sus retrasos; es costumbre llegar un poco tarde. Los malentendidos respecto del significado del tiempo pueden ser una de las razones por las que los mexicanoestadounidenses tienen más quejas acerca del servicio de entrega de minoristas que otros consumidores.[102]

Idiosincrasia hispana   A veces, cuando no se comprende la idiosincrasia de cada segmento del mercado hispánico, se pueden cometer serios errores. Una empresa de cerveza filmó un anuncio destinado a este mercado, para lo cual utilizó el Riverwalk como fondo. El anuncio fue bien recibido entre los hispanos que viven en la costa Oeste, a quienes les agradó la atmósfera española. En el mismo San Antonio, el anuncio no gustó, porque consideran que el *Riverwalk* es una atracción para turistas blancos no hispanos, más que para los residentes de ese origen.

Cultura francocanadiense

Una de las culturas más grandes y diferentes de Norteamérica radica en el área francocanadiense de Canadá, localizada, en su mayor parte, en Quebec. Esta comunidad puede considerarse como un grupo nacionalista o como una cultura geográfica. La provincia de Quebec representa más del 27% de la población canadiense y aproximadamente el 25% de los ingresos y de las ventas al menudeo.[103] Durante años, la cultura francesa fue parcialmente ignorada por los publicistas de orientación inglesa, provocó un problema social y limitó el potencial de las comunicaciones con el mercado francés. Parte del tratamiento diferencial pudo haber sido causado por diferentes asociaciones de clase social, en comparación con los mercados anglófilos.[104]

¿Es la publicidad transmisible entre las culturas francocanadienses (FC) y anglocanadienses (AC)? Algunos mercadólogos creen que debe desarrollarse material publicitario exclusivo para que resulte eficaz en la microcultura FC. Otros piensan que se puede desarrollar material común para ambos grupos. Se utiliza un mínimo de material verbal y se hace hincapié en lo visual. La investigación de Tamilia,[105] que comparó las comunicaciones con los consumidores FC y AC sobre una base transcultural, puso de relieve el potencial incremento de la eficacia de las comunicaciones publicitarias dirigidas a los FC con anuncios orientados hacia las personas, y a los AC con inclinación hacia el mensaje.

Dado el tamaño y la importancia del mercado FC, ha llamado la atención de muchos mercadólogos. El proceso de comprender las comunicaciones en un escenario transcultural, sin embargo, es aplicable a otras situaciones, en las cuales grupos étnicos diversos son objetivo de programas de mercadotecnia.

Microculturas de clase social

Las microculturas también pueden describirse en función de la clase social. La **clase social** se define como *las divisiones relativamente permanentes y homogéneas en una sociedad, en las cuales se pueden clasificar los individuos en familias que comparten valores, estilos de vida, intereses, riqueza, posición social, educación, posición económica y comportamientos similares*. La calidad de miembro de una clase se puede describir como una categoría estadística, independientemente de que los individuos estén conscientes o no de su situación común. Algunas variables concretas que definen a las diversas clases sociales incluyen la ocupación, la educación, las amistades, las formas idiomáticas y el patrimonio. Otras variables percibidas incluyen el poder, el prestigio y la clase.[106] La investigación de mercadotecnia a menudo se enfoca en las variables de la clase social, ya que la mezcla de bienes que los consumidores pueden adquirir está *determinado* en parte por la clase social.

Para mercadólogos y sociólogos, los grupos de posición social son de interés primordial, ya que influyen sobre lo que la gente compra y consume.

Los **grupos de posición social** reflejan *las expectativas de una comunidad con respecto a un estilo de vida en cada clase, así como la estimación social sobre la honorabilidad positiva o* *negativa asignada a las mismas*. Dicho simplemente, en tanto que las "clases" se estratifican con base en sus relaciones con la producción y adquisición de bienes, los "grupos de posición social" se ordenan según los estilos de vida y los principios de consumo de bienes.[107] Sin embargo, para fines prácticos, cuando se estudia el comportamiento del consumidor, por lo general resulta adecuado tratar de manera intercambiable los términos *posición social* y *clase*, reconociendo que el primero también puede utilizarse en otros contextos para describir el respeto diferencial que se le da a un individuo dentro de un grupo.

Si los años ochenta fueron relacionados con la codicia y ostentación de los grupos de clase social superior y los noventa fueron vinculados con el valor y la autorrealización, ¿cuál será la herencia de los 2000? Los expertos observan que en años recientes, los gustos de los más acaudalados se han dirigido más hacia lo utilitario. Range Rovers, Lincoln Navigators y Ford Explorers, más que Porchès han sido los vehículos de elección de los consumidores de ingresos superiores,[108] lo cual provocó que Mercedes y Lexus desarrollaran y lanzaran al mercado los modelos SUV para sus consumidores "utilitarios, de clase social superior".

¿Qué determina la clase social?

La familia en la cual usted se crió ejerce una influencia fundamental para determinar la clase social a la que pertenece. Es muy probable que la ocupación de su padre haya ejercido un efecto significativo, dado que históricamente ha sido el determinante de mayor importancia, seguido de cerca por la ocupación de la esposa.[109] Desde los años veinte y treinta fueron identificadas en los estudios de estratificación social las variables que determinan la clase social. Hoy día, la investigación de la misma incluye miles de estudios que tratan de la medición de la clase social en las grandes ciudades; el movimiento entre clases sociales; las interacciones en su seno según el género, raza, etnicidad y educación; y sus efectos sobre la pobreza y las políticas económicas. Esas extensas investigaciones han detectado nueve variables como las de mayor importancia para determinar la clase social,[110] como se observa en la figura 11.16.

Para los analistas del consumidor, seis de esas variables son especialmente útiles para comprender la clase social de un consumidor, a saber: La ocupación, el desempeño personal, las interacciones, el patrimonio, las orientaciones hacia los valores y la conciencia de clase.

Ocupación   En la mayor parte de las investigaciones del consumidor la ocupación es el mejor indicador individual de la clase social a la que pertenece el sujeto en estudio. El trabajo que desempeñan los consumidores afecta de manera notable sus estilos de vida y sus patrones de consumo. Por ejemplo, los obreros gastan una proporción mayor de sus ingresos en comestibles, en tanto que los gerentes y profesionales lo hacen en comer fuera, en ropa y en servicios financieros.[111]

Algunas veces, las personas cometen el error de pensar que la clase social está determinada por el ingreso. Ello no es así, aun cuando puede existir una correlación debido a la relación entre ingresos y otras variables que la determinan. Un recolector de basura experimentado, por ejemplo, puede ganar más que un profesor asistente de historia. A éste, sin embargo, por lo general se le considera como miembro de una clase social más elevada. Probablemente usted puede pensar en más ejemplos de la forma en que difieren los ingresos y la clase social.

Figura 11.16   Variables económicas, de interacción y políticas

Variables económicas	Variables de interacción	Variables políticas
Ocupación Ingresos Riqueza	Prestigio personal Asociación Socialización	Poder Conciencia de clase Movilidad

Desempeño personal   La posición social de una persona también puede ser influida por su éxito en relación con el de otras en la misma ocupación, esto es, el desempeño personal de un individuo. Aun cuando, en general los ingresos no son un buen indicador de la clase social, pueden servir como un medidor del desempeño personal dentro de una ocupación. El desempeño personal también involucra actividades distintas a las tareas relacionadas con el trabajo. Quizás su padre tenga una ocupación considerada socialmente inferior, pero su familia puede ascender en su posición social si se percibe que su padre es una persona que auxilia a otros necesitados, es anormalmente bondadoso e interesado en sus compañeros de trabajo, o es un leal militante de organizaciones cívicas o religiosas. Una reputación de buena madre o de buen padre puede contribuir a mejorar la posición social personal.

Interacciones   Las personas se sienten muy cómodas cuando están con personas de valores y comportamientos similares. Pertenecer a un grupo y las interacciones se consideran un determinante primordial de la clase social de una persona. Las variables de interacción de prestigio personal, asociación y socialización son la esencia de la clase social. Las personas logran un elevado **prestigio** cuando *terceras personas demuestran una actitud de respeto o de deferencia hacia ellas.* La **asociación** es una *variable relacionada con las relaciones cotidianas, con personas que gustan hacer las mismas cosas de la misma manera y con las que se sienten cómodas.* El comportamiento y los valores de la clase social están claramente diferenciados en los hijos cuando éstos llegan a la adolescencia, en variables que cambian según la clase social, como la autoestima.[112] Ordinariamente, las interacciones sociales son limitadas a la clase social inmediata a la que se pertenece, aun cuando existen oportunidades para un contacto más amplio. La mayoría de los casamientos ocurren dentro de clases sociales iguales o adyacentes.

Patrimonio   Los bienes que se poseen son símbolos de pertenencia de clase, no sólo la cantidad de posesiones, sino también la naturaleza de los mismos. El **consumo conspicuo**, *el deseo por parte de las personas de presentar una evidencia visible prominente de su capacidad de adquirir y usar bienes de lujo,* ayuda a explicar por qué las clases diferentes adquieren distintos productos. Por tanto, una familia de clase media puede escoger alfombrado de pared a pared, en tanto que una de clase elevada probablemente escogerá tapetes orientales, aun si los precios son iguales.[113]

Las posesiones y la riqueza están íntimamente relacionadas. Por lo general, la riqueza es resultado de una acumulación de ingresos pasados. En ciertas formas, por ejemplo la propiedad de un negocio o de acciones y bonos, la riqueza es fuente de ingresos futuros que pueden permitir que una familia mantenga su clase social (elevada) de generación en generación. Por ello, los bienes indicativos de la riqueza familiar son importantes para reflejar la clase social. Algunos productos y marcas son reconocidos como símbolo de posición social, pues son productos utilizados por las clases media superior y superior. Para aquellas personas que procuran ascender a estas categorías, la adquisición de estas marcas puede estar basada parcialmente en el deseo de lograr dicha afiliación o identificación.

Orientaciones hacia los valores   Los valores indican la clase social a la cual uno pertenece. Cuando un grupo de personas comparte un conjunto de convicciones abstractas, que organizan y relacionan muchos atributos específicos, es posible clasificar a un individuo en el grupo según el grado en que posee estos valores. Algunos observadores creen que en países distintos a Estados Unidos, los valores tienen mayor importancia que la posesión de bienes. La clase se indica más nítidamente mediante el mérito obtenido a través de expresiones artísticas, científicas y religiosas, e incluso de circunstancias tan comunes como vestirse y comer adecuadamente. En contraste, se cree que los estadounidenses han hecho una religión del dinero.[114]

Conciencia de clase   Una de las variables políticas importantes de la clase social es la conciencia de clase, esto es, el grado en el cual los miembros de una clase social están conscientes de sí mismos como un grupo diferente, con intereses políticos y económicos compartidos. Hasta cierto punto, la clase social de una persona es indicada por el grado de conciencia que tiene dicha persona de su pertenencia a la misma. Los integrantes de clases sociales inferiores pueden reconocer la realidad de la clase social, pero no ser tan sensibles a diferencias específicas. Por lo que, la publicidad de bienes que se venden a los objetivos de mercado de la clase social superior, están a menudo plenos de símbolos clasistas, pero los anuncios hacia objetivos de clases sociales inferior y media quizás no sean bien recibidos en caso de utilizar esa estrategia.

Estratificación social

¿Ha notado usted que en muchos contextos, por ejemplo, escuela o trabajo, algunas personas están consideradas de mejor clase que otras y se les percibe como detentadoras de más poder o control? Los estadounidenses pueden esperar que todos tengan la misma oportunidad de acceso a productos y servicios; sin embargo, la realidad es que algunas personas tienen o "mejor suerte" o están mejor "situados" para el *logro* que otros. La **estratificación social** se refiere a *las jerarquías percibidas en las cuales los consumidores califican a los demás como más elevados o inferiores en posición social*. Quienes *ganan una posición superior debido al trabajo o al estudio* tienen una **posición lograda**, en tanto *que quienes tienen la suerte de haber nacido ricos o de buen parecer* exhiben una posición **adscrita**.

Independientemente de la forma en que se logra la posición social, la estructura de clases se puede dividir en seis segmentos, según lo definió W. Lloyd Warner en 1941: Superior superior, superior inferior, medio superior, medio inferior, inferior superior e inferior inferior. Las definiciones de Gilbert y Kahl,[115] presentadas en la figura 11.17, son estimaciones generalmente aceptadas del tamaño de varias clases sociales que hacen hincapié en distinciones económicas, especialmente en el capitalismo y en la capacidad empresarial. El procedimiento Coleman-Rainwater estudia con suma meticulosidad la forma en que interactúan las personas entre sí como iguales, superiores e inferiores, especialmente en sus relaciones de trabajo.

Un factor que complica la medición de la clase social es el problema de la *incoherencia de posición,* que se presenta cuando ciertas personas califican en un nivel elevado en una variable, pero bajo en otras. A menudo, esta categoría está compuesta por atletas y músicos populares, con ingresos muy altos. El otro extremo del espectro de esta incoherencia incluye algunos profesores, que tienen un ingreso medio o menor, pero una gran educación y muchas ventajas culturales. Estas personas no entran en muchas de las generalizaciones utilizadas para determinar su clase social.

Dinámica de la clase social

¿Es posible cambiar de clase social? La **movilidad social** se refiere *al proceso de pasar de una clase social a otra,* pero va más allá de sólo cambiar la ocupación o nivel de ingresos. En Inglaterra, los ciudadanos raramente pueden cambiar de clase con rapidez, y no se pueden convertir en nobles, a menos que hayan nacido como tales. En India, la familia jamás cambia de clase, aunque los individuos pueden hacerlo mediante la reencarnación. En países como Rusia, China y Hungría, los consumidores se suscribían a la ideología de la persona común del comunismo y el socialismo. Hoy día, hay nuevos movimientos, así como el surgimiento de una cultura del consumidor que se hace patente en hogares, equipo electrónico, automóviles, número de guardaespaldas y ropa, ya no reflejan la imagen estereotipada de la persona como un engranaje del mecanismo social.[116]

A pesar de que en Estados Unidos es posible subir (movilidad ascendente) en la escala social, las probabilidades de que ello ocurra no son muy elevadas.[117] La clase social de los niños por lo general predice cuál será su adscripción social como adultos,[118] lo cual limita la movilidad tanto de hombres como de mujeres,[119] debido a factores tales como un acceso limitado a una buena educación y antiguos prejuicios raciales.

A pesar de que los individuos no pueden cambiar con facilidad su posición social, a menudo despliegan comportamientos y símbolos correspondientes a otras clases sociales. El **despliegue paródico** implica una *burla a los símbolos y comportamientos de posición social,* mediante el cual un individuo de un estrato superior puede vestir con blue jeans llenos de agujeros para manifestar su disgusto hacia una clase o hacia su propia posición en el sistema de estratificación. A pesar de que algunas personas desean mantenerse en su clase social,

---

Figura 11.17   Clases sociales en Estados Unidos

Dos puntos de vista recientes de la estructura social estadounidense

Nueva síntesis de la estructura de clase de Gilbert Kahl: Modelo de situaciones de la política teórica y del análisis sociológico[a]	**La jerarquía clasista de situación social de Coleman-Rainwater: Una perspectiva de reputación de comportamiento tradicional del estudio de la comunidad**[b]
Estadounidenses superiores	**Estadounidenses superiores**
Clase capitalista (1%): Sus decisiones de inversión condicionan la economía nacional, con ingresos principalmente de activos ganados y heredados, prestigio y conexiones universitarias.	Superior superior (0.3%): "Sociedad de dinero del capital" mundo de riqueza heredada, nombres aristocráticos.
Clase media superior (14%): Gerentes superiores, profesionales, empresarios medios; educados en la universidad; el ingreso familiar aproximadamente duplica al promedio nacional.	Superior inferior (1.2%) — Élite social más reciente proveniente del liderazgo corporativo actual.
	Media superior (12.5%): Gerentes y profesionales, graduados universitarios; el estilo de vida se centra en los clubes privados, las causas justas y las artes.
Estadounidenses medios	**Estadounidenses medios**
Clase media (33%): Personal de oficinas de nivel medio, obreros de nivel superior; educación típica, educación más allá de secundaria; ingresos algo superiores al promedio nacional.	Clase media (32%): Trabajadores de oficina de ingresos promedio y sus amigos obreros; viven en el "mejor lado de la ciudad" e intentan hacer "las cosas correctas".
Clase trabajadora (32%): Obreros de nivel medio; personal de oficinas de nivel inferior; los ingresos son ligeramente inferiores al promedio nacional; la educación también es ligeramente inferior.	Clase trabajadora (38%): Trabajadores de salarios promedio; viven "un estilo de vida de clase trabajadora", independientemente de sus ingresos, antecedentes educativos y trabajo.
Estadounidenses marginales e inferiores	**Estadounidenses inferiores**
Trabajadores pobres (11-12%) No alcanzan el nivel de vida pero se encuentran por encima de la línea de pobreza; trabajadores de servicio de bajos salarios, operadores; alguna educación secundaria.	"Un grupo inferior de personas pero no el más bajo" (9%) — Trabajan pero dependen de la seguridad social; estándar de vida justo por encima de la pobreza; comportamiento que se considera "crudo" y "rudo".
Clase inferior (8-9%): Su sustento depende principalmente del sistema de bienestar social; estándar de vida por debajo de la línea de pobreza; no están empleados de manera regular; carecen de educación.	"Real inferior inferior" (7%) — Viven de la beneficencia social; visiblemente pobres, por lo general sin trabajo (o tienen los trabajos más "sucios"); "vagabundos" y "criminales comunes".

[a] *Extraído por Coleman de Dennis Gilbert y Joseph A. Kahl, "The American Class Structure: A Synthesis", Capítulo 11. The American Class Structure: A New Synthesis (Homewood, Ill.: The Dorsey Press, 1982).*

[b] *Esta condensación de la visión Coleman-Rainwater ha sido tomada de los capítulos 8, 9 y 10 de Richard P. Coleman y Lee P. Rainwater, con Kent A. McClelland, Social Standing in America: New Dimensions of Class (Nueva York: Basic Books, 1978).*

---

otras se rebelan y se incorporan a la contracultura, desplegando su disgusto por su clase por diversos medios, tal vez perforándose la piel o tatuándose.

Clase social y comportamiento del consumidor

El hecho de pertenecer a cierta clase social afecta el comportamiento del consumidor de diversas maneras. Algunos de ellos leen revistas, como *Town & Country* y *Architectural Digest*, dado que el contenido refleja los intereses de las clases sociales opulentas a las cuales los lectores pertenecen, o aspiran ingresar. Las revistas que anuncian productos de clase alta para consumidores acomodados contienen artículos que reflejan los temas y las motivaciones de significado especial para ellos, esto es, artículos referidos a artes y artesanías, decoración interior, dominio sobre la naturaleza, el triunfo de la tecnología, moda y la ideología de la opulencia.[120]

Los consumidores asocian marcas de productos y servicios con clases sociales específicas. Por ejemplo, Heineken y Amstel Light se consideran bebidas de la clase media superior, en tanto que Budweiser se percibe como una cerveza para "todos" y es consumida principalmente por bebedores de la clase media e inferior. En Estados Unidos, a principios de este siglo, la cerveza se percibía como una bebida para la clase inferior, pero en la actualidad es popular en toda la sociedad, quizás como resultado de los esfuerzos de mercadotecnia y de la introducción de micropreparaciones de clase alta y de cervezas importadas.

Segmentación del mercado

La clase social puede ser utilizada para segmentar mercados. Los procedimientos para hacerlo incluyen los pasos siguientes:

1. Identificación del uso del producto por la clase social.

2. Comparación de las variables de segmentación de la clase social con otras variables (ingresos, ciclo de vida, etcétera).

3. Descripción de las características de la clase social identificadas en el mercado objetivo.

4. Desarrollo de un programa de mercadotecnia para maximizar la eficacia de la mezcla de mercadotecnia con base en la coherencia con los atributos de la clase social.

El análisis de los segmentos de mercado por perfil socioeconómico ayuda a desarrollar un programa completo de mercadotecnia que haga coincidir las preferencias y el comportamiento del mercado objetivo. Este plan debe incluir atributos del producto, estrategias de medios, estrategia creativa, canal de distribución y precios.

Dirigirse a los diversos códigos postales facilita la segmentación por clase social. Los códigos postales permiten estimar la posición social sin necesidad de reunir datos adicionales de los encuestados, a excepción de sus direcciones. La firma de investigación de mercados Claritas utiliza información postal para clasificar a los hogares en segmentos como, "élites suburbanas" que viven en Scarsdale (Nueva York), Winnetka (Illinois), o lugares similares. Cada segmento se describe en función de las actividades típicas del tiempo de ocio, de la frecuencia de lectura de publicaciones y de las marcas preferidas.[121]

Posicionamiento basado en las características de la clase social

La clase social es un concepto de importancia para elaborar y poner en práctica estrategias de posicionamiento, es decir, generar percepciones en las mentes de los consumidores sobre los atributos de un producto o de una organización. Para lograr un efectivo posicionamiento, se requiere de una amplia comprensión de las características de clase del mercado objetivo, y de los atributos de clase deseados incluidos en el producto. Como mercadólogos, es importante notar que el número de consumidores que aspiran ingresar a clases sociales más elevadas es mucho mayor que los que ya están en ella. Gran parte de la clase media puede adquirir productos con los símbolos y la apariencia de las clases sociales más altas, lo cual hacen a menudo cuando compran productos exclusivos como los de Coach o Godiva. Los investigadores del mercado de Grey Advertising estiman que sólo pocos millones de estadounidenses tienen ingresos que les permiten vivir vidas opulentas o de ricos. Pero muchos más —quizás diez veces más— comparten esta buena vida parte del tiempo, agasajándose con chocolates Godiva (figura 11.18), colonia de Armani o bufandas de Hermes. Quererlo todo es un sello

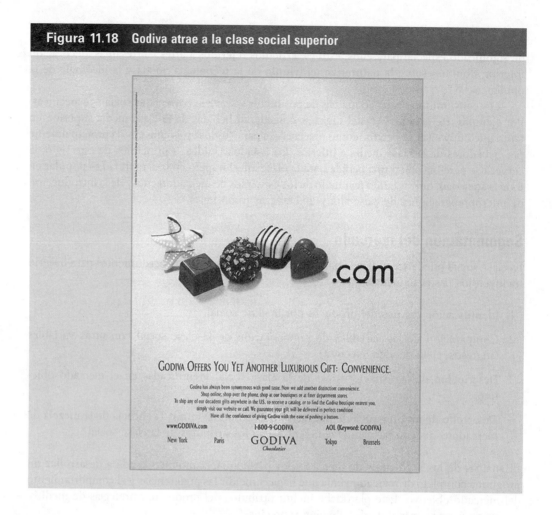

distintivo de la clase media. Comprar lo mejor por lo menos en unas pocas ocasiones es una manera de distinguirse y de reforzar su autoimagen. Los anuncios para promocionar productos con precios altos deben ser sensuales, provocativos y elegantes.[122]

Resumen

La cultura es el complejo de valores, ideas, actitudes y otros símbolos significativos, que permiten a los seres humanos comunicarse, interpretarse y evaluarse como miembros de una sociedad. La cultura y sus valores se transmiten de una generación a la siguiente, y los individuos los aprenden por medio de la socialización y la aculturación. Los valores básicos de una sociedad definen la forma en que se utilizan los productos, en relación con su función, forma y significado. La cultura también otorga valoraciones positivas y negativas a las marcas y a los programas de comunicación y define la ideología del consumo.

Las fuerzas fundamentales que definen a los valores están incluidas en la tríada de transferencia cultural. Además de la influencia de las instituciones familiares, religiosas y educativas, también afectan a los valores experiencias tempranas en la vida, como depresiones, guerras y otros sucesos de importancia.

Estados Unidos es una sociedad multicultural constituida sobre diversos valores básicos centrales diseminados en la macrocultura y en muchas microculturas. Para comprender mejor a los consumidores, muchos mercadólogos estudian las microculturas más de cerca, incluyendo la manera en que los iconos y tendencias culturales trascienden de una microcultura a otra. Estos segmentos pueden ser microculturas basadas en la edad, la religión, la geografía o actores étnicos.

La mercadotecnia dirigida a los consumidores debe llevarse a cabo en un entorno de diversidad multicultural. Pueden formarse grupos étnicos alrededor de atributos de nacionalidad, religión o físicos, así como la localización geográfica.

Otro tipo de microcultura está definida por las clases sociales, esto es, agrupamientos relativamente permanentes y homogéneos de personas en sociedad, lo cual permite que se les compare entre sí. Para los mercadólogos, los determinantes de mayor importancia de la clase social por lo general son la ocupación, el desempeño personal, las interacciones, la posesión de bienes, las orientaciones al valor y la conciencia de clase.

Tradicionalmente, las clases sociales de Estados Unidos se dividen en seis grupos: Superior superior, inferior superior, superior media, inferior media, superior inferior e inferior inferior. Sistemas más modernos de clasificación hacen hincapié en las clases capitalistas o profesionales más grandes dentro de las categorías superior media e inferior inferior. Cada grupo despliega valores y comportamientos característicos, que son útiles para el análisis del consumidor en el desarrollo de programas de mercadotecnia.

Preguntas de repaso y análisis

1. ¿Qué quiere decir el término *cultura*? ¿Por qué el significado de este término crea tanta confusión?

2. ¿De dónde obtienen los consumidores sus valores?

3. Examine los valores básicos estadounidenses descritos en este capítulo. Piense en la forma en que se están modificando, qué factores influyen sobre ellos y la forma en que pueden influir sobre un mercadólogo de productos electrónicos de consumo.

4. Seleccione el tema de la familia, instituciones religiosas o las escuelas, y prepare un informe documentando los cambios que ocurren en la institución seleccionada.

5. Describa los valores de las diversas cohortes de edad. ¿Qué atractivos o métodos de mercadotecnia serán más eficaces en diversos segmentos del mercado?

6. Seleccione alguna de las dimensiones de la cultura de Hoftstede y describa la forma en que podría utilizarse para segmentar mercados.

7. ¿Existe alguna diferencia entre los patrones de consumo de los negros y de los blancos? Explique su respuesta.

8. Los asiaticoestadounidenses representan sólo una pequeña proporción de la población total de Estados Unidos. ¿Por qué se les debe dar gran importancia en la investigación y en la estrategia de mercadotecnia? ¿Qué clase de adaptaciones deben hacerse a un plan de mercadotecnia para poder llegar a esta cultura?

9. Describa algunas de las influencias de la cultura latina sobre la macrocultura estadounidense.

10. Suponga que la American Cancer Society desea dirigirse a la población hispana mediante una campaña sobre la importancia de una detección temprana. ¿Qué recomendaría usted que se hiciese para llegar eficazmente a este mercado?

11. ¿Qué variables determinan la clase social de un individuo? ¿En qué orden de importancia deben clasificarse?

12. ¿De qué manera se relacionan los ingresos con la clase social? ¿Por qué se los utiliza tan escasamente como indicador de clase social? ¿Cuál debería ser su valor correcto como indicador?

13. Un investigador de mercadotecnia especula acerca de la influencia de las clases superiores sobre las decisiones de consumo de las clases inferiores con respecto de los productos

siguientes: Automóviles, alimentos, ropa y productos para cuidados a los bebés. ¿Qué conclusiones esperaría usted en relación con cada uno de estos productos? Elabore un proyecto de investigación para responder a esta pregunta.

14. ¿En qué clase social ubicaría usted a los atletas profesionales? ¿Y en cuál a los actores y actrices?

Notas

1. Hazel Rose Markus y Shinobu Kitayama, "Culture and the Self: Implications for Cognition, Emotion, and Motivation", en *Psychological Review,* 98 (1991), 224-253.

2. Harry C. Triandis, "Cross-Cultural Studies of Individualism and Collectivism", en John Berman, ed., *Nebraska Symposium on Motivation* (Lincoln: University of Nebraska Press, 1989), 41-133.

3. Grant McCracken, "Culture and Consumption: A Theoretical Account of the Structure and Movement of the Cultural Meaning of Consumer Goods", en *Journal of Consumer Research,* 13 (junio de 1986), 71-81.

4. Melanie Wallendorf y M. Reilly, "Distinguishing Culture of Origin from Culture of Residence", en R. Bagozzi y A. Tybout, eds., *Advances in Consumer Research,* 10 (Association for Consumer Research, 1983), 699-701.

5. Dana L. Alden, Jan-Benedict E.M. Steenkamp y Rajeev Batra, "Brand Positioning Through Advertising in Asia, North America and Europe: The Role of Global Consumer Culture", en *Journal of Marketing,* 63 (enero de 1999), 75-87.

6. *Ibid.*

7. James H. Leigh y Terrance G. Gabel, "Symbolic Interactionism: Its Effects on Consumer Behavior and Implications for Marketing Strategy", en *Journal of Consumer Marketing,* 9 (invierno de 1992), 27-38.

8. Matt Moffett y Nikhil Deogun, "Brazilians Like Coke, But What They Love to Drink Is Guarana", *The Wall Street Journal* (julio 8 de 1999), A1.

9. Phillip R. Harris y Robert I. Moran, *Managing Cultural Differences* (Houston: Gulf Publishing Company, 1987), 190-195.

10. P. Valette-Florence y A. Jolibert, "Social Values, A.I.O., and Consumption Patterns", en *Journal of Business Research,* 20 (1990), 109-122.

11. Gregory M. Rose, "Consumer Socialization, Parental Style, and Developmental Timetables in the United States and Japan", en *Journal of Marketing,* 63, 3 (julio de 1999).

12. George P. Moschis, *Consumer Socialization* (Lexington, MA: Lexington Books, 1987), 9.

13. "Miele", en Roger D. Blackwell, Kristina S. Blackwell y W. Wayne Talarzyk, *Contemporary Cases in Consumer Behavior* (Hinsdale, IL: Dryden Press, 1993), 452-462.

14. Johny Johansson e Ikujiro Nonaka, *Relentless, The Japanese Way of Marketing* (Nueva York: Harper Business, 1996).

15. R. Bruce Money, Mary C. Gilly y John L. Graham, "Explorations of National Culture and Word of Mouth Referral Behavior in the Purchase of Industrial Services in the United States and Japan", en *Journal of Marketing* (octubre de 1998), 76-87.

16. Angela da Rocha, Rebecca Arkader y Antonio Barretto, "On Networks and Bonds: A Cultural Analysis of the Nature of Relationships" en David W. Cravens y Peter R. Dickson, eds., *Enhancing Knowledge Development in Marketing* (Chicago: American Marketing Association, 1993), 92-96.

17. William Taylor, "Crime? Greed? Big Ideas? What Were the '80s About?", en *Harvard Business Review* (enero/febrero de 1992), 32-45.

18. Foo Nin Ho, Scott J. Vitell, James H. Barnes y Rene Desborde, "Ethical Correlates of Role Conflict and Ambiguity in Marketing: The Mediating Role of Cognitive Moral Development", en *Journal of the Academy of Marketing Science* (primavera de 1997), 117-126.

19. Charles H. Schwepker, O. C. Ferrell, Thomas N. Ingram, "The Influence of Ethical Climate and Ethical Conflict on Role Stress in the Sales Force", en *Journal of the Academy of Marketing Science* (primavera de 1997), 99-108.

20. Joseph T. Plummer, "Changing Values", en *Futurist,* 23 (enero/febrero de 1989), 8-13.

21. Sheena Ashford y Noel Timms, *What Europe Thinks: A Study of Western European Values* (Aldershot: Dartmouth, 1992).

22. Richard Cimino y Don Lattin, "Choosing My Religion", en *American Demographics* (abril de 1999), 62-65.

23. David B. Wolfe, "The Psychological Center of Gravity", en *American Demographics* (abril de 1998), 16.

24. "A Measure of Success", en *American Demographics* (abril de 1999), 9.

25. *Ibid.*

26. Norval D. Glenn, *Cohort Analysis* (Beverly Hills, CA: Sage Publications, 1977).

27. John Robinson y Nicholas Zill, "Matters of Culture", en *American Demographics* (septiembre de 1997), 24.

28. *Ibid.*

29. Gert Hofstede, "Culture's Consequences: International Differences in Work-Related Values" (Beverly Hills, CA: Sage Publications, 1984).

30. Roger P. McIntyre, Martin S. Meloche y Susan L. Lewis, "National Culture as a Macro Tool for Environmental Sensitivity Segmentation", en David Cravens y Peter Dickson, eds., *Enhancing Knowledge Development in Marketing* (Chicago: American Marketing Association, 1993), 153-159.

31. Joel Garreau, *The Nine Nations of North America* (Boston: Houghton Mifflin, 1981).

32. Lynn R. Kahle, "The Nine Nations of North America and the Value Basis of Geographic Segmentation", en *Journal of Marketing,* 50 (abril de 1986), 37-47.

33. *Ibid.*

34. Conrad M. Arensberg y Arthur H. Niehoff, "American Cultural Values", en James P. Spradley y Mihale A. Rykiewich, eds., *The Nacirema: Readings on American Culture* (Boston: Little, Brown and Company, 1980), 363-379. Tabla 17.1 basada en Arensberg y Niehoff.

35. "Benetton Ads: A Risque Business", en *Time* (marzo 25 de 1991), 13.

36. Seymour M. Lipset, *North American Cultures: Values and Institutions in Canada and the United States* (Orono, ME: Borderlands, 1990), 6.

37. Rohit Deshpande, Wayne D. Hoyer y Naveen Donthu, "The Intensity of Ethnic Affiliation: A Study of the Sociology of Hispanic Consumption", en *Journal of Consumer Research,* 13 (septiembre de 1986), 214-219.

38. Elizabeth C. Hirschman, "An Examination of Ethnicity and Consumption Using Free Response Data", en AMA *Educators' Conference Proceedings* (Chicago: American Marketing Association, 1982), 84-88.

39. Johanna Zmud y Carolos Arce, "The Ethnicity and Consumption Relationship", en John F. Sherry, Jr. y Brian Sternthal, eds., *Diversity in Consumer Behavior* (Provo, UT: Association for Consumer Research, 1992), 443-449.

40. Philip Martin y Elizabeth Midgley, Population Reference Bureau, *Immigration to the United States,* 54, 2 (junio de 1999), 16.

41. *Ibid.*

42. Edith McArthur, "What Language Do You Speak?", en *American Demographics* (octubre de 1984), 32-33.

43. Nathan Caplan, John K. Whitmore y Marcella H. Choy, *The Boat People and Achievement in America: A Study of Family Life, Hard Work, and Cultural Values* (Ann Arbor, MI: University of Michigan Press, 1989).

44. Douglas W. LaBahn y Katrin R. Harich, "Sensitivity to National Business Culture: Effects on U.S.-Mexican Channel Relationship Performance", en *Journal of International Marketing,* 5, 4 (invierno de 1997).

45. Lisa Penaloza y Mary C. Gilly, "Marketer Acculturation: The Changer and the Changed", en *Journal of Marketing,* 63, 3 (julio de 1999).

46. Shelly Reese, "When Whites Aren't a Mass Market", en *American Demographics* (marzo de 1997), 51-54.

47. *Ibid.*

48. William O'Hare, "Managing Multiple-Race Data", en *American Demographics* (abril de 1998), 42-44.

49. Christy Fisher, "It's All In The Details", en *American Demographics* (abril de 1998), 45-47.

50. Juan Faura, "Transcultural Marketing No Longer an Afterthought", en *Marketing News* (enero 4 de 1999), 16.

51. Reynolds Farley y Suzanne M. Bianchi, "The Growing Gap between Blacks", en *American Demographics* (julio de 1983), 15-18.

52. Jerome D. Williams, "Reflections of a Black Middle-Class Consumer: Caught between Two Worlds or Getting the Best of Both?", en Sherry and Sternthal, en *Diversity in Consumer Behavior,* 850-855.

53. Cyndee Miller, "Research on Black Consumers", en *Marketing News* (septiembre 13 de 1993), 1 ss.

54. Mark Green, *Invisible People: The Depiction of Minorities in Magazine Ads and Catalogs* (Nueva York: City of New York Department of Consumer Affairs, 1991).

55. Tommy E. Whittler, "The Effects of Actors' Race in Commercial Advertising: Review and Extension", en *Journal of Advertising,* 20 (1991), 54-60; Tommy E. Whittler y Joan DiMeo, "Viewers' Reactions to Racial Cues in Advertising Stimuli", en *Journal of Advertising Research,* 31 (diciembre de 1991), 37-46.

56. "Affluence Is at Record Level", en *American Demographics Magazine Supplement* (1999), 8.

57. U.S. Department of Commerce, *Current Population Reports*, Series P-60-181 (Washington, DC: U.S. Government Printing Office, 1993).

58. Jennifer Lach, "The Color of Money", en *American Demographics* (febrero de 1999), 59-60.

59. Chris Sandlund, "There's a New Face to America", en *Success* (abril de 1999), 40.

60. William O'Hare, "Blacks and Whites: One Market or Two?", en *American Demographics* (marzo de 1987), 44-48.

61. Nancy Ten Kate, "Black Children More Likely to Live with One Parent", en *American Demographics* (febrero de 1991), 11.

62. Una colección de artículos sobre este tema se encuentra en Harriette Pipies McAdoo, ed., *Black Families* (Newbury Park, CA: Sage Publications, 1988).

63. William J. Qualls y David J. Moore, "Stereotyping Effects on Consumers' Evaluation of Advertising: Impact of Racial Difference between Actors and Viewers", en *Psychology and Marketing*, 7 (verano de 1990), 135-151.

64. Frank McCoy, "Rethinking the Cost of Discrimination", en *Black Enterprise*, 24 (enero de 1994), 54-59.

65. Marilyn K. Foxworth, "Celebrating Black History", en *Public Relations Journal*, 47 (febrero de 1991), 16-21.

66. Raymond A. Bauer y Scott M. Cunningham, *Studies in the Negro Market* (Cambridge, MA: Marketing Science Institute, 1970). También Donald Sexton, "Black Buyer Behavior", en *Journal of Marketing*, 36 (octubre de 1972), 36-39.

67. Thomas E. Ness y Melvin T. Stith, "MiddleClass Values in Blacks and Whites", en Robert E. Pitts, Jr. y Arch G. Woodside, *Personal Values and Consumer Psychology* (Lexington, MA: Lexington Books, 1984), 255-270.

68. Parke Gibson, *$70 Billion in the Black* (Nueva York: Macmillan, 1978); B.G. Yovovich, "The Debate Rages On: Marketing to Blacks", *Advertising Age* (noviembre 29 de 1982), M-10; David Astor, "Black Spending Power: $140 Billion and Growing", en *Marketing Communications* (julio de 1982), 13-18; P.A. Robinson, C.P. Rao y S.C. Mehta, "Historical Perspectives of Black Consumer Research in the United States: A Critical Review", en C.T. Tan y J. Sheth, eds., *Historical Perspectives in Consumer Research* (Singapur: National University of Singapore, 1985), 46-50.

69. Jake Holden, "The Ring of Truth", en *American Demographics* (octubre de 1998), 14.

70. Ibid.

71. Marc Spiegler, "Marketing Street Culture— Bringing Hip-Hop to the Mainstream", en *American Demographics* (noviembre de 1996), 29.

72. "There's Room to Grow Ethnic", en *Mass Merchandise Retailer* (mayo 3 de 1999), 33.

73. Cyndee Miller, "Cosmetics Firms Finally Discover the Ethnic Market", en *Marketing News* (agosto 30 de 1993), 2.

74. Chris Sandlund, "There's a New Face to America", en *Success* (abril de 1999), 40.

75. Wendy Manning y William O'Hare, "AsianAmerican Businesses", en *American Demographics* (agosto de 1988), 35-39.

76. William O'Hare, "Reaching for the Dream", en *American Demographics* (enero de 1992), 32-36.

77. Ivan Light y Edna Bonacich, *Immigrant Entrepreneurs: Koreans in Los Angeles*, 1965-1982 (Los Angeles: University of California Press, 1988).

78. Cheryl Russell, *Racial and Ethnic Diversity*, 8.

79. Dan Fost, "California's Asian Market", en *American Demographics* (octubre de 1990), 34-37.

80. Cyndee Miller, "Hot Asian-American Market Not Starting Much of a Fire Yet", en *Marketing News* (enero 21 de 1991), 12.

81. Marcia Mogelonsky, "Watching in Tongues", en *American Demographics* (abril de 1998), 48-52.

82. Chris Sandlund, "There's a New Face to America", en *Success* (abril de 1999), 44.

83. Joel Kotkin, "Selling to the New America", en *Inc.* (julio de 1987), 46-47.

84. Geraldine Fennel, Joel Saegert, Francis Piron y Rosemary Jimenez, "Do Hispanics Constitute a Market Segment?", en Sherry y Sternthal, *Diversity in Consumer Behavior*, 28-33.

85. Humberto Valencia, "Hispanic Values and Subcultural Research", en *Journal of the Academy of Marketing Science*, 17 (invierno de 1989), 23-28; Van R. Wood y Roy Howell, "A Note on Hispanic Values and Subcultural Research: An Alternative View", en *Journal of the Academy of Marketing Science*, 19 (invierno de 1991), 61-67.

86. "Quandry over One Term to Cover Myriad People", en *The Wall Street Journal* (enero 18 de 1994), B1.

87. Daniel Yankelovich, *Spanish USA* (Nueva York: Yankelovich, Skelly & White, Inc., 1981). *Véase también* informes acerca de una repetición en 1984 del mismo estudio en "Homogenized Hispanics", en *American Demographics* (febrero de 1985), 16.

88. Yankelovich, *Spanish USA*.

89. "Soccer Plays to Growing Hispanic Market", en *Population Today* (abril de 1999), 5.

90. *Statistical Abstract of the United States, 1998,* U.S. Department of Commerce, Bureau of the Census, Tabla No. 328, Degrees Earned by Level and Race/Ethnicity, 202.

91. Lisa Penaloza Alaniz y Marcy C. Gilly, "The Hispanic Family-Consumer Research Issues", en *Psychology and Marketing* (invierno de 1986), 291-303.

92. Helene Stapinski, "Generación Latino", en *American Demographics* (julio de 1999), 65.

93. Miller, "Cosmetics Firms Finally Discover the Ethnic Market".

94. Marcia Mogelonsky, "Watching in Tongues", en *American Demographics* (abril de 1998), 48-52.

95. Barbara Martinez, "Dog Food, Toothpaste and Oreos Star on Popular Hispanic Television Programming", en *The Wall Street Journal* (marzo 25 de 1997), B1.

96. Luiz Diaz-Altertini, "Brand-Loyal Hispanics Need Good Reason for Switching", en *Advertising Age* (abril 16 de 1979), SX-23.

97. Cynthia Webster, "The Effects of Hispanic Subcultural Identification on Information Search Behavior", en *Journal of Advertising Research,* 32 (septiembre/octubre de 1992), 54-62.

98. Robert E. Wilkes y Humberto Valencia, "Shopping-Related Characteristics of MexicanAmericans and Blacks", en *Psychology and Marketing,* 3 (invierno de 1986), 247-259.

99. Joel Saegert, Robert J. Hoover y Marye Tharp Hilger, "Characteristics of Mexican American Consumers", en *Journal of Consumer Research,* 12 (junio de 1985), 104-109.

100. Humberto Valencia, "Point of View: Avoid Hispanic Market Blunders", en *Journal of Advertising Research,* 23 (enero de 1984), 19-22.

101. Jim Sondheim, Rodd Rodriguez, Richard Dillon y Richard Parades, "Hispanic Market: The Invisible Giant", en *Advertising Age* (abril 16 de 1979), S-20. *Véase también* Martha Frase-Blunt, "Who Watches Spanish Language TV?", en *Hispanic* (noviembre de 1991), 26-27.

102. T. Bettina Cornewell y Alan David Bligh, "Complaint Behavior of Mexican-American Consumers to a Third-Party Agency", en *Journal of Consumer Affairs,* 25 (verano de 1991), I-18.

103. Clarkson Gordon, *Tomorrow's Customers in Canada* (Toronto: Woods Gordon, 1984).

104. Pierre C. Lefrancois y Giles Chatel, "The French-Canadian Consumer: Fact and Fancy", en J.S. Wright y J.L. Goldstrucker, eds., *New Ideas for Successful Marketing* (Chicago: American Marketing Association, 1966), 705-717; Bernard Blishen, "Social Class and Opportunity in Canada", en *Canadian Review of Sociology and Anthropology,* 7 (mayo de 1970), 110-127.

105. Robert Tamilia, "Cross-Cultural Advertising Research: A Review and Suggested Framework", en Ronald C. Curhan, ed., *1974 Combined Proceedings of the AMA* (Chicago: American Marketing Association, 1974), 131-134.

106. Daniel W. Rossides, *Social Stratification* (Englewood Cliffs, NJ: Prentice-Hall, 1990).

107. Max Weber, en H.H. Gard y C. Wright Mills, eds., *From Max Weber: Essays in Sociology* (Nueva York: Oxford University Press, 1946), 193.

108. Tomado de Kenneth Labich, "Class in America", en *Fortune* (febrero 7 de 1994), 114-126.

109. Stephen L. Nock, "Social Origins as Determinants of Family Social Status" (trabajo presentado ante la Mid-South Sociological Association, 1980).

110. Reproducido con permiso de Wadsworth, Inc. de Dennis Gilbert y Joseph A. Kahl, *The American Class Structure: A New Synthesis,* 3a. ed. (1982). Aunque no se ha hecho la cita específica en cada ocasión, este excelente libro ha influido en el contenido de este capítulo en numerosas otras instancias.

111. Robert Cage, "Spending Differences across Occupational Fields", en *Monthly Labor Review,* 112 (diciembre de 1989), 33-43.

112. David H. Demo y Ritch C. Savin-Williams, "Early Adolescent Self-Esteem as a Function of Social Class", en *American Journal of Sociology,* 88 (1983), 763-773; Viktor Gecas y Monica A. Seff, "Social Class and Self-Esteem: Psychological Centrality, Compensation, and the Relative Effects of Work and Home", en *Social Psychology Quarterly,* 53 (1990), 165-173.

113. Hirschman, "Secular Immortality and the American Ideology of Affluence".

114. Michael Useem y S.M. Miller, "The Upper Class in Higher Education", en *Social Policy,* 7 (enero/febrero de 1977), 28-31.

115. Las estimaciones Gilbert-Kahl también son aceptadas en Daniel W. Rossides, *Social Stratification* (Englewood Cliffs, NJ: Prentice-Hall, 1990), 406-408. Las publicaciones de clase que de los años noventa siguen siendo de lectura valiosa para los analistas de los consumidores incluyen a Pierre Martineau, "Social Classes and Spending Behavior", en *Journal of Marketing,* 23 (octubre de 1958),121-130; Sidney Levy, "Social Class and Consumer Behavior", en Joseph W. Newman, ed., *On Knowing the Consumer* (Nueva York: John Wiley & Sons, 1966), 146-160; Richard R. Coleman y Bernice L. Neugarten, *Social Status in the City* (San Francisco: Jossey-Bass, 1971).

116. Natalya Prusakova, "Dress to Impress", en *Business in the USSR* (diciembre de 1991), 90-93.

117. Andrea Tyree y Robert W. Hodge, "Five Empirical Landmarks", en *Social Forces,* 56 (marzo de 1978), 761-769. Algunos problemas de método de esos estudios se analizan en C. Matthew Snipp, "Occupational Mobility and Social Class: Insights from Men's Career Mobility", en *American Sociological Review,* 50 (agosto de 1985), 475-492.

118. John R. Snarey y George E. Vaillant, "How Lower- and Working-Class Youth Become Middle-Class Adults: The Association between Ego Defense Mechanisms and Upward Social Mobility", en *Child Development,* 56 (1985), 904-908.

119. Ivan D. Chase, "A Comparison of Men's and Women's Intergenerational Mobility in the United States", en *American Sociological Review,* 40 (agosto de 1975), 483-505.

120. Elizabeth C. Hirschman, "Secular Immortality and the American Ideology of Affluence", en *Journal of Consumer Research,* 17 (junio de 1990), 31-42.

121. Kenneth Labich, "Class in America", en *Fortune* (febrero 7 de 1994), 114-126.

122. Jaclyn Fierman, "The High-Living Middle Class", en *Fortune* (abril 13 de 1987), 27.

CAPÍTULO 12

Influencias familiar y doméstica

Si hace diez años le hubiera preguntado a Chris Demos, gerente de ventas de 35 años, si pensaba llevar a su perro a visitar a Santa Claus, quizás se hubiera reído. Sin embargo, esta mujer, quien vive con su pareja, Dimitri, hoy día se estaciona fuera de PETsMART con Abbey, shar-pei de tres años, para tomar fotos familiares de Navidad. Pero la experiencia apenas comienza. A continuación Abbey recibirá regalos de "papá y mamá" y de otros amigos de la familia, los cuales rivalizan por los recibidos con los niños que se portan bien en la lista de Santa Claus. Abbey, lo más valioso para Demos, ha llenado la vida de sus "padres".

En vista de que no tienen hijos, Chris y Dimitri se ocupan de su perra (enseñándole trucos y disciplinándola cuando es necesario) y la llevan a aquellos lugares a los cuales habrían llevado a sus hijos. Para muchos solteros y parejas jóvenes, una mascota representa un "hijo sustituto". Hace algunos años, los perros dormían fuera de la casa en sus perreras o sobre viejas cobijas bajo el portal, pero hoy día, los perros que no duermen con sus dueños, a veces lo hacen en "palacios" para mascotas de construcción especial, equipados con cojines de satín y sábanas que hacen juego con las de sus propietarios. Los dueños de mascotas gastan aproximadamente 15 000 millones de dólares al año en productos y servicios —desde alimentos gourmet hasta visitas al veterinario y psicólogos para animales (para asesorar a mascotas trastornadas).

¿Qué ha impulsado el crecimiento de minoristas como PETsMART? Al examinar la forma en que las familias y los hogares cambian, se esclarecen las razones del crecimiento experimentado por esta rama actualmente. La gerencia de PETsMART tomó nota de las siguientes tendencias en el hogar: postergar el matrimonio y vivir solteros más tiempo, tener menos hijos y en algunos casos no tenerlos, y el aumento en el número de adultos mayores que viven solos. Un estilo de vida agitado también dificulta socializar fuera del trabajo y desarrollar relaciones íntimas con otros adultos; las mascotas llenan esta función. Al ofrecer en sus tiendas la variedad correcta de productos y experiencia a los consumidores y sus mascotas, PETsMART está cosechando los beneficios de un creciente número de DISN (doble ingreso sin niños) que se están convirtiendo en DIM (doble ingreso, mascotas). El lema de la empresa: "Donde hay mascotas hay familia", demuestra la comprensión de las necesidades y características de su mercado.

De acuerdo con la American Pet Products Manufacturers Association, los estadounidenses son propietarios de más de 236 millones de mascotas (perros, gatos, reptiles, pájaros, peces y pequeños animales), teniendo 56% de los hogares al menos una. Sin embargo, es interesante observar que 61% de los hogares con mascota no tienen niños. Demos acepta que los compromisos económicos y de tiempo para estar con Abbey son grandes, pero las ventajas son mayores.

Importancia de la familia y el hogar en el comportamiento del consumidor

Si usted se encarga de desarrollar la mercadotecnia del cereal para desayuno en Estados Unidos, India, Japón o Brasil, ¿a quién dirigiría su programa de mercadotecnia y su campaña de publicidad? Después de determinar si el cereal, el *muesli* (en Europa) o los *mealies* (en África) se comen calientes o fríos, ¿preguntaría quién decide la marca de cereal que se comprará? ¿Es la madre, el padre, los adolescentes, los niños o alguna combinación de éstos? El cereal Kix en Estados Unidos atrae tanto a los niños (sabe bien) como a las madres (es nutritivo) con su lema "Probado por los niños, aprobado por las madres". La importancia de la familia o de la unidad del hogar en el comportamiento del consumidor se presenta por dos razones:

1. La unidad familiar compra muchos productos.

2. Otros miembros de la familia pueden ejercer gran influencia en las decisiones de compra.

La forma en que la familia o el hogar toman decisiones de compra depende de los papeles de sus miembros en la *compra, consumo e influencia* de los productos. Los productos del hogar, como alimentos y shampoo, pueden ser comprados por una persona, pero consumidos por varias; en tanto que los artículos de uso personal, como cosméticos o crema de rasurar, los llega a comprar un miembro para su consumo propio. Las casas y los automóviles, a menudo son adquiridos por ambos cónyuges, quizás involucrando a los hijos y a otros miembros de la familia. Davis explica[1]: "Un marido puede comprar una camioneta, al tener que transportar a cuatro niños, a pesar de su fuerte preferencia por los automóviles deportivos", y un padre puede preguntarle a su hija e hijo respecto del color y estilo antes que él y su mujer adquieran un automóvil. Las visitas a los centros comerciales a menudo involucran a múltiples miembros de la familia que compran ropa y accesorios, a veces con una fuerte dosis de influencia de otros miembros de la familia —los niños suelen comprar ropa pagada y aprobada por los padres, en tanto que los adolescentes influyen sobre la ropa adquirida por alguno de los padres.

Independientemente de cuántos miembros de la familia estén presentes cuando se adquieren los artículos, los demás miembros desempeñan una función importante en la compra. Sólo porque Ling, esposa y madre de dos niños pequeños, es responsable de adquirir alimentos para la familia y actuar en el mercado como individuo, no significa que sus decisiones no se vean influenciadas por las preferencias y el poder de otros miembros. Incluso si las personas viven solas, pueden preferir el mismo estilo (o quizás el opuesto) en el mobiliario o la marca de mantequilla de cacahuate preferidos por la familia en la cual crecieron. A pesar de que las comunicaciones de mercadotecnia por lo general se dirigen a individuos, los mercadólogos deben considerar las circunstancias de consumo de la estructura familiar, antes de decidir acerca de los métodos específicos de comunicación y publicidad para atraer a su segmento.[2]

¿Qué es una familia?

Una **familia** es un grupo de dos o más personas que viven juntas relacionadas por consanguinidad, matrimonio o adopción. El **núcleo familiar** es el *grupo inmediato de padre, madre e hijos que viven juntos*. La **familia ampliada** es el *núcleo familiar, además de otros parientes, como abuelos, tíos y tías, primos y suegros*. La *familia en la cual uno se crió* se conoce como **familia de orientación**, en tanto que *aquella establecida por matrimonio* se conoce como **familia de procreación**. Como se mencionó en el caso inicio, algunos consumidores han ampliado la definición de familia para incluir las mascotas, como se reconoce en el lema del logotipo y marca de PETsMART, que aparece en la figura 12.1.

¿Qué es un hogar?

El término **hogar** se utiliza para describir a *todas las personas, emparentadas o no, que ocupan una unidad habitacional*. Existen diferencias significativas entre los términos *hogar* y *familia*, aun cuando algunas veces se utilizan de manera intercambiable. Es importante distinguir entre ambos términos al examinar los datos.

El término hogar se está convirtiendo en la unidad más importante de análisis para los mercadólogos, en vista del rápido crecimiento de familias no tradicionales y hogares no familiares. Entre los hogares no familiares, la mayor parte está constituida por personas que viven solas. Los restantes incluyen aquellos formados por personas de la tercera edad que viven con miembros no familiares, "personas del sexo opuesto que comparten residencia" (PSOCR) amigos que viven juntos y parejas del mismo género. Cualquiera de estos hogares puede o no incluir niños. Las familias forman la clase más grande de hogares, pero los hogares no familiares están aumentando. Una manera de evitar el problema de si se deben estudiar familias u hogares es simplemente utilizar el término *unidad de consumo* (UC) o *unidad mínima de hogar* (UMH). Resulta más fácil y a veces simplemente igual de útil evitar las distinciones entre cada uno de estos grupos y referirse al comportamiento de compra de UC o de UMH.[3]

Figura 12.1   PETsMART atrae a la familia

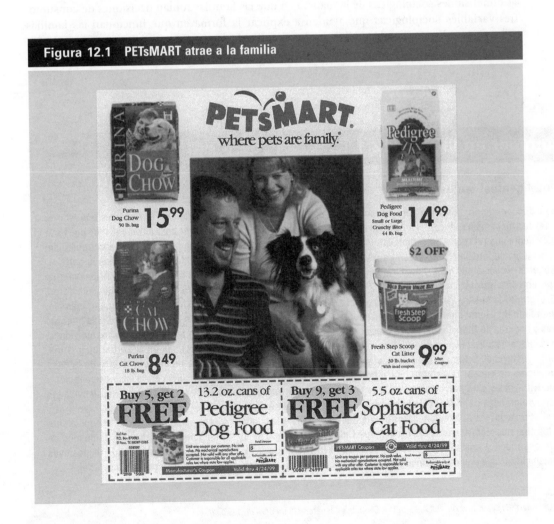

Variables estructurales que afectan la familia y el hogar

Las variables familiares o del hogar afectan las compras en el hogar. Las variables estructurales incluyen la *edad del jefe del hogar o de familia, el estado civil, la presencia de niños y el empleo*. Por ejemplo, los analistas del consumidor muestran interés en saber si las familias tienen niños y cuántos. Los niños incrementan la demanda familiar de ropa, alimentos, mobiliario, casas habitación, servicios médicos y educación, en tanto que reducen la demanda de muchos artículos discrecionales, viajes, restaurantes caros y ropa para adultos.

Otros cambios estructurales afectan los tipos de productos manufacturados. Por ejemplo, en Japón, las empresas de alta tecnología han formado un consorcio para estandarizar la tecnología desarrollada para monitorear y administrar hogares. El consumidor en la mira 12.1 analiza la forma en que los hogares en Japón podrían ser manejados en el futuro.

Variables sociológicas que afectan la familia y el hogar

Los mercadólogos pueden comprender mejor las decisiones de la familia y del hogar al examinar las dimensiones sociológicas de la manera en que las familias toman decisiones de consumo. Tres **variables sociológicas** que ayudan a explicar la forma en que funcionan las familias incluyen la *cohesión*, la *adaptabilidad* y la *comunicación*.

El consumidor en la mira 12.1

Hogares "inteligentes" en Japón

Alguna vez se ha despertado por la mañana preguntándose: "¿Cuál es mi nivel de azúcar en la sangre?", ¿ha ido a la tienda sólo para darse cuenta que no recuerda si necesita leche o no? En Japón, los jefes de familia pronto serán capaces de manejar sus hogares, vigilar a sus hijos y medir las necesidades del hogar con sólo apretar un botón.

Para 2003, el grupo Matsushita Electrical Industry espera colocar en el mercado HII (Home Information Infrastructure) para las familias y hogares de todo Japón. HII es un sistema que conecta a los hogares a través de cables de fibra óptica al mundo exterior, incluyendo internet, televisión por cable, hospitales y agencias de viajes. El sistema gira alrededor de una estación HII —el sistema nervioso central, que sirve como depositario de grandes cantidades de información—. Mediante pantallas en todas las habitaciones, sus ocupantes pueden vigilar los aparatos eléctricos de toda la casa, revisar las cámaras de seguridad y entrar en el ciberespacio. La recámara, por ejemplo, incluye equipo de consulta médica por medio del cual los consumidores podrán escribir sus dolencias y llamar al doctor, quien a su vez hará un diagnóstico con base en la información proporcionada y el acceso electrónico del historial médico proveniente del sistema de ese hogar.

En el corazón del sistema existe una terminal inalámbrica que permite un acceso remoto a la casa. Los consumidores, por tanto, pueden vigilar los abastos del hogar, por ejemplo, lo que hay en el refrigerador o en la alacena. Estos hogares también tienen baños inteligentes, que pesan a los individuos, monitorean su grasa corporal y miden el azúcar en la orina. Vigilantes especiales, de alta tecnología, dentro de la casa encienden las luces cuando alguien entra en una habitación y permiten que los miembros de la familia vigilen las actividades de los demás.

Para los consumidores estadounidenses, el equivalente más cercano es un sistema de administración doméstico de IBM que permite a la gente operar todos los dispositivos electrónicos a través de un control remoto universal.

Fuente: "Japanese 'Smart' Homes Know All, Tell All", en The Columbus Dispatch *(28 de abril de 1999), 2F.*

- **Cohesión** es la *vinculación emocional entre miembros de una familia*. Mide cómo se sienten íntimamente cada uno de los miembros de la familia en un nivel emocional. La cohesión refleja un sentido de conexión o separación con los demás miembros de la familia.

- **Adaptabilidad** mide la *capacidad de los miembros de una familia para cambiar su estructura de poder, sus relaciones de funciones y sus reglas de relaciones, en respuesta a tensiones debidas a situaciones y desarrollo*. El grado de adaptabilidad muestra lo bien que una familia puede enfrentarse a los retos de situaciones cambiantes.

- **Comunicación** es una *dimensión facilitadora, vital para movimientos en las otras dos dimensiones*. Las habilidades positivas de comunicación (empatía, escucha reflexiva, comentarios de apoyo) permiten que los miembros de la familia compartan sus necesidades cambiantes conforme se relacionan con la cohesión y la adaptabilidad. Las habilidades negativas de comunicación (mensajes de doble sentido, obligaciones bilaterales, crítica) minimizan la capacidad de compartir los sentimientos, restringiendo, por tanto, el movimiento en las dimensiones de la cohesión y la adaptabilidad. Para comprender si los miembros de una familia están satisfechos con las compras familiares se requiere de la comunicación dentro de la misma.[4]

Celebraciones familiares y entrega de regalos

Los mercadólogos han utilizado la investigación sociológica relativa a familias "resistentes", aquellas más capaces de seguir su camino al superar transiciones o crisis, porque influyen la demanda de ciertos productos de parte del consumidor. Las familias para las que es importante celebrar determinadas fechas y seguir rutinas familiares o tradiciones tienen más probabilidades de desarrollar familias resistentes.[5] Así como las celebraciones ayudan a las familias a superar las crisis, también impulsan las ventas al menudeo. Para muchos minoristas, Hanukkah y Navidad generan 50% de las ventas anuales al menudeo (y un porcentaje aún mayor de las utilidades), haciendo de la dádiva de regalos y las festividades familiares un área importante de estudio.[6] En años recientes, el Halloween (noche de brujas) se ha convertido en la segunda festividad más popular en Estados Unidos en función de las ventas al menudeo de regalos y decoración del hogar: Dos actividades de comportamiento del consumidor que transmiten un espíritu festivo familiar.[7] Otras celebraciones que se festejan en la actualidad con mayor frecuencia, fuera de sus países de origen, son el 5 de mayo (México), el Kwanzaa (África) y el Año Nuevo Chino.

Algunos analistas del consumidor han llamado la atención de los minoristas acerca del riesgo de basarse en las festividades de fin de año para llenar sus pronósticos de ventas y utilidades. Tradicionalmente, las empresas que se apoyan en la Navidad, el Kwanzaa y el Hanukkah sólo alcanzan 50% de sus ventas anuales.[8] Pero puede deberse a cambios en las estructuras familiares y del hogar, o al descenso en el gasto general destinado a las fiestas. Un incremento en el número de divorcios obliga a los padres a dividir las celebraciones de los niños entre dos hogares. En los hogares de los países industrializados, que tienen número menor de hijos, las familias tienden a comprar productos sólo cuando los necesitan, sin esperar a recibirlos en forma de regalo. También se observa una disminución en la adquisición de presentes para el cónyuge (especialmente los de edades entre 45-60 años) porque la mayoría ya tienen lo que desean.[9]

En una tendencia entre algunos consumidores a alejarse de la comercialización de las festividades, debido al significado religioso y familiar de ciertas tradiciones y celebraciones. Los anuncios intentan relacionar lo que se celebra en familia con el consumo; lo anterior puede verse en las decoraciones de las tiendas y los centros comerciales. La figura 12.2 muestra la forma en que Duracell se vincula con las fiestas en un anuncio, en tanto que en la figura 12.3 *egift* se relaciona con las necesidades de los consumidores de adquirir regalos durante todo el año.

Figura 12.2   Llamado a las celebraciones navideñas en las familias

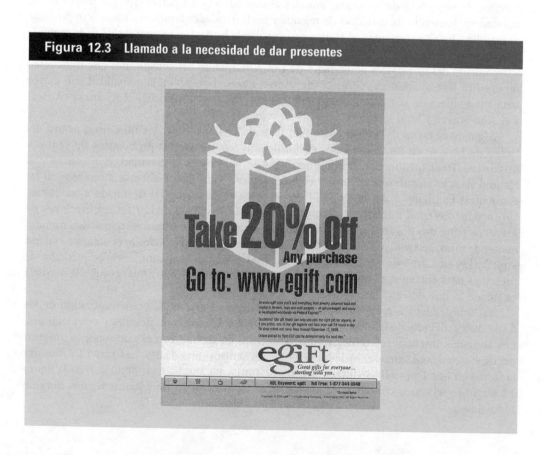

Figura 12.3   Llamado a la necesidad de dar presentes

¿Quién determina lo que compra la familia?

Las familias utilizan productos que adquiere un miembro de ella. La determinación de qué productos deben adquirirse, dónde comprarlos, cómo y cuándo se utilizarán y quién debe obtenerlos, es un proceso complicado que involucra una diversidad de funciones y actores.

Comportamiento en el desempeño de una función

Las familias y otros grupos manifiestan lo que el sociólogo Talcott Parsons identificó como comportamientos en el desempeño de funciones (papeles) instrumentales y expresivos. Los **papeles instrumentales**, también conocidos como funcionales o económicos, involucran *las funciones económicas, de desempeño y otras llevadas a cabo por los miembros del grupo*. Los **papeles expresivos** involucran el *apoyo a otros miembros de la familia, en el proceso de toma de decisiones, y la expresión de las necesidades estéticas o emocionales de la familia, incluyendo la defensa de las normas familiares*. La manera en que cada uno de los miembros de la familia en lo particular lleva a cabo sus papeles puede influir en la forma en que se asigna el ingreso familiar a los diferentes tipos de productos o de minoristas.

Papeles individuales en las compras familiares Las decisiones de consumo familiar involucran por lo menos cinco funciones, que pueden ser asumidos por los cónyuges, los hijos y otros miembros de un hogar. Son comunes tanto funciones múltiples como actores múltiples.

1. *Iniciador/portero:* iniciador del pensamiento familiar respecto de la adquisición de productos y la recolección de información para tomar la decisión.

2. *Influyente:* individuo cuyas opiniones se toman en cuenta en relación con los criterios que la familia debe utilizar en las adquisiciones y acerca de cuáles son los productos o marcas que más se ajustan a estos criterios de evaluación.

3. *Tomador de decisión:* la persona con la autoridad o poder económico para decidir la forma en que el dinero de la familia será gastado y en qué productos o marcas.

4. *Comprador:* persona que actúa como agente de compras al determinar la tienda, llamar a los proveedores, elaborar los cheques, llevar los productos al hogar, etcétera.

5. *Usuario:* persona o personas que utilizan el producto.

Los mercadólogos necesitan comunicarse con los consumidores que asumen cada una de estas funciones, considerando que diferentes miembros de la familia asumirán distintas funciones, dependiendo de la situación y del producto. Los niños, por ejemplo, son *usuarios* de cereales, juguetes, ropa y muchos otros productos, pero quizás no son los compradores. Uno o ambos padres pueden ser tanto el *tomador* de decisión como el *comprador*, aunque los niños son importantes como *influyentes* y usuarios. Los padres actúan como *iniciadores* cuando evitan que los niños vean ciertos programas de televisión, o que se intente negar su influencia. Cualquiera de ellos que tenga mayor experiencia en un área puede asumir el papel de influyente.

La **mercadotecnia familiar** se enfoca en *las relaciones entre los miembros de la familia, con base en los papeles que asumen, incluyendo la relación entre comprador y consumidor de la familia y entre comprador y tomador de decisiones de compra*. La mercadotecnia familiar identifica escenarios en donde algunas compras involucran a más de una persona en la toma de decisiones, así como donde hay más de un consumidor. Algunas veces el comprador y el consumidor son una misma persona; en otras se trata de personas diferentes. El modelo de mercadotecnia familiar, según se observa en la figura 12.4, representa nueve celdas, que describen varias relaciones comprador-consumidor. Dependiendo de en dónde se ubiquen los productos en la matriz, los mercadólogos los anuncian y sitúan de manera diferente, de acuerdo con las relaciones comprador-consumidor.

Figura 12.4   Modelo de mercadotecnia familiar

Las compras de la familia se ubican en nueve categorías, dependiendo de quién toma la decisión de compra y quién usa el artículo adquirido.

Un consumidor	Un tomador de la decisión de compra		
	Un miembro	Algunos miembros	Todos los miembros
Un miembro	1	2 Raqueta de tenis	3
Algunos miembros	4 Cereal	5	6
Todos los miembros	7	8	9 Refrigerador

Por ejemplo:

1. Mamá y papá salen a comprar una nueva raqueta de tenis para mamá. Papá aconseja a mamá acerca de la compra. Algunos miembros toman la decisión y un miembro es el consumidor: celda 2.

2. Mamá va a la tienda de comestibles para comprar cereal para sus hijos. Ella jamás lo comerá. Un miembro toma las decisiones y algunos miembros son consumidores: celda 4.

3. Mamá, papá y los niños van a la tienda departamental a adquirir un refrigerador. Todos los miembros toman las decisiones y todos son consumidores: celda 9.

Fuente: Robert Boutilier, "Pulling the Family's Strings", en American Demographics *(agosto de 1993), 46.*

El proceso de toma de decisiones de compra familiares puede ser complejo, pero la respuesta a las preguntas siguientes ayuda a identificar diferentes relaciones comprador-consumidor:

1. ¿Quién compra para quién?
2. ¿Quiénes son los personajes principales?
3. ¿Cuál es la intención de la compra?
4. ¿Quién quiere qué y cuándo?
5. ¿Qué podemos suponer?[10]

Aunque estas respuestas quizá no identifiquen todas las relaciones esenciales que los mercadólogos deben tomar en cuenta, sí identifican un plan de mercadotecnia familiar, que crea una relación entre individuos y productos con base en el papel que cada uno de los individuos tiene para influir o comprar los productos.

En la industria restaurantera, la tendencia ha sido dirigirse hacia la mercadotecnia familiar como una sola unidad.[11] A pesar de que hace varias décadas "salir a cenar fuera" describía una noche especial, para parejas que se habían citado o parejas casadas, hoy día muestra la solución típica, de muchas familias, para cenar. Aunque Boston Market dio la pauta a los demás restaurantes ocupados en ofrecer alimentos de estilo casero, otras empresas restauranteras están creando programas de mercadotecnia familiar completamente integrados, que incluye publicidad, menús, empaque, cupones, vídeos y conexiones cinematográficas especiales. Por ejemplo, KFC adoptó hace pocos años un nuevo eslogan: "regresen con la familia". Con la finalidad de solucionar las *necesidades de familia* (como conveniencia, rapidez de servicio, economía y diversidad) desde el punto de vista de la madre, del padre y de los hijos. Además de agregar a su menú pollo asado, tiras de pollo y pasteles de pollo (para delicia de sus consumidores adultos), KFC también desarrolló un programa promocional, que incluía a los personajes Timón y Pumbaa de la película de Disney, *El rey león* (para agradar a los niños).

Debe admitirse que el llamado a las familias fue consecuencia del deseo de la industria restaurantera en hacer crecer las ventas y las utilidades. En Burger King, el mercado familiar representa la tercera parte de su negocio. Los niños que entran y compran comidas Kid's Club traen a toda la familia y elevan la cuenta promedio.

Los restaurantes vigilan de cerca los cambios que ocurren en la familia moderna. Kroger (cadena nacional de comestibles), Eatzies (cadena de restaurantes estadounidenses enfocados en comidas para llevar) y Wild Oats (cadena de tiendas de alimentos saludables de tipo general) han hecho grandes avances en el reemplazo de alimentos en el hogar (RAH). El RAH proporciona una solución a familias que no tienen tiempo para preparar alimentos, y a los solteros que no desean cocinar para una sola persona. Preparan una diversidad de platos y numerosos platillos auxiliares entre los cuales escoger, y facilitan ya sea al ama de casa, hombre o mujer, o adolescente, "ensamblar" una comida bien balanceada para la familia.

Función de los cónyuges en las decisiones de compra   ¿Qué cónyuge es de mayor importancia en las decisiones de compra familiares? ¿De qué manera cambia lo anterior según la clase de producto, la etapa del proceso de la toma de decisión y el hogar específico? En general, se utilizan las siguientes categorías de estructuras de funciones para analizar estas preguntas:

1. *Autonómicos:* un número igual de decisiones es tomado por cada uno de los cónyuges, pero cada decisión se hace de manera individual, por uno o el otro.

2. *Dominio del marido:* el marido o el jefe de la casa toma la mayor parte de las decisiones.

3. *Dominio de la mujer:* la mujer o el ama de casa toma la mayor parte de las decisiones.

4. *Conjunto* (sincrético): la mayor parte de las decisiones son tomadas por el hombre y la mujer juntos.

Estas clases a veces se simplifican a "más el hombre que la mujer", "más la mujer que el hombre", "tanto el hombre como la mujer", o simplemente "hombre solamente", "mujer solamente", o "niños solamente". El tipo del producto, la etapa del proceso de decisión y la naturaleza de la situación que rodea a la decisión influye sobre cuál es la situación que existe. Y, recuerde, que la terminología *hombre* y *mujer* se aplica a las funciones desempeñadas por los miembros del hogar, y son utilizados, aun cuando los miembros de la familia pudieran no estar casados, o ser parejas del mismo género.

Harry Davis y Benny Rigaux llevaron a cabo un estudio acerca de las influencias hombre-mujer.[12] Sus conclusiones generales se presentan en la configuración triangular familiar que aparece en la figura 12.5, las cuales han afectado de manera importante la manera de pensar respecto de la influencia relativa de hombres y mujeres en la toma de decisiones y en el alcance de la especialización de la función. ¿Existen algunas funciones en la toma de decisiones familiares que uno de los cónyuges toma de manera típica? El estudio parecería indicar que sí, pero usted puede aplicar parte de la información examinada en este libro para identificar la forma en que las funciones de los miembros del hogar se están transformando.

Influencias en el proceso de decisión

¿De qué manera el hombre y la mujer de la casa perciben su influencia relativa en la toma de decisiones durante las etapas de decisión? ¿Y qué significa esto para los mercadólogos? La figura 12.5 muestra la forma en que algunas clases de productos-servicios tradicionalmente resultan del dominio de la mujer. Incluyen la ropa de mujer, la de los niños y los comestibles. Dos secciones controladas por el hombre incluyen la ferretería y las cortadoras de pasto. Se tiende a decisiones conjuntas respecto de las vacaciones, televisores, refrigeradores y mobiliario de la sala. La toma autonómica de las decisiones tiene tendencia a estar presente en las decisiones respecto a las categorías que incluyen la joyería de la mujer, la ropa deportiva del hombre, la ropa formal del hombre, el equipo para deportes, las lámparas, juguetes y juegos,

Figura 12.5   Influencias hombre-mujer en la toma de decisiones: movimiento de la búsqueda de información hacia la decisión final

Influencia relativa de maridos y esposas

Dominio de la esposa

Ropa de mujer
Ropa de niña
Comestibles
Cacerolas y sartenes
Joyería de mujer
Lámparas
Medicinas de autoprescripción
Mobiliario de sala
Juguetes y juegos
Equipaje
Alfombras y tapetes
Pintura y tapicería interior
Vacaciones
Refrigerador
Ropa deportiva de hombre
Conjuntas
Autonómica
Ropa formal de hombre
Televisores
Estéreo
Cámara
Planeación financiera
Automóvil familiar
Equipo deportivo
Ferretería
Podadora de césped

Dominio del marido

100   90   80   70   60   50   40   30   20   10   0

Grado de especialización de la función

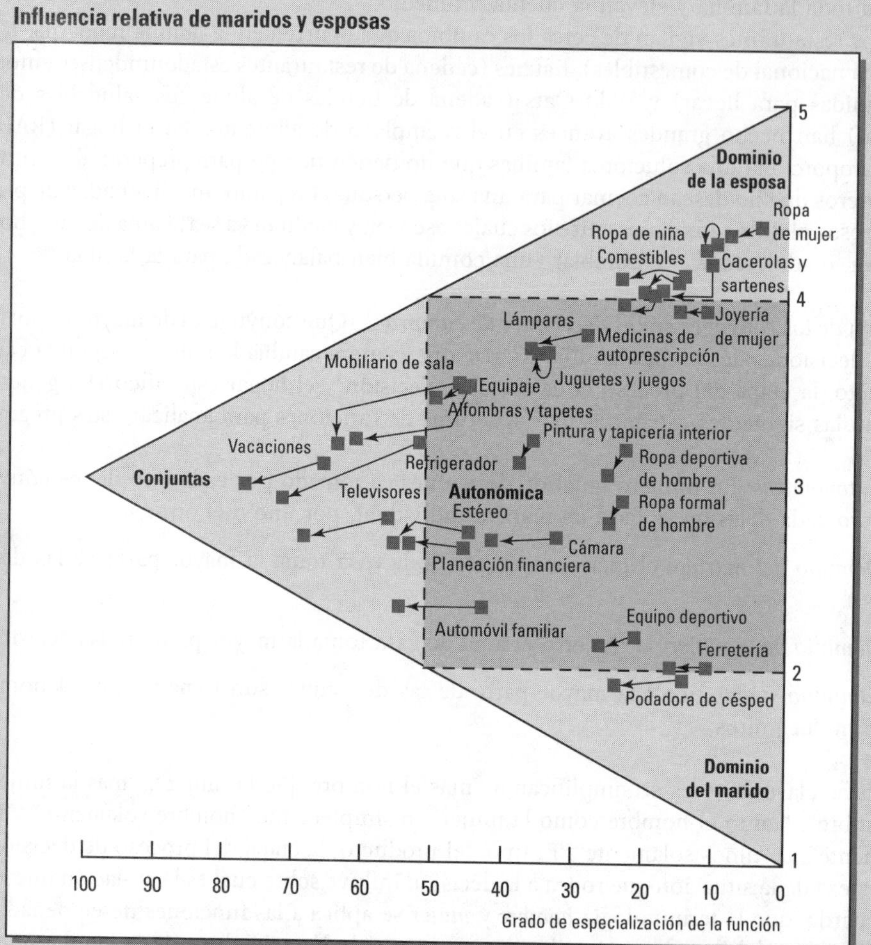

Fuente: ©Management Horizons, una división de Price Waterhouse.

la pintura y el papel tapiz interior y el equipaje. Al entender dónde quedan en este "mapa" las decisiones para la compra de productos específicos, los mercadólogos pueden determinar qué aspectos de los productos en particular anunciar a los diferentes miembros del hogar, y qué medios alcanzarán al miembro influyente de la familia.

Influencia por etapa de decisión   Los cónyuges ejercen grados diferentes de influencia en el transcurso de las etapas del proceso de toma de decisión. Esto queda indicado en la figura 12.5 por la dirección de la flecha, que muestra el movimiento de la búsqueda de información hacia la decisión final. Este movimiento puede ser mínimo en el caso de muchos bienes de bajo interés, pero es más pronunciado para bienes de riesgo, o que representan gran importancia para la familia. *El proceso de decisión tiende a moverse hacia una participación conjunta y a alejarse de un comportamiento autonómico, conforme se acerca la decisión final.* El movimiento es más pronunciado para los refrigeradores, el auto familiar, el mobiliario de la sala, los tapetes y las alfombras. Las vacaciones quizá son las decisiones de compra más democráticas de una familia.

La etapa de búsqueda de información es más autonómica que conjunta, si se compara con la decisión final. Los planes de mercadotecnia, por tanto, requieren de un uso especializado de los medios (revistas, catálogos, anuncios), con un fuerte atractivo para el marido o la mujer, en vez de para ambos. El diseño del producto o de la tienda tiene que reflejar los criterios de evaluación de los dos, ya que debe lograrse el consenso para la decisión final. Asimismo organizarse en campañas separadas para que coincidan con los intereses especializados, sobre todo para productos con un largo ciclo de planeación.

Influencia del empleo En el pasado, los mercadólogos podían hacer referencia a las clases tradicionales de estructura de la función, para determinar qué miembro de la familia adquiriría un producto específico. En años recientes, el elevado número de mujeres que trabajan fuera del hogar, acoplado con los cambiantes papeles conyugales, han afectado las formas en que las parejas dividen sus responsabilidades de compra.[13] A pesar de que las funciones tradicionales de compra siguen siendo aplicables, en los matrimonios de ingresos duales, los maridos pueden estar dispuestos a pasar a la tienda de comestibles para adquirir unos cuantos artículos, y la mujer que trabaja, podría dejar el automóvil en la estación de servicio para un cambio de aceite. Sin embargo, las parejas contemporáneas —muchas provenientes del segmento de los *baby boomers*— no están a favor de desplazar las responsabilidades tradicionales de compra conjuntas a sólo uno de los cónyuges, aunque están dispuestos a comprar conjuntamente los artículos principales que en las familias tradicionales eran de la responsabilidad de sólo uno de ellos.

Influencia del género Conforme se estrecha la brecha de los géneros, las decisiones del marido y de la mujer con más frecuencia se efectúan de manera conjunta (sincréticamente). Qualls[14] estudió decisiones familiares relacionadas con vacaciones, automóviles, educación de los niños, casas habitación, seguros y ahorros. Estudios previos mostraban que las decisiones en relación con estos productos eran por lo general dominio de la mujer o bien del marido. Qualls encontró que ahora de manera abrumadora la nueva moda son las decisiones conjuntas para estos productos, de modo que se efectúan de esta forma 80% de las decisiones respecto de la educación de los hijos y las referentes a la casa habitación. Los recursos en aumento de la mujer y el movimiento hacia la igualdad producen más tomas de decisiones conjuntas en las categorías de productos y servicios de un elevado riesgo percibido. En contraste, las presiones de tiempo, resultado de un gran número de familias con dos personas trabajando, puede producir en las categorías de bajo riesgo percibido más decisiones autonómicas.

Debido a las menores diferencias en el género y al desvanecimiento de la identificación por sexo de los productos, muchos mercadólogos investigan acerca de cómo hacer la transición de estos productos, a un posicionamiento de género dual.[15] Los alimentos de fácil preparación, que antes estaban dirigidos a la mujer, se ponen ahora en el mercado tanto para hombres como para mujeres, ya que ambos están cansados al llegar a casa y buscan alguna manera de reducir el tiempo de preparación de alimentos. Y aun así los investigadores del consumidor deben reconocer que todavía existen diferencias, a pesar de la tendencia por alejarse del dominio de la función de género, para algunos productos y en algunas situaciones,[16] por ejemplo en productos de cuidado personal. Las críticas escritas respecto de estas áreas están disponibles en Jenkins[17]; Bums y Granbois[18]; Gupta, Hagerty y Myers[19]; y Roberts.[20] Aunque sigue existiendo un comportamiento del consumidor relacionado con el género, las funciones quedan determinadas por el género biológico tanto como por las experiencias de socialización que les enseñan diferentes actividades de consumo tanto a hombres como a mujeres.[21]

Ciclos de vida familiar

Las familias pasan por una *serie de etapas que los cambian con el transcurso del tiempo*. Este proceso históricamente ha sido denominado el **ciclo de la vida familiar** (CVF). El concepto podría ser modificado en el futuro a **ciclo de vida doméstica** (CVD) o al **ciclo de la vida del consumidor** (CVC), con la finalidad de reflejar los cambios en la sociedad. Sin embargo, utilizaremos el término **CVF**[22] para mostrar la manera en que el ciclo de vida afecta el comportamiento del consumidor.[23]

Características del ciclo de vida familiar

El CVF tradicional describe los patrones familiares conforme los consumidores se casan, tienen hijos, dejan el hogar, enviudan y se jubilan. Estas etapas aparecen descritas en la figura 12.6, junto con los comportamientos del consumidor asociados con cada etapa. Pero los consumidores no necesariamente tienen que pasar por todas estas etapas —pueden saltar

Figura 12.6   Actividades del consumidor, que ocurren en varios ciclos de la vida

Solteros jóvenes

Los solteros jóvenes pueden vivir solos, con sus familias o con amigos, o pueden cohabitar con socios, lo que se traduce a un amplio intervalo de ingreso gastado en mobiliario, renta, alimentación y otros gastos vitales. A pesar de que los ingresos tienden a ser relativamente bajos, estos consumidores por lo general no tienen muchas obligaciones económicas y no sienten la necesidad de ahorrar para su futuro o su retiro. Muchos gastan todo lo que ganan en automóviles, mobiliario para sus primeras residencias, modas, recreación, bebidas alcohólicas, comidas fuera, vacaciones y otros productos o servicios involucrados en el juego de los cortejos. Algunos tienen niños pequeños, lo que los obliga a sacrificar algo de los gastos discrecionales por servicios de guarderías y productos para bebés.

Recién casados

Los recién casados sin hijos logran una mejoría económica, en comparación con la que tenían cuando eran solteros, ya que frecuentemente cuentan con dos ingresos disponibles para gastar en un sólo hogar. Estas familias tienden a gastar sus ingresos en automóviles, ropa, vacaciones y otras actividades de entretenimiento. También tienen la tasa más elevada de compras de bienes duraderos (muebles y aparatos electrodomésticos) y son más susceptibles a la publicidad.

Nido lleno I

Con la llegada del primer bebé, los padres empiezan a cambiar sus papeles en la familia, y deciden si uno de ellos se quedará en el hogar para cuidar al niño, o si ambos trabajarán y contratarán servicios de guardería. Cualquiera de estos caminos lleva a una reducción en el ingreso disponible familiar y a un cambio en la forma en que se gastan los ingresos. En esta etapa, es probable que las familias se muden a sus primeros hogares, compren mobiliario y equipo para el bebé, adquieran una lavadora y una secadora y artículos de mantenimiento del hogar; y compren nuevos artículos como alimentos para bebé, medicinas, vitaminas, juguetes, etcétera. Estos requerimientos reducen la capacidad de ahorro de las familias, y el marido y la mujer a menudo empiezan a sentirse insatisfechos de su situación económica.

Nido lleno II

En esta etapa, el niño más joven ha llegado a la edad escolar, el ingreso del cónyuge empleado ha mejorado, y el otro puede regresar al trabajo de tiempo completo o parcial fuera de casa. En consecuencia, la posición económica de la familia mejora, sin embargo, consume más y en cantidades mayores. Los patrones de consumo siguen influidos por los hijos, ya que la familia tiende a comprar paquetes de comestibles de tamaño grande, artículos de limpieza, ropa, equipo deportivo, etcétera. En esta etapa se vuelven populares entre los consumidores, las tiendas departamentales de descuento (como Kohl´s y Target), los minoristas masivos (como Wal*Mart y Carrefour) y las tiendas de membresía (como Costco y Sam´s Club).

Nido lleno III

Conforme aumenta la edad de la familia y los padres están cerca de los 40 años, su posición económica por lo general sigue mejorando, debido a que aumentan los ingresos del principal proveedor de dinero, el segundo proveedor también recibe mejor salario y los niños o los hijos ganan dinero para sus gastos y educación, empleándose eventualmente y de tiempo parcial. Es común que la familia reemplace algunos muebles, compre otro automóvil, adquieran electrodomésticos de lujo, o inviertan su dinero en servicios dentales (frenos) y educación. También en esta etapa se compran computadoras para los hijos mayores. Dependiendo de a qué universidad irán y cuántos optarán por una educación superior, la posición económica de la familia puede verse afectada otra vez.

Casados sin hijos

Las parejas que se casan y no tienen hijos seguro cuentan con un mayor ingreso disponible para gastar en viajes y esparcimiento, que las parejas con niños o hijos solteros. En este tipo de parejas ambos ingresan dinero, lo que les facilita que el retiro (jubilación) sea más pronto, si ahorraron apropiadamente.

Figura 12.6 (*Continuación*)

Solteros mayores

Los solteros de 40 años o más, pueden ser *solteros de nuevo* (en caso de divorcio o la muerte del cónyuge) o *jamás casados* (dado que prefieren vivir de manera independiente o porque cohabitan con socios), cualquiera de estos grupos puede o no tener hijos viviendo en el hogar. Las familias de *solteros de nuevo*, en ocasiones enfrentan problemas económicos debido al elevado costo del divorcio y al gasto generado al mantener una familia con sólo un ingreso. A menudo tienen que establecerse en otro hogar (no tan grande como el anterior), adquirir muebles, pagar compensación por divorcio/o apoyo a los hijos y, a veces, asumir los gastos de viaje si los hijos viven en otra ciudad, estado o país. También invierten en ropa y actividades sociales con la finalidad de encontrar un futuro compañero. Por otra parte, muchos hogares de *solteros jamás casados* están bien en el aspecto económico al no tener que pagar costos relacionados con los hijos, a menudo viven en casas más pequeñas de lo que requieren las familias grandes. Este grupo tiene más ingresos disponibles para gastar en viajes y entretenimiento pero siente presión por ahorrar para el futuro, al no haber un segundo ingreso en el cual apoyarse al envejecer.

Nido vacío I

Al llegar a esta etapa, la familia está satisfecha de su posición. Los hijos han abandonado el hogar y son económicamente independientes, lo que permite que la familia ahorre más. El ingreso adicional se gasta en lo que desea la pareja, en vez de en lo que necesitan los hijos. Por tanto, invierten en mejoras al hogar, artículos de lujo, vacaciones, automóviles más caros, alimentos fuera de casa, segundas casas (o casas más pequeñas, pero más bonitas que las usadas por las familias grandes), y productos para sus nietos. Este grupo también tiene un mayor nivel de educación y buscan oportunidades educativas y de esparcimiento, como el ecoturismo o actividades relacionadas con el manejo de computadoras.

Nido vacío II

Llegado a este punto, los proveedores de ingresos se han retirado, dando por resultado una reducción de los ingresos y del dinero disponible. Los gastos se orientan hacia la salud, centrándose en artículos como aparatos médicos, medicinas, etcétera. En ocasiones es necesario que se trasladen a lugares con climas más adecuados para su salud. También algunas de estas familias continúan activas y en buena salud, lo que les permite ocupar el tiempo en viajar, hacer ejercicio y trabajo voluntario. Otros trabajan tiempo parcial para sobrellevar su retiro y mantenerse socialmente involucrados.

Superviviente solitario

Los supervivientes solitarios pueden estar empleados o no. Si el cónyuge superviviente ha trabajado fuera del hogar, él o ella por lo general sigue en el empleo o regresa a su trabajo para vivir con ingresos ganados (más que con ahorros) y mantenerse activo socialmente. Las compras de ropa y alimentos disminuyen, gastándose los ingresos en cuidados a la salud, viajes, entretenimiento y servicios, por ejemplo jardinería y limpieza de la casa. Aquellos que no están empleados a menudo viven de ingresos fijos y llegan a mudarse con amigos para compartir gastos de habitación y compañía, otros eligen volver a casarse.

Superviviente retirado solitario

Los supervivientes solitarios retirados siguen los mismos patrones de consumo que los supervivientes solitarios; pero es probable que sus ingresos no sean altos. Dependiendo de lo que hayan ahorrado podrán adquirir una amplia variedad de productos. Pero para muchos, los gastos disminuyen drásticamente debido a gastos médicos más costosos. Los jubilados solitarios tienen necesidades especiales de atención, afecto y seguridad.

algunas con base en sus elecciones de estilo de vida. Al revisar esta información, piense acerca de cómo cambios contemporáneos como el divorcio, un menor tamaño de la familiar, y casamientos tardíos afectan las actividades de consumo de estas etapas.[24]

El ciclo de vida familiar se puede ilustrar gráficamente utilizando una curva similar a la del ciclo de vida del producto. La figura 12.7 muestra la forma en que los ingresos, en promedio, cambian durante la vida y cómo el comportamiento del ahorro afecta el ingreso en las etapas tardías. Conforme los jefes del hogar (madre, padre) están entre 30 a 40 años, es común que sus ingresos se incrementen (ya que alcanzan posiciones superiores y en algunos casos trabajan los dos); pero también aumentan sus gastos (especialmente si aún tienen hijos). Esto reduce su ingreso disponible durante ciertas etapas de la vida, haciendo más difícil para ellos ahorrar dinero o gastarlo en artículos de lujo. Entre 1997 y 2002 el número de hogares

Figura 12.7   Ingresos disponibles para gastar por etapas del ciclo de vida

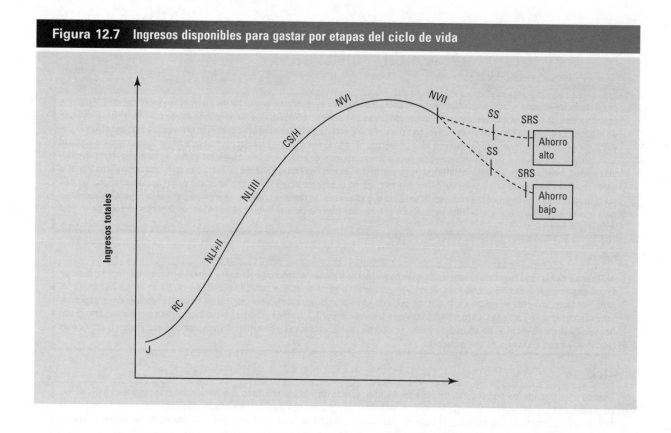

estadounidenses encabezados por personas entre las edades de 25 y 44 años se redujo en 1.7 millones (llegando a 43 millones), en tanto que los dueños de casas entre las edades de 45 y 64 años se incrementó de 5.5 millones a 37 millones.[25] Los cambios en las etapas de la vida relacionados con el ciclo de vida familiar afectarán la demanda de ciertos productos y servicios.

Los mercadólogos utilizan las descripciones de estas etapas CVF al estudiar las estrategias de mercadotecnia y de comunicación para los productos y servicios, pero también agregan información adicional respecto de los mercados del consumidor, con la finalidad de analizar necesidades, identificar nichos y desarrollar estrategias para consumidores específicos. Asimismo, toman en cuenta datos socioeconómicos (ingresos, estado de empleo, bienestar económico actividades), para mejorar las predicciones relativas a las elecciones de productos y comprender mejor los comportamientos del consumidor.[26] La figura 12.8 muestra la forma en que los mercadólogos llevan a cabo esa tarea, con base en una matriz de factores demográficos o de estilo de vida específicos, como es postergar el nacimiento de los hijos o no tenerlos en lo absoluto.[27]

Los datos que resultan de este tipo de análisis permiten un examen cuantitativo del tamaño de los mercados. Se pueden recolectar datos adicionales en relación con las preferencias, gastos y comportamientos de compra de cada segmento, con el fin de identificar y atraer a los clientes centrales en la etapa de la vida de mayor redituabilidad para la empresa. Recuerde que la etapa de vida puede ser distinta para diferentes consumidores; por ejemplo, de acuerdo con las estadísticas federales, el número de padres mayores, de segunda generación (hombres que se vuelven a casar y tienen segundas familias al final de su vida) está aumentando.[28] Aunque estas personas pueden estar en sus 50 años, su estatus de vida es similar en muchas formas a la de un padre de 30 años (algunas veces deben pagar el casamiento de un hijo mientras pagan la guardería de otro). El CVF ayuda a conocer la forma en que las familias cambian con el transcurso del tiempo; lo que es más, es útil para identificar los objeti-

Figura 12.8   Matriz de análisis de segmentación del mercado familiar

Etapa CVF	Edad	Estatus de empleo	Bienestar financiero	Actividades intereses	Lugar donde vive	Ingresos	Nivel de actividad	¿Otra familia en la casa?
Solteros jóvenes								
Parejas de recién casados								
Nido lleno I								
Nido lleno II								
Nido lleno III								
Casado sin hijos								
Solteros mayores								
Nido vacío I								
Nido vacío II								
Superviviente solitario								
Superviviente solitario retirado								

vos de mercado centrales modificados con datos del mercado, incluyendo las etapas de la vida de los individuos.

Gasto de la familia y el hogar

La etapa del ciclo de vida de la familia determina el gasto de la familia, es decir del hogar. Los últimos años de los noventa trajeron crecimiento económico y prosperidad para muchas naciones industrializadas. A primera vista, se creyó que el gasto del consumidor aumentó durante ese periodo en Estados Unidos —en especial porque el número de casas habitación se incrementó y los baby boomers habían entrado en sus años de gasto tope—. Pero cuando se examinó desde el punto de vista del hogar, el análisis reveló que la casa promedio gastó con cautela durante ese tiempo, aun cuando los niveles de desempleo eran reducidos y la tasa de los salarios elevada. De hecho, fue hasta finales de la década que el gasto de las casas individuales volvió a los niveles de 1987. La casa promedio gastó 13% menos en comestibles fuera del hogar, 25% menos en aparatos domésticos de importancia y 15% menos en ropa en 1997 que en 1987.[29] La figura 12.9 muestra la forma en que los gastos por casa habitación cambió para 12 clases principales de productos. Al examinar estas cifras, analice lo siguiente, ¿por qué cambió el gasto, no obstante el equilibrio demográfico, de estilo de vida y familiar?

Cambios en la estructura familiar y el hogar

La estructura básica de las familias y de los hogares está cambiando en Estados Unidos, Canadá, Europa y otros países. Los mercadólogos y los analistas del consumidor deben comprender cómo evaluar la forma en que estos cambios afectan la estrategia de mercadotecnia mediante preguntas como: ¿Cuál es la estructura de las familias contemporáneas? ¿De qué forma está cambiando dicha estructura? ¿De qué manera los cambios en la estructura familiar afectan las etapas del proceso de decisión del consumidor? ¿Son las realidades en desarrollo de la estructura familiar un problema o una oportunidad para las empresas? De entre las respuestas, los mercadólogos deben analizar, tanto los patrones de matrimonio, como los estilos de vida, con base en los datos del censo de las oficinas gubernamentales como el Bureau of the Census o Statistics Canada y mediante la investigación primaria.

Figura 12.9   Tendencias del gasto familiar

Gasto promedio anual de las casas habitación estadounidenses por clase de producto y de servicio, 1987 a 1997; cambio porcentual, 1987-1997; en dólares

Categoría	1997	1987	1987-1997
Gasto promedio anual	$34 819	$34 493	0.9%
ALIMENTO	4 801	5 177	−7.3
Alimentos en la casa	2 880	2 966	−2.9
Alimentos fuera de casa	1 921	2 211	−13.1
BEBIDAS ALCOHÓLICAS	309	408	−24.3
CASA HABITACIÓN	11 272	10 694	5.4
Abrigo	6 344	5 869	8.1
Servicios, combustibles, servicios públicos	2 412	2 361	2.2
Servicios del hogar	548	524	4.5
Suministros de limpieza	455	482	−5.6
Muebles y equipos del hogar	1 512	1 458	3.7
ROPA Y SERVICIOS	1 729	2 043	−15.4
Hombres, 16 años y más	323	417	−22.5
Niños, 2 a 15 años	84	93	−9.9
Mujeres, 16 años y más	574	721	−20.3
Niñas, 2 a 15 años	106	114	−7.4
Niños menores de 2 años	77	82	−6.0
Calzado	315	260	21.2
TRANSPORTE	6 457	6 499	−0.6
Automóviles y camiones nuevos	1 229	1 615	−23.9
Automóviles y camiones usados	1 464	1 215	20.5
Rentas de automóviles, arrendamientos, licencias, otros	501	226	121.6
Transporte público	393	386	1.9
CUIDADOS A LA SALUD	1 841	1 604	14.8
Seguro médico	881	554	59.1
Servicios médicos	531	660	−19.5
Medicina	320	287	11.6
Suministros médicos	108	103	4.7
ENTRETENIMIENTO	1 813	1 686	7.6
Honorarios y admisiones	471	456	3.2
Televisión, radios y equipos de sonido	577	535	7.8
Mascotas, juguetes y equipo de lugar de juego	327	308	6.2
Otros productos y servicios de entretenimiento	439	386	13.8
PRODUCTOS Y SERVICIOS PARA CUIDADO PERSONAL	528	466	13.2
LECTURA	164	201	−18.3
EDUCACIÓN	571	476	19.9
PRODUCTOS Y SUMINISTROS DE TABACO	264	328	−19.5
MISCELÁNEOS	847	794	6.7
Contribuciones en efectivo	1 001	1 047	−4.4
Seguros y pensiones personales	3 223	3 073	4.9
Seguros de vida y otros seguros personales	379	415	−8.8
Pensiones y seguridad social	2 844	2 658	7.0

Fuente: Cheryl Russell, "The New Consumer Paradigm", en American Demographics (abril de 1999), 52.

¿Casarse o no casarse? Ésa es la pregunta

El casamiento está en el destino de la mayoría de las personas, aunque muchos hombres y mujeres en la actualidad posponen la edad del primer casamiento, y optan por vivir más tiempo solteros. De hecho, en Estados Unidos el número proyectado de solteros de edades entre 18 a 34 años en el año 2005 se espera que sea de 35.4 millones, y que aumente a 38.4 millones para el año 2010.[30] En Estados Unidos, la edad promedio en la que se casan los hombres es de 27 años, en tanto que las mujeres se casan antes de los 25. El número de mujeres mayores de 30 años que no se han casado va en aumento, así como la cantidad de parejas en cohabitación. Sin embargo, a principios de sus 40 años, 72% de los hombres y 73% de las mujeres se han casado.[31]

Cuando los consumidores se casan tardíamente, en general compran menos mobiliario y productos para cuidado del hogar; de hecho, a menudo consolidan dos hogares, lo que significa desechar elementos duplicados. Pero lo que sí compran es de una mejor calidad. Los casamientos tardíos también conllevan mayores posibilidades de viajar; de adquirir dos automóviles; y preferencias firmes respecto de estilos, colores y diseños de producto.

De aquellos casamientos que sí ocurren, más de la mitad terminan en divorcio. Un estudio reciente, indica que los efectos del divorcio ya no son tan drásticos para los hijos como en el pasado, debido a que el divorcio es más aceptado por la sociedad.[32] Los hijos de matrimonios divorciados, hoy día es más probable que se casen, en comparación con los de hace 20 años. Aquellos que se divorcian (o consumidores "solteros de nuevo") a menudo conservan preferencias y patrones de compra aprendidas en una situación familiar, aun cuando se clasifiquen como hogares de solteros. También pueden tener problemas financieros que restrinjan su capacidad para adquirir las cosas que comprarían las parejas no divorciadas o los solteros que nunca se casaron.[33] No obstante el divorcio crea mercados, ya que una familia se convierte en dos, es decir dos hogares que necesitan mobiliario, lo que resulta en buenas noticias para los minoristas masivos, que venden productos para el hogar a precios bajos. Los matrimonios entre personas que han estado divorciadas es probable que terminan en divorcio nuevamente, por tanto, entran otra vez en el estado "soltero". Las familias combinadas "resultantes" hacen que el análisis del consumidor sea más complejo en razón de la influencia de los hijastros, familiares de familias múltiples y cónyuges anteriores.

El boom de los solteros

Los individuos que postergan el matrimonio, se divorcian o pierden un cónyuge, incrementan el número de hogares de solteros en los países industrializados. Prácticamente 73 millones de estadounidenses adultos no están en relaciones de matrimonio, de acuerdo con los informes del Census Bureau, se reporta un incremento de 35 millones en comparación con apenas hace 20 años. Esto significa que el 69.3% de los adultos no están casados.

Los individuos que eligen no casarse regularmente deciden más por cohabitar, con personas de su mismo sexo o del sexo contrario. Legalmente está compuesto por solteros, pero funcionan como una familia, los solteros en cohabitación es el segmento de crecimiento más rápido del mercado de solteros. El número de parejas no casadas se incrementó de 523 000 en 1970 a 1.6 millones en 1980 y a 4 millones en 1997. Más de la mitad de estas parejas están en edades de entre 25 y 44 años, y una tercera parte tienen por lo menos un hijo viviendo en el hogar.

Mercados de solteros maduros   Cuando se analizan todos los individuos que viven solteros, encontramos que 61% son mujeres con una edad media de 66 años. En el caso de los hombres, la edad media es de 45 años. La demografía de hombres y mujeres solteros es drásticamente diferente, porque son solteros por razones distintas. La mayoría de las mujeres que viven solas es debido a que sus maridos han fallecido, y prácticamente la mitad de las mujeres mayores de 75 años son viudas. Los hombres viven solos porque todavía no se han casado, o porque se han divorciado. En los siguientes 20 años, los muchachos solteros de los años noventa pasarán a la lista de los viejos.[34]

El tiempo, el dinero y la energía de las mujeres, especialmente las de mayor edad, están creando un nuevo tipo de mercado de solteros, lleno de oportunidades para empresas que se enfocan en viajes, servicios financieros, actividades sociales, entretenimiento y en organizaciones religiosas. Los analistas del consumidor encontrarán que la mayor parte de este segmento del "mercado de solteros en expansión" compra dispositivos para la seguridad del hogar, tratamientos para problemas de salud crónicos, o viajes por el Caribe en un crucero.

Mercados de solteros jóvenes   A menudo los medios y productos especializados se dirigen a los segmentos más jóvenes del mercado de solteros, mediante revistas como *Living Single* y productos como Singles de Stouffer's, alimentos para una sola persona que se pueden calentar en el microondas. Los constructores de casas habitación también están cambiando, los solteros representan 36% de los compradores de hogares de primera vez.[35] Los cambios en el diseño incluyen menos recámaras, menos espacio en el comedor, más espacio en la cocina para convertirla en la "estancia". La recámara principal y los baños son más lujosos, y el espacio de entrenamiento cuenta con aparatos de alta tecnología.[36]

Mercado de homosexuales y lesbianas   Los consumidores homosexuales y lesbianas representan un segmento de mercado que está recibiendo más atención de los mercadólogos y de las organizaciones. La mayoría se clasifican como solteros (a pesar de que algunas jurisdicciones pudieran reconocer el estado civil de casado de algunos hogares de homosexuales), viviendo a veces en algún momento de sus vidas en escenarios de familia tradicional. Es escasa la información confiable referente al tamaño del mercado, se estima que no más de 6% o un máximo de 16% de los estadounidenses adultos pudieran formar parte de este mercado.[37] En 1993 el Alan Guttmacher Institute emitió la información revelada en un estudio reciente, en el sentido de que sólo 1% de los hombres se consideraban a sí mismos como exclusivamente homosexuales.[38] Esto plantea las preguntas: ¿El tamaño del mercado es de 5 o de 18.5 millones de homosexuales? ¿El poder adquisitivo de este mercado es de 394 o de 514 mil millones?[39] De acuerdo con Simmons Market Research, los hogares de homosexuales tienen un ingreso medio de 55 670 dólares y 70% de este segmento tienen por lo menos educación universitaria y trabajan en puestos profesionales o gerenciales.[40]

Es probable que los homosexuales y las lesbianas que pertenecen al sector urbano, viajen con más frecuencia, gasten grandes cantidades en ropa y expresen más interés en las artes. Están más conscientes de los problemas sociales actuales y son políticamente más activos que sus contrapartes heterosexuales. Pero dirigirse a todos los hombres homosexuales es igual que dirigirse a todos los hombres heterosexuales. A pesar de que existen características para definir al mercado homosexual, igual que en el caso de cualquier otro mercado, existen diferencias entre individuos. El problema para algunos mercadólogos es la manera de dirigirse con efectividad al segmento de homosexuales sin perder a los clientes heterosexuales. Algunas empresas lo están logrando por medio de sitios diseñados especialmente para dichos mercados.[41]

Por primera vez, el censo de 1990 aportó información acerca del número de parejas del mismo género e incluyó una pregunta mediante la cual las parejas de homosexuales tenían la oportunidad de designarse a sí mismos como un "socio no casado" en oposición a "compañero de hogar/compañero de cuarto". Aunque esto no mide la orientación sexual de una manera directa, la National Gay and Lesbian Task Force espera utilizar esta información para influir en la elaboración de políticas en las áreas de beneficios corporativos a la salud, la autentificación testamentaria, la ley de adopción y el tratamiento y prevención del sida. Algunas empresas privadas, como Overlooked Opinions, Inc. llevan a cabo paneles continuos que informan datos relativos a los consumidores homosexuales.[42]

Se puede conseguir dirigirse a los mercados de homosexuales y de lesbianas en una diversidad de maneras. Como prefacio para lo anterior, es menester comprender sus necesidades. Las empresas de investigación comercial como Overlooked Opinions han creado un panel de más de 12 000 homosexuales, lesbianas y bisexuales, representando todos los estados y todos los mercados principales. La investigación de este panel indica que el mercado de homosexuales no sólo es muy importante, sino que es muy consciente de la imagen.

La técnica principal de mercadotecnia para llegar al mercado de homosexuales es simplemente reconocer que dicho mercado existe y que se está dispuesto a establecer una relación con este segmento. Esto se puede hacer mediante la participación o el patrocinio de actividades consideradas de importancia por los consumidores homosexuales, como el patrocinio de la investigación acerca del sida o eventos comunitarios relacionados con éste, o con los derechos de los homosexuales. Las corporaciones también pueden crear una gran concientización entre la comunidad homosexual patrocinando óperas, ballets, conciertos clásicos y museos, que consiguen una elevada participación entre la comunidad homosexual, y al mismo tiempo llegan a una comunidad mucho más amplia.

Los mercadólogos pueden anunciarse en medios, tanto locales como nacionales, dirigidos a los homosexuales. Muchas publicaciones, como *The Advocate, Out, Overlooked Opinions, Genre y Deneuve,* se han convertido en fuertes medios de publicidad nacional, que han atraído a anunciantes como Banana Republic, Benetton, Benson & Hedges y Calvin Klein. Se cree que los anunciantes generan una elevada lealtad entre los lectores homosexuales, por el hecho de hacer publicidad en estos medios sin alejar a los consumidores homofóbicos, mismos que no leen estos medios. Carrillon Importers empezó a anunciar el vodka Absolut en *The Advocate* en 1979. Después de muchos años de anuncios inteligentes de Absolut y años de dirigirse al mercado homosexual, además de su mercado normal tradicional, los clientes de los bares de homosexuales tienden a pedir Absolut en vez de simplemente vodka. Volkswagen y la ropa Diesel se anuncian en mercados de homosexuales, pero de manera distinta. Un anuncio de televisión de Volkswagen —presenta a dos jóvenes en un coche juntos, se detienen para llevarse una silla desechada, sólo para desecharla ellos mismos posteriormente—, es reconocido por los homosexuales como un anuncio orientado hacia ellos y es percibido como algo normal por otros consumidores. Volkswagen utiliza medios tradicionales pero diseña los anuncios con una sensibilidad que atrae al mercado homosexual.[43] Diesel, por otra parte, presenta en sus anuncios parejas de homosexuales. La figura 12.10 muestra un anuncio de Visa dirigido hacia consumidores lesbianas.

Anheuser-Busch ha apoyado varios eventos orientados a homosexuales y ha sido un fuerte anunciante en revistas de homosexuales. En abril de 1999, publicó un anuncio en la revista *EXP,* una revista de homosexuales de San Louis, Missouri, con el fin de anunciar que sería el patrocinador clave del festival homosexual de San Louis en junio. Acto seguido se originó una gran controversia, ya que el anuncio mostraba dos hombres de la mano, y el pie de la figura decía: "sea usted mismo y disfrute una Bud Light". El anuncio se iba a publicar a nivel nacional, pero Anheuser-Busch estuvo de acuerdo con presentarlo primero en la revista local para promover el festival, para la satisfacción de los organizadores y los asistentes a dicho festival. El *San Louis Post-Dispatch* publicó una reseña del anuncio, y el Associated Press criticó dicha reseña, poniéndola a disposición de los periódicos nacionales. Los organizadores del festival enviaron por correo electrónico a la comunidad homosexual misivas instándolos a que llamaran a Anheuser-Busch en apoyo al anuncio, y por otra parte, el líder cristiano conservador Jerry Falwell se puso en contacto con sus seguidores para lo opuesto. Pronto, la compañía se inundó de llamadas, y tuvo que establecer líneas telefónicas por separado para tomar las llamadas de los consumidores que expresaban sus opiniones.[44]

Características del hogar

En la mayoría de los países industrializados el tamaño promedio del hogar se ha reducido. En Estados Unidos, se ha reducido a 2.65 personas en 1996, de 2.76 en 1980 y 3.14 en 1970. Los hogares de una sola persona representan 25% del total, en comparación con 18% de 1970, y los hogares con seis o más personas han disminuido de 19.5% de todas las casas habitación a menos de 6% hoy día. Las encuestas del censo ponen de manifiesto que 26% de los hogares estadounidenses actuales, están formados por una pareja casada que vive con sus propios hijos menores de 18 años, en comparación con 31% en 1980 y 40% en 1970. La tabla 12.1 estima cambios en el número de hogares para cada uno de estos tipos en 2000 y 2010, y muestra el incremento de los hogares no familiares.

Figura 12.10   Visa se dirige al mercado homosexual

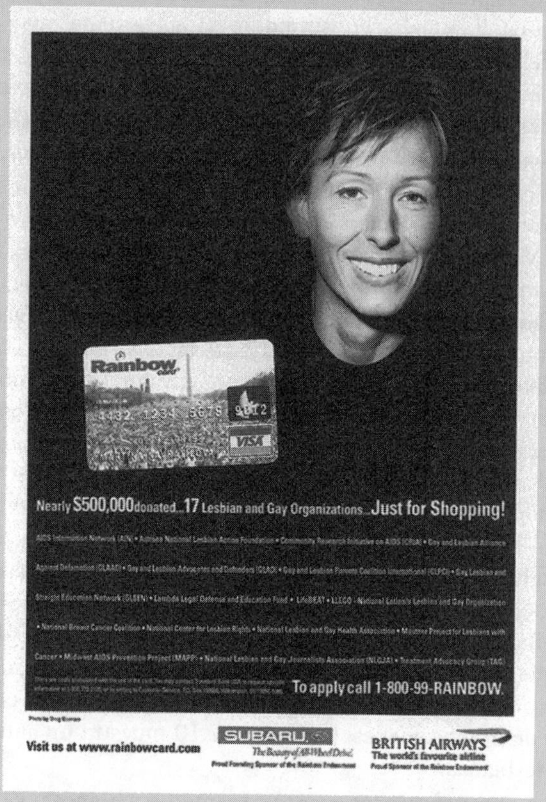

Tabla 12.1   Proyecciones de los hogares estadounidenses por tipo: 2000 a 2010

	Número de hogares		Crecimiento porcentual de los tipos de hogares (2000-2010)
	2000	2010	
Todos los hogares	103.2	114.8	11.2
Hogares familiares			
Total	71.7	77.9	8.7
Parejas casadas	55.5	59.3	6.5
Jefe de familia femenino	12.3	13.9	13.0
Jefe de familia masculino	3.9	4.7	20.5
Hogares no familiares			
Total	31.6	36.9	16.8
Total de género femenino	17.1	19.7	15.2
Mujeres viviendo solas	15.0	17.3	15.3
Total de género masculino	14.5	17.2	18.6
Hombres viviendo solos	11.2	13.4	19.6

Fuente: U.S. Bureau of the Census, Projections of the Number of Households and Families in the United States: 1995 to 2010, *P25-1129.*

	Ingresos medios (1997)	Cambios porcentuales en ingreso real (1989-1997)
Tabla 12.2 Ingresos medios por tipo de hogar		
Todos los hogares	37 005	−0.8
Hogares familiares	45 347	1.6
Parejas casadas	51 681	3.5
Jefe de familia femenino (no hay marido presente)	23 040	3.3
Jefe de familia masculino (no hay mujer presente)	36 634	−6.3
Hogares no familiares	21 705	−2.3
Jefes de familia femeninos	17 631	−1.4
Jefes de familia masculinos	27 592	−5.0

Fuente: U.S. Bureau of the Census, Money Income in the United States: 1997, P60-200.

Los mercadólogos están cada vez más interesados en los hogares de un solo padre. Aproximadamente 11 millones de éstos está encabezado por una mujer, sin haber un marido presente, y cerca de 3 millones por un jefe de casa masculino sin mujer presente. Las mujeres sin marido sostienen 13% de la totalidad de los hogares familiares blancos, 44% de los hogares familiares de gente de color y 23% de los hogares familiares hispanos. La tasa de incremento en padres de color solteros se redujo durante la última década 3.8% al año, pero la tasa para los hispanos se duplicó 7% anual, la más elevada para cualquier grupo étnico. Aproximadamente 20% de los niños blancos, 64% de los niños de color y 37% de los niños hispanos viven en hogares con un solo padre.[45]

Los niveles de ingresos medios por hogar (en dólares de 1997) se incrementaron de 31 583 dólares en 1967 a 37 303 en 1989, pero disminuyeron sucesivamente hasta 1993 y empezaron a elevarse después, alcanzando 37 005 dólares para el año 1997. La tabla 12.2 muestra la forma en que los niveles de ingresos medios de varios tipos de hogares se modificaron durante los años noventa. Observe la reducción significativa de ingresos reales entre familias y no familias con jefes de familia masculinos y parejas casadas con jefes de familia no familiares. Los hogares sin familia crecieron sustancialmente de 1980 a 1990, y a pesar de lo anterior, los ingresos anuales de las familias encabezadas por mujeres u hombres solteros casi no cambió.

Funciones cambiantes de las mujeres

Los gerentes de mercadotecnia han estado interesados en los cambios en los estilos de vida que ocurren entre las mujeres porque los consumidores femeninos adquieren varios productos para ellas y sus familias. Los estilos de vida de la mujer cambiaron drásticamente durante el siglo xx, especialmente en la década de los setenta a partir de que Gloria Steinem hizo de "feminista" una palabra casera y la cantante Helen Reddy cantó el éxito de 1970 "Soy una mujer". Estos tiempos trajeron consigo una lucha por la igualdad entre los generos, en función a oportunidades de trabajo, respeto y paga. De hecho, en los consumidores femeninos se sigue intensificando en razón al más elevado número de mujeres en la población, un mejor estatus de compras y de empleo, y el cambio en los roles de las mujeres.

La población femenina presenta un mayor crecimiento que la población masculina, porque las mujeres tienden a vivir más tiempo que los hombres. Algunos expertos dicen que esto se debe a la formación genética, y otros que está relacionado con la tensión, especulando que al subir las mujeres la escalera corporativa y administrar hogares, pudieran empezar a parecerse a las expectativas de vida de los hombres. Y las mujeres a veces imitan los estilos de vida de sus contrapartidas de sexo masculino, especialmente cuando asumen papeles similares en la fuerza de trabajo o en las actividades sociales. Las tendencias del uso del cigarrillo en relación con las mujeres asiáticas se analizan en El consumidor en la mira 12.2. Independientemente de la razón por la cual las mujeres viven más que los hombres, en Estados Unidos las mujeres hoy día exceden en número a los hombres en 6.5 millones.

En la actualidad los papeles femeninos son motivo de gran preocupación para los analistas y mercadólogos del consumidor. Una **función** define *lo que el ocupante típico de una posición dada se espera haga en dicha posición, en un contexto social específico.*[46] Los analistas del consumidor están especialmente preocupados con la función de las mujeres en la familia y su posición como agentes de compra para la misma. *Uno de los retos más grandes que encaran las mujeres hoy día es equilibrar sus funciones como mujer o socia, madre, proveedora de ingresos y consumidora.*

Empleo de personas de género femenino

Las mujeres en Estados Unidos, Europa y otros países desarrollados, actualmente tienen tasas mucho más elevadas de empleo fuera del hogar que en épocas pasadas. Las mujeres han abandonado la cocina y el hogar para llevar a casa parte de la comida. En Estados Unidos más de 59% de las mujeres, hoy día, tienen empleo, en contraste con menos de 25% en 1950. Esta tendencia se presenta a escala global, alcanzando los porcentajes de mujeres que trabajan: 52% en Canadá, 49% en Japón, 47% en Gran Bretaña, 46% en Australia y 39% en Alemania Occidental.[47]

El consumidor en la mira 12.2

Fumar o no fumar

Paradójicamente, tanto las empresas tabacaleras como los expertos en enfermedades respiratorias, consideran que las mujeres asiáticas representan un mercado próspero para sus productos (cigarrillos y campañas para no fumar, respectivamente). Entre las mujeres estadounidenses y europeas, cerca de 25% son fumadoras. Hoy día aproximadamente de 4 a 8% de las mujeres que viven en Asia han empezado a fumar. El Global Congress on Lung Health reporta que entre 60 y 70% de los hombres chinos, japoneses y subcoreanos ya fuman. Y a pesar de que las mujeres empiezan a fumar por razones distintas a los hombres (tienden a fumar a fin de expresar madurez, independencia y sociabilidad, y para relajarse y aliviar la tensión) los expertos predicen que el mercado femenino aún no saturado pronto será el objetivo de la industria tabacalera.

Las empresas pueden hacer frente a este mercado desde dos ángulos: hacer un llamado al sentimiento de la igualdad de los géneros, o a los rasgos femeninos. Las mujeres asiáticas, en comparación con las estadounidenses, viven más rezagadas, en lo que se refiere a contar con las mismas oportunidades de trabajo y desarrollo, que tienen los hombres. Algunos mercadólogos especulan que algunas de ellas

desearán emular los hábitos de los hombres para ajustarse mejor a la cultura del trabajo y ser consideradas como más similares a los profesionales asiáticos del sexo masculino. El otro enfoque se dirige al hecho que una menor cantidad de mujeres dejan de fumar, porque piensan que fumar las mantendrá delgadas. "Éste es el tipo de conexión que la industria tabacalera intenta hacer con todas las mujeres del mundo", dijo Patricia White, del National Health Service de Inglaterra. Los anuncios de cigarrillos que muestran fumar como una forma de ser más bella, de mejorar la confianza y la capacidad de seducción atraerán al lado femenino de las mujeres.

La International Union Against Tuberculosis and Lung Disease considera el consumo de cigarrillos a nivel mundial, como una epidemia que se inicia lentamente, crece y llega a un pico, y después disminuye conforme se establecen campañas para evitar el hábito. Igual que las empresas tabacaleras perciben ese mercado como una manera de incrementar las ventas, los expertos en salud y las oficinas sociales lo contemplan como un segmento que necesita campañas dirigidas a "dejar de fumar". Se ha iniciado la batalla para ganar la atención de los consumidores.

Fuente: "Anti-smoking experts suggest ads targeted toward women", en Marketing News *(enero de 1999), 5.*

Las mujeres pueden decidir trabajar fuera del hogar tiempo completo o parcial, o quedarse en casa al cuidado de la familia. La influencia del estatus de trabajo se advierte en los ingresos familiares, y por tanto en las compras. Las familias en las cuales la mujer trabaja tiempo completo promedian 14 000 dólares de ingresos adicionales en comparación con los hogares donde sólo una persona trabaja. Hoy día, el estatus de trabajo de la mujer es menos determinante en la forma como la familia gasta sus ingresos que la cantidad total de ingresos netos que la familia tiene para gastar.[48] No obstante que el ingreso familiar aumenta, al mismo tiempo se incrementan los desembolsos destinados a servicios como guardería, ropa, comer fuera de casa, transporte, etcétera. Las familias con dos ingresos también gastan más en confort que las familias con un solo trabajador.[49]

Orientación profesional

A los trabajadores, a veces se les clasifica en función de su orientación profesional. Rena Bartos indica que existen dos grupos de mujeres en el trabajo: las que se consideran a sí mismas como profesionales y a quienes el trabajo es "simplemente un trabajo". También existen amas de casa que prefieren quedarse en el hogar y aquellas que planean trabajar en el futuro. Para los mercadólogos, esto resulta de importancia porque las amas de casa y las mujeres que sólo trabajan sin pensar en una profesión, más probablemente leerán revistas tradicionales para la mujer, en tanto que las mujeres profesionales, leerán revistas y publicaciones de interés general y las orientadas a los negocios.[50] Igual que con otras clasificaciones de consumidores, tanto las esposas que trabajan fuera de casa, como las que no, no deben ser consideradas como segmentos homogéneos,[51] ya que existen diferencias, las cuales se manifiestan en diversos comportamientos de consumo. La figura 12.11 es un anuncio de Mercedes-Benz dirigido a

Figura 12.11   Mercedes-Benz se dirige a las mujeres profesionales

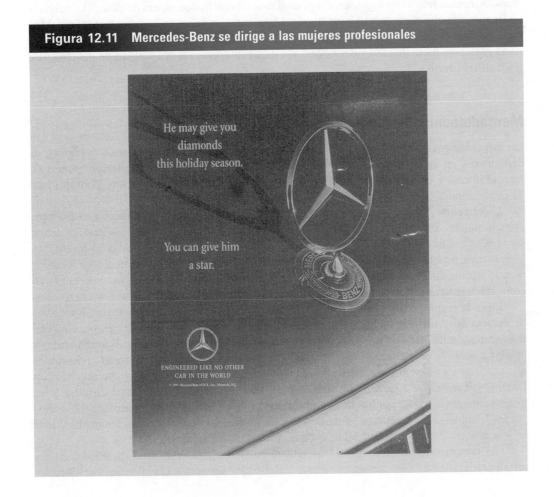

mujeres profesionales con suficiente dinero para adquirir un Mercedes para los hombres de su vida. Atrae y promueve la igualdad entre hombre y mujer, tanto en los ingresos como en las profesiones.

Las mujeres y el tiempo

Las mujeres casadas que trabajan viven muchas presiones de tiempo. A menudo enfrentan responsabilidades en el hogar, cuidado de los hijos, además de sus puestos de trabajo. Los estudios muestran que tienen menos tiempo de ocio que sus maridos o que las amas de casa.[52] Esto sugeriría que estas mujeres comprarán aparatos domésticos ahorradores de tiempo, alimentos preparados, emplearán menos tiempo yendo de compras, etc. Sin embargo, la investigación señala que tanto las esposas que trabajan como las que no, son similares en este comportamiento, en tanto se mantengan constantes el ingreso, la etapa de la vida y otras variables situacionales,[53] y que la familia de la esposa que trabaja podría gastar más en alimentos fuera de casa, guarderías y servicios.[54]

Sobrecarga de las funciones

Existe una sobrecarga en las funciones desempeñadas por la mujer cuando los requerimientos en tiempo y energía relacionados con las actividades prescritas (sólo para mujeres), son demasiados.[55] La ideología del papel sexual, que se encuentra especialmente en el feminismo, y otras corrientes pugnan por mayor igualdad en las cargas de trabajo entre el hombre y la mujer. Un estudio muestra que las mujeres casadas trabajan más horas diarias que sus maridos, lo cual resulta en una sobrecarga en el desempeño que se espera de ellas.[56] La mayoría de las mujeres que contribuyen a los ingresos familiares, esperan en compensación, igualdad en la división de las funciones en el hogar.[57] Existe evidencia, de un cambio en las actitudes hacia el trabajo fuera de casa y del hogar, que está causando mayor igualdad de género entre las familias jóvenes.[58]

Mercadotecnia para las mujeres

Los mercadólogos están interesados en las múltiples funciones de las mujeres, sus requerimientos de tiempo y en los cambios de la estructura familiar, con el fin de desarrollar programas de mercadotecnia y comunicación para llegar hasta ellas. Con esta información, podrán pasar de explicaciones generales, a descripciones más detalladas y específicas.

La categoría "madre" ha sido un segmento del mercado poco estudiado. Leo Burnett, agencia publicitaria con base en Estados Unidos, estudió la premisa que "las madres deben ser iguales y se puede llegar a ellas mediante anuncios similares, porque a todas les preocupan los mismos problemas (salud y bienestar de sus hijos)". Burnett, por medio de Leo*She*, mercadotecnia dirigida a las mujeres, encontró cuatro grupos principales de madres, cada uno con características únicas,[59] tal y como se observa en la figura 12.12.

En cada grupo perciben la publicidad, los mensajes, los productos, el tiempo y las marcas de manera diferente. Por ejemplo, las madres "competidoras", apretadas de tiempo, conocen más acerca de las marcas, porque utilizan sólo las más reconocidas para ahorrar tiempo y ayudar a simplificar sus salidas de compras. Las empresas de productos para el consumidor que se dirigen a este mercado deben resaltar los valores de sus marcas. Pero, de acuerdo con Leo*She*, sus marcas o aquellas que tengan problema se pueden beneficiar al dirigirse a los grupos emergentes de las madres de "hombros fuertes" (por medio de programas de televisión) y a las "madres de la invención" (vía la web). La clave es no tratar a todas las madres de la misma manera o esperar capturarlas a todas con un único mensaje.

Los minoristas y las oficinas no lucrativas pueden aplicar este tipo de información a estrategias existentes para atraer, conservar y dar mejor servicio a los clientes. Por ejemplo,

Figura 12.12   Múltiples mamás: cuatro estrategias

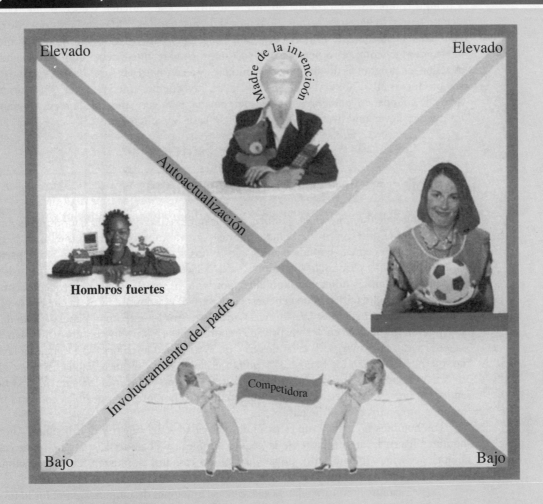

June Cleaver: la secuela

Estas mujeres creen en los papeles tradicionales de madres "que se quedan en casa" y en padres "proveedores de los ingresos". En su mayoría son blancas, cuentan con mayor educación, y provienen de estratos altos. Más de 50% se queda tiempo completo en casa, cuidando de sus familias, en comparación con el promedio nacional de 30%.

Madres competidoras

Comparten algunas ideas tradicionales acerca de la maternidad, pero están obligadas a trabajar y no se sienten contentas al respecto. De estas madres, 79% trabaja fuera del hogar, presentan síntomas de ansiedad y angustia.

Hombros fuertes

Más de la tercera parte de este grupo son madres solteras y tienen una visión positiva de su vida, a pesar de su menor nivel de ingresos y de muy poco apoyo de los padres de sus hijos. Treinta u cuatro por ciento tiene entre 18 y 24 años.

Madres de la invención

Estas mujeres disfrutan de la maternidad, trabajan fuera del hogar y son asistidas por sus maridos en las responsabilidades de educar a sus hijos. A diferencia de las competidoras, este grupo —una mezcla de integrantes de la generación x e integrantes de la etapa de gran explosión demografica— ha desarrollado formas nuevas y creativas de equilibrar una profesión con una feliz vida en el hogar.

pueden ampliar los horarios de las tiendas. Un estudio encontró que entre las madres empleadas a tiempo completo, 45% trabaja en turnos distintos a su cónyuge y el 57% que trabajan a tiempo parcial lo hacen en turnos diferentes al de sus maridos.[60] Mayores presiones de tiempo también han hecho que minoristas y oficinas tengan catálogos, sitios internet y métodos alternativos de compras o de acceso. Don Caster, comerciante directo de ropa de calidad, se adapta a los programas de tiempo de las mujeres y a sus ajetreados estilos de vida, mostrando sus productos en el domicilio de sus asociadas. Los clientes pueden hacer citas durante sus horas de comida, en la noche o los fines de semana, para ver y medirse la ropa. O también se les pueden llevar muestrarios de ropa hasta su casa o la oficina.

Cambios en las funciones masculinas

Las funciones del hombre en las familias están cambiando. En Estados Unidos no es raro que sea la esposa la que compre las llantas nuevas para el automóvil, en tanto el marido que se queda en casa prepare la comida o cuide a los niños. Conforme se reduce su participación en el ingreso familiar y cambian los valores en la sociedad, los hombres tienen mayor libertad para participar en las funciones familiares, por tanto asumen nuevos papeles en el consumo y compra de productos.[61] En una encuesta entre 1 000 estadounidenses, hecha por la agencia publicitaria Cunningham & Walsh, más y más hombres asumieron el papel de amo de casa. La encuesta publicada en forma privada reportó que 47% de los hombres limpian la casa, 80% sacan la basura, 41% lavan los trastes, 37% hacen las camas, 33% cargan la lavadora de ropa, 27% limpian los baños, 23% quitan el polvo, 23% secan la vajilla, 21% escogen la ropa para lavar, 16% limpian el refrigerador y 14% limpian el horno. Más de 50% participan en las compras semanales, lo anterior sugiere que los hombres son posibles compradores de muchos productos para el hogar.

Los hombres no solamente están en las actividades del hogar y de consumo. Ahora los hombres hacen la quinta parte de la cocina, limpieza y lavandería, y los hombres casados ahora hacen más trabajo en el hogar que los no casados. Asimismo, en sus funciones de padres, colaboran más que antes.[62]

Existe bastante literatura relativa a las nuevas funciones desempeñadas por los hombres.[63] Joseph Pleck, experto en el tema comenta que, aunque la imagen del "nuevo padre" se muestra cada vez más en los medios, existe, en realidad, un cambio sustancial en el comportamiento de los hombres.[64] El nuevo padre está presente en el nacimiento, se interesa por sus hijos mientras son bebés (no sólo hasta que son mayores), participa en el trabajo cotidiano de cuidar a los niños, y se relaciona tanto con sus hijas como con sus hijos.

Los hombres del siglo xxi se consideran a sí mismos más sensibles. Siguen interesados en el romance, pero también expresan interés en la educación física, la salud, la crianza de los hijos, ayudan con las tareas en el hogar y encuentran un mejor equilibrio entre trabajo y ocio. Estas nuevas funciones están creando un mercado masculino más interesado en las marcas. MassMutual, empresa de servicios financieros, hace un llamado (figura 12.13.) a los padres, respecto de sus funciones y responsabilidades para con los hijos.

Conforme cambian las condiciones económicas y las funciones de los hombres en el hogar, éstos se redefinen a sí mismos. El hombre de los años cincuenta deseaba una existencia permanente, estable y suburbana; el de los setenta se preocupaba más por el poder que por estabilizarse. Hoy día el "hombre de organización" lleva un portafolio en una mano y empuja un carrito para bebé con la otra. Y a pesar de que considera su carrera de importancia, no desea sacrificar su tiempo familiar.[65] Los negocios tendrán que adaptarse a los cambios que encaran los hombres, por ejemplo, quedarse en casa con un niño enfermo. Los tratos que el hombre de organización hace son similares a los que hicieron las mujeres que trabajan, y las empresas que no enfrenten estos cambios y necesidades de los hombres actuales, pueden perder excelentes recursos humanos.[66]

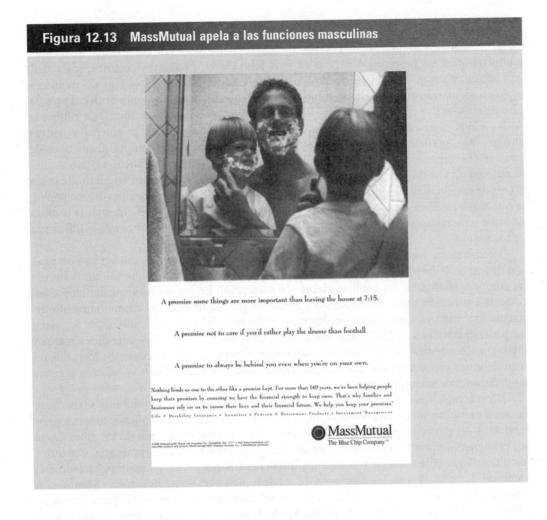
Niños y comportamientos de consumo en el hogar

Los niños cambian la manera en que funciona la familia, tanto en sus relaciones como en el empleo y las compras. Estudios basados en datos canadienses indican que los niños pequeños generan menos participación en la fuerza de trabajo, cambian la manera en que las familias gastan sus ingresos, y reducen el tiempo y el dinero disponible para el esparcimiento.[67]

Influencia de los niños

El mercado de los niños es muy importante para los mercadólogos, por la influencia que ejercen en el gasto familiar.[68] En 1998 las compras a los minoristas estadounidenses, relacionadas con ropa, juegos y películas, fueron de más de $25 millones de dólares. Las compras en ropa para niños han aumentado en razón de que los niños han asumido más responsabilidad de sus propias necesidades. [69] Con el dinero recibido por sus mesadas, de tareas efectuadas y regalos de sus abuelos y familiares, los niños realizan poco más de 200 visitas a las tiendas al año, ya sea solos o con sus padres. Por ejemplo un niño de 10 años va de compras solo, una vez a la semana y con sus padres dos o tres veces (influyendo directamente en cerca de 188 mil millones de dólares en los gastos del hogar).

Pero su influencia en el gasto doméstico varía, dependiendo del usuario del producto y según el grado. [70] Los niños tienen mayor injerencia en decisiones de compra que involucran productos para su propio uso,[71] pero es más limitada en productos costosos, y de riesgo elevado. Ejercen una *influencia directa* sobre el gasto de los padres cuando requieren productos y marcas específicas. Así como en lo referente a la toma conjunta de decisiones (la participación activa con los miembros de la familia para efectuar una compra). La influencia de los niños también es *indirecta*, cuando los padres adquieren los productos y marcas que sus hijos prefieren, sin que éstos les pidan que efectúen dicha compra. Estos tipos de transacciones representan cerca de 300 millones de dólares en gastos domésticos. Los fabricantes de automóviles se dirigen a los niños en las revistas y en los desplegados en punto de venta (POP por sus siglas en inglés), ya que influyen de manera indirecta en la compra del automóvil, lo que significa cerca de 17 700 millones de dólares.[72] El empuje de los niños en la compra de computadoras apenas inicia. La figura 12.14 muestra en cuántas compras está la influencia de los niños.

No solamente los niños predominan sobre las elecciones, también realizan las compras, con dinero de la familia y con el suyo propio. De la misma manera en que los niños afectan las compras familiares, las familias afectan la percepción de los jóvenes consumidores, así como la evaluación de las elecciones del producto y de la marca.[73] El comportamiento del consumidor niño es absorbido a edades muy tempranas del ejemplo familiar, por lo que si los padres mantienen lealtad a una marca específica, los niños perciben que dicha marca y producto son buenos.[74] La influencia de la familia respecto de las elecciones de marca de un niño debe ser reconocida por los mercadólogos, dado que esta influencia también afectará las decisiones de compras futuras.

¿Dónde prefieren comprar los niños? Las tiendas detallistas o de conveniencia se clasifican en primer término en las listas de compra de los niños; las que venden muchos dulces y otros productos del gusto de los niños, y son accesibles. De hecho, la mayoría de los niños harán sus primeras compras independientes en las tiendas detallistas o de conveniencia. Conforme los niños llegan a la edad de 8 a 10 años, prefieren los comerciantes masivos, debido a la amplitud de productos en los renglones de regalos, juguetes, bocadillos, ropa y suministros escolares. También compran en tiendas que se especializan en varios tipos de juguetes, música y zapatos. Los niños comúnmente tienen una tienda de comestibles favorita y piden a sus madres que compren ahí cuando van juntos. Finalmente, los niños encuentran que las farmacias y las tiendas departamentales son frías y aburridas, y muy orientadas hacia los adultos. La figura 12.15 muestra los tipos de productos que los niños compran más a menudo.

Figura 12.14   "Mamá, compra un jeep"

Gasto acumulado en millones de dólares bajo la influencia de niños de entre 4 a 12 años en artículos seleccionados, y gastos por niño, 1997.

	Gasto acumulado	Gasto por niño
Comestibles y bebidas	$110 320	$3 131
Entretenimiento	25 620	727
Vestido	17 540	498
Automóviles	17 740	503
Electronica	6 400	182
Salud y belleza	3 550	101
Otros	5 570	158
Total	$187 740	$5 328

Fuente: James McNeal, "Tapping the three kid's market", en American Demographics (abril de 1998), 39.

Figura 12.15   Pizza, Pepsi, Beanie Babies

Gasto acumulado en millones de dólares efectuados por niños de entre 4 a 12 años en artículos seleccionados, y gastos por niño, 1997.

	Gasto acumulado	Gasto por niño
Comestibles y bebidas	$7 745	$220
Artículos de juego	6 471	184
Vestido	3 595	102
Películas/Deportes	1 989	56
Juegos de vídeo	1 326	38
Otros	2 302	65
Total	$23 429	$665

Fuente: James McNeal, "Tapping the three kid's Market", *en* American Demographics *(abril de 1998), 40.*

Socialización durante la infancia

Gran parte del comportamiento del consumidor se aprende cuando se es niño.[75] La comunicación familiar respecto de las compras y el comportamiento del consumidor es la clave en el proceso de socialización. Los niños que adquieren Pepsi es probable que sigan comprándola cuando sean mayores. También podrían reaccionar de manera negativa a cambios en el producto, pero se verán menos afectados por los incrementos de precios. Los consumidores individuales tienden a ser más leales a las marcas que aprendieron a comprar cuando eran niños.

¿De qué manera aprenden los niños su comportamiento como consumidores? Principalmente aprenden al ir de compras con sus padres —conocido como compra conjunta—. Los cocompradores tienden a estar más preocupados respecto del desarrollo de sus hijos como consumidores, y le dan más valor a la información a los niños en las decisiones familiares del consumidor, incluyendo decisiones sobre productos que no se encuentran en los recorridos típicos de compra compartida como automóviles, aparatos domésticos, seguros de vida y vacaciones.[76] Los cocompradores explican a sus hijos por qué no compran otros productos y analizan la función de la publicidad, lo que hasta cierto grado puede mediar la influencia de la misma.

Algunas madres comunican habilidades y conocimientos del consumidor a sus hijos de maneras distintas. Los investigadores encontraron que las madres restrictivas y cálidas en su relación con sus hijos tienden a vigilar y cuidar más las actividades de consumo de sus hijos, en tanto que quienes respetan y demandan la opinión de los niños utilizan mensajes que promueven las habilidades de toma de decisiones sobre compras y consumo.[77]

Los minoristas se pueden beneficiar al comprender la función de los niños en las compras. Algunos llegan a considerar a los niños como una interferencia en el tiempo de compras de los padres. Minoristas como Ikea, empresa mueblera sueca que tiene tiendas en todo el mundo, proporciona áreas de juego para los niños mientras los padres compran. Un procedimiento más proactivo se encuentra en las tiendas departamentales japonesas, alientan a los niños y a sus padres, principalmente a las madres, a interactuar con los juguetes que se exhiben en la tienda, haciendo que se convierta en un sitio divertido para que los niños lo visiten. Este enfoque se muestra en la figura 12.16.

Muchos cambios en la estructura familiar afectan directamente la forma en que los mercadólogos se comunican con los niños y sus familias. Por ejemplo, los casamientos tardíos y un nivel de educación mayor están incrementando el número de familias con *niños solos* (que están acostumbrados a comunicarse con los adultos más que con parientes o sus amigos). Sus preferencias pueden ser más "adultas" que lo tradicionalmente esperado por un mercadólogo. Las comunicaciones efectivas deben tomar en consideración las habilidades verbales y creativas

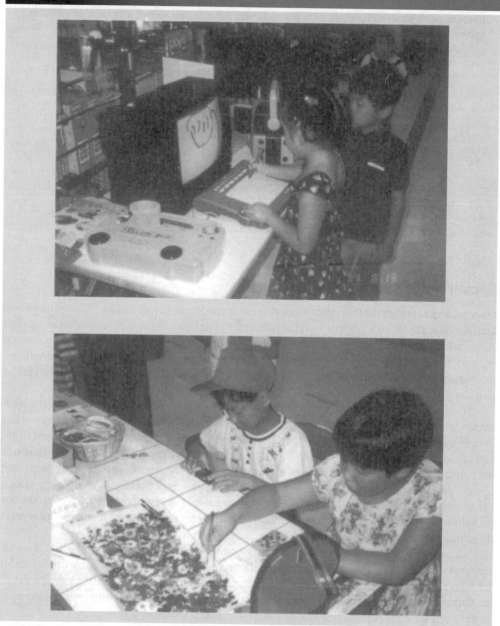

Figura 12.16   En una tienda departamental japonesa involucran a los niños en las compras

asociadas con niños solos. Además, se observa que, en las familias en las cuales ambos cónyuges tienen menos tiempo para estar con sus hijos, en compensación muestran más disposición a hacer mayores desembolsos en productos de consumo para niños.

Metodología de la investigación para los estudios de decisión familiar

Al preparar un análisis en las compras o en las decisiones de consumo de las familias, la mayoría de las técnicas de investigación serán similares a otros estudios de mercadotecnia. Sin embargo, deben considerarse algunos aspectos de las decisiones familiares.

El estudio de las decisiones de consumidor familiar es menos común que el de las decisiones del consumidor individual, debido a la dificultad de investigar y estudiar la familia como una unidad. La aplicación de un cuestionario de manera simultánea a una familia requiere el acceso a todos sus miembros (lo que es difícil en el entorno actúal), utilizando un lenguaje que tenga el mismo significado para todos los miembros de la familia (difícil en relación con las discrepancias en edad o educación), e interpretar los resultados cuando los miembros de la familia dan opiniones acerca de las compras familiares o sobre la influencia en las decisiones.

Medición de la influencia

Los estudios de la estructura de las funciones a menudo han considerado la compra como un acto, en vez de un proceso, y han basado lo encontrado en preguntas como; "¿Quién toma la decisión de comprar?" o "¿Quién influye sobre la decisión?" y a pesar de lo anterior, el papel y la influencia de los miembros de la familia varía, según la etapa del proceso de decisión. Las preguntas que siguen podrían ser de utilidad para medir la influencia familiar: [78]

1. ¿Quién fue responsable de reconocer inicialmente la necesidad?

2. ¿Quién fue responsable de adquirir información sobre alternativas de compra?

3. ¿Quién tomó la decisión final sobre cuál alternativa debe ser comprada?

4. ¿Quién efectuó la compra real del producto?

Es más probable que ambos cónyuges tengan percepciones similares respecto a su influencia relativa en una fase dada, cuando las preguntas se enfocan en las etapas de la decisión.

Las categorías importantes en la estructura de las funciones en un proyecto de investigación dependen del producto o servicio específico bajo consideración, pero en muchas clases de productos, solamente se involucra el hombre o la mujer. En otras categorías resulta útil medir la influencia de la familia y otras variables, por ejemplo la etapa del ciclo de vida familiar y los estilos de vida.[79]

Tendencias del entrevistador

El sexo o género del entrevistador u observador puede influir sobre las funciones que los maridos y las mujeres dicen que desempeñan en una situación de compra. Con el fin de superar esa deformación, deberán utilizarse cuestionarios autoadministrados (por ejemplo cuestionarios por correo o internet) o el observador debe ser asignado de manera aleatoria a los encuestados, con un número igual de entrevistadores de ambos géneros.

Selección de encuestados

Al medir la compra familiar, es necesario decidir a qué miembros de la familia central deberá preguntar sobre la influencia familiar. Los resultados varían de manera considerable, dependiendo del miembro de la familia que se entrevista. En general se entrevistan a las mujeres, pero el porcentaje de parejas cuya respuesta concuerda es tan bajo que hace que la entrevista de un solo miembro resulte inaceptable. Algunos estudios indican que las respuestas de los maridos en relación con las intenciones de compra son mejores predicciones del costo total planeado y del número de artículos, aunque las mujeres predijeron mejor ciertos productos como aparatos domésticos, muebles para el hogar y planes de equipamiento para el entretenimiento.[80]

Resumen

Las familias o los hogares son unidades de consumo de gran importancia en el estudio del comportamiento del consumidor por dos razones: Primero, para muchos productos de consumo, la unidad de uso y de compra es la familia y el hogar; segundo, la familia tiene una influencia primordial en las actitudes y en el comportamiento de los individuos. Como consumidores, somos en gran parte la creación de nuestras familias.

Una familia es un grupo de dos o más personas relacionadas por consanguinidad, matrimonio u adopción. Un hogar difiere de una familia al abarcar a todas las personas, tanto relacionadas o no, que ocupan una unidad habitacional. Por lo que los hogares son más numerosos que las familias, el ingreso promedio es mayor en las familias que en los hogares.

Los miembros de la familia (o del hogar) desempeñan varias funciones, que incluyen al iniciador (portero), al influyente, al formador de decisiones, al comprador y al usuario. La influencia de cónyuges, hijos y otros miembros de la familia varía, dependiendo de los recursos de los miembros de la misma, tipo de producto, la etapa en el ciclo de vida de la familia y la etapa en la decisión de compra. Estas variables son importantes para comprender las decisiones familiares que los papeles tradicionales asignados a un género o al otro.

El ciclo de vida de la familia describe la forma en que las familias cambian con el transcurso del tiempo. Los procedimientos tradicionales para analizar el ciclo de vida de la familia han sido actualizados con una matriz de mercado de consumo de etapas de la vida, que hace énfasis en los ingresos relativos de una familia en cada una de las etapas. Esta matriz está elaborada en 11 etapas: solteros jóvenes; recién casados; nido lleno I, II y III; casados sin hijos; solteros mayores; nido vacío I y II; superviviente solitario y superviviente solitario retirado. A pesar de que no todos los individuos pasarán por cada una de las etapas, progresarán a través del proceso sugerido por el modelo CVF, mismo que se puede utilizar para predecir cuántos ingresos disponibles tendrán las distintas familias en las diferentes etapas.

Las familias y los hogares cambian en su estructura y composición, entre los cambios recientes más importantes están los incrementos en el número de hogares de solteros, un tamaño familiar promedio menor, matrimonios tardíos, divorcios, segundos matrimonios y segundos divorcios, solteros en cohabitación y un incremento del mercado homosexual. El número de mujeres empleadas ha creado una sobrecarga en sus funciones (combinando el trabajo asalariado con el del hogar) en comparación con sus maridos y con las mujeres que sólo se dedican al hogar.

Los mercadólogos están interesados en las funciones que desempeñan las mujeres, los hombres y los hijos. Al hacer publicidad dirigida hacia las mujeres, se manejan temas relativos a un mayor ingreso y responsabilidad y deseos de autorrealización y automejoría. En la publicidad dirigida a los hombres, se describen desempeños compartidos en las actividades del hogar. Los niños aprenden gran parte de su comportamiento de consumo y compra de los padres y ejercen una influencia considerable en las compras familiares.

Las técnicas de investigación de mercadotecnia para el estudio de las familias y de los hogares le dan especial importancia al marco de los procesos de decisión, las técnicas de cuestionario, las clases de estructura de las funciones y su influencia relativa, las tendencias del encuestador y la selección de encuestados. Se crea un problema metodológico ya que con frecuencia los hombres y las mujeres difieren en sus respuestas a preguntas relacionadas con la forma en que sus familias adquieren bienes y servicios en su consumo.

Preguntas de repaso y análisis

1. ¿Qué significa el término *familia*? ¿Cuál es la importancia de estudiar las familias para comprender el comportamiento del consumidor?

2. Algunos estudios del comportamiento del consumidor indican que la familia, más que el individuo, debe ser la unidad de análisis en el comportamiento del consumidor. ¿Cuáles son las ventajas y desventajas de utilizar la familia como unidad de análisis?

3. ¿Tienen los maridos o las mujeres más influencia en las decisiones de compra? Fundamente su respuesta.

4. Explique los cambios que ocurren en el mercado de reemplazo de comidas en el hogar y describa por qué la demanda para este tipo de productos se incrementará o se reducirá en el futuro.

5. ¿En el futuro habrá más o menos mujeres empleadas fuera del hogar? ¿Qué variables deben tomarse en consideración al responder a esta pregunta? ¿De qué manera la respuesta afecta la demanda para productos de consumo?

6. Analice el enunciado: "Las mujeres que trabajan compran productos y servicios semejantes a los que compran las mujeres que no trabajan".

7. ¿Qué representa el mercado de solteros? ¿Cómo atraería una empresa de viajes (ejemplo una línea área, un centro vacacional o un crucero) al mercado de solteros?

8. Suponga que una línea área ha solicitado un proyecto de investigación para comprender la forma en que las familias toman decisiones respecto de sus vacaciones. Se le pide que prepare un diseño de investigación para el proyecto. ¿Qué sugeriría?

9. Suponga que es el gerente de mercadotecnia de una empresa de ropa que desea atraer al mercado homosexual. ¿De qué manera evaluaría el tamaño de este mercado? Haga una reseña del programa de mercadotecnia que recomendaría.

10. Los niños no tienen gran poder de compra, en relación con otros mercados. Aun así, se cree que son importantes para la comprensión del comportamiento del consumidor. ¿Por qué? ¿Qué deberían hacer las empresas para tener mayor rentabilidad al reconocer la influencia de los niños en las compras familiares?

Notas

1. Harry L. Davis, "Decision Making within the Household", en *Journal of Consumer Research,* 2 (marzo de 1976), 241-260.

2. Terry Childers y Akshay Rao, "The influence of Familial and Peer-based Reference Groups on Consumer Decisions", en *Journal of Consumer Research,* 19 (septiembre de 1992), 198-221.

3. Para un análisis de estos temas con una perspectiva global, *véase* Nico Keilman, Anton Kuitsten y Ad Vossen, eds., *Modeling Household Formation and Dissolution* (Nueva York: Oxford University Press, 1988).

4. David H. Olson *et al., Families: What Makes Them Work?* (Beverly Hills, CA: Sage Publications, 1983).

5. Hamilton I. McCubbin y Marilyn A. McCubbin, "Typologies of Resilient Families: Emerging Roles of Social Class and Ethnicity", en *Family Relations,* 37 (julio de 1988), 247-254.

6. Russell Belk, "A Child's Christmas in America: Santa Claus as Deity, Consumption as Religion", en *Jour-*

nal of American Culture, 10 (primavera de 1987), 87-100; David Cheal, *The Gift Economy* (Londres: Routledge, 1988); Elizabeth Hirschman y Priscilla LaBarbera, "The Meaning of Christmas", en Elizabeth Hirschman, ed., *Interpretative Consumer Research* (Provo, UT: Association for Consumer Research), 136-147.

7. Russell Belk y Gregory Coon, "Gift Giving as Agapic Love: An Alternative to the Exchange Paradigm Based on Dating Experiences", en *Journal of Consumer Research,* 20 (diciembre de 1993), 393-417.

8. Tibbett Speer, "Stretching the Holiday Season", en *American Demographics* (noviembre de 1997), 43.

9. "Holiday Finale Disappoints Retailers-Again", en *The Wall Street Journal* (diciembre 26 de 1997).

10. Robert Boutilier, "Pulling the Family's Strings", en *American Demographics* (agosto de 1993), 44-48.

11. Theresa Howard, "Family Marketing Values: Beyond Toys and Coloring Books", en *Nation's Restaurant News* (abril de 1996).

12. Harry L. Davis y Benny R. Rigaux, "Perception of Marital Roles in Decision Processes", en *Journal of Consumer Research,* 1 (junio de 1974), 5-14.

13. Marilyn Lavin, "Husband-Dominant, Wife-Dominant, Joint: A Shopping Typology for Baby Boom Couples?" en *Journal of Consumer Marketing,* 10 (1993), 33-42.

14. William J. Qualls, "Changing Sex Roles: Its Impact upon Family Decision Marking", en Andrew Mitchell, ed., en *Advances in Consumer Research,* 9 (Ann Arbor, MI: Association for Consumer Research, 1982), 267-270.

15. Joseph Bellizzi y Laura Milner, "Gender Positioning of a Traditionally Male-Dominated Product", en *Journal of Advertising Research,* 31 (junio/julio de 1991), 72-79.

16. Para la investigación de estos temas desde una amplia diversidad de disciplinas, *véase* Beth B. Hess y Myra Marx Ferree, en *Analyzing Gender* (Newbury Park, CA: Sage Publications, 1987).

17. Roger Jenkins, "Contributions of Theory to the Study of Family Decision-Making", en Jerry Olson, ed., en *Advances in Consumer Research,* 7 (Ann Arbor, MI: Association for Consumer Research, 1980), 207-211.

18. Alvin Bums y Donald Granbois, "Advancing the Study of Family Purchase Decision Making", en Olson, en *Advances in Consumer Research,* 221-226.

19. Sunil Gupta, Michael R. Hagerty y John G. Myers, "New Directions in Family Decision Making Research", en Alice M. Tybout, ed., en *Advances in Consumer Research.* 10 (Ann Arbor, MI: Association for Consumer Research, 1983), 445-450.

20. Mary Lou Roberts, "Gender Differences and House-hold Decision-Making: Needed Conceptual and Methodological Developments", en Thomas C. Kinnear, ed., en *Advances in Consumer Research,* 11 (Provo, UT: Association for Consumer Research, 1984), 276-278.

21. Eileen Fischer y Stephen J. Arnold, "More than a Labor of Love: Gender Roles and Christmas Gift Shopping", en *Journal of Consumer Research,* 17 (diciembre de 1990), 333-343.

22. William D. Wells y George Gubar, "The Life Cycle Concept", en *Journal of Marketing Research,* 2 (noviembre de 1966), 335-363.

23. Fred D. Reynolds y William D. Wells, en *Consumer Behavior* (Nueva York: McGraw Hill, 1977).

24. Patrick E. Murphy y William Staples, "A Modernized Family Life Cycle", en *Journal of Consumer Research,* 6 (junio de 1979), 12-22.

25. Brad Edmondson, "Do the Math", en *American Demographics* (octubre de 1999), 50-56.

26. Janet Wagner y Sherman Hanna, "The Effectiveness of Family Life Cycle Variables in Consumer Expenditure Research", en *Journal of Consumer Research,* 10 (diciembre de 1983), 281-291.

27. Mandy Putnam, Sharyn Brooks y William R. Davidson, en *The Expanded Management Horizons Consumer Market Matrix* (Columbus, OH: Management Horizons, a Division of Price Waterhouse, 1986).

28. Joanne Y. Cleaver, "Good Old Dad", en *American Demographics* (junio de 1999), 59-63.

29. Cheryl Russell, "The New Consumer Paradigm", en *American Demographics* (abril de 1999), 52-53.

30. Kendra Darko, "A Home of Their Own", en *American Demographics* (septiembre de 1999), 35-38.

31. U.S. Bureau of the Census, No. 59, "Marital Status of the Population, 1997".

32. Jennifer Lach, "The Consequences of Divorce", en *American Demographics* (octubre de 1999), 14.

33. Para un análisis completo de las capacidades económicas y para la toma de decisiones de estas familias, *véase* Frank Frustenbert y Graham B. Spanier, *Recycling the Family* (Beverly Hills, CA: Sage Publications, 1984).

34. "The Future of Households", en *American Demographics* (diciembre de 1993), 39.

35. Kendra Darko, "A Home of Their Own", en *American Demographics* (septiembre de 1999), 35-38.

36. "Living Alone and Loving It", en *U.S. News and World Report* (agosto 3 de 1987).

37. W. Wayne Delozier y C. William Roe, "Marketing to the Homosexual (Gay) Market", en Robert L. King, ed., en *Marketing: Toward the Twenty-First Century* (Richmond, VA: Southern Marketing Association, 1991), 107-109.

38. Felicity Barringer, "Sex Survey of American Men Finds 1% Are Gay", en *New York Times* (abril 15 de) 1993, A1.

39. Bradley Johnson, "The Gay Quandary", en *Advertising Age* (enero 18 de 1993), 29-30.

40. Rachel X. Weissman, "Gay Market Power", en *American Demographics* (junio de 1999), 32-33

41. Ibid.

42. "Gay Community Looks for Strength in Numbers", en *American Marketplace* (julio 4 de 1991), 134.

43. Cyndee Miller, "Gays Are Affluent but Often Over-looked Market", en *Marketing News* (diciembre 24, de 1990), 2.

44. Janet Kornblum, "Beer Ad in Gay Magazine Stirs Debate", en *USA Today* (mayo 5 de 1999), 12B.

45. U.S. Bureau of the Census, N. 75, "Family Groups with Children Under 18 Years Old, by Race and Hispanic Origin, 1997".

46. David Wilson, "Role Theory and Buying-Selling Negotiations: A Critical Review", en Richard Bagozzi, ed., en *Marketing in the 1980s* (Chicago: American Marketing Association, 1980), 118-121.

47. Salah Hassan y Roger Blackwell, *Global Marketing Perspectives and Cases* (Fort Worth: Dryden Press, 1994), 122.

48. Rose M. Rubin, Boybe J. Riney y David J. Molina, "Expenditure Pattern Differentials between One-Earner and Dual-Earner Households: 1972-1973 and 1984", en *Journal of Consumer Research,* 17 (junio de 1990), 43-52.

49. Eva Jacobs, Stephanie Shipp y Gregory Brown, "Families of Working Wives Spending More on Services and Nondurables", en *Monthly Labor Review,* 112 (febrero de 1989), 15-23.

50. Rena Bartos, *The Moving Target: What Every Marketer Should Know about Women* (Nueva York: Free Press, 1982).

51. Charles Schaninger, Margaret Nelson y William Danko, "An Empirical Evaluation of the Bartos Model of Wife's Work involvement", en *Journal of Advertising Research,* 33 (mayo-junio de 1993), 49-63.

52. Marianne Ferber y Bonnie Birnbaum, "One Job or Two Jobs: The Implications for Young Wives", en *Journal of Consumer Research,* 8 (diciembre de 1980), 263-271.

53. Charles B. Weinberg y Russell S. Winer, "Working Wives and Major Family Expenditures: Replication and Extension", en *Journal of Consumer Research,* 7 (septiembre de 1983), 259-263.

54. Done Bellante y Ann C. Foster, "Working Wives and Expenditure on Services", en *Journal of Consumer Research,* 11 (septiembre de 1984), 700-707.

55. Patricia Voydanoff, *Work and Family Life* (Newbury Park, CA: Sage Publications, 1987), 83.

56. Alvin C. Burns y Ellen Foxman, "Role Load and Its Consequences on Individual Consumer Behavior", in Terence A. Shimp *et al.,* eds., *1986 AMA Educators' Proceedings* (Chicago: American Marketing Association, 1986), 18.

57. Townsend y O'Neil, "American Women Get Mad".

58. F. Thomas Juster, "A note on Recent Changes in Time Use", en R. Thomas Juster y Frank P. Stafford, eds., *Time, Goods, and Well-Being* (Ann Arbor, MI: Institute for Social Research, 1985), 313-332.

59. Cristina Merrill, "Mother's Work is Never Done", en *American Demographics* (septiembre de 1999), 29-32.

60. Alan Otten, "People Patterns", en *The Wall Street Journal* (junio 14 de 1988), 33.

61. Linda Jacobsen y Brad Edmondson, "Father Figures", en *American Demographics* (agosto de 1993), 22-27.

62. John P. Robinson, "Who's Doing the House-work?", en *American Demographics* (diciembre de 1988), 24-28 ss.

63. Micheal S. Kimmel, ed., *Changing Men: New Directions in Research on Men and Masculinity* (Newbury Park, CA: Sage Publications, 1987).

64. Joseph H. Pleck, "American Fathering in Historical Perspective", en Kimmel, *Changing Men,* 93.

65. Michael Kimmel, "What Do Men Want?" en *Harvard Business Review* (noviembre/diciembre de 1993), 50-63.

66. *Ibid.*

67. Robert E. Wilkes, "Husband-Wife Influence in Purchase Decisions: A Confirmation and Extension", en *Journal of Marketing Research* 12 (mayo de 1975), 224-227.

68. J. Gregan-Paxton y John Roedder, "Are Young Children Adaptive Decision Makers? A Study of Age Differences in Information Search Behavior", en *Journal of Consumer Research,* 21, 4 (marzo de 1995), 567-580.

69. James McNeal, "Tapping the Three Kids' Markets", en *American Demographics* (abril de 1998), 37.

70. Sharon Beatty y Salil Talpade, "Adolescent Influence in Family Decision Making: A Replication with Extension", en *Journal of Consumer Research* 21 (septiembre de 1994), 332-341.

71. Chankon Kim y Hanjoon Lee, "Development of Family Triadic Measures for Children's Purchase Influence", en *Journal of Marketing Research* (verano de 1997), 307.

72. James McNeal, "Tapping the Three Kids' Markets", en *American Demographics* (abril de 1998), 37-41.

73. Margaret Hogg, Margaret Bruce y Alexander Hill, "Fashion Brand Preferences among Young Consumers", *International Journal of Retail & Distribution Management* (agosto de 1998), 293.

74. C. E. Hite y R. E. Hite, "Reliance on Brand by Young Children", en *Journal of the Market Research Society,* 37, 2 (1994), 185-193.

75. Scott Ward, "Consumer Socialization", en Harold Kassarjian y Thomas Robertson, eds., *Perspectives in Consumer Behavior* (Glenview, IL: Scott Foresman).

76. Sanford Grossbart, Les Carlson y Ann Walsh, "Consumer Socialization and Frecuency of Shopping with Children", en *Journal of the Academy of Marketing Science,* 19 (verano de 1991), 155-163.

77. Les Carlson, Sanford Grossbart y J. Kathleen Stuenkel, "The Role of Parental Socialization Types on Differential Family Communication Patterns Regarding Consumption", en *Journal of Consumer Psychology.*

78. Robert E. Wildes, "Husband-Wife Influence in Purchase Decisions: A Confirmation and Extension", en *Journal of Marketing Research,* 12 (mayo de 1975), 224-227.

79. Rosann L. Spiro, "Persuasion in Family Decision-Making", en *Journal of Consumer Research,* 9 (marzo de 1983), 393-401.

80. Donald H. Granbois y John O. Summers, "Primary and Secondary Validity of Consumer Purchase Probabilities", en *Journal of Consumer Research,* 1 (marzo de 1975), 31-38.

CAPÍTULO 13

Influencia de grupos e individuos

CASO DE INICIO

Pikachú, Squirtle, Snorlax y cientos de sus mejores amigos han invadido las vidas de los niños y de sus perplejos padres. Producto de la imaginación del paria convertido en creador de tiras cómicas, el japonés Satoshi Tajiri, Pokemón ha fomentado amistades en los patios de recreo de todo el mundo, ha sido el causante de peleas incluso entre los mejores amigos y ha creado una verdadera conmoción entre gerentes de empresas de ventas de productos para niños. Pokemón ha subido la marca del poder de la comunicación oral y de la difusión entre los niños.

Durante su niñez, Tajiri fue un paria social. Sus amigos eran los muchos insectos que coleccionaba de los estanques y campos de arroz del Japón. La tristeza que le causaba observar la desaparición de estos rincones de la naturaleza, para dejar paso a centros comerciales y carreteras, alimentaron su deseo de conservar las criaturas infantiles de su memoria. Pokemón, que es su santuario para el mundo fascinante de los insectos atrae nuevos adoradores todos los días, que rinden homenaje al jugar Pokemón Gameboy, coleccionar e intercambiar tarjetas, ver vídeos y películas y comentar los poderes únicos de cada una de las criaturas. En esencia, éstas se enfrentan unas a las otras en innumerables "batallas" cuya finalidad es destruir al Pokemón de su oponente, antes de que el suyo sea la víctima. Algunos Pokemón son más poderosos que otros, lo que hace a los ojos de los niños que algunos sean más valiosos que otros.

Esta moda ha afectado las normas escolares, pues ahora en algunos establecimientos educativos, por ejemplo, se prohíben las tarjetas y en otras se restringe el intercambio durante las horas de clase. No sólo distraen a los niños de sus tareas, sino que las violentas características de los monstruos han generado un comportamiento similar entre niños demasiado celosos, que roban las tarjetas poderosas de otros niños o los intimidan para que acepten intercambios injustos.

Gavin, de 11 años, y su hermana Ana, de siete, dos brillantes estudiantes de primaria, han dominado el lenguaje, los juegos y la jerga del mundo de Pokemón. Su escuela también restringe el uso de las tarjetas durante el horario de clases, pero ha formado una liga Pokemón vespertina, que permite que los niños batallen entre sí durante intensas sesiones del juego de tarjetas. Conscientes de los problemas que genera esta moda, experimentan los aspectos positivos del juego. "Me gusta coleccionarlas y aprender más sobre la forma en que evolucionan y se convierten en un Pokemón más poderoso", dice Gavin, que puede recitar de memoria las propiedades y poderes especiales de la mayor parte de las criaturas. Cuando se les preguntó cómo conocieron a Pokemón, su hermana agrega: "Unos compañeros de la escuela platicaban de él y de repente, todo el mundo coleccionaba tarjetas y jugaba." Ambos tienen nuevos amigos debido a las tarjetas, pues es un tema para hablar con niños que de otra manera no hubieran conocido.

Fuente: Howard Chua-Eoan y Tim Larimer, "PokeMania", Time (22 de noviembre de 1999), 81.

Influencias de grupo e individuos sobre las personas

Independientemente de la nacionalidad, origen étnico o sexo, las influencias de grupos e individuos modifican las acciones y los comportamientos de los seres humanos. La pertenencia a grupos, el esfuerzo por "adaptarse" y luchar o procurar el agrado de los demás repercute en las elecciones en la vida y las decisiones de compra. La información de personas con las cuales nos identificamos y a las cuales imitamos tiene una credibilidad excepcional. Es común que las influencias de los grupos sean factores importantes para modelar las tendencias del estilo de vida, la aceptación de nuevas modas, así como para probar y adoptar nuevos productos.

¿Qué son los grupos de referencia?

Un **grupo de referencia** es "cualquier persona o grupo de personas que influye en el comportamiento de un individuo".[1] Los valores, actitudes, comportamientos y normas del grupo son importantes en relación con las evaluaciones, comportamientos y aspiraciones de otro individuo.[2] Los grupos de referencia pueden ser individuos, como las celebridades, deportistas y políticos, o grupos de personas que comparten ciertas semejanzas, como los grupos musicales, los partidos políticos y los equipos deportivos. Por ejemplo, según las investigaciones, la mayoría de las personas son renuentes a adoptar comportamientos que puedan socavar el consenso del grupo.[3] Los jóvenes buscan la aprobación de sus compañeros más que la de los adultos mayores. Vestirse con prendas de Abercrombie & Fitch (o marcas similares, como Old Navy y Tommy Hilfiger) reduce la inseguridad que les genera el proceso de compra y aumenta su nivel de confianza porque concuerdan con sus amigos. En la figura 13.1 se ilustra el proceso de la influencia, que empieza en la fuente y tipo de influencia, sigue a través de la transmisión y grado y termina con su efecto en las conductas, estilos de vida, compras y consumo. Este modelo es un esquema de la primera mitad del capítulo.

Tipos de grupos de referencia

Los grupos sociales adoptan muchas formas; a su vez los individuos pertenecen a grupos muy diversos. Es posible, por ejemplo, que una persona forme parte de un grupo formal principal.

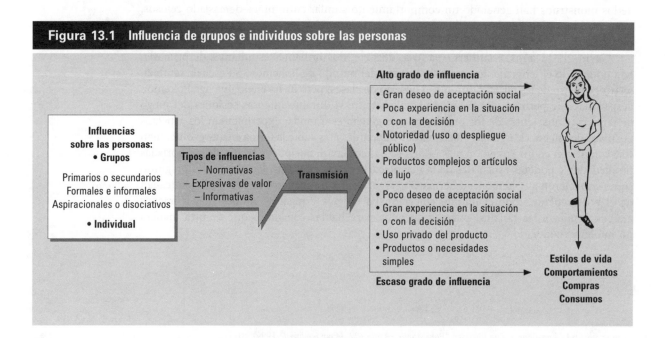

Figura 13.1   Influencia de grupos e individuos sobre las personas

Independientemente del tipo de grupo de referencia, el trato con los demás tiene un carácter de compromiso, en cuyo caso se conoce como una influencia *normativa*; en otras ocasiones es *comparativa*, que sirve únicamente como otra fuente de información para la toma de decisiones. Estas funciones se dan en muchos tipos de grupos, a saber:

- **Primarios** La influencia y el efecto más grandes provienen de los grupos principales, *conjuntos sociales que son lo suficientemente íntimos para facilitar una interacción personal sin restricciones.* Dado que hay una cohesión y participación motivada, los miembros exhiben fuertes similitudes en sus ideas y comportamientos.[4] La familia es el ejemplo más obvio de un grupo primario muy influyente.

- **Secundarios** Los grupos secundarios también *son de trato personal, pero su naturaleza es más esporádica, menos completa y con menor influencia en la conformación del pensamiento y la conducta.*[5] Los ejemplos son las asociaciones profesionales, los sindicatos y las organizaciones comunitarias.

- **Formales** Los grupos formales *se caracterizan por una estructura definida* (por escrito) y *una lista conocida de miembros y de requisitos de membresía.* Los ejemplos son los grupos religiosos, las fraternidades y las organizaciones de servicio a la comunidad. La influencia que ejercen sobre el comportamiento varía, según la motivación que tenga el individuo para aceptar y cumplir las normas del grupo. Además, hay mucha libertad en cuanto al grado en que se espera y se exige la conformidad.

- **Informales** En contraste con los grupos formales, los informales *tienen una estructura mucho más laxa y es probable que se funden en la amistad o en los intereses personales.* Aunque sus reglas pueden ser rígidas, rara vez aparecen por escrito. Como quiera que sea, el efecto sobre el comportamiento puede ser poderoso, si los individuos están motivados por la aceptación social. También hay un trato íntimo personal, lo que refuerza el poder con que se expresan y se imponen expectativas y sanciones.

- **Membresía** Cuando *se reconocen a los individuos como miembros de un grupo, han logrado el estatus de aceptación formal.* La membresía se da en grupos informales de iguales o familiares, lo mismo que en grupos formales como los religiosos, clubes de estudiantes, asociaciones gremiales o clubes de compradores frecuentes. Los grupos de membresía formales se observan cada vez más en los esfuerzos de mercadotecnia para dirigirse a individuos con características y comportamientos similares. Los grupos de membresía *virtual* han evolucionado en los salones de pláticas y otras "asociaciones" en internet.

- **Aspiracionales** En los grupos aspiracionales *se manifiesta el deseo de adoptar las normas, valores y comportamientos de otros con los cuales aspiran los miembros a asociarse.* Algunas veces se anticipa la membresía y la motivación correspondiente para comportarse de cierta manera, en tanto que otras veces no se abriga la esperanza de pertenecer al grupo, lo que hace simbólica la aspiración. La influencia de los grupos aspiracionales, aunque a menudo es indirecta, puede cumplir un papel significativo en la elección de los productos. Por ejemplo, un niño que practica el fútbol quisiera lucir los colores y emblemas de su equipo favorito o un estudiante de administración quiere vestirse como los líderes de los negocios triunfadores, especialmente cuando indaga sus oportunidades antes de titularse.

- **Disociativos** También se puede ejercer influencia mediante grupos disociativos, *grupos con los cuales el individuo procura no asociarse.* Tal ocurre cuando alguien cambia de clase social y abandona ciertos comportamientos y preferencias de marcas a cambio de las elecciones de la clase superior. Algunos adolescentes también se desvinculan de sus iguales y sus padres poniéndose ropas de contracultura, pintándose el pelo de morado o tatuándose. Ahora bien, al disociarse de un grupo se asocian con otro.

- **Virtuales** Las computadoras e internet han creado una nueva forma de grupo *basado en comunidades virtuales y ya no en geográficas*. Las comunidades de internet se articulan en "conjuntos de relaciones sociales entre personas"[6] más que en relaciones presenciales. En los salones de pláticas individuos con intereses similares se relacionan y comparten información sobre diversos temas, desde patinaje artístico hasta buceo de profundidad. El flujo de información en internet tiene menos inhibiciones que en otros encuentros, ya que los individuos no se ven[7] y se sienten más libres para escribirse cosas que en persona no dirían fácilmente.

Tipos de influencia de grupo

Tres tipos principales de influencia afectan las decisiones, comportamientos, compras y estilos de vida de los individuos. La **influencia normativa** ocurre *cuando los individuos alteran sus comportamientos para satisfacer las expectativas de un grupo*. En este caso, las *normas* del grupo influyen, por ejemplo, en la forma en que se viste un individuo o el automóvil que maneja. La meta del individuo es la conformidad. La **influencia que expresa valor** ocurre *cuando la necesidad de asociación psicológica con un grupo hace que se acepten sus normas, valores, actitudes o comportamientos.* Aunque no haya motivación para convertirse en miembros, los individuos mejoran su imagen a los ojos de los demás o se identifican con personas admiradas y respetadas. Dado que muchos consumidores aceptan las opiniones de terceros como prueba creíble y necesaria,[8] buscan su consejo antes de hacer una compra o tomar una decisión en la vida. Ocurre la **influencia informativa** *cuando las personas tienen dificultades de evaluar las características de un producto o marca por su propia observación o contacto.* Aceptarán las recomendaciones o el uso de otros como prueba de la naturaleza del producto[9] y aplicarán la información a sus propias decisiones de productos o marcas.

Influencia de los grupos de referencia sobre los individuos

Los grupos de referencia influyen en los consumidores de distintas maneras y en grados diversos según las características de cada quien y el contexto de las compras. En primer lugar, los grupos de referencia generan una *socialización de los individuos*. En segundo, son importantes para *fomentar y evaluar* el concepto de uno mismo y *compararse* con los demás. En tercero, los grupos de referencia son un medio para *conseguir que se obedezcan* las normas de una sociedad.

Socialización

Como vimos en el capítulo 11, la socialización es el resultado de la influencia de varios grupos de referencia. Por ejemplo, un manual de empresa puede explicar el código de vestido a un nuevo empleado, pero los grupos de trabajo informales le enseñan qué atuendo es aceptable en otras situaciones y para ocasiones diferentes. La socialización y aculturación sirven para que el individuo sepa qué comportamiento desembocará en la estabilidad suya y del grupo.

Autoconcepto

Las personas protegen y modifican el concepto que tienen de sí mismas en sus relaciones con los demás en los grupos de referencia. Lo que pensamos de nosotros mismos está influido por las reacciones de otros cuyos valores compartimos o cuyas opiniones respetamos. Una forma de trato social es el consumo de productos. Comunicamos significado a los demás comprando y utilizando productos. Nuestra ropa, automóviles y carreras dicen algo sobre nosotros y nuestros comportamientos y estilos de vida son nuestra carta de presentación (o de una imagen idealizada de nosotros mismos) ante nuestro grupo de referencia. Al lucir el logotipo de un equipo deportivo en una camisa, los consumidores combinan sus identidades personales con el medio cultural del producto[10] y asumen una identidad social alterada.

Las personas también mantienen sus conceptos personales al encerrarse en los *papeles* que han aprendido. Cuando los individuos pertenecen a muchos grupos, representan muchos papeles y sienten la presión de actuar en las formas que se esperan para alguien en dicho papel.

La publicidad testimonial es una aplicación directa de comprender las consecuencias sociales del autoconcepto. Un niño ve que las grandes estrellas del deporte Tiger Woods y Michael Jordan se visten con ropas Nike y, ya sea consciente o inconscientemente, le atribuye (por lo menos en parte) el respeto y el poder que desea a la marca Nike. Los testimonios de actores, políticos o deportistas pueden ser muy eficaces si lo que proyecta la personalidad de referencia en el testimonio concuerda con el yo idealizado del consumidor en el auditorio objetivo.

Comparación social

La mayoría de los individuos tiene la necesidad de evaluarse comparándose con los demás. La percepción que tenga una persona de su éxito, salud o riqueza depende muchas veces del resultado de compararse con sus iguales u otros miembros del grupo de referencia. Además de obtener información de los grupos, los individuos utilizan los grupos de referencia como marcas o medidas para medir sus propios comportamientos, opiniones, habilidades y posesiones. Pero los individuos seleccionan grupos de comparación distintos en diferentes momentos. Cuando el individuo y el grupo son similares, la confianza en la precisión de la información recibida es mayor;[11] sin embargo, tenemos la tendencia a examinar puntos de vista distintos sólo cuando estamos muy confiados en nuestras propias opiniones y capacidades.[12]

La comparación no se limita a los grupos con los cuales tenemos contacto. La publicidad y la televisión pueden ser fuentes de comparación social. En 1999 eran comunes los rumores y las cejas levantadas en Hollywood por el grupo extraordinariamente escaso de jóvenes estrellas de televisión que incluyen a Jennifer Aniston y Courteney Cox (*Friends*) y a Calista Flockhart (*Ally McBeal*), aclamadas como jóvenes y bellas ídolos adolescentes. De la misma manera, las mujeres se ven bombardeadas con imágenes, retocadas con pincel de aire, de modelos profesionales que adornan las páginas de las revistas de moda de todo el mundo. Cuando las mujeres ven estas imágenes, muchas se sienten insatisfechas con su propio cuerpo.[13] Un efecto de esta comparación social ha sido un aumento notable en el número de jóvenes (de 14 a 25 años) que sufren de anorexia y bulimia.

Conformidad

El deseo del individuo de encajar en un grupo de referencia lleva en ocasiones a la **conformidad**, *un cambio en las ideas o acciones por las presiones reales o imaginadas del grupo*. Hay dos tipos de conformidad: *obediencia* y *aceptación*. La **obediencia** consiste en que *un individuo asiente a los deseos del grupo sin aceptar todas sus ideas y procederes*, en tanto que la **aceptación** ocurre *cuando un individuo cambia sus ideas o valores por los del grupo*. Algunas veces un consumidor hace un esfuerzo consciente por emular el comportamiento de los demás del grupo o de identificarse con la conducta de éste para recibir un premio (como la aceptación social). Otras veces la influencia del grupo es más sutil y opera sin el esfuerzo consciente del individuo que la sufre. Por ejemplo, algunos consumidores quizás no sepan cómo comportarse en una situación y recurren a las normas del grupo como guía sobre la forma de conducirse.

¿Cuándo es más probable que las personas sigan las normas?

Los grupos de referencia influyen sobre los individuos para que acepten las normas del grupo en grados varios y en función de sus características, las del grupo y de la situación, como se observa en la figura 13.1. Cuanto más coherente sea el grupo, mayor influencia tendrá en los miembros, originada ésta sobre todo entre los miembros leales. Además, el tamaño del grupo repercute en su capacidad de influir; la vieja idea de la "seguridad en la cantidad" es verdadera en muchos casos de influencia de grupo. Un consumidor puede recurrir a un grupo con conocimientos en una materia para ayudarle a tomar decisiones respecto de un producto, especialmente si la información que tiene es limitada. También es más probable que acepte las normas del grupo si le agrada éste o tiene muchos deseos de pertenecer a él. Es más probable que los individuos que tienen muchos deseos de aceptación social sean influidos por terceros, que quienes son más independientes y no le conceden tanta importancia a la aceptación social. De manera similar, los individuos que van a hacer uso en público de ciertos artículos tienen más probabilidades de resultar influidos por terceros para reducir el "riesgo" de elegir la marca o el producto "equivocado". Las influencias de grupos son menores cuando los individuos compran artículos de primera necesidad para consumirlos en privado o artículos que no requieran gran estudio o búsqueda antes de comprarlos. Aun así, la influencia normativa puede ampliarse a través de muchas situaciones.[14]

Ganancias de la conformidad   Es más probable conformarse cuando la recompensa de aceptar excede sus costos, concluyó el sociólogo George Homans, quien ilustró la dinámica de la aceptación normativa y de la relación entre sus premios y costos.[15] Recompensas como la autoestima o la aprobación refuerzan el comportamiento y alientan su repetición, en tanto que los costos desaniman ciertas conductas. El grado de influencia sobre el resultado final está determinado por la percepción de un individuo de las "ganancias" de la situación (es decir, las recompensas menos los costos). Por ejemplo, si se le pide a alguien que acompañe a otra persona a tomar una taza de café, habrá recompensas (compañía, café y estima por la invitación), pero también costos (tiempo, quizás la oportunidad de ir con otra persona). Un gerente de mercadotecnia o un vendedor ayudan de buena gana a los clientes insatisfechos incluso cuando son groseros, porque su progreso depende de una elevada retención de clientes.

Notoriedad   En varios estudios se ha demostrado que las presiones del conformismo no son suficientes para inducir un comportamiento a menos que la compra o el uso del producto o servicio sean notorios.[16] Más aún, los lujos son más susceptibles de influencia social que las necesidades.[17] La notoriedad tiene dos efectos fundamentales en el conformismo. En primer término, dado que el producto estará a la vista de otros (lo que incluye a los miembros del grupo), el deseo de ser acogidos hace que muchos consumidores acepten, en lugar de arriesgarse a sufrir el ridículo público o la situación embarazosa. En seguida, los individuos (por ejemplo los consumidores conscientes de la moda) reciben señales claras de sus iguales respecto a las alternativas del producto, lo que hace que sea innecesaria más búsqueda de información.[18]

El conformismo no es una característica fija del producto, sino que depende de la situación y su uso. Por ejemplo, es importante la influencia normativa en la elección de una marca cuando se va a servir la cerveza a los amigos, pero no cuando se consume en privado.[19] En la figura 13.2 se explica cómo influyen los grupos de referencia en la elección de productos y marcas en situaciones diferentes. En un estudio llevado a cabo por Bearden and Etzel,[20] se le pidió a más de 800 sujetos que estudiaran 16 productos con diversas características que iban de privadas a públicas y de primera necesidad a lujo. Así, calificaban la amplitud de la influencia del grupo de referencia en la clase del producto y en la elección de la marca. El estudio sirve para definir cuáles son las elecciones de productos de marca que sufrirán una influencia de grupo mayor que otros. Por ejemplo, los relojes de pulsera se llevan por necesidad y tienen pocas consecuencias en relación con lo que otros hacen. Pero la elección de la marca es bastante distinta; por ejemplo, la elevada aceptación en algunos grupos por usar un Swatch o un Rolex. Estudie la figura 13.2 y adquirirá nociones útiles sobre la expresión de la influencia social.

Utilización de la influencia normativa en la estrategia de mercadotecnia

Los mercadólogos han aprendido el poder de atracción de "lo que está en boga". El fenómeno Pokemón se debió a la elevada susceptibilidad del grupo objetivo, coincidió con la influencia normativa y la gran visibilidad del producto.

Sin embargo, parecería que el efecto de la conformidad normativa retrocede en gran parte del mundo occidental.[21] Varios grupos de consumidores, que incluyen a los *baby boomers*, colocan sus necesidades personales antes que la lealtad de grupo. Un factor principal de esta reducción es el crecimiento mundial de la urbanización, lo que lleva a un mayor aislamiento social y a un mayor individualismo. Los abuelos, tíos, tías y otros miembros de la familia extensa tienen menos influencia personal. Además, los esquemas de vivienda urbana minimizan el trato social, que por el contrario se desenvuelve con mucha mayor facilidad cuando se vive en comunidades rurales. Finalmente, la televisión y otros medios masivos abren ventanas

Figura 13.2 Influencia del grupo de referencia en las decisiones de compra de productos y marcas

	PRODUCTO	
	Influencia débil del grupo de referencia	**Influencia fuerte del grupo de referencia**
MARCA — **Influencias fuertes del grupo de referencia (+)**	**Necesidades públicas** *Influencia:* Producto débil y marca fuerte *Ejemplos:* Reloj de pulsera, automóvil, trajes	**Lujos públicos** *Influencia:* Producto fuerte y marca fuerte *Ejemplos:* Palos de golf, esquíes para nieve, barco de vela
Influencias débiles del grupo de referencia (−)	**Necesidades privadas** *Influencia:* Producto débil y marca débil *Ejemplos:* Colchón, lámpara de piso, refrigerador	**Lujos privados** *Influencia:* Producto fuerte y marca débil *Ejemplos:* Televisión o juego de computadora, compactador de basura, fabricante de hielo

Fuente: *William O. Bearden y Michael J. Etzel, "Reference Group influence on Product and Brand Purchase Decisions",* en Journal of Consumer Research, 9 *(septiembre de 1982), 1985.*

Figura 13.3   Anuncio de IBM que utiliza la individualidad

我追求速度
我偏爱蓝色
我想做就做

我有 ThinkPad

ThinkPad i 系列

IBM

hacia el mundo y amplían los horizontes y los intereses más allá de los círculos sociales normales. De hecho, cabe argumentar que la televisión y otros medios representan la realidad social con tal fuerza que los medios mismos están en el proceso de convertirse en una influencia normativa importante sobre las gerencias y el comportamiento.[22]

Otra consideración que lleva a una menor conformidad normativa es el debilitamiento del respeto por las normas sociales, que los sociólogos llaman *anomia*.[23] Algunas personas sienten una ambivalencia que hace que obedezcan a regañadientes o incluso que dejen de obedecer. Algunos mercadólogos atraen a las personas que quieren "ser distintas" y que expresan su individualidad en lugar de ser consideradas simplemente "uno del montón". El anuncio chino de IBM que se muestra en la figura 13.3 habla con eficacia al hombre que quiere conformarse a la norma creciente de poseer una computadora, pero que desea mantener un sentido de identidad personal.

Atractivo de las celebridades y otros grupos de referencia en la publicidad

Las celebridades, especialmente las estrellas de cine, los actores de televisión, los animadores y los deportistas, pueden ser factores muy poderosos en cualquier campaña de mercadotecnia y publicidad.

Ayudan a llamar la atención, crear conciencia y comunicarse mejor con consumidores que los admiran o que aspiran a ser como ellos. Los consumidores pueden identificarse a través de un problema común que comparten en el anuncio o esperan emularlos con el producto patrocinado. En cualquier caso, los mercadólogos suponen que los consumidores identificarán positivamente al producto con el promotor célebre.

Hay cuatro maneras en que las celebridades pueden aparecer en los anuncios. Así, aportan *testimonios* en los cuales ponen de manifiesto los beneficios que conocen por uso personal, o bien *dan su aval,* prestan su nombre o imagen al producto, sin manifestarse expertos en el tema. Una celebridad también puede ser un *actor* en un comercial o *portavoz* de la empresa, a la que representa (o su marca) durante cierto tiempo. Michael Jordan da su aval a los zapatos Nike y la ropa interior Hanes. Permitió el uso de su nombre y su figura en la colonia Jordan (que incluye un retrato suyo en el frasco). También es actor y portavoz de MCI en comerciales en los que aparece con los personajes de las tiras cómicas The Looney Toons de la película *Space Jam.* Después de su campaña presidencial en 1998, el candidato Bob Dole avaló las tarjetas de crédito VISA e inició una campaña de testimonios en la cual promueve la nueva medicina milagrosa Viagra.

La clave al éxito de cualquier campaña publicitaria, incluso en el caso de publicidad a través de celebridades, es la credibilidad del aval, en este caso, la celebridad. La mayor parte de las celebridades pierde credibilidad ante el auditorio cuando promueve muchos productos, ya que parece que están motivados por incentivos económicos, más que por convencimiento. Con todo, Michael Jordan tiene reacciones favorables de su auditorio a pesar de sus muchos contratos. Los escándalos en la vida privada de las celebridades también repercuten en las ventas de las marcas que avalan.

Además de las celebridades, otros anuncios de grupos de referencia (con mensajes de expertos y del "hombre común") son eficaces para llegar al consumidor. Un **experto** es *cualquier persona que posee información o habilidades únicas que sirven a los consumidores a tomar una mejor decisión de compra que cualquier otro portavoz.* Los doctores que venden medicinas contra el dolor, los empleados de mantenimiento o de servicio que recomiendan un aparato doméstico y no otro o los guías de montaña profesionales que representan una marca de ropa de escalar son ejemplos de mensajes de expertos. Los mensajes del **hombre común** *son testimonios de consumidores "ordinarios" con los cuales se pueden identificar la mayoría de los individuos.* Los anuncios con un episodio de la vida muestran la forma en que los consumidores utilizan los productos anunciados para resolver problemas cotidianos y facilitan a los espectadores que se imaginen en idéntica situación de compra o de uso.

Transmisión de la influencia en el diálogo

Las influencias de grupo se transmiten a los individuos de muchas formas. La gente observa la forma en que el grupo se comporta o se viste e imita lo que ve. Por ejemplo, los niños lo hacen cuando observan la conducta y el consumo de sus hermanos mayores y padres e imitan lo que ven para aparentar ser "más grandes" o parecerse más a sus padres. La televisión, las películas y los vídeos de música son una fuente significativa de tendencias de la moda, como por ejemplo la apariencia estilo Madona de la década de 1980 o las faldas cortas y la delgadez extrema de la abogada de la televisión Ally McBeal. También se aprenden nuevas palabras y giros idiomáticos (de programas de televisión como *Seinfeld*) y copian gestos, movimientos o bailes (como el baile de la Macarena popularizado en todo el mundo en 1997). Los grupos formales se comunican a través de publicaciones como gacetas y revistas y cada vez más a través de sitios de pláticas en línea.

De todos estos métodos para transmitir la influencia de grupo, a menudo el mejor es el trato entre dos personas. Los individuos no sólo reciben la comunicación personal de alguien respecto de conductas y estilos de vida, sino que también reciben información sobre su propio comportamiento, lo que puede modificarlo o reforzarlo. Los individuos pueden *adoptar un nuevo comportamiento y entonces decidir si lo asimilan o lo descartan de acuerdo con las opiniones de sus iguales y otros grupos de referencia.* Estos intercambios de recursos (en este caso, de opiniones y comentarios) entre dos individuos son **diálogos.** Dos formas de diálogos, la comunicación oral y el encuentro de servicio, son el centro de interés de esta sección del capítulo.

Comunicación oral

¿Con qué frecuencia basa usted una decisión, por lo menos de manera parcial, para ver una película, probar un nuevo restaurante o comprar una nueva marca en lo que sus amigos o su familia le han dicho al respecto? Cuando los individuos oyen, observan o experimentan algo, lo comunican a los demás. Se trata de la **comunicación oral:** *La transmisión informal de ideas, comentarios, opiniones e información entre dos personas, ninguna de las cuales es un mercadólogo.* Por ejemplo, es fácil imaginar que antes de la difusión de la televisión, la radio y otros medios, los individuos se apoyaban mucho en el consejo de sus vecinos y familias para la elección del médico de la familia. Pero incluso en esta era del comercio electrónico, de la publicidad y de la televisión, la comunicación oral todavía es un comportamiento muy poderoso y una fuerte influencia de compra para muchas clases, lo que incluye a los proveedores de cuidados a la salud. Por cierto, internet puede ser un método poderoso de transmisión de comunicaciones orales.

En el proceso de la comunicación oral hay un *emisor* y un *receptor* y en el intercambio ambos ganan algo. El **receptor** *obtiene información sobre comportamientos y elecciones valiosa para tomar una decisión.* El receptor también recibe información sobre comportamientos, con la que determina si debe o no continuarlos. De valor particular es la capacidad de la comunicación oral para reducir la disonancia cognoscitiva (las dudas) después de una decisión de compra de importancia.[24] Por su parte, el **emisor** *incrementa su confianza en la elección de su producto o comportamiento personal, al persuadir a los demás de que hagan lo mismo.* El emisor también recibe los beneficios psicológicos del prestigio, el poder y la ayuda que da al suministrar información y opiniones a otros que los aceptan en su proceso de decisión. Además, la comunicación oral aumenta la cohesión del grupo puesto que acrecienta el número de individuos que adoptan un estilo de vida, compras y filosofías y pautas de conducta similares. En la figura 13.4 se resumen los beneficios de la comunicación oral para emisores y receptores.

Liderazgo de opinión

El emisor de la información y las opiniones en la comunicación oral se conoce también como **líder de opinión.** Es una persona que, por definición, influye sobre la opinión de otra persona. Pero los líderes de opinión también cambian de papel y buscan el consejo de terceros cuando no tienen experiencia o capacidad en una materia. Es muy probable que haya una influencia personal bajo forma de liderazgo de opinión, cuando:

- *Un individuo tenga un conocimiento limitado de un producto o de una marca.* Sin embargo, si la búsqueda interna de la información es suficiente, la comunicación oral tiene menos efecto en la toma de decisiones.[25]

- *La persona no tiene la capacidad de evaluar el producto o servicio.*

- *El consumidor no cree o no confía en la publicidad o en otras fuentes de información.*

- *Otras fuentes de información son poco creíbles.*

- *El individuo tiene una gran necesidad de aprobación social.*

- *Hay lazos sociales poderosos entre emisor y receptor.*[26]

Figura 13.4   Beneficios de la comunicación oral

	BENEFICIOS HEDONISTAS	**BENEFICIOS FUNCIONALES**
RECEPTOR	• Reducción del riesgo de un comportamiento nuevo • Aumento de la confianza en la elección • Menor disonancia cognoscitiva • Incremento en la probabilidad de aceptación de un grupo o individuo	• Más información sobre opciones • Más información confiable o creíble • Menos tiempo dedicado a la búsqueda • Mejor relación con otros individuos
EMISOR	• Sentimiento de poder y de prestigio por influir en los comportamientos de los demás • Mejor posición en el grupo • Menores dudas sobre el comportamiento propio	• Reciprocidad del intercambio potencial • Mayor atención y estatus • Incremento en el número de individuos con conductas similares • Mayor cohesión del grupo • Satisfacción en la expresión verbal

- *El producto es complejo.*

- *El producto es difícil de probar con un criterio objetivo;* por tanto, la experiencia de los demás actúa como "prueba vicaria".[27]

- *El producto es muy visible para los demás.*

En general, las personas no compartirán su experiencia sobre productos o servicios a menos que la conversación produzca alguna gratificación. Además de los beneficios y recompensas de dar opiniones, según se muestra en la figura 13.4, los líderes de opinión tienen otras razones para ofrecer sus opiniones. Contarle a los demás respecto de una nueva compra puede ser agradable y excitante para el líder de opinión, lo que lo convierte en el centro de atención, muchas veces erigido en un conocedor del tema. A través de la comunicación oral, el líder de opinión tiene la atención, muestra erudición, sugiere estatus, y afirma su superiodidad.[28] Aunque existen estas motivaciones, a menudo las personas simplemente quieren prestar un servicio a un amigo o familiar para que tome una mejor decisión de compras, en especial si están muy satisfechos con algún producto o servicio.[29]

Características de los líderes de opinión   Durante años se han llevado a cabo extensas investigaciones en muchos países sobre las características de los líderes de opinión.[30] Los resultados indican que los líderes de opinión y los receptores comparten características demográficas y estilos de vida (es decir, son *homófilos*)[31] y suelen tener un estatus social más elevado dentro del mismo grupo como seguidores. Esto es lógico si uno considera que individuos con características similares viven en la misma zona o pertenecen a los mismos clubes y es fácil que se encuentren.

En general, los investigadores concluyen que la característica más común de los líderes de opinión de todas las categorías es que están muy comprometidos con un producto en especial. Leen las publicaciones especializadas y buscan información en los medios masivos y en otras fuentes. También poseen una mayor confianza en sí mismos, son más extravertidos y gregarios y quieren compartir información, hablar con los demás y conocer sus opiniones.[32] En consecuencia, su tendencia a iniciar una conversación es proporcional al grado de interés o dedicación al tema.[33]

Similares a los líderes de opinión son los **innovadores de productos,** *individuos que son los primeros en probar los productos.* Son más aventureros que los líderes de opinión y están menos preocupados por desviarse de las normas de grupo, ya que es menos probable que estén integrados en grupos sociales. Como veremos en la siguiente sección, todos tenemos alguna capacidad de innovación y hemos percibido cosas o ideas como nuevas.[34]

Superposición del liderazgo de opinión   Un individuo puede considerarse líder de opinión en un tema, pero no en otro. Por ejemplo, digamos que usted le pide un consejo a un pariente sobre qué banco le recomendaría para abrir una cuenta de cheques o de ahorro, en tanto que su mejor amiga le puede dar un mejor consejo sobre modas y compras de ropa. Los individuos se consideran líderes de opinión por los conocimientos (o habilidades) percibidos de una clase de productos (o sobre un tema), y cuanto mayor sea la capacidad percibida, más probable será que sus opiniones influyan en las decisiones de otros.[35] Esta influencia puede extenderse a otras áreas relacionadas,[36] lo que se conoce como *superposición del liderazgo de opinión*. Así, digamos por ejemplo que un vendedor de electrónica se especializa en los equipos de sonido, pero también puede ser considerado por algunos como líder de opinión para televisores, bocinas, VCR y DVD, productos todos que abarcan intereses similares.

Una fuente recientemente identificada de influencia personal posee mucha información respecto de una *diversidad* de productos, clases y conceptos de menudeo, así como mercados. Los **expertos del mercado**[37] *reúnen gran parte de su información de experiencias de compras, de estar abiertos a la información* (incluye el correo directo e internet), *y de una alerta general del mercado, lo que los hace más conscientes de los productos nuevos que otras personas.* Al igual que en el caso de los líderes de opinión, tienen una gran conciencia de marca y gustan de compartir su información con los demás. Sin embargo, su base de conocimientos incluye información sobre una amplia diversidad de productos (no sólo sobre elementos de interés), lo que les permite diseminar información en elementos de interés regular y escaso, como champús y desodorantes.[38]

Otra nueva fuente de influencia personal en el mercado es **el consumidor sustituto** (o **comprador sustituto**), *un individuo que actúa como agente para guiar, dirigir o conducir actividades en el mercado.*[39] Aunque sus conocimientos corresponden a categorías específicas de producto y las relacionadas, también se extiende a diversas actividades que comprenden estas categorías afines. Por ejemplo, un nuevo propietario de casa contrataría un decorador de interiores que le suministrara muebles y aditamentos de Italia, papel tapiz y pintura de Estados Unidos, más tapetes y telas de Hong Kong, ordenar todos los productos y los entregara cuando llegasen a su destino final. Los consumidores sustitutos, como los compradores de automóviles o los consejeros financieros, agregan un nivel al proceso de distribución de productos de más interés, pero también incrementan la eficiencia de la toma de decisión al asumir parte de las actividades de búsqueda, evaluación y compra. Las empresas que venden un gran volumen de productos a consumidores sustitutos tienen que diseñar y mantener con ellos unas relaciones que pueden ser diferentes a los programas para los consumidores.[40]

Encuentros de servicio

Los consumidores se encuentran con los mercadólogos y los vendedores todos los días, ya sea que visiten a un doctor, compren un automóvil, devuelvan el vestido a la tienda o lleven una cámara para su reparación. Siempre que ocurra una *comunicación personal entre un consumidor y un comerciante* se genera un **encuentro de servicio**. Puede ser una experiencia de consumo en una tienda o las diversas transacciones y servicios que se presentan durante una compra o una experiencia con el servicio específico que compra un consumidor.

Durante un encuentro de servicio, el comprador y el vendedor asumen papeles específicos,[41] como si los hubieran estudiado y estuvieran representándolos en la tienda como escenario.[42] Una desviación de los papeles esperados puede terminar en la insatisfacción con el encuentro de compra o de servicio, dependiendo de cuándo ocurre la interacción. Dado que se trata de una forma de diálogo, ambas partes ganan algo y pueden sentirse insatisfechas con el proceso si no se cumplen las expectativas.[43] Por ejemplo, si un empleado de mostrador es grosero o subestima cuánto durará una reparación, el consumidor no se sentirá contento con el intercambio. Si el consumidor no exhibe un método apropiado de pago o le grita al empleado por algo que no está en sus manos, el empleado se siente insatisfecho con el proceso.

Un reto para los proveedores de servicio es comprender las necesidades de los clientes y hacer coincidir el método de ventas apropiado con el tipo de cliente. Algunos clientes quieren mucha asistencia para la evaluación y elección de los productos, en tanto que otros prefieren tratar poco con el vendedor. Empresas como Wal*Mart, Home Depot y Target son bien conocidas por capacitar a sus empleados para que sean amistosos y reciban bien a los que visitan la tienda, pero esperan a que el cliente solicite la ayuda o la información. Dado que algunos departamentos dentro de estos megaminoristas contienen productos de menor interés, en tanto que otros venden artículos de mucho interés, es de esperarse que se requerirá más ayuda de asociados de mente abierta en aquellos departamentos que vendan productos de más interés. Empresas más pequeñas de especialidades, como Bath & Body Works, o tiendas de ropa, como Bloomingdale's, Nordstrom y la famosa Harry Rosen de Canadá, le enseñan a sus empleados a preguntar a los clientes si necesitan ayuda. Están capacitados para interpretar señales de los clientes y asumen un papel activo en la coordinación y elección de los productos, si es lo que desea el cliente. Sin embargo, algunas boutiques exclusivas, como Chanel o Escada, se mantienen a una distancia respetable de sus clientes, que pudieran incluir celebridades que desean "no ser molestadas". Aun así, estos asociados de ventas pueden modificar su estrategia con rapidez y participar en el encuentro de servicio, según las señales que reciben del cliente.

El vendedor cumple un papel importante para favorecer su relación con el comprador, lo que incluye al minorista y la marca que vende. El grado de la relación dependerá en parte de la *forma* en que el vendedor se comunique con el cliente y de lo que se comunica. Los buenos asociados de ventas escuchan a sus clientes, evalúan lo que dice, observan y determinan qué productos o servicios satisfarán mejor sus necesidades y deseos.[44] Cuando un consumidor traba una relación íntima con un vendedor puede iniciar una amistad, lo que transforma un encuentro de mercadotecnia en un encuentro social[45] y motiva a los consumidores a sostener las relaciones con estos proveedores de servicio.[46] Por ejemplo, los consumidores son muy leales a sus peinadores: comparten información personal y se ven con regularidad con el paso del tiempo, lo que crea una amistad que promueve la lealtad y una comunicación oral positiva.[47] De la capacidad de diálogo de los vendedores surgen grandes variaciones en su eficacia, especialmente en automóviles, seguros y otros productos en los cuales el vendedor es un componente clave de la estrategia de mercadotecnia de la empresa.

Forma en que se transmiten las influencias personales

Se han creado varios modelos teóricos sobre la forma en que la influencia personal se transmite entre individuos y de los grupos a los individuos. La teoría más antigua, la de **goteo**, reza *que las clases inferiores emulan el comportamiento de los miembros de las clases superiores.*[48] La influencia se transmite verticalmente a través de las clases sociales, sobre todo en el campo de las nuevas modas y estilos, en el que las clases altas expresan la riqueza a través del consumo ostentoso y las clases sociales inferiores copian su comportamiento. Pero la teoría del goteo rara vez funciona hoy, dado que las nuevas modas se diseminan de la noche a la mañana a través de los medios masivos y son copiados rápidamente en una escala mundial. Y en realidad hay poco contacto directo y personal entre las clases sociales. Todavía ocurre en algunas economías en desarrollo donde el acceso a los medios masivos es limitado o prácticamente ausente; sin embargo, aun este caso desaparece rápidamente conforme aumenta el acceso a los medios.

Flujo de dos pasos   En algún tiempo era aceptado que los anunciantes y otros persuadieran a las masas a través de los líderes de opinión. El modelo de **flujo de comunicaciones en dos pasos**, que se muestra en la figura 13.5, *indica que los líderes de opinión son los receptores directos de la información proveniente de los anuncios y que interpretan y transmiten dicha información a los demás a través de la comunicación oral.*[49] Pero rara vez ocurre que el líder de opinión

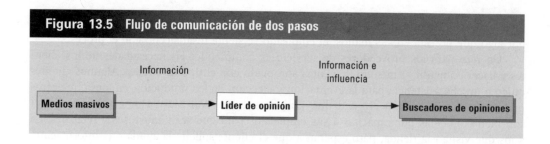

Figura 13.5 Flujo de comunicación de dos pasos

funja como intermediario en el flujo del contenido de los medios masivos como lo plantea la teoría de dos pasos. La idea actual es que los líderes y los buscadores de opinión son objetivos legítimos y ambos son influidos por los medios masivos. De hecho, los medios masivos pueden motivar al buscador de opinión para que éste se acerque a alguien más en busca de consejo, más que lo contrario.

Flujo en varios pasos   Dado que los medios masivos pueden llegar a cualquiera e influir sobre él directamente, se creó el modelo de **flujo de comunicación en varios pasos**, *según el cual la información fluye directamente a diferentes tipos de consumidores, entre los que se encuentran los líderes de opinión, los vigilantes y los buscadores de opinión o receptores.* Los vigilantes, que ni influyen ni son influidos por los demás, deciden si otros miembros del grupo deben o no recibir una información. Por ejemplo, un padre puede vigilar y restringir los programas de televisión o las páginas en internet que ve su hijo y por ende actúa como vigilante. En la figura 13.6 se muestra la forma en que los líderes de opinión reciben información, la trasmiten a los buscadores de opinión y reciben retroalimentación, y la forma en que la información llega directamente a los buscadores de opinión.

Comunicación oral y líderes de opinión en las estrategias de publicidad y mercadotecnia

¿Cuánta publicidad ha tenido que hacer Pokémon para vender sus tarjetas, juguetes y películas? No se gastó mucho en comunicación "formal" para impulsar la dispersión rápida de Pokémon en los patios escolares, ya que buena parte de la "promoción" consistió en comunicación oral entre los niños. De hecho, la comunicación oral y la influencia personal tienen un efecto más decisivo sobre el comportamiento que la publicidad y otras fuentes dominadas por el mercadólogo.[50] En el fondo del problema están los puntos de vista de los individuos, en el sentido de que la comunicación oral es una fuente de información más confiable y creíble. Como resultado, una gran proporción de las decisiones de compra están influidas por recomendaciones directas (o personales) de otros.[51] Aunque la publicidad proporciona información que los individuos recaban en otras fuentes, no siempre confían en que el publicista trabaje en aras de sus intereses y creen que el anunciante

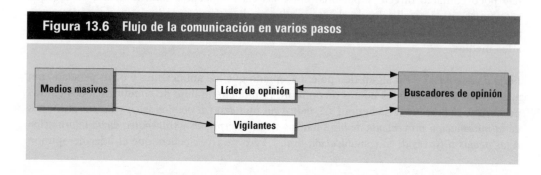

Figura 13.6 Flujo de la comunicación en varios pasos

"estirará la verdad" (inflará) o exagerará los beneficios de un producto para beneficiar a la empresa.

Relación entre publicidad y comunicación oral

La publicidad tiene una relación doble con la comunicación oral. En primer término, proporciona información a los consumidores sobre productos y marcas que podrían buscar en otras fuentes (como los compañeros o la familia). Si un consumidor confía en una marca o producto y en su publicidad, se reduce su necesidad y receptividad a la comunicación oral; sin embargo, si un consumidor desconoce un anuncio o un mercadólogo o bien no lo percibe con confianza, aumenta su recurso a la comunicación oral. En segundo término, la publicidad puede crear la comunicación oral entre consumidores y grupos de iguales. Abercrombie & Fitch publicó un "magalog" (combinación de revista y de catálogo) para la temporada de vacaciones de 1999 que mostraba jóvenes modelos semidesnudas, a veces en poses sugestivas. Debido a este carácter, se convirtió en un tema picante de conversación tanto para adolescentes como para sus padres. Cuando los medios se dieron cuenta de la controversia, una estación de radio de adultos en Míchigan telefoneó a la oficina del procurador general del estado para denunciar la venta de material inapropiado para menores de edad. En pocos días, la empresa anunció que no vendería la publicación a nadie sin una identificación que demostrara que tenía más de 18 años. La comunicación oral creó una exposición a los medios que hizo que cambiaran las políticas de la empresa. Sin embargo, la misma atención hizo que la publicación se hiciera más popular y buscada por el grupo objetivo de adultos jóvenes.

A primera vista la estrategia de Abercrombie & Fitch sobre comunicación oral parecería negativa y pudiera serlo para adultos mayores que todavía mueven la cabeza en desaprobación de la empresa y sus sugestivos catálogos. Pero ha resultado positivo para los mercados de adolescentes y adultos jóvenes, que desean apartarse de la población adulta mayor. De hecho, la empresa no pretende que los mercados de adultos "gusten" sus estilos y su ropa, pues "enfriaría" gran parte de su mercado objetivo más joven e independiente.

Apoyo principal en la comunicación oral   En algunas ocasiones es posible apoyarse en la comunicación oral como sustituto de la publicidad. Tal fue por muchos años la estrategia de Victoria's Secret. Hasta fines de la década de 1990 hizo algo de publicidad formal, enfocada principalmente en la marca y la imagen, con su campaña "Ángeles". Antes se apoyaba principalmente en la comunicación oral entre consumidores y el diálogo entre los actores de los programas de televisión. Es de admitirse que es muy poco usual omitir en su totalidad los programas de publicidad y ventas y pocos se arriesgarían a este método, pero minoristas tan diferentes como las tiendas Wal*Mart[52] y Victoria's Secret han demostrado que cuando la comunicación oral es fuerte la publicidad se puede reducir radicalmente.

Cómo apuntar a los líderes de opinión   Los líderes de opinión son sensibles a varias fuentes de información, incluyendo la publicidad,[53] y si es posible identificarlos es teóricamente factible venderles como un segmento distinto. Pero esto puede resultar un reto dada la semejanza entre el emisor y el receptor, incluso en patrones de exposición de los medios. Por lo tanto, es difícil organizar estrategias que lleguen únicamente a este segmento, salvo cuando ciertos líderes sociales u organizacionales actúan como líderes de opinión, como los entrenadores deportivos, los médicos, los farmacéuticos y las autoridades religiosas. Además de dirigirse a sus papeles y responsabilidades de liderazgo a través de los medios masivos, las empresas se dirigen a ellos a través de medios especializados y asociaciones, mediante el correo directo y la publicidad en revistas de la rama industrial o de interés especial.

Estimulación de la comunicación oral

Hay varias maneras de estimular la comunicación oral en relación con un nuevo producto o servicio. Por ejemplo, una empresa puede prestar o dar a los líderes de opinión productos para su despliegue y uso. Cuando abrió sus oficinas en Estados Unidos, Lexus envió invitaciones por correo a líderes de la comunidad para que hicieran un recorrido de prueba de un modelo nuevo de su elección. Aun cuando no fueron muchas las compras inmediatas, estos líderes comunicaron a sus amigos la experiencia, lo que generó una comunicación oral positiva, y almacenaron la información para situaciones de compra futura. Las empresas también regalan productos para que los médicos y los dentistas se los den a los pacientes (por ejemplo, cepillos de dientes e hilo dental de la marca Oral-B) y para uso de los atletas cuando entrenan y compiten (ropa Adidas). En ambos casos, los líderes de opinión ayudan a promover las relaciones entre vendedores y consumidores.

Otra opción familiar es inducir al líder de opinión a que abra las puertas de su hogar para presentaciones del producto. El ejemplo clásico es la fiesta Tupperware y su contemporánea, la fiesta Longaberger Basket. Las organizaciones no lucrativas se apoyan en este método de estimular la comunicación oral para generar interés en los espectáculos organizados para recolectar fondos. A menudo le piden a los líderes de la comunidad que sean anfitriones en sus hogares, con la esperanza de captar el interés y asegurar la participación de patrocinadores potenciales.

Creación de los líderes de opinión

A veces las organizaciones contratan o mezclan de manera directa a individuos que despliegan características de los líderes de opinión con la finalidad de influir sobre los consumidores. Gap, Banana Republic y otros minoristas de ropa contratan jóvenes "populares" y atractivos para que trabajen en sus tiendas. Se les conceden descuentos sustanciales en la compra de ropa y se les alienta (en ocasiones se les exige) que la lleven puesta para trabajar a fin de promover la "valorización" de esos atuendos.

Las empresas también crean líderes de opinión mediante la dádiva de incentivos a nuevos clientes para que atraigan a otros a la tienda. Pueden ofrecer premios consistentes en productos atractivos o incluso rebajas directas en las ventas adicionales por clientes nuevos. Algunas revistas piden a los suscriptores que refieran los nombres y direcciones de amigos que pudieran interesarse en la publicación. En caso de que lo hagan en un plazo especificado, los clientes pueden recibir una suscripción con descuento o gratuita durante un año. E-traed.com daba millas de viajero frecuente de United a quienes remitieran amigos a su página en internet.

A veces también es posible activar la búsqueda de información y la diseminación a través de una publicidad que aliente la comunicación oral. Un anuncio utilizaría una frase como "pregúntele a quien tenga una", para que haga que las personas busquen información de otros y una frase como "dígaselo a un amigo" para crear líderes de opinión. Además de la publicidad, demostraciones, despliegues y pruebas de los productos ayudan a generar comunicación oral, interés del consumidor y búsqueda de información. Por ejemplo, los fabricantes de televisores a color venden sus equipos a hoteles y moteles a precios bajos en parte porque genera el uso a prueba por parte de los consumidores. De manera similar, los fabricantes de automóviles hacen arreglos con las empresas de arrendamiento sobre marcas específicas, como el Lincoln Continental, que es rentado por Budget Rent-a-Car.

Administración de la comunicación oral negativa

"No le volveré a comprar un automóvil a esta agencia. El vendedor quería venderme el automóvil, pero no hizo más que ignorarme. No me ayudó a calcular el financiamiento y nunca me llamó para hacer seguimiento de la venta. He tenido algunos problemas con el automóvil y el departamento de servicio se tomó cuatro días para decirme lo que estaba mal. Los empleados no son corteses y el servicio es terrible [. . .] nunca regresaré." Si su mejor amigo le transmitiera estas opiniones, ¿cuál sería la probabilidad que usted comprara un automóvil en esa agencia?

De la misma manera que la comunicación oral positiva puede ser uno de los bienes más grandes de un mercadólogo, ocurre lo opuesto cuando el contenido es negativo. Más de la tercera parte de toda la información de la comunicación oral es negativa; por lo general, recibe una atención prioritaria y pesa poderosamente en la toma de decisiones.[54] Esto se debe a que la información que propaga el mercadólogo es uniformemente positiva y el comprador potencial está alerta a cualquier cosa que ofrezca una perspectiva distinta. Además, el comprador insatisfecho está más motivado a compartir la información.[55]

Vigilancia del contenido de la comunicación oral   A pesar de que la influencia personal no puede ser controlada directamente por una empresa comercial, se puede vigilar su presencia e impacto. Por ejemplo, Coca-Cola estudió los patrones de comunicación de las personas que se habían quejado a la empresa.[56] Encontró que más de 12% le informó a 20 o más personas la respuesta que había recibido de la empresa. Quienes se dijeron completamente satisfechos comunicaron su respuesta positiva a cuatro o cinco personas, en tanto que aquellos que pensaron que no fueron tratados de manera adecuada contaron su experiencia a nueve o 10 personas. Prácticamente una tercera parte de los que pensaron que sus quejas no fueron bien tratadas se negaron a comprar otro producto de la empresa y otro 45% redujo sus compras, lo que muestra la forma en que la comunicación oral negativa afecta incluso a productos de poca importancia. Los fabricantes de productos de mucha importancia como los automóviles evalúan a las distribuidoras y la satisfacción del cliente mediante encuestas muy amplias.

Las compañías también deben vigilar los *rumores* que circulan sobre sus marcas y productos. Los rumores no suelen basarse en hechos, sino más bien en temores y ansiedades, y pueden modificarse paulatinamente, conforme se transmiten de una persona a otra, de modo que adquieren vida propia. Cuanto mayor sea el grado de ansiedad, más rápidamente se diseminan los rumores entre la población. Empresas grandes y pequeñas de todo el mundo han sido víctimas de rumores, como los gigantes Procter & Gamble, Xerox y McDonald. Durante la década de 1980 circuló el rumor de que las empresas de comida rápida mezclaban gusanos en sus hamburguesas. McDonald, Burger King y Wendy se percataron del rumor, pero no podían emitir una declaración de que "No ponemos gusanos en nuestras hamburguesas" porque esto llamaría la atención sobre el rumor y lo diseminaría a individuos que aún no lo habían escuchado. Entonces, Wendy decidió lanzar una campaña promocional que ensalzaba el hecho que Wendy utiliza 100% de carne de res pura en sus hamburguesas. La atención se centró en lo que contienen las hamburguesas, en vez de lo que no contienen.

Reducción de la comunicación oral negativa   Imagine que acaba de arrancar su automóvil y de repente se mueve hacia adelante o atrás fuera de control. Esto es exactamente lo que ocurría con el Audi 5000S de 1986, de acuerdo con más de 500 quejas presentadas ante la Administración de Seguridad Vial y de Tránsito de Estados Unidos. La gerencia de Audi se rehusó a reconocer su culpa por el problema, incluso después de una denuncia en el programa de televisión *60 minutos,* que hizo que el público se indignara. Hasta que se produjo una reducción drástica en las ventas que aceptó la existencia de un problema, solicitó la devolución de los productos y realizó una reparación.[57] Después se llegó a la conclusión de que debía reivindicarse a la gerencia de Audi por sus afirmaciones de inocencia, pero la empresa nunca se recuperó totalmente de esta desafortunada actitud de insensibilidad hacia sus consumidores.

¿Qué es lo que se puede hacer en tal situación? Ciertamente, poner obstáculos (negar el problema) no es la respuesta. La mejor estrategia es una aceptación inmediata del problema, hecha por un portavoz creíble de la empresa. Es importante reconocer que la comunicación oral negativa rara vez desaparece por sí misma. Si las cosas no se manejan con prontitud, los resultados económicos pudieran ser inmediatos y catastróficos.

Difusión de las innovaciones

De la misma manera en que la influencia se difunde entre las personas, los productos y las innovaciones se propagan en el mercado. Todos los años los mercadólogos bombardean a los consumidores con miles de productos nuevos. Complique lo anterior con nuevos conceptos de puntos de venta, nuevos posicionamientos de los productos y nuevas variantes de los productos existentes y resulta maravilloso que los consumidores sean capaces de tomar decisiones de compra y de consumo. Algunos productos nuevos tienen éxito al ser adoptados por suficientes clientes para hacerse rentables, pero la mayoría fracasa, a menudo debido a que no satisface necesidades o deseos mejor que los productos anteriores. En el resto del capítulo nos centramos en la forma en que los productos se difunden a través del mercado, las razones por las cuales algunos productos son rechazados y otros aceptados y el papel que cumple el razonamiento del consumidor.

Innovaciones y productos nuevos

Se puede definir una innovación de varias maneras, pero la definición más aceptada es la siguiente: *cualquier idea o producto que es percibida por el comprador potencial como nuevo*. De ahí se deduce que una **innovación de producto** o **producto nuevo** es *cualquier producto introducido recientemente en el mercado o percibido como nuevo al ser comparado con los productos existentes*. Una organización puede definir un producto nuevo en función del porcentaje de mercado potencial que ha adoptado al producto o el tiempo que tiene en el mercado, pero los consumidores utilizan definiciones subjetivas de la innovación derivadas de su forma de pensar.

Las innovaciones también pueden ser definidas *objetivamente*, basadas en criterios externos. De acuerdo con esta definición, las innovaciones son *ideas, comportamientos o cosas que son cualitativamente distintas de las formas existentes*. Pero no queda claro qué es lo que constituye una *diferencia cualitativa*. Los mercadólogos utilizan la palabra *nueva* en el empaque y en la publicidad para llamar la atención hacia productos de introducción reciente en el mercado, pero la Comisión Federal de Comercio de Estados Unidos limita el uso de la palabra *nuevo* en la publicidad de productos disponibles en el mercado durante menos de seis meses. Ciertamente, la televisión era diferente a las formas de comunicación que había en el momento de su introducción en el mercado, pero, ¿es Tide líquido un producto nuevo en comparación con la forma de Tide existente?

La innovación afecta a las empresas de muchas maneras, lo que incluye mayores utilidades y un valor mayor para el accionista. Pero la innovación no está limitada a los productos nuevos. En las organizaciones prósperas de todo el mundo hay ideas innovativas, personas innovativas y procesos innovativos. La investigación indica que las empresas exitosas generan "el poder de las ideas" que les da una ventaja competitiva no sólo en productos nuevos, sino también en ideas nuevas en todas las áreas: un mejor empaque, mejores técnicas de facturación, nuevos sistemas de planeación y manufactura a menor costo.[58]

Tan importante como los efectos en las organizaciones, los nuevos productos también afectan de muchas maneras la vida de los consumidores. La introducción de nuevos productos puede pretender modificar los comportamientos de los consumidores más allá del simple cambiar de una marca a otra: también puede modificar la forma en que viven. Algunas veces, los cambios tienen efectos profundos (tanto positivos como negativos) en las personas que adquieren el producto nuevo. A pesar de que los implantes quirúrgicos en los senos han permitido que las pacientes de cáncer de mama recuperen una imagen personal positiva, también han puesto en peligro la vida de otras pacientes cuyos implantes se rompieron y se dice se dispersaron a otras partes del cuerpo. Algunas veces los cambios tienen profundos efectos negativos en las personas que no los adoptan, como ocurre con quienes deciden rechazar las computadoras personales o las vacunas. Quizás con mayor significado que cualquiera de estos efectos, la introducción de un producto nuevo puede modificar la organización de la sociedad, como sucedió con la electricidad y las computadoras y como acontece ahora con los teléfonos celulares en Bangladesh, según se explica en la sección El consumidor en la mira 13.1.

Tipos de innovaciones

Un método de clasificar las innovaciones se basa en el efecto que causa la innovación sobre el comportamiento en la estructura social, lo que clasifica las innovaciones como continuas,

El consumidor en la mira 13.1

La difusión de los teléfonos celulares cambia la manera de vivir

Desde una choza pequeña de metal corrugado y paja en Bangladesh, Delora Begum, empresaria de 32 años y madre de dos hijos, reina como la "señora de los teléfonos" en su pequeña ciudad y como proveedora de vastas oportunidades. Para iniciar su servicio telefónico, obtuvo un préstamo de 18 750 taka (375 dólares) del Banco Grameen en Bangladesh y compró un teléfono celular Nokia. Famoso por su asistencia a los empresarios rurales, el banco apuesta que la conexión entre sí y con el resto del mundo de los 68 000 pequeños pueblos ayudará a sus 120 millones de habitantes a saltar a la era digital.

A pesar de que los teléfonos se han difundido por gran parte del mundo, empiezan apenas a entrar en este país, en el cual sólo tres de cada 1000 personas tienen un aparato. Con aproximadamente 2000 pueblitos conectados para finales del año 1999, la meta es ampliar la red a toda la nación en los siguientes cinco años, lo que deja a cada habitante a no más de dos kilómetros de un teléfono celular.

Hoy la presencia de los teléfonos ha empezado a mejorar el ingreso personal y la calidad de la vida. Además de ayudar en rescates médicos y emergencia, los teléfonos han aportado una eficiencia necesaria a los negocios locales. Los propietarios de las tiendas pueden ordenar por teléfono sus reposiciones, en lugar de desperdiciar horas de viaje a los pueblos para colocar los pedidos en persona; los granjeros pueden informarse de los precios justos de sus cultivos en el mercado y eliminar intermediarios que a menudo los explotan, y los artesanos pueden cotizar la madera y suministros para asegurarse que se incorporan márgenes suficientes en los precios que piden por sus productos.

Por lo que refiere a la señora Begum, la "venta" de tiempo de teléfono celular va bien. En promedio, gana 40 dólares por mes de utilidad en los 215 dólares de facturación de tiempo de llamadas que vende a los habitantes del poblado, a la tasa de 10 centavos por minuto. Su elevado ingreso, que resulta el doble del ingreso mensual bruto promedio, le permite darle a su familia lo necesario, hacer los pagos del teléfono que le vendió Grameen al costo y efectuar depósitos en su cuenta de ahorros en el banco Grameen. La vida en Bangladesh ha mejorado para la señora Begum.

Fuente: Miriam Jordan, "It Takes a Cell Phone", en The Wall Street Journal *(25 de junio de 1999), p. B1.*

dinámicamente continuas y discontinuas.[59] Las presentamos en orden de menos a más impactantes para las pautas de conducta existentes.

Una **innovación continua** es la *modificación del gusto, apariencia, desempeño o confiabilidad de un producto existente, más que el establecimiento de uno totalmente nuevo*. La mayor parte de los productos nuevos caen en esta categoría. Como ejemplos citemos el agregar bicarbonato de sodio o fluoruro a la pasta de dientes Colgate, la última versión de Powerpoint de Microsoft, la cerveza Amstel de bajas calorías o las nuevas versiones a color de i-Mac y las maquinillas de afeitar Gillette (como se observa en la figura 13.7). Una empresa también puede considerar una extensión de la línea de productos como una innovación continua, como es el caso de la introducción hecha por Gillette de la crema de afeitar para mujeres.

Una **innovación dinámicamente continua** consiste *ya sea en la creación de un producto nuevo o una modificación significativa de uno anterior, sin alterar los patrones establecidos de compra o de uso*. Los ejemplos son los cepillos de dientes eléctricos, los reproductores de discos compactos, los alimentos orgánicos, las notas autoadheribles de 3M y los contenedores de alimentos reciclables. General Electric y Bosch Siemens introducirán en el mercado un nuevo horno que cocina más aprisa que un microondas y que dora y deja crujiente la superficie, igual que un horno de convección. Se espera que los Speed Cookers cuesten de 1500 a más de 5000 dólares.[60]

Una **innovación discontinua** consiste en *la introducción de un producto enteramente nuevo que altera de manera significativa las pautas de conducta y los estilos de vida de los consumidores*. Entre los ejemplos se encuentran los televisores, computadoras, automóviles, videocaseteras e internet. Algunas formas de medios interactivos que han aparecido serían discontinuas si cambian de manera fundamental el comportamiento de las compras, transfiriéndolas de las tiendas a los hogares.

A pesar de que estas innovaciones se basan en los productos, también pueden *basarse en el uso*. Durante muchos años los consumidores compraron el caldo de pollo Swanson como

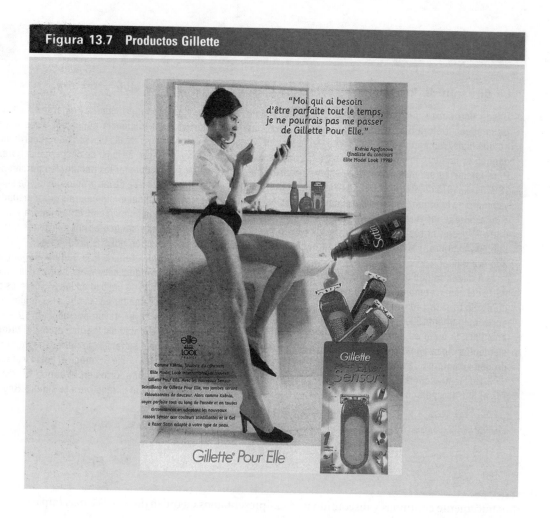

Figura 13.7   Productos Gillette

caldo básico de sopas y salsas. Con el fin de incrementar las ventas, la compañía introdujo una campaña publicitaria que explica cómo utilizar el caldo Swanson en lugar de aceites y grasas en la preparación de alimentos con grasas reducidas. A veces son los individuos los que toman la delantera e inventan sus propios usos para los productos, como ha sido el caso con la cinta adhesiva para tubería, que es utilizada por los consumidores no sólo para reparaciones domésticas, sino también para remolcar automóviles, decorar dormitorios e incluso para reparar juguetes.

Por qué tienen éxito algunas innovaciones y otras no

Algunos productos nuevos ganan y otros pierden. Por cada historia de éxito, como los discos compactos o el Nintendo, se cuentan fracasos como los teléfonos de imagen, los sistemas de audio cuadrafónicos y la banca en el hogar.[61] Los productos de éxito son los que quedan *anclados culturalmente* y de manera tan inextricable como parte de la vida del consumidor y de los entornos socioculturales que la interfaz entre persona y producto se vuelve un aspecto importante del concepto personal del individuo.[62] Imagínese arreglándoselas sin computadoras personales, máquinas de fax y hornos de microondas, con la escala de valores y los estilos de vida de hoy. ¿Pero por qué tuvieron éxito estas innovaciones donde otras fracasaron? La investigación de Rogers y otros[63] menciona cinco características principales de los productos nuevos de éxito: (1) ventaja relativa, (2) compatibilidad, (3) complejidad, (4) posibilidad de probar, y (5) posibilidad de observar.

Ventaja relativa

El factor de mayor importancia al evaluar el éxito potencial de un producto nuevo es su ventaja relativa, es decir, el grado en que los consumidores *perciben* que ofrece mayores beneficios que el producto que compran actualmente. Los analistas se preguntan en qué grado sustituirá el nuevo producto a los existentes o completará del abanico de productos en los inventarios de los consumidores.

Los nuevos productos que es más probable que tendrán éxito son aquellos que se dirigen a necesidades muy intensas de los consumidores. En la banca, los cajeros automáticos, que le dieron a los consumidores acceso al efectivo 24 horas al día, se difundieron rápidamente a través del sistema social en razón a su elevada ventaja relativa percibida en comparación con la banca tradicional. En contraste, las tarjetas de débito, que actúan como efectivo o como cheques, han sido de lenta difusión. Aunque ayudan a los consumidores que tienen problemas de crédito a administrar mejor sus finanzas y ofrecen ventajas tanto a los bancos como los minoristas (como por ejemplo, menores costos por el manejo de efectivo), muchos consumidores perciben pocas ventajas relativas en las tarjetas de débito sobre los cheques o las tarjetas de crédito.

Compatibilidad

La compatibilidad se refiere al grado en que un producto nuevo es congruente con las prácticas, valores, necesidades y experiencias de los posibles adoptadores. Muchas decisiones y productos de software y hardware de computadora se basan en la compatibilidad del producto nuevo con los sistemas conocidos. La introducción del dentífrico blanqueador Mentadent, a base de peróxido, fue bien recibida por los consumidores estadounidenses que buscaban una manera de abrillantar sus dientes. La nueva pasta no necesitaba ningún equipo ni nuevo aprendizaje y era consecuente con las normas que valoran los dientes blancos. Los DVD, aunque en su forma bastante distintos que las cintas de vídeo, son muy compatibles para los consumidores que ya tienen una unidad de CD en su computadora.

Así, Radio Shack tuvo éxito en la introducción de las computadoras personales en Estados Unidos, gracias a su sistema de distribución formado por miles de tiendas. Los clientes cuyo comportamiento normal favorecía a los productos tecnológicos innovadores ya estaban en las tiendas para adquirirlos. Las computadoras, aunque técnicamente distintas en su función respecto de los productos en los que antes Radio Shack se especializaba, tenían relación con los productos que eran de interés para el consumidor. La combinación de una distribución, servicio personal y el interés en productos parecidos resultó compatible con los valores y experiencias de los primeros compradores de computadoras.

Complejidad

La complejidad es el grado en el cual se percibe una innovación como difícil de comprender y utilizar. Cuanto más complejo sea el producto nuevo, más difícil será que tenga aceptación. Los hornos de microondas se difundieron con rapidez porque eran fáciles de utilizar. El principio de complejidad hace ventajosa la fabricación de productos tan simples de utilizar y comprender como sea posible, especialmente durante la introducción, de manera que los consumidores los puedan entender. Las instrucciones tienen también un papel importante: cuanto más complejas sean las instrucciones de uso o armado, es menos probable que el producto tenga éxito. La complejidad desalienta la nueva tecnología, lo que incluye el uso de computadoras y las compras por internet.

Posibilidad de prueba

Los nuevos productos tienen mayores oportunidades de éxito si los consumidores pueden experimentar con ellos o probar la idea de una manera restringida, con un riesgo económico limitado. Por ejemplo, Procter & Gamble y General Foods regalan todos los años millones

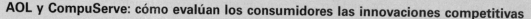

El consumidor en la mira 13.2

AOL y CompuServe: cómo evalúan los consumidores las innovaciones competitivas

A fines de la década de 1970, CompuServe empezó a ofrecer información en línea a profesionales interesados en tecnología e información. Con elevadas calificaciones en su contenido y calidad de servicio, CompuServe se convirtió en un líder en su rama industrial para los individuos orientados tecnológicamente, aun cuando estaba muy lejos de ser fácil de usar. Una década más tarde America Online se sumó a la carrera cibernética, pero posicionó su servicio fácil como una herramienta

basada en la comunicación para el mercado masivo. Cuando CompuServe esperaba que sus usuarios "averiguaran" cómo navegar y utilizar mejor sus productos y servicios, AOL hizo fácil el uso cotidiano de la tecnología para el mercado masivo. En la competencia frente a frente en el mercado, ¿qué empresa piensa que obtuvo un mejor resultado? Esta gráfica examina la forma en que los consumidores compararon ambas empresas y qué fue lo que hizo que la mayoría escogiera AOL.

Aceptación del mercado: especialidad o mercado masivo

	Tecnología	Ventaja relativa	Compatibilidad	Complejidad	Posibilidad de probar	Posibilidad de observar
CompuServe (especialidad)	A+ para el mercado orientado tecnológicamente; los demás deben averiguarlo	Acceso amplio y conciso a los datos	Especialidad: La tecnología se ajusta bien al mercado especializado y las bases de datos se ajustan a los usuarios	Difícil de utilizar, incluso por consumidores orientados técnicamente	Escasa	Limitada a áreas técnicas y a mercados de especialidad
AOL (masivo)	*Copiar* Facilita la tecnología para el mercado masivo en su uso cotidiano	Forma de comunicación más económica y flexible en el tiempo	Tecnología masiva fácil para quienes ya tienen computadora	Fácil de utilizar para todos los consumidores	Mucha: Muestras gratis en el mercado masivo	Grande: Los consumidores observan a los demás a través de los sitios de diálogo en la internet y a través de la marca

de nuevos productos para facilitar la prueba, sin riesgo económico para el consumidor. Las muestras, los cupones y los productos de tamaño reducido para probar inducen el ensayo de nuevos jabones, alimentos empacados y perfumes (y otros bienes para el consumidor de bajo valor unitario). Pero estos métodos también funcionan para innovaciones discontinuas costosas, complejas y de gran interés, aun cuando se requiera de bastante más creatividad.

El arrendamiento es una estrategia muy utilizada por los fabricantes de automóviles para presentar nuevos modelos de automóviles a los consumidores. Los fabricantes a veces hacen a las empresas arrendadoras ofertas especiales sobre modelos rediseñados o sobre automóviles equipados con características innovadoras, para dar a los consumidores una oportunidad de probar el producto nuevo o la característica nueva. Llevado a un extremo, AOL envía por correo software gratuito a los consumidores que, al ser instalado, le da 250 horas de acceso libre en internet.

Capacidad de observación

La capacidad de observación (y de comunicación) refleja el grado en el cual los resultados del uso de un nuevo producto quedan visibles a amigos y vecinos. Si los consumidores ven que otros se benefician por el uso de un producto nuevo, es más probable que resulte de éxito y se difunda con mayor rapidez. Tomemos el ejemplo de la joven que observa la aceptación social y los cumplidos de que es objeto una compañera que usa una moda, marca de ropa, peinado o perfume y decide adquirir el producto también para recibir los mismos beneficios. El uso de las celebridades aumenta la visibilidad de los productos.

Estas cinco características sirven para calificar la probabilidad de adopción en el mercado. Las innovaciones que obtienen una calificación elevada en varios campos tienen más probabilidades de difundirse a través del mercado objetivo que aquellas que obtienen bajas calificaciones. También se emplean para analizar productos competitivos, como se observa en la sección El consumidor en la mira 13.2, que compara AOL y CompuServe a lo largo de estas variables. Si desea hacer un análisis competitivo adicional, repase el ciclo de vida del producto y examine las ventajas y desventajas de introducir un nuevo producto en varias etapas.[64]

Proceso de difusión

La contribución más importante al estudio de la difusión de las innovaciones es un libro con el mismo título, escrito por Everett Rogers en 1962 y que ha sido actualizado de manera continua.[65] De acuerdo con Rogers, se define **difusión** como el *proceso mediante el cual una innovación (nueva idea) se comunica a través de ciertos canales entre los miembros de un sistema social*. Según esta definición, un producto puede tener mucho tiempo y sin embargo en un mercado dado se percibe como nuevo. La investigación de Rogers identifica las características del producto y otras variables que ejercen una influencia en el proceso de difusión y explica la forma en que los consumidores adoptan los productos nuevos e innovaciones.

La difusión de una innovación abarca muchas etapas, como se observa en la figura 13.8:

- Difusión de la información y comunicación. Comprende la comunicación entre un consumidor y una organización, un mercadólogo o un grupo o persona que ejerce la influencia.

- Proceso de decisión del consumidor para una innovación. Proceso mediante el cual un consumidor decide adoptar o rechazar una innovación.

- Difusión de la innovación o desaparición de la misma. Efecto acumulado de cuántos consumidores adoptan o rechazan una innovación, lo que conduce a su difusión o a su desaparición del mercado.

El modelo incluye el proceso de difusión, que es de naturaleza social, y el proceso de adopción, que es de carácter individual, y muestra sus papeles en la difusión general del proceso de innovación.

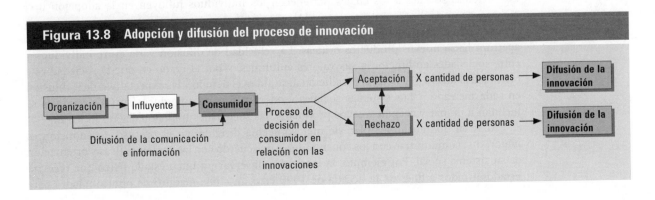

Figura 13.8 Adopción y difusión del proceso de innovación

El proceso de difusión sufre la influencia de muchos factores, muchos de los cuales han sido identificados en miles de estudios de difusión. De estos estudios, se desprende que los principales factores de éxito en la difusión de las innovaciones son:

- Innovación (producto, servicio o idea nueva, según vimos)
- Comunicación (a través de canales formales e informales)
- Tiempo (para las decisiones y calificación de la adopción por parte de los individuos)
- Sistema social (personas, grupos y otros sistemas relacionados)

Comunicación

La comunicación es crucial en el proceso de difusión. La forma en que los consumidores aprenden sobre nuevos productos, ya sea a través de la comunicación entre el consumidor y el mercadólogo o mediante la comunicación entre consumidor y consumidor, influye sobre la velocidad a la cual los nuevos productos son identificados y probados. Como vimos, la comunicación oral cumple un papel importante en la prueba y difusión de los productos.

Además de la comunicación entre personas, los mercadólogos también tienen que abordar la influencia de la publicidad, la presencia de internet, los vendedores y los líderes de opinión en la estrategia de la mercadotecnia de productos nuevos. Solamente cuando los consumidores están conscientes de un nuevo producto es posible alentarlos a qué lo prueben y se inicia el proceso de difusión (la publicidad puede acelerar este proceso de difusión).[66] Los efectos óptimos sobre la rentabilidad se presentan cuando una empresa promueve en forma extensa la introducción del producto y reduce la publicidad conforme el producto se mueve a través de su ciclo de vida y entran en acción las comunicaciones entre personas.

Tiempo

Otro factor que influye en el proceso de difusión es el tiempo. El tiempo que se requiere para que un individuo pase de la conciencia del producto a la compra o rechazo señala cuánto tardará el producto en difundirse a través del mercado. En este caso, el tiempo depende de factores externos (disponibilidad del producto y recursos económicos) y de factores internos (personalidad y categoría del adoptante). Algunos consumidores decidirán con rapidez que un producto nuevo no es lo que quieren, quizás en función de lealtad a la marca y de satisfacción con los productos actuales. Otros consumidores comprarían el producto, pero no lo hacen por diversas razones.[67] Es muy importante comprender el proceso temporal de la adopción. De lo contrario, una empresa podría introducir un producto, promoverlo y dedicar grandes cantidades de recursos al proyecto, sólo para verlo "fracasar". En realidad, la empresa pudiera haber subestimado el tiempo requerido para la difusión en el mercado del nuevo producto.

Sistema social

Los sistemas sociales a los cuales pertenecen los individuos influyen en la adopción o el rechazo de una innovación. Los mercadólogos se refieren a estos sistemas como segmentos del mercado o mercados objetivo y los describen según la capacidad de innovación o la apertura hacia nuevos productos o ideas. La velocidad de difusión varía entre individuos y entre sociedades en función a sus valores culturales, y por el grado en que la sociedad esté orientada al futuro, sea neutral o tradicional, se altera el tiempo y las expectativas de la difusión en cada mercado.[68] Los sistemas sociales modernos o contemporáneos son los que más se inclinan a probar y aceptar nuevos productos, las sociedades tradicionales no lo harán.

Al igual que cualquier plan de mercadotecnia dirigida, en el proceso de adopción es importante comunicarse con los consumidores de acuerdo con las características y orientación de su sistema social. Por ejemplo, la moda de conservar un buen estado físico que recorrió Estados Unidos a fines de la década de 1990 creó un clima maduro de oportunidades para equipos para ejercicios, bebidas saludables y cintas de vídeo de ejercicios. Muchos *baby boomers* ya en proceso de envejecimiento formaban parte de este segmento consciente de su cuerpo, que estaban muy dispuestos a adquirir nuevos productos que prometieran un mejor cuerpo y una apariencia más joven.

Velocidad de difusión

A pesar de que la comunicación oral es muy importante en el proceso de difusión de la innovación, los mercadólogos tienen poco control sobre esta variable. Como quiera que sea, tienen más control sobre algunos factores, como las características del producto, el precio y la asignación de recursos, que contribuyen a la velocidad de la difusión. Éstas y otras variables que pueden afectar la velocidad de la difusión se representan en las siguientes proposiciones.[69]

Cuanto mayor sea la *intensidad competitiva* del proveedor, más rápida será la difusión. Las empresas muy competitivas tienen estrategias de precios más agresivas y asignan más recursos a la introducción del producto. Una intensa competencia conduce a guerras de precios y a un incremento en la demanda debido a que entran en el mercado los clientes que son más sensibles al precio. Y cuanto más innovador sea un producto, más probable es que una empresa competitiva conteste la agresión con otras innovaciones basadas en el producto.[70]

Cuanto mayor sea la *reputación del proveedor* (y genere confianza entre los compradores potenciales), más rápida será la difusión inicial. Una buena reputación lleva a la credibilidad en la fuente, lo que a su vez reduce la incertidumbre y el riesgo en la decisión de compra.

Los productos se difunden con mayor rapidez cuando se utiliza *tecnología estándar*. Los consumidores pueden creer que es más riesgosa la compra si no están seguros de cuál es la tecnología que quede como estándar; quizá por esta razón se necesitan de cinco a 15 años antes de que los consumidores acepten las tecnologías electrónicas nuevas.[71] Cuando este riesgo se reduce o elimina, se hace más probable que más consumidores adopten el producto.

La **coordinación vertical**, *un alto grado de relaciones de dependencia y vinculación entre los miembros de los canales*, también incrementa la velocidad de difusión. A medida que se incrementa la coordinación, aumenta el flujo de información del proveedor al consumidor y, por tanto, aumenta la difusión.

La *asignación de recursos* (como el aumento en los gastos de investigación y de desarrollo) guardan una relación positiva con las innovaciones. Conforme las tecnologías mejoran y surgen más alternativas, la difusión se extiende y es más rápida. Y en la medida en que se incrementan la publicidad, la venta personal, las actividades de promoción de ventas y el apoyo de la distribución, la difusión también se acentúa. Las asignaciones para la investigación de mercadotecnia pueden determinar los gastos de investigación y desarrollo, además de que sirven para establecer una estrategia de posicionamiento para la nueva tecnología, aspectos que dependen del proceso de difusión. En diversas investigaciones se muestra que una velocidad creciente de adopción de las innovaciones ha dado por resultado la reducción del ciclo de vida de los productos,[72] lo que se traduce en menos tiempo para que la gerencia apruebe pasar a la fase siguiente de la introducción del producto.[73]

Proceso de decisión del consumidor para las innovaciones

La adopción de un nuevo producto es el resultado de un proceso de decisión que es similar al proceso general de decisión que hemos descrito en este libro. Pero, ¿qué es lo que hace que el proceso de decisión del consumidor para nuevos productos sea distinto del de otros productos? La distinción principal está en el énfasis en las comunicaciones dentro de la estructura social, más que en el procesamiento individual de la información. El examen de las variables de difusión representan un *procedimiento relacional* que analiza las redes de comunicación y la forma en que las variables sociales y estructurales afectan los flujos de difusión en el sistema, en contraste con un *procedimiento monódico* que se enfoca en las características personales y sociales de los consumidores.

El modelo más aceptado para comprender el proceso de adopción de las innovaciones es el de Everett Rogers, que comprende conocimiento, persuasión, decisión, implantación y confirmación, como se aprecia en la figura 13.9. Al examinar este modelo, recuerde que no es un solo consumidor que pasa por las etapas de adopción o rechazo de un nuevo producto, sino que también lo hacen otros consumidores y el efecto combinado es el que determina la difusión o desaparición.

Conocimientos

La etapa de conocimientos empieza cuando un consumidor recibe estímulos físicos o sociales que exponen y fijan su atención en el nuevo producto y en su funcionamiento. Es más probable que se dé un conocimiento del nuevo producto a través de los medios que en las etapas posteriores, pero también se ejerce la influencia de los líderes de opinión. La forma en que una persona recibe e interpreta los conocimientos se ve afectada por sus características personales.

Persuasión

La persuasión, en el paradigma de Rogers, se refiere a la formación de actitudes favorables o no hacia la innovación. Si se trata de una marca nueva, los consumidores pueden asignar atributos de clase de producto a la misma para persuadir su evaluación.[74] El consumidor se imagina la satisfacción que le brindaría el producto nuevo si anticipa el uso futuro, con lo que acaso concede al producto una "prueba vicaria" mental.

La persuasión está relacionada con los riesgos y consecuencias percibidos de adoptar y usar el producto nuevo. Cuando un individuo considera un producto nuevo, debe comparar las ganancias de la adopción con las pérdidas por cambiar el producto de uso actual. Si se adopta el producto nuevo, podría resultar inferior al producto actual o costar más que el valor incrementado obtenido por utilizar el producto nuevo.

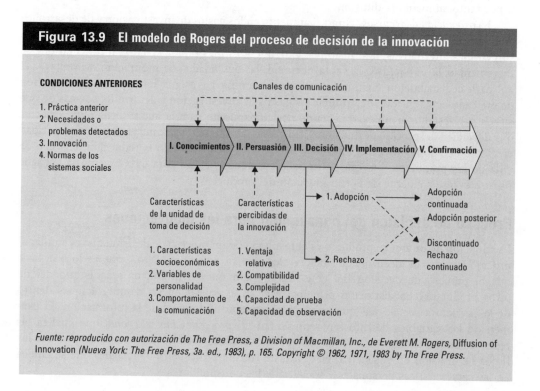

Figura 13.9   El modelo de Rogers del proceso de decisión de la innovación

Fuente: reproducido con autorización de The Free Press, a Division of Macmillan, Inc., de Everett M. Rogers, Diffusion of Innovation *(Nueva York: The Free Press, 3a. ed., 1983), p. 165. Copyright © 1962, 1971, 1983 by The Free Press.*

Decisión

La etapa de decisión comprende la elección de adoptar o rechazar la innovación. Algunos miembros del sistema social son **adoptadores**, *personas que han tomado la decisión de utilizar un nuevo producto,* en tanto que otros no lo son, *y su decisión de no adoptar puede deberse a muchas razones.* La adopción impone un compromiso psicológico y de conducta con un producto.[75] De ordinario, esto significa un *uso continuado del producto,* a menos que variables de situación (falta de disponibilidad, etc.) impidan su uso. Los consumidores también podrían rechazar la innovación y decidir no adoptar. El rechazo activo consiste en meditar en la adopción o quizás incluso hacer una prueba, pero la decisión final es la de no adoptar. El rechazo pasivo consiste en no pensar jamás en adoptar la innovación. Algunos no se expondrán a la información respecto al producto ni esperarán hasta que otros hayan probado el producto antes de hacerlo.

Implantación

La implantación comienza cuando el consumidor pone en uso una innovación. Hasta esta etapa de implantación el proceso ha sido un ejercicio mental, pero ahora se requiere un cambio en el comportamiento. La fuerza del plan de mercadotecnia puede ser el determinante crítico de que un buen producto bien anunciado dé por resultado una venta.

El precio, la información, la publicidad y la comunicación del nuevo producto cumplen papeles importantes en la determinación de una venta. Las notas autoadheribles son un ejemplo de un producto simple y nuevo, formado por papel con una tira adhesiva en la parte posterior. El producto, introducido por 3M, se ha difundido en todo el mundo como reemplazo de los sujetapapeles, de los blocs de notas y de las piezas sueltas de papel. 3M regaló cantidades enormes de muestras, que empleados de oficina llevaron al trabajo y a casa. Los miembros de la familia empezaron a utilizarlos para muchos fines, lo que crea una rápida difusión del producto en el mercado del consumidor, así como en el mercado comercial.

Confirmación

Durante la confirmación, los consumidores buscan un refuerzo para su decisión de innovación. Los consumidores a veces revierten decisiones anteriores, especialmente cuando están expuestos a mensajes contradictorios y disonantes respecto de la innovación. Quienes adoptan los productos los pueden rechazar después de periodos breves o largos y viceversa. Discontinuarlos es una seria preocupación para los mercadólogos. Pringles, una botana de papas fritas, fue introducido por Procter & Gamble y tuvo éxito al atraer muchos adoptantes. Sin embargo, finalmente fracasó en su forma original debido a que el grado de discontinuidad era demasiado elevado, hecho que no fue detectado sino hasta después de que la empresa había invertido millones de dólares en mercadotecnia y en establecer otras plantas de manufactura. Recientemente, Pringles ha vuelto a ser aceptado en el mercado, como un producto "nuevo, de mejor sabor" y mediante una campaña de mercadotecnia alegre, que atrae a los consumidores más jóvenes. De manera similar, muchos de los primeros compradores de cámaras digitales encontraron que requerían tanto tiempo, que volvieron a las cámaras análogas (de película) excepto en casos especiales, en los cuales la cámara digital ofrecía ventajas.

Consumidores con mayores posibilidades de adquirir nuevos productos

En el proceso de desarrollo, los mercadólogos necesitan determinar quién es más probable que compre el producto nuevo. Los determinantes incluyen la personalidad de los individuos, su aversión o aceptación del riesgo, su posición social y su escolaridad. Además de las características individuales, el papel que desempeñan en la familia también repercute en el comportamiento de la adopción. Los estudios de investigación indican que hay veces en las que las necesidades del cónyuge son el factor que decide por un comportamiento innovador, lo que ocurre en la familia[76] para varias clases de productos. Estas características, combinadas con "grados de innovación" hacen que diferentes clases de compradores se comporten de manera distinta durante las diversas etapas del proceso de decisión[77] y con nuevos productos y nuevas marcas.[78]

Los consumidores se clasifican de acuerdo con el tiempo que necesitan para adoptar un producto nuevo. En la figura 13.10 se ilustran las cinco clases principales de consumidores por su ciclo de adopción y en relación con otros compradores de su sistema social o segmento de mercado. Los **innovadores** son *el primer grupo de consumidores que adoptan productos.* Tienen tendencia a ser aventureros, a disfrutar de algún riesgo, su escolaridad es superior al promedio y socializan con otros innovadores (y a veces son "expertos" en la clase de productos correspondientes a la innovación). Es poco probable que los innovadores busquen soluciones dentro del contexto de las respuestas anteriores a un problema.[79] A menudo los innovadores son el objetivo principal del mercado para las empresas que introducen productos nuevos, ya que influyen sobre otros compradores potenciales.[80] Las personas pueden ser innovadores para algunos productos pero no para otros. Los consumidores que son *innovadores para muchos productos* se dice son **polimórficos**, en tanto que aquellos que son *innovadores sólo para un producto* son **monomórficos**.

Las otras clasificaciones de adoptantes son adoptantes tempranos, mayoría temprana y tardía y rezagados. Los adoptantes tempranos **compradores precoces** tienden a ser *líderes de opinión y modelos de comportamiento, poseen buenas habilidades sociales y son respetados en sus sistemas sociales.* Según las investigaciones, los compradores precoces utilizan fuentes de medios masivos y otras personas más que los compradores tardíos.[81] La **mayoría temprana** está formada por *los consumidores que deliberan antes de comprar nuevos productos y sin embargo los adoptan antes del tiempo promedio que le toma a la población objetivo en su totalidad.* La **mayoría tardía** tiende a ser *cauta al evaluar las innovaciones y tarda más que el promedio en su adopción y a menudo lo hace por la presión de sus iguales.* Los **rezagados**, el último grupo en adoptar las innovaciones, *están anclados en el pasado, sospechan de lo nuevo y exhiben el nivel más bajo de innovación entre los compradores.* Algunos consumidores rechazan activamente y desde el principio el producto nuevo. Más que rezagados, son negadores precoces. Por esta razón y por otras, la adopción da una cifra inferior a 100% que se muestra en la figura 13.10.

Después de que algunos innovadores adoptan un producto nuevo, los siguen otros según el valor de la innovación y otras características del producto. La tasa de adopción aumenta conforme se incrementa el número de compradores,[82] lo que hace que la curva de campana de la figura 13.10 sea más alta y más angosta. De este análisis se desprende que los mercadólogos deben centrar su atención en los innovadores y en los adoptantes compradores tempranos: si no consiguen que estas personas adopten el nuevo producto, no hay muchas esperanzas con el resto de la población.

La innovatividad es otra referencia para medir la probabilidad de adoptar una innovación. La **innovatividad** es el *grado al cual un individuo adopta una innovación antes que otros miembros de un sistema social.* Los grados de innovación se miden por el tiempo de adopción o por cuántos productos nuevos ha comprado un individuo en un momento específico. Los innovadores y los adoptantes tempranos tienen más capacidad de innovación que la mayoría tardía y los rezagados, lo que influye en su lealtad a la marca, toma de decisiones, preferencias y comunicaciones. Sin características como la innovatividad, el comportamiento del consumidor consistiría en una serie de respuestas de compra rutinarias a un conjunto fijo de productos.

Los innovadores se dividen en innovadores cognoscitivos e innovadores sensitivos. Los **innovadores cognoscitivos** *tienen una fuerte preferencia por las nuevas experiencias mentales,* en tanto que los **innovadores sensitivos** *tienen una fuerte preferencia por las experiencias sensoriales.*[83] Algunos innovadores prefieren ambas. Los mensajes publicitarios y otras comunicaciones se preparan según a quién se dirijan. La comunicación dirigida a los innovadores cognoscitivos debe subrayar las ventajas que tiene la innovación sobre los productos y servicios actuales.

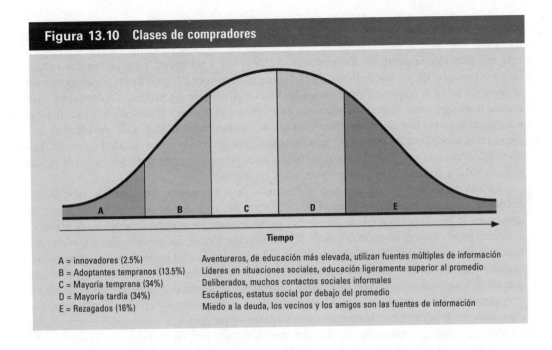

Figura 13.10   Clases de compradores

Tiempo

A = innovadores (2.5%)   Aventureros, de educación más elevada, utilizan fuentes múltiples de información
B = Adoptantes tempranos (13.5%) Líderes en situaciones sociales, educación ligeramente superior al promedio
C = Mayoría temprana (34%)   Deliberados, muchos contactos sociales informales
D = Mayoría tardía (34%)   Escépticos, estatus social por debajo del promedio
E = Rezagados (16%)   Miedo a la deuda, los vecinos y los amigos son las fuentes de información

La comunicación dirigida a los innovadores sensitivos debe hacer énfasis en la unicidad del producto y reducir su complejidad, desempeño y riesgos económicos mediante largas garantías, centros de servicio respaldados por el fabricante, líneas telefónicas gratuitas y manuales fáciles de leer y comprender. Discernir cuáles son las diferencias entre los dos tipos de innovadores permite a los mercadólogos seleccionar los medios y adecuar los mensajes a los atributos del segmento.[84]

Perspectivas gerenciales sobre la adopción y difusión de la innovación

Los ejecutivos senior de todo el mundo comprenden que la introducción exitosa de nuevos productos es crítica para la rentabilidad y el éxito financiero a largo plazo. Aunque los grupos de desarrollo producen principalmente ampliaciones de líneas y marcas o ligeras mejorías a productos existentes, los equipos gerenciales necesitan *adelantos tecnológicos* para impulsar el crecimiento y las utilidades. En algunas empresas, estos adelantos tecnológicos no se presentarán debido a su enfoque a corto plazo respecto de la forma de incrementar ventas y clientes.[85] Para otros con una visión estratégica a largo plazo, unos malos antecedentes de aceptación en el mercado dejan incluso a los mejores directores rascándose la cabeza, preguntándose cómo fomentar la creación de nuevos productos.

El desarrollo de nuevos productos requiere de la coordinación entre mercadotecnia, ingeniería, investigación y otras partes de la empresa[86] junto con un amplio conocimiento del *usuario final*. Este conocimiento del mercado es un activo estratégico[87] y una competencia organizacional básica.[88] Como dijimos en el capítulo 2, el *conocimiento del consumidor* es clave para la creación de productos que los consumidores adopten y para reducir el tiempo y dinero que se dedican a pruebas fracasadas de productos nuevos, según se observa en la figura 13.11. La intuición e información sobre las necesidades del consumidor lleva a la formación de una idea, que se analiza mediante la investigación de los usuarios finales. Por ejemplo, la figura 13.12 muestra la forma en que Kodak ha posicionado una nueva tecnología a partir del conocimiento de que los consumidores quieren convertir los momentos especiales en recuerdos. Después de interpretar la investigación, la idea se deja de lado o se confirma y se inicia el diseño y desarrollo del producto.[89] Traer los clientes al proceso conduce a diseños que éstos encuentran más atractivos.[90] Se analizan las implicaciones de los conocimientos y la información respecto de los procesos de difusión y adopción para productos actuales y potenciales, lo que puede llevar a pruebas de concepto en función de las predicciones de la gerencia sobre la adopción en el mercado. Los resultados de las pruebas de concepto y las nuevas investigaciones se vuelven a analizar antes de que se destinen recursos a una producción a escala completa. Los datos de los mercados de prueba y los modelos de simulación (así como otros modelos matemáticos)[91] ayudan a pronosticar ventas y rentabilidad de productos nuevos; además de que sirven para que los gerentes de mercadotecnia comprendan la razón por la cual los consumidores los aceptan o los rechazan.[92]

La investigación es importante para el desarrollo de la innovación. Los estudios indican que la falta de investigación retrasa la toma de decisiones de parte de los gerentes[93] y hace que se apoyen en lo ya conocido sobre la forma en que se aceptan los nuevos productos, de acuerdo con otros productos y la teoría. Además de la investigación formal, los gerentes de mercadotecnia necesitan formas prácticas de comprender la reacción del consumidor hacia los nuevos productos. Silicon Graphics, Inc. recurrió a los grandes usuarios de gráficas para adquirir conocimientos que aprovechó para el diseño de una nueva generación de supercomputadoras gráficas (ahora muy populares).[94] Sony exige que sus gerentes hablen constantemente con los distribuidores y consumidores, para enterarse de sus reacciones a los nuevos productos de la empresa y competencia, y Campbell Soup Co. insiste en que sus gerentes hagan sus propias compras de comestibles.[95]

3M ha sacado de sus paredes el desarrollo de nuevos productos y ha entrado en la mente, oficinas y vida de sus *principales* clientes para descubrir qué tipos de innovaciones desean comprar. Ha adoptado una estrategia de usuario principal que se enfoca en la recolección de información sobre los límites externos del mercado objetivo de la empresa, más que su centro.[96] En otras palabras, entrevistan a los innovadores más que a los adoptantes tempranos o a la mayoría temprana sobre cómo "inventaron" sus propias soluciones a un problema o cómo adaptaron los productos actuales para cubrir sus requerimientos específicos. La meta de 3M también es dirigirse a los usuarios principales o líderes del mercado que encaran problemas similares en una forma más extrema. Los equipos de desarrollo en 3M han descubier-

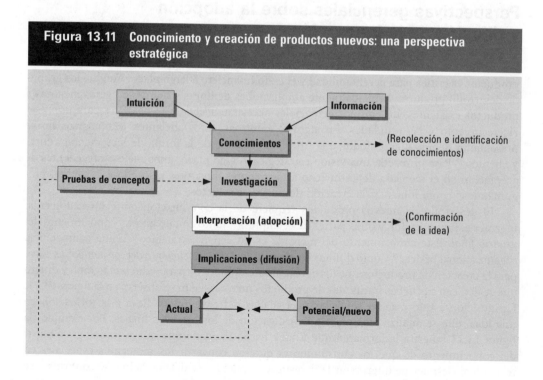

Figura 13.11   Conocimiento y creación de productos nuevos: una perspectiva estratégica

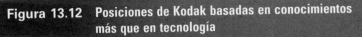

Figura 13.12 Posiciones de Kodak basadas en conocimientos más que en tecnología

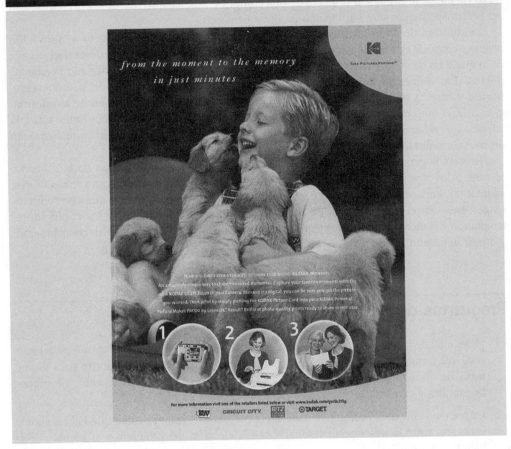

to que algunos usuarios líderes han creado innovaciones de productos muy adelantados a los que se venden en el mercado. No solamente adquieren información y conocimientos sobre cuáles son las necesidades de sus clientes, sino que también traban una relación más íntima con ellos, lo que redunda en ventajas para las ventas finales.

Resumen

La influencia de grupos e individuos cumple un papel importante en la toma de las decisiones del consumidor, especialmente cuando hay mucho interés, el riesgo percibido es elevado y el producto o servicio tiene visibilidad pública. Esto se expresa tanto a través de grupos de referencia, como a través de la comunicación oral.

Los grupos de referencia son cualquier tipo de conjunto social que ejerza una influencia sobre actitudes y conductas. Incluye grupos primarios (en persona), grupos secundarios y grupos aspiracionales. La influencia se da de tres formas: (1) utilitaria (presiones para que los individuos se ciñan a las normas de pensamiento y conducta del grupo), (2) que expresa valor (refleja el deseo de una asociación psicológica y la intención de aceptar los valores de los demás sin presiones), y (3) informativa (las ideas y comportamientos de los demás se aceptan como prueba de realidad). Cuando hay una motivación para cumplir con las normas del grupo, es importante convertirla en una característica de los mensajes de la mercadotecnia.

La influencia personal también se expresa a través de lo que se conoce como "liderazgo de opinión" y que significa que una persona creíble y reconocida como "influyente" es aceptada como fuente de información respecto de una compra y uso. Cuanto mayor sea la credibilidad del personaje, mayor será su impacto en otras personas.

La difusión de las innovaciones se ocupa de la forma en que un producto o innovación nueva es aceptada en una sociedad. Esto es importante para las organizaciones de mercadotecnia, dado que a fin de sobrevivir, las empresas deben sacar constantemente al mercado productos nuevos. Los elementos de la difusión son la innovación, comunicación de la innovación, tiempo y sistema social. El proceso de difusión empieza con la diseminación de la información o la comunicación hacia los individuos, lo que los lleva a tomar decisiones sobre la adopción o rechazo de una innovación. Finalmente, conforme más y más individuos adoptan un nuevo producto, éste se difunde a través de un sistema social dado.

Everett Rogers, el agente de cambio de mayor influencia en el campo de la difusión, identificó los tipos de consumidores que adoptan un nuevo producto como innovadores, adoptantes tempranos, mayoría temprana, mayoría tardía y rezagados. Para que los productos tengan éxito en el mercado, han de ser aceptados por los innovadores y los compradores tempranos. Los mercadólogos investigan cada vez más a estos grupos para adquirir conocimientos y dirigir la comunicación a ellos.

Preguntas de repaso y análisis

1. ¿Para cuál de los siguientes productos esperaría que la influencia de grupos e individuos sería un factor en las decisiones de compra?: refrescos sin alcohol, aceite para motor, jeans de diseñador, lápiz para los ojos, pintura para el hogar, cereal, vino, alfombras, lavavajillas y cámara digital. ¿Cuáles son sus razones en cada caso?

2. En relación con cada producto listado en la pregunta 1, ¿piensa usted que habría alguna variación entre la influencia personal sobre la elección del producto y el nombre de la marca? ¿Por qué?

3. Recuerde la última vez que dio información a alguien sobre una marca o producto que adquirió. ¿Qué es lo que hizo que compartiera esta información? ¿De qué manera se compara su motivación con las motivaciones mencionadas en el libro?

4. Su empresa manufactura una línea completa de casas móviles en todos los precios. Varios estudios han indicado que la comunicación oral cumple un papel en la decisión de compra. Prepare un enunciado que indique las estrategias que pueden ser utilizadas para controlar y capitalizar sobre esta fuente de influencia sobre el consumidor. ¿Qué estrategia pensaría que sería la más eficaz?

5. Suponga que es un asesor de relaciones públicas para una sociedad médica estatal, preocupada con la actitud del público hacia las reclamaciones por negligencia. El problema es contrarrestar un punto de vista, obtenido por comunicación de boca en boca, de que presentar una demanda por negligencia contra un doctor es una forma fácil de pagar las cuentas médicas o de obtener algo a cambio de nada. ¿Qué se puede hacer para atacar esta manera de pensar?

6. Explique tan precisamente como sea posible las diferencias entre innovaciones continuas, dinámicamente continuas y discontinuas. Dé algunos ejemplos de cada una de ellas, diferentes de los mencionados en el libro.

7. ¿Cuáles son los retos competitivos principales que enfrentan las empresas en las cuales la comprensión de la difusión de las innovaciones pudiera ser de utilidad?

8. Redacte un breve ensayo que explique la forma de escoger los ganadores entre los muchos candidatos a la introducción de un nuevo producto.

9. El fabricante de una nueva cámara intenta determinar quiénes serían los innovadores del producto. ¿De qué manera describiría usted el mercado objetivo y los que influyen en el mercado? ¿Cuál sería la estrategia de comunicación en términos de comunicación oral y publicidad? ¿Qué mensajes sugeriría usted en la innovación del producto?

10. Un gran fabricante de productos farmacéuticos y de cuidados personales quiere introducir una nueva marca de pasta de dientes, además de las tres que ya tiene en el mercado. Evalúe para la empresa qué información sería útil para los estudios de innovación, a fin de guiar la introducción del producto.

Notas

1. William O. Bearden y Micheal J. Etzel, "Reference Group Influence on Product and Brand Purchase Decisions", en *Journal of Consumer Research*, 9 (septiembre de 1982), 184.

2. C. Whan Park y V. Parker Lewsig, "Students and Housewives: Differences in Susceptibility to Reference Group Influence", en *Journal of Consumer Research*, 4 (septiembre de 1977), 102-110.

3. Para mayor información de estudios en esta área, *véase*: Solomon E. Asch, "Effects of Groups Pressure on the Modification and Distortion of Judgements", en H. Guetzkow ed., *Groups, Leadership, and Men* (Pittsburgh PA: Carnegie Press, 1951); Lee Ross, Gunter Bierbrauer y Susan Hoffman, "The Role of Attribution Processes in Conformity and Dissent: Revisiting the Asch Situation", en *American Psychologist*, (febrero de 1976), 148-157; M. Venkatesan, "Experimental Study of Consumer Behavior Conformity and Independence", en *Journal of Marketing Research 3*, (noviembre de 1966), 384-387.

4. Robert E. Witt y Grady D. Bruce, "Group Influence and Brand Choice", en *Journal of Marketing Research*, 9, (noviembre de 1972), 440-443.

5. James C. Ward y Peter H. Reingen, "Sociocognitive Analysis of Group Decision Making among Consumers", en *Journal of Consumer Research*, (17, diciembre de 1990), 245-262.

6. Cara Okleshen y Sanford Grossbart, "Usenet Groups, Virtual Community and Consumer Behavior", en Joseph W. Alba y J. Wesley Hutchinson, ed., *Advances in Consumer Research*, 25 (Provo, UT:Association of Consumer Research, 1998), 276-282.

7. Eileen Fischer, Julia Bristor y Brenda Gainer, "Creating or Escaping Community? An Exploratory Study of Internet Consumer's Behaviors", en *Advances in Consumer Research*, 23, (Provo, UT: Association of Consumer Research, 1996), 178-182. *Véase también* Siok Kuan Tambyah, "Life on the Net: The Reconstruction of Self and Community", en *Advances in Consumer Research*, 23, Provo, UT: Association of Consumer Research, 1996), 172-177.

8. Robert Burnkrant y Alain Cousineau, "Informational and Normative Social Influence in Buyer Behavior", en *Journal of Consumer Research*, (diciembre de 1975), 206-215. *Véase también* H.C. Kelman, "Processes of Opinion Change", en *Public Opinion Quarterly* (1961, 57-78).

9. Bobby Calder y Robert Burnkrant, "Interpersonal Influence on Consumer Behavior: An Attribution Theory Approach", en *Journal of Consumer Research*, 4, (junio de 1977), 29-38.

10. Richard L. Oliver, "Whence Consumer Loyalty?", en George S. Day y David B. Montgomery eds., en *Journal of Marketing*, 63 (número especial de 1999), 33-44.

11. Abraham Tesser, Murray Millar y Janet Moore, "Some Affective Consequences of Social Comparison and Reflection Processes: The Pain and Pleasure of Being Close", en *Journal of Personality and Social Psychology*, 54 (1988), 1, 49-61.

12. L. Wheeler, K.G. Shaver, R.A. Jones, G.R. Goethals, J. Cooper, J.E. Robinson, C.L. Gruder y K.W Butzine, "Factors Determining the Choice of a Comparison Other", en *Journal of Experimental Social Psychology*, 5 (1969), 219-232.

13. Marsha L. Richins, "Social Comparison and the Idealized Images of Advertising", en *Journal of Consumer Research*, 18 (junio de 1991), 71-83.

14. *Véase* William O. Bearden y Randall L. Rose, "Attention to Social Comparison Information: An Individual Difference Factor Affecting Consumer Conformity", en *Journal of Consumer Research*, 16 (marzo de 1990), 461-472; y William O. Bearden, Richard G. Netemeyer, y Jesse E. Teel, "Measurement of Consumer Susceptibility to Interpersonal Influence", en *Journal of Consumer Research*, 15 (marzo de 1989), 473-481.

15. George Homans, *Social Behavior: Its Elementary Forms* (Nueva York: Harcourt, 1961).

16. Gwen Rae Bachmann, Deborah Roedder John y Akshay R. Rao, "Children's Susceptibility to Peer Group Purchase Influence: An Exploratory Investigation", en Leigh McAllister y Michael L. Rothschild, eds., *Advances in Consumer Research*, 20, (Provo, UT: Association for Consumer Research, 1992), 463-468; Stephen A. LaTour y Ajay K. Manrai, "Interactive impact of Information and Normative Influence on Donations", en *Journal of Marketing Research*, 26 (agosto de 1989) 327-335; Paul W. Miniard y Joel E. Cohen, "Modeling Personal and Normative influences on Behavior", en *Journal of Consumer Research*, 10, (septiembre de 1983), 169-180; C. Whan Park y V. Parker Lessig, "Students and Housewives: Differences in Susceptibility to Reference Group Influence", en *Journal of Consumer Research*, 4 (septiembre de 1977), 102-109.

17. Bearden y Etzel, "Reference Group Influence".

18. David E. Midgley, Grahame R. Dowling y Pamela D. Morrison, "Consumer Types, Social Influence, Information Search and Choice", en Srull, *Advances*, 137-143.

19. Miniard y Cohen, "Modeling Personal and Normative Influences".

20. William O. Bearden y Michael J. Etzel, "Reference Group Influence on Product and Brand Purchase Decisions", en *Journal of Consumer Research*, 9 (septiembre de 1982), 1985.

21. "31 Major Trends Shaping the Future of American Business", en *The Public Pulse*, 2 (1986), 1; Park y Lessig, "Students and Housewives"; y Robert E. Burnkrant y Alan Cousineau, "Informational and Normative Social Influence in Buyer Behavior", en *Journal of Consumer Research*, 2 (diciembre de 1975), 206-215.

22. L.J. Shrum, Thomas C. O'Guinn, Richard J. Semenik y Ronald J. Faber, "Processes and Effects in the Construction of Normative Consumer Beliefs: The Role of Television", en Rebecca H. Holman y Micheal R. Solomon eds., *Advances in Consumer Research*, 18 (Provo, UT: Association of Consumer Research, 1991), 755-763.

23. Emile Durkheim, *Suicide*, trad. al inglés de George Simpson, (Nueva York, Free: Press, 1951). Para una perspectiva cultural *véase* Robert Merton, "Anomie, Anomia, and Social Interaction: Contexts of Deviate Behavior", en M. B. Clinard, eds., *Anomie and Deviate Behavior*, (Nueva York: Free Press, 1964).

24. Hubert Gatignon y Thomas S. Robertson, "A Propositional Inventory for New Diffusion Research", en *Journal of Consumer Research*, 11 (marzo de 1985), 849-867.

25. Paul M. Herr, Frank R. Kardes y John Kim, "Effects of Word-of-Mouth and Product-Attribute Information on Persuasion: An Accessibility-Diagnosticity Perspective", en *Journal of Consumer Research*, 17 (marzo de 1991), 458-462.

26. Jaqueline Johnson Brown y Peter H. Reingen, "Social Ties and Word-of-Mouth Referral Behavior", en *Journal of Consumer Research*, 14 (diciembre de 1987), 350-362.

27. William L. Wilkie, *Consumer Behavior* (Nueva York: Wiley, 1986), 160.

28. Ernest Dichter, "How Word-of-Mouth Advertising Works", en *Harvard Business Review* (noviembre/diciembre de 1966), 147-166.

29. Paula Fitzgerald Bone, "Determinants of Word-of-Mouth Communications During Product Consumption", en John E. Sherry y Brian Sternthal eds., *Advances in Consumer Research*, 19 (Provo, UT: Association for Consumer Research, 1992), 579-583.

30. *Véase* especialmente Everett M. Rogers, *Diffusion of Innovations*, (Nueva York: Free Press, 3a. ed., 1983). Además, la mayoría de las referencias importantes han sido citadas en las primeras ocho ediciones de este libro.

31. *Véase* Brown y Reingen, "Social Ties and Word-of-Mouth Referral Behavior".

32. Laura J. Yale y Mary C. Gilly, "Dyadic Perceptions in Personal Source Information Search", en *Journal of Business Research*, 32 (1995), 225-237.

33. Meera P. Venkatraman, "Opinion Leadership: Enduring Involvement and Characteristics of Opinion Leaders: A Moderating or Mediating Relationship", en Marvin E. Goldberg Gerald Gorn y Richard W. Pollay eds., *Advances in Consumer Research*, 17 (Provo, UT: Association for Consumer Research, 1990), 60-67.

34. Elizabeth Hirschmann, "Innovativeness, Novelty Seeking, and Consumer Creativity", en *Journal of Consumer Research* (diciembre de 1980), 283-295.

35. Mary C. Gilly, John L. Graham, Mary Finley Wolfinbarger y Laura J. Yale, "A Dyadic Study of Interpersonal Information Search", en *Journal of the Academy Marketing Science*, 26, 2 (1998), 83-100.

36. Charles W. King y John O. Summers, "Overlap of Opinion Leadership Across Product Categories".

37. Lawrence F. Feick y Linda L. Price, "The Market Maven: A Diffuser of Marketplace Information", en *Jornal of Marketing*, 51 (enero 1987), 85.

38. Micheal T. Elliot y Anne E. Warfield, "Do Market Mavens Categorize Brands Differently?", en Leigh McAllister y Michael L. Rothschild eds., *Advances in Consumer Research*, 20 (Provo, UT: Association of Consumer Research, 1993), 202-208; y Frank Alpert, "Consumer Market Beliefs and Their Managerial Implications: An Empirical Examination", en *Journal of Consumer Marketing*, 10, 2, (1993), 56-70.

39. Charles W. King y John O. Summers, "Overlap of Opinion Leadership Across Product Categories", en

Journal of Marketing Research, 7 (febrero de 1970), 43-50.

40. Stanley C. Hollander y Kathleen M. Rassuli, "Shopping with Other People's Money: The Marketing Management Implications of Surrogate-Mediated Consumer Decision Making", en *Journal of Marketing,* 63 (abril de 1999), 2.

41. Michael R. Solomon, Carol Suprenant, John A. Czepiel y Evelyn G. Gutman, "A Role Theory Perspective on Dyadic Interactions: The Service Encounter", en *Journal of Marketing,* 49 (invierno de 1985), 99-111.

42. Stephen Grove y Raymond Fisk, "The Service Encounter Theater", en John F. Sherry, Jr. y Brian Sternthal eds., *Advances in Consumer Research,* 19 (Provo, UT: Association of Consumer Research, 1992), 455-461.

43. Glenn B. Voss, A. Parasuraman y Dhruv Grewal, "The Roles of Price, Performance, and Expectations in Determining Satisfaction in Service Exchanges", en *Journal of Marketing,* 62 (octubre de 1998), 46-61.

44. Rosemary O. Ramsey y Ravipreet S. Sohi, "Listening to Your Costumers: The Impact of Perceived Salesperson Listening Behavior on Relationship Outcomes", en *Journal of the Academy of Marketing Science,* 25 (primavera de 1997), 2, 127-137.

45. Neeli Bendapudi y Leonard L. Berry, "Customer's Motivations for Maintaining Relationships with Service Providers", en *Journal of Retailing,* 73, 1, 1997), 15-37.

46. Kevin P. Gwinner, Dwayne D. Gremler y Mary Jo Bitner, "Relational Benefits in Service Industries: The Customer's Perspective", en *Journal of the Academy of Marketing Science,* 26, 2 (1998), 101-114.

47. Linda L. Price y Eric J. Arnould, "Commercial Friendships: Service Provider-Client Relationships in Context", en *Journal of Marketing,* 63 (octubre de 1999), 38-56.

48. Thorstein Veblen, *The Theory of the Leisure Class,* (Nueva York: Macmillan, 1899); y George Simmel, "Fashion", en *International Quarterly,* 10 (1904), 130-155.

49. Paul E. Lazarsfeld, Bernard R. Berelson y Hazel Gaudet, *The People's Choice* (Nueva York: Columbia University Press, 1948), 151.

50. Para una revisión de investigación relevante, *véase* Herr, Kardes y Kim, "Effects of Word-of-Mouth"; Linda L. Price y Lawrence F. Feick, "The Role of Interpersonal Sources and External Search: An Informational Perspective", en Thomas C. Kinnear, ed., *Advances* (11, Provo, UT: Association for Consumer Research, 1984, 250-255; y Theresa A. Swartz y Nancy Stephens, "Information Search for Services: The Maturity Segment", en Kinnear, ed., *Advances,* 244-249.

51. Barbara B. Stern y Stephen J. Gould, "The Consumer as Financial Opinion Leader", en *Journal of Retail Banking,* 10 (verano de 1988), 43-52.

52. Christy Fisher, "Wal-Mart's Way", en *Advertising Age* (18 de febrero de 1991), 3.

53. Jonathan Gutman y Michael K. Mills, "Fashion Lifestyle and Consumer Information Usage: Formulating Effective Marketing Communications", en Bruce J. Walker *et al.,* eds., *An Assessment of Marketing Thought and Practice* (Chicago: American Marketing Association, 1982), 199-203.

54. Herr, Kardes y Kim, "Effects of Word-of-Mouth"; Marsha L. Richins, "Word of Mouth Communication as Negative Information", en Kinnear eds, *Advances,* 697-702; y Richard W. Mizerski, "An Attribution Explanation of the Disproportionate Influence of Unfavorable Information", en *Journal of Consumer Research,* 9 (diciembre de 1982), 301-310.

55. John H. Holmes y John D. Lett, Jr., "Product Sampling and Word-of-Mouth", en *Journal of Advertising Research,* 17 (octubre de 1977), 35-40.

56. Measuring the Grapevine: Consumer Response and Word-of-Mouth, The Coca-Cola Co., (1981).

57. John E. Pluennecke y William J. Hampton, "Can Audi Fix a Dented Image?", en *Business Week* (17 de noviembre de 1986), 81-82.

58. Rosabeth Moss Kanter, "Highlights", en Kanter, eds., *The Change Masters: Innovation and Entrepreneurship in the American Corporation,* (Nueva York: Free Press, 1987).

59. Thomas S. Robertson, "The Process of Innovation and the Diffusion of Innovation", en *Journal of Marketing* (enero de 1967), 14-19.

60. Carl Quintanilla, "Forget Microwaves: Speed Cookers' Also Crisp and Brown", en *The Wall Street Journal* (30 de junio de 1999), B1.

61. Thomas McCarroll, "What New Age?", en *Time* (12 de agosto de 1991), 44-45.

62. Michael S. Latour y Scott D. Roberts, "Cultural Anchoring and Product Diffusion", en *Journal of Consumer Marketing,* 9 (otoño de 1991), 29-34.

63. Salah Hassan, "Attributes of Diffusion Adoption Decisions", en Proceedings of the Academy of Marketing Society (1990).

64. Para un buen análisis al respecto, *véase* Venkatesh Shankar, Gregory S. Carpenter y Lakshman Krishnamurthi, "The Advantages of Entry in the Growth Stage of the Product Life Cycle: An Empirical Analysis", en *Journal of Marketing Research,* 36 (mayo de 1999).

65. Everett M. Rogers, *Diffusion of Innovations* (Nueva York: Free Press, 3a. ed.), 1983), 5.

66. Dan Horsky y Leonard S. Simon, "Advertising and the Diffusion of New Products", en *Marketing Science,* 2 (invierno de 1983), 1-17.

67. John O'Shaugnessy, *Why People Buy* (Nueva York: Oxford University Press, 1987), 25-38.

68. James Wills, A.C. Samli y Laurence Jacobs, "Developing Global Products and Marketing Strategies: A Construct and a Research Agenda", en *Journal of the Academy Marketing Science,* 19 (invierno de 1991), 1-10.

69. Thomas S. Robertson y Hubert Gatignon, "Competitive Effects on Technology Diffusion", en *Journal of Marketing,* 50 (julio de 1986), 1-12.

70. Sabine Kuester, Christian Homburg y Thomas S. Roertson, "Retaliatory Behavior to New Products Entry", en *Journal of Marketing,* 63 (octubre de 1999), 90-106.

71. "New Technologies Take Time", en *Business Week,* (19 de abril de 1999), 8.

72. Richard Olshavsky, "Time and the Rate of Adoption of Innovations", en *Journal of Consumer Research* (marzo de 1980), 425-428.

73. Milton D. Rosenau, Jr., "Speeding Your New Product to Market", en *Journal of Consumer Marketing,* 5 (primavera de 1988), 23-35.

74. Thomas C. Boyd y Charlotte H. Mason, "The Link Between Attractiveness of 'Extrabrand' Attributes and the Adoption of Innovations", en *Journal of the Academy of Marketing Science,* 27 (verano de 1999), 306-319.

75. John M. Antil, "New Product or Service Adoption: When Does It Happen?", en *Journal of Consumer Marketing,* 5 (primavera de 1988), 5-15.

76. David J. Bums, "Husband-Wife Innovative Consumer Decision Making: Exploring the Effect of Family Power", en *Psychology and Marketing,* 9 (Nueva York: John Wiley & Sons, Inc., 1992), 175-189.

77. Gordon R. Foxall y Seema Bhate, "Cognitive Style and Personal Involvement as Explicators of Innovative Purchasing of 'Healthy' Food Brands", en *European Journal of Marketing,* 27, (1993), 5-16.

78. Gordon Foxall y Christopher G. Hawkins, "Cognitive Style and Consumer Innovativeness: An Empirical Test of Kirton's Adaption-Innovation Theory in the Context of Food Purchasing", en *European Journal of Marketing,* 20 (1986), 63-80.

79. M.J. Kirton, "Adaptors and Innovators: A Theory of Cognitive Style", en K. Gronhaug y M. Kaufman, eds., *Innovation: A Cross-disciplinary Perspective* (Nueva York: John Wiley & Sons, 1986).

80. Vijay Mahajan y Eitan Muller, "When Is It Worthwhile Targeting the Majority Instead of the Innovators in a New Product Launch?", en *Journal of Marketing Research,* 35 (noviembre de 1998, 488-495).

81. Linda Price, Lawrence Feick y Daniel Smith, "A Re-Examination of Communication Channel Usage by Adopter Categories", en Richard Lutz eds., *Advances in Consumer Research,* 13 (Provo, UT: Association for Consumer Research, 1986), 409-412.

82. Ram C. Rao y Frank M. Bass, "Competition, Strategy, and Price Dynamics: A Theoretical and Empirical Investigation", en *Journal of Marketing Research* 24 (agosto de 1985), 283-296.

83. Hirschman, "Innovativeness, Novelty Seeking, and Consumer Creativity"; y M.P. Venkatraman y L.P. Price, "Differentiating between Cognitive and Sensory Innovativeness: Concepts, Measurement and Their Implications", en *Journal of Business Research,* 20 (1990, 293-315).

84. Meera P. Venkatraman, "The Impact of Innovativeness and Innovation Type on Adoption", en *Journal of Retailing,* 67 (primavera de 1991), 51-67.

85. Eric von Hippel, Stefan Thomke y Mary Sonnack, "Creating Breakthroughs at 3M", en *Harvard Business Review* (septiembre/octubre de 1999), 47-57.

86. John P. Workman, Jr., "Marketing's Limited Role in New Product Development in One Computer Systems Firm", en *Journal of Marketing Research,* 30 (noviembre de 1993), 405-421.

87. Rashi Glazer, "Marketing in an Information-Intensive Environment: Strategic Implications of Knowledge as an Asset", en *Journal of Marketing,* 55 (octubre de 1991), 1-19.

88. James M. Sinkula, "Market Information Processing and Organizational Learning", en *Journal of Marketing,* 58 (enero de 1994), 35-45. Para más información, *véase* Gary Hamel y C.K. Prahalad, *Competing for the Future* (Boston: Harvard Business School Press, 1994).

89. Lisa Susanne Willsey, "Taking these 7 steps will help you launch a new product", en *Marketing News* (29 de marzo de 1999), 17.

90. Darren W. Dahl, Amitava Chattopadhyay y Gerald J. Gorn, "The Use of Visual Mental Imagery in New Product Design", en *Journal of Marketing Research,* 36 (febrero de 1999), 18-28.

91. El espacio no permite información más detallada acerca de estos modelos. Si está interesado, podrá encontrarlos descritos junto con las citas apropiadas a dicho material, en ediciones anteriores de este libro. *Véase* James Engel y Roger Blackwell, *Consumer Behavior* (Homewood, IL: Dryden Press, 4a. ed., 1982), 401-409. Para una revisión de estos modelos, *véase* C. Naqrasimhan y S.K. Sen, "Test Market Models for New Product Introduction", en Yoram Wind, Vijay Mahjan y Richard Cardozo, eds., *New Product Forecasting-Models and Applications* (Lexington, MA: Lexington Books, 1981). Vijay Mahjan y Robert A. Peterson, *Innovation Diffusion: Models and Applications,* (Beverly Hills, CA: Sage Publications,

1985). Véase Vijay Mahjan, Eitan Muller y Frank M. Bass, "New Product Diffusion Models in Marketing: A Review and Directions for Research", en *Journal of Marketing,* 54 (enero de 1990), 1-26.

92. Glen L. Urban, John S. Hulland y Bruce D. Weinberg, "Premarket Forecasting for New Consumer Durable Goods: Modeling Categorization, Elimination, and Consideration Phenomena", en *Journal of Marketing,* 57 (abril de 1993), 47-63.

93. *New Products Management for the 1980's* (Nueva York: Bozz-Allen & Hamilton, Inc., 1982).

94. Tiger Li y Roger J. Calantone, "The Impact of Market Knowledge Competence on New Product Advantage: Conceptualization and Empirical Examination", en *Journal of Marketing,* 62 (octubre de 1998, 13-29).

95. Christopher S. Eklund, "Campbell Soup's Recipe for Growth: Offering Something for Every Palate", en *Business Week* (14 de diciembre de 1984), 66-67.

96. Eric von Hippel, Stefan Thomke y Mary Sonnack, "Creating Breakthroughs at 3M", en *Harvard Business Review* (septiembre/octubre de 1999), 47-57.

Lecturas recomendadas para la parte IV

Roberto Suro, "Beyond Economics: Healthcare Adjusts to fit Ethnic Markets", en *American Demographics* (febrero de 2000), 48-55.

Lisa Penaloza y Mary C. Gilly, "Marketer Acculturation: The Changer and Changed", en *Journal of Marketing,* 63, 3 (julio de 1999), 84-104.

Gregory M. Rose, "Consumer Socialization, Parental Style, and Developmental Timetables in the United States and Japan", en *Journal of Marketing,* 63, 3 (julio de 1999), 105-119.

Roberto Suro, "Mixed Doubles", en *American Demographics* (noviembre de 1999), 57-62.

Marnik G. Dekimpe, Philip M. Parker y Miklos Sarvary, "Global Diffusion of Technological Innovations: A Coupled-Hazard Approach", en *Journal of Marketing Research,* 37 (febrero de 2000), 47-59.

Lee G. Cooper, "Strategic Marketing Planning for Radically New Products", en *Journal of Marketing,* 64, 1 (enero de 2000), 1-16.

Jan-Benedict E.M. Steenkamp, Frekel ter Hofstede y Michel Wedel, "A Cross-National Investigation into the Individual and National Cultural Antecedents of Consumer Innovativeness", en *Journal of Marketing,* 63, 2 (abril de 1999).

Nancy Shepherdson, Alison Stein Wellner, Michelle Krebs y Cristina Merrill, "Designated Drivers (A Special Report on the Auto Consumer on the Future)", en *American Demographics* (enero de 2000), 43-59.

Brad Edmondson, "Buyers 'R' Us: Do the Math", en *American Demographics* (octubre de 1999), 50-56.

P. B. Seetharaman, Andrew Ainslie y Pradeep K. Chintagunta, "Investigating Household State Dependence Effects Across Categories", en *Journal of Marketing Research,* 36 (noviembre de 1999), 488-500.

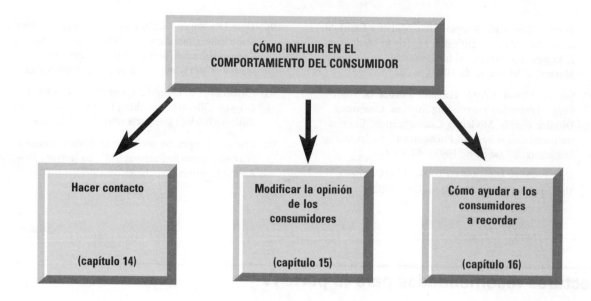

PARTE V

Cómo influir en el comportamiento del consumidor

En las secciones anteriores, nos dedicamos a aquellos aspectos del comportamiento del consumidor esenciales para formarnos una idea básica de los mismos. Pero aparte de comprender a los consumidores, las empresas también necesitan saber cómo influir en ellos. Las empresas quieren influir sobre lo que los consumidores compran, cuándo lo compran y dónde lo compran. Obviamente, el éxito a largo plazo de una empresa depende en gran parte de su capacidad de influir sobre el comportamiento del consumidor.

La finalidad de esta sección es analizar los requerimientos que deben llenar las empresas para tener éxito en sus esfuerzos de influir en los consumidores. Empezamos con el requisito más fundamental, que es hacer contacto con los compradores potenciales, el tema del capítulo 14. Hacer contacto requiere no sólo estar en el lugar correcto en el momento adecuado, sino también obtener el recurso de mayor valor del consumidor: Su atención.

Después de hacer contacto, las empresas intentan conformar las opiniones que los consumidores tienen sobre el producto. En el capítulo 15 nos centramos en la manera de hacerlo. Finalmente las empresas descubren que es de todo su interés ayudar a los consumidores a recordar aquello que aumente las posibilidades de que se conviertan en clientes. El capítulo 16 se ocupa de este tema.

CAPÍTULO 14

Hacer contacto

Cada vez es más difícil evitar la publicidad. Los refugios que lo protegen a uno del comercialismo desaparecen con rapidez. Mientras la caja automática le da su dinero, en la pantalla de la máquina aparecen fragmentos de una nueva película. Un cartel ofrece crema para la piel desde la parte interior de la puerta del excusado. Incluso los elevadores han sido invadidos por pantallas de vídeo con comerciales. "No sé si haya algo que todavía sea sagrado —dice Mike Swanson, quien supervisa la colocación de anuncios para la agencia de publicidad Carmichael Lynch de Minneapolis—. Todo el mundo busca alguna forma de sobresalir."

Los publicistas encuentran cada vez más difícil y costoso darse a notar en los medios tradicionales. Los comerciales en horas de máxima audiencia pueden costar hasta 500 000 dólares por 30 segundos, aunque las redes de cable, los vídeos y el internet han atraído a los espectadores, alejándolos de las redes de las difusoras. Por eso las empresas asignan parte de sus gastos de publicidad a nuevos procedimientos. Las alternativas parecen ilimitadas: Se vende espacio para anunciar en casetes de vídeo, en boletos de estacionamiento, en tarjetas de golf, camiones de entrega, en bombas de gasolina y en los botes de basura municipales.

En el verano de 1998 empezaron a aparecer anuncios sobre la arena de las playas, a lo largo de la costa de Nueva Jersey y volvieron a aparecer el año siguiente. El publicista Patrick Dori diseñó un tapete publicitario, de hule, que se instala sobre un rodillo y deja múltiples impresiones sobre la arena detrás del tractor que rastrilla la playa todas las mañanas. En una playa promedio, antes que los primeros paseantes lleguen todos los días, quedan esculpidos en la arena aproximadamente 5 000 minianuncios de cuatro por 1.2 metros. Bestfoods Corp. utilizó el nuevo método en 1998 para Skippy, su marca de mantequilla de cacahuate. Los refrescos sin alcohol, Snapple, aparecieron por primera vez en la playa en 1999 (véase la figura 14.1). Los visitantes a la playa parecen apreciar los anuncios sobre la arena. "Es muy interesante", —dice Laura Nichols, estudiante de 20 años de Jackson, quien notó los anuncios en cuanto empezó a pasear por la playa.

Fuentes: tomado de Skip Wollenberg, "Advertisements Turn up on Beach, in Bathrooms", en Miami Herald (1o. de junio de 1999), 8B, 10B. Véase también Karen Jacobs, "Elevator Maker to Add Commercial Touch", en The Wall Street Journal, (7 de diciembre de 1999), B8; "Elevators Display News, Traffic, Stocks", en Marketing News (28 de febrero de 2000), 57; John Grossman, "It's an Ad, Ad, Ad, Ad, World", Inc., (marzo de 2000), 23, 24, 26.

De la misma manera que los negocios, a fin de tener éxito, deben ofrecer productos que satisfagan las necesidades de los consumidores de igual forma, deben entrar en contacto con sus clientes potenciales. Los anuncios que jamás se ven no informan ni persuaden. Los incentivos de compra que se omiten no motivan compras. Los productos que pasan desapercibidos en la estantería del abarrotero, jamás conocerán la alegría de que se les eche un vistazo. Los sitios en internet que son ignorados cuando recorremos la supercarretera de la información no prosperan. Las empresas deben encontrar algún procedimiento para entrar en contacto. Para ello se requieren dos cosas. Lo primero es hacerse presentes.

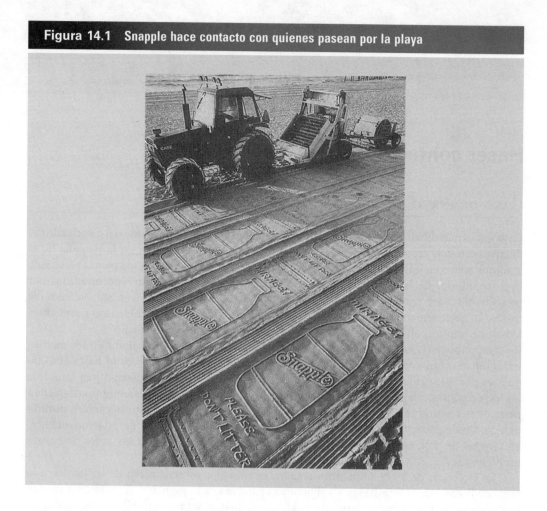

Figura 14.1   Snapple hace contacto con quienes pasean por la playa

Exposición

La **exposición** ocurre cuando *hay una proximidad física a un estímulo que activa uno o más de nuestros sentidos.* Esta activación ocurre cuando un estímulo alcanza o excede el **umbral inferior:** *La intensidad mínima de un estímulo necesaria para que ocurra la sensación.* Dado un estímulo de intensidad suficiente (por ejemplo un ruido lo suficientemente fuerte para que sea escuchado), se activan los receptores sensoriales y la información codificada es transmitida por las fibras nerviosas hasta el cerebro.

Exponer significa esencialmente entrar en la esfera de existencia de la persona. No me es posible enseñar a mis estudiantes si yo estoy en el salón y ellos no. Similarmente, los comerciales de televisión que sólo aparecen en los programas que jamás mira, no pueden influir en usted. Los productos que se ofrecen en tiendas a las cuales jamás se entra tampoco pueden ser notados. En consecuencia, los negocios deben encontrar una forma de poner sus mensajes y productos en una proximidad física tal que los consumidores tengan la oportunidad de notarlos.

Una buena ilustración de la importancia de la exposición proviene de una empresa que descubrió que podía conseguir una buena colocación en los mecanismos de búsqueda de internet modificando la forma en que se anotaba. Esto, a su vez, incrementa el número de clientes posibles expuestos a la oferta de la empresa. Cuatro meses después de cambiar su listado, las ventas mensuales habían saltado de 25 000 a 65 000 dólares.[1] Una demostración similar procede de un estudio reciente de los volantes publicitarios de ventas en los supermercados. Los consumidores expuestos a los volantes gastan en los productos promovidos en esos impresos más de dos veces que aquellos consumidores que no estuvieron expuestos.[2]

Al buscar la exposición, las empresas deben identificar los medios publicitarios (véase *El consumidor en la mira 14.1*), programas promocionales y canales de distribución que dan acceso al mercado objetivo. ¿Qué medios producen suficientes consumidores objetivo a un precio aceptable? Si se trata de la televisión, ¿cuáles son los mejores días, horas y programas para la difusión del comercial? ¿Cuántos consumidores objetivo quedarán expuestos al patrocinio de la empresa de algún espectáculo promocional? ¿Qué canales de distribución utilizan para comprar el producto? Si la compra se hace a través de un minorista establecido, ¿cuál es la importancia de la localización del producto dentro de la tienda? Las respuestas requieren comprender los patrones de compra y de consumo de los consumidores objetivo.

Exposición selectiva

Incluso si un anunciante tiene éxito en presentar su mensaje a las personas correctas, en el lugar correcto y en el momento correcto, aún así es posible que no ocurra la exposición. Esto se debe a que algunas veces los consumidores tratan deliberadamente de evitarla. En lugar

El consumidor en la mira 14.1

Cómo hacer contacto con los adolescentes

Los adolescentes gastan 140 000 millones de dólares al año y todavía no fijan lealtades de marca con muchos productos. Además, todavía no pagan automóvil ni hipoteca, por lo que la mayor parte de su dinero es discrecional. Los adolescentes se han convertido en un mercado al rojo vivo, aunque es uno del que a veces los mercadólogos se mantienen apartados, dado que también son notablemente difíciles de alcanzar.

El libro *Wise Up to Teens* de Peter Zollo, cofundador de la empresa de investigación de mercados Teenage Research Unlimited, le da pistas a las empresas sobre dónde entrar en contacto con ellos. Entre muchas otras cosas, el libro cita opiniones de adolescentes respecto de cuáles son los medios que creen que deberían utilizar las empresas. ¿Qué medios cree que los adolescentes sugieren con mayor frecuencia? No se trata de la televisión: Es la radio, pues 55% la recomendaron. La televisión por cable quedó en un cercano segundo término, ya que 50% de ellos sugieren que los anunciantes utilicen este medio para alcanzarlos. En contraste, los periódicos rara vez fueron recomendados, menos de uno de cada 10 proponen este medio.

Los adolescentes escuchan mucho la radio y le dedican mucho tiempo. Aproximadamente 95% de los adolescentes estadounidenses escuchan un promedio de más de 10 horas por semana. Está con ellos en el hogar, en sus automóviles y al aire libre y forja una relación que es la razón de que la califiquen tan alto. Muchos adolescentes son leales a ciertas estaciones. Especialmente en las ciudades pequeñas, la radio entra en contacto con los adolescentes del lugar, informándoles de los sucesos locales futuros, como conciertos, deportes,

actividades escolares, etc. La radio también convierte en celebridades a los disc jockeys locales. Y en la mayor parte de los mercados hay unas cuantas estaciones poderosas para adolescentes, lo que permite que los anunciantes alcancen grandes números de adolescentes.

La radio permite a los adolescentes seleccionar de manera instantánea la música que prefieren. Hoy, estas preferencias incluyen muchos tipos de música, lo que lleva a un mercado extremadamente fragmentado. Los adolescentes señalan como su música favorita el hip-hop, rap, alternativa, metal, techno, house, punk, reggae o R&B. Unos cuantos incluso dirían country, rock clásico o swing. Una preferencia por un género de música a menudo excluye a los demás. Esta diferencia va más allá de las preferencias musicales. El lenguaje adolescente, sus modas, estilos, actividades y actitudes guardan una semejanza con sus gustos musicales.

Las preferencias musicales varían entre diferentes segmentos de adolescentes, definidos según características étnicas, de sexo y geográficas. Los adolescentes afroestadounidenses son el segmento al cual se puede uno dirigir con mayor eficiencia con el uso de la radio, ya que gravitan alrededor de dos formatos: rap y R&B (muchas veces programados al mismo tiempo en una misma estación urbana). Aunque los adolescentes blancos también escuchan estos formatos, son menos, prefieren mucho más la música alternativa y también escuchan el rock clásico y el country. Los adolescentes latinos son los más aventureros, pues gustan de todos los géneros citados. La selección de las estaciones de radio con el formato musical apropiado ayuda a los anunciantes a entrar en contacto con sus segmentos objetivo.

Fuente: tomado de "Not Quite the TV Generation", en American Demographics *(mayo de 1999), 35-36. Véase también Peter Zollo,* Wise Up to Teens: Insights into Marketing and Advertising to Teenagers *(Ithaca, NY: New Strategist Publications, 2a. ed., 1999).*

de sentarse y esperar de manera pasiva, deciden si se someterán o no a la exposición. Tal es el caso de algunos usuarios en internet de empresas que ofrecen libre acceso a cambio de inundarlos de anuncios. Estos usuarios ponen cinta adhesiva frente a la pantalla de su computadora para tapar los anuncios. Algún usuario relata la forma en que él y 15 colegas utilizaron software pirata para eliminar los anuncios.[3] Un informe reciente de Forrester Research, empresa de investigación de mercados, indica que más de la mitad de los consumidores en línea jamás han hecho clic sobre los anuncios, lo que lleva a algunos anunciantes a cuestionar la viabilidad a largo plazo de este tipo de publicidad.[4]

Lo mismo ocurre cuando los consumidores ven la televisión. Como se muestra en la figura 14.2, los consumidores buscan algo distinto que hacer durante la pausa comercial. Menos de uno de cada cinco consumidores informa que observan los comerciales. Muchos se levantan y hacen otra cosa. Otros *toman el control remoto y cambian de canal*. Este comportamiento, asumido por millones de espectadores, se conoce como **atacar (zapping)**.[5] Es similar a **saltar (zipping)**, *en el cual la persona pone en avance rápido los comerciales cuando ve una cinta de vídeo*. Se estima que se saltan así por lo menos 50% de los anuncios.[6] Y para tristeza de los anunciantes, los fabricantes de videocaseteras ofrecen modelos con una característica que durante la grabación edita los comerciales de manera automática. Hay que reconocer que la exposición selectiva reduce de manera esencial el tamaño del auditorio alcanzado. Las personas que observan un programa son mucho más que las expuestas a un comercial en dicho programa.

El peligro de la sobreexposición

Aunque la exposición es buena, demasiado de lo mismo no lo es tanto. Estímulos nuevos o novedosos llaman la atención; sin embargo, conforme estos estímulos se hacen más familiares

Figura 14.2   Lo que hacen los consumidores durante las pausas comerciales de la televisión

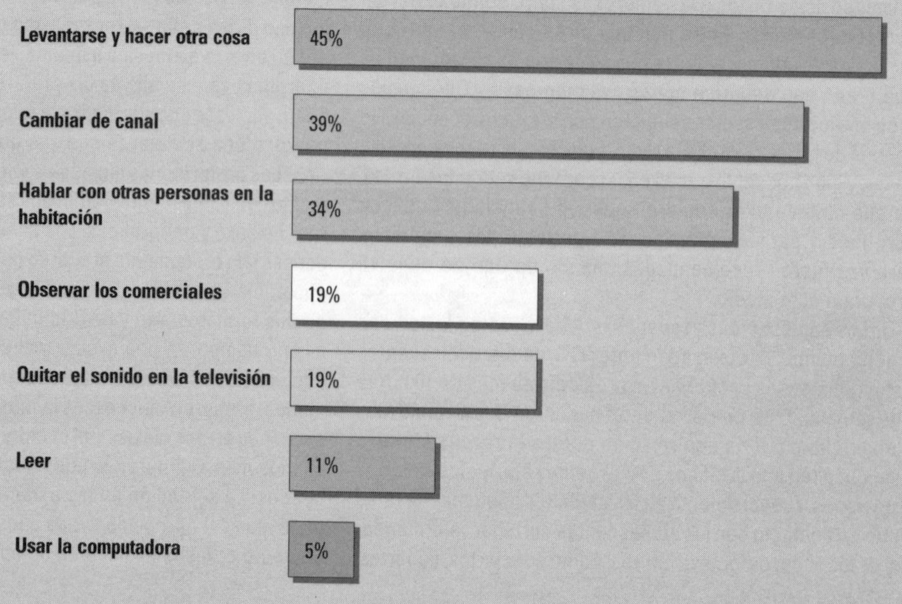

Levantarse y hacer otra cosa	45%
Cambiar de canal	39%
Hablar con otras personas en la habitación	34%
Observar los comerciales	19%
Quitar el sonido en la televisión	19%
Leer	11%
Usar la computadora	5%

*Los números representan el porcentaje de personas que dicen que hacen esas actividades cuando pasan un comercial de televisión.

Fuente: Jennifer Linch, "Commercial Overload", en American Demographics *(septiembre de 1999, 202).*

por una exposición repetida, se establece el hábito. El **hábito** ocurre cuando un estímulo se hace tan familiar y ordinario que pierde su capacidad de llamar la atención. Piense en la pareja que se muda de una ciudad tranquila y pequeña a un apartamento en medio de la ciudad. Inicialmente encontrarán los niveles de ruido muy altos y molestos. Pero en poco tiempo se acostumbran (se habitúan) al ruido, hasta el punto de que prácticamente no lo notan.

El mismo fenómeno ocurre en la publicidad. Al principio un nuevo anuncio puede resultar muy eficaz para llamar la atención. Pero después de verlo una y otra vez, los consumidores se cansan y dejan de fijar su atención. El **desgaste publicitario** es el término utilizado para describir *anuncios que pierden su eficacia en razón a su sobreexposición*.[7] Un investigador de la publicidad ofrece la siguiente regla práctica: Los comerciales pierden la mitad de su eficacia después de acumular 1 000 puntos de índices de audiencia bruta (la suma de todos los índices de audiencia que obtiene un comercial con base en los programas donde aparece). Al llegar a la marca de los 1 000, el anuncio ha alcanzado por lo menos 10 veces a prácticamente la mitad de todos los hogares con aparatos de televisión.[8]

La sobreexposición no sólo puede hacer que los anuncios pierdan su capacidad de llamar la atención, sino que puede tener un efecto aún más perjudicial. El tedio de ver el mismo anuncio a veces hace que los consumidores se vuelvan más críticos, lo que acaso despierte en ellos actitudes menos favorables hacia el anuncio y el producto.[9]

Una solución al problema del desgaste consiste en realizar anuncios en diferentes versiones pero que transmiten el mismo mensaje básico.[10] Una campaña de anuncios para las baterías Energizer que incluye el conejito tamborilero rosa estaba constituida por más de 20 comerciales (véase la figura 14.3). A fin de no perder la batalla, el competidor Duracel creó más de 40 spots en los cuales aparecían diferentes juguetes operados por batería y funcionaban durante un periodo más largo si estaban alimentados por la batería Duracel.[11] A pesar de los gastos adicionales de la producción de muchas versiones del anuncio, el costo es una inversión que merece la pena para reducir el problema del desgaste en la publicidad.

La sobreexposición se extiende más allá de la publicidad hacia el producto mismo. Las tiendas de surfing Ron Jon de tanto éxito reconocen el rendimiento potencial de incrementar sus tiendas y sus localizaciones, pero están preocupados de que perderán parte de la mística creada por su limitada disponibilidad. La última moda en la ropa se hace menos atractiva para los que establecen la moda a medida que los artículos se hacen más comunes. La sobreexposición puede ser una razón por la cual las ventas de Abercrombie & Fitch han disminuido notablemente. Como explica Megan Murray, recién ingresada a la Universidad de Míchigan: "Odio que ponga su nombre sobre todo. Pienso que su imagen se ha empezado a desgastar, ya que uno se la encuentra por todos lados."[12]

Aunque es esencial, la sola exposición es insuficiente para entrar en contacto. Como dijimos, el simple hecho de que los anunciantes consigan la exposición para sus comerciales no significa necesariamente que los consumidores les presten atención. El segundo requisito para entrar en contacto, entonces, es conseguir que se nos preste atención.

Atención

De acuerdo con el Diccionario Webster, la atención es "el acto de mantener la mente centrada sobre algo o la capacidad de hacerlo; concentración mental".[13] Esta definición refleja un elemento fundamental de la atención, es decir, su *enfoque* (dirección de la atención). En este momento su enfoque está aquí. Si su teléfono o el timbre de la puerta suena o si alguien lo interrumpe, cambiará el enfoque de su atención.

Con todo, el enfoque es sólo parte de la atención. La otra parte es la *intensidad* (es decir, el grado de atención). Algunas veces pensamos en algo tanto cuanto podemos. Le damos toda nuestra atención. Más a menudo, somos menos generosos. Algo ocupa nuestros pensamientos

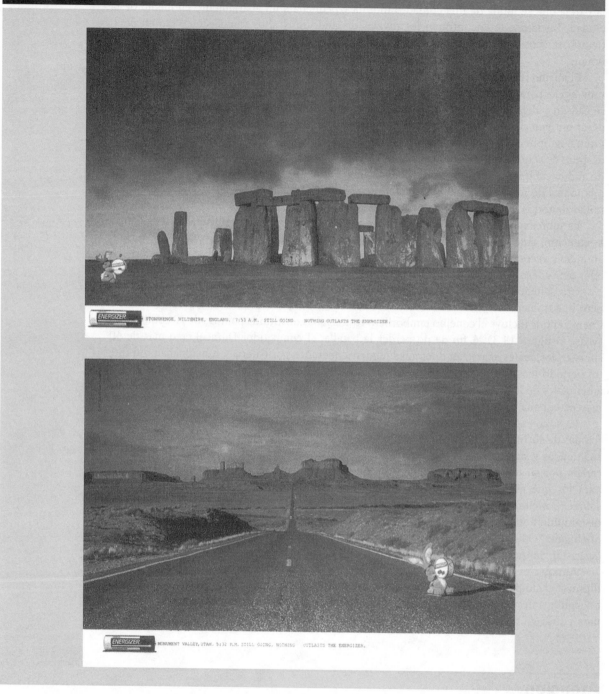

Figura 14.3 Energizer utiliza varias versiones del anuncio para reducir el desgaste de la publicidad

apenas un momento. Con todo el respeto debido al señor Webster, definimos la **atención** como la *cantidad de pensamiento enfocado en una dirección.*

Antes de que las empresas consigan que los consumidores paguen el precio de su producto, deben lograr que les presten atención. Obviamente, las personas no compran productos en los cuales jamás han pensado siquiera un instante. ¿Recuerda el concepto del conjunto de consideraciones (aquellas alternativas ponderadas durante la toma de decisiones) del capítulo 4? Estar incluido en el conjunto de consideraciones significa pensar en ello como una posible elección. Además, las alternativas dentro del conjunto, que se convierten en el centro de la atención durante la toma de decisión pueden tener más probabilidades de ser elegidas. Cuando se dio a unos sujetos la elección entre yogurt congelado y una ensalada de frutas, sólo 25% escogió el yogurt congelado si su atención se encontraba enfocada sobre la ensalada de frutas. Sin embargo, este porcentaje se duplicó si la atención estaba centrada en el yogurt.[14]

De manera similar, para que funcionen los mensajes que trasmiten las empresas a través de sus vendedores y su publicidad, los consumidores deben prestar atención. Como dice el dicho, un mensaje que cae en oídos sordos no puede ser escuchado. Los anuncios y los vendedores ignorados no informan ni persuaden.

El grado de atención o pensamiento es también importante. En vez de dedicar el pensamiento necesario para comparar con cuidado las alternativas de elección, los consumidores pueden optar por estrategias de decisión más simples, como por ejemplo comprar la alternativa más barata o conocida. Esto los lleva a efectuar selecciones distintas a las que hubieran tomado de haber prestado más atención a la decisión. Como veremos en los capítulos 15 y 16, el grado de pensamiento (así como su contenido) durante el procesamiento de la información tiene una gran influencia en la forma en que los consumidores responden a mensajes persuasivos, así como en lo que recuerdan.

Memoria de corto plazo: el recurso cognoscitivo para la atención

El estudio de las facultades mentales de los seres humanos es el campo de la ciencia social conocida como psicología cognoscitiva. Los psicólogos cognoscitivos descomponen la capacidad de recordar en tres partes: Memoria sensorial, memoria de corto plazo y memoria de largo plazo. La **memoria sensorial** se refiere a *la parte aplicada al análisis inicial de un estímulo detectado por alguno de nuestros cinco sentidos.* Si el estímulo pasa por esta fase, recibe un nuevo procesamiento en la memoria de corto plazo. La **memoria de corto plazo** es *donde ocurre el pensamiento.* Aquí se interpreta y contempla el estímulo en el contexto de los conceptos almacenados en la **memoria de largo plazo**, que es *el almacén mental que contiene todos nuestros conocimientos* (como dijimos en el capítulo 9). Según lo que ocurra en la memoria de corto plazo, la información nueva se guarda en la memoria de largo plazo o no se guarda. En el capítulo 16 veremos cómo tratan las empresas de implantar información en la memoria a largo plazo de los consumidores. Por ahora, nos enfocaremos en la memoria de corto plazo, ya que se trata de la parte de la capacidad de recordar que entra en funciones cuando algo llama nuestra atención.

La memoria de corto plazo es un recurso mental limitado. *El tiempo que puede mantenerse enfocada en un solo estímulo o pensamiento* (es decir el **margen de atención**) no es muy largo. Para hacer la prueba, constate cuánto tiempo puede concentrarse en una idea, antes de que su mente empiece a "divagar". En la publicidad, el uso de comerciales más breves es una forma de superar los márgenes de atención limitados de los consumidores.[15]

Aparte, la información no sobrevive mucho tiempo en la memoria a corto plazo sin esfuerzos por mantenerla activa. Supongamos que se le muestra un número telefónico el tiempo suficiente para su procesamiento y después se impide que lo repase. ¿En cuánto tiempo desaparecerá el número? Sin repasarlo, la información desaparece de la memoria de corto plazo en 30 segundos o menos.[16]

El tamaño o la capacidad de la memoria de corto plazo también es limitado. Podemos procesar cierta cantidad de información a la vez. El tamaño de la memoria de corto plazo se mide en función de un paquete de información, que representa un agrupamiento o combinación de información que puede ser procesado como una sola unidad. Según la fuente que decida uno utilizar, la capacidad varía de cuatro a cinco paquetes hasta un máximo de siete.[17]

Si bien los defensores de los consumidores urgen a las empresas y los legisladores para que hagan pública mayor información sobre los productos, de manera que los consumidores hagan elecciones más informadas (y presumiblemente mejores), otros señalan que más información puede tener el efecto opuesto. Su preocupación es que los consumidores se pueden confundir y efectuar elecciones peores si la información procesada durante la toma de decisiones excede la capacidad cognoscitiva.[18] Esto puede ser particularmente cierto para compradores inexpertos. De acuerdo con Brian Wansink, profesor de mercadotecnia y director de la Food and Brand Research Lab de la Universidad de Illinois: "Depende del ciclo de compra del consumidor. Al inicio del ciclo, un comprador que se enfrenta a demasiados productos no efectuará una elección cuidadosa, porque está confundido. Hasta que el comprador familiarizado con una categoría puede efectuar buenas elecciones de producto".[19]

Cómo conseguir la atención de los consumidores

El mundo del consumidor está más atestado que la recámara de mi hija de 15 años. La persona promedio se ve bombardeada por cientos de anuncios todos los días, y esa cifra aumentará conforme los publicistas encuentran nuevas maneras de llegar hasta nosotros.[20] Los buzones se encuentran atestados de catálogos y de "correo basura" (véase la figura 14.4 para algunas estadísticas de correo directo por países). Los telemercadólogos intentan llegar a nosotros a través del teléfono, aunque su capacidad se ha visto obstaculizada por las máquinas contestadoras y los identificadores de llamadas. Una de las quejas más importantes de los usuarios de internet es que tienen que seleccionar entre numerosos mensajes no solicitados (conocidos como

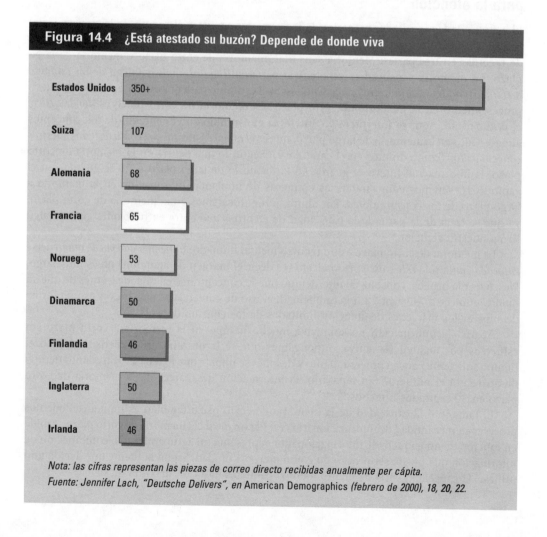

Figura 14.4   ¿Está atestado su buzón? Depende de donde viva

Estados Unidos	350+
Suiza	107
Alemania	68
Francia	65
Noruega	53
Dinamarca	50
Finlandia	46
Inglaterra	50
Irlanda	46

Nota: las cifras representan las piezas de correo directo recibidas anualmente per cápita.
Fuente: Jennifer Lach, "Deutsche Delivers", en American Demographics *(febrero de 2000), 18, 20, 22.*

spam) que abarrotan su dirección de correo electrónico. Las tiendas están llenas con miles y miles de productos que claman atención y todos los días llegan productos nuevos. En 1999, más de 25 000 productos nuevos fueron introducidos en el mercado.[21]

Incluso si los consumidores lo desearan, es imposible prestar atención a todos los productos y empresas que de manera frenética agitan sus manos hacia ellos. Tienen que ser selectivos en lo que recibirá su atención dado que, como acabamos de indicar, la atención está basada en un recurso cognoscitivo limitado. Algunas cosas pasan a los procesos de pensamiento; muchas no. Pasamos en nuestro vehículo frente a numerosos establecimientos minoristas sin siquiera notar su existencia. Nos apresuramos frente a incontables productos durante nuestras salidas de compras, totalmente indiferentes a su presencia. Ignoramos los anuncios. Tiramos el correo basura. Los usuarios de internet borran el correo electrónico sin siquiera abrirlo.

En la búsqueda de la atención de los consumidores, los negocios se enfrentan a una batalla cuesta arriba. Los consumidores tienen muchas cosas mucho más importantes en la vida que contemplar la multitud de productos ordinarios y de poco interés que tienen que comprar y usar sin pensarlo mucho. Esto explica en parte la razón por la que los consumidores, durante una salida de compras promedio a la tienda de comestibles dedican menos de tres segundos a estudiar cada producto.[22]

Por todas estas razones, obtener la atención de los consumidores es uno de los retos más formidables que encaran hoy los negocios. Es parecido a ir de pesca cuando el lago está lleno de pescadores y los peces no tienen hambre: No son las mejores condiciones para obtener la cena de esta noche. Y aun así, a pesar de estos obstáculos todavía es posible obtener algo, especialmente si tiene el cebo o señuelo correcto y sabe dónde lanzarlo. Lo mismo es cierto para los negocios que intentan enganchar su atención: Necesitan saber qué cebo utilizar. Y sus opciones son numerosas. Ciertamente, tal como se describe en las páginas que siguen, las empresas tienen todo un abanico de procedimientos a su disposición para llamar la atención.[23]

Cómo conectarse con las necesidades de los consumidores

¿Alguna vez ha ido de compras por comestibles estando extremadamente hambriento? Nos imaginamos que a todo el mundo le ha pasado. Probablemente estuvo mucho más atento hacia los productos en las estanterías que lo normal. Quizá terminó con artículos en su carrito de compras que en otras circunstancias no habría comprado. En este caso, su necesidad de comer hizo que asignara más recursos cognoscitivos al procesamiento de objetos percibidos como satisfactores de esta necesidad.

Más en general, las personas ponen particular atención a los estímulos percibidos como importantes para sus necesidades. Los productos y los anuncios que así lo hacen atraerán la atención. Y mientras mejor entreguen lo que quiere el consumidor, más serán notados.

Hacer conexión con las necesidades del consumidor puede requerir recordarle sus necesidades antes de mostrarle la forma en que el producto las satisface. Un comercial de televisión de los chocolates Snickers se inicia con una pregunta: "¿Tiene hambre?". Enseguida se dice a los espectadores que "tomen un Snickers" al mismo tiempo que observan la palma de una mano humana devorar el producto. Algunas veces hacer la conexión requiere educar a los consumidores respecto de sus necesidades, algo sobre lo que hablamos en el capítulo 4.

Pagar a los consumidores para que presten atención

Recientemente, las empresas han empezado a pagarle a los consumidores por su atención. La Aristotle Publishing Company ofrece a usuarios de internet calificados entre 50 y 75 centavos por cada mensaje de correo electrónico de candidatos políticos que hayan leído. Más de un millón de lectores se han registrado para este servicio, cifra que se espera se duplique dentro de un año. A diferencia del correo directo, que abren sólo 2 o 3% de los destinatarios, "aquí se tiene una tasa de apertura de 98%, porque por definición se opera con permiso", explica John Aristotle Phillips, cofundador de la empresa.[24]

El término **mercadotecnia autorizada** se refiere a *persuadir a los consumidores a prestar voluntariamente su atención a cambio de algún beneficio tangible.*[25] Una compañía, Broadpoint Communications, ofrece a sus clientes dos minutos gratuitos de llamadas de larga distancia por cada comercial de 10 a 15 segundos que escuchen por teléfono. Un cliente promedio escucha aproximadamente 150 anuncios en un mes, lo que se traduce en 300 minutos de tiempo de larga distancia gratuito.[26]

¡Mira! ¡Se mueve!

Hace miles de años, cuando los seres humanos tenían que preocuparse por no convertirse en la siguiente comida de algún depredador, la capacidad de detectar algo en movimiento en los matorrales era una habilidad esencial de supervivencia. A pesar de que esta amenaza se ha desvanecido hace tiempo, nuestra sensibilidad al movimiento sigue vigente. Es más probable que los estímulos en movimiento atraigan la atención, que los objetos estacionarios. Como se describe en El consumidor en la mira 14.2, una empresa tuvo la satisfacción de aprender que al incluir movimiento, mejoró de manera importante la eficacia de las ventas de sus exhibidores en los puntos de venta.

Incluso la sugerencia de movimiento o algo que lo parezca puede llamar la atención. A menudo para este fin los publicistas utilizan el semimovimiento en los anuncios impresos. Un ejemplo aparece en la figura 14.5.

Cambios de escena

Otra técnica para captar la atención es el uso de cambios rápidos de escena, lo que genera un incremento involuntario de actividad mental.[27] En una campaña publicitaria de automóviles Pontiac, los comerciales contenían algunas escenas que no duraban más de un segundo y medio y algunas eran tan breves como de 1/4 de segundo. Sin embargo, hay cierta preocupación de que los comerciales de cortes rápidos sean menos memorables y persuasivos que los de un ritmo más lento.[28]

El consumidor en la mira 14.2

Cómo llamar la atención mediante el movimiento

Las empresas se valen de los exhibidores en el punto de venta para atraer la atención de los consumidores en un entorno de menudeo, que está cada vez más atestado de productos nuevos. La Olympia Brewing Company llevó a cabo un estudio para determinar los efectos de los exhibidores en el comportamiento de compra. La investigación abarcó tiendas de alimentos y de licores localizadas en dos ciudades de California. Algunas tiendas recibieron un exhibidor; otras no. Estas últimas sirvieron de medida inicial para determinar si los exhibidores influían sobre las ventas. Además, se probaron dos tipos de exhibidores: con movimiento y estáticos.

Las ventas en las tiendas se monitorearon entonces durante un periodo de 4 semanas. Los resultados (las cifras representan el incremento en ventas en relación con las tiendas sin exhibidores) se presentan aquí:

Estos resultados revelan con claridad la eficacia de los exhibidores en la generación de ventas. La presencia de un exhibidor produjo un incremento promedio en las ventas de más de 50%. El mayor incremento en las ventas en las tiendas de licores indica que los exhibidores son más eficaces cuando los consumidores ya están dispuestos a comprar el producto (es casi seguro que quienes visitan la tienda de licores están dispuestos a comprar). Finalmente, la inclusión del movimiento en el exhibidor mejoró de manera sustancial su eficacia. El exhibidor en movimiento generó casi tres veces más ventas que el exhibidor estático en las tiendas de alimentos y prácticamente dos veces más que las ventas en las tiendas de licores.

	Despliegue estático	Despliegue en movimiento
Tiendas de alimentos	18%	49%
Tiendas de licores	56%	107%

Figura 14.5   Cómo atraer la atención con un semimovimiento

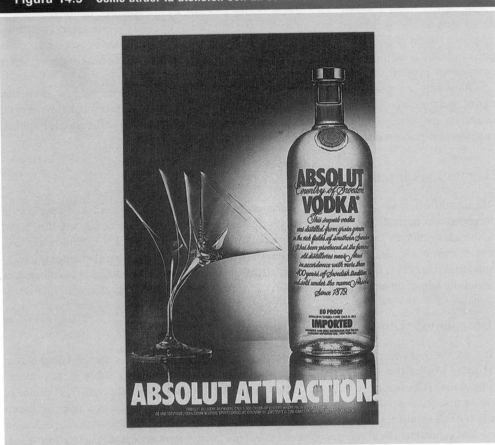

Los colores son agradables

Los colores pueden aumentar el poder de llamar la atención y mantener lo que tiene un estímulo.[29] En un estudio de campo sobre anuncios en periódicos, los de un solo color produjeron 41% más ventas que los anuncios en blanco y negro.[30] Los anuncios en color cuestan más, por lo que su mayor eficacia debe compararse con el gasto adicional.

Además, algunos colores atraen más que otros. ¿Sabía usted que los automóviles rojos reciben más infracciones que los de cualquier otro color? Aparte de que las personas que escogen un automóvil rojo quizá están más inclinadas a la velocidad, sus probabilidades de ser notadas por los policías de tránsito aumentan por el color de su automóvil. Las empresas que colocan anuncios en la sección amarilla de los directorios telefónicos quieren usar este color como una manera de llamar la atención.

Hágalo más grande

En general, cuanto más intenso sea el estímulo, más tenderá a destacarse y llamar la atención. En consecuencia, una manera fácil para atraer la atención es hacer las cosas más grandes. Los anuncios impresos más grandes, tienen más probabilidades de llamar la atención que sus equivalentes más pequeños. Lo mismo ocurre con el tamaño de las ilustraciones o de las imágenes de un anuncio.[31]

Una demostración de la importancia del tamaño se encuentra en la Sección Amarilla. Cuando los consumidores recorren las páginas, es más probable que noten los anuncios más grandes. Se ha informado que al duplicar el tamaño de un anuncio en la Sección Amarilla se mejoraron las ventas en 500%. Cuando se cuadriplicó el tamaño del anuncio, las ventas se dispararon hasta 1500%.[32] La eficacia de los insertos independientes también depende de su tamaño. Estos insertos son anuncios que contienen cupones y que están agrupados y se insertan en el periódico dominical. En un anuncio patrocinado por la asociación de la rama industrial, se informa que los insertos de una plana eran 20% más eficaces para generar compras de prueba y de repetición que los insertos de media plana.

Asimismo, en una tienda, lo más grande puede convertirse en lo mejor. Los productos tienen una mayor probabilidad de ser notados cuando se incrementa el tamaño o el espacio de estantería que se les asigne. Esto puede ser especialmente importante para artículos de impulso, cuyas ventas pueden depender parcialmente del espacio que se les da.[33]

Hágalo más intenso

¿Ha notado usted alguna vez que el volumen en un comercial es mucho más fuerte que la programación normal? Esto está muy lejos de ser accidental; al contrario, hay una intención deliberada de obtener su atención aumentando la intensidad del estímulo. Un estímulo intenso se destaca entre otros más débiles. En consecuencia, los anuncios que contienen elementos intensos, como ruidos fuertes y colores brillantes, tienen más probabilidades de ser notados. Los comerciales de radio y televisión empiezan a veces con un ruido fuerte para atraer la atención.

¡Ubicación! ¡Ubicación! ¡Ubicación!

Hay un viejo chiste entre corredores de bienes raíces que va más o menos como sigue: "¿Cuáles son las tres cosas de mayor importancia que se deben saber sobre bienes raíces? ¡Ubicación! ¡Ubicación! ¡Ubicación!" Aunque exagerado (¿qué hay del precio?), el punto es que la ubicación es vital. Esto también es válido para la atención. Los estímulos se hacen más notables simplemente por el lugar que ocupan.

Los vendedores de alimentos conocen muy bien la importancia de la ubicación. Las ventas de algunos productos, especialmente aquellos que se compran de manera más impulsiva, son bastante sensibles al lugar donde están localizados. Muchos artículos del área de cajas se comprarían menos si se exhibieran en áreas más remotas de la tienda. Los productos localizados en los extremos de las góndolas o en estanterías al nivel de los ojos tienen una mayor oportunidad de ser notados.

La ubicación de un anuncio en una revista influye sobre la atención. Se le da mayor atención a los anuncios localizados en primeras páginas que en las últimas, en las páginas derechas que en las izquierdas y en la segunda, tercera y cuarta de forros.[34] Es de suponer que esto es debido a la forma en que los consumidores típicamente hojean las revistas. Para anuncios más pequeños, que no ocupan toda una página, la atención depende de dónde queda localizada dentro de la misma. Una guía práctica en la publicidad es que la esquina superior izquierda de la página es la que tiene mayor probabilidad de llamar la atención, en tanto que la esquina derecha inferior es la de menor probabilidad.[35]

El factor sorpresa

En el capítulo 6 hablamos de la importancia de las expectativas de los consumidores como un determinante de sus evaluaciones posteriores al consumo. Las expectativas también son importantes en el campo de la atención. Todos tenemos ciertas expectativas sobre lo que encontraremos en nuestra rutina cotidiana. Los estímulos que son congruentes con nuestras expectativas reciben menos atención que los que se apartan de lo esperado. Algo que se aparta de lo que esperamos genera una incongruencia mental. Es casi igual a una alarma silenciosa en nuestra cabeza. Se asigna nuestra atención a la fuente de la incongruencia mientras intentamos comprenderla y resolverla.

El factor sorpresa es una táctica popular para llamar la atención de los consumidores (véase El consumidor en la mira 14.3). Es un aspecto obvio en los anuncios que se presentan

El consumidor en la mira 14.3

Publicidad escandalosa

Un anuncio de cuidados prenatales de AvMed muestra un bebé que fuma. Jenny McCarthy está sentada en el excusado en un anuncio de zapatos Candie. ¿Cuál es el mensaje? El escándalo vende. O por lo menos llama la atención. En busca de nuevas estrategias para alcanzar consumidores conocedores de los medios, los anunciantes se acercan a los límites del buen gusto y de la tolerancia con imágenes escandalosas, desagradables, para vender sus productos. Accidentes de carretera, adolescentes anoréxicos, adultos bebedores de cerveza entregados a un poco de sexo en pantalla, en la publicidad actual, virtualmente todo se vale.

"A lo largo de los últimos años la publicidad se ha hecho más y más atrevida y la investigación muestra que los consumidores cada vez se preocupan más al respecto —dice Walker Smith, socio gerente de Yankelovich Partners, empresa de investigación del consumidor—. Gran parte de esta publicidad está diseñada para salirse del montón. La pregunta es si posiciona su producto de una forma que resulta motivadora y persuasiva o simplemente distancia el mercado."

Depende del mercado que se trate. Una publicidad que ofende a un consumidor, concuerdan los expertos, puede resultar muy atrayente para otro. Vea el ejemplo de los zapatos Candie. Las zapatillas de novedad (se parecen a las del doctor Scholls con tacón) se han convertido en el sello de distinción de este año para la adolescencia hip, gracias en gran parte a los anuncios impresos atrevidos con la actriz de glamour de MTV Jenny McCarthy. Dirigido al mercado básico de mujeres entre 12 y 24 años, los anuncios presentan a McCarthy y sus Candies en una serie de poses provocativas relacionadas con el cuarto de baño. El más escandaloso de los anuncios la presenta sentada en el excusado, con el periódico en la mano, las pantaletas alrededor de sus tobillos y, naturalmente, un par de Candies naranja brillante en los pies.

"Hicimos mucha investigación para esta campaña y para una joven de 12 a 17 años la popularidad de Jenny McCarthy se sale de las gráficas —dice David Conn, director de mercadotecnia de Candie—. Nuestro auditorio encuentra las presentaciones visuales simpáticas y divertidas. Estamos de acuerdo que existe una línea fina entre lo grosero y lo simpático, pero nos preocupamos de la forma en que reaccionan nuestros clientes, no los adultos. Y desde que lanzamos esta campaña, nuestras ventas son increíbles."

De manera interesante, las quejas sobre comerciales atrevidos pueden ser parte de una estrategia de mercadotecnia, particularmente si el producto está dirigido a jóvenes deseosos de mostrar su independencia. "Al alejar al mercado adulto se genera un vínculo con consumidores más jóvenes —hace notar Pippa Seichrist, vicepresidente del Miami Ad School—. Esto puede ser muy bueno para los negocios." La publicidad para los jeans de Calvin Klein es un buen ejemplo. A fines de 1995, crearon furor una serie de anuncios de los pantalones de la empresa, que mostraban modelos infantiles en poses provocativas. Los spots fueron comparados con películas pornográficas, atacados por expertos en los medios y por grupos cívicos y analizados en detalle en *The New York Times* y en los programas matutinos de charla. A pesar de todo, las ventas de jeans se fueron al cielo.

Fuente: tomado de Anne Moncreiff Arrarte, *"Now That We Have Your Attention"*, en Miami Herald, *(22 de junio de 1997), 1F, 2F.*

---

en la figura 14.6 y fue considerado un elemento esencial de los anuncios que introducen las nuevas embarcaciones personales Sea-Doo que muestran el producto en situaciones fuera de lo normal en el hogar (por ejemplo, en remojo en una tina llena de burbujas o sobre sábanas de satín). Según uno de los ejecutivos de publicidad a cargo de la nueva campaña, "Para que Sea-Doo se desempeñe en el mercado tal como queremos, tenemos que crear anuncios que no se anticipen. Necesitamos sorprender al lector. Intrigarlo lo suficiente para que deje de voltear la página, de manera que se tome unos minutos para aprender lo bueno que es este producto".[36]

De la misma manera, un empaque fuera de lo usual ayuda a que destaque el producto en la estantería. Un fabricante hizo una fortuna al vender sedería en un paquete en forma de huevo plástico de gran tamaño, muy distinto de los paquetes a los que las mujeres se habían acostumbrado a ver.

Distinción

Suponga que ve una fotografía de cinco personas en traje. Cuatro llevan trajes oscuros; el quinto blanco. ¿Qué persona piensa será vista en primer término? La persona de blanco.

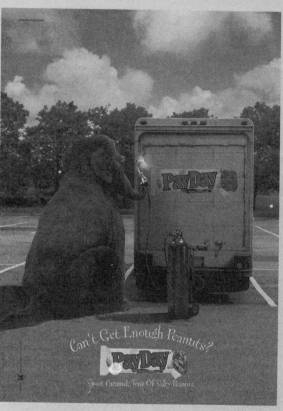

¿Porqué? Por que nuestra atención es atraída en un campo perceptual por los estímulos que son distintivos. Cuando todos los demás visten de oscuro, el traje claro sobresale. Pero vista a todo el mundo del mismo color y esta distinción desaparece.

Como se desprende de este ejemplo, una manera de hacer que un objeto aparezca distinto es hacer que contraste con otros elementos dentro del campo perceptual. Así, si el empaque de los competidores tiene colores o formas semejantes, entonces el uso de colores o formas diferentes puede ayudar a que el paquete de la empresa se destaque.

Atracción humana

En la pesca a veces es necesario utilizar pescado como cebo para otro pez. De la misma manera, las empresas a menudo utilizan personas para llamar la atención de los consumidores. Un cebo popular son los individuos o las celebridades famosas. Muchas empresas contratan celebridades para que apoyen sus productos. Uno de los patrocinadores más solicitados es la superestrella de baloncesto Michael Jordan, quien se ha presentado como portavoz en la publicidad de numerosas empresas lo que incluye a Nike, McDonald's, Quaker Oats, Sara Lee, General Mills, Wilson Sporting Goods y MCI (véase la figura 14.7). Se ha estimado que sólo en un año Michael Jordan ganó 40 millones de dólares por anunciar productos.[37]

También se recurre a las estrellas de cine, incluso las fallecidas, para llamar la atención. En un esfuerzo para salirse del montón de productos de las estanterías de los supermercados, una empresa desarrolló una línea de productos comestibles comunes (cereal, bolsas de basura,

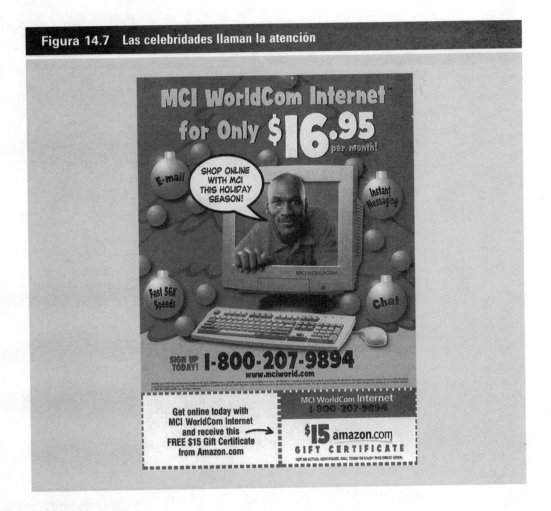

Figura 14.7   Las celebridades llaman la atención

bulbos de luz) llamado StarPak, que presenta las caras de algunas estrellas de cine muy famosas (Marilyn Monroe, Clark Gable) sobre el empaque del producto.[38]

Como sabe, incluso quienes no son celebridades, como la mujer del anuncio que se muestra en la figura 14.8, pueden llamar la atención, especialmente si son atractivas.[39] Los individuos bien parecidos, con cuerpos firmes, en particular si apenas están cubiertos, atraen mucho la atención. Esto es cierto en la playa y también en la publicidad. Ésta es la razón por la cual los anunciantes emplean con tanta frecuencia este procedimiento. Un estudio de la publicidad que apareció en *Time, Newsweek, Cosmopolitan, Redbook, Playboy* y *Esquire*, encontró que 40% de los anuncios que muestran modelos adultos contenían mujeres vestidas de manera reveladora.[40]

Factor de entretenimiento

¿Cuántas veces ha visto usted un comercial familiar en la televisión simplemente porque le entretenía verlo? Más veces de lo que se acuerda. Los estímulos que entretienen y divierten llaman nuestra atención, incluso si vienen bajo forma de un anuncio.[41] La actual campaña publicitaria de Budweiser que muestra a Louie, el lagarto payaso, explota el entretenimiento como dispositivo para llamar la atención. Una empresa de internet, Monster.com, que maneja ofertas de trabajo, se apoya en el factor entretenimiento en su comercial que muestra niños que recitan ambiciones profesionales ordinarias (por ejemplo, una pequeña dice: "quiero que se me pague menos por hacer el mismo trabajo"). Y créalo o no, algunas personas observan el Super Tazón en ansiosa anticipación de los comerciales que aparecen durante la transmisión (para más sobre el particular, véase El consumidor en la mira 14.4).

El consumidor en la mira 14.4

¡Silencio, por favor, vienen los comerciales!

Ver el Super Tazón se ha convertido en un ritual de consumo para millones de estadounidenses. Se espera que aproximadamente 125 millones de espectadores sintonicen el espectáculo de este año. "Si hablamos en términos relativos, el Super Tazón es un suceso abrumador —explica Joe Mandese, editor del *Meyers Report,* un boletín de la industria televisiva—. Nada se le acerca. Para muchos publicistas, es el único juego real." Pero es un juego muy costoso. Este año, las empresas pagarán un promedio de 2.2 millones por 30 segundos de tiempo aire, cerca de 40% más que los 1.6 millones del año pasado. En comparación, el *spot* promedio de 30 segundos de los programas semanales con los índices de audiencia más elevados en televisión en horas de máxima audiencia, es de "sólo" 500 000 dólares.

Además de llegar a tantas personas, el Super Tazón es atractivo para los publicistas, porque algunos espectadores sintonizan el juego tanto por los comerciales como por la acción en la cancha. La agencia publicitaria de Baltimore Eisner Communications publicó recientemente su encuesta anual sobre los hábitos de observación del Super Tazón y encontró que 8% del auditorio, es decir unos 10 millones de personas, observarán el juego únicamente por los anuncios. "La tendencia a mirar los anuncios aumenta todos los años", dice David Blum, vicepresidente de Eisner.

Independientemente de lo anterior, la publicidad durante el Super Tazón plantea su propio conjunto de retos únicos. "Las personas esperan mucho entretenimiento, una producción de primera y efectos especiales —dice Albert Sánchez, del Donovan Consulting Group, que trabaja con Anheuser-Busch en su cosecha de anuncios del Super Tazón—. La barra de medir de las personas para los anuncios del Super Tazón está colocada mucho más alto que los anuncios normales. Las personas esperan ver lo mejor de lo mejor durante el domingo del Super Tazón."

Fuente: tomado de Cynthia Corzo, "Field of Ads", en Miami Herald, (25 de enero de 2000), 1C, 3C.

Estímulos "aprendidos" que llaman la atención

Algunos estímulos atraen nuestra atención porque se nos ha enseñado o se nos ha condicionado a reaccionar a ellos. Por ejemplo, un teléfono que suena o el timbre de una puerta generan una respuesta inmediata. En los anuncios de radio y televisión, a veces se incluyen en un segundo plano, para captar la atención, teléfonos o sirenas.

Ciertas palabras o frases también atraen la atención de los consumidores porque han aprendido que están asociadas con cosas que desean. La palabra *gratuito* es un buen ejemplo. Los consumidores adoran lo gratuito; el anuncio en la figura 14.9 capitaliza sobre lo anterior con su atrevido encabezado: "¿Es GRATIS suficientemente barato?". También quieren ahorrar dinero. Los compradores que recorren una tienda pueden verse atraídos por aquellos productos que se presentan bajo letreros que proclaman "Venta de saldos", "Venta especial" y "50% de descuento". Un procedimiento similar se emplea para llamar la atención de los consumidores cuando revisan su correo basura del día. En más de una ocasión me he visto tentado a abrir un mensaje de correo que de otra manera hubiera pasado a la basura, porque vi la frase "Páguese a la orden de" a través de la ventana de celofán del sobre.

Busque un entorno menos saturado

La probabilidad de que un estímulo sea motivo de atención se ve disminuida por la cantidad de estímulos que compiten por esta atención. Ésta es una razón (hablaremos de la otra en el capítulo 16) de que la saturación en el mercado aumenta los retos que encara la empresa

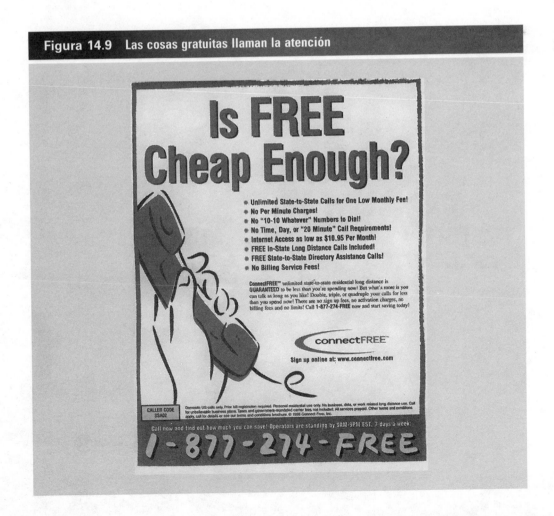

Figura 14.9　Las cosas gratuitas llaman la atención

para captar la atención de los consumidores. Al obtener una exposición en entornos menos atestados, una empresa puede aumentar su probabilidad de ser notada.

¿Se acuerda de nuestro análisis en el caso de inicio respecto de los publicistas que colocan sus anuncios en elevadores y en los privados de los excusados? Estas ubicaciones son atractivas para los anunciantes porque llegan a un "auditorio cautivo" en un lugar donde hay muy pocas cosas que compitan con su atención. "Es importante ser capaz de entrar en un entorno donde no compita con otra publicidad", aconseja un empresario.[42]

Por la misma razón, la publicidad pronto aparecerá en los carruseles del equipaje de los principales aeropuertos. Los pasajeros tienen que esperar su equipaje de 15 a 20 minutos, con pocas cosas qué hacer. Durante este tiempo aparecerá un anuncio ocho o más veces. Dada esta repetición, el anuncio puede resultar más memorable (véase el capítulo 16).[43]

Aparte de dónde se hace el anuncio, cuándo se hace puede influir en el amontonamiento a que se enfrenta. Antes de encarar una competencia intensa durante la temporada navideña de 1999, iVillage, un sitio de internet dirigido a las mujeres, decidió esperar hasta después de Navidad antes de continuar su campaña publicitaria de 40 millones. "Nuestra estrategia fue evitar el amontonamiento navideño", explica un portavoz de la empresa.[44]

Otra manera en que los publicistas intentan evitar el amontonamiento es el aislamiento. El **aislamiento** consiste en *colocar el objeto en un campo de percepción vacío*. Se eliminan otros objetos que, al estar presentes, competirían en la atención. Como se ilustra en el anuncio que aparece en la figura 14.10, los publicistas utilizan el aislamiento para limitar el número de estímulos que se muestran en una página, que por lo demás está en blanco.

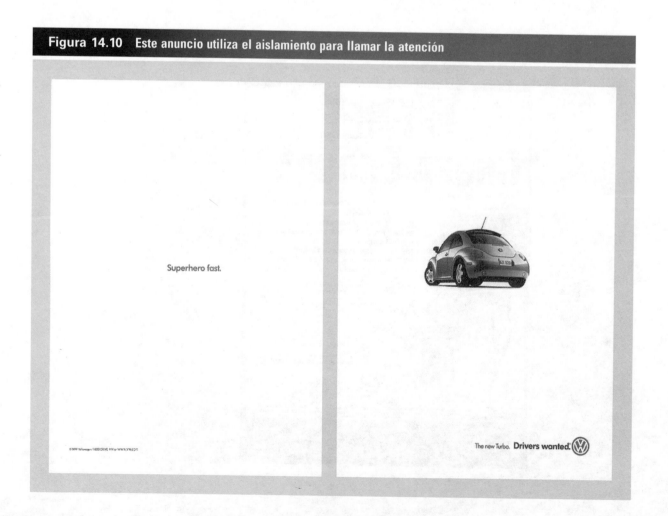

Figura 14.10   Este anuncio utiliza el aislamiento para llamar la atención

Cómo atraer la atención: algunas observaciones y recomendaciones adicionales

En la sección anterior repasamos varias formas con que las empresas tratan de llamar la atención. A riesgo de decir lo obvio, la necesidad de mostrar estímulos que llamen la atención depende de la motivación intrínseca de los consumidores en poner atención. Cuando los consumidores ponen atención libremente, la necesidad de incluir estímulos para atraerlos disminuye. Dado que los estímulos cuestan y absorben espacio valioso del anuncio, deberán ser utilizados únicamente cuando sean necesarios.

Además, el uso de estímulos que atraigan la atención plantea ciertos riesgos. Por ejemplo, supongamos que una celebridad bien conocida llama tanto la atención que el resto del anuncio se ignora. Cuando esto ocurre, la publicidad no tiene éxito. En efecto, un estímulo que absorbe la atención de los espectadores al grado de que borra el resto del mensaje es contraproducente. Las compañías deben intentar utilizar estímulos que capten la atención pero que no inhiban el procesamiento de todo el mensaje.

Incluso si el procedimiento de llamar la atención no hace que el resto del anuncio sea ignorado, puede interferir con el procesamiento del anuncio. Dado que la memoria de corto plazo tiene una capacidad limitada, asignar a algo recursos cognoscitivos reduce los recursos que quedan para pensar en alguna otra cosa. Si durante la clase empieza a pensar en lo que ocurrió más temprano, mengua su capacidad mental para procesar lo que dice el maestro. Si sus pensamientos están fijos en la celebridad que aparece en el comercial, tendrá menos capacidad para procesar el resto del anuncio (es decir, el producto que se anuncia y sus afirmaciones).

Para ilustrar los efectos adversos que pueden presentarse cuando se divide la atención, considere los resultados de los llamados experimentos de rastreo.[45] En un experimento común, los sujetos se colocan audífonos y reciben un mensaje diferente en cada oreja. Mientras escuchan ambos mensajes, se les instruye para que repitan en voz alta (es decir, que rastreen el contenido de uno de los mensajes). A pesar de escuchar dos mensajes simultáneamente, pueden rastrear con facilidad uno, pero hacerlo les exige prácticamente toda su capacidad cognoscitiva. Esto significa que les queda poca capacidad para procesar el mensaje no rastreado y se vuelve difícil que recuerden nada del mensaje no rastreado, aunque lo reciben directamente en la oreja. De hecho, el recuerdo del contenido del mensaje no rastreado es prácticamente nulo. Incluso se les escapan a los sujetos cambios en el mensaje de un lenguaje normal a un sonido articulado pero sin sentido (la voz reproducida a la inversa).

La reducción de la capacidad para procesar lo afirmado en un anuncio no significa necesariamente que disminuya su capacidad de persuasión. Esto dependerá de si lo que afirma el anuncio es sólido (si da razones poderosas para comprar el producto) o débil (si presenta razones menos convincentes para la compra). Una reducción del procesamiento de afirmaciones sólidas significa que es menos probable que el consumidor aprecie su solidez. En consecuencia, disminuye la persuasión. Por otra parte, menos procesamiento de las afirmaciones débiles debe ser beneficioso porque es menos probable que los consumidores piensen que no son convincentes, lo que acaso mejore la capacidad de persuasión del anuncio.

Además de interferir con el procesamiento de las afirmaciones del anuncio, los estímulos para llamar la atención influyen de otras maneras en la capacidad de persuasión del anuncio. En lugar de reforzar la persuasión, estos mecanismos pueden de hecho funcionar al revés y reducir la eficacia del anuncio, si los consumidores perciben el estímulo como un mecanismo para manipularlos.[46] Es más, quizá cierto elemento utilizado para llamar la atención no sea de su agrado. Un muy famoso patrocinador puede servir como un poderoso gancho, pero si no es querido, estos sentimientos negativos tendrán un efecto en las opiniones de los consumidores sobre el producto. Las modelos en trajes de baño, a pesar que se consideran avales apropiados para productos bronceadores, pueden suscitar reacciones desfavorables si promueven otros tipos de productos. Por ejemplo, consideremos el uso por parte de *Travel & Leisure Golf* de la supermodelo Heidi Klum en su portada como una forma de atraer la atención de los hombres jóvenes hacia la revista en los quioscos. La portada muestra una fotografía reveladora y provocativa de Heidi junto con la frase "Juegos con Heidi". Por otra parte, el lector promedio es un varón de 52 años de edad. Y las mujeres representan 39% de los lectores de la revista. La portada corre el riesgo de alejar a las personas de cualquiera de estos grupos.[47]

¿Se puede influir sobre los consumidores si no prestan atención?

Hasta ahora hemos hecho énfasis en llamar la atención como un requisito fundamental para influir sobre el comportamiento del consumidor. Sin embargo, algunos aseveran que no es necesario, que estímulos tan débiles que no se perciben conscientemente pueden influir en el plano inconsciente o subliminal. *La noción o idea que las personas son influidas por estímulos que están debajo del umbral de la conciencia* se conoce como **persuasión subliminal**.

El interés en la persuasión subliminal se originó a fines de la década de 1950, cuando Jim Vicary, el propietario de un negocio de investigación fracasado, declaró que había descubierto una forma de influir sobre los consumidores sin que se dieran cuenta. Informó que las ventas de Coca-Cola se incrementaron 18% y las de palomitas de maíz en 52%, cuando las palabras TOMA COCA-COLA y COME PALOMITAS centellearon en la pantalla de un cine a velocidades que escapan la detección consciente. Sin embargo, cuando un estudio independiente no duplicó los descubrimientos, Vicary confesó que había inventado sus resultados con la esperanza de que su negocio reviviera.[48]

Durante años, el tema quedó latente, hasta que Wilson Bryan Key afirmó en un libro popular que se insertan señales eróticas subliminales en los anuncios (por ejemplo en la yuxtaposición de cubitos de hielo en un anuncio de una bebida alcohólica) con el objeto de apelar a los impulsos sexuales subconscientes.[49] En nuestros días, el uso de estímulos subliminales es común. Los consumidores gastan millones de dólares todos los años en cintas de aprendizaje autodidacta que contienen mensajes subliminales. Las películas de horror incluyen ocasionalmente máscaras de muerte y otras imágenes subliminales de miedo para aumentar el efecto de terror en los espectadores. Los minoristas algunas veces incorporan mensajes subliminales en su música de la tienda, para motivar a los empleados y reducir los robos. Algunos centros vacacionales también han probado los mensajes subliminales para hacer que los turistas se relajen.[50]

A pesar de su uso prevaleciente, la capacidad de los estímulos subliminales para influir en el comportamiento del consumidor es muy cuestionable. No hay duda de que algunas investigaciones indican que, en ciertas situaciones, los estímulos subliminales tienen efectos modestos.[51] Sin embargo, no sabemos de ninguna investigación que aporte una demostración clara de influencias subliminales en la conducta real. Como observa un escritor sobre el tema:

> Un siglo de investigación psicológica sostiene el principio general de que los estímulos de mayor intensidad tienen un mayor efecto en el comportamiento de las personas que los más débiles [. . .] Los estímulos subliminales son tan débiles que el sujeto no está consciente del estímulo, pero tampoco está al tanto de ser estimulado. Como resultado, los efectos potenciales de los estímulos subliminales son nulificados con facilidad por alguna otra estimulación en marcha en el mismo canal sensorial.[52]

Incluso si los efectos de los estímulos subliminales no fueran nulificados por otros estímulos procesados de manera consciente, nos preguntaríamos por qué alguien estaría interesado en un método de persuasión que cuando mucho es débil, si puede aplicar métodos más eficaces.

Resumen

Entrar en contacto con los consumidores requiere dos cosas. El primer requisito es la exposición. Se define la exposición como lograr la proximidad a un estímulo de manera que haya la oportunidad de activar uno o más sentidos. Para las empresas, esto significa asegurarse de que sus mensajes y productos sean expuestos a las personas correctas, en el momento correcto y en el lugar correcto. Un obstáculo para conseguir lo anterior es que los consumidores frecuentemente eligen a qué quedar expuestos. Las empresas también deben estar alertas a los daños de una sobreexposición.

El segundo requisito para entrar en contacto es la atención. La atención representa la cantidad de pensamiento enfocada en una dirección. Dado que la atención ocupa nuestros recursos cognoscitivos que son limitados, debemos ser selectivos en lo que nos llama la atención. Desafortunadamente para las empresas, los productos y la publicidad rara vez son una prioridad. Además, la competencia por la atención de los consumidores ha creado un mercado extremadamente atestado. Estos factores hacen que ganarse la atención de los consumidores sea un formidable reto para las empresas.

Las empresas tienen a su disposición un abanico de técnicas y estrategias para llamar la atención, muchas de las cuales estudiamos en el capítulo. Independientemente de lo anterior, el uso de dichas técnicas y estrategias puede ser riesgoso. Los estímulos de los anuncios que llaman la atención pueden interferir con el procesamiento del resto del anuncio de los consumidores.

Finalmente, examinamos el potencial para influir sobre los consumidores sin llamar su atención. La persuasión subliminal se refiere a los esfuerzos de influir sobre los consumidores con estímulos que quedan debajo de su plano consciente de conocimiento. El consenso actual es que los estímulos subliminales tienen, cuando más, efectos mínimos y que el temor a su capacidad de persuasión es en gran parte infundado.

Preguntas de repaso y análisis

1. Considere este enunciado: "La exposición es una condición necesaria, pero por sí misma insuficiente para establecer contacto." ¿Qué significa?

2. ¿Cuál es el peligro de la sobreexposición? ¿Cómo se reduce?

3. ¿Qué quiere decir la expresión "un mercado atestado"? ¿Por qué es importante para las empresas? ¿De qué manera influye en la estrategia y tácticas de las empresas?

4. A continuación se anota un conjunto de recomendaciones para diseñar anuncios en la Sección Amarilla que aparecieron en *Link*, revista comercial de la Sección Amarilla:
   a) Use el color sabiamente. No se sienta obligado a poner en color todas las imágenes o textos. No "coloree" su anuncio anterior.
   b) Incorpore material de otros medios. Si se anuncia en otros medios, utilice las imágenes de estos anuncios en su anuncio de Sección Amarilla para crear un procedimiento de mercadotecnia integrado.
   c) Procure atacar el patrón aburrido de la página. Utilice bordes irregulares, para atraer a los usuarios y alejarlos de sus competidores. Observe la forma en que el texto está organizado en la mayor parte de los anuncios y haga lo opuesto.
   d) Utilice una ilustración siempre que sea apropiado. Una imagen es un fijador esencial de la atención. Utilice algo que dé una sensación contemporánea y evite arte gráfico antiguo.
   e) Utilice más "espacio amarillo". Los anuncios amontonados confunden y alejan a los usuarios. Las palabras con un poco de espacio a su alrededor son más atractivas y es más probable que sean leídas.
   ¿Qué principios para atraer la atención se ven reflejados en estas recomendaciones?

5. Dos consumidores se exponen al mismo anuncio. Uno está en el mercado en busca de este producto, pero el otro no. ¿De qué forma diferirían estos dos consumidores en su forma de procesamiento del anuncio?

6. Suponga que una empresa examina dos dispositivos para llamar la atención con el objeto de saber cuál emplear en su publicidad. ¿Cómo decidirá la empresa cuál utilizar?

7. De acuerdo con la recomendación de su agencia de publicidad, una empresa modificó su campaña publicitaria a fin de incluir a una famosa celebridad como una forma de hacer que los consumidores presten atención. Sin embargo, la investigación de mercado ha puesto en duda la conveniencia de lo anterior, ya que la publicidad se hizo menos eficaz. ¿A qué se debe?

Notas

1. "Getting Good Listing Attracts Volumes", en *Marketing News* (3 de enero de 2000), 9-10.

2. Scot Burton, Donald R. Lichtenstein y Richard G. Netemeyer, "Exposure to Sales Flyers and Increased Purchases in Retail Supermarkets", en *Journal of Advertising Research*, 39 (septiembre/octubre de 1999), 7-14.

3. David E. Kalish, "Million Sign Up for Free Internet, But Not All Use It", en *Miami Herald* (19 de enero de 2000), 7C.

4. Katherine Yung, "Advertisers Find the Net a Hard Nut to Crack", en *Miami Herald's Business Monday*, (12 de julio de 1999), 11.

5. "Background on Zapping", en *Marketing News* (14 de septiembre de 1984), 36.

6. Michael G. Harvey y James T. Rothe, "Video Cassette Recorders: Their Impact on Viewers and Advertisers", en *Journal of Advertising Research* (diciembre de 1984/enero de 1985), 10-19.

7. Margaret Henderson Blair y Michael J. Rabuck, "Advertising Wearin and Wearout: Ten Years Later —More Empirical Evidence and Successful Practice", en *Journal of Advertising Research*, 38 (septiembre/octubre de 1998), 7-18; Connie Pechmann y David W. Stewart, "Advertising Repetition: A Critical Review of Wearin and Wearout", en *Current Issues and Research in Advertising*, 11 (1988), 285-330; Douglas R. Scott y Debbie Solomon, "What Is Wearout Anyway?", en *Journal of Advertising Research*, 38 (septiembre/octubre de 1998), 19-28; David W. Stewart, "Advertising Wearout: What and How You Measure Matters", en *Journal of Advertising Research*, 39 (septiembre/octubre de 1999), 39-42.

8. Laura Bird, "Researchers Criticize Overuse of Ads", en *The Wall Street Journal* (3 de enero de 1992), B3.

9. Richard E. Petty y John T. Cacioppo, "Effects of Message Repetition and Position on Cognitive Responses, Recall, and Persuasion", en *Journal of Personality and Social Psychology*, 37 (enero de 1979), 97-109; Arno J. Rethans, John L. Swasy y Lawrence J. Marks, "Effects of Television Commercial Repetition, Receiver Knowledge, and Commercial Length: A Test of the Two-Factor Model", en *Journal of Marketing Research*, 23 (febrero de 1986), 50-61.

10. Robert E. Burnkrant y Hanumantha R. Unnava, "Effects of Variation in Message Execution on the Learning of Repeated Brand Information", en Melanie Wallendorf y Paul F. Anderson, eds., *Advances in Consumer Research*, 14 (Provo, UT: Association for Consumer Research, 1987), 173-176; H. Rao Unnava y Robert E. Burnkrant, "Effects of Repeating Varied Ad Executions on Brand Name Memory", en *Journal of Marketing Research*, 28 (noviembre de 1991), 406-416.

11. Bird, "Researchers Criticize Overuse of Ads".

12. Rebecca Quick, "Is Ever-So-Hip Abercrombie & Fitch Losing Its Edge With Teens?", en *The Wall Street Journal* (22 de febrero de 2000), B1, B4.

13. *Webster's New World Dictionary*, Second College Edition (Cleveland, OH: William Collins World Publishing Co., Inc., 1976).

14. Ravi Dhar e Itamar Simonson, "The Effect of the Focus of Comparison on Consumer Preferences", en *Journal of Marketing Research*, 29 (noviembre de 1992), 430-440.

15. Para una investigación sobre el efecto del uso de comerciales más breves, *véase* Surendra N. Singh y Catherine A. Cole, "The Effect of Length, Content, and Repetition on Television Commercial Effectiveness", en *Journal of Marketing Research*, 30 (febrero de 1993), 91-104.

16. Richard M. Shiffrin y R.C. Atkinson, "Storage and Retrieval Processes in Long-Term Memory", en *Psychological Review*, 76 (marzo de 1969), 179-193.

17. Herbert A. Simon, "How Big Is a Chunk?", *Sciences* 183 (febrero de 1974), 42-488; George A. Miller, "The Magical Number Seven, Plus or Minus Two: Some Limits on Our Capacity for Processing Information", en *Psychological Review*, 63 (marzo de 1956), 81-97.

18. Jacob Jacoby, "Information Load and Decision Quality: Some Contested Issues", en *Journal of Marketing*

Research, 15 (noviembre de 1977), 569-573; Jacob Jacoby, "Perspectives on Information Overload", en *Journal of Consumer Research,* 10 (marzo de 1984), 432-435; Kevin Lane Keller y Richard Staelin, "Effects of Quality and Quantity of Information on Decision Effectiveness", en *Journal of Consumer Research,* 14 (septiembre de 1987), 200-213; Naresh K. Malhotra, "Information Load and Consumer Decision Making", en *Journal of Consumer Research,* 8 (marzo de 1982), 419-430; Naresh K. Malhotra, "Reflections on the Information Overload Paradigm in Consumer Decision Making", en *Journal of Consumer Research,* 10 (marzo de 1984), 436-440; Naresh K. Malhotra, Arun K. Jain y Stephen W. Lagakos, "The Information Overload Controversy: An Alternative Viewpoint", en *Journal of Marketing,* 46 (primavera de 1982), 27-37.

19. Marcia Mogelonsky, "Product Overload?", en *American Demographics* (agosto de 1998), 64-69.

20. Para una investigación sobre el amontonamiento publicitario, *véase* Tom J. Brown y Michael L. Rothschild, "Reassessing the Impact of Television Advertising Clutter", en *Journal of Consumer Research,* 20 (junio de 1993), 138-146; Raymond R. Burke y Thomas K. Srull, "Competitive Interference and Consumer Memory for Advertising", en *Journal of Consumer Research,* 15 (junio de 1988), 55-68; Kevin Lane Keller, "Memory and Evaluation Effects in Competitive Advertising Environments", en *Journal of Consumer Research,* 17 (marzo de 1991), 463-476; Robert J. Kent y Chris T. Allen, "Competitive Interference Effects and Consumer Memory for Advertising: The Role of Brand Familiarity", en *Journal of Marketing,* 58 (julio de 1994), 97-105; Peter H. Webb, "Consumer Initial Processing in a Difficult Media Environment", en *Journal of Consumer Research,* 6 (diciembre de 1979), 225-236. También consulte Michael L. Ray y Peter H. Webb; "Three Prescriptions for Clutter", en *Journal of Advertising Research,* 26 (febrero/marzo de 1986), 69-77.

21. Caroline E. Mayer, "Scrambled, Fried or on a Stick?", en *Miami Herald* (31 de diciembre de 1999), 1C, 3C.

22. Mogelonsky, "Product Overload?"

23. Para un análisis interesante de la forma en que los elementos de ejecución de un anuncio pueden afectar la atención, *véase* Deborah J. MacInnis, Christine Moorman y Bernard J. Jaworski, "Enhancing and Measuring Consumers' Motivation, Opportunity, and Ability to Process Brand Information", en *Journal of Marketing,* 55 (octubre de 1991), 32-53.

24. Paul O'Donnell, "Read My Pitch! Earn Big Bucks!", en *American Demographics* (noviembre de 1998), 13, 14, 18

25. Para un análisis más detallado hecho por el vicepresidente de mercadotecnia directa de Yahoo!, *véase*

Seth Godin, *Permission Marketing* (Nueva York: Simon & Schuster, 1999).

26. Jennifer Lach, "First, a Word from Our Sponsor", en *American Demographics* (enero de 1999), 39-41.

27. David H. Freedman, "Why You Watch Some Commercials—Whether You Mean To or Not", en *TV Guide,* 20 de febrero de 1988), 4-7.

28. Michael J. McCarthy, "Mind Probe", en *The Wall Street Journal* (22 de marzo de 1991), B3.

29. Adam Finn, "Print Ad Recognition Readership Scores: An Information Processing Perspective", en *Journal of Marketing Research,* 25 (mayo de 1988), 168-177.

30. Larry Percy, *Ways in Which the People, Words and Pictures in Advertising Influence Its Effectiveness* (Chicago: Financial Institutions Marketing Association, julio de 1984), 19.

31. Finn, "Print Ad Recognition Readership Scores".

32. W.F. Wagner, *Yellow Pages Report* (Scotts Valley, CA: Mark Publishing, 1988).

33. Keith K. Cox, "The Effect of Shelf Space upon Sales of Branded Products", en *Journal of Marketing Research,* 7 (febrero de 1970), 55-58.

34. Finn, "Print Ad Recognition Readership Scores".

35. Sandra E. Moriarty, *Creative Advertising: Theory and Practice,* (Englewood Cliffs, NJ: Prentice-Hall, 1986). Para una investigación que pone de manifiesto que los cambios de los elementos dentro de un anuncio también pueden influir sobre la capacidad de persuasión del mismo, *véase* Chris Janiszewski, "The Influence of Print Advertisement Organization on Affect toward a Brand Name", en *Journal of Consumer Research,* 17 (junio de 1990), 53-65.

36. Cynthia Corzo, "Centerfold Ad Campaign Makes Quite a Splash", en *Miami Herald's Business Monday* (8 de marzo de 1999), 11.

37. Dave Sheinin, "Tiger Has World by Tail", en *Miami Herald* (20 de mayo de 1997), 1A, 6A.

38. Joe Agnew, "Shoppers' Star Gazing Seen as Strategy to Slash Supermarket Shelf Clutter", en *Marketing News* (16 de enero de 1987), 1, 16.

39. Para la investigación efectuada en esta área, *véase* M. Wayne Alexander y Ben Judd, Jr., "Do Nudes in Ads Enhance Brand Recall?", en *Journal of Advertising Research,* 18 (febrero de 1978), 47-50; Michael J. Baker y Gilbert A. Churchill, Jr., "The Impact of Physically Attractive Models on Advertising Evaluations", en *Journal of Marketing Research,* 14 (noviembre de 1977), 538-555; M. Steadman, "How Sexy Illustrations Affect Brand Recall", en *Journal of Advertising Research,* 9 (marzo de 1969), 15-18; Lynn R. Kahle y Pamela M. Homer, "Physical Attractiveness of the Celebrity Endorser: A Social Adapta-

tion Perspective", en *Journal of Consumer Research* 11 (marzo de 1985), 954-961; Penny M. Simpson, Steve Horton y Gene Brown, "Male Nudity in Advertisements: A Modified Replication and Extension of Gender and Product Effects", en *Journal of the Academy of Marketing Science,* 24 (1996), 257-262.

40. Lawrence Solely y Gary Kurzbard, "Sex in Advertising: A Comparison of 1964 and 1984 Magazine Advertisements", en *Journal of Advertising,* 15 (1986), 46-54, 64.

41. Thomas Madden y Marc Weinberger, "The Effect of Humor on Attention in Magazine Advertising", en *Journal of Advertising,* 22 (septiembre de 1982), 8-14; Marc G. Weinberger y Charles S. Gulas, "The Impact of Humor in Advertising: A Review", en *Journal of Advertising,* 32 (diciembre de 1982), 35-61.

42. Karen Jacobs, "Elevator Maker to Add Commercial Touch", en *The Wall Street Journal* (7 de diciembre de 1999), B8.

43. Rodney Ho, "Baggage—Carousel Ad Business's Circuitous Launch", en *The Wall Street Journal* (15 de febrero de 2000), B2.

44. Jennifer Rewick, "iVillage Holds Ads Until After Christmas", en *The Wall Street Journal* (23 de diciembre de 1999), B10

45. E. C. Cherry, "Some Experiments on the Recognition of Speech with One and Two Ears", en *Journal of the Acoustical Society of America,* 25 (1953), 975-979.

46. Margaret C. Campbell, "When Attention-Getting Advertising Tactics Elicit Consumer Inferences of Manipulative Intent: The Importance of Balancing Benefits and Investments", en *Journal of Consumer Psychology,* 4 (1995), 225-254.

47. Heather Chaplin, "Fore, Baby!", en *American Demographics* (octubre de 1999), 64-65.

48. Walter Weir, "Another Look at Subliminal 'Facts'", en *Advertising Age* (15 de octubre de 1984), 46.

49. Wilson Bryan Key, *Subliminal Seduction: Ad Media's Manipulation of a Not-So Innocent America* (Englewood Cliffs, NJ: Prentice-Hall, 1972). (*Véase también* Wilson Bryan Key, *Media Sexploitation),* Englewood Cliffs, NJ: Prentice-Hall, 1976. Las afirmaciones de Key han sido puestas en duda. Véase Jack Haberstroh, "Can't Ignore Subliminal Ad Charges", en *Advertising Age* (17 de septiembre de 1984), 3, 42, 44; Weir, "Another Look at Subliminal 'Facts'". En

esta área la investigación continúa. *Véase* Ronnie Cuperfain y T. Keith Clark, "A New Perspective on Subliminal Advertising", en *Journal of Advertising,* 14 (julio de 1985), 36-41; Myron Gable, Henry T. Wilkens, Lynn Harris y Richard Feinberg, "An Evaluation of Subliminally Embedded Sexual Stimuli in Graphics", en *Journal of Advertising,* 16 (1987), 26-31; Philip M. Merikle y Jim Cheesman, "Current Status of Research on Subliminal Perception", en Melanie Wallendorf y Paul Anderson, eds., *Advances in Consumer Research,* 14 (Provo, UT: Association for Consumer Research, 1987), 298-302.

50. Jo Anna Natale, "Are You Open to Suggestion?", en *Psychology Today* (septiembre de 1988), 28, 30.

51. Jon A. Krosnick, Andrew L. Betz, Lee J. Jussim y Ann R. Lynn, "Subliminal Conditioning of Attitudes", en *Personality and Social Psychology Bulletin,* 18 (abril de 1992), 152-162; Robert B. Zajonc y Hazel Markus, "Affective and Cognitive Factors in Preferences", en *Journal of Consumer Research,* 9 (septiembre de 1982), 123-131. *Véase también* Punam Anand y Morris B. Holbrook, "Reinterpretation of Mere Exposure or Exposure of Mere Reinterpretation", en *Journal of Consumer Research* 17 (septiembre de 1990), 242-244; Punam Anand, Morris B. Holbrook y Debra Stephens, "The Formation of Affective Judgments: The Cognitive-Affective Model Versus the Independence Hypothesis", en *Journal of Consumer Research,* 15 (diciembre de 1988), 386-391; Timothy B. Heath, "The Logic of Mere Exposure: A Reinterpretation of Anand, Holbrook, and Stephens (1988)", en *Journal of Consumer Research,* 17 (septiembre de 1990), 237-241; Chris Janiszewski, "Preconscious Processing Effects: The Independence of Attitude Formation and Conscious Thought", en *Journal of Consumer Research,* 15 (septiembre de 1988), 199-209; Chris Janiszewski, "The Influence of Print Advertisement Organization on Affect toward a Brand Name", en *Journal of Consumer Research,* 17 (junio de 1990), 53-65; Carl Obermiller, "Varieties of Mere Exposure: The Effects of Processing Style and Repetition on Affective Response", en *Journal of Consumer Research,* 12 (junio de 1985), 17-31; Yehoshua Tsal, "On the Relationship between Cognitive and Affective Processes: A Critique of Zajonc and Markus", en *Journal of Consumer Research,* 12 (diciembre de 1985), 358-362.

52. Timothy E. Moore, "Subliminal Advertising: What You See Is What You Get", en *Journal of Marketing,* 46 (primavera de 1982), 38-47.

CAPÍTULO 15

Modificar la opinión de los consumidores

CASO DE INICIO

En estos últimos años, Mountain Dew ha distribuido localizadores personales a miles de jóvenes consumidores, a través de los cuales les ha enviado mensajes especiales para estimular la venta de bebidas sin alcohol presentados por deportistas y comunicadores conocidos. La bebida con sabor a lima y un toque de cafeína ha ido de gira con el mundo de la música alterna Warped Tour. Además, la marca patrocinó la competencia de nuevos deportes extremos Gravity Games. A decir de los observadores, la mercadotecnia de Mountain Dew es un ejemplo de libro de texto sobre la forma en que se debe reposicionar una marca.

Al inicio de la década de 1980, el propietario PepsiCo presentaba la marca como una bebida de montañeses, con comerciales que urgían a los consumidores a "hacerles cosquillas a sus tripas". Pero en el transcurso de esa década la empresa y su agencia publicitaria de siempre, BBDO de Nueva York, crearon una imagen para la bebida como una alternativa para los jóvenes conocedores. El crecimiento acelerado comenzó en 1995, con la campaña Do the Dew, la cual está dirigida a los varones jóvenes. Los comerciales, llenos de acción, giran alrededor de cuatro muchachos que jamás han encontrado una montaña tan alta que les haya impedido deslizarse en su patín de nieve. Los comerciales de Mountain Dew siguen poblados de jóvenes ocupados en deportes extremos. Pero el atractivo de la campaña ha sido ampliado mediante la incorporación de comerciales centrados en contextos urbanos, con la presencia de Jackie Chan, el deportista Michael Johnson y el rapero Busta Rhymes.

"PepsiCo ha hecho un extraordinario trabajo de posicionamiento de Mountain Dew —dice Peter Sealy, profesor de mercadotecnia de la Universidad de California y antiguo ejecutivo de Coca-Cola—. Es probablemente el posicionamiento de mayor éxito de la empresa desde la Pepsi Generation."

Mountain Dew, que ocupa el cuarto lugar en la escala de preferencias de las bebidas sin alcohol (después de Coca, Pepsi y Diet Coke), fue el año pasado la marca de refresco de crecimiento más rápido entre las primeras diez, pues el incremento de cajas vendidas alcanzó 9.9%, según *Beverage Digest*. Sprite, de Coca-Cola terminó en segundo lugar, con un incremento de 9%. La botella de nueve onzas de Mountain Dew es la más popular en tiendas de abarrotes.

Los mercadólogos de Mountain Dew saben que no pueden permitirse el lujo de regocijarse por la transformación de la marca de primo campesino en bebida de elección entre conocedores jóvenes. Los veteranos de las bebidas sin alcohol están más que conscientes del éxito de Sprite, que hace 20 años ocupaba un lejano segundo sitio detrás del líder de la clase, Seven Up. La mercadotecnia de Coca trasformó a su producto en el quinto refresco más popular, que hoy triplica el porcentaje del mercado de Seven Up, que se encuentra relegado a un lejano octavo lugar.

Fuente: tomado de Greg Johnson, "Dewing It", en Miami Herald (22 de octubre de 1999), 1C, 4C.

En el capítulo 14 Se explicaron los requisitos de exposición y de atención para entrar en contacto con los consumidores objetivo. Incluso si se ha establecido contacto, la tarea de la mercadotecnia está lejos de su meta final. Además de convencer al consumidor de que piense y experimente sus productos, las empresas también tratan de hacer que lo haga de cierta forma. En otras palabras, desean modificar su opinión sobre los mismos. Esto significa influir sobre lo que la gente piensa y siente respecto de sus productos, a fin de lograr la imagen deseada y una actitud favorable. Como quedó demostrado en el reposicionamiento exitoso de la imagen de Mountain Dew del campo a la ciudad, las empresas que saben cómo modificar las opiniones de los consumidores verán plasmados los beneficios en sus estados financieros.

Aunque hemos hecho hincapié en la importancia de modificar las opiniones de los consumidores a todo lo largo del libro (especialmente en los capítulos 9 y 10), no nos hemos detenido en la forma de hacerlo. Ahora será distinto. El propósito de este capítulo es que usted comprenda mejor cómo se realiza esta tarea. Para ello, iniciamos en el principio: La formación de opinión.

Formación de opinión

La primera vez que asumimos una creencia, o tenemos una sensación o actitud respecto a algo se conoce como **formación de opinión.** Como se analizó en el capítulo 10, las opiniones de las personas se basan en sus ideas y sentimientos respecto del objeto de su actitud. Del grado al que el objeto esté asociado con ideas y sensaciones favorables depende si las actitudes serán más positivas. En ese momento no analizamos lo que ocurre entre la exposición a cierto objeto o estímulo y la formación de ideas, sensaciones y actitudes. Éste es el dominio de la **comprensión,** que consiste en *interpretar un estímulo,* es decir, otorgarle un significado, el cual depende de lo que ocurre durante el procesamiento del estímulo. A continuación estudiaremos los diversos aspectos de este procesamiento.

Categorización del estímulo

Inicialmente, una persona intenta responder a una pregunta clave: "¿De qué se trata?" Para contestarla, necesita de una **categorización de los estímulos,** *proceso mediante el cual los clasifica de acuerdo con los conceptos y clases que guarda en la memoria.* La forma en que se categoriza un estímulo es importante porque las categorías mentales a las cuales se les asigna un estímulo afectan las opiniones que se forman sobre éstos.[1] Toro introdujo un barredor de nieve ligero, conocido como Snow Pup. Sin embargo, el nombre indujo a muchos a clasificarlo como un juguete e incluso aquellos que lo ubicaban en la categoría adecuada, interpretaban que el nombre de la marca carecía de la potencia necesaria para la tarea. El cambio de nombre (primero a Snowmaster y después simplemente a Toro) eliminó estos problemas y permitió incrementar las ventas.[2]

Desafortunadamente los consumidores suelen equivocarse durante la categorización de los estímulos. El paquete utilizado por los cacahuetes de Planters Tostados se parecía tanto a los empaques al vacío utilizados para el café, que muchos consumidores clasificaban mal al producto. A los minoristas no les causaba ninguna satisfacción el desorden que los compradores provocaban cuando involuntariamente hechaban cacahuetes en los molinos de café.[3] Cuando Frito-Lay introdujo sus nuevos Cheetos Paws, un bocadillo con forma de garra de guepardo, los exhibidores fueron colocados cerca de los pasillos de alimentos para animales, lo que hacía dudar a algunos consumidores sobre la clase de producto que era. En las palabras de un consumidor confuso: "¿Son los Paws para mi gato o para mí?"[4] Tampoco la publicidad es inmune a errores de categorización. Los primeros anuncios de Claritin, un antihistamínico, utilizaban el siguiente lema: "Un día brillante con Claritin." Sin embargo, muchos, erróneamente, lo clasificaron como antidepresivo.[5]

Cantidad de procesamiento

Considere un anuncio que contiene una gran cantidad de información sobre un producto. Para apreciar completamente los beneficios y ventajas competitivas de éste, es necesario procesar cuidadosa y extensamente el contenido del mismo. Cuando los consumidores lo hacen, el significado que trasmite el anuncio les permite formarse actitudes muy favorables del producto, pero aquellos que no invierten el esfuerzo cognoscitivo para comprender esta información, nunca conocerán sus beneficios y ventajas. En consecuencia, tendrán una interpretación diferente de lo que transmite el anuncio respecto del producto anunciado.

Como ilustra este simple ejemplo, la cantidad de procesamiento puede modificar la comprensión y, en consecuencia, la formación de una opinión. Muchos estímulos, especialmente aquellos clasificados como propaganda, son objeto de un procesamiento mínimo. Una vez que hemos determinado de qué se trata, desviamos nuestros recursos cognoscitivos hacia otro estímulo. Cuando esto ocurre, hay pocas posibilidades de que el estímulo ejerza la influencia que se esperaba de él.

En otras ocasiones solemos prestar suficiente atención a un comercial para enterarnos de lo que ocurre y tal vez para notar lo que se anuncia, pero ello es prácticamente todo. Al hacerlo, podemos *experimentar ciertos pensamientos* (llamados **respuestas cognoscitivas**) y *sentimientos* (conocidas como **respuestas afectivas**). Por ejemplo, pensamos en lo cansados que estamos de ver el comercial una y otra vez. O quizás nos entretiene lo gracioso de sus contenidos. En cualquier caso, el procesamiento está lejos de ser extenso.

Algunas veces empleamos buena parte de nuestros recursos cognoscitivos durante el procesamiento. Un comercial puede ser tan atractivo que podemos seguir con cuidado todo lo que dice y muestra. La campaña publicitaria del café Taster's Choice que muestra el inicio de una relación entre una mujer y su vecino cautivó las mentes de muchos consumidores. O escuchamos cuidadosamente lo que tiene que decir el comercial sobre el producto, quizás porque se supone que contiene información pertinente, útil para tomar una decisión de compra futura e importante. Las afirmaciones sobre los beneficios y ventajas competitivas publicadas son estudiadas cuidadosamente y se activan conocimientos relativos a la validez de esas afirmaciones. La reflexión puede extenderse a otros atributos del producto aparte de los que se manifiestan en el mensaje. Un anuncio de correo directo que destaca la elevada calidad del producto sin mencionar el precio puede llevar a los consumidores a inferir que éste puede ser elevado; de lo contrario, ¿por qué no decirlo?

El nivel de procesamiento necesario para desentrañar el significado de un estímulo depende de lo fácilmente que pueda ser procesado. Algunos estímulos se procesan con facilidad; otros son más exigentes y requieren de mayor cantidad de nuestros recursos cognoscitivos. Observe los dos anuncios que se muestran en la figura 15.1. El de Cracker Barrel se comprende con bastante facilidad en unos segundos. Pero no ocurre lo mismo con el de Claritin. Los consumidores deben procesarlo mucho más antes de entender lo que comunica. Como los consumidores no están dispuestos a invertir gran parte de sus recursos cognoscitivos en el procesamiento de mensajes publicitarios, los anunciantes optan por enviar mensajes simples, de fácil comprensión. Los mensajes extensos tienen sentido sólo cuando existe una razón para creer que los consumidores dedicarán el tiempo y el esfuerzo necesario para procesarlos.

No deseamos dar la impresión de que es necesario realizar un procesamiento extenso antes que un estímulo incida en la comprensión y formación de una opinión. Por el contrario, incluso un tratamiento relativamente superficial puede ser suficiente para que un estímulo ejerza su influencia. De acuerdo con el **condicionamiento clásico**, *el simple acto de asociar con otro un estímulo que evoca espontáneamente ciertos significados y sensaciones puede provocar una transferencia de estos significados y sensaciones de uno al otro.*[6]

Condicionamiento clásico

Para muchos, el término *condicionamiento clásico* despierta ideas sobre Pavlov y sus perros. Este científico ruso, padre del condicionamiento clásico y ganador del Premio Nobel, demostró la forma en que un estímulo adquiere nuevo significado simplemente al asociarlo con otro. En sus famosos experimentos con perros, Pavlov empezó con *un estímulo* (el **estímulo no condicionado**) *capaz de suscitar automáticamente una respuesta* (la **respuesta no condicionada**). En concreto, comenzó con el alimento, lo cual provoca que las glándulas salivales de los perros

Figura 15.1   ¿Cuál de los anuncios es más fácil de procesar?

SHARP NOT DULL.   Cracker Barrel

TAKE CLEAR CONTROL. TAKE CLARITIN.

Talk to your doctor about once-a-day, nondrowsy CLARITIN-D' 24 HOUR — for people ages 12 and up. CLARITIN-D' 24 HOUR is safe to take as prescribed: one tablet daily. In studies, dry mouth was the most commonly reported side effect. Other side effects including drowsiness and sleeplessness occurred about as often as they did with a sugar pill. *Some people should not take CLARITIN-D' 24 HOUR.* If you have a history of difficulty in swallowing tablets or any medical problems associated with swallowing abnormalities, you should not take CLARITIN-D' 24 HOUR. Due to pseudoephedrine (the decongestant in CLARITIN-D' 24 HOUR tablets and many over-the-counter allergy medications), you should not take CLARITIN-D' 24 HOUR if you have glaucoma (abnormally high pressure in your eyes), difficulty urinating, severe high blood pressure, severe heart disease, or are taking MAO inhibitors (certain prescription medications that treat depression).

Some people need to be especially careful using CLARITIN-D' 24 HOUR. Always take CLARITIN-D' 24 HOUR with a full glass of water. Also, the tablets must not be chewed or broken. Check with your healthcare provider before taking CLARITIN-D' 24 HOUR if you have high blood pressure; diabetes; heart disease; increased intraocular pressure (eye pressure); thyroid, liver, or kidney problems; enlarged prostate; or if you are pregnant, planning to become pregnant, or nursing a baby. You shouldn't take CLARITIN-D' 24 HOUR with any other antihistamines and decongestants, as too much pseudoephedrine sulfate can cause nervousness, sleeplessness, dizziness, and other related side effects. Please see next page for additional important information. *Available by prescription only.*

Call 1-889-833-0065 for more information and a $5.00 rebate certificate. Visit www.claritin.com

cumplan su función. Para mostrar que esta respuesta podía ser transferida a un *nuevo estímulo* (**condicionado**) *no asociado hasta ese momento con esta respuesta*, hacía sonar una campana en el momento en que alimentaba a los perros. Al cabo, con sólo escuchar la campana los perros salivaban. Dado que esta respuesta *procede de un condicionamiento*, se conoce como **respuesta condicionada**.

En la figura 15.2 se muestra el marco de referencia básico del condicionamiento clásico, dentro del contexto de un producto. En este ejemplo, basado en el anuncio de Cracker Barrel que aparece en la figura 15.1, los cuchillos, que son símbolo de lo afilado, se asocian con el producto, con la esperanza que su significado pueda ser condicionado por el producto. De ser así, se percibirá el queso como con un sabor más fuerte. Obviamente, antes de que esto suceda, los consumidores deben proceder a un procesamiento suficiente del anuncio y efectuar esta conexión. Independientemente de ello, como ya dijimos, este enfoque requiere de poco procesamiento, mucho menos que el requerido por el anuncio de Claritin que se muestra en la misma figura 15.1.

Una demostración de transferencia de significado proviene de un estudio en el cual las personas procesan un anuncio ficticio de un papel higiénico. Para algunos, el comercial contenía una declaración explícita de suavidad. Para otros, carecía de ella, ya que sólo presentaba la imagen de un gatito mimoso. Cuando se les preguntó sobre la suavidad del papel higiénico, los participantes dieron opiniones más favorables si el producto se asociaba con el gatito, lo que reafirma el poder del condicionamiento clásico para influir sobre las opiniones de los consumidores.[7]

Aparte de la transferencia de significado, la simple asociación puede también causar una transferencia de sentimientos y de gustos. A menudo los productos se asocian con estímulos que, aunque carentes de un significado importante para el producto, son del gusto general y evocan sentimientos favorables. Un buen ejemplo son los recientes comerciales Budweiser, que incluyen a Louie, el lagarto payaso. Estos comerciales no explican por qué es necesario comprar este producto. Aun así, Budweiser apuesta millones de dólares a que el consumidor gustará de su producto más (lo que, a su vez, aumentará la probabilidad que sea comprado) simplemente porque está asociado con algo que agrada.

El potencial de los estímulos no pertinentes que influyen en la elección de un producto fue ilustrado por una investigación en la cual a los participantes se les pidió que eligieran entre dos plumas similares. Cuando una de éstas fue asociada con música casual, pero muy de moda, fue elegida con mayor frecuencia. Pero cuando fue vinculada con música desagradable, la otra se convirtió en la elección más popular.[8] Otra investigación indica que este efecto depende en buena medida de la naturaleza del conjunto de elección. Cuando se escoge entre alternativas que carecen de una marca dominante (como cuando se escoge entre dos marcas similares), la asociación con un estímulo socialmente aceptado puede inclinar la balanza a favor de la marca que hace la asociación. Sin embargo, si en el conjunto de elección una marca

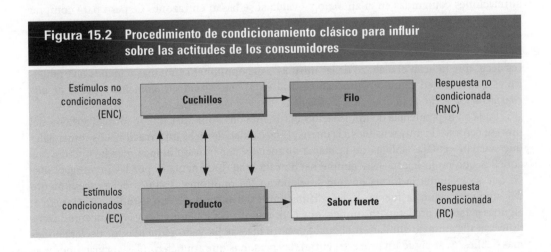

Figura 15.2   Procedimiento de condicionamiento clásico para influir sobre las actitudes de los consumidores

Estímulos no condicionados (ENC) → **Cuchillos** → **Filo** → Respuesta no condicionada (RNC)

Estímulos condicionados (EC) → **Producto** → **Sabor fuerte** → Respuesta condicionada (RC)

es inferior a otra, puede no ser capaz de compensar esta desventaja competitiva asociándose con algún estímulo favorable, pero no pertinente.[9]

El poder que tiene la asociación para modificar las opiniones de los consumidores es invaluable para la mercadotecnia de los productos por lo menos por dos razones. En primer lugar, porque libera a las empresas de las restricciones impuestas por el desempeño real del producto. Incluso si este producto es inferior a uno de la competencia, si se seleccionan los estímulos apropiados para asociarlo se pueden generar opiniones favorables. Por ejemplo, piense en la pasta de dientes Topol. Aunque es mejor que muchos de sus competidores para eliminar manchas, el mejor removedor de manchas (por lo menos hasta este momento) es Zact HP, una ventaja competitiva en la que insiste la publicidad de este dentífrico. Por razones obvias, a Topol no le convenía hablar de su desempeño relativo. Por tanto, su publicidad asoció el producto con estímulos diseñados para transmitir la idea de que eliminaba manchas y blanqueaba los dientes. En sus comerciales dominaban modelos masculinos y femeninos vestidos de blanco que al sonreír mostraban dentaduras impecablemente níveas.

La otra razón por la cual la simple asociación resulta tan atractiva es que funciona sin que sea necesario que los consumidores tengan que reflexionar durante el procesamiento. Como ya dijimos, los consumidores tienen mejores cosas en qué pensar que en los innumerables productos y anuncios que atestan el mercado. En consecuencia, un pensamiento meticuloso es más la excepción que la regla. Como resultado, tienen mayores oportunidades de éxito los esfuerzos para modificar opiniones que requieran de menos procesamiento.

Contenido del procesamiento

Además de la cantidad de procesamiento, también es importante comprender el contenido de éste. Un aspecto crítico de este contenido es lo favorable de las respuestas cognoscitivas y afectivas que se presentan durante el mismo. Las respuestas favorables son un requisito fundamental para la formación de opiniones positivas sobre el producto. Cuando estas respuestas son desfavorables, a las empresas no les satisfarán las opiniones que se formen. Como ejemplo, lea la sección El consumidor en la mira 15.1.

Otro aspecto clave del contenido es la medida en que el procesamiento requiere pensamiento pertinente al producto. Las diferencias de este pensamiento han llevado a los investigadores a sostener la existencia de dos procesos de formación de opinión: un proceso central y otro periférico.[10]

Proceso central de formación de opiniones

Supongamos que llama su atención un anuncio con información sobre la compra de un producto importante y a punto de salir a la venta. Debido a su importancia personal, usted asigna considerables recursos cognoscitivos durante el procesamiento. Reflexiona sobre las afirmaciones contenidas en el anuncio y evalúa si se basan en razones de peso para comprar el producto. Estas reflexiones o respuestas cognoscitivas se convierten en la base para la elaboración de opiniones. Además, si sus respuestas cognoscitivas son positivas (es decir, son reflexiones que indican la aceptación de las afirmaciones que contiene el anuncio) o negativas (es decir, que indican el rechazo de las mismas), sus opiniones serán más o menos favorables. En este caso, usted siguió un **proceso central** en el cual *formó sus opiniones a partir de una consideración seria de información pertinente.*

Dada su dependencia de información pertinente, las opiniones que se forman a través del proceso central son muy sensibles a la intensidad o calidad de dicha información. Los comerciales que señalan ventajas sólidas de la marca anunciada generan opiniones más favorables que aquellos que no lo hacen. Este simple hecho está bien documentado por las investigaciones en que se examina la forma en que se elaboran las opiniones después del procesamiento del anuncio, según la fuerza de las afirmaciones del mismo. En un estudio característico, algunas personas procesan un anuncio que contiene afirmaciones fuertes y convincentes; otros procesan un anuncio similar en el cual la asertividad se ha visto reducida por declaraciones más débiles. Si se sigue un proceso central, las personas que conocieron las afirmaciones más

El consumidor en la mira 15.1

El anuncio de Centrum Silver falla en su objetivo

Con 13.6% del mercado para multivitaminas de adulto, Centrum Silver, producto de una de las divisiones de American Home Products, es la segunda marca más popular en Estados Unidos, superando a competidores como One-A-Day, Nature Made y Getirol. Introducido en 1990, el producto está dirigido al mercado de consumidores de más de 50 años, integrado por 65 millones de personas que controlan 55% del ingreso del país. Las ventas de Centrum Silver han subido 47% durante los últimos dos años.

Su campaña publicitaria actual, basada en el lema "Aún exploramos", incluye dos adultos de edad madura, bien parecidos y saludables, vestidos con telas de colores militares y mezclillas, que sacan una canoa de un lago, saltan a través de una corriente borboteante y asan malvaviscos en un fuego chisporroteante. A continuación, una enorme botella con vitaminas se eleva de una piscina de plata y una afable voz masculina proclama: "¡La vida es una aventura, puesto que usted es mayor de 50 y todavía explora!" Escuchamos un párrafo respecto a "Nutrientes esenciales para la edad". El anunciador dice: "¡Es un gran momento para tener la sienes de plata!." Y se terminan los 15 segundos.

Sin embargo, la campaña tiene sus críticos. Klaus Rohrich, presidente de Taylor/Rohrich Asociados Inc., con sede en Toronto, que se especializa en la comercialización a mayores de 50 años, dice que la campaña es un buen ejemplo de la forma en que ciertas empresas a menudo emplean tácticas erróneas para atraer a consumidores de edad. La imagen es trillada —se queja— y el escenario del campamento es totalmente imperfecto. Dado que la premisa del anuncio es que la vida puede ser una aventura después de llegar a los 50, piensa que la empresa debería ser sumamente cuidadosa en lo que decide representar como su "aventura". Acampar no es una elección probable de los mayores de 50 años, ni tampoco particularmente arriesgada. Rohrich piensa que un crucero hubiera sido una mejor elección. El meollo de la cuestión es que debería haber sido algo que las personas de esa edad probablemente harían. De lo contrario, el anuncio se convierte en por lo menos irrelevante y, en el peor de los casos, ofensivo.

La opinión de Rohrich encuentra eco en uno de los clientes objetivo de Centrum Silver. Se trata de una mujer de 54 años, consciente de su salud, que cambia de canal cada vez que en la pantalla de su televisor aparece el comercial. "Cómo pueden decirme a mí lo que necesito, cuando es evidente que no saben quién soy —explica—. Crearon una imagen de personas mayores que se adapta a los jóvenes, pero que no tiene nada que ver con nosotros. Si está dirigida a mí, se equivocaron por varios kilómetros." Su comentario es muy desconcertante: "La falta de autenticidad del anuncio me convenció que el producto es un cuento."

Fuente: tomado de Heather Chaplin, "Centrum's Self-Inflicted Silver Bullet", en American Demographics, *(marzo de 1999), 68-69.*

---

sólidas deben abrigar opiniones del producto más favorables que aquellas que escucharon las afirmaciones más débiles. Sin embargo, a medida que se reduce la reflexión pertinente al producto, las afirmaciones del anuncio deben ejercer menor influencia. En algún punto, este pensamiento es tan insignificante que las opiniones formadas no son efectuadas de manera alguna por la fuerza de las afirmaciones.

En la figura 15.3 se presentan los resultados de una investigación que demuestra que la capacidad de persuasión de los contenidos de un anuncio dependen de la reflexión realizada durante el procesamiento. En este estudio, los sujetos procesaron un comercial de un producto ficticio que contiene afirmaciones sólidas o débiles en condiciones diseñadas para influir en el grado de pensamiento relativo al producto.[11] A algunos sujetos se les dijo que deberían elegir entre varias marcas, una de ellas la marca anunciada, y que recibirían una muestra gratis de la que escogieran. Esta regla debería motivar más pensamiento sobre el producto y sus atributos durante el procesamiento. A otros no se les informó que se les obsequiaría una muestra. En consecuencia, tenían menos incentivos para pensar sobre los contenidos del anuncio.

Como se muestra en la figura 15.3, el grado hasta el cual las opiniones sobre el producto anunciado fueron afectadas por las afirmaciones sobre el mismo dependió de la reflexión pertinente al producto durante el procesamiento. En la condición en que dicho pensamiento resultó más probable que ocurriera, aquellos a quienes se les dio el anuncio que contenía afirmaciones más sólidas formaron opiniones mucho más favorables que los que recibieron las afirmaciones débiles. Y aun así, la magnitud de esta diferencia se redujo notablemente en una situación en la que la reflexión pertinente al producto era menos probable que ocurriera. De

Figura 15.3 **La influencia de los mensajes publicitarios dependen de la reflexión que ocurre durante el procesamiento del anuncio**

Opiniones favorables sobre el producto posteriores al mensaje

Mensajes más fuertes del anuncio

Mensajes más débiles del anuncio

Menos

Más

Pensamiento relativo al producto durante el procesamiento del anuncio

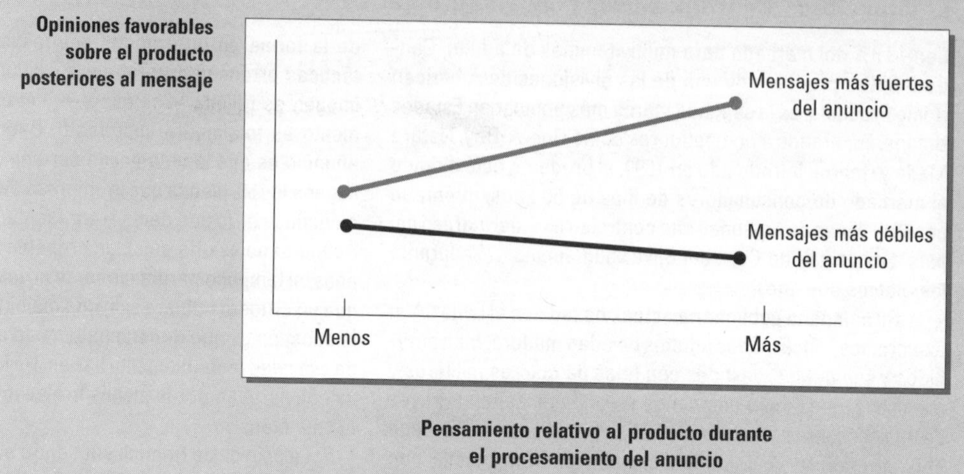

Fuente: Paul W. Miniard, Sunil Bhatla, Kenneth R. Lord, Peter R. Dickson y H. Rao Unnava, "Picture-based Persuasion Processes and the Moderating Role of Involvement", en Journal of Consumer Research, 18 *(junio de 1991), 92-107.*

hecho, las opiniones del producto formadas en esta situación eran esencialmente las mismas, independientemente de los mensajes incluidos en el anuncio.

Aunque el estudio anterior se centró en información relativa al producto transmitida en mensajes publicitarios, la misma se puede comunicar a través de otros medios. El tipo de personas que se muestran en el anuncio debe servir para determinar si el producto concuerda con las imágenes que tienen de sí mismos los consumidores. Piense que si reemplaza a los cuatro jóvenes en los comerciales de Mountain Dew por cuatro abuelitas, probablemente los adolescentes se formarían opiniones muy diferentes sobre el refresco.

El potencial de los elementos publicitarios no asertivos para la difusión de información relativa al producto quedó demostrado en un estudio que manipuló el tipo de imagen que integraba un anuncio.[12] Algunas personas recibieron un comercial que contenía una imagen diseñada para reforzar ciertas creencias sobre los atributos del producto; otras, una simbología carente de información relativa al producto. Este estudio también manipulaba la posibilidad de reflexión sobre el producto, de la misma forma que en el estudio anterior. Después del procesamiento del anuncio, los sujetos emitían sus opiniones sobre el producto, cuyos resultados aparecen en la figura 15.4. Observe la forma en que el patrón de los resultados se parece mucho al presentado en la figura 15.3. Cuando el nivel de reflexión sobre el producto durante el procesamiento del anuncio era relativamente escaso, las opiniones no se veían afectadas por la manipulación de la imagen. En contraste, las alteraba de manera notable cuando se reflexionaba cuidadosamente sobre el mismo. Los individuos a quienes se les mostró el anuncio con la imagen que contenía información pertinente se formaron opiniones más favorables que aquellos que vieron un comercial carente de ella.

Proceso periférico de formación de opiniones

La realización de una profunda reflexión durante el procesamiento sobre la información pertinente depende tanto de la motivación de la persona como de su capacidad de hacerlo. Si usted se prepara para gastar elevadas cantidades de dinero probablemente estará muy motivado (de lo contrario, debe ser muy rico) para evaluar cuidadosamente la información de importancia. Además, si usted es capaz de hacerlo (lo que significa que tiene el conocimiento

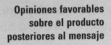

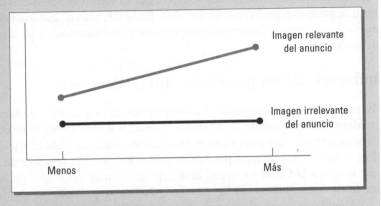

Figura 15.4 La influencia de imágenes que transmiten información relevante sobre el producto también depende de la reflexión que ocurre durante el procesamiento del anuncio

Opiniones favorables sobre el producto posteriores al mensaje

Imagen relevante del anuncio

Imagen irrelevante del anuncio

Menos   Más

Reflexión relativa al producto durante el procesamiento del anuncio

Fuente: Paul W. Miniard, Sunil Bhatla, Kenneth R. Lord, Peter R. Dickson y H. Rao Unnava, "Picture-based Persuasion Processes y the Moderating Role of Involvement", en Journal of Consumer Research, 18 *(junio de 1991), 92-107.*

necesario para comprender la información, así como la oportunidad de hacerlo), lo hará. Pero a menudo faltan la motivación o la capacidad. Piense en los incontables comerciales que ha observado sin evaluar los aspectos fuertes y los débiles del producto anunciado. Cualquiera que sea la razón, no estaba motivado para meditar sobre ellos.

A pesar de lo anterior, un pensamiento limitado respecto a información pertinente no impide elaborar una opinión. Simplemente significa que las opiniones se forman a través de un proceso mental diferente. *Las opiniones que se forman sin pensar sobre la información pertinente* responden a un **proceso periférico**. Por ejemplo, los consumidores se pueden formar opiniones sobre el producto anunciado a partir de lo mucho que gustan o disfrutan del comercial en sí. Muchas investigaciones han demostrado la influencia que ejerce la actitud de los consumidores hacia el anuncio como determinante importante de la eficacia de la publicidad para la formación de sus opiniones.[13] El hecho que el estado de ánimo o el grado de entretenimiento que proporcione un comercial no sea pertinente para la evaluación de los verdaderos méritos del producto no es importante cuando se forman opiniones a través de un proceso periférico. Tal como subrayamos en nuestro análisis sobre el condicionamiento clásico, el simple hecho de activar de sentimientos favorables conjuntamente con el producto puede hacer que los mismos sean transferidos a éste.

Para ilustrar mejor este proceso de formación de opiniones, piense en un estudio que probó el efecto de las imágenes publicitarias que sirvieron como señales periféricas.[14] Las **señales periféricas** son *estímulos carentes de información relativa al producto*. Debido a ello, no pueden influir sobre la formación de opiniones y se lleva a cabo por medio de un proceso central. Más bien, cualquier influencia que ejercen queda limitada al momento en que la formación de la opinión sigue un proceso periférico.

En este estudio, algunas personas pudieron apreciar un anuncio con una imagen muy atractiva de una playa tropical al atardecer. Otros individuos recibieron un comercial idéntico, excepto que la imagen atractiva había sido reemplazada por una fotografía de iguanas, lo cual le restaba atractivo al conjunto. Como antes, algunos de los sujetos fueron informados que se iba a realizar una elección que involucraba al producto anunciado como una forma de alentar una reflexión más amplia sobre el mismo.

En la figura 15.5 se muestran los resultados de las opiniones sobre el producto formadas después del procesamiento del anuncio. La imagen atractiva influyó para que los sujetos elaboraran opiniones más favorables sobre el producto pero sólo cuando la reflexión sobre los méritos de éste era mínima. Cuando dicha reflexión era más profunda, las opiniones no se veían afectadas por las imágenes. Observe que el patrón de resultados de esta figura difiere de los que presentan las figuras 15.3 y 15.4. Estas diferencias, que eran de esperarse, dependen de que los elementos del anuncio proporcionen o no información pertinente para la evaluación del producto.

Influencia de un procesamiento tendencioso

Aun cuando una persona pueda estar muy motivada y ser capaz de evaluar de manera inteligente la información pertinente, las opiniones formadas suelen depender de otros elementos además de la simple información que proporcionan los anuncios publicitarios. Esta circunstancia se debe a que dichos factores pueden desviar o alterar el procesamiento de la información, lo que modifica la forma en que se la interpreta. Uno de estos factores son las expectativas. A fin de ilustrarlo, observe la figura 15.6. ¿Qué es lo que ve?

Algunos perciben el estímulo de la figura 15.6 (conocido como la "B dividida") como la letra B. Otros la interpretan como el número 13. Esta disociación depende de la forma en que se lo mire, lo cual puede modificarse y hacer que uno se predisponga a ver una letra o un número. Supongamos que, antes de ver la B dividida, primero procesó cuatro letras mayúsculas o cuatro pares de dígitos. Al hacerlo, se preparó para esperar una letra o un número. Esta expectativa, a su vez, influye poderosamente en su interpretación. Quienes esperan dígitos la interpretan como un 13. Los que esperan letras, como una B.[15]

Este mismo fenómeno ocurre cuando los consumidores se encuentran en el proceso de formar sus opiniones sobre el producto. Podemos interpretar que la información recolectada durante la búsqueda es congruente con nuestras expectativas anteriores, especialmente si esta información es ambigua (es decir, si está abierta a múltiples interpretaciones).[16] Las expectativas incluso pueden alterar las interpretaciones que llevan a cabo los consumidores de sus experiencias de consumo, una posibilidad que ya explicamos en el capítulo 6.

Figura 15.5   **Las imágenes periféricas ejercen más influencia cuando se reduce la reflexión relativa al producto durante el procesamiento del anuncio**

Opiniones favorables sobre el producto, posteriores al mensaje

Imagen no relativa positiva

Imagen no relativa negativa

Menos   Más

Reflexión relativa al producto durante el procesamiento del anuncio

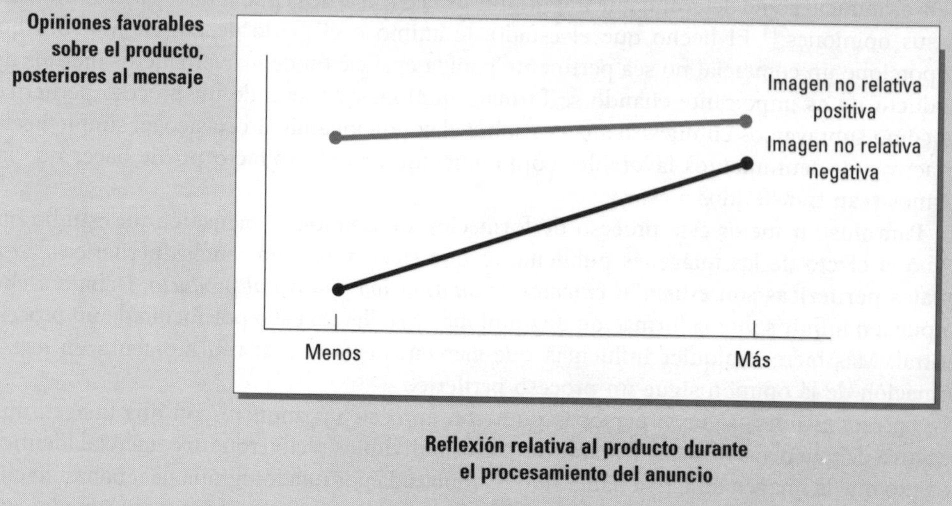

Fuente: Paul W. Miniard, Sunil Bhatla, Kenneth R. Lord, Peter R. Dickson y H. Rao Unnava, "Picture-based Persuasion Processes and the Moderating Role of Involvement", en Journal of Consumer Research, 18 (junio de 1991), 92-107.

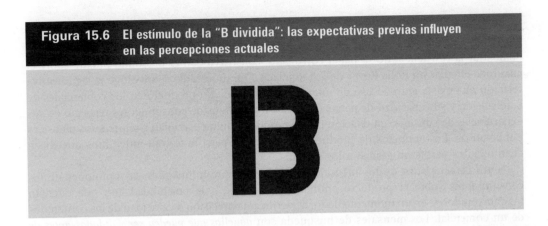

Figura 15.6   El estímulo de la "B dividida": las expectativas previas influyen en las percepciones actuales

De manera similar, los estados de ánimo de los consumidores en el momento del procesamiento de la información también pueden modificar su interpretación y la formación de sus opiniones (véase el capítulo 10). Consumidores de buen humor interpretarán más favorablemente la información que aquellos que padezcan un estado de ánimo negativo.

Cómo influyen las empresas en la formación de opiniones

Luego de haber explicado las fases de la comprensión y formación de opiniones, dirigiremos nuestra atención hacia diversas tácticas utilizadas por las empresas para influir sobre las opiniones formadas sobre sus productos.

Papel de la publicidad en la formación de las opiniones

Como indicamos en el análisis precedente, la publicidad cumple un papel vital al modificar las opiniones que se forman los consumidores. En esta sección, abordaremos varios aspectos de la publicidad que contribuyen a este proceso de modificación. Al hacerlo, descomponemos la publicidad en partes, de acuerdo con los mensajes que transmiten respecto de la marca anunciada.

Mensajes publicitarios

Como ya lo explicamos, los anuncios que presentan mensajes más convincentes sobre los méritos de la marca anunciada permiten generar opiniones más favorables que aquellos cuyos contenidos son más débiles, siempre que durante el procesamiento del anuncio los consumidores reflexionen suficientemente sobre la información relativa al producto.¿Qué es lo que hace que un mensaje sea más sólido o más débil? Empecemos con su pertinencia. Los mensajes sobre aspectos no relacionados con las necesidades del consumidor carecen de pertinencia personal. Los contenidos pertinentes son aquellos que, de alguna forma significativa, se vinculan con la vida de la persona. En un estudio sobre un sector industrial se descubrió que la pertinencia era el determinante de mayor importancia para que una campaña publicitaria cuyo objetivo es persuadir a los consumidores de que probaran cierto producto fuera exitosa.[17]

La fuerza de un mensaje también depende de lo que transmite respecto de las características y beneficios del producto anunciado. Considere el anuncio de Duracell Ultra que afirma que se trata de "la batería alcalina más poderosa del mundo". Si esta afirmación es aceptada como cierta, los consumidores se formarán opiniones más favorables sobre el producto que si el anuncio contuviera mensajes más modestos.[18] De manera similar, el comercial comparativo que describe una ventaja importante sobre un competidor conocido representa una mejor publicidad de la marca promocionada que un anuncio no comparativo, que guarda silencio sobre el resultado de compararla con su competencia. En consecuencia, los anuncios comparativos permiten a los consumidores formarse opiniones más favorables sobre la marca anunciada en relación con la competencia utilizada como punto de comparación.[19]

Es importante el grado hasta el cual la publicidad corrobora o respalda sus mensajes.[20] Las demostraciones del producto son una manera eficaz de hacerlo. Cuando St. Regis quiso demostrar la resistencia de su papel corrugado, construyó con él un sólido puente sobre el cual hizo circular un Rolls Royce de 2.5 toneladas. En un estudio se investigó la significativa relación que existe entre el uso de una demostración de un producto en los comerciales de la televisión y su capacidad de persuadir.[21] Los testimonios de consumidores respecto de sus experiencias de consumo en relación con el producto también ayudan a reforzar los mensajes publicitarios. Los anuncios de productos para perder peso muestran individuos que dicen cuántos kilos perdieron gracias a los mismos.

Otra característica de los mensajes publicitarios que influyen en las opiniones de los consumidores sobre el producto anunciado se refiere a la posibilidad con que cuentan los consumidores, en un momento dado, de verificar la precisión o veracidad de los contenidos de un comercial. Los **mensajes de búsqueda** son *aquellos que pueden ser validados antes de la compra, al examinar información disponible en el mercado.* Un anuncio que sostiene que el producto anunciado tiene el precio más bajo o la mejor garantía puede verificarse si se lo compara con los que ofrece la competencia. Los **mensajes basados en la experiencia** *también pueden ser verificados, pero para ello se requiere el consumo del producto.* Si un anuncio de una nueva marca de aderezo para ensalada afirma que sabe mejor que la marca que usted consume, usted realmente no sabrá si es verdad hasta que la haya probado. Algunas veces los publicitarios son tales que la *verificación de su precisión es imposible o improbable, ya que requiere más esfuerzo del que los consumidores están dispuestos a invertir.* Estos contenidos se conocen como **mensajes de crédito.** Un buen ejemplo de ello es el viejo mensaje de Tylenol, "utilizado por más hospitales que cualquier otra marca de analgésico". Pensamos que es seguro apostar que ningún consumidor jamás ha hecho la investigación en suficientes hospitales como para determinar la veracidad de esta afirmación. Quizás debido a que piensan que las empresas están obligadas a decir la verdad cuando es posible verificar sus mensajes antes de la compra del producto, los consumidores los perciben como mucho más verídicos que los mensajes basados en la experiencia o de crédito.[22]

Incluso la forma en que los mensajes son presentados pueden afectar las opiniones que se han formado gracias a ellos. Como ejemplo sencillo, consideremos los productos cárnicos. Debido a que el porcentaje de carne magra más el de grasa es siempre igual a 100%, la información sobre uno de ellos automáticamente proporciona información sobre el otro. Si se sostiene que el porcentaje de carne asciende a 80%, de inmediato sabemos que tiene 20% de grasa. Al contario, si se afirma que la carne tiene un 20% de grasa, entonces sabemos que contiene 80% de carne magra. Por lo tanto, esas informaciones resultan igualmente informativas, ya sea sobre lo magro de la carne o sobre el porcentaje de grasa. Aun así, no tienen igual influencia. En un estudio, un producto cárnico fue descrito ya sea como 80% magro o con 20% de grasa. Cuando se les preguntó su opinión, los que recibieron la descripción de lo magro de la carne se formaron opiniones del producto mucho más favorables que quienes fueron informados sobre el contenido de grasa.[23]

También es importante que el mensaje se enuncie de manera objetiva o subjetiva. **Los mensajes objetivos** *se basan en información factual, no sujeta a interpretación individual.* Por su parte, **los mensajes subjetivos** *son aquellos que pueden generar interpretaciones diferentes en distintos individuos.* Afirmaciones como "de bajo precio" o "ligeras" se considerarían como subjetivas, ya que lo que resulta bajo o ligero para una persona puede no serlo para otra. Estos mismos atributos pueden expresarse de manera objetiva si simplemente se dan a conocer el precio y el peso reales. Dado que los mensajes objetivos son más precisos y se evalúan con mayor facilidad, resultan más creíbles, despiertan ideas más favorables durante el procesamiento y generan opiniones y actitudes más favorables respecto del producto anunciado.[24]

Aunque el análisis anterior sobre la influencia de los mensajes publicitarios en la formación de la opinión supone que durante el procesamiento el anuncio será sometido a suficiente reflexión, los mensajes publicitarios ejercen alguna influencia aunque la reflexión sea mínima. Así ocurre cuando el cúmulo de mensajes sirve como una señal periférica. Si se sigue el camino periférico, el solo aumento de la cantidad (más que la calidad o la fuerza) de los mensajes suscita opiniones más favorables, incluso si están limitadas a información que no es importante.[25]

Personalidades que respaldan los productos

Como explicamos en el capítulo 14, a menudo los anunciantes, para llamar la atención recurren a ciertas personalidades que respaldan sus productos. Del mismo modo, acuden a estos respaldos para modificar las opiniones de los consumidores sobre el producto. Los relojes Omega, por ejemplo, se anuncian como la "elección de Cindy Crawford" (véase la figura 15.7) con la esperanza de incrementar su nivel de seducción ante los ojos de muchos consumidores.

Estos apoyos ayudan de varias formas a modificar las opiniones de los consumidores sobre el producto. En primer lugar, su simple asociación con el artículo puede ser suficiente razón para adquirirlo. Piense en cuántos pares de calzado deportivo se han vendido simplemente porque tienen impreso el nombre de Michael Jordan, debido a que ello transforma el producto en un símbolo de posición social. Es tan poderoso su atractivo que, en menos de un año desde su introducción, las ventas al menudeo del perfume de Michael Jordan superaron los 75 millones de dólares.[26]

Además, pueden constituir una rica fuente de significados que las empresas desean asociar con sus productos. Una razón por la cual los fabricantes de las mentas Tic Tac escogieron a la actriz Kimberly Quinn para que protagonizara sus nuevos comerciales fue el hecho que ella "refleja los atributos de la marca, pues es agradable, accesible y confiable".[27] Por su parte, los fabricantes de Slim Jim reclutaron luchadores profesionales para crear un significado particular para su producto. Encontrará más sobre lo anterior en El consumidor en la mira 15.2.

El consumidor en la mira 15.2

Las luchas y los eructos representan la imagen de Slim Jim

Cualquiera que alguna vez haya vivido, salido o sido un adolescente, no conoce nada que le llame más la atención a este segmento demográfico que un eructo realmente fuerte, bueno y jugoso. Ésta es la razón por la cual, durante seis años, GoodMark Foods, una división de ConAgra, ha asociado sus bocadillos cárnicos Slim Jim con el luchador profesional Macho Man Randy Savage y con el campeonato mundial de lucha libre, el equivalente en la industria del entretenimiento a la indigestión audible. Las luchas evocan sensaciones de rebelión y de irreverencia, y una especie de humor inmediato que resulta atractivo para los adolescentes.

Los vínculos de Slim Jim con la lucha son "clamorosos", de acuerdo con los expertos que realizaron la investigación, porque este deporte de entretenimiento conmueve los instintos viscerales de los adolescentes. "La idea de que es un producto que no avala mamá es importante" —dice Allison Cohen, presidente de PeopleTalk, una empresa de investigaciones sobre la calidad en Nueva York y Boston—. "Se apoya en el comportamiento que exhiben durante todo el día los adolescentes cuando no están bajo el control de la madre. Se divierten y la pasan bien. Los elementos groseros y vulgares le vienen como anillo al dedo."

Independientemente de lo anterior, la empresa consideró que la campaña necesitaba ajuste, por lo que recientemente lanzó nuevos spots de televisión con "Slim Jim Guy", producto que, al ser ingerido por los adolescentes, produce erupciones en el estómago. Los espectadores pueden oler el olor acre del eructo del joven. "Queríamos encontrar una forma de generar una mayor identificación del producto con el anuncio y no convertirnos en una biografía de Randy Savage o distraernos del mensaje de Slim Jim", dice Jeff Slater, vicepresidente de mercadotecnia de GoodMark. Barbara Coulon, directora de tendencias de Youth Intelligence, de Nueva York, cree que los comerciales de Slim Jim Guy alcanzan su objetivo pues los adolescentes son irreverentes y desagradables, cualidades paralelas al humor de excusado del comercial. "El personaje va en contra de la sociedad, es muy hablador y mal educado. Les encanta lo grosero."

La eficacia de la publicidad de marca se comprueba en la caja registradora. Slim Jim fue la marca número uno en la clase de bocadillos cárnicos con ventas de cerca de 35 millones de dólares en las 52 semanas que terminaron el 18 de julio de 1999 (el periodo más reciente con cifras disponibles). En comparación con el mismo lapso del año anterior, las ventas habían aumentado prácticamente 25%.

Fuente: tomado de Adrienne W. Fawcett, "Going for the Gross-Out", en American Demographics *(febrero de 2000), 42-43.*

Figura 15.7 Respaldos del producto para mejorar su atractivo

Un factor que complica recurrir a estas personalidades para transmitir significados es que su eficacia depende del producto que promueven. De acuerdo con la **hipótesis de la concordancia**, *estos avales son más eficaces cuando se les percibe como portavoces apropiados del producto patrocinado*.[28] Una súper modelo puede ser una gran elección para un fabricante de cosméticos, pero no tanto para una empresa de inversiones.

De manera similar, los avales pueden dar testimonio de la eficacia o eficiencia del producto. Los anuncios de las tinturas capilares de L'Oreal incluyen a la actriz Heather Locklear como aval del mismo. Una ventaja de ello es que la señora Locklear y su precioso pelo rubio pueden interpretarse como prueba visual de la eficacia del producto.

El objetivo de estos avales, respaldos o apoyos es que los consumidores acepten mejor los contenidos de un anuncio. Aquí es vital la confianza en una fuente. Las fuentes seguras suscitan opiniones más favorables que aquellas de confianza cuestionable. Los conocimientos que posee la fuente también son de importancia, ya que los consumidores están más dispuestos a aceptar mensajes de alguien percibido como conocedor, a pesar de que esta influencia puede evaporarse con facilidad si hay dudas sobre la confianza que inspira la fuente.[29]

Finalmente, los avales sirven como una señal periférica. En este caso, su atractivo,[30] lo mucho que se les aprecie[31] o su posición como celebridad,[32] independientemente de lo pertinente que pudiera resultar en relación con la evaluación de los mensajes y del producto anunciado, pueden generar opiniones más favorables.

Muestras gratuitas del producto

Dar a los consumidores muestras gratuitas es una forma por medio de la cual las empresas estimulan la formación de opiniones favorables sobre el producto. Como se observa en la figura 15.8, proveedores de internet como America OnLine, CompuServe y MCI ofrecen horas de acceso gratuito con la esperanza de que los clientes potenciales se conviertan en clientes reales. Cuando Coca-Cola introdujo en el mercado su refresco Surge, distribuyó cerca de siete millones de muestras gratis.[33]

Figura 15.8 **Los proveedores de internet ofrecen horas de acceso gratuito para atraer clientes potenciales**

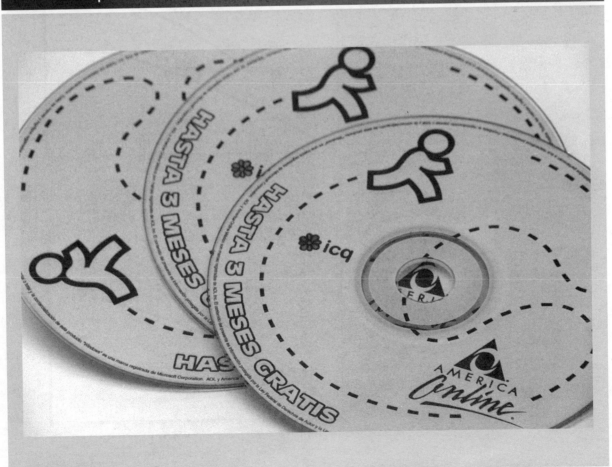

La eficacia de las muestras gratis cuando se lanza un nuevo producto fue comprobada por medio de investigaciones de mercado que analizaron su efecto sobre las ventas. En la figura 15.9 se resumen los resultados de ocho pruebas de introducción de productos nuevos realizadas por el National Panel Diary, una importante empresa de investigación de mercados, en las cuales a un grupo de consumidores se les obsequió una muestra gratuita, en tanto que otro no la recibió. El efecto de este recurso queda revelado por una comparación de ambos grupos. La gráfica superior de la figura 15.9 presenta los resultados de las compras iniciales o de prueba. Como se observa, prácticamente casi 50% más de los hogares que recibieron una muestra gratis hicieron una compra inicial en comparación con los hogares de "control" (que no recibieron muestra gratuita). Además, como se indica en la gráfica inferior de esa figura, quienes compraron el producto después de haber recibido una muestra gratis demostraban tener una probabilidad ligeramente mayor de adquirirlo nuevamente.

Para estimar el efecto de las muestras gratis en una estrategia de penetración total del mercado, se debe multiplicar la tasa de prueba por la tasa de recompra de los que recibieron o no las muestras gratuitas. Éstas produjeron una penetración total de 5.7% después de seis meses (tasa de prueba 16.0% multiplicado por la tasa de recompra de 35.7%). Este resultado se debe comparar con un nivel de 3.6% (11.4% multiplicado por 31.8%) cuando no se regalaron

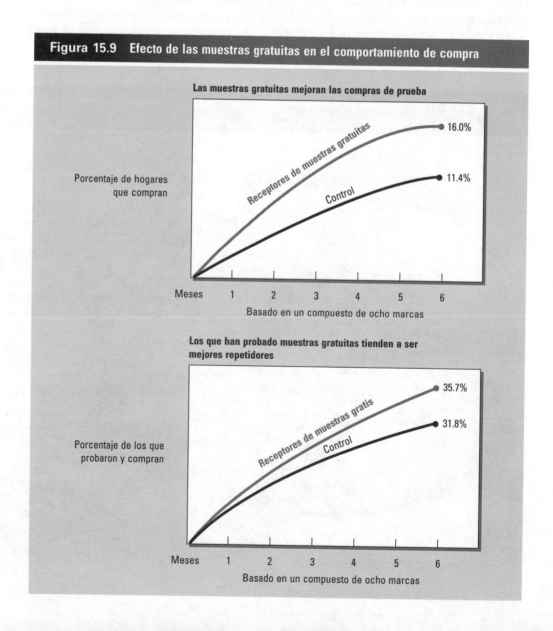

Figura 15.9   Efecto de las muestras gratuitas en el comportamiento de compra

Las muestras gratuitas mejoran las compras de prueba

Receptores de muestras gratuitas — 16.0%
Control — 11.4%

Porcentaje de hogares que compran

Meses   1   2   3   4   5   6

Basado en un compuesto de ocho marcas

Los que han probado muestras gratuitas tienden a ser mejores repetidores

Receptores de muestras gratis — 35.7%
Control — 31.8%

Porcentaje de los que probaron y compran

Meses   1   2   3   4   5   6

Basado en un compuesto de ocho marcas

muestras. Las muestras gratuitas incrementaron la penetración en el mercado de estos nuevos productos en prácticamente 60% ([5.7 – 3.6]/3.6). En consecuencia, siempre que el producto cumpla, dar a los consumidores una muestra gratis puede ser una forma muy eficaz de modificar sus opiniones.

Nombre del producto

William Shakespeare creó una frase inmortal: "Una rosa, con cualquier otro nombre, olería igualmente delicioso." ¿Pero serían iguales las percepciones de los consumidores respecto de un producto, independientemente de su nombre? Quizás recuerde usted el estudio de prueba de cerveza del capítulo 6, en el cual los consumidores calificaron la misma bebida de una manera mucho más favorable cuando se les dijo su nombre de marca antes de consumirla, que cuando no lo conocían.[34] Más aún, cuando a los consumidores se les mantenía en la ignorancia sobre la marca, calificaron igual todas las marcas que probaron. Pero una vez reveladas sus identidades, los consumidores presentaron calificaciones significativamente diferentes. Al parecer, una cerveza con otro nombre no tiene el mismo sabor.

Una de nuestras anécdotas favoritas, que ilustran la importancia del nombre de un producto, proviene de una empresa que vende estiércol de grillo como fertilizante para jardines y otros cultivos.[35] Al principio, al producto se le llamó "CC-84". CC quería decir excremento de grillo; 84 representaba el año que fue ofrecido por primera vez el producto. Sin embargo, el nombre no trasmitía el origen orgánico del producto. En realidad, era más probable que se le considerara como un fertilizante químico. Las ventas del producto no fueron importantes hasta que se modificó su nombre a "Kricket Krap", denominación que comunica mejor el origen orgánico del mismo.

Así, el significado derivado del nombre de un producto influye sobre las opiniones que se formen al respecto. Por ello, cuando trasmite el significado equivocado, es probable que las ventas disminuyan. Por esta razón, Woolworth, cuyo origen está estrechamente relacionado con el concepto de una cadena de tiendas de descuento, está en busca de un nuevo nombre, más adecuado para un detallista que ostenta la mayor cadena de almacenes que venden calzado y ropa deportiva.[36]

Empaque del producto

Algunas veces el empaque del producto influye en las opiniones de los consumidores sobre lo que hay adentro del paquete. Una tienda de comestibles descubrió que su costumbre de preempacar el pescado en un plástico transparente inducía a los consumidores a creer que el pescado no era fresco y que había sido congelado. Cuando se agregó una barra de mariscos en la que se exhibía el pescado sin envolver colocado sobre hielo, las ventas prácticamente se duplicaron.

Ocasionalmente, las empresas utilizan un empaque que es muy similar al de un competidor líder. Se trata del llamado producto "yo también" que intenta generar opiniones favorables explotando la generalización del estímulo. Ocurre una **generalización del estímulo** cuando, *para una relación de estímulo y respuesta, cuanto más similar sea un nuevo estímulo al anterior, más probable es que suscite una misma respuesta.* Cuando diseñan sus empaques para que se parezcan a los de un competidor aceptado, las empresas esperan que las opiniones favorables se transfieran, por lo menos parcialmente, a su producto. La siguiente vez que esté de compras en una tienda de comestibles o una farmacia, mire con cuidado los empaques de las medicinas. Encontrará muchos ejemplos de imitación del empaque de una marca reconocida.

Colores diferentes evocan significados diferentes

Dado que los colores trasmiten significado, las opiniones de los consumidores sobre un producto pueden depender del color del mismo. Supongamos que agregamos colorante chocolate al pudín de vainilla. La mayor parte de quienes prueben el platillo después de habérseles vendado los ojos de manera que no puedan ver su color dirán que sabe a vainilla. Pero si se les permite ver el pudín antes de probarlo, su color hará que muchos piensen que tiene sabor a chocolate.

Los fabricantes de aparatos domésticos han aprendido que los consumidores piensan que sus productos son más livianos si están terminados en colores pastel, y que son más pesados si estan pintados en tonos oscuros. Cuando las computadoras Gateway actualizaron su logotipo, se agregó un color verde para "comunicar crecimiento, impulso y vitalidad".[37] Los fabricantes de jabones para lavar ropa y de cápsulas para el catarro saben de los beneficios de incluir granos de color como una prueba visual de la eficacia de sus productos. Para trasmitir la idea de que vendía hot dogs de bajo costo, Wienerschnitzel, una cadena con 350 puntos de venta, modificó los colores de una de ellas para incluir el naranja, tonalidad que, se considera, simboliza la economía. Cuando las ventas se incrementaron 7%, todos los demás puntos de ventas fueron modificados y se pintaron de este color.[38]

Precio de referencia

Con frecuencia, a fin de influir sobre las opiniones de los consumidores sobre el precio de un producto, las empresas aprovechan los precios de referencia. Los **precios de referencia** *proporcionan información sobre un precio distinto al que en realidad se cobra por el producto*. Las etiquetas de precios que coloca un minorista sobre los productos que vende pueden contener tanto el precio real que él cobra, como otro más elevado, por lo común el que recomienda aplicar el fabricante del producto o el precio anterior (por ejemplo, "Estaba a 19.99 dólares. Ahora a 14.99 dólares"). De manera similar, las empresas de radio, como QVC y Home Shopping Network, a menudo presentan listas de precios de referencia más elevados. Esta misma táctica es empleada por los comerciales que preguntan a los espectadores: "¿Cuánto estaría usted dispuesto a pagar por este fantástico producto? ¿59 dólares? ¿79 dólares? ¿99 dólares? Puede ser suyo por sólo 29.99 dólares." O quizás el comercial toma como punto de referencia el precio mucho más elevado de un competidor. Independientemente del precio de referencia, la idea es alentar a los consumidores a formarse impresiones más favorables sobre lo razonable del precio real. Por otra parte, la investigación ha comprobado la capacidad de los precios de referencia para conseguir sus objetivos.[39]

Cambio de opinión

Una vez formada una opinión inicial, *cualquier modificación subsecuente* representa un **cambio de opinión**. Las empresas han descubierto que les conviene cambiar las opiniones de los consumidores. Tomemos por ejemplo el sistema de atención médica. Las encuestas recientes de opinión de los estadounidenses no presentan una imagen muy agradable. Prácticamente la mitad de los entrevistados en una encuesta informaron que no tenían confianza en el sistema de atención a la salud. En otra investigación, 63% cree que las empresas de seguros médicos tradicionales están más interesadas en la rentabilidad que en la salud de sus pacientes. Con respecto a los HMO, este porcentaje se reducía ligeramente a 54%. En razón de estas opiniones desfavorables, no es sorprendente que un creciente número de consumidores opte por su automedicación y tratamiento, una tendencia que reduce la rentabilidad del sistema.[40] La existencia generalizada de estos juicios negativos indica que la industria de la atención médica tiene un problema de imagen, cuya eliminación requiere modificar estas opiniones.

De manera similar, consideremos los resultados que se presentan en la figura 15.10, correspondientes a una encuesta en que se pidió a los consumidores sus opiniones sobre diferentes proveedores de servicios de paquetería rápida. Cada proveedor es calificado en términos de su conveniencia, apoyo al cliente y confiabilidad; los números más altos indican opiniones más favorables. Estos resultados muestran que, en promedio, los consumidores tienen opiniones más favorables de la competencia que sobre DHL. En la medida en que las deficiencias percibidas reducen la probabilidad de que los consumidores escojan a DHL, aumentar lo favorable de sus opiniones mejorará sus posibilidades de ganar un mayor porcentaje del mercado.

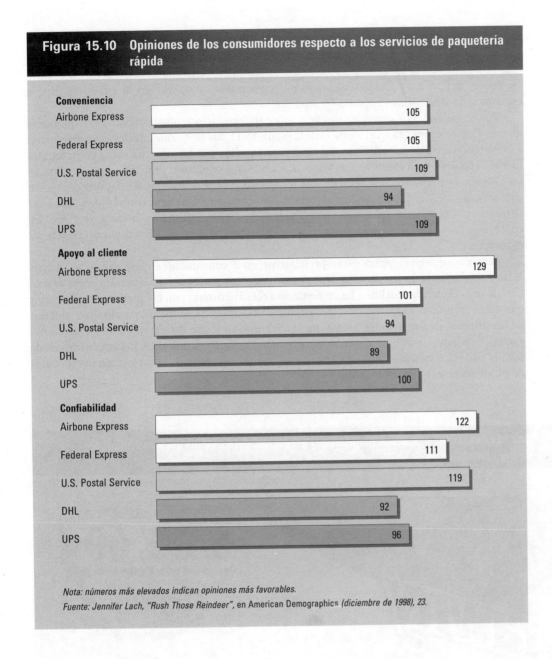

Figura 15.10   Opiniones de los consumidores respecto a los servicios de paquetería rápida

Conveniencia
- Airbone Express — 105
- Federal Express — 105
- U.S. Postal Service — 109
- DHL — 94
- UPS — 109

Apoyo al cliente
- Airbone Express — 129
- Federal Express — 101
- U.S. Postal Service — 94
- DHL — 89
- UPS — 100

Confiabilidad
- Airbone Express — 122
- Federal Express — 111
- U.S. Postal Service — 119
- DHL — 92
- UPS — 96

Nota: números más elevados indican opiniones más favorables.
Fuente: Jennifer Lach, "Rush Those Reindeer", en American Demographics (diciembre de 1998), 23.

Como indican estos ejemplos, el problema de cambio de opinión adquiere relevancia siempre que los consumidores tengan opiniones que reduzcan su probabilidad de convertirse en clientes. Un procedimiento para comprender estos juicios se basa en el modelo de actitud de diversos atributos analizado en el capítulo 10. Al examinar las ideas de los consumidores respecto de los atributos de importancia de un producto, determinamos cuál debe ser modificada. Si, por ejemplo, el sabor de una marca es una de las principales razones por la cual las personas compran el producto competidor, mejorar su sabor es esencial para atraer a estos clientes desencantados.

La necesidad de cambiar las opiniones hacia un producto ocurre comúnmente cuando éstos alcanzan la madurez. Aquellos que han estado en el mercado durante muchos años necesitan actualizar su apariencia. El éxito estruendoso de hoy finalmente cansa y se desgasta. Alguna vez, la marca Guess, muy conocida por sus vaqueros, en "frescura" era clasificada en tercer lugar por los adolescentes. Dos años después, había caído hasta la posición 23.[41] En consecuencia, las empresas tratan de revitalizar sus productos maduros. Después de que en 1998 Aurora Foods adquirió las mezclas para hornear Duncan Hines de Procter & Gamble, modernizó el empaque, elevó su precio y lanzó una nueva campaña publicitaria.[42] De manera similar, Rock City, una atracción turística que ofrece 14 acres con algunas de las curiosidades más intrigantes de la naturaleza sobre Lookout Mountain, en Chattanooga, Tennessee, puso en marcha un proceso para actualizar su posicionamiento y su imagen de producto, con la esperanza de atraer más visitantes.[43]

Por lo general, el cambio de opinión sobre un producto requiere modificar el producto mismo. Como se muestra en el anuncio de la figura 15.11, los fabricantes de Brawny aumentaron su resistencia a fin de hacerlo más atractivo para aquellos que buscan una toalla de papel más fuerte. El MGM Grand Hotel, de Las Vegas, descubrió que su entrada principal, por la cual pasan los clientes, que representa la boca de una gigantesca cabeza de león, resultaba una decepción para muchos de sus clientes asiáticos. Simbólicamente, atravesar esta entrada significaba ser devorado por el enorme felino, lo que no aseguraba buena fortuna en la mesa de juego. En consecuencia, MGM abrió una entrada secundaria para satisfacer a los que no quieren ser devorados.

Recordará que en el capítulo 6 (especialmente, en El consumidor en la mira 6.4) señalamos la falta generalizada de satisfacción de los consumidores estadounidenses con las líneas aéreas. Una de ellas, American Airlines, ha comenzado a reestructurarse con la esperanza de conseguir que estas opiniones negativas se conviertan en positivas. Ha empezado a eliminar algunos de los asientos de sus aviones para aumentar el espacio y que los pasajeros se sienten a sus anchas.[44] Además, como se describe en El consumidor en la mira 15.3, los fabricantes de tequila han incrementado sustancialmente sus ventas con base en la mejora de sus métodos de producción y de mercadotecnia.

Figura 15.11   Con frecuencia las empresas mejoran sus productos para obtener mejores opiniones de los consumidores

El consumidor en la mira 15.3

El tequila mejora, y también sus ventas

En su tiempo, un componente clave de las peleas en las cantinas de las películas del oeste y de las resacas monumentales, el aguardiente que tomó su nombre de una pequeña población al oeste de Guadalajara, es ahora la bebida preferida en los restaurantes y bares más exclusivos de México. Aquellos que piensan que los mexicanos tienen un cariño hereditario por el tequila o poseen una constitución más apta para asimilarlo se sorprenderán de saber que desde hace tiempo muchos mexicanos evitan la bebida de los héroes revolucionarios y de las crudas legendarias. Durante más de una década, mucho más tequila ha fluido hacia el norte del Río Grande que hacia el sur.

Pero ahora, gracias a mejores métodos de producción, trucos interesantes de mercadotecnia y la gran popularidad en el extranjero, los mexicanos están en proceso de renovar su hace tiempo perdido amor por la bebida nacional. Un envejecimiento más largo en barriles de roble, un control de calidad más riguroso y el embotellamiento en botellas elegantes han generado una nueva raza de tequilas "tipo diseñador" o "tipo boutique" que son (y nos atreveremos a decirlo) suaves e incluso sedosos.

"Hubo un tiempo cuando el tequila era un producto económico, consumido solamente por las clases bajas, que después de una pelea con su amada, se bebían una botella entera para emborracharse mientras escuchaban música triste —dice Dionisio E. Baquedano, ejecutivo de alto nivel de la casa Pedro Domecq, que elabora Sauza, la marca de tequila más popular en México—. Las personas de clase alta ni se le acercaban. Pero se ha hecho más refinado y ahora la gente lo bebe antes de comer o de cenar en los restaurantes de mayor clase."

El año pasado, los mexicanos bebieron aproximadamente 15.3 millones de galones de tequila, un impresionante 51% más que el año anterior. El país está a punto de superar a Estados Unidos como líder mundial en consumo de tequila.

Irónicamente, la explosiva popularidad de este muy mexicano licor, utilizado originalmente en forma cruda hace siglos por los aztecas en sus rituales religiosos, después refinado por los españoles a través de la destilación, empezó fuera de México. Cuando los mexicanos pudientes empezaron a degustar mejores tequilas fuera del país que en su propia casa, regresaban a México y exigían tequila de calidad superior. "El tequila solía ser la bebida de los campesinos pobres, pero entonces todos los extranjeros empezaron a beberlo y los mexicanos siguieron ese camino", dice Francisco López, gerente del restaurante Agave Azul de la ciudad de México, que tiene una carta de siete páginas que ofrece 79 marcas de tequila. Sin embargo, su mayor deuda es con un empresario austriaco que inventó un recurso de mercadotecnia interesante: incluir un pequeño cactus en el interior de una botella transparente de tequila y cobrar hasta 100 dólares por ella.

Fuente: tomado de John Ward Anderson, "Designer Tequila: Mexico's New Upscale Drink", en Miami Herald *(16 de marzo de 1997), 9F.*

Es necesario darse cuenta de que modificar las opiniones de los consumidores no necesariamente implica la modificación del producto. A menudo es necesario, pero otras veces, no. El reposicionamiento de Mountain Dew, descrito en el caso de inicio, se basó en la modificación del enfoque de su publicidad, sin modificar el producto. Incluso si la opinión que se debe cambiar atañe a alguna característica tangible del producto (por ejemplo, el precio), podría resultar innecesario cambiar esta característica. Si, por ejemplo, los consumidores perciben erróneamente el precio de un producto en relación con la competencia, quizá el cambio de esta percepción se reduzca a cambiar las opiniones equivocadas. En el capítulo 9, al tratar sobre este error de percepción, reconocimos esta posibilidad.

Independientemente de lo anterior, en aquellas instancias en la cuales es imprescindible modificar el producto, una cuestión importante es determinar la medida del cambio antes de que los consumidores noten que éste ha ocurrido. Supongamos, por ejemplo, que un fabricante quiere reducir el precio de su producto justo lo suficiente como para que los consumidores perciban que es más económico. ¿Cuál es la reducción de precio necesaria? La respuesta requiere considerar un tema básico: El umbral diferencial.

El umbral diferencial

El **umbral diferencial** representa el cambio más pequeño en la intensidad de un estímulo que será percibido. Esta modificación se denomina *diferencia apenas notable*. De acuerdo con la

ley de Weber, *la activación del umbral diferencial o encontrar la diferencia apenas notable depende de otros factores además del simple monto absoluto del cambio.* Como ilustración, suponga que un producto que normalmente se vende en dos dólares se ofrece a uno. La mayor parte de los consumidores percibirán esa rebaja como un ahorro significativo. Ahora suponga que un producto que normalmente se vende en 200 dólares se ofrece en 199. Aunque la cantidad absoluta del ahorro en precio (un dólar) es la misma, es muy poco probable que los consumidores se formulen la misma opinión sobre el significado del ahorro. Esta actitud se debe a que las percepciones de cambio dependen del punto de partida antes del mismo, así como del monto de éste. En particular, la ley de Weber afirma que la cantidad absoluta de cambio (un peso) dividido entre el punto de partida inicial (ya sea dos o 200 dólares) determina las percepciones de cambio de las personas. Matemáticamente, se expresa como $\Delta I/I$, donde ΔI es la cantidad absoluta de cambio, e I representa el punto de partida inicial.

En consecuencia, en la primera situación la reducción de precio de un dólar se juzga en relación con precio inicial de venta de dos dólares. En la segunda situación, la reducción de precio de un dólar se considera en relación con el precio de venta de 200 dólares. El primero representa una reducción en precio de 50%; el último, una rebaja de precio de menos de 1%. Finalmente, la percepción o no de que representa una reducción de precio significativa, dependerá del cambio porcentual mínimo necesario para activar el umbral diferencial. Una regla práctica es que es necesaria una reducción de precio de por lo menos 15% para atraer a los consumidores a una venta.[45] En consecuencia, el artículo que cuesta 200 dólares debería reducirse 30 dólares para llegar al umbral de 15%. Naturalmente, el tamaño del umbral diferencial varía de acuerdo con los consumidores y de una decisión entre productos. Sólo a través de la investigación de mercados las compañías determinan el tamaño del umbral diferencial adecuado a su situación particular.

A veces las empresas están interesadas en cambiar sus productos o sus precios *sin que* los consumidores perciban dichos cambios. En estas situaciones, las compañías desean mantenerse por debajo del umbral diferencial. Los incrementos de precio y las reducciones de tamaño del producto (como la reducción de tamaño de una barra de dulce) son cambios que, de ser posible, deben ser llevados a cabo sin activar la diferencia apenas notable.

La dificultad de modificar las opiniones de los consumidores

Por lo común es mucho más fácil influir sobre las opiniones en el momento en que se forman que modificarlas una vez estructuradas, especialmente si se sostienen con confianza. ¿Por qué? Porque los esfuerzos para cambiar los juicios enfrentan una considerable resistencia debido a la opinión original, un obstáculo potencial que no existe en la formación original de la opiniones.

A pesar de lo anterior, el tamaño de este obstáculo cambia de acuerdo con las opiniones. Algunas se sostienen con tal fuerza que es virtualmente imposible modificarlas. En muchos países, las opiniones sobre lo deseable de una sociedad democrática no pueden ser tocadas.

Ahora bien, otras son mucho menos resistentes al cambio, como quedó demostrado por el exitoso caso de reposicionamiento de Mountain Dew's. En última instancia, depende de sus cimientos. Por ejemplo, digamos que un consumidor descubre un nuevo producto en la estantería del minorista y decide su compra para probarlo. Las opiniones formadas después del consumo se basan en experiencia directa o de primera mano en relación con el producto. Sabemos si nos gustó el sabor del mismo y, en caso de que no sea así, ninguna cosa que no sea mejorar el sabor podrá modificar muestra opinión. Independientemente de cuántos mensajes publicitarios digan lo contrario, nos aferraremos en aquellos juicios que se basan en nuestra experiencia.

Sin embargo, supongamos que conoció la existencia de este nuevo producto en el transcurso de una conversación con otra persona, que le comentó lo mucho que le desagradó su sabor. Cualquier opinión formada a partir de esta conversación se basa en una experiencia indirecta o de segunda mano. En este caso, quizá tengamos menos confianza en la veracidad de nuestras opiniones, particularmente si no estamos seguros de que nuestras papilas gustativas sean similares a las de esta persona. En consecuencia, ofreceríamos menor resistencia a esfuerzos dirigidos a modificar nuestros juicios.

Estas diferencias en la resistencia al cambio de opinión están documentadas en el estudio siguiente. Algunos de los participantes se formaron una opinión inicial de una marca de mantequilla de cacahuete mediante su prueba real. A otros no se les dio esta oportunidad, sino que se les entregó información escrita sobre el producto. A continuación todos procesaron una comunicación persuasiva sobre el producto, presentada por una fuente que poseía una credibilidad alta o baja. Cuando las opiniones iniciales se basaban en experiencias indirectas, los juicios formados después del procesamiento del mensaje eran significativamente más favorables si la fuente era creíble. Sin embargo, cuando las opiniones iniciales se basaban en la experiencia directa, las posteriores al mensaje no eran influidas por la credibilidad de la fuente, lo que reveló que éstas eran más resistentes a la comunicación persuasiva.[46]

El peligro de modificar las opiniones de los consumidores

Un factor que complica el juego del cambio de la opinión es que efectuar modificaciones para mejorar las opiniones de algunos puede dañar las de otros, algo que los políticos saben demasiado bien. El cambio de las opiniones de los electores sobre la posición de un candidato ante un problema (por ejemplo el aborto, el control de armas, la protección del entorno) puede ser una buena noticia para aquellos que están de un lado del problema, pero mala para los que están en la orilla opuesta.

Esta apreciación también es cierta con referencia a las opiniones de los consumidores sobre los productos. Acaso sea necesario revisar la imagen de un producto para atraer un segmento, pero ello podría alejar a otro sector. Tal fue la preocupación de Borden Foods cuando debió actualizar la apariencia de Sailor Jack, la querida mascota de su marca de bocadillos Cracker Jack. Este cambio era necesario para atraer a los jóvenes consumidores, muchos de los cuales percibían el producto como un bocadillo para personas "de edad". Sin embargo, al mismo tiempo, resultaba importante no alejar aquellos que habían sido clientes leales por medio siglo o más.[47]

De manera similar, el cambio de sabor de un producto para satisfacer las papilas gustativas de algunos puede obligar a los que prefieren el sabor original a buscar en otra parte. Éste fue el caso que se presentó hace muchos años, cuando la empresa Coca-Cola decidió modificar la fórmula original de su más popular bebida. La ola de protesta de los consumidores que azotó rápidamente a la empresa hizo que ésta regresara a su fórmula original. Así, cuando se consideran los esfuerzos para cambiar las opiniones de los consumidores, es importante prever el efecto neto potencial de los mismos. Los cambios diseñados para atraer algunos de los clientes deben ser ponderados contra su potencial de alejar otros clientes.

Resumen

La formación de las opiniones de los consumidores es una actividad comercial fundamental. Algunas veces se emplean diversos métodos para estimular a los consumidores a formar opiniones favorables al producto, como introducir uno nuevo o promocionarlo en otros mercados o entre nuevos clientes. Otras veces, es necesario modificar opiniones formadas, como en el caso de un producto modificado o reposicionado para aumentar su atractivo.

Las opiniones sobre los productos dependen en buena medida de lo que ocurre durante la etapa de comprensión del procesamiento de la información. Estas opiniones sufren la influencia de las categorías mentales a las que se asigna el producto. Lo mismo ocurre con las respuestas cognoscitivas y afectivas que ocurren durante el procesamiento.

Una verdad universal, apoyada por décadas de investigación sobre el juicio humano, es que se puede influir con facilidad sobre las apreciaciones de las personas durante sus etapas formativas. Como hemos visto, incluso estímulos que no trasmiten nada respecto al producto y a sus atributos pueden influir durante la formación de opiniones. En congruencia con el concepto del condicionamiento clásico, la simple asociación con los estímulos "correctos" puede hacer que los consumidores se formen opiniones favorables sobre el producto. Naturalmente, hay muchas otras formas de estimular opiniones favorables. El nombre, precio, empaque y publicidad e incluso las muestras gratuitas, sirven para fomentar opiniones favorables del producto.

Preguntas de repaso y análisis

1. Explique la forma en que el condicionamiento clásico puede ser utilizado para formar las opiniones de los consumidores.

2. ¿Cuáles son los procesos central y periférico de la formación de opiniones?

3. Suponga que se enfrenta a la elección entre un anuncio que intenta crear actitudes favorables efectuando varias afirmaciones sólidas sobre el producto y un anuncio carente de dichas afirmaciones, pero lleno de imágenes atractivas y de música agradable. ¿De qué manera dependerá su preferencia por un anuncio? a) ¿De lo atraído que se sienta como consumidor en el momento de quedar expuesto al anuncio, b) De su conocimiento del producto en el momento de la exposición al anuncio y c) Del desempeño del producto en relación con la competencia?

4. Un anunciante quiere incluir música de moda en los comerciales que describen los resultados de pruebas de laboratorios independientes que apoyan la eficacia de su producto. ¿Piensa usted que la música debe ser presentada antes de los mensajes sobre el producto, después o en cualquier momento del comercial?

5. Para determinar cuál de dos celebridades protagonizaría una campaña de publicidad, una empresa calculó la popularidad de ambos entre los consumidores objetivo. Basada en los resultados obtenidos, seleccionó una de ellas y lanzó la campaña. Poco tiempo después la canceló, ya que comprobó que era ineficaz. Ahora bien, cuando introdujo nuevamente la campaña con la celebridad que gustaba menos, resultó bastante eficaz. ¿Cómo explicaría esta aparente paradoja?

6. ¿Por qué es más fácil modificar las opiniones mientras están en proceso de formación que influir sobre juicios ya consolidados?

7. Un minorista de artículos para computadora se encuentra confundido por la respuesta de los consumidores a su reciente venta de otoño. Hubo solamente una compra del modelo de 3000 dólares (vendido al precio de 2750 dólares). El modelo de 1000 dólares (vendido a 875), a pesar de ofrecer una economía de sólo la mitad de los 250 dólares ofrecidos por el modelo más caro, se vendió en su totalidad. ¿Cómo explica estos resultados?

8. En un esfuerzo por aumentar el atractivo de su producto para los consumidores más jóvenes, una empresa reemplazó la celebridad utilizada durante muchos años como respaldo del mismo por una personalidad mucho más joven. Para su sorpresa, las ventas disminuyeron. Explique este "extraño" comportamiento de los consumidores.

Notas

1. Susan Fiske y Mark A. Pavelchak, "Category-Based Versus Piecemeal-Based Affective Responses: Developments in Schema-Triggered Affect", en Richard M. Sorrentino y E. Tory Higgins (eds.), *The Handbook of Motivation and Cognition: Foundations of Social Behavior* (Nueva York: Guilford, 1986), 167-203.

Para aplicar la teoría de la categorización en el contexto de las extensiones de marca, *véase* Michael J. Barone, Paul W. Miniard y Jean B. Romeo, "The Influence of Positive Mood on Brand Extension Evaluations", en *Journal of Consumer Research*, 26 (marzo del 2000), 387-401.

2. J. Neher, "Toro Cutting a Wide Swath in Outdoor Appliance Marketing", en *Advertising Age* (25 de febrero de 1979), 21.

3. Robert M. McMath, "Chock Full of (Pea)nuts", en *American Demographics* (abril de 1997), 60.

4. Robert Johnson, "In the Chips", en *The Wall Street Journal* (22 de marzo de 1991), B1-B2.

5. Rachel X. Weissman, "But First, Call Your Drug Company", en *American Demographics* (octubre de 1998), 27, 28, 30.

6. Para una investigación sobre condicionamiento clásico en un contexto de producto, *véase* Chris T. Allen y Thomas J. Madden, "A Closer Look at Classical Conditioning", en *Journal of Consumer Research*, 12 (diciembre de 1985), 301-315; Chris Janiszewski y Luk Warlop, "The Influence of Classical Conditioning Procedures on Subsequent Attention to the Conditioned Brand", en *Journal of Consumer Research*, 20 (septiembre de 1993), 171-189; Terence A. Shimp, Elnora W. Stuart y Randall W. Engle, "A Program of Classical Conditioning Experiments Testing Variations in the Conditioned Stimulus and Context", en *Journal of Consumer Research*, 18 (junio de 1991), 1-12; Elnora W. Stuart, Terence A. Shimp y Randall W. Engle, "Classical Conditioning of Consumer Attitudes: Four Experiments in an Advertising Context", en *Journal of Consumer Research, 14* (diciembre de 1987), 334-349.

7. Andrew A. Mitchell y Jerry C. Olson, "Are Product Attribute Beliefs the Only Mediators of Advertising Effects on Brand Attitudes?", en *Journal of Marketing Research*, 18 (agosto de 1981), 318-332.

8. Gerald J. Gorn, "The Effects of Music in Advertising on Choice Behavior: A Classical Conditioning Approach", en *Journal of Marketing, 46* (invierno de 1982), 94-101.

9. Paul W. Miniard, Deepak Sirdeshmukh y Daniel E. Innis, "Peripheral Persuasion and Brand Choice", en *Journal of Consumer Research, 19* (septiembre de 1992), 226-239. *Véase también* Timothy B. Heath, Michael S. McCarthy y David L. Mothersbaugh, "Spokesperson Fame and Vividness Effects in the Context of Issue-Relevant Thinking: The Moderating Role of Competitive Setting", en *Journal of Consumer Research, 20* (marzo de 1994), 520-534.

10. Richard E. Petty y John T. Cacioppo, *Communication and Persuasion: Central and Peripheral Routes to Attitude Change* (Nueva York: Springer-Verlag, 1986); y Richard E. Petty y John T. Cacioppo, "The Elaboration Likelihood Model of Persuasion", en Leonard Berkowitz (eds.), *Advances in Experimental Social Psychology*, 19 (Nueva York: Academic Press, 1986), 123-205. Conceptos similares se ofrecen en Shelly Chaiken, "Heuristic Versus Systematic Information Processing and the Use of Source Versus Message Cues in Persuasion", en *Journal of Personality and Social Psychology*, 39 (noviembre de 1980), 752-766. *Véase también* Alice H. Eagly y Shelly Chaiken, *The Psychology of Attitudes* (Fort Worth TX, Harcourt Brace Jovanovich, 1993).

11. Paul W. Miniard, Sunil Bhatla, Kenneth R. Lord, Peter R. Dickson y H. Rao Unnava, "Picture based Persuasion Processes and the Moderating Role of Involvement", en *Journal of Consumer Research*, 18 (junio de 1991), 92-107.

12. *Ibíd.*

13. El interés en las actitudes hacia el anuncio fue principalmente generado por los siguientes artículos: Mitchell y Olson, "Are Product Attribute Beliefs the Only Mediators of Advertising Effects on Brand Attitudes?" y Terence Shimp, "Attitude toward the Ad as a Mediator of Consumer Brand Choice", en *Journal of Advertising*, 10 (1981), 9-15. *Véase también* Stephen P. Brown y Douglas M. Stayman, "Antecedents and Consequences of Attitude toward the Ad: A Meta-analysis", en *Journal of Consumer Research*, 19 (junio de 1992), 34-51; Scott B. MacKenzie, Richard J. Lutz y George E. Belch, "The Role of Attitude toward the Ad as a Mediator of Advertising Effectiveness: A Test of Competing Explanations", en *Journal of Marketing Research*, 23 (mayo de 1986), 130-143; Paul W. Miniard, Sunil Bhatla y Randall L. Rose, "On the Formation and Relationship of Ad and Brand Attitudes: An Experimental and Causal Analysis", en *Journal of Marketing Research*, 27 (agosto de 1990), 290-303.

14. Miniard, Bhatla, Lord, Dickson y Unnava, "Picture-based Persuasion Processes and the Moderating Role of Involvement".

15. Jerome S. Bruner y A. Leigh Minturn, "Perceptual Identification and Perceptual Organization", en *Journal of General Psychology*, 53 (julio de 1955), 21-28.

16. Young-Won Ha y Stephen J. Hoch, "Ambiguity, Processing Strategy, and Advertising-Evidence Interactions", en *Journal of Consumer Research*, 16 (diciembre de 1989), 354-360.

17. David Olson, "The Characteristics of High-Trial New-Product Advertising", en *Journal of Advertising Research*, 25 (octubre/noviembre de 1985), 11-16.

18. Aunque generalmente los mensajes más sólidos producen opiniones más favorables que los débiles, pueden presentarse situaciones en las cuales estos últimos producen mejores resultados. Para una demostración, *véase* Marvin E. Goldberg y Jon Hartwick, "The Effects of Advertiser Reputation and Extremity of Advertising Claim on Advertising Effectiveness", en *Journal of Consumer Research*, 17 (septiembre de 1990), 172-179.

19. Dhruv Grewal, Sukumar Kavanoor, Edward E Fern, Carolyn Costley y James Barnes, "Comparative Versus Noncomparative Advertising: A Meta-Analysis",

en *Journal of Marketing*, 61 (octubre de 1997), 1-15; Paul W. Miniard, Randall L. Rose, Michael J. Barone y Kenneth C. Manning, "On the Need for Relative Measures when Assessing Comparative Advertising Effects", en *Journal of Advertising*, 22 (septiembre de 1993), 41-58; Paul W. Miniard, Randall L. Rose, Kenneth C. Manning y Michael J. Barone, "Tracking the Effects of Comparative and Noncomparative Advertising with Relative and Nonrelative Measures: A Further Examination of the Framing Correspondence Hypothesis", en *Journal of Business Research*, 41 (febrero de 1998), 137-143; Randall L. Rose, Paul W. Miniard, Michael J. Barone, Kenneth C. Manning y Brian D. Till, "When Persuasion Goes Undetected: The Case of Comparative Advertising", en *Journal of Marketing Research*, 30 (agosto de 1993), 315-330.

20. James M. Munch, Gregory W. Boller y John L. Swasy, "The Effects of Argument Structure and Affective Tagging on Product Attitude Formation", en *Journal of Consumer Research*, 20 (septiembre de 1993), 294-302.

21. Cyndee Miller, "Demonstrating Your Point: Showing How the Product Works Adds Authenticity", en *Marketing News* (13 de septiembre de 1993), 2.

22. Gary T. Ford, Darlene B. Smith y John L. Swasy, "Consumer Skepticism of Advertising Claims: Testing Hypotheses from Economics of Information", en *Journal of Consumer Research*, 16 (marzo de 1990), 433-441.

23. Irwin P. Levin y Gary J. Gaeth, "How Consumers Are Affected by the Framing of Attribute Information Before and After Consuming the Product", en *Journal of Consumer Research*, 15 (diciembre de 1988), 374-378.

24. *Véase* William K. Darley y Robert E. Smith, "Advertising Claim Objectivity: Antecedents and Effects", en *Journal of Marketing*, 57 (octubre de 1993), 100-113; Julie A. Edell y Richard Staelin, "The Information Processing of Pictures Print Advertisements", en *Journal of Consumer Research*, 10 (junio de 1983), 45-61; Ford, Smith y Swasy, "Consumer Skepticism of Advertising Claims: Testing Hypotheses from Economics of Information"; y Morris B. Holbrook, "Beyond Attitude Structure: Toward the Informational Determinants of Attitude", en *Journal of Marketing Research*, 15 (noviembre de 1978), 545-556.

25. Richard E. Petty y John T. Cacioppo, "The Effects of Involvement on Responses to Argument Quantity and Quality: Central and Peripheral Routes to Persuasion", en *Journal of Personality and Social Psychology*, 46 (enero de 1984), 69-81. *Véase también* Joseph W. Alba y Howard Marmorstein, "The Effects of Frequency Knowledge on Consumer Decision Making", en *Journal of Consumer Research*, 14 (junio de 1987), 14-25.

26. Robin Givhan, "$75 Million! Smell of Cash Rising Quickly from Jordan Fragrance", en *Miami Herald*, (22 de mayo de 1997), 5F.

27. Suzanne Vranica, "Tic Tac Maker Hopes Fresh Face Breathes New Life into Campaign", en *The Wall Street Journal* (13 de diciembre de 1999), B25.

28. Michael A. Kamins, "An Investigation into the 'Match-Up Hypothesis' in Celebrity Advertising: When Beauty Only May Be Skin Deep", en *Journal of Advertising*, 19 (1990), 4-13.

29. Para una revisión general, *véase* Brian Sternthal, Lynn Phillips y Ruby Dholakia, "The Persuasive Effect of Source Credibility: A Situational Analysis", en *Public Opinion Quarterly*, 42 (otoño de 1978), 285-314. *Véase también* Danny L. Moore, Douglas Hausknecht y Kanchana Thamodaran, "Time Compression, Response Opportunity, and Persuasion", en *Journal of Consumer Research*, 13 (junio de 1986), 85-99; S. Ratneshwar y Shelly Chaiken, "Comprehension's Role in Persuasion: The Case of Its Moderating Effect on the Persuasive Impact of Source Cues", en *Journal of Consumer Research*, 18 (junio de 1991), 52-62; Arch G. Woodside y J. William Davenport, Jr., "The Effect of Salesman Similarity and Expertise on Consumer Purchasing Behavior", en *Journal of Marketing Research*, 11 (mayo de 1974),198-202; Chenghuan Wu y David R. Shaffer, "Susceptibility to Persuasive Appeals as a Function of Source Credibility and Prior Experience with the Attitude Object", en *Journal of Personality and Social Psychology*, 52 (1987), 677-688. Debemos mencionar que en ocasiones fuentes menos creíbles provocan una mayor persuasión. *Véase* Robert R. Harmon y Kenneth A. Coney, "The Persuasive Effects of Source Credibility in Buy and Lease Situations", en *Journal of Marketing Research*, 19 (mayo de 1982), 255-260; Brian Sternthal, Ruby Dholakia y Clark Leavitt, "The Persuasive Effect of Source Credibility: Tests of Cognitive Response", en *Journal of Consumer Research* , 4 (marzo de 1978), 252-260.

30. Michael J. Baker y Gilbert A. Churchill, Jr., "The Impact of Physically Attractive Models on Advertising Evaluations", en *Journal of Marketing Research*, 14 (noviembre de 1977), 538-555; Shelly Chaiken, "Communicator Physical Attractiveness and Persuasion", en *Journal of Personality and Social Psychology* 37, (agosto de 1979), 752-766; y Lynn R. Kahle y Pamela M. Homer, "Physical Attractiveness of the Celebrity Endorser: A Social Adaptation Perspective", en *Journal of Consumer Research*, 11 (marzo de 1985), 954-961.

31. Kahle y Homer, "Physical Attractiveness of the Celebrity Endorser".

32. Richard E. Petty, John T. Cacioppo y David Schumann, "Central and Peripheral Routes to Advertising Effectiveness: The Moderating Role of Involve-

ment", en *Journal of Consumer Research,* 10 (septiembre de 1983), 135-146.

33. Nikhil Deogun, "Coca-Cola Plans Splashy Rollout of Citrus Soda", en *The Wall Street Journal* (16 de diciembre de 1996), B1, B11.

34. Ralph I. Allison y Kenneth P. Uhl, "Influence of Beer Brand Identification on Taste Perception", en *Journal of Marketing Research*, 1 (agosto de 1964), 36-39. Para comprobar la importancia del nombre de la marca en la compra de un automóvil, *véase* Mary W. Sullivan, "How Brand Names Affect the Demand for Twin Automobiles", en *Journal of Marketing Research*, 35 (mayo de 1998), 154-165.

35. "Fertilizer by Any Other Name Doesn't Sell as Well, por Jiminy", en *The State,* (28 de septiembre de 1991), 9A.

36. Yumiko Ono, "What's in a Name? Woolworth Seeks to Shed Dime-Store Image", en *The Wall Street Journal* (20 de marzo de 1998), B6.

37. Sally Beatty, "Gateway 2000 Plans Shorter Name, Longer Client Talks and No Cows", en *The Wall Street Journal* (24 de abril de 1998), B6.

38. Randall Lane, "Does Orange Mean Cheap?" *Forbes* (23 de diciembre de 1991), 144-146.

39. *Véase*, por ejemplo, Joel E. Urbany, William O. Bearden y Dan C. Weilbaker, "The Effect of Plausible and Exaggerated Reference Prices on Consumer Perceptions and Price Search", en *Journal of Consumer Research*, 15 (junio de 1988), 95-110.

40. Rachel X. Weissman, "But First, Call Your Drug Company", en *American Demographics* (octubre de 1998), 27, 28, 30.

41. Frederick Rose y John R. Emshwiller, "Guess, Coolness Fading, Plans Sultry Ads", en *The Wall Street Journal* (19 de noviembre de 1997), B8.

42. Dana James, "Rejuvenating Mature Brands Can Be Stimulating Exercise", en *Marketing News* (16 de agosto de 1999), 16-17.

43. "Chattanooga Attraction Gets Revamped Image", en *Marketing News* (14 de septiembre de 1998), 33.

44. Scott McCartney, "News for the Knees: AMR Will Expand Coach-Seat Legroom", en *The Wall Street Journal* (4 de febrero de 2000), A3.

45. Albert J. Della Bitta y Kent B. Monroe, "A Multivariate Analysis of the Perception of Value from Retail Price Advertisements", en Kent B. Monroe, ed., *Advances in Consumer Research*, 8 (Ann Arbor, MI: Association for Consumer Research, 1980, (161-165).

46. Chenghuan Wu y David R. Shaffer, "Susceptibility to Persuasive Appeals as a Function of Source Credibility and Prior Experience with the Attitude Object", en *Journal of Personality and Social Psychology*, 52, (1987), 677-688. *Véase también* Lawrence J. Marks y Michael A. Kamins, "The Use of Product Sampling and Advertising: Effects of Sequence of Exposure and Degree of Advertising Claim Exaggeration on Consumers' Belief Strength, Belief Confidence, and Attitudes", en *Journal of Marketing Research*, 25 (agosto de 1988), 266-281; Robert E. Smith y William R. Swinyard, "Attitude-Behavior Consistency: The Impact of Product Trial Versus Advertising", en *Journal of Marketing Research*, 20 (agosto de 1983), 257-267.

47. Ian P. Murphy, "All-American Icon Gets a New Look", en *Marketing News* (18 de agosto de 1997), 6.

CAPÍTULO 16

Cómo ayudar a los consumidores a recordar

CASO DE INICIO

Los seres humanos sólo podemos consumir una cierta cantidad de leche a la semana. Para la mayor parte de nosotros, entre tres y cuatro litros sería más que suficiente. Por lo tanto, ¿cómo se explica el estallido inusual de "ventas de litros de más" (en la jerga de la industria lechera) durante un periodo de dos días del otoño pasado? En Estados Unidos, salieron de las tiendas alrededor de nueve millones de galones *adicionales* (casi 30 millones de litros). Esta cifra representó un aumento de aproximadamente 10% de las ventas generales por semana. En cualquier industria madura, un aumento de 1% se consideraría buena noticia. En el sector lechero (formal, fiable, no acostumbrado a dramáticos saltos de ventas) un crecimiento de 10% es inaudito.

¿A qué le deben lecheros y bovinos estadounidenses su gratitud? A una modesta y pequeña revista titulada *The Best of Nickelodeon,* que apareció en las tiendas de todo el país en octubre pasado. Aproximadamente 4.5 millones de ejemplares de la revista, atestada del surtido usual de juegos, rompecabezas y artículos (y no sólo anuncios de leche) venían con una fajilla que decía: "Compre dos galones de leche y obtenga sin costo esta revista." Simplemente haga el cálculo.

Pero algunos atribuyen este aumento de la demanda a otros factores además de la revista como incentivo de compra. Peter Gardiner —socio fundador y director de medios de Bozell New York y arquitecto de una miríada de planes integrados de mercadotecnia para el Dairy Management y el Milk Processor Education Program (MilkPEP), patrocinados por el National Fluid Milk Processor Promotion Board—, explica: "Lo que ocurrió es que la gente veía la oferta en las tiendas y se decía, 'oh Dios mío, me olvidé de comprar la leche'." Y ¡*voilà*! Nueve millones de galones adicionales salieron por las cajas de toda la nación.

Fuente: tomado de Verne Gay, "Milk, the Magazine", en American Demographics *(febrero del 2000), 32-34.*

¿Alguna vez ha regresado de comprar comestibles y de repente se percata de que olvidó algo que necesitaba y que tenía la intención de adquirir? ¿No le ha pasado a todo el mundo? Este olvido no está limitado a productos del supermercado. No acordarse es un tema recurrente en el comportamiento del consumidor. A menudo olvidamos que es tiempo de cambiar el aceite de nuestro automóvil o de la siguiente limpieza general de nuestra dentadura. Cada vez que un consumidor olvida adquirir algo, alguna empresa pierde una oportunidad de venta.

Esta incapacidad de recordar abarca tanto el consumo del producto como su compra. ¿Cuántas veces se le ha olvidado ver algún programa de televisión esperado? Mucha gente que toma medicinas olvida que es hora de la siguiente dosis.[1] La industria del jugo de naranja descubrió que a muchos compradores se les olvidaba el jugo en el refrigerador.[2] Cuanto menos se consuman los productos, como las medicinas y el jugo de naranja, menos de ellos se venderán. Esto se traduce en menos ventas en la caja registradora.

Incluso cuando los consumidores se acuerdan de tomar decisiones de compra y de consumo, la memoria y lo que se recuerda cumplen todavía un papel de importancia en el proceso de toma de decisiones. En el capítulo 4 abordamos el conjunto en consideración y la forma en que la capacidad de los consumidores para recordar alternativas (conocida como conjunto de recuperación) a menudo determina si estas opciones quedan incluidas en el conjunto. Los productos que no se recuerdan no serán tomados en cuenta al efectuar las elecciones, a menos de que estén presentes durante la decisión.

De manera similar, lo que se recuerde sobre las alternativas que se consideran puede determinar lo que se tome en cuenta a continuación. Piense en la compra de una vivienda. Primero visitamos casas que se vendan, luego reducimos la selección a un puñado de ellas para cuando realicemos una segunda ronda de visitas. En muchos casos, el hecho de que una casa llene los requisitos depende de lo que la persona recuerde sobre la misma. Por esta razón, los decoradores de interiores conocen la importancia de los "puntos de recuerdo" cuando ornamentan las casas modelo de los contratistas. Estos puntos ayudan a que el modelo se destaque y sea recordable. Un decorador, por ejemplo, pintó un tema de granja en una habitación y colocó un sensor que producía sonidos de corral cuando alguien entraba en ella.[3]

A menos que los consumidores analicen opciones de selección con la información concreta que tengan a la mano, las evaluaciones de las alternativas dependen absolutamente de lo que se recuerde. Quizás las valoraciones generales anteriores sobre dichas opciones de elección se recuperan y comparan al tomar la decisión (véase el capítulo 4). O, probablemente, se toma la decisión con base en lo que se recuerda de los atributos de las alternativas. En cualquiera de los casos, lo que se recuerda determina lo que se elige.[4] Imagine a dos individuos que quieren comprar un televisor. El primero va a la tienda más cercana y adquiere el aparato que juzga mejor, en este caso, en función del dinero. El otro va a la misma tienda y no compra nada, ya que recuerda que en otro negocio vio el modelo que le gusta a un precio menor. Su evaluación sobre la compra del aparato se redujo hasta el punto en que la operación no se llevó a cabo debido a que se acordó de la otra opción.

Ayudar a los consumidores a recordar es también útil para aumentar la eficacia de la publicidad. Como ilustración, piense en el uso de los anuncios nostálgicos que les recuerdan a los consumidores algo de sus buenos viejos tiempos. Quizás se trate de su baile de graduación de la secundaria. O de unas románticas vacaciones. Sea lo que sea, el objetivo es estimular en los consumidores la recordación de alguna experiencia agradable. La idea es que los sentimientos positivos que despierta esta vivencia se transfieran a las opiniones sobre el producto creadas después del procesamiento del anuncio.[5]

En algunos casos, la publicidad se enfoca en activar la memoria del consumidor sobre experiencias de consumo. El anuncio del cereal Cap'n Crunch que se muestra en la figura 16.1 aplica exactamente este enfoque. La empresa supone que los viejos consumidores tienen recuerdos agradables de cuando comían el cereal y decidirán probarlo de nuevo.

Por estas razones, lo que más interesa a las empresas (pero no siempre, como se describe en El consumidor en la mira 16.1) es estimular la recordación de los consumidores. En este capítulo se analiza la forma de activar los mecanimos mnemotécnicos. Sin embargo, antes necesitamos recurrir al estudio de algún material de apoyo para entender mejor la tarea que encaran las empresas. El acto de recordar está constituido por dos procesos básicos: aprendizaje cognoscitivo (introducir la información en la memoria) y recuperación (sacarlo de la misma).

Aprendizaje cognoscitivo

En el capítulo 14 hablamos sobre la capacidad cognoscitiva y la distinción entre memoria de corto plazo (donde ocurre el pensamiento y la interpretación) y de largo plazo (el almacén mental donde reside el conocimiento). El **aprendizaje cognoscitivo** se produce *cuando la información que se procesa en la memoria de corto plazo queda almacenada en la memoria de largo plazo.* Obviamente, el grado de exactitud con que se recuerde algo depende, en primer lugar, de lo bien que fue aprendido. No es posible recordar algo que no se sabe. ¿Qué determina el aprendizaje cognoscitivo? Dos factores fundamentales son el repaso y el grado de relaciones.

Figura 16.1 El cereal Cap'n Crunch quiere que los consumidores (y sus papilas gustativas) recuerden experiencias de consumo

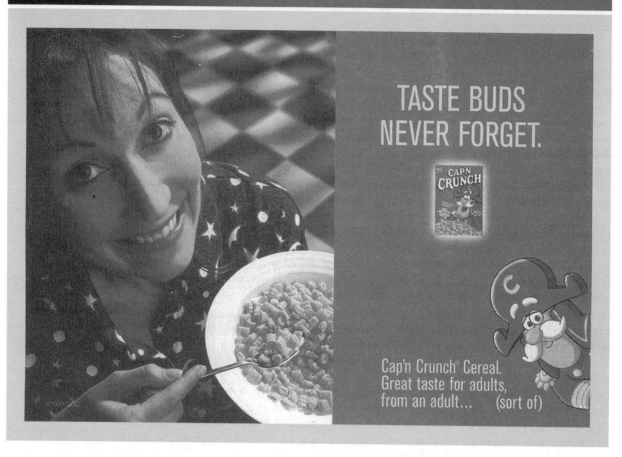

Repaso

El **repaso** *es la repetición mental de la información, o, de manera más formal, su reciclado a través de la memoria de corto plazo.* Algunos lo describen como una forma de diálogo interior.

El repaso cumple dos funciones principales. En primer término, permite mantener la información en la memoria de corto plazo. Así cuando mentalmente repetimos un número telefónico que acabamos de ver justo el tiempo suficiente para marcarlo, hemos puesto en acto esta función, la cual mantiene la información activada el tiempo suficiente para que la persona marque el número. La segunda función del repaso es transferir la información de la memoria de corto plazo a la de largo plazo. Un repaso más minucioso incrementa la intensidad del recuerdo de largo plazo, lo que incrementa la probabilidad de recuperarlo más adelante.

Grado de relación

El grado de **relación** *(que representa el nivel de integración entre el estímulo y los conocimientos que ya se tienen)* que ocurre durante el procesamiento influye sobre el aprendizaje que se logra. Con un bajo grado de relación, el estímulo se procesa de manera muy parecida a la forma en que se presentó. Por ejemplo, una persona que quiere recordar un número de placas AAN268 podría codificar este estímulo sin ninguna otra elaboración con sólo repetir "A-A-N-2-6-8".

El consumidor en la mira 16.1

Ojalá que lo olvide

Allá por 1914, la Ford Motor Company ofreció una rebaja de 50 dólares en su modelo T que costaba casi 500 dólares. Desde entonces, los descuentos, que se han hecho muy populares, sirven para invitar a los consumidores a comprar de todo, desde computadoras hasta lavavajilla, asientos para bebés y artículos comestibles. Office Max, cadena de artículos para oficina, vende 217 productos con descuento. Cox Direct, empresa de mercadotecnia directa, afirma que en 1996 76% de las compañías de bienes en paquete realizaron 66% más devoluciones en efectivo que en 1995. NCH NuWorld, el mayor procesador de cupones de Estados Unidos sostiene que se ha reducido el uso de los cupones tradicionales que descuentan centavos, pero crece su negocio de descuentos por correo, especialmente de artículos de precios elevados. Por su parte, Young America ha informado que su negocio crece anualmente 25% gracias a programas cada vez más complejos de descuentos y premios. Todos los años, la empresa envía por correo 30 millones de cheques de

descuento en nombre de compañías como PepsiCo, Nestlé y Office Max.

¿Por qué son tan populares los descuentos? A los fabricantes les agradan porque les permiten ofrecer una reducción de precios directa. Los descuentos también pueden ser lanzados y ejecutados con rapidez. Además, pueden administrar meticulosamente sus inventarios y responder con rapidez a la competencia sin reducir realmente los precios. Debido a que los compradores llenan formularios con nombres, direcciones y otros datos, los descuentos producen información de importancia sobre ellos.

Pero quizás la mejor razón para ofrecer descuentos es que muchos consumidores nunca se preocupan por exigirlos, por lo cual los fabricantes pueden ofrecer descuentos fantasmas. "La cuestión central tras los descuentos es alentar las compras y esperar (que los consumidores) no se acuerden de enviar sus solicitudes", dice Charles Weil, presidente de Young America.

Fuente: tomado de "Rebates Really Payoff—for the Manufacturers", en Miami Herald *(febrero 11 de 1998), 17A. También vea David Vaczek y Richard Sale, "100 Years of Promotion", en* PROMO Magazine *(agosto de 1998), 32-41, 142-145.*

Una codificación más elaborada que esta placa consistiría en reorganizar las letras como Ana, sumar los números (que totalizan 16) y después imaginar una muchacha de 16 años de nombre Ana. Este proceso fue el que aplicó una persona a fin de recordar el número de placas de un automóvil que huía de la escena de un asalto bancario que había presenciado. Después de darse cuenta que había visto el automóvil en el que escaparon los asaltantes, llamó a la policía y le proporcionó la información que poseía. Los sospechosos fueron aprehendidos y nuestro personaje recibió una recompensa de 500 dólares.

Una mayor elaboración facilita un mayor aprendizaje.[6] Cuanto más se elabora sobre un dato (o cuanto más profundo sea el procesamiento), mayor será el número de referencias entre la nueva información y la que se posee en la memoria. Esta característica permite incrementar el número de vías o trayectorias por las cuales la información puede ser recuperada de la memoria. En esencia, la huella mnemónica se hace más accesible porque se cuenta con más referencias para intentar su recuperación. Muchas técnicas sugeridas por los expertos e ilusionistas de la memorización para incrementar su capacidad de aprender y recordar nueva información se basan en las ventajas del grado de relación.[7]

El grado de relación que ocurre durante el procesamiento de los datos depende de la motivación de la persona y de su habilidad para hacerlo.[8] Cada uno de estos aspectos se analizarán a continuación.

Motivación

El estado motivacional de una persona en el momento de recibir nueva información tiene notable influencia sobre lo que aprende. Algunas veces las personas *intentan deliberadamente aprender para luego recordar* la información, como en el caso del estudiante que lee este libro para preparar un examen o alguien que trata de absorber y recordar las sugerencias de un vendedor sobre lo que debe buscar cuando compra un producto. Este aprendizaje se conoce como **aprendizaje intencional**.

Naturalmente, a veces aprendemos de manera involuntaria. Si leyó el periódico de la mañana o vio las noticias en la televisión, probablemente aprendió una o dos cosas aunque ésa no haya sido su intención. *El aprendizaje que ocurre involuntariamente* se conoce como **incidental**. Como es lógico, el aprendizaje es mayor cuando es intencional.[9]

Capacidad

Los conocimientos son un factor de importancia para el aprendizaje, porque permiten que la persona elabore de manera más significativa durante el procesamiento de la información. En un estudio clásico de la forma en que el acervo de conocimientos mejora el aprendizaje, tanto a maestros como a principiantes de ajedrez se les mostró diversas partidas en marcha.[10] En general, los primeros mostraron una enorme superioridad sobre los aprendices para recordar la posición de las piezas en el tablero. Sin embargo, esta superioridad desaparecía cuando los sujetos veían tableros en los cuales las piezas estaban colocadas al azar. Ello indica que el efecto beneficioso de los conocimientos sólo se materializaba cuando la información correspondía a estructuras y expectativas conocidas por el experto (es decir, cuando la colocación de las piezas "tenía sentido").

Aun cuando se cuente con una gran cantidad de conocimientos, la capacidad puede ser escasa. Esta aparente paradoja se debe a que la capacidad de aprender depende tanto de factores individuales como del entorno.[11] Una persona con conocimientos puede ser incapaz de dedicarse a elaborar de manera extensa un anuncio televisivo si en la habitación en que se encuentra existen muchas distracciones (como un bebé llorando). De manera similar, con el paso de los años se reduce nuestra capacidad de aprender.[12]

Representaciones mentales

Las **representaciones mentales** hacen referencia *a la manera específica en la cual se almacena la información en la memoria de largo plazo*. Algunas veces un estímulo se almacena de la misma manera en la que se presenta, como por ejemplo el caso de los consumidores que incorporan a su memoria el precio de un producto. En otros casos, antes de ser guardado como recuerdo, el estímulo debe ser modificado. En lugar del precio de un producto, los consumidores pueden almacenar diversas percepciones elaboradas durante el procesamiento (por ejemplo "demasiado caro", "barato", "aproximadamente promedio").[13]

La misma información puede ser representada en la memoria a largo plazo en formas diferentes. El concepto de **codificación doble** significa que *es posible almacenar la información tanto en forma semántica* (es decir, por su significado), *como visual* (es decir, por su apariencia).[14] Piense en un niño que trata de aprender el nombre de las capitales de Estados Unidos. La de Arkansas es Little Rock. Además de presentar esta información de manera verbal, también podría representarla visualmente, según se ve en la figura 16.2. Si lo hace así, aumentan las posibilidades de que esta información quede almacenada semántica y visualmente.

La ventaja de tener en la memoria representaciones es que se incrementa el numero de trayectorias mentales que se pueden recorrer cuando se intenta recordar. El niño al que se le muestra la imagen de la figura 16.2 tiene una forma adicional (la imagen misma) para recordar el nombre de la capital de ese estado, lo cual, a su vez, aumenta las probabilidades de recordar. Más tarde nos ocuparemos de la forma en que las empresas pueden alentar las representaciones múltiples como una forma de ayudar a que los consumidores recuerden.

Otro aspecto de las representaciones mentales está relacionado con la forma en que están organizadas en la memoria de largo plazo.[15] Aunque existen muchas teorías sobre esta cuestión, en la bibliografía se prefiere el punto de vista de una memoria organizada en forma de **red asociativa**.[16] Esta teoría sostiene que *la información de la memoria está organizada de manera muy parecida a la que presenta una telaraña.* Los nodos de la memoria que contienen bits de información están vinculados con otros nodos mnemónicos mediante una serie de redes jerárquicas (por ejemplo, unas redes que representaran marcas de computadoras personales formarían parte de una red más amplia que simbolizaría la categoría total del producto y que a su vez constituiría parte de una red aún más amplia de productos de cómputo). En la figura 16.3 se apre-

Figura 16.2   Las imágenes evocan representaciones mentales visuales que incrementan el aprendizaje

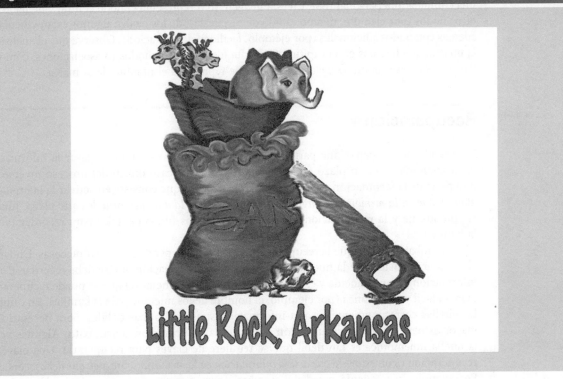

Figura 16.3   Red asociativa de la computadora personal IBM

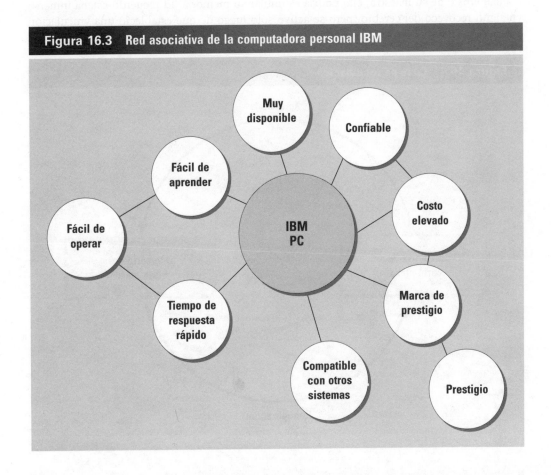

cia una red asociativa simplificada (en la cual no se muestran muchos otros vínculos posibles) de una computadora personal IBM. En esta imagen, IBM representa el nodo central vinculado con otros nodos (por ejemplo, tiempo rápido de respuesta), de los cuales algunos están vinculados además con nodos adicionales (por ejemplo, facilidad de operación). Observe que el análisis de la imagen que hicimos en el capítulo 9 intenta identificar los nodos (o asociaciones, como los llamamos en ese capítulo) ligados al nodo que representa el nombre de la marca.

Recuperación

El aprendizaje es apenas una parte de la recordación. Sólo se trata de pasar la información de la memoria de corto plazo a la de largo plazo. Hace caso omiso del proceso inverso. La otra parte de la recordación es la **recuperación**, proceso que consiste en activar la *información almacenada en la memoria de largo plazo para transferirla a la memoria de corto plazo*. Juntos, el aprendizaje y la recuperación son los dos requisitos fundamentales para recordar (véase la figura 16.4).

La probabilidad de que la recuperación tenga éxito depende de un par de cosas. Un factor clave es la intensidad de la huella mnemónica de la información que se debe recordar. Cierta información es tan conocida y está tan representada en la memoria que se puede recuperar de manera fácil y espontánea (por ejemplo, el nombre de los miembros de la familia). En cambio, las huellas correspondientes a otra información son mucho más débiles. Será necesario un mayor esfuerzo y más concentración para que la recuperación tenga éxito. Algunas veces la huella mnemónica es tan débil que se requiere de claves para recuperarla. Una **clave de recuperación** es un *estímulo que activa información en la memoria sobre algo que debe recordarse*. Por ejemplo, ¿se acuerda usted del nombre de su maestra de primer grado de primaria? Muchos no pueden hacerlo sin ayuda. Pero si les mostramos una fotografía del aula, de sus compañeros o de su maestra, ello podría estimular su memoria. El recuerdo estaba inmerso en algún recoveco del cerebro, pero se activó sólo luego de que estableció una vinculación

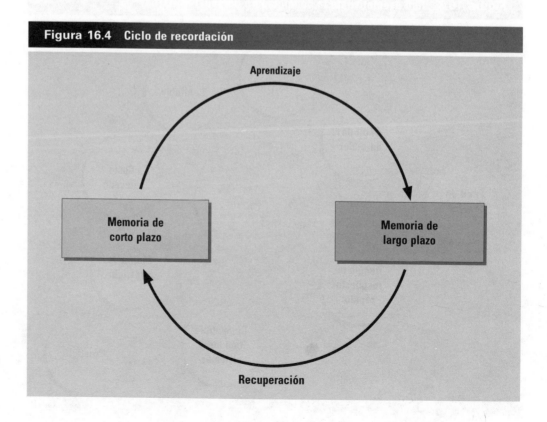

Figura 16.4   Ciclo de recordación

Aprendizaje

Memoria de
corto plazo

Memoria de
largo plazo

Recuperación

con el nodo mnemónico estimulado por la imagen. Más tarde ahondaremos en las claves de recuperación y su utilidad para que los consumidores recuerden.

La recuperación también depende del número e intensidad de los vínculos entre el elemento que debe recordarse y otros nodos significativos. De acuerdo con el concepto de **dispersión de la activación,** *poner en acto un nodo mnemónico genera un efecto ondulatorio que se dispersa a través de sus vinculaciones con otros nodos.*[17] Esta diseminación, a su vez, incrementa las posibilidades de que se activen los otros nodos, lo cual depende de la intensidad de los vínculos. En consecuencia, si el nodo que debe recordarse está estrechamente relacionado con otro, la recuperación de este último puede ayudar a recuperar el primero. Por ejemplo, tomemos un producto que tenga una fuerte relación con una celebridad. Pensar en ésta facilitará la recuperación del producto (y viceversa). Más aún, a medida que los vínculos adquieren mayor importancia, aumenta la probabilidad de que se active el nodo que debe recordarse mientras se busca en la memoria. Supongamos que un nodo tiene cinco vínculos fuertes. La activación de cualquiera de éstos puede conducir a una recuperación de éxito. Ahora suponga que sólo existe un vínculo intenso. Obviamente, las probabilidades de recordar son mucho menores.

Olvido

Como todos sabemos, los esfuerzos por recordar no siempre tienen éxito. La imposibilidad de recuperar algo de la memoria comúnmente se conoce como **olvido.**

¿A qué se debe el olvido? De acuerdo con la **teoría del desvanecimiento,** *los recuerdos se debilitan con el paso del tiempo.* De la misma manera que las pinturas de artistas famosos se desvanecen en el transcurso de los siglos, de la misma forma se desvanece la información pintada sobre el lienzo del cerebro. Si la información no se reactiva después del aprendizaje inicial, comienza a desvanecerse y la huella del recuerdo se debilita hasta llegar a un punto en que es tan etérea que ya no es posible recuperarla.

Pero también se olvida cuando la huella del recuerdo está lejos de ser débil. La razón de ello es que no todo lo que se almacena en la memoria de largo plazo es accesible en un momento determinado. Todos hemos experimentado situaciones en las cuales tratamos en vano de recordar algo, pero más tarde nos "salta" (por ejemplo, queremos recordar el nombre de alguien, el título de una canción, una respuesta en un examen, etc.). La investigación demuestra que la información que parece olvidada simplemente no estaba accesible en el momento en que se intentó recuperarla. Más tarde, con la ayuda de claves de recuperación, por fin se la recuerda.[18]

Esta imposibilidad de recuperar algo que no se ha desvanecido de la memoria es atribuible a los efectos de la interferencia. La **teoría de la interferencia** afirma que *la posibilidad de recuperar una información disminuye a medida que aumenta la interferencia de otra información.* Como ejemplo, supongamos que le pedimos a algunas personas que anoten todas las marcas de pasta de dientes que recuerden. Antes, a algunas de ellas se les muestra un anuncio de una marca de pasta de dientes; a las demás, no. ¿Cree que habrá alguna diferencia en el número de marcas recordadas entre quienes vieron y quienes no vieron el anuncio? La respuesta es afirmativa. Las personas que vieron el anuncio recordarán menos marcas. El procesamiento del anuncio provoca la activación del nombre de la marca anunciada en la memoria de corto plazo, lo que, a su vez, interfiere con la capacidad de recuperar otras marcas de la memoria de largo plazo.[19]

En el capítulo 14 nos ocupamos de la idea de la saturación y de cómo el gran número de productos y anuncios en el mercado actual hace más difícil captar la atención de los consumidores. Sin embargo, incluso si un anuncio se destaca sobre la saturación y llama la atención, el acumulamiento aún puede constituir un problema pues genera interferencia. Los consumidores son menos capaces de recordar el mensaje del producto incluido en un anuncio si éste es antecedido o seguido por comerciales de productos competidores.[20] La proliferación de páginas web de publicidad durante el Súper Tazón del año 2000 provocó dudas sobre la eficacia de tales anuncios. Para saber más, lea El consumidor en la mira 16.2.

El consumidor en la mira 16.2

La interferencia no sólo ocurre en el fútbol, también se presenta en la publicidad.

Budweiser estará allí, no lejos de Frito-Lay y Pepsi. Pero también estarán un número récord de páginas web, que incluyen algunos nombres que es probable que usted jamás haya visto. El gran juego de fútbol del domingo también es el Súper Tazón de la publicidad por televisión. Las empresas pagarán un promedio de 2.2 millones por 30 segundos de tiempo aire. Atraídos por aproximadamente 125 millones de espectadores, los publicistas lanzan nuevas campañas o introducen nuevos productos durante este evento.

Este año, anunciantes tradicionales como Pepsi-Cola, Frito-Lay, Visa y Anheuser-Busch compartirán el espacio comercial con todo un ejército de compañías relacionadas con internet, que incluyen sitios web bien conocidos como DowJones.com, E*trade.com, HotJobs.com, Monster.com y Pets.com, así como sitios relativamente desconocidos, como OurBeginning.com, Computer.com y KForce.com. Cerca de 20% de los spots de televisión del Súper Tazón número 61 fueron adquiridos por .com. Así, más de una docena de empresas de internet debutarán en el Súper Tazón de este año. En comparación, sólo apareció un anuncio de página web en los juegos de 1997 y 1998 y sólo tres en 1999.

"El verdadero reto de este año son los punto com", dice Albert Sanchez, del Donovan Consulting Group, quien trabaja con Anheuser-Busch en su grupo de anuncios para el Súper Tazón. "¿Se convertirán todos en un gran borrón al final del día o tendrán la capacidad de distinguirse de los demás y destacarse sobre el montón?" Las preocupaciones sobre la posibilidad de resaltar en este cúmulo publicitario de punto com fue una de las razones por las cuales Angeltips.com decidió retirar la aparición que había programado para el evento. El director ejecutivo Steve Fu no deseaba perderse entre un montón de comerciales punto com.

Esta acumulación de publicidad punto com va mucho más allá del Súper Tazón. De acuerdo con las últimas cifras, durante los primeros tres trimestres de 1999 los punto com desembolsaron 1400 millones de dólares en medios publicitarios tradicionales, es decir, casi tres veces la suma del año pasado. Se ha llegado hasta el punto en el cual algunos profesionales se preguntan si los espectadores sufren de una sobrecarga de punto com. "Actualmente existen demasiadas cosas", dice Edward Boches de la agencia publicitaria Mullen, la cual creó los primeros comerciales para Monster.com, un sitio de ofertas de trabajo en internet cuyo anuncio actual presenta niños que recitan ambiciones de carrera rutinarias. "No me imagino cómo la gente puede recordarlos. Es lo mismo que ser presentado a 40 personas en una fiesta."

Fuente: tomado de Cynthia Corzo, "Field of Ads", en Miami Herald, (25 de enero de 2000), 1C, 3C; John Dortschner, "Ads!Are!Everywhere!.com", en Miami Herald, (30 de enero de 2000), 1E, 2E.

Reconocimiento y recordación

Aparte de la intensidad de la huella mnemónica, la recuperación también depende de que la información que debe ser recordada requiera de reconocimiento o de recordación. En el primer caso simplemente necesitamos saber si estamos familiarizados con algo por haberlo visto antes. Por ejemplo, en un examen, los estudiantes deberían apoyarse en el reconocimiento para responder a preguntas de elección múltiple. De manera similar, los consumidores deberían recurrir al reconocimiento de marca si se les presentara una lista de ellas y se les pidiese que indicaran cuáles conocen. O quizás se les muestre un anuncio y se les pida que digan si lo han visto, lo que sería un reconocimiento del mismo. Observe, entonces, que las medidas de reconocimiento proporcionan la clave de recuperación más sólida: la información misma que se desea recordar.

Por otra parte, la recordación exige a las facultades cognoscitivas más que el reconocimiento. Como sabemos, es más fácil responder a preguntas de elección múltiple que a una pregunta breve (por ejemplo, una pregunta en que se pide que se defina *recuperación*) y de redacción (por ejemplo, una pregunta en que se solicita que se describan las diversas formas en que las empresas ayudan a los consumidores a recordar). Esto es también cierto cuando se examina el recuerdo de los consumidores en relación con anuncios y marcas. Pedirles que indiquen qué marcas de pasta de dientes conocen de una lista exhaustiva no es lo mismo que solicitarles que anoten todas las marcas que se les ocurra (como vimos en nuestro ejemplo sobre el particular en el capítulo 9). Por lo común, recordamos mejor cuando el recuerdo concierne al reconocimiento más que a la recordación.[21]

Las medidas de recordación se clasifican en dos tipos básicos. El primero, el **recuerdo libre**, *no contiene ninguna clave de recuperación*. Un ejemplo sería pedirle a los consumidores que recuerden todas las marcas anunciadas durante el Súper Tazón. El segundo es el **recuerdo asistido** o **con claves**. Por ejemplo, *después de decirles a los consumidores que durante el Súper Tazón apareció un anuncio de cierto producto* (digamos, bebidas no alcohólicas), *se les pediría que recordaran la marca que en él se promocionaba*. Debido al efecto beneficioso de las claves de recuperación, los consumidores recuerdan más cuando responden a medidas de recuerdo asistidas.

Conciencia del producto

En capítulos anteriores analizamos la conciencia del producto y por qué es un requisito importante para ganar una consideración en la toma de decisiones (véase el capítulo 9). También dijimos que esta conciencia es evaluada con base en medidas de reconocimiento de marca. Sin embargo, no examinamos cuándo es el reconocimiento o el recuerdo del indicador más apropiado de la conciencia del producto. Lo haremos ahora.

Piense en los consumidores que están en proceso de formar sus conjuntos en consideración y decidir las marcas que merecen consideración de compra. Algunas veces estos conjuntos son desarrollados sólo mediante una búsqueda interna (tratada en el capítulo 4), en cuyo caso las alternativas de elección deben ser recordadas libremente. En este caso, es mucho menos importante que los consumidores reconozcan la marca a que la recuerden, puesto que, a menos que la recuerden, no la considerarán, independientemente de lo reconocible que fuese. El recuerdo es el indicador más apropiado de la conciencia del producto de los conjuntos en consideración generados internamente.[22]

Otras veces, los conjuntos en consideración se forman en el punto de venta. Ciertamente, las decisiones de compra sobre productos comestibles, de salud y de belleza se efectúan en la tienda.[23] Los compradores no habituales de comestibles podrían recorrer rápidamente las estanterías para ver qué está a la venta y qué otros productos deben considerar. En este caso, basta con qué reconozcan el producto; no hace falta un recuerdo libre. La conciencia del producto en forma de reconocimiento es de mayor importancia. The Adolph Coors Company realizó un control del reconocimiento de su marca de cerveza Coors como indicador de las promociones "Blast to Cash". "Como resultado de esta promoción, el reconocimiento de la marca Coors se ha incrementado durante dos años seguidos periodo durante el cual avanzó del lugar número tres al número uno en conciencia de marca", explica un ejecutivo de SCA Promotions, proveedor de diversos juegos promocionales.[24]

El reconocimiento de marca debe incluir más que el simple nombre del producto, porque reconocer su empaque también tiene un peso importante para su inclusión en el conjunto en consideración. Una ventaja de mostrar el empaque del producto en el anuncio que aparece en la figura 16.5 es que aumenta la capacidad de los consumidores de reconocerlo en la estantería de los minoristas.

En suma, para determinar si la recordación o el reconocimiento es la medida de mayor importancia para adquirir conciencia del producto se necesita saber qué tipo de recuperación se requiere para que sea incluido en el conjunto en consideración. Para las empresas es importante llegar a esta determinación por dos razones. Primero, es probable que se desperdicie dinero si como objetivo publicitario sólo se requiere el reconocimiento de marca y se explota la recordación de la misma,[25] lo cual obedece a que hacen falta menos exposiciones al anuncio y al producto (y por lo tanto menos dinero) para lograr cierto nivel de reconocimiento en comparación con lo que se requiere para alcanzar el mismo grado de recuerdo. En segundo lugar, la utilidad de diversas tácticas comerciales depende de que el proceso de decisión se base en el reconocimiento o el recuerdo de la marca. Con respecto a las decisiones que se apoyan en el reconocimiento de marca, debería dar mayores dividendos educar a los consumidores respecto al empaque de un producto, de forma que lo reconozcan más fácilmente.[26]

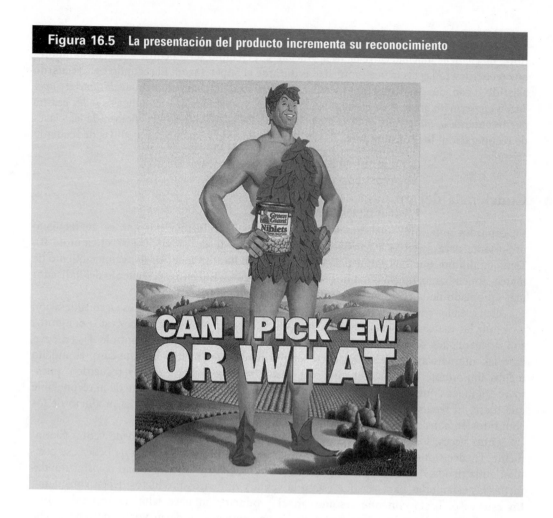

Figura 16.5   La presentación del producto incrementa su reconocimiento

Conciencia de la publicidad

Las empresas también están interesadas en lo que los consumidores recuerdan de sus mensajes publicitarios. Algunas veces esto consiste en examinar aquellos anuncios que los consumidores recuerdan. Durante la temporada navideña de 1999, a los compradores en línea se les pidió que dijeran cuál era el anuncio punto com más recordable que habían visto. Prácticamente una cuarta parte no podía recordar ni un solo anuncio, a pesar de los enormes gastos en publicidad que hicieron de empresas de comercio electrónico durante las festividades. Este resultado llevó a algunos a cuestionar el valor de ese tipo de publicidad.[27] Ahora bien, hay que comprender que cuestionar la eficacia de un comercial porque los consumidores no lo recuerdan supone que es necesaria tal rememoración para que el anuncio ejerza alguna influencia; sin embargo, hay razones para poner en tela de juicio la validez de esta aseveración. Después de procesar un anuncio, alguien podría recordar ciertos datos del producto (por ejemplo, su apariencia, cuánto cuesta) pero no la fuente de la información. Por otro lado, el hecho de recordar un anuncio no significa forzosamente reconocer su eficacia. Los anuncios repulsivos u ofensivos pueden ser muy memorables, pero los sentimientos de aversión que generan también tienen un efecto negativo sobre las opiniones que se forman los consumidores sobre el producto.

Más que preocuparse por *cuántas* personas recuerdan el anuncio de una empresa, debe privilegiarse *qué* es lo que recuerdan del anuncio. ¿Se acuerdan del nombre del producto? ¿Qué recuerdan, si acaso, de los contenidos del mismo? Kraft Foods se hizo esta clase de preguntas cuando evaluó una nueva campaña publicitaria para su marca DiGiorno de pizza congelada. Las pruebas del texto revelaron que 64% recordaban el mensaje principal (un comercial promedio sólo alcanza una calificación de 24%) mientras que 52% recordaban la marca.[28] Compárense estos datos con lo que se recuerda de las banderas publicitarias que aparecen en los sitios de internet. Una empresa de investigación de mercados informa que, de aquellos consumidores en línea que se tomaron la molestia de hacer clic en una bandera (que, a propósito, representan menos de 50%), más de dos terceras partes no recordaban lo que habían visto.[29]

Es importante que los consumidores recuerden la marca anunciada y los contenidos del comercial debido a las razones siguientes. Si no se acuerdan de la marca, es poco probable que cualquier otra cosa que recuerden se asocie con ella. Peor todavía, si los consumidores están confundidos respecto de la marca que se presentaba en el anuncio, pueden cometer el error de relacionar el mensaje del anuncio con el producto de un competidor.[30] Además, dado que la información sobre el producto trasmitida por un anuncio tiene el propósito de otorgarle mayor atractivo, recordarla debería incrementar la posibilidad de ser elegidos.

A pesar de ello, el hecho de que los consumidores recuerden los mensajes de un anuncio no quiere decir que *crean* en ellos. Y si es así, es poco probable que asuman actitudes favorables hacia el producto. Por esta razón, un recuerdo más intenso puede no traducirse en actitudes más favorables.[31]

Cómo estimulan las empresas el recuerdo de los consumidores

Luego de repasar algunos fundamentos relacionados con el aprendizaje y la recuperación, dirigiremos nuestra atención hacia las formas mediante las cuales las empresas pueden mejorar las probabilidades de que los consumidores recuerden lo que es importante para que se conviertan en clientes. Las sugerencias que siguen son eficaces porque facilitan el proceso de aprendizaje y ahondan las huellas de los recuerdos. Otras colaboran en el proceso de recuperación. En cualquiera de los casos, el resultado es una mejoría de la capacidad recordatoria de los consumidores.

Recordatorios

Una forma obvia de ayudar a los consumidores a recordar es poner de manifiesto lo que la compañía quiere que recuerden. Tal es el propósito del anuncio que se muestra en la figura 16.6, en el que le pregunta a los consumidores si recordaron comprar el producto anunciado.

De manera similar, médicos y dentistas envían tarjetas a los pacientes recordándoles que es hora de su reconocimiento anual. AT&T realizó un seguimiento de su oferta inicial por correo a clientes potenciales, lo que incluía un cheque como incentivo financiero para cambiar de empresa telefónica con una postal que les recordaba la oferta anterior (véase la figura 16.6).

Otro ejemplo de poca memoria es el de los automovilistas a los cuales se les olvida que periódicamente deben cambiar el aceite de sus automóviles. Si no se les recuerda, muchos no se acordarían de ello sino hasta bien pasada la fecha indicada. A fin de combatir este olvido, muchos talleres colocan una pequeña etiqueta en el lado interior del parabrisas que indica cuándo se debe hacer el siguiente cambio de aceite (y los talleres que no lo hacen desperdician una oportunidad de incrementar ventas futuras).

También incrementan la eficacia de la publicidad los recordatorios en forma de claves de recuperación en el punto de venta.[32] Dado el lapso habitual que existe entre la fecha en que se procesa un anuncio y aquella en la que se efectúa la compra, es posible que cualquier información de importancia sobre el producto, incluida en el anuncio, no esté presente en el punto de compra.[33] Un método para estimular la activación del recuerdo de esta información es colocar claves de recuperación en el empaque del producto. Estas claves podrían consistir en alguna imagen asociada con el anuncio mismo. Un ejemplo agradable son las baterías Energizer

Figura 16.6   Uso de recordatorios para que los consumidores recuerden

y el conejito rosa que aparece en los comerciales tocando el tambor. Aunque los anuncios han sido bien recibidos, muchas personas no recordaban exactamente cuál era la marca anunciada. En consecuencia, los sentimientos favorables generados por los comerciales no se relacionaban con fuerza a la marca Energizer. Para superar este inconveniente, el empaque fue modificado y se le incorporó el conejito rosa como clave de recuperación. La figura 16.7 muestra el paquete original sin el conejito así como los nuevos empaques que lo incluyen. Finalmente, el conejito quedó impreso en el paquete. Un indicio sobre el rendimiento potencial del uso de claves de recuperación fue proporcionado por la Campbell Soup Company. Sus ventas se incrementaron 15% cuando las mercancías exhibidas en los puntos de venta fueron relacionadas directamente con la publicidad televisiva.[34]

A veces las empresas incluyen claves de recuperación en un comercial que activan recuerdos generados por otro anuncio del mismo producto. Un fabricante de bebidas alcohólicas premezcladas lanzó una campaña publicitaria que utiliza dos comerciales que versan sobre una pareja joven diferente que se divierte bailando en la misma fiesta. Cada comercial muestra brevemente a la pareja presentada en el otro comercial, con lo cual se estimula la reactivación de los recuerdos del primero de ellos, lo cual permite la formación de una huella mnemónica más intensa. También refuerza los vínculos entre las representaciones mentales después de procesar cada comercial.

Los artículos promocionales (artículos ofrecidos gratuitamente o a precio reducido para incentivar algún tipo de comportamiento, por lo general de compra del producto) también ayudan a los consumidores a recuperar ciertos recuerdos. En El consumidor en la mira 16.3 se estudia esta posibilidad.

Dígalo una y otra vez: el valor de la repetición

Antes hicimos notar que un repaso mayor genera recuerdos más intensos. Aunque los estudiantes que se preparan para un examen estén muy motivados para repasar sus apuntes, es muy poco probable que estudien los comerciales de televisión. Por lo general, nuestros pensamientos se quedan en el anuncio durante no más tiempo del necesario para que aparezca y desaparezca de la pantalla. Sólo cuando percibimos que el comercial está en el proceso de proporcionar información pertinente para una decisión importante de compras se incrementa la probabilidad de que dediquemos el tiempo y el esfuerzo necesarios para repasar esta información.

Para superar esta falta de repaso, las empresas se apoyan en la repetición de sus anuncios. Los consumidores se ven "obligados" a repasar cada vez que procesan el anuncio. La repetición es, en esencia, un repaso inducido externamente.

Figura 16.7   Energizer modificó su empaque para que los consumidores lo recordaran

El consumidor en la mira 16.3

El valor mnemotécnico de los artículos promocionales

Los artículos promocionales tienen una larga historia en Estados Unidos. A comienzos del siglo XIX, los políticos empezaron a imprimir lemas sobre botones y los artículos conmemorativos difundieron masivamente sus nombres. Poco después, el American Manufacturing Concern empezó a distribuir reglas, metros, agitadores para pintura, tableros para juegos de naipes y pisapapeles que contenían mensajes publicitarios. Para mediados de ese siglo, los calendarios impresos eran adorno normal en la mayoría de los hogares o negocios.

El primer plan completo de mercadotecnia que utilizó artículos promocionales como elemento central se atribuye a Jasper Meek, impresor de Ohio de finales del XIX. "Observó que los libros de texto de los niños siempre se ensuciaban, por lo cual fabricó bolsas de tela en las cuales estampó la leyenda "Compre Zapatos Cantwell". Luego se los regaló a las familias que hacían una compra [de zapatos]", nos cuenta Margaret Kaeter, editora de *Potentials in Marketing,* una revista especializada en productos promocionales. ¿Qué mejor manera de mantener la marca Cantwell en primer lugar en la mente que colocarla en un objeto que los padres ven todos los días?

Los artículos promocionales poseen ciertas ventajas en comparación con las herramientas publicitarias tradicionales.

En primer lugar son tangibles; se pueden tocar, manejar y utilizar. También son durables. Un artículo puede guardarse y a veces pasa de una persona a otra.

Otro beneficio es que sirven como símbolos que les recuerdan a las personas acontecimientos pasados. Quizás había olvidado la pasión con que amaba a su novia o novio de preparatoria hasta que se encontró los boletos de un concierto al que asistieron hace 10 años. "Este símbolo tangible le permitirá evocar con gran detalle una amplia gama de recuerdos y sentimientos a los cuales de otra manera no tendría ningún acceso", dice Dan Bagley III, profesor de comunicaciones masivas de la Universidad de Florida y profesional de segunda generación de productos promocionales. Aunque los recuerdos materiales de su primer amor despiertan emociones más tiernas que una playera que promueve una estación de radio, ambas estimulan recuerdos. Por medio de un estudio sobre exposiciones comerciales, Exhibit Surveys Inc. comprobó que los regalos aumentan la capacidad de recordar la ocasión, además de que incrementan el intercambio de puestos, las repuestas a las invitaciones y la buena voluntad hacia la empresa.

Fuente: tomado de Rebecca Piirto Heath, "An Engraved Invitation", en Marketing Tools, *(noviembre/diciembre de 1997), 36-42.*

La influencia beneficiosa de la repetición sobre el aprendizaje ha sido bien comprobada.[35] La conclusión es que el aprendizaje aumenta con las exposiciones adicionales, aunque a una tasa decreciente (es decir, cada exposición sucesiva contribuye menos a la memoria que la inmediatamente anterior), hasta que llega a un tope en cuyo punto cualquier nueva repetición ya no es productiva. Además, la eficacia de la repetición para la memoria de largo plazo se incrementa cuando las repeticiones se distribuyen temporalmente más que cuando son muy próximas.[36]

La repetición necesaria para maximizar el aprendizaje depende tanto de la persona como de la información que se debe aprender.[37] Quienes están muy motivados para recordar lo que dice el anuncio lo consiguen después de una sola exposición, siempre que el anuncio no diga demasiado. Pero si éste transmite un conjunto grande o complejo de información, los consumidores difícilmente podrán comprenderla y asimilarla totalmente durante una única exposición. Por consiguiente, para lograr un mayor aprendizaje serían necesarias nuevas repeticiones, lo cual también es cierto incluso para mensajes simples, si los consumidores no están motivados para poner en práctica un aprendizaje intencional.

Esta influencia de la repetición sobre el aprendizaje tiene sus límites. Dado que éste llega a una meseta después de cierto número de repeticiones, las reiteraciones posteriores son un desperdicio de dinero. Además, como ya aprendimos en el capítulo 14, demasiadas repeticiones pueden provocar un paulatino desgaste de la publicidad. Las respuestas negativas generadas por el hecho de ver el mismo anuncio una y otra vez pueden dañar la opinión sobre el producto que se formen los consumidores. Por esta razón las empresas deben crear diversas versiones del anuncio, con el mismo mensaje básico. En lugar de, digamos, mostrar 20 veces el mismo comercial, la empresa aprovecharía más si trasmite por lo menos 10 veces dos versiones diferentes del anuncio.

Los beneficios potenciales de la repetición también pueden ser acotados por la saturación o el amontonamiento publicitario. Según un estudio, la repetición mejoraba el recuerdo cuando la publicidad de productos que competían entre sí era mínima o inexistente. Pero este incremento desaparecía cuando había mucha publicidad competitiva.[38]

Aparte de repetir una y otra vez el mismo mensaje, la reiteración también puede ser utilizada como elemento de un solo anuncio. Tal es el caso de un comercial humorístico de AFLAC, empresa de seguros, que muestra a un individuo que trata de recordar el nombre de la empresa, sin hacer caso de un solícito pato que repetidamente grita AFLAC. Cuando Kraft creó su marca de pizza DiGiorno, eligió un nombre italiano a fin de "darle autenticidad al producto", pero los consumidores tenían problemas para pronunciar el nombre, lo que generaba preocupaciones sobre su capacidad de recordarlo. En consecuencia, Kraft se aseguró de que el nombre de la marca apareciera repetido varias veces en sus comerciales.[39]

Fomente el grado de relación

Previamente tratamos la forma en que el grado de relación, en el cual se vincula o relaciona un estímulo con varios conceptos contenidos en la memoria, favorece el aprendizaje. Cuando alientan a los consumidores a realizar cierta relación durante el procesamiento, las empresas facilitan su recordación. ¿Cómo se hace? Un ejemplo es el anuncio de radio de un proveedor de partes para autos llamado Kar Part Outlet. El comercial estimulaba a los escuchas a elaborar sobre el nombre con base en la vinculación de las palabras del mismo con un concepto encerrado en la memoria. Así, el locutor decía: "Kar, es lo que usted conduce; Part, es lo que usted hace con su cabello; Outlet, es donde usted introduce un enchufe."

Otra manera de estimular la elaboración es a través de la **autorreferencia**, que consiste en *relacionar un estímulo consigo mismo y con sus propias experiencias*. Supongamos que se les pregunta a varias personas si son descritas por las palabras de una lista que se les presenta. Para llegar a esta determinación, es probable que se dediquen a autorreferenciarse a medida que reflexionan sobre el tipo de persona que son y si su comportamiento y experiencias son congruentes con las implicaciones de cada término. A continuación se les entrega la misma lista de palabras a otras personas, pero éstas deben llevar a cabo una tarea diferente (por ejemplo, encontrar un sinónimo de dichos vocablos). Si luego hacemos a todas ellas una prueba de memoria en relación con las palabras incluidas en la lista, aquellas a quienes se les pidió que hicieran autorreferencias tendrán recuerdos más intensos.[40]

Este efecto facilitador se atribuye a que la información se codifique de una manera más elaborada. La representación mnemónica de sí mismo es una estructura compleja muy organizada. La activación de esta rica estructura durante la codificación mejora el número y fuerza de los vínculos que se pueden establecer entre la información que debe recordarse y otros datos almacenados, lo que a su vez incrementa la probabilidad de recuperación.

Las investigacion apoya la teoría que sustenta el potencial que representa estimular la autorreferencia con base en el texto del anuncio. Utilizando la palabra *usted* y un texto del anuncio que sugiera la recuperación de experiencias previas pertinentes al producto, se mejoró el recuerdo de la información que contenía el anuncio.[41] Sin embargo, algunos estudiosos han demostrado que la autorreferencia reduce la recuperación de la información transmitida por mensajes publicitarios, por lo menos en ciertas circunstancias.[42] Se necesitan más investigaciones para poner en claro en qué circunstancias la autorreferencia ayuda o perjudica.

Fomente varias representaciones en la memoria

Ya explicamos que la información almacenada en la memoria de largo plazo puede estar representada de diferentes maneras, como por ejemplo semántica o visualmente. De acuerdo con la forma en que las personas representan la información en la memoria, sería útil instrumentar otros esfuerzos para estimular otras formas de representación. Por ejemplo, consideremos un anuncio impreso que contiene un texto que durante el procesamiento evoca fantasías visuales. Dado que esta fantasía visual puede ser parte de la representación mental de cualquier información almacenada, quizás no ayude mucho, si es que ayuda en algo, la inclusión en el anuncio de imágenes correspondientes a la fantasía sugerida por el texto. Sin embargo, si dicho texto no evoca una imagen, la inclusión de figuras mejora la formación de representaciones visuales y, en consecuencia, la recuperación.[43]

De la misma manera, proporcionar a los consumidores una representación visual del nombre de la marca puede incrementar su memorización, especialmente si aquéllos no generan por sí mismos y de manera espontánea estas representaciones. Piense en nombres ficticios como "Jack's Camera Shoppe" y "Arrow Pest Control". Las representaciones visuales de estos nombres, quizás de acuerdo con ideas como las que aparecen en la figura 16.8, podrían ayudar a recordar sus nombres. De manera similar, los consumidores que reciben el anuncio del perfume Curve que se muestra en la figura 16.9 estarán mejor preparados para recordar a este producto, dados los elementos visuales del anuncio que refuerzan el nombre. Además, por si lo ha olvidado, ya vimos otro ejemplo del estímulo de representaciones visuales (capítulo 9, figura 9.6).

Importancia de la congruencia

En un anuncio impreso de una marca de vodka, el texto dice, "SMOOTH AS ICE... Icy cold. Icy clear. Imported Icy Vodka of Iceland, Why can't everything in life be this smooth?"* La imagen del anuncio muestra una botella con el nombre de marca ICY que parece estar hecho de hielo suave y transparente. En este anuncio, el nombre de la marca, el texto y la imagen transmiten un mismo significado.

La congruencia facilita el recuerdo. Cuando esta característica involucra a todos los elementos de un anuncio, como el que se acaba de describir sobre el vodka, se incrementa lo que pueden recordar los consumidores sobre el comercial y el producto promocionado.[44] Los beneficios del producto descritos en un anuncio se recuerdan mejor cuando son congruentes con los que sugiere el nombre del producto. De manera similar, las imágenes que transmiten un significado parecido al que se asigna al nombre de la marca mejoran la recordación de éste (como se esperaría en vista de nuestro análisis sobre la codificación doble y las múltiples representaciones). Además, cuando el texto del anuncio trasmite el mismo significado que el nombre y que la imagen, la recordación de la marca aumenta aún más.

Utilice estímulos fáciles de recordar

¿Qué número telefónico pensaría que es más fácil recordar para los consumidores la próxima vez que deseen ordenar flores: 1-800-356-9377 o 1-800-flowers? La respuesta es bastante obvia, ¿no es cierto? Este último número, que requiere que los consumidores recuerden una sola palabra en lugar de siete dígitos, impone significativamente menos exigencias a la memoria, por lo cual es más fácil de recordar.

Las palabras mismas difieren en cuanto a la facilidad con que se recuerdan. Las **palabras concretas**, como árbol o perro, son *aquellas que pueden ser representadas visualmente con facilidad*. En contraste, las **palabras abstractas**, como democracia o igualdad, *se prestan menos a ello*. En consecuencia, es más probable que las primeras evoquen una representación visual en la memoria, lo cual proporciona una trayectoria adicional para intentar una recuperación posterior. Ésta es la razón por la que las personas a las que se les muestra una lista de palabras concretas y abstractas recuerdan mejor las primeras.[45]

La ventaja que tienen las palabras concretas en la memoria debe ser tomada en consideración cuando se ha decidido acuñar nuevos nombres de marca. Los que están compuestos por palabras concretas (por ejemplo, Black Tie, Head and Throat, Sunburst) serán más fáciles de recordar que los nombres que utilizan conceptos abstractos o compuestos (por ejemplo,

---

*"TERSO COMO EL HIELO... Icy frío. Icy transparente. Icy vodka importado de Islandia. ¿Por qué la vida no puede ser tan fácil?"

Figura 16.8   **Las representaciones visuales pueden incrementar la recordación de los nombres de marcas**

Figura 16.9   **Cómo alentar las representaciones visuales mediante la publicidad**

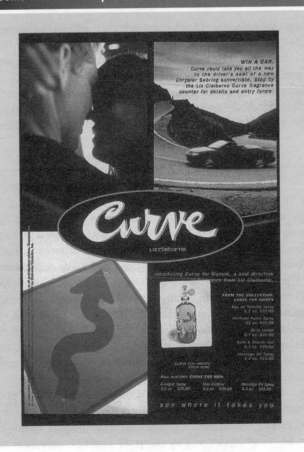

Actifed, Advil, Encaprin, Nuprin). A menos que esta ventaja de la memoria se pierda por otras circunstancias (por ejemplo, cuando un nombre de marca abstracto es más eficaz para formar opiniones sobre el producto), los nombres concretos son la mejor elección para denominar una marca.

Los estímulos distintivos o únicos también son más fáciles de recordar. Por ejemplo, supongamos que les damos a un grupo de personas algunos minutos para que aprendan una lista de 100 nombres. La lista entregada a algunas de ellas contiene sólo nombres de mujer, entre ellas Jennifer. A otras se les da una relación que contiene el nombre de Jennifer junto con 99 nombres de hombre. Cuando se les pide que recuerden los nombres, más personas recuperarán el nombre de Jennifer cuando éste era el único nombre de mujer. Su distinción hace que se destaque, por lo cual su recuperación es menos susceptible de interferencia.

Cuanta más diferenciada sea la oferta de una empresa, más se la recordará. El nombre, empaque, posicionamiento y publicidad contribuyen a crear elementos distintivos que la distingan de la competencia tanto por su imagen como en su capacidad para ser recordada.

Ponga a los consumidores de buen humor

En el capítulo 10 introdujimos la idea del humor, del estado de ánimo o de la forma en que se sienten las personas en cierto momento, y analizamos el significado que ello tiene durante la formación de sus opiniones. Otra razón por la que el estado de ánimo es importante es que influye sobre la recuperación. En general, un estado de ánimo positivo aumenta la recuperación. Además, lo favorable de los recuerdos recuperados depende de que el estado de ánimo sea positivo o negativo. En el primer caso, se incrementan las posibilidades de recordar información favorable; en el segundo, se favorece la recuperación de información desfavorable.[46]

De ello se deduce que estimular el buen humor de los consumidores aumenta su probabilidad de recordar aspectos positivas del producto. Los comerciales eficaces mediante la risa o la música facilitan la recuperación de información positiva, lo que, a su vez, debería hacer que los consumidores incrementaran su nivel de receptividad a los mensajes comerciales. O pensemos en el empresario listo para cerrar un trato con un cliente potencial. Hacer algo que mejore el estado de ánimo del candidato (quizás una comida gratuita en un buen restaurante) debería aumentar la recuperación de información que ayude al empresario a alcanzar su objetivo.

Resumen

Recordar es una parte fundamental del comportamiento y de la toma de decisiones de los consumidores. Tenemos que recordar las necesidades particulares de compra y consumo que deben ser satisfechas. Además, las alternativas consideradas durante la toma de decisiones, así como nuestra opinión al respecto, dependen mucho de lo que recordemos.

Para recordar algo, primero hay que aprenderlo. Si hay suficiente repaso o elaboración, el material procesado en la memoria de corto plazo es transferido a la memoria de largo plazo. Pero colocar la información en la memoria de largo plazo es sólo la mitad de lo que se necesita para recordar. La otra mitad es traerlo de vuelta (recuperación). Sin embargo, la recuperación no siempre es posible. Los recuerdos se debilitan a medida que pasa tiempo desde su última activación. Incluso si el recuerdo todavía no ha decaído, otros pueden interferir con su recuperación.

Así, influyendo sobre aprendizaje y recuperación, las empresas pueden ayudar a los consumidores a recordar. En este capítulo se señalan varias maneras de hacerlo, desde formas tan obvias como el uso de recordatorios hasta, quizás de manera menos evidente, estimular el buen humor de los consumidores. Las empresas también necesitan comprender el tipo de recuperación, recordación o reconocimiento que es más pertinente durante la toma de decisiones del consumidor.

Preguntas de repaso y análisis

1. ¿Cuáles son las maneras mediante las cuales las empresas pueden ayudar a los consumidores a recordar?

2. Tome el anuncio impreso del casino Isle of Capri, cuyo texto dice: "Isle tiene diversión. Isle tiene suerte. Isle hace ricos." Explique por qué este anuncio puede incrementar el recuerdo del nombre del casino.

3. El gerente de producto de una nueva marca de suavizante de la piel considera dos nombres posibles: Soft Skin y Dickson's Skin Moisturizer. ¿Qué nombre recomendaría usted? Explique su respuesta.

4. Un fabricante de productos enlatados está interesado en comparar la eficacia de dos comerciales muy diferentes. El primero muestra repetidamente imágenes del producto colocado en las estanterías de la tienda de comestibles, en el carrito de la tienda y en la alacena del comprador. El segundo sólo muestra brevemente el producto una vez, pues se enfoca en imágenes que proporcionan una representación visual del nombre de la marca. Cuando los comerciales fueron examinados en una prueba de mercado, el segundo resultó mejor para incrementar el reconocimiento de la marca, pero no fue tan eficaz como el primero para aumentar las ventas. ¿Por qué es mejor como generador de ventas el comercial que resultó inferior en cuanto a recordación de marca?

5. Después de enterarse de los beneficios potenciales de la inclusión de claves de recuperación en el empaque de un producto para estimular el recuerdo de su publicidad, una empresa modificó la presentación de uno de sus productos para incluir una escena de uno de sus comerciales. Sin embargo, ello no pareció ayudar mucho porque las ventas no fueron mayormente afectadas. ¿Cómo se puede explicar la aparente ineficacia de esta clave de recuperación?

6. En El consumidor en la mira 16.1 tenemos un ejemplo de empresas que esperan que los consumidores no se acuerden. ¿Se le ocurren otras situaciones semejantes?

Notas

1. Kathryn Kranhold, "Drug Makers Prescribed Direct-Mail Pitch", en *The Wall Street Journal* (16 de diciembre de 1999), B16.

2. Lynda Edwards, "Web Zine Claims Citrus Department Stole Its Ham Sandwich", en *Miami Herald's Business Monday* (10 de mayo de 1999), 7.

3. Alan J. Heavens, "Model Home Says, 'Buy Me'", en *Miami Herald* (30 de mayo de 1999), 1H, 4H.

4. Gabriel Biehal y Dipankar Chakravarti, "Information Accessibility as a Moderator of Consumer Choice", en *Journal of Consumer Research*, 10 (junio de 1983, 1-14; Gabriel Biehal y Dipankar Chakravarti, "Consumers' Use of Memory and External Information in Choice: Macro and Micro Perspectives", en *Journal of Consumer Research*, 12 (marzo de 1986), 382-405; John G. Lynch, Jr., Howard Marmorstein y Michael E. Weigold, "Choices from Sets Including Remembered Brands: Use of Recalled Attributes and Prior Overall Evaluations", en *Journal of Consumer Research*, 15 (septiembre de 1988), 169-184; Prakash Nedungadi, "Recall and Consumer Consideration Sets: Influencing Choice Without Altering Brand Evaluations", en *Journal of Consumer Research*, 17 (septiembre de 1990), 263-276.

5. Mita Sujan, James R. Bettman y Hans Baumgartner, "Influencing Consumer Judgments Using Autobiographical Memories: A Self-Referencing Perspective", en *Journal of Marketing Research*, 30 (noviembre de 1993), 422-436.

6. Terry L. Childers y Michael J. Houston, "Conditions for a Picture-Superiority Effect on Consumer Memory", en *Journal of Consumer Research*, 11 (septiembre de 1984), 643-654; Fergus I.M. Craik y Endel Tulving, "Depth of Processing and the Retention of Words in Episodic Memory", en *Journal of Experimental Psychology: General*, 104 (septiembre de 1975), 268-294; Fergus I.M. Craik y Michael J. Watkins, "The Role of Rehearsal in Short-Term Memory", en *Journal of Verbal Learning and Verbal Behavior*, 12 (diciembre de 1973), 599-607; Meryl Paula

Gardner, Andrew A. Mitchell y J. Edward Russo, "Low Involvement Strategies for Processing Advertisements", en *Journal of Advertising*, 14 (1985), 4-12; Scott A. Hawkins y Stephen J. Hoch, "Low-Involvement Learning: Memory without Evaluation", en *Journal of Consumer Research*, 19 (septiembre de 1992), 212-225; Joel Saegert y Robert K. Young, "Comparison of Effects of Repetition and Levels of Processing in Memory for Advertisements", en Andrew A. Mitchell, ed., *Advances in Consumer Research*, 9 (St. Louis: Association for Consumer Research, 1982), 431-434.

7. Es interesante destacar que está comprobado que demasiada elaboración puede reducir el aprendizaje. *Véase* David Glen Mick, "Levels of Subjective Comprehension in Advertising Processing and Their Relations to Ad Perceptions, Attitudes, and Memory", en *Journal of Consumer Research*, 18 (marzo de 1992), 411-424.

8. Richard E. Petty y John T. Cacioppo, "The Elaboration Likelihood Model of Persuasion", en Leonard Berkowitz, ed., *Advances in Experimental Social Psychology*, 19 (Nueva York: Academic Press, 1986), 123-205.

9. Gabriel Biehal y Dipankur Chakravarti, "Information-Presentation Formal and Learning Goals as Determinants of Consumers' Memory Retrieval and Choice Processes", en *Journal of Consumer Research*, 8 (marzo de 1982), 431-441; James H. Leigh y Anil Menon, "Audience Involvement Effects on the Information Processing of Umbrella Print Advertisements", en *Journal of Advertising*, 16 (1987), 3-12; Barry McLaughlin, "Intentional and Incidental Learning in Human Subjects: The Role of Instructions to Learn and Motivation", en *Psychological Bulletin*, 63 (mayo de 1965), 359-376; Bernd H. Schmitt, Nader T. Tavassoli y Robert T. Millard, "Memory for Print Ads: Understanding Relations Among Brand Name, Copy, and Picture", en *Journal of Consumer Psychology*, 21, 1, 55-81.

10. William G. Chase y Herbert A. Simon, "Perception in Chess", en *Cognitive Psychology*, 4 (enero de 1973), 55-81. Para un análisis más general, *véase* Joseph W. Alba y J. Wesley Hutchinson, "Dimensions of Consumer Expertise", en *Journal of Consumer Research*, 13 (marzo de 1987), 411-454.

11. Rajeev Batra y Michael Ray, "Situational Effects of Advertising: The Moderating Influence of Motivation, Ability and Opportunity to Respond", en *Journal of Consumer Research*, 12 (marzo de 1986), 432-445; Danny L. Moore, Douglas Hausknecht y Kanchana Thamodaran, "Time Compression, Response Opportunity, and Persuasion", en *Journal of Consumer Research*, 13 (junio de 1986), 85-99; James M. Munch y John L. Swasy, "Rhetorical Question, Summarization Frequency, and Argument

Strength Effects on Recall", en *Journal of Consumer Research*, 15 (junio de 1988), 69-76.

12. Catherine A. Cole y Michael J. Houston, "Encoding and Media Effects on Consumer Learning Deficiencies in the Elderly", en *Journal of Marketing Research*, 24 (febrero de 1987), 55-63. *Véase también* Gary J. Gaeth y Timothy B. Heath, "The Cognitive Processing of Misleading Advertising in Young and Old Adults", en *Journal of Consumer Research*, 14 (junio de 1987), 43-54.

13. Para una investigación reciente sobre la representación mental de información acerca de los productos, *véase* Terry L. Childers y Madhubalan Viswanathan, "Representation of Numerical and Verbal Product Information in Consumer Memory", en *Journal of Business Research*, 47 (febrero de 2000), 109-120.

14. Allan Paivio, *Mental Representations: A Dual Coding Approach* (Nueva York: Oxford University Press, 1986).

15. Para conocer una investigación sobre la forma en que están organizados los conocimientos relacionados con el consumidor, *véase* Gabriel Biehal y Dipankar Chakravarti, "Information-Presentation Format and Learning Goals as Determinants of Consumers' Memory Retrieval and Choice Processes", en *Journal of Consumer Research*, 8 (marzo de 1982), 431-441; Eric J. Johnson y J. Edward Russo, "The Organization of Product Information in Memory Identify by Recall Times", en H. Keith Hunt, ed., *Advances in Consumer Research*, 5 (Chicago: Association for Consumer Research,, 1978), 79-86; J. Edward Russo y Eric J. Johnson, "What Do Consumers Know about Familiar Products?", en Jerry C. Olson, ed., *Advances in Consumer Research*, 7 (Ann Arbor, Association for Consumer Research, 1980), 417-423.

16. John R. Anderson, *The Architecture of Cognition* (Cambridge, MA: Harvard University Press, 1983).

17. A.M. Collins y E.F. Loftus, "A Spreading Activation Theory of Semantic Processing", en *Psychological Review* (noviembre de 1975), 407-428. Para conocer una investigación reciente sobre la activación de la difusión en el contexto de las extensiones de marcas, *véase* Maureen Morrin, "The Impact of Brand Extensions on Parent Brand Memory Structures and Retrieval Processes", en *Journal Marketing Research*, 36 (noviembre de 1999), 517-525.

18. Endel Tulving y Zena Pearlstone, "Availability Versus Accessibility of Information in Memory for Words", en *Journal of Verbal Learning and Verbal Behavior*, 5 (agosto de 1966), 381-391.

19. Joseph W. Alba y Amitava Chattopadhyay, "Effects of Context and Part-Category Cues on Recall of Competing Brands", en *Journal of Marketing Research*, 22 (agosto de 1985), 340-349; Joseph W. Alba y Amitava

Chattopadhyay, "Salience Effects in Brand Recall", en *Journal of Marketing Research*, 23 (noviembre de 1986), 363-369. *Vea también* Paul W Miniard, H. Rao Unnava y Sunil Bhatla, "Investigating the Recall Inhibition Effect: A Test of Practical Considerations", en *Marketing Letters*, 2 (enero de 1991), 290-303.

20. Raymond R. Burke y Thomas K. Srull, "Competitive Interference and Consumer Memory for Advertising", en *Journal of Consumer Research*, 15 (junio de 1988), 55-68. *Véase también* Carolyn L. Costley y Merrie Brucks, "Selective Recall and Information Use in Consumer Preferences", en *Journal of Consumer Research*, 18 (marzo de 1992), 464-474; Kevin Lane Keller, "Memory and Evaluation Effects in Competitive Advertising Environments", en *Journal of Consumer Research*, 17 (marzo de 1991), 463-476. Los efectos de la interferencia dependen del grado de familiarización de los consumidores con la marca anunciada. *Véase* Robert J. Kent y Chris T. Allen, "Competitive Interference Effects and Consumer Memory for Advertising: The Role of Brand Familiarity", en *Journal of Marketing*, 58 (julio de 1994), 97-105. Los efectos de la saturación publicitaria también dependen de que la memoria se mida con base en la recordación o el reconocimiento. *Véase* Tom J. Brown y Michael L. Rothschild, "Reassessing the Impact of Television Advertising Clutter", en *Journal of Consumer Research*, 20 (junio de 1993), 138-146.

21. Para conocer una investigación referente a mediciones de recordación y reconocimiento, *véase* Adam Finn, "Print Ad Recognition Readership Scores: An Information Processing Perspective", en *Journal of Marketing Research*, 25 (mayo de 1988), 168-177; Surendra N. Singh y Gilbert A. Churchill, Jr., "Using the Period of Signal Detection to Improve at Recognition Testing", en *Journal of Marketing Research*, 23, noviembre de 1986), 327-336; Surendra N. Singh y Catherine A. Cole, "Forced-Choice Recognition Tests: A Critical Review", en *Journal of Advertising*, 14 (1985), 52-58; Surendra N. Singh y Michael L. Rothschild, "Recognition As a Measure of Learning from Television Commercials", en *Journal of Marketing Research*, 20 (agosto de 1983), 235-248; Surendra N. Singh, Michael L. Rothschild y Gilbert A. Churchill, Jr., "Recognition Versus Recall As Measures of Television Commercial Forgetting", en *Journal of Marketing Research*, 25 (febrero de 1988), 72-80.

22. James R. Bettman, *An Information Processing Theory of Consumer Choice* (Reading, MA: Addison-Wesley, 1979).

23. John A. Quelch y David Kenny, "Extend Profits, Not Product Lines", en *Harvard Business Review*, 72 (septiembre/octubre de 1994), 153-160.

24. Kathleen V. Schmidt, "Marketers Win Big in Giveaway Gamble", en *Marketing News* (28 de febrero de 2000), 7.

25. Surendra N. Singh, Michael L. Rohschild y Gilbert A. Churchill, Jr., "Recognition Versus Recall as Measures of Television Commercial Forgetting", en *Journal of Marketing Research*, 25 (febrero de 1988), 72-80.

26. Para conocer un análisis de tácticas publicitarias para aumentar el reconocimiento y la recordación de marca, *véase* John R. Rossiter y Larry Percy, "Advertising Communication Models", en Elizabeth C. Hirschman y Morris B. Holbrook, eds., *Advances in Consumer Research*, 12 (Provo, UT: Association for Consumer Research, 1985), 510-524.

27. John Dorschner, "Ads!Are!Everywhere!.com", en *Miami Herald* (30 de enero del 2000), 1E, 2E.

28. "Upper Crust", en *American Demographics* (marzo de 1999), 58.

29. Katherine Yung, "Advertisers Find the Net a Hard Nut to Crack", en *Miami Herald's Business Monday* (12 de julio de 1999), 11.

30. Para una demostración de identificación de marca equivocada, *véase* Cornelia Pechmann y David W. Stewart, "The Effects of Comparative Advertising on Attention, Memory, and Purchase Intentions", en *Journal of Consumer Research*, 17 (septiembre de 1990), 180-191.

31. Amitava Chattopadhyay y Joseph W. Alba, "The Situational Importance of Recall and Inference in Consumer Decision Making", en *Journal of Consumer Research*, 15 (junio de 1988), 1-12; Barbara Loken y Ronald Hoverstad, "Relationships between Information Recall and Subsequent Attitudes: Some Exploratory Findings", en *Journal of Consumer Research*, 12 (septiembre de 1985), 155-168. Observe, sin embargo, que la relación entre recuerdo y actitud es más fuerte cuando las actitudes no se forman durante el procesamiento del anuncio sino después, con base en la recuperación de la información contenida en el anuncio. Para conocer un análisis de este problema, *véase* Reid Hastie y Bernadette Park, "The Relationship between Memory and Judgment Depends on Whether the Judgment Task Is Memory-Based or On-Line", en *Psychological Review*, 93 (junio de 1986), 258-268; Meryl Lichtenstein y Thomas K. Srull, "Processing Objectives as a Determinant of the Relationship between Recall and Judgment", en *Journal of Experimental Social Psychology*, 23 (marzo de 1987), 93-118.

32. Kevin Lane Keller, "Memory Factors in Advertising: The Effect of Advertising Retrieval Cues on Brand Evaluations", en *Journal of Consumer Research*, 14 (diciembre de 1987), 316-333. Para más investigaciones sobre las claves de recuperación, *véase* Marian Friestad y Esther Thorson, "Remembering Ads: The Effects of Encoding Strategies, Retrieval Cues, and Emotional Response", en *Journal of Consumer Psychology*, 2 (1993), 1-24; Kevin Lane Keller, "Cue

Comparability and Framing in Advertising", en *Journal of Marketing Research*, 28 (febrero de 1991), 42-57; Kevin Lane Keller, "Memory and Evaluation Effects in Competitive Advertising Environments", en *Journal of Consumer Research*, 17 (marzo de 1991), 463-476.

33. Cathy J. Cobb y Wayne D. Hoyer, "The Influence of Advertising at Moment of Brand Choice", en *Journal of Advertising*, (diciembre de 1986), 5-27.

34. Joseph O. Eastlack, Jr., "How to Get More Bang for Your Television Bucks", en *Journal of Consumer Marketing*, 1 (1984), 25-34.

35. Se encuentra información sobre el efecto de la repetición en Rajeev Batra y Michael Ray, "Situational Effects of Advertising: The Moderating Influence of Motivation, Ability and Opportunity to Respond", en *Journal of Consumer Research*, 12 (marzo de 1986), 432-445; George E. Belch, "The Effects of Television Commercial Repetition on Cognitive Response and Message Acceptance", en *Journal of Consumer Research*, 9 (junio de 1982), 56-65; Arno J. Rethans, John L. Swasy y Lawrence J. Marks, "Effects of Television Commercial Repetition, Receiver Knowledge, and Commercial Length: A Test of the Two-Factor Model", en *Journal of Marketing Research*, 23 (febrero de 1986), 50-61; Surendra N. Singh y Catherine A. Cole, "The Effects of Length, Content, and Repetition on Television Commercial Effectiveness", en *Journal of Marketing Research*, 30 (febrero de 1993), 91-104; Surendra N. Singh, Michael L. Rothschild y Gilbert A. Churchill, Jr., "Recognition Versus Recall as Measures of Television Commercial Forgetting", en *Journal of Marketing Research*, 25 (febrero de 1988), 72-80; Esther Thorson y Rita Snyder, "Viewer Recall of Television Commercials: Prediction from the Propositional Structure of Commercial Scripts", en *Journal of Marketing Research*, 21 (mayo de 1984), 127-136.

36. Surendra N. Singh, Sanjay Mishra, Neeli Bendapudi y Denise Linville, "Enhancing Memory of Television Commercials through Message Spacing", en *Journal of Marketing Research*, 31 (agosto de 1994), 384-392.

37. Punam Anand y Brian Sternthal, "Ease of Message Processing as a Moderator of Repetition Effects in Advertising", en *Journal of Marketing Research*, 27 (agosto de 1990), 345-353.

38. Burke y Srull, "Competitive Interference and Consumer Memory for Advertising".

39. "Upper Crust", en *American Demographics* (marzo de 1999), 58.

40. *Véase*, por ejemplo, T.B. Rogers, N.A. Kuiper y W.S. Kirker, "Self-Reference and Encoding of Personal Information", en *Journal of Personality and Social Psychology*, 35 (septiembre de 1977), 677-688; Polly Brown, Janice M. Keenan y George R. Potts, "The Self-Reference Effect with Imagery Encoding", en *Journal of Personality and Social Psychology*, 51 (noviembre de 1986), 897-906.

41. Robert E. Burnkrant y H. Rao Unnava, "Self-Referencing: A Strategy for Increasing Processing of Message Content", en *Personality and Social Psychology Bulletin*, 15 (diciembre de 1989), 628-638. *Véase también* Kathleen Debevec, Harlan E. Spotts y Jerome B. Kernan, "The Self-Reference Effect in Persuasion: Implications for Marketing Strategy", en Melanie Wallendorf y Paul Anderson, eds., *Advances in Consumer Research*, 14 (Provo, UT: Association for Consumer Research, 1987), 417-420.

42. Sujan, Bettman y Baumgartner, "Influencing Consumer Judgments Using Autobiographical Memories: a Self-Referencing Perspective".

43. H. Rao Unnava y Robert E. Burnkrant, "An Imagery-Processing View of the Role of Pictures in Print Advertisements", en *Journal of Marketing Research*, 28 (mayo de 1991), 226-231.

44. Roberta L. Klatzky, *Human Memory: Structures and Processes* (San Francisco: W.H. Freeman, 1975), 230.

45. Kevin Lane Keller, Susan E. Heckler y Michael J. Houston, "The Effects of Brand Name Suggestiveness on Advertising Recall", en *Journal of Marketing*, 62 (enero de 1998), 48-57; Schmitt, Tavassoli y Millard, "Memory for Print Ads: Understanding Relations Among Brand Name, Copy and Picture".

46. P.H. Blaney, "Affect and Memory: A Review", en *Psychological Bulletin*, 99 (1986), 229-246; Alice M. Isen, "Some Ways in Which Affect Influences Cognitive Processes: Implications for Advertising and Consumer Behavior", en Alice M. Tybout y P. Cafferata, eds., *Advertising and Consumer Psychology* (Lexington, MA: Lexington Books, 1989), 91-117; Patricia A. Knowles, Stephen J. Grove y W. Jeffrey Burroughs, "An Experimental Examination of Mood Effects on Retrieval and Evaluation of Advertisement and Brand Information", en *Journal of the Academy of Marketing Science* (primavera de 1993), 135-143.

Lecturas recomendadas para la parte V

Erich Joachimstaler y Aaker, David A., "Building Brands without Mass Media", en *Harvard Business Review* (enero/febrero de 1997).

Maureen Morrin, "The Impact of Brand Extensions on Parent Memory Structures and Retrieval Processes", en *Journal of Marketing Research*, 36 (noviembre de 1999), 517-525.

Kevin Lane Keller, Susan E. Heckler y Michael J. Houston, "The Effects of Brand Name Suggestiveness on Advertising Recall", en *Journal of Marketing*, 621, (enero de 1998).

Cornelia Pechmann y Chuan-Fong Shih, "Smoking Scenes in Movies and Antismoking Advertisements Before Movies: Effects on Youth", en *Journal of Marketing*, 63, 3 (julio de 1999), 1-13.

Gerard J. Tellis, Fajesh K. Chandy y Pattana Thaivanich, "Which Ad Works, When, Where, and How Often? Modeling the Effects of Direct Television Advertising", en *Journal of Marketing Research*, 37 (febrero de 2000), 32-46.

Rik Pieters, Edward Rosbergen y Michel Wedel, "Visual Attention to Repeated Print Advertising: A Test of Scanpath Theory", en *Journal of Marketing Research*, 36 (noviembre de 1999), 424-438.

Joan Raymond, "Kids Just Wanna Have Fun", en *American Demographics,* (febrero de 2000), 57-61.

CASO 1

Pick'n Pay

Si a usted se le pidiera que nombrara los países donde se encuentran los principales minoristas del mundo, ¿pensaría en Sudáfrica? Quizás no, pero los expertos en menudeo lo harían, y es probable que pensaran en Pick'n Pay. Esta empresa surgió como una cadena de tiendas de comestibles elegantes y pequeñas en Cape Town, y se convirtió en una de las organizaciones con las carteras más grandes de menudeo del hemisferio sur. Esta cartera supone una diversidad de conceptos de menudeo, que incluye pequeñas tiendas de descuento (que ofrecen un surtido limitado de artículos alimenticios básicos para consumidores con problemas económicos), supermercados e hipermercados familiares y regionales, y tiendas elegantes (que satisfacen los gustos complejos de la élite urbana con artículos exclusivos importados para la cocina y el hogar).

Aunque los consumidores sólo ven tiendas repletas de tentadoras mercancías, un vistazo tras bambalinas de Pick'n Pay revela principios operativos centrados en la eficiencia y en un crecimiento y éxito continuados. Su espina dorsal de información facilita el procesamiento de los pedidos, los informes de ventas y la administración de los inventarios. Al mismo tiempo, procesa mensualmente alrededor de 250 000 pagos de terceros y dos millones de transacciones de tarjetas de crédito y débito. Sin embargo, además de esta tecnología informática superior, la estrategia operativa más valiosa de Pick'n Pay se debe a su fundador Raymond Ackerman. Sus principios operativos, que gráficamente describen todo, desde las filosofías comerciales hasta las relaciones humanas, se centran en la *cultura* única de Pick'n Pay: distinguirse de la competencia en todo el mundo.

Contracultura

Sean Summers, director ejecutivo de Pick'n Pay, resume el método utilizado por la empresa para satisfacer a los consumidores y a la cultura corporativa. "Siempre nos preguntamos si hacemos bien las cosas. ¿Hacemos las cosas correctas? Queremos hacer con cuidado los detalles, en toda ocasión y ser los primeros en ser lo que los consumidores quieren." La *cultura* de Pick'n Pay se manifiesta en su enfoque inflexible sobre el *valor para el consumidor, responsabilidad social* y su método único de dirigir a los empleados.

Valor para el consumidor

En épocas en que pocas personas tenían el valor suficiente para cuestionar las agobiantes políticas reglamentarias del gobierno de *apartheid*, Pick'n Pay se ganó la reputación de luchar contra los carteles y monopolios en nombre del consumidor. Estas cruzadas ampliamente divulgadas, muchas veces sostenidas ante los tribunales, demostraron la inquebrantable resolución de Ackerman de incrementar el valor para el consumidor.

En Pick'n Pay, el valor para el consumidor significa más que precios bajos, aunque éstos permitan ganar el apoyo y la admiración de los consumidores. La empresa no está satisfecha con ser la primera en descontar un precio u ofrecer los precios más bajos en los estantes: su meta es "ahorrarle a ustedes (consumidores) tiempo y dinero, y simplificar sus vidas". Para cumplir con sus metas, los altos ejecutivos recorren el mundo y observan cómo atienden los mejores minoristas a sus consumidores; regresan a Sudáfrica e intentan organizar algo mejor que lo que vieron en el extranjero. Como resultado de ello, Pick'n Pay fue la primera de su mercado en introducir hipermercados, salchichonerías dentro de la tienda y cajas automáticas, gerentes de piso para servicio al cliente, instalaciones para cambiar pañales a bebes, carritos de compra para discapacitados, marcas de la casa, servicios financieros de marca y muchas otras innovaciones.

Responsabilidad social

Además de promover el valor para el consumidor, la cultura de Pick'n Pay favorece una conducta social que fue dictada hace tres décadas por Ackerman cuando fundó la empresa, que siempre ha apoyado programas de autoayuda, de alimentación y educativos, proyectos ecológicos y diversas campañas para obtención de fondos. Se imprimen folletos educativos sobre el reciclaje, temas ecológicos y otros problemas sociales que se distribuyen en las tiendas. Además, el consejo de administración vigila estrechamente las acciones comunitarias de la empresa.

Administración de personal en Pick'n Pay

La "responsabilidad social interna" caracteriza el sentido humanista de la empresa en el área de administración de personal. Aunque Ackerman instaló las primeras tiendas Pick'n Pay en suburbios con altos ingresos (los gerentes eran hombres blancos que hablaban inglés), la empresa fue de las primeras en buscar a los históricamente desfavorecidos de Sudáfrica para capacitarlos como gerentes. Ackerman admitió una vez: "No hice frente suficiente al apartheid, pero lo que he hecho durante toda mi vida empresarial es luchar por la no discriminación." Esta actitud es evidente en el nuevo programa Vuselela de Pick'n Pay (una palabra xhosa-zulu que se traduce aproximadamente como "renovación o de renacimiento") diseñado para "fortalecer los valores de dignidad humana y respeto mutuo en la empresa" y estimular la motivación entre los empleados. Bajo la supervisión de un director sudafricano negro, Issac Motaung, Vuselela está basada en un simple y poderoso enunciado de misión ideado por el personal: "Servimos. Con nuestros corazones creamos un gran lugar para estar. Con nuestras mentes creamos un gran sitio donde comprar".

Vuselela ha dado como resultado un espíritu de cooperación que contribuye a mejorar las tiendas y a lograr los más altos niveles de servicio y cortesía hacia el cliente. Abundan las oportunidades de mejoría personal, lo que incluye la asistencia a cursos acreditados por universidades en el Instituto Pick'n Pay. En mayo de 1997, un grupo seleccionado de empleados de éxito volaron a Orlando, Florida, y asistieron al Walt Disney Institute. Resultó ser el grupo más variado que jamás hubiera participado por lo que el personal de Disney describió la iniciativa como "el acto más noble que jamás habían visto de una empresa en su compromiso hacia su personal".

Además de su método humanista de dirección, Pick'n Pay fomenta una cultura empírica en la cual ningún gerente, independientemente de su antigüedad, queda exento de surtir las estanterías de la tienda, si ello es necesario para satisfacer a los clientes. Todos los gerentes provienen de la propia organización: empiezan "en frutas y verduras" y luego rotan por todas las áreas operativas antes de asumir cualquier responsabilidad gerencial. Incluso a los gerentes de más elevado rango, vestidos en camisas de estación sin corbata, se les puede encontrar en las tiendas; escuchan a los clientes y al personal o se sientan tras escritorios elevados, en la parte delantera del negocio, cerca de las cajas.

Servicio a segmentos entre mercados en economías emergentes

A menudo, los mercados emergentes se caracterizan por presentar problemas especiales que afectan las operaciones de menudeo, lo que incluye la creación de economías duales, con grandes diferencias de riqueza entre los que tienen y los que no tienen. Todo ello se manifiesta en una mayor inflación, mayores tasas de desempleo y delincuencia, elevados costos de capital e impuestos indirectos que alimentan el crecimiento de sectores informales, bajos costos de mano de obra y concentración de poder en los proveedores, lo que da por resultado mercados de vendedores, ineficientes canales de distribución y pocos conocimientos del producto, lo que añade una mayor complejidad a este panorama. Estos factores económicos han empujado a Pick'n Pay a convertirse en un minorista complejo, de cartera mundial. Cada empresa está enfocada en atender un segmento de clientes, con diferentes características étnicas, económicas y de estilo de vida.

Los Score Supermarkets, que privilegian la eficiencia, limpieza y facilidad de compra, mueven grandes volúmenes de artículos alimenticios y de higiene básicos en sus tiendas y puntos de venta concesionados por franquicia. Los ahorros se trasladan a los segmentos de ingresos inferiores que son atendidos por estas tiendas. De manera similar, TM Supermarkets es una cadena de supermercados residenciales, 25% de cuya propiedad corresponde a nacionales de Zimbabwe, que da valor a sus clientes. Los supermercados de conveniencia Rite Value operan como tiendas modernas y atractivas, en áreas residenciales cuidadosamente seleccionadas. Por lo general, los propietarios de las franquicias Rite Value viven en las comunidades a las cuales dan servicio y contribuyen a generar su riqueza y su bienestar económico.

Dirigidos a segmentos de ingresos más elevados que los que atiende Score, los Family Supermarkets y Discount Supermarkets de Pick'n Pay tienen en existencia marcas de alimentos y artículos de limpieza nacionales y una gama limitada de ropa, herrería y pequeños aparatos domésticos para la cocina. Con base en investigaciones que muestran que los consumidores de ingresos más elevados desean más información en las etiquetas de los alimentos, información nutricional amplia, así como alimentos más frescos, experiencias más placenteras de comprar y pasillos menos atestados, los diseños de las tiendas Discount hacen hincapié en la *experiencia* de comprar y ofrecen más variedad y selección de productos. Los clientes pueden comprar pescado fresco exhibido sobre hielo y alimentos preparados, ordenar cortes especiales de carne o elegir de entre una amplia selección de frutas y vegetales frescos en una tienda general de autoservicio tipo mercado de pueblo (que ocupa más de una tercera parte del espacio de planta de menudeo).

Los Hipermarkets de Pick'n Pay ofrecen una gama aún más extensa de productos, lo que incluye partes para automóviles, muebles para jardín, herrajes, juguetes, aparatos domésticos grandes y electrónica. Boardman's ofrece principalmente artículos europeos de cocina y el hogar para clientes muy selectos, cuya prioridad es la calidad primero y luego el valor.

Estrategia de la mezcla de productos: de los frijoles a los vaqueros

El rápido crecimiento de Pick'n Pay y su enfoque en una variedad de segmentos ha requerido una atención constante a su mezcla de productos. Cuando reflexiona sobre sus primeros años en el negocio del hipermercado, un director dijo: "No éramos tan buenos al principio; la ropa no es lo mismo que los frijoles." Mediante el recurso de ponerse en los zapatos del consumidor, Pick'n Pay se centra en situaciones de uso e intenta resolver el problema del consumidor de manera que pueda administrar, poner en venta y vender una variada mezcla de productos. Pick'n Pay estudia los criterios que utilizan los consumidores para llegar a las elecciones de compra de diferentes situaciones de productos y usos. Por ejemplo, los consumidores pueden estar dispuestos a pagar más por frutas frescas y exóticas y verduras para ensaladas y postres preparados en casa, aunque quizás prefieran verduras enlatadas más baratas para usarlas en sopas o playeras económicas para niño que serán utilizadas sólo durante una temporada.

Marcas de la casa que representan valor

Todas las tiendas que lucen el nombre de Pick'n Pay mantienen una fuerte competencia en estantería pues ofrecen cinco marcas de la casa, cada una de ellas dirigida a un estrato económico diferente y respaldada por una "garantía igual a la devolución de dos veces su dinero". Los proveedores que no actualizan sus productos para reflejar las tendencias internacionales peligran ante las marcas de la casa. De acuerdo con Summers, "intentamos mantenernos cerca de los clientes y presionamos a nuestros proveedores para que hagan lo mismo. En esta última década, los consumidores no confían tanto en las marcas, sea porque les prometen algo que ya no desean o bien porque prometen algo que no entregan y los fabricantes no siempre están en condiciones de ofrecer la gama de productos de calidad que creemos que los clientes esperan".

Al proporcionar valor (precios bajos y más calidad) a los consumidores mediante la *marca* Pick'n Pay se consolida el éxito extraordinario de la cadena en una amplia gama de productos. Summers agrega: "Ganamos casi tres veces más utilidades brutas por las marcas de la casa que en las marcas de los proveedores, pero nuestra verdadera razón para ofrecer marcas propias es asegurarnos de que nuestros clientes obtienen la calidad que esperan al visitar una de nuestras tiendas". Hoy día, los consumidores saben que la ropa que lleva la etiqueta Pick'n Pay se vende en otras partes a precios mucho más elevados si se comercializa bajo nombres de marca más famosos.

Aunque reconoce las demandas crecientes de comodidad y de placer en las compras, Summers cree que para los compradores sudafricanos el precio y la seguridad serán siempre los factores principales. "La mayor parte de las economías emergentes cuenta con segmentos pudientes y otros indigentes, que viven estilos de vida muy diferentes. No tenemos ninguna duda de que el precio es muy importante para una proporción mayor de compradores sudafricanos que en América o Europa. Sin embargo, también tenemos que vigilar la variedad y calidad de los bienes que almacenamos. Los sudafricanos no siempre desean los adornos y detalles que la gente gusta en otros países. A veces prefieren un producto básico bien hecho y trabajamos duro para encontrarlo para ellos." La novedad es también importante. Los gerentes de compras de Pick'n Pay corrieron para tener Teletubbies en la tienda y dicen que surtirán yoyos de nuevo, si vuelven a adquirir popularidad.

El futuro

Pick'n Pay es muy distinta a la cadena que era hace sólo diez años y hay más cambios en el horizonte de la siguiente década. La transición milagrosa de Sudáfrica no ha estado libre de problemas sociales que requieren de respuesta gerencial. Por ejemplo, la seguridad ha adquirido mayor importancia para la mayoría de los sudafricanos. Pensando en el precio financiero y psicológico de ir de compras, los gerentes vigilan la situación de la delincuencia local alrededor de sus tiendas. Aunque Pick'n Pay cree que la violencia social es menor de lo que señala la prensa internacional, Summers afirma que "la violencia en Sudáfrica se ha elevado a niveles inaceptables". En muchas tiendas "la gente quiere ver a un guardia de seguridad en el estacionamiento y otro en las puertas".

Un creciente poder de compra de segmentos sudafricanos históricamente en desventaja también requiere de una reflexión cuidadosa sobre la cambiante mezcla de consumidores que pasan por las puertas de Pick'n Pay. De acuerdo con Summers, "es emocionante formar parte de un mercado en rápido cambio. Pensamos en diferencias de cultura y demografía que no tenían mucha importancia hace una década. Si lo hacemos bien, atraeremos a una gama más amplia de preferencias por alimentos, tallas de ropa, etc. Cuando nos equivocamos, nos quedamos con existencias que tenemos que sacar a precios rebajados. Nuestros resultados indican que lo hacemos bien muchas veces, pero no tengo ninguna duda que esto nos va a mantener muy atentos".

Temas centrales

1. ¿Qué criterios de evaluación podrían llevar a los consumidores a escoger a Pick'n Pay sobre sus competidores? ¿Cuál es la importancia del enfoque social de la empresa para el apoyo de los consumidores?

2. ¿A qué grado debería variar la estrategia de mercadotecnia de Pick'n Pay entre los segmentos étnicos en Sudáfrica?

3. ¿Qué programas internos y externos podría establecer Pick'n Pay para comunicarse mejor con los diversos segmentos de empleados y clientes? ¿De qué manera posicionaría usted la publicidad u otros programas de relaciones públicas, dados todos estos segmentos de clientes?

4. Dada la metodología del hipermercado, que vende desde "frijoles hasta vaqueros", ¿cómo difiere el proceso de decisión de compra de ropa de aquel que se refiere a comestibles?

5. Explique la forma en que las empresas que recurren a marcas privadas para una amplia diversidad de productos difunden una imagen de calidad de éstos, desde habichuelas verdes en lata hasta ropa para dama.

Service Corporation International

"Tan inevitable como la muerte y los impuestos", una frase familiar para muchos, toma un significado especial cuando se visitan las oficinas corporativas de Service Corporation International (SCI). Dedicada a servir a familias necesitadas, SCI ha redefinido el negocio de los funerales y ha convertido en oportunidades redituables los retos inherentes a crecer en una rama industrial fragmentada. Esta empresa se ha convertido en el más grande proveedor en el mundo de servicio y atención funeraria, problema al que tiene que hacer frente todo consumidor en todos los países del mundo.

SCI y la industria de los servicios fúnebres

Robert L. Waltrip se inició como director de una simple compañía de servicios fúnebres en Houston, Texas. En 1962, en esa ciudad fundó SCI, que, al principio contaba con tres funerarias, la cual en 1999 se había convertido en un gigante del sector con un valor de 2900 millones de dólares, que presta servicio a más de 700 mil familias a través de sus 4500 puntos de servicios funerarios, cementerios y crematorios en 20 países, entre los que se encuentran Suecia, Bélgica, Italia, República Checa y Singapur.

SCI opera *funerarias* que proporcionan todos los servicios profesionales relacionados con esta actividad, lo que incluye el uso de las instalaciones y vehículos fúnebres. Los consumidores pueden comprar féretros, nichos, urnas crematorias, flores y artículos para sepelios, además de que algunas sucursales cuentan con hornos crematorios. Los *cementerios* de la empresa venden derechos sobre fosas (espacios en mausoleos y criptas en jardines) y mercancías (lápidas de piedra, de bronce y nichos funerarios), celebran servicios funerarios y administran y mantienen los cementerios.

La empresa también vende productos y servicios funerarios "preplaneados", lo cual le permite a los clientes organizar sus funerales "justo cómo lo desean" y pagarlos antes de fallecer, pues se fija al precio actual los servicios que recibirán más adelante. También significa un alivio ante las decisiones emocionales que las familias están obligadas a tomar en momentos difíciles. La empresa sostiene que los preplanes incrementan la estabilidad del área de los servicios funerarios y estimularán ingresos futuros crecientes en los mercados interno e internacional.

La venta de estos productos ha convertido a SCI *en el* líder mundial en servicios fúnebres, dedicado a proporcionar un servicio completo. Sus 40 000 profesionales y personal de apoyo —unidos en la misión de aliviar la carga de las familias durante el proceso funerario— mantienen su posición de liderazgo mediante estrategias de mercadotecnia intercultural y gerencial perfeccionadas por SCI a lo largo de los años.

Históricamente, la familia y los amigos del fallecido se encargaban de muchos servicios mortuorios, práctica que aún se lleva a cabo en los países en desarrollo. Sin embargo, en las economías de punta las familias se apoyan en la funeraria local y en su director para que se hagan cargo de todos los arreglos. La elección de la funeraria queda en manos de la familia y los grupos religiosos o étnicos y a menudo depende de la reputación de la empresa en la comunidad, el tiempo que ha funcionado y la confiabilidad de que gozan.

En la actualidad, en Estados Unidos existen más de 22 000 empresas funerarias que emplean a cerca de 124 000 personas, de las cuales 35 000 son altamente calificadas para manejar los más de 2.3 millones de fallecimientos que ocurren todos los años. Casi 78% de las funerarias son de propiedad familiar y tienen una antigüedad promedio de 54 años en el negocio. La empresa media efectúa cerca de 159 funerales al año (aproximadamente tres a la semana), a un precio medio de 4500 a 5000 dólares. Las compañías están concentradas en áreas rurales o en ciudades pequeñas, en tanto que SCI y sus competidores se concentran en áreas metropolitanas. A pesar de que SCI es el proveedor más grande del mundo de servicios funerarios, su porcentaje total de penetración en el mercado de cualquier país es pequeño en comparación con el número de empresas independientes. Su porcentaje de mercado en los Estados Unidos es de aproximadamente 12%, en tanto que en Francia es de 28%, 24% en Australia y 15% en el Reino Unido.

Estilos de vida y de muerte

Vital para el crecimiento de SCI es comprender los estilos de vida y las costumbres funerarias de los consumidores. Mientras más sepan de estos factores, mejor armadas (con conocimientos y por tanto con estrategias eficaces) estarán los locales de SCI para servir a los clientes. Esta industria debe estar atenta a factores tales como la conformación demográfica variable del mundo y el incremento o decremento de la popularidad de productos o servicios específicos.

Nadie sabe con exactitud cuántas personas fallecerán cada año. La demanda del mercado es afectada por factores difíciles de predecir, como desastres naturales, climas extremos, enfermedades y cambios de la longevidad. Históricamente, cada año el número de fallecimientos ha aumentado en 1%, lo que promete un escaso margen de crecimiento a las empresas de servicios fúnebres en función del crecimiento natural. En realidad, en 1997 el número agregado de fallecimientos disminuyó en comparación con 1996, debido a un clima más benigno y a una reducción del número de decesos por sida. Al mismo tiempo, las personas viven más, aunque nadie ha descubierto la forma de eludir completamente la muerte. De acuerdo con la National Funeral Directors Association, la tasa de fallecimientos ha oscilado entre 8.5 y 8.8 por cada 1000 personas desde 1980 y se proyecta que esta tasa se mantendrá hasta el año 2010. Para el año 2020, la misma podría superar la cifra de 10.0 si la población total aumenta según lo proyectado.

En las siguientes décadas, se espera que el número de personas de más de 65 años aumente dramáticamente, lo que se traducirá en un incremento de la necesidad de servicios fúnebres. Para prepararse para este aumento de la demanda generado por causas demográficas naturales, SCI y sus competidores se dedican a adquirir empresas y a expandir sus recursos. Los primeros *baby boomers*, que representan el primer gran acrecentamiento de la población total, llegarán en el año 2011 a alrededor de los 65 años. Sin embargo, en vista de que las personas viven más, es difícil predecir la demanda de los servicios necesarios. Una manera de responder a esta demanda impredecible es vender los servicios preplaneados, elección cada vez más popular entre individuos de 60 a 70 años de edad, ya que consideran que ello amplía la planeación de su patrimonio. A medida que más *baby boomers* se ocupan del fallecimiento de sus padres, también se interesan más en los servicios preplaneados, tanto para sus mayores aun presentes como para ellos mismos.

El cambio en los estilos funerarios también se relaciona con las predicciones sobre las modificaciones de la demanda de servicios específicos. En la actualidad, la cremación es una alternativa popular en comparación con el entierro, incluso en Estados Unidos. Aproximadamente una tercera parte de las familias atendidas en los puntos de servicios funerarios de SCI de esta nación estadounidense seleccionaron la cremación, cifra sustancialmente más que el promedio nacional del 21%. Además, se espera que para 2010 este porcentaje aumente a 40%. Un factor decisorio para algunos consumidores es el costo: por lo general, la cremación es más económica que un entierro promedio, a pesar de que un funeral con cremación puede costar lo mismo que un entierro. Con base en los estudios del sector publicados en la revista *Pharos International,* las cremaciones representan más de 98% de las disposiciones de restos humanos en el Japón, país con una superficie limitada. El uso de monumentos conmemorativos para la cremación ha sido de tiempo atrás una tradición en los mercados australianos y británicos, por lo cual en años recientes, SCI ha puesto en servicio en los Estados Unidos más de 20 jardines de cremación conmemorativos.

Estrategias para el éxito de la industria funeraria

La consolidación de empresas ha sido la estrategia preferida entre industrias de todo el mundo y el negocio de cementerios y funerales no ha sido la excepción. Es muy difícil establecer nuevas empresas funerarias y cementerios, debido a los elevados costos de iniciación y a la necesidad de contar con una base de conocimientos y habilidades específicos para operar con eficacia, sin mencionar el tiempo que se requiere para crear una clientela fiel así como una buena relación con una comunidad. Durante más de 35 años, SCI ha crecido, prosperado e implantado estrategias inteligentes de globalización y adquisición, junto con su método de agrupamiento para la expansión y operación.

Adquisición

SCI ha logrado gran parte de su crecimiento con un método agresivo aunque disciplinado de adquisiciones. Como no se trata de reinventar la rueda ni de competir con empresas sólidamente establecidas en una comunidad, SCI crece mediante la identificación y compra de empresas de primer orden en áreas metropolitanas, a las cuales no modifica su apariencia externa. Incluso después de haberse convertido en miembro de la familia SCI, las empresas conservan su identidad y muchos de sus métodos locales para tratar con clientes, así como sus procedimientos y gerencia interna. SCI también construye nuevas sucursales de empresas locales bien conocidas en áreas suburbanas en procesos de expansión.

SCI se centra particularmente en adquisiciones de funerarias "heredadas" en áreas metropolitanas con grandes segmentos de población con edades de más de 65 años. Una gran mayoría de las empresas funerarias heredadas fueron fundadas desde principios hasta mediados del siglo xx y conservadas a través de generaciones. Crecientes costos de mano de obra, mayores reglamentaciones gubernamentales y un interés cada vez menor de hijos e hijas por seguir los pasos de sus padres han convertido a la propiedad independiente en un activo difícil de conservar. La venta a SCI proporciona una estrategia de salida a los propietarios que se enfrentan a estas preocupaciones. Aunque SCI opera estos negocios con los anteriores nombres de familia, invita a los antiguos propietarios a mantenerse involucrados como gerentes o asesores de la empresa. Con ello, la empresa (así como SCI) se beneficia pues aprovecha su posicionamiento, su capacidad en el negocio y sus conocimientos de los mercados locales.

Agrupamiento

El concepto del agrupamiento, iniciado por SCI, ha incrementado la eficacia operativa y la capacidad de respuesta a los problemas que presentan los consumidores. Los agrupamientos están constituidos por un número variable de dos a diez funerarias o cementerios en una ciudad o dentro de un sector definido por la empresa en una gran zona metropolitana. Elementos como carrozas fúnebres y limosinas, instalaciones de preparación, administración de las compras y del personal son esenciales para lograr un nivel operativo óptimo de una funeraria. En una industria fragmentada, cada empresa debe llevar a cabo cada una de estas funciones. Cuando se cuenta con un agrupamiento una funeraria puede encargarse del mantenimiento de todos los vehículos, otra de los servicios de preparación y una tercera llevar a cabo tareas de contabilidad y compra. Por ejemplo, a pesar de que la mayor parte de las funerarias emplean poco personal para atender al público cotidiano, la idea de agrupamiento permite a las empresas traer personal adicional de otras sucursales si un día tienen demasiado trabajo. Este uso optimizado del equipo y del personal, junto con los descuentos en mercancías obtenidos a través del fuerte poder adquisitivo de SCI, permite que todas las empresas del agrupamiento reduzcan sus costos generales, alcancen antes que empresas comparables independientes sus "puntos de equilibrio" y ganen más por dólar de ingresos.

SCI ha implantado con éxito la estrategia de agrupamiento en su operación en Estados Unidos, Reino Unido y Australia y ahora procede a iniciar actividades en Francia, luego de sus adquisiciones de agosto de 1995. La empresa cuenta con aproximadamente 311 agrupamientos en Estados Unidos, Reino Unido y Australia que reúnen desde 2 hasta 63 establecimientos. En las zonas metropolitanas puede existir más de un agrupamiento, lo que depende del nivel y grado de los costos compartidos.

Estilos de fallecimiento en el mundo

En una era de expansión global, interpretar las sensibilidades culturales le ha permitido a SCI tener éxito global. A pesar de que una miríada de industrias enfrentan esta dificultad, quizás en ninguna otra rama industrial las sensibilidades culturales son más pronunciadas y arraigadas que en la atención y el dolor por los fallecimientos.

Aun antes de su proyección hacia la expansión mundial, SCI ha atendido familias de diversos orígenes nacionales, religiosos y culturales: comunidades asiáticas, hispanas, judías e indígenas. La experiencia ante las diferencias culturales y religiosas alimentó el éxito de la empresa en otros países. Aunque el concepto es el mismo, la productividad y el alcance de las operaciones logradas en primer término en Estados Unidos ahora se ha extendido a parte del mundo. Cada vez se encuentran más agencias de servicio funerario, cementerios y crematorios de SCI fuera de Estados Unidos. De hecho, para fines de 1999, la compañía operaba en 20 países en cinco continentes luego de adquirir empresas que atienden a familias musulmanas, hindúes, sijs, coreanas, polacas, japonesas, vietnamitas y kurdas, por mencionar unas cuantas. Fiel a su estrategia de crecimiento, en la mayor parte de los casos estos grupos están atendidos por sucursales de SCI compuestas por profesionales dedicados que a menudo son amigos de las familias a las que presentan sus servicios.

Sus recientes adquisiciones la han convertido en la empresa líder de servicios fúnebres de Australia y Reino Unido. Compró al proveedor más grande de servicios fúnebres de Francia (SCI opera ahora 950 funerarias en este país) con subsidiarias en otros países europeos y en la cuenca del Pacífico. Su éxito no dependerá de la eficacia con que SCI cambie el comportamiento de sus clientes, sino de su correcta adecuación a las costumbres locales.

En Estados Unidos, siempre que ello sea posible, SCI amplía su selección de productos, expande la red de funerarias y hace un esfuerzo adicional para perfeccionar los programas de ventas de funerales prepagados. En otros mercados, donde los clientes a veces se han mantenido sin modificación durante generaciones, SCI trabaja internamente para elevar los estándares educativos y profesionales de su personal. Además, paulatinamente introduce nuevas opciones de servicio y de mercancías, sin infringir las restricciones de aceptación culturales, lo que ha sido bien recibido por los consumidores.

Los críticos preocupados por las oportunidades de crecimiento futuro de la empresa deben tomar nota. En un mundo con más de 6000 millones de personas, se espera que el año próximo fallezcan más de 55 millones. A pesar que SCI es la organización más grande en su tipo, en 1998 apenas le dio servicio a poco más de 1% de todos los fallecimientos ocurridos en el mundo; los restantes 53 millones de servicios fúnebres fueron llevados a cabo por miles de pequeños negocios o empresas propiedad de los gobiernos de cientos de comunidades. Desde un punto de vista corporativo, muchas de estas empresas representan futuras oportunidades de adquisición o de administración, por lo cual SCI está en contacto de manera metódica con sus propietarios, para demostrarles las ventajas de afiliarse a ella.

Temas centrales

1. ¿Cuál será el efecto de las tendencias demográficas sobre la demanda de funerales en la siguiente década? ¿Cómo cambiará en las naciones atendidas por SCI?

2. Escoja un segmento de mercado étnico o religioso e investigue sus ritos y prácticas ante el fallecimiento de un familiar. Si usted le diera servicio a este segmento del mercado, ¿cómo llegaría a él y cuál sería su mensaje?

3. ¿Cuál deberá ser la política de marca de SCI en el futuro? ¿Deberá utilizar una sola marca para todas sus sucursales (ya sea nacional o mundial) o continuar con su estrategia actual?

4. Mediante el modelo de toma de decisión del consumidor describa el proceso habitual utilizado para adquirir servicios fúnebres. ¿Cómo variará el proceso de toma de decisiones según el momento? ¿Qué efecto tendrá la comprensión del proceso de decisión en las ventas y estrategias de mercadotecnia de SCI?

5. Además de los servicios básicos proporcionados por SCI, ¿qué servicios psicológicos o sociológicos debería proporcionar a las familias? ¿Cómo justificaría usted ante la alta gerencia y a los accionistas gastos incurridos en estos servicios, en caso de que no aporten ingresos adicionales?

CASO 3

Amazon.com

En la intrincada selva de conceptos de menudeo que surgen en todo el mundo, Jeff Bezos creó una librería única, un Amazonas tanto en sus proporciones como en su significado. La central de comando de "la librería más grande de la tierra" se localiza en Seattle, Washington, una ciudad conocida por su posición de primera línea en una diversidad de áreas, entre ellas menudeo (hogar de Starbuck's Coffee), software y gráficas de computadora y música contemporánea.

Imagínese entrar en una tienda que ofrece a sus clientes millones de títulos, que está abierta 24 horas al día y que puede localizar cualquier libro (aunque tal vez sea usado y caro). Cuando uno entra en amazon.com, no puede saborear una taza de café ahora común en las librerías ni es posible tomar los libros de las estanterías y recorrer sus páginas. Sin embargo, podrá adquirir el libro que quiere, cuando lo quiera, sin salir siquiera de su casa. No se trata de una librería común y corriente, y el señor Bezos tampoco es un librero con esas características.

Negocio según el texto

Amazon.com nació como resultado de la búsqueda que hizo Jeff Bezos de una aventura empresarial. Esta búsqueda se inició con un enfoque en internet, que en ese momento crecía a una tasa de 230% al año. Bezos, titulado de la Universidad de Princeton en ingeniería eléctrica y ciencias de la computación, no empezó con el deseo específico de abrir una librería, pero la imposibilidad de organizar una librería que pudiera contener millones de libros fue el argumento decisivo que lo llevó a la fundación de Amazon.com en 1994 y a abrir sus puertas a los negocios en julio de 1995.

En enero del 2000 Amazon incrementó su oferta a 4.7 millones de títulos de libros, música y películas, con lo cual rápidamente se convirtió en el minorista en línea líder en todas estas categorías y en uno de los sitios de comercio electrónico más conocidos, usados y citados. Además, cuenta con una casa de subastas en línea así como tarjetas de presentación electrónicas gratuitas. Ofrece más de 18 millones de artículos exclusivos en diferentes áreas: libros, CD, juguetes, electrónica, vídeos, DVD, productos de arreglos domésticos, software y juegos de vídeo.

Los clientes entran en Amazon.com a través de su sitio (http:/www.amazon.com) y hacen clic para agregar libros a sus cestas de compra virtual (o para eliminarlos, si cambian de opinión) y después hacen clic sobre "botón de comprar", dan detalles de embarque y de tarjeta de crédito, seleccionan servicios de entrega y expiden la orden. Pero Amazon.com no es sólo un minorista: es un proveedor de información. Los consumidores pueden entrar en el sitio y llevar a cabo búsquedas dirigidas de títulos o sobre temas específicos; pueden examinar, leer o criticar comentarios sobre títulos, registrarse para recibir servicios personalizados, participar en promociones y verificar el estado de sus pedidos.

Mercadotecnia, publicidad y promoción

Bezos decidió dejar gran parte de los aspectos de almacenamiento y físicos del negocio a sus socios en la cadena de suministros. En lugar de ello concentró su enfoque en los aspectos mercadotécnicos del proyecto, sobre todo en emprender diversas estrategias de mercadotecnia, que abarcan publicidad, alianzas y promociones interactivas con los compradores para crecer y conservar su base de clientes.

Debido al atractivo de Amazon.com para los consumidores y la curiosidad que despierta el comercio electrónico, la empresa ha recibido mucha atención y cobertura de los medios. Como resultado de sus actividades de relaciones públicas, así como por invitaciones no solicitadas, Amazon.com ha aparecido en muchos programas de televisión, artículos y programas de radio así como en las secciones de novedades de Netscape y Yahoo!.

A finales de la década de 1990, Amazon inició un programa coordinado de publicidad impresa en periódicos y revistas, tanto especializadas como de circulación general, como *The New York Times Book Review, The Wall Street Journal* y *Wired*. Colocó banderas publicitarias en más de 50 sitios en internet de elevado perfil y de gran tráfico, entre los que se encuentran CNet, Yahoo!, Excite, Lycos, Quote.com y CNN, y alentaba a los lectores a hacer "clic" directamente en Amazon.com ya fuese para comprar o echar una ojeada.

Para incrementar su exposición entre los usuarios actuales de internet, Amazon.com firmó un acuerdo en el que se comprometía a proporcionar sus servicios a los miembros de AOL, empresa que incluye un "vínculo" en su página principal, a la cual tienen acceso todos sus miembros cada vez que registran su entrada, lo que permite a Amazon.com llegar a más de 8.5 millones de usuarios de internet. También estableció alianzas con otros minoristas de libros en línea a través de su "Programa de asociados", formado por varios miles de miembros registrados. El asociado añade un hipervínculo hacia el sitio de Amazon.com con los libros recomendados dirigidos a esa base de clientes del asociado. Luego, éstos se conectan de manera automática con el sitio Amazon.com y colocan su pedido. Así, la empresa asociada está en condiciones de ofrecer un mejor servicio y realizar mejores recomendaciones; evita los gastos asociados con los pedidos y su trámite (absorbidos por Amazon) y a cambio recibe una comisión de 15% sobre todos los pedidos.

Involucramiento de los consumidores

La comunidad en línea de Amazon.com atrae y cuida de los consumidores. Se invita a los lectores, clientes, autores y editores a publicar críticas de los libros y la empresa patrocina competencias de reseñas que constituyen foros para entrevistas con los autores. Todo ello tiene por objetivo entretener y estimular a los lectores, mejorar la experiencia de comprar e incentivar las compras. La meta es hacer de Amazon.com la parada de compras exclusiva para títulos de libros, música y vídeo e información relacionada.

Amazon.com ha creado muchos métodos para interactuar con los consumidores. Ofrece reseñas de libros escritas por su personal editorial, consumidores y fuentes tales como *The New York Times Book Review* y *The New Yorker,* para ayudar a sus clientes a tomar decisiones de compra informadas. Los editores de la empresa pueden sugerir algunos de los mejores libros dentro de más de 50 categorías. La sección *Amazon.com Journal* del sitio contiene entrevistas con autores, artículos especializados y columnas exclusivas. Además en él se presentan numerosas entrevistas con autores, junto con críticas de fuentes profesionales y otros clientes. Todo ello hace posible que los consumidores interactúen con los autores que publican su dirección de correo electrónico. Y cuando los clientes no se acercan a Amazon.com, éste va hacia ellos. Su servicio personal de notificación, conocido como "Eyes" (ojos), envía un mensaje electrónico a los consumidores cuando sus autores favoritos publican nuevos libros o el servicio "Editors" los notifica cuando se publiquen nuevos títulos sobre sus temas favoritos. "Editors" también ofrece reseñas anticipadas de libros nuevos, incluso antes de su publicación, sin costo para los consumidores.

Precios y costos

Debido a la creciente competencia, Amazon.com empezó a reducir sus precios. Inicialmente, hizo un descuento de su *Amazon.com 500* (una lista que incluye los libros que la empresa cree que se convertirán en best-sellers) de un extraordinario 40% (este descuento se conserva sin modificación) en tanto que su descuento estándar para alrededor de otros 300 000 títulos es de 10%. El 10 de junio de 1997, Amazon.com anunció que extendería su descuento de 40% a un número no determinado de títulos y ofrecería 30% de rebaja en libros de pastas duras y 20% en los de pastas blandas en más de 400 000 títulos. Esta agresiva política de precios fue un movimiento obvio para ahondar la penetración en el mercado a costa de sus competidores en línea y tradicionales. Bezos proclama que Amazon.com ofrece "todos los días los precios cotidianos de libros más bajos del mundo".

Después de que los consumidores ven el precio del libro que quieren comprar, se enfrentan a la pregunta de cuánto les costará recibirlo. El cargo por embarque normal de Amazon.com es de tres dólares, además de 95 centavos por cada libro, lo que permite obtener ahorros significativos por pedidos múltiples.

Competencia electrónica

A medida que Amazon.com empezaba a hacer grandes ventas en internet, tanto Barnes & Noble como Borders (las cadenas de librerías más grandes de Estados Unidos) anunciaron su intención de dedicar importantes recursos al comercio en línea. Los analistas del sector analizaron los posibles efectos de la canibalización que sufrirían las librerías físicas si se ofrecían operaciones de menudeo en línea. Pero Barnes & Noble apostó a que la opción electrónica complementaría su actual penetración en el mercado consumidor. Tanto los gigantes como los independientes calculan que sus tiendas pueden perder parte de sus operaciones a favor de las compras electrónicas, cualesquiera que sean las tiendas con presencia en la red. Sin embargo, para que sus consumidores puedan comprarles a ellos y no a la competencia, están en proceso de establecer tiendas virtuales. En este caso, se supone que cuando los consumidores escogen o deciden comprar los libros por vía electrónica, eligen una forma diferente de comprar y de completar transacciones, pero que no necesariamente tratan de cambiar de minorista.

En mayo de 1997 Barnes & Noble lanzó BarnesandNoble.com (anunciado como "la librería en línea más grande del mundo") y luego se asoció con la página en internet de *The New York Times* lo que representó para Amazon.com su primera competencia seria. Allí comenzó una guerra virtual al estilo David y Goliath. BarnesandNoble.com todavía es el más feroz competidor de Amazon.

Servicio al cliente

Amazon.com confía en que sus socios de la cadena de suministros cumplirán de manera eficiente, es decir que le entregarán sus pedidos a tiempo, por lo cual atribuye buena parte de la satisfacción del cliente a sus socios, aunque en última instancia es Amazon.com el responsable del servicio que reciben los consumidores. A pesar de que la compañía cataloga y hace publicidad de millones de títulos, los consumidores deben leer cuidadosamente las letras pequeñas cuando se trata de cumplir con los pedidos. Algunos títulos están disponibles para embarque en las 48 a 72 horas siguientes; el resto sólo lo estará en las siguientes cuatro a seis semanas. Los títulos agotados tardan de dos a seis meses y algunos quizás no lleguen nunca.

Desempeño financiero de Amazon.com

El desempeño financiero de Amazon.com ha sido a la vez prometedor y lóbrego. Durante los primeros seis meses de operación tuvo ventas por 511 000 dólares y desde la inauguración de la librería virtual ha crecido con rapidez. De julio de 1995 a marzo de 1997, vendió más de 32 millones de dólares a aproximadamente 340 000 cuentas de clientes de más de 100 países (durante ese primer año vendió 39% de su mercancía a clientes internacionales). En los nueve meses que terminaron el 30 de septiembre de 1999, las ventas aumentaron de 357 a 963 millones de dólares. Sin embargo, aunque las ventas crecen, las utilidades no se materializan. En 1996, la empresa perdió 5.8 millones, es decir 26 centavos por acción, en comparación con una pérdida de 300 000 dólares en 1995, es decir, dos centavos por acción. Durante el primer trimestre de 1997 la empresa registró una pérdida neta de tres millones de dólares (0.13 dólares por acción), la que en el segundo trimestre alcanzó 6.7 millones (0.28 dólares por acción). En los nueve meses que terminaron en septiembre de 1999, las pérdidas netas se elevaron de 78.1 a 396.8 millones de dólares.

Se ha escrito el primer capítulo del futuro de Amazon.com. Es una historia de entusiasmo entre los clientes y de atención de los medios de comunicación. Sólo los estilos de vida de los consumidores y la realidad del mercado electrónico dirán si esta historia terminará en una tragedia o en un final feliz.

Temas centrales

1. Evalúe Amazon.com y otras dos páginas en internet de menudeo electrónico. Compárelos con base en cinco criterios que le parezcan importantes para la satisfacción de los clientes.

2. Piense en las estrategias de menudeo electrónico de Amazon.com y las mixtas de Barnes & Noble's. ¿Cuándo y en qué circunstancias recurren los consumidores a los distintos enfoques y puntos de venta? ¿Cuáles son las ventajas y desventajas de tener tiendas "virtuales y reales"?

3. Desde su inicio, Amazon ha incrementado sustancialmente su oferta de productos. ¿Cuál piensa que debería ser su futura mezcla de productos? Explique por qué debería ampliar o disminuir la diversidad de productos y qué artículos específicos debería ofrecer.

4. Planee un programa de lealtad (de retención) del consumidor para Amazon. ¿Cuáles deberían ser las metas del programa y qué debería ofrecer como incentivo a los consumidores?

5. ¿Cómo compiten las librerías y tiendas de música tradicionales con la estrategia de Amazon?

Avon

Avon es el vendedor directo más grande del mundo de productos de belleza y relacionados. Fundada en 1886, Avon ha florecido durante los muchos cambios ocurridos en el mercado de consumo. Con ingresos en 1999 de 5200 millones de dólares, Avon es una de las marcas de mayor venta de artículos para el cuidado de la piel, cosméticos, perfumes y productos higiénicos. Su amplio aspecto de marcas incluye algunas tan reconocidas como Anew, Skin-So-Soft, Avon Color, Far Away, Rare Gold, Millennia, Starring, Avon Skin Care y Women of Earth. También vende una amplia línea de joyería de fantasía, vestidos, regalos y piezas de colección.

Avon se ha convertido en parte de la cultura estadounidense y está en camino de influir también en otras culturas. Con una historia que la ubica como paladín de los derechos de las mujeres, de la igualdad en el trabajo, de cuestiones especiales de salud y autoestima, en algún momento de su vida más de 40 millones de mujeres de todo el mundo, han vendido productos Avon. Su visión es ser la empresa que mejor comprenda y satisfaga las necesidades de productos, servicio y realización de las mujeres en todo el planeta. Esta visión influye sobre las prácticas que sigue Avon en el campo de la investigación, desarrollo de productos, mercadotecnia y administración.

La empresa tiene más mujeres (86%) en puestos gerenciales que cualquier otra de las 500 de *Fortune*. Así, 17 de los 54 directores de Avon son mujeres (una de ellas la directora ejecutiva, o CEO, nombrada en 2000), y el consejo directivo tiene cuatro mujeres entre sus miembros. El programa de concientización de mujeres empresariales reconoce anualmente a cinco ejecutivas por sus logros empresariales extraordinarios, a la vez que el Avon Breast Cancer Awareness Crusade ha recolectado más de 25 millones de dólares para apoyar la educación sobre el cáncer de mama y el acceso a servicios de detección precoz. El Avon Worldwide Fund for Women's Health reúne fondos para abordar problemas de salud que preocupan a las mujeres de todo el mundo.

Belleza en el ojo del consumidor

El mundo de la belleza es imperecedero. La costumbre de adornar la cara y el cuerpo comenzó antes de la historia escrita y persistió durante milenios. Las antiguas egipcias utilizaban una sombra para los ojos. Las griegas apreciaban el lápiz de labios y los polvos faciales. Los cosméticos eran populares en la Roma imperial y en las cortes de la Europa del siglo XVIII. Hoy día son omnipresentes.

A través de la historia y de diversas culturas, los productos de belleza han satisfecho una necesidad humana profunda y duradera: el deseo de verse lo mejor posible. Con el transcurso del tiempo la motivación de las mujeres de todo el mundo por utilizar cosméticos se ha expandido el deseo de belleza exterior al deseo de belleza interior y salud. Las modas cambian, pero la verdad fundamental no: cuando las personas se ven bien, se sienten bien consigo mismas. Una de las metas de Avon es ayudar a las mujeres de todo el mundo a sentirse bien consigo mismas y a verse bien.

Cómo alcanzar a los clientes

La empresa es conocida por su fuerza de ventas de "Damas Avon" que hicieron famosa la frase "Ding-dong, Avon llama". Durante muchos años, el procedimiento de ventas de puerta en puerta funcionó para los cosméticos, pues las mujeres estaban en casa durante el día y buscaban "lujos" de bajo costo que favoreciera su belleza. Las ventas personales de Avon todavía funcionan; la empresa presume de contar con 500 000 representantes de ventas sólo en Estados Unidos, muchas de las cuales obtienen la totalidad de sus ingresos de sus trabajos como vendedoras de Avon. La diferencia estriba en que ya no se limitan a tocar timbres en los suburbios. Hoy venden en su lugar de trabajo, pues la gerencia a menudo alienta las ventas que mantienen a las empleadas en su lugar de trabajo, en lugar de que salgan de compras y se alejen de su puesto. Armadas con folletos eficaces (se imprimen todos los años 600 millones en 12 lenguajes), las representantes de ventas pueden mostrar su línea de productos sin tener que transportar a la escuela o trabajo una maleta llena de muestras.

Avon se apartó de su tradición de ventas directas en 1998 cuando abrió su primer kiosco en el centro comercial North Point Mall, de Atlanta. Sus clientes tradicionales tienen un ingreso por hogar promedio de 35 000 dólares anuales. El del comprador promedio de North Point Mall asciende a 85 000 dólares en ese lapso.[1] Su presencia en centros comerciales también le permite a Avon llegar a gente más joven con productos específicos, como por ejemplo un lápiz labial de seis dólares en colores brillantes. Sin embargo, para no invadir el territorio de la dama Avon, sólo 400 de sus 5 000 productos estarán disponibles en los puntos de menudeo. Los analistas de menudeo predicen que cada kiosco tendrá ventas brutas de entre 200 000 y 450 000 dólares al año, para una actividad que se planea extender hacia los centros comerciales de todo Estados Unidos. A través de sus kioscos, Avon espera alcanzar de 20 a 30 millones de mujeres que hoy no compran sus productos.

La empresa también ha expandido su esfuerzo comercial a las ventas en línea. Su sitio en internet ofrece ayuda a los clientes que buscan un representante en su zona y también acepta pedidos electrónicos.

Avon mundial

Los productos Avon se venden a mujeres de 135 países a través de 2.8 millones de representantes de ventas independientes. Las empresas internacionales más grandes de Avon están en Japón, Brasil, México y Reino Unido. Otros países a los cuales se ha extendido recientemente son Polonia, Hungría, República Checa y Eslovaquia.

China ha resultado ser un mercado de éxito para Avon. Muchas profesionales (incluso médicos) completan sus ingresos con la venta de productos Avon y en algunas ocasiones ganan más que con su profesión. Antes de que Avon llegara a las ciudades, las chinas tenían dinero suficiente para gastar, pero no había mucho que comprar. Avon cambió este panorama cuando emprendió su marcha sobre China.

La coinversión china opera de manera distinta que en Estados Unidos porque no distribuye los productos a sus representantes, sino que éstas los recogen de depósitos para evitar problemas de comunicación y transporte. Las damas Avon chinas no tocan timbres para ventas no anunciadas, como hacen en Estados Unidos. Como la mayoría tiene otro trabajo, casi todas las ventas se concretan ahí, entre amigas y familiares y en las escuelas. Los artículos más vendidos son los productos para el cuidado de la piel, pero a medida que las mujeres chinas se familiarizan con el uso de cosméticos, aumentan las ventas de esta categoría.

Uno de los factores del éxito general de Avon International fue un cambio estratégico en su organización. Se les dio más responsabilidad de toma de decisiones a sucursales instaladas en los diversos países y la gerencia de zona se ha trasladado más cerca de los mercados. El objetivo fue lograr una mayor sensibilidad ante los consumidores y la dinámica de los mercados. El cambio continuo colocará a Avon International en una posición todavía mejor para dar servicio a las zonas de crecimiento potencial elevado como la cuenca del Pacífico.

Otro factor que la empresa considera clave es la difusión de nuevas ideas a través de las fronteras nacionales. Cuando un producto o programa nuevo tiene éxito en un país, se

---

[1] Carolyn Edy, "Avon Malling," *en* American Demographics *(abril de 1999), 38-39.*

prueba en otros países donde las condiciones del mercado son similares. Con este sistema, las empresas Avon incrementan a menudo sus oportunidades de innovar de manera exitosa y al mismo tiempo reducen los costos de desarrollo del producto. Un buen ejemplo de este proceso es la ropa íntima, que se inició en Brasil a mediados de la década de los ochenta y que después se expandió a México, Argentina, Venezuela, Japón, Reino Unido y Europa continental.

En cada caso, el afiliado local de Avon estudió el mercado para saber cuál era el tipo de ropa interior que querían sus consumidoras: brillantes y atractivos en Brasil pero conservadores en el Japón. Hay empresas Avon locales que fabrican y distribuyen los productos a los representantes. La compañía estudió el riesgo de que las ventas de ropa íntima redujeran la comercialización de los productos Avon tradicionales. Las pruebas demostraron que, en la mayor parte de los casos, la ropa íntima produce ventas adicionales, incrementa los pedidos promedio de los clientes y la empresa obtiene un porcentaje más elevado del presupuesto total de cada hogar. La ropa íntima Avon se vende en aproximadamente dos terceras partes de los mercados de Avon International.

Temas centrales

1. ¿Qué productos o métodos de mercadeo de Avon tienen más éxito en los mercados afroamericano, latino y asiaticoamericano en Estados Unidos? ¿Qué recomendaría a Avon para que expandiera las ventas a estos segmentos de mercado? ¿Qué programas especializados, si los hay, debería instrumentar para satisfacer las necesidades específicas de cada segmento?

2. ¿Puede utilizar Avon los mismos productos y programas de mercadeo en su división internacional que en su división estadounidense? Explique su respuesta.

3. Dentro de la división internacional, ¿a qué países recomendaría que se dirigiera para lograr un crecimiento máximo en el futuro? Identifique las características culturales que harían que Avon aplicara estrategias de mercadotecnia similares o diferentes en estos países.

4. ¿Cómo ha modificado Avon su plan de mercadotecnia para adaptarse al papel cambiante de las mujeres en la sociedad y cuáles son estos cambios? ¿Cómo cree que cambiará el mercado consumidor en las siguientes dos décadas y de qué manera puede Avon adaptar aún más su estrategia? Sus respuestas deben referirse a segmentos de mercado específicos, basados en variables demográficas, psicográficas o geográficas.

5. ¿Cómo han cambiado en años recientes las motivaciones de las consumidoras para resaltar su belleza? ¿Cómo adaptaría las campañas publicitarias de Avon para aprovechar estos cambios?

6. Analice el programa de ventas en línea y el sitio en internet de Avon. Con una estrategia eficaz en línea, analice si en el futuro la empresa necesitará o no su red de representantes de ventas.

La empresa del pato

Si usted recorre las tiendas de los detallistas masivos de Estados Unidos y de algunos países de América del Sur, Canadá y Europa, es muy probable que se encuentre con una diversidad de productos domésticos con la imagen de un simpático pato. El pato es el logotipo de Manco, distribuidor con base en Avon, Ohio, que en 2000 alcanzó ventas de alrededor de 300 millones de dólares gracias a que resuelve los problemas domésticos cotidianos de los consumidores con todo un abanico de productos prácticos y fáciles de usar. Entre sus artículos de mayor venta están las cintas, materiales para aislamiento en el hogar, suministros para correos y embarques, suministros para la oficina, la escuela y las artes, recubrimientos para estanterías y tapetes. Aunque quizás Manco no sea un gigante en el universo comercial, es la marca de cinta dominante en Estados Unidos, ya que supera a su rival 3M como líder en penetración en el mercado en cinta de plomero y cintas transparentes y a Rubbermaid en recubrimientos para estanterías y otras clases de productos competidores.

La empresa se destaca como un caso ejemplar de administración orientada hacia la demanda. Manco no elabora los productos que vende ni los vende al consumidor final: se trata de un distribuidor. Y aun así, se sale del molde del mayorista tradicional al asumir funciones que por lo regular lleva a cabo el fabricante o el minorista. Su punto fuerte en la cadena de suministros ha consistido en su capacidad para crear una marca sólida, en escuchar a sus clientes y a los clientes de sus clientes (consumidores finales) y desarrollar productos y empaques que satisfacen las necesidades de ambos. En una palabra, este mayorista basa su desarrollo comercial en el estudio del comportamiento del consumidor.

El cliente manda

¿Cómo estableció Manco su posición de liderazgo en el mercado de cintas y adhesivos? El presidente ejecutivo Jack Kahl explica que se debe a la orientación de la empresa, para la cual "el cliente manda". Armado con una sed insaciable de conocimientos y un espíritu empresarial imposible de reprimir, Kahl (que fue distinguido por la revista *Industry Week* en 1993 como uno de los 10 "Directores ejecutivos más admirados de Estados Unidos") ha definido la atmósfera de la empresa con su filosofía de "hacer lo que sea".

Todos los empleados de la empresa están centrados en el cliente y en el consumidor final. Algunas veces, esto quiere decir que hablan con los consumidores en las tiendas de menudeo de sus clientes para conocer las reacciones ante nuevos productos o empaques. Otras veces significa manejar toda la noche hasta las oficinas centrales de un cliente con un exhibidor de productos que necesita un manejo especial. Pero siempre significa reconocer que los integrantes de la organización de los clientes son los que hacen que Manco funcione.

A primera vista, el enfoque en el consumidor y el servicio al cliente podrían parecer procedimientos poco creíbles para una empresa cuyos productos centrales son de consumo básico como cinta para plomero y sobres para correo masivo, pero ello es lo que ha llevado a la empresa de 800 000 dólares en ventas en 1971 (cuando Kahl la adquirió) a cerca de 300 millones en el 2000. Kahl atribuye su éxito a la formación de "clientes para toda la vida", tanto entre los minoristas que venden y promueven los productos Manco como los consumidores que no comprarían ninguna otra cosa. La lealtad a los productos Manco es la clave del éxito continuo de todos los productos Manco.

El pato los guiará

El producto estrella de Manco es la cinta Duck®. Así es, cinta Duck® (escrita como Kahl oía que la mayor parte de los consumidores pronunciaban en inglés cinta *para ducto [duct])*, que es el nombre genérico para la cinta selladora para todo uso a prueba de agua inventada por dependencias gubernamentales durante la Segunda Guerra Mundial a partir de la lona y que utilizaban para todo, desde vendar heridas hasta parchar pequeñas tiendas de campaña. Kahl notó que prácticamente todos sus clientes tenían algún relato que contar sobre la cinta de plomero, en el que elogiaban su increíble fuerza y versatilidad y estaban ansiosos por compartir sus relatos con la empresa.

En 1984, Kahl registró la marca Duck® Tape y diseñó y adoptó un simpático pato amarillo como logotipo y mascota de la empresa. Conocido como el pato Manco, transmite a todos sus productos el espíritu de ayuda y buen humor de la cinta de plomero. Los consumidores adoran la caricatura amable de grandes ojos. Ciertamente, el diseño del pato al estilo Disney fue un intento consciente de establecer un vínculo memorable con sus productos en las mentes de los clientes de Manco. Manco T. Duck aparece en los empaques y los exhibidores de todas las marcas Duck y ayuda a los clientes a encontrar formas divertidas e imaginativas de resolver los pequeños problemas de la vida.

Además de crear un logotipo agradable, también pone en el mercado sus productos con nombres de marca fáciles de comprender que a menudo ponen de manifiesto una ventaja importante del producto. DraftBusters™ ("quiebra corrientes"), por ejemplo, es un producto para aislar puertas y ventanas y reducir las corrientes de aire en la casa. La combinación del nombre y el pato Manco en los empaques de productos de excelente venta como CareMail™, DraftBusters™, Softex™ Bath/Shower Mat y Correct-It™ aumentan la conciencia de marca entre los consumidores minoristas.

El pato Manco también sirve como elevador interno de la moral. Aparece en los encuentros de empleados y en las ceremonias de reconocimiento, incluyendo el Duck Challenge Day durante el cual se reúnen proveedores, clientes, invitados especiales y el personal de la firma para celebrar los logros y relaciones de la empresa. El pato Manco les recuerda a los empleados que, a pesar de que un trabajo de calidad es de extrema importancia, tienen que divertirse con lo que hacen y no tomarse demasiado en serio. El pato es un recordatorio constante del compromiso de Manco por ser divertido, amigable, imaginativo, servicial y lleno de recursos en todo lo que la empresa hace.

Conocimientos del consumidor

La expansión de las ideas de los empleados para que abarquen las ideas de los consumidores es el objetivo final de la búsqueda continua de conocimientos en Manco. Kahl cree que necesita saber más sobre los clientes de lo que ellos saben sobre sí mismos. Así, la base del éxito y de la orientación hacia el cliente es la continua investigación del consumidor, lo cual incluyen costumbres y tendencias de compra familiares e individuales. Como resultado, la empresa está no sólo un paso, sino varios adelante en la dirección hacia donde se mueve el mercado. La empresa utiliza toda una gama de herramientas, tales como grupos de enfoque, paneles de expertos asesores y, de gran importancia, una línea directa para el consumidor, con el objeto de mantener un permanente contacto con ellos. El número 1-800, instituido a comienzos de la década de los noventa, es una de las formas más importantes de mantener el dedo en el pulso del mercado del consumidor.

Las llamadas más comunes son preguntas: ¿Dónde puedo adquirir esta cinta? ¿De qué manera se aplica la protección a la intemperie? Los operadores de Manco están capacitados para proporcionar consejos expertos sobre toda la línea de productos y tienen una base de datos que muestra todos los puntos de venta del producto en toda la nación. Otro grupo considerable de personas que llaman, dan sugerencias para nuevos usos de artículos existentes o ideas sobre nuevos productos. Esta información se introduce sistemáticamente en la base de datos de la computadora. Las quejas también se registran en la computadora para referencia futura, y cada una de ellas es atendida con una llamada seguida por una carta y un reembolso, si ha sido solicitado.

Además de dar a los clientes la atención personal que quizás no han recibido en la tienda (y al mismo tiempo aumentar la lealtad a la marca), la línea 1-800 le da a Manco conocimientos sobre el consumidor. Esta información se vacía en un informe mensual de cinco páginas que resume tendencias, incluye anécdotas y presenta gráficas. Al jefe del departamento se le pide que se presente en la oficina de Kahl para trasmitir elementos oportunos, obligatorios o especialmente apremiantes que pudieran presentarse entre informes mensuales.

Solución a los problemas de los consumidores y clientes

Escuchar a un cliente condujo a la creación de EasyLiner®, un recubrimiento para estantería no adhesivo, desenrollable, que se parece a una malla de hule y que es fácil de cortar, colocar y retirar. Durante años, los consumidores han recubierto las estanterías de sus gabinetes y cajones de la cocina con papel Contact®, un papel vinílico con adhesivo en su parte trasera fabricado por Rubbermaid. Aunque las ventas eran continuas, Manco vigilaba las reacciones del cliente y las quejas sobre el producto (incluso con más atención que Rubbermaid) y reconoció la existencia de una oportunidad para introducir un mejor producto.

La idea de un recubrimiento de estantería no adhesivo fue presentada a Kahl en 1994 por un gerente de mercancías de Wal*Mart en una exhibición nacional de productos para el hogar. Dijo que los consumidores se quejaban de que el papel Contact® era "difícil de colocar y todavía más difícil de quitar". El gerente de Wal*Mart tenía la idea de adaptar un producto anterior (un bajoalfombra antiderrapante) como recubrimiento de estantería. Los dos ejecutivos de Manco reconocieron de inmediato el potencial del producto y en ese instante se comprometieron a ponerlo en el mercado.

Manco se puso de inmediato en acción con el diseño del producto, investigación del consumidor y empaque. La empresa recurrió a la ayuda de fabricantes de su cadena de suministros y consultó a otros. Solamente necesitó tres meses para llevar el producto de su concepción al mercado. EasyLiner® debutó en las estanterías de Wal*Mart en abril de 1994. Detrás de los pasos de EasyLiner®, Manco introdujo OfficeLiner® y ShopLiner® para uso en la oficina y en el taller, respectivamente. OfficeLiner® es idéntico a EasyLiner®, pero en "colores de oficina" como gris y almendra, en tanto que ShopLiner® es un producto más grueso (usado para cosas como recubrimiento de la base de camionetas para transporte de herramientas).

Una corriente constante de comentarios y solicitudes de los consumidores siguen guiando la ampliación de la línea de productos EasyLiner®. Una mujer llamó al teléfono de ayuda e indicó que EasyLiner® resultaba de maravilla al borde de su piscina. Un sinnúmero de comentarios similares originó una rápida investigación, tanto de los consumidores como de aspectos de fabricación. En un viaje de estudio a Alemania, Kahl descubrió un producto similar que ya estaba en el mercado y que tenía una diversidad de aplicaciones, lo que llevó al desarrollo de la línea intemperie de Manco. "Moonwalk", que fue introducida en la primavera de 1997 comprendía "tapetes" 9 × 12 pies y pasillos para colocarlos al borde de las albercas o sobre terrazas de madera para que los niños no se clavaran astillas ¡pobres niños! al jugar.

Más recientemente, la marca Duck se ha extendido hacia categorías de productos domésticos de escritorio y escuela. Los consumidores se quejaban de los productos líquidos para corregir errores de mecanografía (como Liquid Paper), que se "colocan o pintan" sobre los errores. No les complacía la forma en que el fluido se secaba, se formaban grumos y tardaba en secarse. Como resultado, Manco puso en práctica grupos de enfoque y creó un producto de corrección nuevo en forma de cinta. Correct-It™ viene en un despachador de cinta para uso con una sola mano que, cuando rueda sobre el papel cubre, instantáneamente, y en forma seca, los errores. La misma tecnología se utilizó para crear Drylighter™, un resaltador que no atraviesa el papel y que, si fuera necesario, puede ser retirado de la página. Otros productos de esta clase son FrameIt™ (marco plástico que se cuelga en las paredes de tela de los cubículos), EasyStick™ (pegamento no permanente aplicado con rodillo) y OneTouch™ Disappearing Tape (cinta transparente que se puede aplicar sobre el papel con una sola mano).

La familia en aumento del pato Manco

En 1998, Manco se unió al Henkel Group, la empresa número uno del mundo en adhesivos para el consumidor. Esta unión hace posible que Manco persiga su sueño de llegar a nuevos clientes en todo el mundo y desarrollar nuevos productos innovadores.

Al igual que Manco, Henkel se inició como una empresa pequeña, de propiedad familiar, fundada por Fritz Henkel en Aachen, Alemania, en 1876. Henkel & Cie, una empresa de detergentes, tuvo tanto éxito que se amplió en 1878 y se mudó a Duesseldorf. En la década de 1960, Henkel se había convertido en un grupo de empresas activas en todo el mundo bajo el liderazgo del doctor Konrad Henkel, nieto de Fritz.

Hoy día, Henkel es el fabricante líder de detergentes para el consumidor y limpiadores domésticos en Europa y es líder mundial en adhesivos, productos oleoquímicos provenientes de grasas y aceites naturales, tecnologías para pretratamiento de superficies y limpiadores industriales e institucionales. Está ubicado entre los 10 mayores fabricantes de cosméticos y artículos de tocador del mundo. Henkel Group tiene más de 56 000 empleados en más de 340 empresas en 70 naciones. En 1998, las ventas a nivel mundial alcanzaron 21 300 millones de marcos alemanes (12 000 millones de dólares).

En Estados Unidos, Henkel está ampliando su presencia con muchas marcas para el consumidor bien conocidas, como por ejemplo la cinta, los productos para el hogar y la oficina de la marca Duck, los productos de cuidados para el cabello DEP® y LA Looks®; los jabones para el rostro y los champúes para el cuerpo Fa®, y los productos adhesivos para uso en el hogar Loctite® y Quicktite™ de Canadá. La empresa también inició una coinversión con Dial en Estados Unidos para desarrollar y poner en el mercado productos de lavandería avanzados con la marca Purex de Dial y un producto de limpieza en seco en el hogar bajo la marca Custom Cleaner.

La presencia, recursos y apoyo de mercadotecnia mundiales de Henkel ayuda a Manco a dar otro paso adelante para recubrir toda la tierra con cinta Duck®. Pero Manco también apoya a Henkel en las áreas de mercadotecnia y cultura corporativa. Además de expandir a nivel mundial la marca Duck, Manco también ha asumido la responsabilidad de la mercadotecnia en todo el mundo de las marcas Loctite y LePage. Su impresionante abanico de clientes, entre los cuales se incluye Home Depot, Lowe's, Staples, OfficeMax, Ace Hardware, Target, Rite Aid, Sam's Club y Wal*Mart, permite entrar al mercado consumidor con una diversidad de productos Henkel. Desde el punto de vista cultural, Henkel envía a la gerencia a estudiar y aprender la forma en que Manco establece relaciones duraderas con los clientes y los consumidores y cómo incorpora muchos de los valores que apoyan su cultura corporativa.

El pato con lentes para sol

La aceptación que Manco ha recibido en el mercado consumidor y su relación con sus clientes lo convierten en líder en su cadena de demanda. En consecuencia, ha disfrutado de un crecimiento rápido, incluso en industrias (y tiempos) muy competitivos al retar y vencer a algunas de las empresas más grandes y respetadas del mundo, como Rubbermaid y 3M. Con un continuo enfoque en el consumidor y en el desarrollo de la marca, el futuro se ve tan brillante que el pato Manco quizás se vea obligado a usar lentes oscuros.

Temas centrales

1. Describa la forma en que Manco utiliza los conocimientos y la investigación de los consumidores para desarrollar nuevos productos.

2. Escoja una idea respecto de una necesidad del hogar o del trabajo, así como una categoría de productos para la familia de las marcas de Manco Duck. Elabore una estrategia de análisis de consumo para guiar los atributos del producto.

3. Para el producto desarrollado en la pregunta dos, piense un nombre de marca para complementar las marcas de Duck actuales. Analice los atributos importantes de la marca en relación con los consumidores y los clientes de menudeo.

4. Elabore una estrategia de internet para Manco. ¿Qué incluiría en su página? Decida si Manco debería vender o no algunos de sus productos directamente a los consumidores a través de la red.

5. Suponga que es gerente de producto de la cinta de marca Duck o de suministros para oficina y escolares. Se le ha pedido que establezca una estrategia para introducir su línea de productos en Europa. ¿Cómo llamaría la atención sobre la marca? Prepare una campaña mundial de publicidad y de promociones que especifique quiénes serán sus socios en el canal de distribución y qué segmentos de consumidores serán su objetivo.

CASO 6

Consejo Nacional de Productores de Carne de Puerco

Si el Consejo Nacional de Productores de Carne de Puerco (National Pork Producers Council, NPPC, por sus siglas en inglés), se saliera con la suya, los minoristas de todo el mundo venderían más carne de puerco, los restaurantes incrementarían sus ofertas de este producto y los consumidores comprarían y comerían más del mismo. El NPPC, con oficina central en Des Moines, Iowa, es la mayor organización productora de materias primas agrícolas de Estados Unidos. Está financiado principalmente por un grupo nacional de productores que apoyan actividades de investigación y promoción de productos, desarrollo del mercado y educación del productor.

El NPPC es responsable de la mercadotecnia de categoría o de rama industrial, y, más que una marca en particular, promueve la totalidad de la industria del puerco. Debido a que la asociación centra sus esfuerzos en incrementar la demanda general de este tipo de carne, las empresas tienen que luchar por penetrar en un mercado que el NPPC espera que sea de crecimiento. La gerencia de categorías se esfuerza por trabar relaciones con los minoristas, una práctica común entre comerciantes grandes y complejos modernizados de bienes empacados.

Situación de la industria del puerco

Los productores de carne de puerco se encuentran en una industria de crecimiento mundial. El consumo de carne (de res, puerco, aves y otras, como borrego, búfalo, pavo, venado, etc.) ha crecido en años recientes en el mercado global. En 1998, el valor interno estadounidense de menudeo del puerco era de 20 700 millones de dólares y el servicio a la industria alimentaria era de 15 300 millones, para una producción total en la cadena de suministros de 36 000 millones de dólares. La industria del puerco fresco representa una porción menor de las ventas que en el pasado: entre 63 y 68% del cerdo que se vende hoy está procesado, por lo cual se vende como salchichas y otros embutidos.

En respuesta a las preocupaciones de los consumidores, en la década de los años noventa la industria del puerco incrementó la producción de carne magra por la cual cobraba un sobreprecio. Pero a medida que más productores criaron puerco magro, se convirtió en una materia prima común y dejó de justificar ese sobreprecio. La industria de la carne de res intenta proporcionar artículos con valor agregado mediante más productos precocinados, como hizo el sector avícola en esa década. La industria de los pollos rostizados encontró una manera de identificar, crear y captar valor. Trátese de Chicken McNuggets, alas de pollo, pollos rostizados, pechugas de pollo sin piel y cualesquiera otras variantes del producto, la industria avícola ha impulsado sus cadenas de suministros para darle a los usuarios finales lo que desean.

La industria porcina sabe que deberá hacer lo mismo si desea convertirse en "la carne de elección" de la próxima década. Para ello, los productores necesitan acercarse al mercado consumidor y averiguar qué productos de puerco quieren los consumidores. La innovación y el desarrollo de productos son factores fundamentales en los mercados nacionales y del extranjero para el futuro de las ventas de carne de puerco.

Un elemento clave en la mejoría de las ventas de esta carne en Estados Unidos y los mercados internacionales es el Demand Enhancement, el departamento del NPPC que actúa como la división de mercadotecnia del sector industrial. Está constituido por tres áreas principales de programas o actividades:

- Mercadotecnia del consumidor. Está constituido por publicidad e investigación, así como por la Oficina de Información sobre Puerco (Pork Information Bureau, PIB, por sus siglas en inglés), la dirección de asuntos públicos y de relaciones públicas.

- Comercio y mercadotecnia de distribución. Comprende la mercadotecnia de menudeo así como de servicio a la industria alimentaria y nuevas actividades de apoyo al producto.

- Desarrollo de los mercados en el extranjero. Examina los mercados mundiales en función de las tendencias del consumidor y las posibles relaciones comerciales.

La meta prioritaria de Demand Enhancement es promover la aceptación y disponibilidad de productos porcinos en el mercado. Se define la aceptación como lograr que los consumidores deseen el producto mediante publicidad, relaciones públicas, promoción y mercadotecnia directa e interactiva. La disponibilidad consiste en mover el producto a través de los canales de distribución, con la ayuda de publicidad especializada, promoción, publicidad, gerencia de categorías, programas de cuentas nacionales, fuerza de ventas y apoyo de exposiciones industriales.

En el resto de este caso nos ocuparemos de los esfuerzos realizados por el NPPC en cada una de las áreas de mercadotecnia y sus relaciones con la aceptación y disponibilidad en el mercado. Se incluye información sobre los consumidores proporcionada por el NPPC para que usted formule sus respuestas a los temas centrales que se presentan al final del caso.

Mercadotecnia del consumidor

En la década de los años ochenta, la industria porcina aceptó el reto de modificar la percepción que tenían los principales consumidores y distribuidores de sus productos. En esos tiempos, el consumo total *per cápita* había experimentado un crecimiento pues logró montarse en el carro del aumento de consumo total de carne. A pesar de que los consumidores comían más carne al año, en la década anterior el porcentaje de carne de puerco en relación con las proteínas animales totales había disminuido casi 10%. El puerco había caído de la gracia de minoristas y consumidores por igual. No llamaba la atención de minoristas, operadores de servicio de la industria alimentaria, prensa de los alimentos u otras publicaciones. La percepción sobre la carne de puerco requería actualizarse; los consumidores la creían llena de grasa y anticuada, a pesar que en la década de los ochenta los productores habían puesto una buena parte de su atención en cortes más magros y mejores productos.

La otra carne blanca

En 1988, el NPPC lanzó un nuevo programa integrado de comunicación de mercadotecnia para reposicionar y actualizar la carne de puerco en la mente de los consumidores, minoristas, distribuidores y medios, bajo el lema de "la otra carne blanca". La publicidad en televisión y revistas también generó programas a través de los tres esquemas de mercadotecnia antes descritos. La publicidad se inició con una campaña que mostraba una multitud de platillos a base de carne de puerco, para demostrar prácticamente su versatilidad y dar ejemplos de platos principales deliciosos, que la mayor parte de los consumidores elaboran con otras carnes blancas, como el pollo. El encabezado decía: "Lo ponemos en tentación, pero lo liberamos del mal." Con el paso de los años, estos anuncios evolucionaron sin perder jamás el enfoque en el puerco y en la idea de "la otra carne blanca". Un anuncio más reciente muestra una imagen y una receta para una fritura campesina de carne de cerdo que incluye el encabezado: "Los que lleguen tarde siempre se podrán llenar con papas."

Para 1997, la asociación entre el público de la carne de puerco con la carne blanca había crecido de 9 a 61%. Quizás más interesante es el hecho de que ha reemplazado tanto al pavo como al pescado como segunda carne blanca más reconocida en Estados Unidos. Este dato es significativo, ya que los consumidores prefieren la carne blanca a la roja (en proporción de dos a uno). Antes de iniciar la campaña "La otra carne blanca", se proyectaba que el consumo de carne de puerco disminuiría de manera continua a fines de la década de los ochenta y durante la de los noventa, igual que había ocurrido durante los años anteriores. Pero en lugar de disminuir, el sector experimentó un importante incremento de la demanda. De hecho, se desempeñó 25% mejor que incluso las proyecciones más optimistas.

Actualmente el reconocimiento total del mensaje de la carne blanca, con o sin ayuda, es ahora de casi 90%, lo cual quiere decir que nueve de cada diez adultos estadounidenses consideran la carne de puerco como la otra carne blanca. Con la ayuda de esta campaña, el cerdo aparece ahora en los menús y en los contenedores de carnes y alimentos congelados.

Oficina de información sobre el puerco

La PIB es un depósito completo sobre el tema del puerco, tanto para audiencias de consumidores como para la prensa especializada en alimentación, dietistas, nutricionistas, otros profesionales de la atención a la salud y educadores. La orientación general del mensaje y el tipo de información que proporciona NPPC también se modificó para abordar problemas que no se restringían al puerco. PIB pone a disposición de los consumidores y los medios diversas recetas para preparar la carne de cerdo, pero su meta principal es proporcionar la información oportuna y pertinente que necesitan los consumidores; por ejemplo, información sobre la manera en que se deben leer las etiquetas nutricionales, los datos dietéticos o de nutrición así como los consejos culinarios y los métodos que ahorran tiempo al cocinar. La PIB tiene un número 1-800 las 24 horas y acceso en línea con las respuestas a prácticamente cualquier pregunta del público. Además, cuenta con una base de datos de aproximadamente 1000 recetas que pueden referenciarse de manera cruzada según los ingredientes. Está diseñada de tal manera que los editores llaman rápidamente a la PIB y obtienen información para sus publicaciones mediante un formato ya listo para "colocar" en sus revistas. Hace años, era casi imposible encontrar información o recetas de carne de puerco en revistas femeninas o publicaciones sobre el estilo de vida.

Mercadotecnia comercial y de distribución

Una de las metas del programa de Demand Enhancement es incrementar la aceptación del puerco en el mercado y aumentar la disponibilidad (o los puntos de distribución) del producto. Se concentra en acrecentar la presencia del puerco en las tiendas de menudeo y los restaurantes.

El programa de menudeo diseña promociones especiales relacionadas con la carne de puerco para que los minoristas ofrezcan a los consumidores. Después de llevar a cabo investigaciones entre los principales detallistas, el NPPC llegó a la conclusión de que el puerco necesitaba más que simples promociones: hacía falta algo de emoción en la vitrina de las carnes. A diferencia de la res, la carne de cerdo no tiene verdaderos cortes de primera para que el minorista los presente. Por eso nació el corte americano, un corte de lomo de aproximadamente una pulgada y media de espesor. Los minoristas descubrieron que podrían vender estos cortes con un sobreprecio, a veces tanto como un dólar más por libra. Fue un buen ejemplo de mercadotecnia de valor agregado.

Los minoristas también necesitaban aprender más sobre la rentabilidad potencial del puerco y la versatilidad de su mercadotecnia (las maneras en que se puede incluir el puerco en la vitrina de las carnes). El NPPC puede mostrar a los minoristas la forma en que deben utilizar los modelos de administración de categorías para incrementar sus ingresos. Por ejemplo, el NPPC ayudó a una cadena de más de 100 tiendas a sumar a sus resultados anuales entre 5 y 10 millones de dólares, lo que depende del método de mercadotecnia seleccionado.

Por lo que se refiere al sector de los servicios, la meta ha sido incrementar el número de platillos elaborados con carne de puerco, para lo cual puso a disposición de los restaurantes y cocinas comerciales nuevas recetas e información de tendencias alimentarias. Las escuelas también han sido un objetivo de mercado de los esfuerzos del NPPC. Dado que este organismo tiene limitaciones para llegar a los más de 700 000 operadores de servicios de la industria alimentaria de Estados Unidos, la organización ofrece a aproximadamente 35 000 representantes de ventas, que trabajan para los distribuidores de servicios del sector, información y materiales educativos sobre el puerco. De esta manera están mejor preparados para responder a las preguntas de los clientes respecto del uso y preparación de esta carne. En años recientes, restaurantes como TGI Friday y Hard Rock Café han incrementado sus ofertas de carne de puerco en sus menús.

Asimismo, y con iguales objetivos, se diseñó un nuevo programa, Product Development Resource, que debería estimular el consumo de cerdo y trabajar con empresas de servicios de la industria alimentaria, fabricantes y procesadores de alimentos para asegurarse de que se lo tome en cuenta en el desarrollo de nuevos productos. En 1999, Healthy Choice incrementó su oferta de carne de puerco, igual que otros productores de alimentos congelados como Banquet, Patio, Stouffer's y Lean Cuisine.

En años recientes surgieron conflictos entre las organizaciones de restaurantes (servicios alimentarios) y de minoristas, debido a que ambos luchan por incentivar la necesidad y el deseo de los consumidores de alimentos preparados. En los supermercados se conoce como reemplazo de alimentos domésticos y en los restaurantes se llama comida para llevar. El NPPC debe generar formas para que sus clientes de ambos escenarios incrementen la cantidad de alimentos basados en carne de puerco que los consumidores llevan a sus casas.

Desarrollo del mercado extranjero

El puerco es la carne de mayor consumo en el mundo hoy día, ya que representa aproximadamente 44% de la ingesta total de proteínas cárnicas del mundo. En 1990 representaba 45% de todas las proteínas cárnicas consumidas. En 1999 este porcentaje había crecido a 46% y se espera que para el año 2007 llegue a 47%. Al mismo tiempo, se espera que la carne de res disminuya de 34% en 1990 y 28% en 1999 a aproximadamente 24% en el año 2007.

En años recientes, el NPPC ha cambiado su enfoque en el mercado extranjero de tarifas y restricciones a promociones y mercadotecnia. En la actualidad, los productores estadounidenses exportan aproximadamente 7% de su producción a más de 100 países, entre los que se encuentran Japón, México, Canadá, Rusia, Hong Kong, Corea, Taiwán y China. Ante la popularidad mundial del puerco, parece que es posible que su exportación goce de un crecimiento continuo. Sin embargo, el NPPC predice que las aves de corral competirán fuertemente en todas estas áreas, como ha ocurrido en Estados Unidos en las últimas décadas.

A fin de competir en estos mercados mundiales, se creó el sello U.S. Pork, que simboliza "el mejor puerco del mundo" y que sea un indicador de calidad. El NPPC espera que este sello distinguirá la carne de puerco estadounidense como de calidad superior y ayudará a establecer su presencia en los mercados mundiales.

En Estados Unidos, los grupos étnicos tienen distintas características de consumo de alimentos. Entre los consumidores de ese país, 37% de los blancos no hispanos compran carne de puerco una vez por semana, en comparación con 45% de los hispanos. Los consumidores latinos compran por semana más carne de puerco que cualquier otro sector de la población. A medida que el NPPC aprovecha las preferencias y los usos especiales por el puerco de otras culturas, los mercadólogos comprenden mejor la forma de vender a estas culturas en todo el mundo. Cuando el NPPC identifica las áreas de crecimiento, puede vincularse con los gustos de dicha cultura para incrementar de una a dos veces a la semana la frecuencia promedio de consumo de puerco entre los consumidores del mundo.

Tendencias de alimentación de los consumidores

El puerco era la carne de mayor consumo en Estados Unidos hasta principios de la década de los cincuenta. En la actualidad, casi nueve de cada diez consumidores comen carne de puerco, en sus muchas presentaciones, lo que la convierte en el elemento proteínico cárnico más consumido en la Unión Americana. Sin embargo, no es el líder en volumen, ya que gran parte de este consumo se realiza bajo forma de salchicha, tocino, jamón, etcétera, lo que a menudo representa porciones menores que un bistec. No obstante, todos los días, más estadounidenses comen más carne de puerco preparada de alguna forma que cualquier otro derivado cárnico. En la tabla 1 se muestra el cambio de los años recientes en el consumo de pollo, res y puerco. En la tabla 2 se señala en qué comida del día los consumidores ingieren las diversas carnes.

Los consumidores comen los alimentos por razones diferentes. Según investigaciones realizadas por el NPPC, comen carne de puerco en razón de diversas "características emocionales", tales como servicio cómodo a los invitados, algo que le gusta a mi familia, un alimento que me gusta comer, es popular y es un alimento bueno hecho en casa. Estas características emocionales del puerco son incluso más determinantes del consumo que otros atributos como calorías, contenido de grasa y valor nutricional. En la tabla 3 se indica cómo se clasifica el puerco de acuerdo con diversos atributos y en comparación con la res y el pollo. Observe la menor calificación que recibe el puerco en comparación con otras carnes. Los atributos en su categoría se ordenan de la calificación más alta a la más baja. Como quiera que sea, otros atributos podrían haber obtenido una calificación más alta en otras categorías de carne. En la tabla 4 se resumen las percepciones de los consumidores respecto del puerco, pollo y res.

El NPPC también ha llevado a cabo investigaciones centradas en los cambios de comportamiento respecto de la alimentación del consumidor. La organización estudia las tendencias que presentan los alimentos preparados e ingeridos en el hogar, los ingeridos en restaurante y los preparados en restaurantes para llevar a casa. En la tabla 5 se presenta un resumen de algunos de los resultados generales.

Resumen

Como muchos sectores industriales, el del puerco se ha considerado tanto en el área de producción como de empaque. Los miembros de la cadena de suministros establecen relaciones más fuertes para enfocarse en abarcar la totalidad del mercado y resolver las cambiantes demandas del consumidor, lo que incluye una mayor sensibilidad a la seguridad de los alimentos y una elevada necesidad de versatilidad, variedad, valor y contenido nutritivo del producto. El NPPC ha vislumbrado la oportunidad de "convertirse en algo distinto" para los

Tabla 1 Cambio en la participación de los mercados de carne y aves de corral			
	1986	**1998**	**Cambio**
Res	40.2%	33.1%	−7.1%
Puerco	24.4%	25.1%	+0.7%
Pollo	20.2%	26.3%	+6.1%
Otras	15.2%	15.5%	+0.3%

Fuente: NPPC.

Tabla 2   En qué momento del día los consumidores ingieren carne de puerco, de res y de pollos

	Incidencia en el consumo cotidiano promedio			
	Desayuno	Almuerzo	Bocadillo	Comida
Puerco	33%	30%	5%	24%
Res	1%	24%	3%	37%
Pollo	2%	23%	3%	28%

Fuente: NPPC.

consumidores y ha ajustado la mira a fin de que el puerco sea otra vez la carne preferida en Estados Unidos.

El año próximo, el NPPC debe evaluar su campaña de mercadotecnia y determinar la forma en que debe actualizar su programa "La otra carne blanca". Necesita evaluar el éxito de la campaña en los mercados del consumidor y de menudeo e identificar áreas que deben ser encaradas en la siguiente década.

Tabla 3   Evaluaciones de los consumidores de los atributos de las carnes (5 = calificación más alta)

	Puerco	Pollo	Res
Sabor	3.9	4.3	4.3
Aceptable para cocinar en casa	3.7	4.4	4.1
Facilidad de preparación	3.7	4.1	4.1
Se prepara de varias formas	3.7	4.6	4.4
Sirve a invitados	3.7	4.3	4.2
Versatilidad	3.6	4.5	4.2
Gusta de verse comer	3.5	4.3	3.8
Valor nutricional	3.4	4.2	3.6
Buen valor por el dinero pagado	3.4	4.2	3.5
Cantidad de grasa	3.4	2.5	3.7
Cantidad de calorías	3.4	2.7	3.8
Alimento que me gusta	3.3	4.0	4.0
Favorito de la familia	3.3	4.2	4.1
Adecuado para el estilo de vida actual	3.3	4.4	3.5
Alimento popular	3.3	4.5	4.3
Se come todas las semanas	3.2	4.3	3.8
No demasiadas calorías	2.9	3.7	2.8
No demasiada grasa	2.9	3.7	2.8

Fuente: NPPC.

Tabla 4   Percepciones del consumidor de los tipos de carne

	Puerco	Pollo	Res
	Porcentaje de los consumidores de acuerdo/muy de acuerdo		
Todos los miembros de la familia comerán	65%	84%	84%
Sabe muy bien en barbacoa	57%	91%	87%
Fácil de preparar	49%	67%	70%
Es un favorito en mi familia	49%	73%	75%
Puede alimentar fácilmente muchas personas	42%	78%	79%
Da buen valor por el dinero	34%	81%	57%
Es relativamente económico	27%	71%	42%

Fuente: NPPC.

Tabla 5   Tendencias seleccionadas de alimentación del consumidor

- La cantidad de alimentos preparados e ingeridos anualmente en el hogar se ha reducido de 711 alimentos por persona en 1992 a 672 en 1998.
- La cantidad de alimentos adquiridos en un restaurante ha aumentado de manera continua de 121 alimentos por persona en 1990 a 137 en 1998.
- La cantidad de alimentos para llevar de restaurante por persona se incrementó de 55 en 1990 a 69 en 1998.
- Las razones más importantes por las cuales las personas comen fuera de casa son:

  "No quería cocinar en el hogar"   41%

  "Ocasión o festejo especial"   11%

  "Lejos o en viaje de negocios"   11%

  "Estaba de compras"   8%
- La conveniencia es la razón de mayor importancia por la cual las amas de casa escogen un alimento y no otro para prepararlo y servirlo en sus hogares.

Fuente: NPPC.

Temas centrales

1. ¿Cómo se debería medir la eficacia del programa "La otra carne blanca"? Desarrolle la metodología de investigación, así como preguntas específicas. ¿Qué otra información trataría de obtener de tal proyecto de investigación? ¿Cómo presentaría la información a los miembros del consejo, de forma que resulte de la máxima utilidad para ellos?

2. ¿Piensa que el NPPC debe continuar con la campaña "La otra carne blanca" o que es hora de lanzar una nueva? Diseñe una campaña actualizada que utilice el lema "La otra carne blanca" si le parece que aquélla debe continuar, o elabore otra si piensa que debe ser modificada. Si lo desea, aproveche la información de las tablas para abordar atributos específicos en su campaña.

3. ¿Qué atractivo deberá exhibir el NPPC en los mercados extranjeros? Escoja uno de éstos e investigue sus tendencias de consumo de carne de puerco, así como otras preferencias de gusto y alimentación. Adapte el mensaje o el posicionamiento de la campaña que usted diseñó en la pregunta 2 para que resulte de máxima eficacia en dicho mercado.

4. ¿Cómo deberá supervisar el NPPC las necesidades cambiantes de los consumidores que afectan el consumo de puerco? ¿Cómo cambian las preferencias por el puerco y cómo pueden pronosticarse estos cambios a partir de la interpretación de las tendencias demográficas, estilos de vida, alimentación y preparación de alimentos? ¿Qué áreas del consumo de alimentos en el hogar o fuera de éste es probable que cambien en el futuro? ¿Qué investigaciones ayudarían al NPPC a identificar estas tendencias?

5. ¿Cómo deberá supervisar el NPPC las cambiantes necesidades de sus miembros? Elabore una encuesta para aplicar entre los miembros (detallistas, restaurantes, distribuidores y productores).

6. ¿Qué estrategia de internet debería tener el NPPC? ¿Qué información debería proporcionar y recibir de los consumidores a través de este medio? Si lo desea, visite y revise la página en internet del NPPC: www.nppc.org.

Caso 7

Destruya-su-negocio.com

"En General Electric, internet es nuestra prioridad números 1, 2, 3 y 4." Jack Welch, presidente ejecutivo de General Electric

Algunos de los presidentes ejecutivos más capaces del mundo se desvelan ponderando la forma de hacer negocios en internet de manera eficiente y económica. Independientemente de que se trate de una empresa del tamaño de General Electric o Wal*Mart o de una pequeña tienda local, los analistas de negocios plantean la hipótesis de que existe una nueva empresa que hace lo posible para sacarlos del negocio. Su nombre es dyb.com: "Destroy-Your-Business.com" ("destruya-su-negocio.com").

Este caso está diseñado para transformarlo de estudiante en analista del consumidor y estratega de mercadotecnia. General Electric utiliza un formato similar para auxiliar a sus gerentes a comprender mejor cómo competir en la revolución electrónica y anticiparse a las posibles estrategias de sus competidores en el comercio electrónico.

Imagínese que usted es el director ejecutivo de mercadotecnia de dyb.com y que se le ha encargado la tarea de elaborar estrategias para sacar del negocio a su competidor tradicional. Éste, que ha experimentado un crecimiento continuo en las décadas de los años ochenta y noventa, todavía no tiene una estrategia de comercio electrónico, pero usted sabe que está a punto de tenerla; sin embargo, no sabe el alcance de su interés en el comercio electrónico: ¿Tendrá esta empresa un sitio en internet con información o venderá a los consumidores sus productos en línea?

Como director ejecutivo de mercadotecnia de dyb.com, deberá analizar si seguir una estrategia de menudeo electrónico funcionará en su rama industrial y contra el competidor seleccionado. El consejo de directores al cual deberá hacer su presentación espera que usted utilice un procedimiento de comportamiento del consumidor para analizar el potencial del mercado.

Temas centrales

1. Seleccione de la siguiente lista una empresa basada en el consumidor contra la cual quiera competir y defina brevemente la industria en la cual dyb.com competirá.

2. Describa, en función de variables demográficas, psicográficas y otras, cuáles son los segmentos fundamentales de consumidores a los cuales se dirige el competidor.

3. Utilice el modelo del proceso de decisión del consumidor para describir la forma en que los consumidores toman decisiones, compran y evalúan el producto o el minorista seleccionado.

4. Describa brevemente la misión de dyb.com y los puntos fuertes de su estrategia de menudeo electrónico, en comparación con las estrategias del competidor. ¿En qué difieren los mercados objetivo de dyb.com de los segmentos tradicionales?

5. Utilice el modelo de proceso de decisión del consumidor para valuar la forma en que los consumidores tomarían decisiones, comprarían y evaluarían dyb.com (o sus productos). ¿Cómo se adaptan estos procesos a los estilos de vida de los consumidores? Compare las ventajas y desventajas para los consumidores de dyb.com en contraste con el modelo tradicional.

6. De acuerdo con su análisis del consumidor, ¿tiene dyb.com un modelo de negocios viable de largo plazo?

7. Si su contestación es afirmativa, describa la forma en que atraería a los clientes. Describa cuáles serían los mensajes y estrategias de comunicación más eficaces para captar y conservar la atención de los consumidores.

8. Planee una estrategia de retención de clientes.

9. Describa la forma en que su competidor, una vez en el mercado, competiría contra dyb.com. ¿Qué tan difícil sería para la empresa tradicional enfrentar y resolver las ventajas del modelo dyb.com?

Lista de competidores

Wal*Mart (minorista masivo)

Ikea (minorista mueblero)

Gap (minorista de ropa casual)

Whirlpool (fabricante de aparatos domésticos para el consumidor)

Nestle (procesador y comercializador de alimentos)

Godiva Chocolates (fabricante con sus propias tiendas de menudeo)

Merrill-Lynch (empresa de corretaje internacional)

Kinko's (minorista de servicios de copiado y otros relacionados)

Amway (comercializador directo de productos de consumo)

Ford Motor (fabricante de automóviles)

Harry and David (ventas por catálogo de alimentos y regalos especializados)

L.L. Bean (ventas por catálogo de productos para deportes al aire libre)

Sony (electrónica para el consumidor.

Glosario

accesibilidad Grado al que se alcanzan los segmentos a través de publicidad o métodos de comunicación y menudeo.

aceptación Acto de cambiar nuestras opiniones.

actitud hacia el comportamiento (A_b) Evaluación del desempeño que comprende el objeto de la actitud.

actitud hacia el objeto (A_o) Evaluación del objeto de la actitud, como por ejemplo un producto.

actitudes Preferencias y aversiones de los consumidores que determinan intenciones.

activación de discreción Concepto que propone que la activación de un nodo de la memoria causa un efecto oscilatorio que se dispersa a través de sus vínculos a otros nodos.

aculturación Grado al que los consumidores asimilan los usos de otra cultura.

adaptabilidad Medida de la capacidad de una familia para modificar su estructura de poder, sus roles funcionales y sus reglas de relación, en respuesta a presiones de la situación y el desarrollo.

aditivo simple Estrategia de evaluación mediante el cual el consumidor cuenta o suma el número de veces en que cada alternativa se juzga favorablemente en función del conjunto de criterios de evaluación sobresalientes.

adoptantes Personas que tomaron la decisión de utilizar un nuevo producto.

adoptantes tempranos Consumidores que deliberan ampliamente antes de la adquisición de nuevos productos, pero que a pesar de ello los adoptan

justo antes del tiempo promedio que le toma a la población objetivo en general.

agregado del mercado Acto por parte de organización de poner en el mercado y vender el mismo producto o servicio a todos los consumidores.

aislamiento Cuando se evita el apiñamiento en la publicidad, acto de colocar un objeto en un campo perceptual despejado, eliminando otros objetos que pudieran competir por la atención.

análisis de la imagen Análisis de lo que saben los consumidores sobre los atributos y asociaciones de un producto.

análisis de mercado Proceso de analizar las tendencias cambiantes del consumidor, los competidores actuales y potenciales, los puntos fuertes y los recursos de una empresa y los entornos tecnológicos, legales y económicos.

análisis del consumo Estudio del porqué y cómo consumen las personas.

análisis transcultural Acto de comparar similitudes y diferencias en aspectos conductuales y materiales de las culturas.

anomia Falta de respeto por las normas sociales que lleva a una menor obediencia normativa.

aprendizaje cognoscitivo Almacenamiento de información en la memoria a largo plazo.

aprendizaje incidental Aprendizaje que ocurre sin deliberación.

aprendizaje intencional Aprendizaje deliberado con la intención de recordar lo aprendido.

área metropolitana estadística Área metropolitana independiente rodeada por condados no metropolitanos y que no está relacionada con otras áreas metropolitanas.

área metropolitana estadística consolidada Agrupamiento de las principales áreas estadísticas metropolitanas relacionadas.

artefactos culturales Componentes materiales de una cultura, incluyendo libros, computadoras, herramientas, edificios y productos específicos.

asociación Variable de clase social que atañe a las relaciones cotidianas con personas que hacen las mismas cosas, de las mismas maneras y con las cuales se sienten a gusto.

atención Cantidad de pensamiento enfocado en una dirección en particular.

atmósfera de tienda Propiedades físicas del entorno de menudeo diseñadas para crear un efecto en las compras del consumidor.

autoconcepto Impresión del tipo de persona que se es.

autorreferenciar Forma de alentar la elaboración al relacionar un estímulo consigo mismo y con sus propias experiencias.

autorregalo Compras de artículos o servicios por los consumidores como medio de premiarse, consolarse o motivarse.

aval Celebridad que presta su nombre o imagen a un producto sin ser necesariamente un experto en el área.

brechas de conocimiento Falta de información en la memoria de un individuo.

búsqueda Activación motivada de conocimientos almacenados en la memoria o la adquisición de conocimientos del entorno sobre posibles satisfactores de necesidades.

búsqueda anterior a la compra Búsqueda motivada por una decisión de compra pendiente de efectuarse.

búsqueda continuada Adquisición de información que ocurre en forma más o menos periódica independientemente de las necesidades esporádicas de compra.

búsqueda externa Acto de reunir información del entorno.

búsqueda interna Rastreo y recuperación de la memoria de conocimientos relevantes para la decisión.

cadena de suministros al menudeo Todas las organizaciones y procesos para llevar un producto de su origen a su consumo final.

cambio de opinión Cualquier modificación subsecuente a una opinión formada.

cambio generacional Reemplazo gradual de los valores actuales por los de los jóvenes que forman la generación "dirigente en términos de valor".

capacidad de innovación Grado al cual un individuo acepta una innovación antes que otros miembros del sistema social.

capacidad de medición Capacidad de obtener información sobre el tamaño, naturaleza y comportamiento de un segmento de mercado.

capacidades Recursos cognoscitivos disponibles en cualquier momento dado para el procesamiento.

castigo Resultados negativos provenientes del consumo de un producto.

ciclo de vida de un hogar Serie de estados por los que pasa un hogar y que lo cambia con el transcurso del tiempo.

ciclo de vida del consumidor Serie de etapas por las cuales pasa un consumidor a través de la vida y cambian el comportamiento de un individuo con el transcurso del tiempo.

ciclo de vida familiar Serie de etapas por las cuales pasa una familia y que los modifican con el transcurso del tiempo.

clase social Divisiones relativamente permanentes y homogéneas de una sociedad en las cuales se clasifica a los individuos o las familias que comparten valores, estilos de vida, intereses, riqueza, estatus, educación, posiciones económicas y comportamientos similares.

clave de recuperación Estímulo que activa la información en la memoria y que es de importancia para la información que debe recordarse.

codificación doble Concepto que propone que la información puede ser almacenada tanto en forma semántica como visual.

cohesión Unión emocional entre miembros de una familia.

comportamiento del consumidor Actividades que efectúan las personas al obtener, consumir y disponer de productos y servicios. También, área de estudio que se enfoca en las actividades del consumidor.

compra de impulso Compra no planeada y que proviene de una urgencia inesperada.

comprensión Interpretación de un estímulo en el punto en que posee un significado.

comunicación oral Transmisión informal de ideas, comentarios, opiniones e información entre dos personas, ninguna de las cuales es un mercadólogo.

concepto de mercadotecnia Proceso de planear y ejecutar la concepción de precios, promoción y distribución de ideas, bienes y servicios para crear intercambios que satisfagan los objetivos individuales y organizacionales.

concientización de primera instancia En el juicio de la concientización del consumidor, capacidad de las personas de recordar una marca antes que cualquier otra.

condicionamiento clásico Acto de hacer coincidir un estímulo que de manera espontánea evoca ciertos significados y sentimientos con otro, generando una transferencia de estos significados y sentimientos del primero al segundo.

confianza del consumidor Influencia del proceso de consumo por lo que piensan los consumidores ocurrirá en el futuro.

confirmación Cuando el desempeño de un producto llena ciertas expectativas.

confirmación positiva Después del consumo, el producto entrega más de lo que originalmente se esperaba.

conflicto de atracción-rechazo Conflicto que ocurre cuando el comportamiento del consumidor tiene tanto consecuencias positivas como negativas.

conflicto de rechazo-rechazo Conflicto que ocurre cuando los consumidores deben decidir entre dos o más alternativas indeseables.

conflicto entre procedimientos Conflicto que se presenta cuando un consumidor debe decidir entre dos o más alternativas deseables.

conflicto motivacional Compromisos que ocurren cuando los consumidores satisfacen una necesidad a expensas de otra.

conformidad Cambio en las creencias o en las acciones basado en presiones de grupo reales o percibidas.

congruencia Similitud de los miembros dentro de un segmento en comportamientos y características que se correlacionan con este comportamiento.

conjunto de recuperación Recordar alternativas de elección.

conjunto en consideración Alternativas consideradas durante la toma de decisiones.

conocimientos de compra Datos diversos que poseen los consumidores sobre la compra de productos.

conocimientos de consumo y de uso Información en la memoria sobre la forma en que se consume un producto y lo que se requiere para aprovecharlo.

conocimientos del consumidor Subconjunto de la información total almacenada en la memoria relevante a la compra y consumo de los productos.

consumidor sustituto Individuo que actúa como agente para guiar o llevar a cabo actividades en el mercado.

consumo Cómo, dónde, cuándo y en qué circunstancias utilizan los consumidores los productos.

consumo compulsivo Comportamientos de compra y de consumo que, aunque se efectúan para reforzar la autoestima, son inapropiados y excesivos y trastornan la vida de quienes lo padecen.

consumo conspicuo Consumo motivado hasta cierto punto por el deseo de demostrar el propio éxito a los demás.

control de comportamiento percibido Creencias de los consumidores sobre lo fácil que es exhibir un comportamiento.

coordinación vertical Elevado grado de dependencia y de relaciones de entrelazamiento entre los miembros de un canal.

corrimiento (laddering) Sondeo en profundidad dirigido a poner de manifiesto significados de un plano superior tanto en los niveles de beneficios como de valor.

creencias Conocimientos basados en juicios subjetivos sobre la relación entre dos o más cosas.

criterios evaluativos Estándares y especificaciones que se utilizan para comparar productos y marcas.

cultura Conjunto de valores, ideas, artefactos y otros símbolos significativos que ayudan a los individuos a comunicarse, interpretar y evaluarse como miembros de la sociedad.

declaraciones de búsqueda Declaraciones publicitarias que pueden ser validadas antes de la compra examinando información disponible en el mercado.

declaraciones de objetivo Declaraciones publicitarias enfocadas en información factual no sujeta a interpretaciones individuales.

declaraciones subjetivas Declaraciones publicitarias que pueden ser interpretadas de manera distinta por diferentes consumidores.

demografía Tamaño, estructura y distribución de una población.

demografía económica Estudio de las características económicas de la población de un país.

desgaste publicitario Pérdida de eficacia publicitaria por sobreexposición.

despliegue de parodia Burla de símbolos de estatus y comportamiento, por medio de la cual un individuo de una clase social superior actúa como uno de una clase inferior para manifestar su disgusto por dicha clase superior.

diálogos Intercambios de recursos entre dos individuos que influyen en sus comportamientos o creencias.

difusión Acto de comunicar una evaluación a través de ciertos canales y a lo largo del tiempo entre los miembros de un sistema social.

disconfirmación negativa Después de la compra, el producto entrega menos de lo originalmente esperado.

disposición Forma en que los consumidores se deshacen de productos y empaques.

edad cognoscitiva Edad en la que uno se percibe.

efecto de atracción Cuando la inclusión de un competidor débil en el juego en consideración hace más atractivo al competidor más fuerte.

elementos abstractos Elementos culturales que incluyen valores, actitudes, ideas, tipos de personalidad e interpretaciones sumarias, como la religión o la política.

emociones Estado o reacción afectiva que puede ser positiva o negativa y a partir del cual se adquieren actitudes.

encuentro de servicio Ocurrencia de una comunicación personal entre un consumidor y un mercadólogo.

encuestas Acto de reunir información de una muestra de consumidores haciendo preguntas y registrando las respuestas.

entendimiento del consumidor Comprensión de las necesidades no expresadas oralmente de los consumidores, así como de las realidades que afectan la manera en que efectúan elecciones de vida, marcas y productos.

era mercadotécnica Periodo en que las capacidad productiva excedía la demanda, haciendo que las empresas modificaran su orientación de las capacidades de manufactura y a las necesidades de los consumidores; por tanto, adoptaban una orientación de mercadotecnia.

espiar Método en el cual un investigador acompaña o "espía" a los consumidores a través de los procesos de compra y de consumo.

estado de ánimo Forma en que se siente la persona actualmente.

estatus logrado Nivel más elevado de estatus logrado a través del trabajo o del estudio.

estilo de vida Patrones de vida de las personas y gastos de tiempo y de dinero que reflejan sus intereses, actividades y opiniones.

estímulo condicionado En la teoría del condicionamiento clásico de Pavlov, nuevo estímulo al que se transfiere la respuesta incondicionada.

estímulo no condicionado En la teoría de Pavlov del condicionamiento clásico, el estímulo que despierta automáticamente una respuesta.

estrategia conjuntiva Estrategia de evaluación por la que se compara cada marca hasta su tope establecido para cada atributo sobresaliente.

estrategia de eliminación por aspectos Estrategia de evaluación que se parece a la estrategia lexicográfica pero en la cual el consumidor impone topes.

estrategia de mercadotecnia Asignación de recursos para desarrollar y vender productos o servicios que los consumidores percibirán más valiosos que productos o servicios de la competencia.

estrategia lexicográfica Evaluación en la cual las marcas se comparan por su atributo más importante.

estratificación social Jerarquías percibidas en las que los consumidores califican a los demás como de estatus social superior o inferior.

estudios longitudinales Análisis de medidas repetidas de las actividades del consumidor con el transcurso del tiempo para determinar cambios en sus opiniones, en sus comportamientos de compra y de consumo.

evaluación anterior a la compra Forma en que se evalúan las alternativas de elección.

expectativas de comportamiento Probabilidad percibida por los consumidores de llevar a cabo cierto comportamiento.

experimentación Metodología de investigación que intenta comprender las relaciones causales al manipular las variables independientes para determinar la forma en que estos cambios afectan a las variables dependientes.

experimento de campo Experimento que ocurre en un escenario natural, como el hogar o una tienda.

experimento de laboratorio Experimento que ocurre en un escenario controlado, como un laboratorio u otro entorno de investigación.

experto Aquel que posee información o destrezas únicas que pueden ayudar a los consumidores a tomar mejores decisiones de compra que otros voceros.

experto del mercado Individuos que sirven de fuentes de información respecto al mercado gracias a sus luces sobre nuevos productos y otras actividades de mercado.

explicación del ciclo de vida Base sobre la cual se pronostican los valores de la sociedad, interpretando que se modificarán con la edad de los individuos, quienes se inclinarán a adoptar los valores que tienen hoy sus padres.

exposición Proximidad física a un estímulo tal que activa uno o más de los sentidos.

extensiones de marca Extensión de un nombre de marca bien conocida y respetada en una clase de producto hacia otra para la cual no era conocida.

exurbio Áreas más allá de los suburbios en las cuales puede generarse consumo y donde el crecimiento demográfico es acelerado.

familia Grupo de dos o más personas emparentadas por sangre, casamiento o adopción y que viven juntas.

familia ampliada Núcleo familiar con otros parientes, como abuelos, tíos y tías, primos y parientes por casamiento.

familia central o núcleo familiar Grupo inmediato de padre, madre e hijos, que viven juntos.

familia de orientación Familia en la cual uno nació.

familia de procreación Familia establecida por casamiento.

fertilidad Nacimientos vivos por cada 1000 mujeres en edad fértil.

flujo de comunicación en pasos múltiples Modelo de comunicación en el cual la información puede fluir directamente hacia diferentes tipos de consumidores, incluyendo líderes de opinión, cuidadores de portales y buscadores de opinión, es decir, receptores de opinión; en el cual los cuidadores de portales deciden si otros grupos miembros deben o no recibir información.

flujo de la comunicación en dos pasos Modelo de comunicación en el cual los líderes de opinión son los receptores directos de la información de los anuncios y la interpretan y transmiten a otros a través de comunicación oral.

formación de opinión Primera vez que se abriga una creencia, sentimiento o actitud respecto de un producto o artículo.

generalización de estímulo Para una relación de estímulo y respuesta, cuanto más similar sea un estímulo nuevo al actual, más probable es que despierte la misma respuesta.

geodemografía Factores socioeconómicos que afectan el consumo y la compra, incluyendo dónde viven las personas y cómo ganan y gastan su dinero.

grado de relación Grado de integración entre el estímulo y los conocimientos.

grupo de referencia Cualquier persona o grupo de personas que afecta de manera significativa o influye en el comportamiento de otro individuo.

grupos aspiracionales Conjuntos sociales que exhiben el deseo de adoptar las normas, valores y comportamientos de terceros con los cuales aspiran a asociarse.

grupos de enfoque Grupos formados por ocho a 12 personas dedicadas a un análisis dirigido por un moderador que tiene la capacidad de persuadir a los consumidores para analizar completamente un tema.

grupos de estatus Grupos que reflejan las expectativas de una comunidad respecto del estilo de vida dentro de cada clase así como la estimación social positiva o negativa del respeto o estima que se confiere a cada clase.

grupos disolutivos Conjuntos sociales con los cuales un individuo no quiere asociarse por los cambios de clase social y por abandonar ciertos comportamientos.

grupos formales Agregados sociales caracterizados por una estructura definida de una lista definida conocida de miembros y de requisitos para la membresía.

grupos informales Conjuntos sociales que tienen mucho menos estructura que los grupos formales y que se basan en la amistad o en intereses comunes.

grupos primarios Agregado social suficientemente íntimo para permitir y facilitar una interacción personal irrestricta.

grupos secundarios Conjuntos sociales que tienen tratos personales pero que son más esporádicos, menos completos y menos influyentes en la conformación del pensamiento y del comportamiento que los grupos primarios.

grupos virtuales Conjuntos sociales que se basan en comunidades virtuales en las cuales individuos provenientes de áreas geográficas diferentes comparten información sin contacto personal.

hipermercado Mercado que incorpora tecnología de avanzada en el manejo de materiales desde un perfil de operación de almacén, dando tanto una sensación de almacén para los consumidores como una fuerte atracción de precios.

hipótesis de la coincidencia En el aval de productos, idea de que los avales son más eficaces si son percibidos como los voceros más apropiados para el producto.

hogar Todas las personas, tanto relacionadas como no relacionadas, que ocupan una unidad habitacional.

imagen de tienda Percepción general por parte de los consumidores de una tienda, sobre la cual confían al seleccionarla.

imagen del producto Propiedades y atributos físicos de un producto así como los beneficios y los sentimientos que resultan del consumo de dicho producto.

incremento natural Excedente de nacimientos en comparación con los fallecimientos en un periodo dado.

influencia comparativa Información proveniente de otros que se compara con los pensamientos, creencias y comportamientos que el individuo tiene como norma.

influencia de valor expresiva Aceptación de las normas, valores, aptitudes y comportamientos de un grupo a fin de satisfacer una necesidad de asociación psicológica con este grupo.

influencia informacional Acto de aceptar recomendaciones o uso por parte de terceros como prueba de la naturaleza de un producto y uso de esta información en la toma de decisiones sobre productos o marcas.

influencia normativa Acto de alterar los comportamientos o creencias de los individuos para satisfacer las expectativas de un grupo en particular.

ingresos Dinero de salarios y sueldos así como pagos por intereses y beneficios sociales.

innovación continua Modificación del sabor, apariencia, desempeño o confiabilidad de un producto, en lugar de establecer uno totalmente nuevo.

innovación del producto Cualquier producto nuevo en el mercado o percibido como nuevo en comparación con otros anteriores.

innovación dinámicamente continua Acto de crear ya sea un producto nuevo o una modificación significativa a uno existente, pero que en general no altera las pautas establecidas de compra o de uso.

innovación discontinua Acto de introducir un producto enteramente nuevo que altera de manera significativa los patrones de comportamiento y los estilos de vida de los consumidores.

innovadores Miembros del primer grupo de consumidores que adopten productos.

innovadores cognoscitivos Innovadores que tienen una fuerte preferencia por nuevas experiencias mentales.

innovadores de productos Individuos que son los primeros en probar nuevos productos.

innovadores sensoriales Innovadores que tienen una fuerte preferencia por las experiencias sensoriales nuevas.

intención de compra repetida Indicaciones de si los consumidores piensan volver a comprar el mismo producto o marca.

intenciones Juicios subjetivos sobre la forma en que los individuos se comportarán en el futuro.

intenciones de búsqueda Indicaciones de si los consumidores se dedicarán a una búsqueda externa.

intenciones de compra Indicaciones de lo que piensan los consumidores que adquirirán.

intenciones de consumo Indicaciones de si el consumidor se dedicará a una actividad de consumo en particular.

intenciones de gasto Indicaciones de cuánto dinero piensan gastar los consumidores.

intenciones de ir de compras Indicaciones de dónde planean los consumidores efectuar sus compras de productos.

intensidad motivacional Intensidad con que los consumidores están motivados para satisfacer una necesidad.

investigación de la motivación Acto de poner de manifiesto motivaciones ocultas o no reconocidas mediante la entrevista guiada.

investigación transcultural de mercadotecnia Estudio por el que se reúnen datos de grupos étnicos específicos y se comparan con los recolectados en otros mercados, por lo general masivos.

involucramiento Grado al cual un objeto o un comportamiento es personalmente importante o de interés, evocado por un estímulo dentro de una situación específica.

lapso de atención Tiempo en que la memoria de corto plazo se mantiene enfocada en un estímulo o pensamiento.

ley de Weber Teoría que afirma que la activación del umbral diferencial o alcanzar la diferencia apenas notable depende de la cantidad relativa de cambio, no simplemente de la cantidad absoluta.

líder de opinión En la comunicación oral, transmisor de la información y opiniones que influye en las decisiones de terceros.

logística del consumidor Velocidad y facilidad con la cual los consumidores recorren el proceso de menudeo y de compras.

macrocultura Valores y símbolos que se aplican a la totalidad de una sociedad o la mayor parte de sus ciudadanos.

macromercadotecnia Desempeño agregado de la mercadotecnia en la sociedad.

mala percepción Conocimientos imprecisos obtenidos por un consumidor como resultado de estar mal informado.

matar (zapping) Acto de cambiar los canales en la televisión con el control remoto durante los comerciales.

mayoría tardía Consumidores que tienden a ser precavidos al evaluar las innovaciones, tomándose más tiempo que el promedio para su adopción y a menudo bajo presión de sus iguales.

medidas AIO Enunciados que describen las actividades, intereses y opiniones de los consumidores.

membresía Estado de aceptación formal en un grupo.

mensaje basado en la experiencia Afirmaciones publicitarias que se pueden verificar siguiendo el consumo del producto.

mensaje de crédito Afirmaciones publicitarias en las cuales la validación de la decisión es imposible o improbable, dado que se requiere un esfuerzo mayor de lo que los consumidores están dispuestos a invertir.

menudeo multicanal Acto de llegar a diversos segmentos de consumidores a través de una diversidad de formatos derivados de los estudios de vida y las preferencias de compra de los consumidores.

mercadotecnia Proceso de transformar o modificar una organización de tal manera que tenga lo que las personas quieren comprar.

mercadotecnia de permiso Persuadir a los consumidores a que presten voluntariamente su atención a cambio de algún beneficio tangible.

mercadotecnia familiar Mercadotecnia basada en las relaciones entre los miembros de la familia según los papeles que asumen.

mercancía objetivo Grupo básico de productos esenciales para el tráfico, la lealtad de los clientes y las utilidades de una tienda.

microcultura Valores y símbolos de un grupo restringido o segmento de los consumidores, definido de acuerdo con variables como edad, religión, raza, clase social o alguna otra.

minería de datos (data mining) Creación de una base de datos de nombres para establecer comunicaciones y relaciones continuas con el consumidor.

modelo de disconfirmación de expectativas Modelo que propone que la satisfacción depende de la comparación entre las expectativas posteriores a la compra con los resultados reales.

momento poblacional o demográfico Teoría que se basa en el hecho de que el crecimiento futuro de cualquier población estará influido por la distribución actual por edades y es la razón por la que la fertilidad de reemplazo no se traduce de inmediato en un crecimiento demográfico cero.

monomórfico Ser un innovador para sólo un producto.

motivación del consumidor Impulso para satisfacer tanto las necesidades fisiológicas como psicológicas mediante la compra y el consumo de productos.

motivación inconsciente No estar consciente de lo que motiva el comportamiento propio.

movilidad social Proceso de pasar de una clase social a otra debido a cambios de ocupación, ingresos y otros factores.

natalidad Nacimientos vivos por 1000 habitantes en un año dado.

no adoptantes Personas cuya decisión de no adoptar obedece a muchas razones.

no usuario Aquel que no consume un producto en particular en un momento dado.

normas de consumo Reglas informales que gobiernan el comportamiento de consumo.

obediencia Acto de aceptar los deseos de un grupo sin estar de acuerdo con todas sus creencias o comportamientos.

observación en el hogar Acto de colocar a los mercadólogos dentro de los hogares de las personas para examinar con exactitud la forma en que se consumen los productos.

obtención Actividades que conducen e incluyen la compra o recepción de un producto.

olvido Imposibilidad de recuperar algo de la memoria.

orientación de mercadotecnia Enfoque en la forma en que una organización se adapta a los consumidores.

orientación del consumidor Enfoque en la forma en que todas las organizaciones de una cadena de demanda se adaptan a los estilos de vida cambiantes del consumidor.

palabras abstractas Palabras que tienen menos probabilidad de evocar una representación visual en la memoria.

palabras concretas Palabras que se pueden visualizar con facilidad.

papel Lo que se espera que haga el ocupante de una posición dada en un contexto social en particular.

papeles expresivos Papeles que comprenden el apoyo de otros miembros de la familia en el proceso de toma de decisiones así como la expresión de las necesidades estéticas o emocionales de la familia.

papeles instrumentales Aquellos papeles funcionales o económicos que comprenden funciones financieras, de desempeño y otras llevadas a cabo por los miembros del grupo.

persistencia de actitud Inmunidad de una actitud a cambiar o a hacerse neutra con el transcurso del tiempo.

personalidad Respuestas congruentes a estímulos del entorno que influyen en la forma en que responden los individuos al entorno que les rodea.

personalidad de marca Personalidad correspondiente al uso de una marca específica, que los consumidores ven como una reflexión de sí mismos o piensan que adquirirán al utilizar dicha marca.

personalización masiva Acto de personalizar bienes o servicios para los clientes en elevados volúmenes y a costos relativamente bajos.

perspectiva de costo-beneficio Búsqueda de información importante para las decisiones cuando el beneficio percibido de la nueva información es mayor que los costos percibidos de su adquisición.

persuasión subliminal Acto de influir sobre las personas mediante estímulos que no alcanzan el plano consciente.

polimórfica Ser innovador de muchos productos.

positivismo Proceso de utilizar técnicas empíricas rigurosas para descubrir explicaciones y leyes generalizables.

posmodernismo Acto de utilizar métodos cualitativos de investigación y otros para comprender el comportamiento del consumidor.

precio Conjunto total de gastos que sacrifican los consumidores a cambio de un producto.

precios de referencia Acto de proporcionar información respecto de un precio diferente al que se pide por un producto.

preferencias Actitudes de los consumidores hacia un objeto en relación con otro.

prestigio Sentimiento de orgullo personal que se presenta cuando otras personas tienen una actitud de respeto o de referencia.

procedimiento monódico Procedimiento para el estudio de las variables de difusión que se enfoca a las características personales y sociales de los consumidores.

procedimiento observacional Acto de observar los comportamientos del consumidor en diferentes situaciones.

procedimiento relacional Procedimiento para estudiar las variables de difusión que analiza las redes de comunicación y la forma en que las variables sociales estructurales afectan los flujos de difusión en el sistema.

proceso central Proceso de formación de opinión en el cual se forman opiniones a partir de una consideración profunda de la información relevante.

proceso de categorización Clasificación de un estímulo en clases mentales.

proceso de decisión del consumidor (PDC) Modelo de las etapas del proceso de decisión del consumidor y de los factores que lo influyen.

proceso individual Evaluación de una alternativa de elección derivada de tomar en consideración las ventajas y desventajas de la alternativa en dimensiones importantes del producto.

proceso periférico Proceso en el cual se forman opiniones sin pensar en la información relevante.

producto Conjunto total de ganancias que obtienen los consumidores en el proceso de intercambio.

programa de lealtad Programas que persiguen motivar la compra repetida recompensando a los clientes por el monto de los negocios que hacen con la empresa.

psicografía Técnica operacional de medición de estilos de vida que se aplica con las grandes muestras necesarias para la definición de los segmentos de mercado.

publicidad de imagen Uso de componentes visuales y palabras para ayudar a los consumidores a formarse expectativas sobre la experiencia que tendrán con un producto, organización o tienda.

publicidad de información Método de publicidad que proporciona detalles sobre los productos, horarios de operación de la tienda, localizaciones y otros atributos que pudieran influir sobre las decisiones de compra.

rasgo Cualquier forma distinguible y relativamente duradera en la cual un individuo difiere de otro.

receptor En la comunicación oral, aquel que obtiene la información sobre comportamientos y elecciones que es de utilidad en el proceso de decisión.

reconocimiento de la necesidad Percepción de la diferencia entre el estado de cosas deseado y la situación actual que resulte suficiente para desencadenar y activar el proceso de decisión.

reconocimiento genérico de la necesidad Crecimiento en el tamaño del mercado total de un producto.

reconocimiento selectivo de la necesidad Cuando se estimula la necesidad de una marca específica de una clase de producto.

recuerdo asistido con claves Habilidad de recordar información sólo después de haber recibido claves de recuperación.

recuerdo libre Capacidad de recordar información sin utilizar ninguna clave de recuperación.

recuperación Activación de la información almacenada en la memoria a largo plazo.

recursos cognoscitivos Capacidad mental disponible para llevar a cabo diversas actividades de procesamiento de información.

red asociativa Estructura de información en la memoria que está organizada de una manera muy similar a una telaraña.

refuerzo negativo Uso del producto que permite a los consumidores evitar resultados negativos.

refuerzo positivo Uso del producto que proporciona algún resultado positivo al consumidor.

representaciones mentales Manera en la cual se almacena la información en la memoria de largo plazo.

resistencia de actitud Grado al cual una actitud es inmune a los cambios.

resolución de problema extenso Resolución de problema de un grado más elevado de complejidad que influye en las acciones de los consumidores.

resolución de problemas intermedios Resolución de problemas que ocurren a lo largo de la parte media del continuo y que afecta las acciones de los consumidores.

resolución de problemas limitados Resolución de problemas de un grado inferior de complejidad que influye en las acciones de los consumidores.

respuesta afectiva Sentimientos que se experimentan durante el procesamiento.

respuesta cognoscitiva Pensamientos que ocurren durante el procesamiento.

respuesta condicionada En la teoría del condicionamiento clásico de Pavlov, respuesta que surge del condicionamiento del estímulo no condicionado y su respuesta.

respuesta no condicionada En la teoría de Pavlov del condicionamiento clásico, respuesta evocada por el estímulo incondicionado.

rezagados Consumidores que tienden a quedarse anclados en el pasado, que sospechan de lo nuevo y que son los últimos en adoptar las innovaciones.

riesgo percibido Incertidumbre de los consumidores sobre las consecuencias posibles, positivas o negativas, de sus decisiones de compra.

riqueza Medida de las pertenencias o activos de una familia, incluyendo el valor de las cuentas bancarias, acciones y propiedades, menos su pasivo.

ritos de consumo Comportamientos de consumo secuenciales y múltiples que tienden a ocurrir de manera intensa, seria y repetida como en un rito.

saltar (zipping) Acto de adelantar rápidamente los comerciales al ver una cinta de VCR.

segmentación del mercado Proceso de identificar grupos de personas similares de una o más maneras, de acuerdo con sus características demográficas, psicográficas, de comportamiento, culturales y otras.

segmentación intermercado Identificación de un grupo de clientes similares en una diversidad de características que trasciende las fronteras geográficas.

segmentación por beneficios División de los consumidores en segmentos de mercado de acuerdo con los beneficios que buscan la compra y el consumo de los productos.

segmentación por volumen de uso Forma de segmentación que divide a los usuarios en fuertes, moderados y ligeros.

segmento de mercado Grupo de consumidores con necesidades, comportamientos y otras características similares, mismas que se identifican a través del proceso de segmentación del mercado.

señales Atributos del producto utilizadas para inferir otros atributos.

señales periféricas En el proceso periférico de formación de opinión, estímulos que carecen de información relevante al producto.

socialización Procesos mediante los cuales las personas establecen sus valores, motivaciones y actividades habituales.

socialización del consumidor Adquisición de conocimientos, aptitudes y comportamientos relacionados con el consumo.

sustancialidad Tamaño del mercado.

tasa total de fertilidad Número promedio de niños que nacerían vivos de una mujer durante su vida, si durante todos sus años fértiles cumpliera con las tasas de fertilidad específicas de su edad en un año dado.

telemercadotecnia hacia adentro Uso de un número 1-800 para colocar directamente los pedidos.

tendencias del entrevistador Durante una entrevista, acto de influir sobre las respuestas por el entrevistador o deseo por parte del individuo de complacerlo.

teoría de la interferencia Teoría que propone que las posibilidades de recuperar una porción particular de información se hace más pequeña conforme mayor sea la interferencia de otra información.

teoría del desvanecimiento Teoría que propone que los recuerdos se debilitan con el transcurso del tiempo.

teoría del goteo Teoría que afirma que las clases inferiores emulan el comportamiento de los miembros de una clase social más elevada.

testimonio Acto en que una celebridad presenta los beneficios de un producto con base en la experiencia positiva de dicha celebridad en relación con el producto.

tiempo discrecional Tiempo durante el cual los individuos no sienten compulsión u obligación económica, legal, moral, social o física.

tiempo monocrómico Desempeño de sólo una actividad con el único propósito de lograr una meta a la vez.

tiempo no discrecional Sentimiento de obligaciones físicas, sociales y morales que hace que los individuos se dediquen a actividades que ocupan tiempo.

tiempo policrónico Combinación simultánea de actividades para llevar a cabo varios objetivos simultáneamente.

tope Limitación o requisito para un desempeño aceptable del producto.

traducción inversa Acto de traducir, utilizando varios traductores, un mensaje de su lenguaje original al lenguaje traducido y otra vez al original.

transmisor En la comunicación oral, aquel que transmite información en un intento de aumentar la confianza

en un producto o en una elección de comportamiento.

umbral diferencial Umbral del cambio más pequeño detectable en la intensidad de estímulo.

umbral inferior Mínima intensidad de un estímulo necesaria para percibirlo.

usuario Aquel que consume un producto específico en un momento en particular.

valor Diferencia entre lo que sacrifican los consumidores por un producto y los beneficios que reciben.

valores personales Valores que definen ciertos comportamientos que se convierten en norma para un individuo.

valores sociales Valores considerados tan importantes que prácticamente se convierten en estereotipos de un segmento o grupo de mercado y que definen el comportamiento mantenido como una norma para una sociedad o grupo.

variables estructurales Variables que incluyen la edad del cabeza de familia, estado civil, presencia de hijos y estatus de empleo.

variables sociológicas (familia) Tres variables (cohesión, adaptabilidad y comunicación) que explican la forma en que funcionan las familias.

venta directa Cualquier forma de contacto personal entre un vendedor y un cliente, fuera de una localización fija de menudeo.

CRÉDITOS

Capítulo 1 El consumidor en la mira 1.2, Vicki G. Morwitz, Eric A. Greenleaf y Eric J. Johnson, "Divide and Prosper: Consumers' Reactions to Partitioned Prices", en *Journal of Marketing Research* 35 (noviembre 1998), pp. 453-463; El consumidor en la mira 1.3, reimpreso con autorización de *The Wall Street Journal*. © 1999 Dow Jones & Company, Inc. Todos los derechos reservados mundialmente.

Capítulo 3 Figura 3.11, Hans C.M. Van Trijp, Wayne D. Hoyer y J. Jeffrey Inman, "Why Switch? Product Category-Level of Explanations for True Variety-Seeking Behavior", en *Journal of Marketing Research*, (agosto 1996), pp. 281-292.

Capítulo 4 Tabla 4.1, John R. Hauser y Birger Wernerfelt, "An Evaluation Cost Model of Consideration Sets", en *Journal of Consumer Research*, 16 (marzo 1990), pp. 393-408; El consumidor en la mira 4.2, tomado de Maria A. Morales, "It Pays to Shop Around for Uniforms", en *The Miami Herald* (20 de julio de 1997), 1B, 2B; El consumidor en la mira 4.3, tomado de Maricris G. Briones, "And They're Off!", en *Marketing News* (30 de marzo de 1998), 1, 14; El consumidor en la mira 4.4, "Washing Machines", Copyright 1991 por Consumers Union of U.S., Inc. Tomado con permiso de *Consumer Reports* (febrero 1991).

Capítulo 5 Figura 5.1, tomado de Edward M. Tauber, "Why Do People Shop?", en *Journal of Marketing*, 36 (octubre 1972), pp. 46-59; Figura 5.10, John P. Robinson y Franco M. Nicosia, "Of Time, Activity, and Consumer Behavior: An Essay on Findings, Interpretations, and Needed Research", en *Journal of Business Research*, 22 (1991), pp. 171-186.

Capítulo 6 Tabla 6.1, Ronald B. Lieber, "Now Are You Satisfied? The 1998 American Customer Satisfaction Index", en *Fortune* (16 de febrero de 1998), pp. 161-164: El consumidor en la mira 6.1, tomado de Lauran Neergaard, "Research Finds Internal Clock Important in Drug Effectiveness, Health", en *The Miami Herald*, (1° de mayo de 1999), 11A; El consumidor en la mira 6.2, tomado de Baerjee, Neela, "Russia Learns to Savor Its 'Spirit'", en *The Miami Herald* (5 de junio de 1999), 1C, 9C; El consumidor en la mira 6.3, tomado de Oldenburg, Don, "How Safe Is Toothpaste? FDA Orders Warning Labels with Chilling Message", en *The Miami Herald* (20 de junio de 1997), 4F.

Capítulo 7 El consumidor en la mira 7.1, reimpreso con autorización de *The Wall Street Journal*. © 1999 Dow Jones & Company, Inc. Todos los derechos reservados mundialmente; El consumidor en la mira 7.2, tomado de Gail Schares, "A Peak Experience", en *Business Week* (1° de junio de 1992), p.118; Tabla 7.3, tomado de Shalom H. Schwartz, "Are There Universal Aspects in the Structure and Contents of Human Values?", en *Journal of Social Issues* (50, 4, 1994), pp. 19-45; Figura 7.10, Thomas J. Reynolds y Jonathan Gutman, "Laddering Theory, Method, Analysis, and Interpretation", reimpreso de *Journal of Advertising Research* (28, febrero/marzo 1998), p. 19. © 1988 por la Advertising Foundation; Figura 7.13, segmentos de estilos de vida VALS © 1997 SRI Consulting. Todos los derechos reservados.

Capítulo 8 El consumidor en la mira 8.1, tomado de "Tough But Sensitive", en *American Demographics* (marzo 1999), p. 56; Figura 8.2, Robert O'Harrow Jr., "Drug Company Consolidation Draws Concerns", en *The Miami Herald* (30 de enero de 2000), 9E; El consumidor en la mira 8.2, tomado de Hardesty Greg, "Success Sticks to His Stickers", en *Sun Sentinel* (2 de enero de 2000), 8G; El consumidor en la mira 8.3, tomado de Rafael Lorente, "Coin Collecting Gets Some Added Oomph", en *Sun Sentinel* (2 de enero de 2000), 1A, 15A; El consumidor en la mira 8.4, tomado de Dorothy Dowling, "Frequent Perks Keep Travelers Loyal", en *American Demographics* (septiembre 1998), pp. 32-36.

Capítulo 9 Caso de inicio, tomado de Roger Bull, "Always in Style", en *The Times-Union* (26 de noviembre de 1999), D1; Tabla 9.1, reimpreso con autorización de *The Wall Street Journal*. © 1999 Dow Jones & Company, Inc. Todos los derechos reservados mundialmente; Tabla 9.2, Jennifer Lach, "Like, I Just Gotta Have It", en *American Demographics*, (febrero 1999), p. 24; El consumidor en la mira 9.1, reimpreso con autorización de *The Wall Street Journal*. © 1998 Dow Jones & Company, Inc. Todos los derechos reservados mundialmente; El consumidor en la mira 9.2, tomado de Rachel X. Weissman, "Just Paging Through", en *American Demographics* (abril 1999), pp. 28-29; El consumidor en la mira 9.3, tomado de Sandy Shore, "Yellow Pages Seeks to Expand, Enhance Its Image", en *The Miami Herald* (15 de diciembre de 1998), 41A. El consumidor en la mira 9.4, reimpreso con autorización de *The Wall Street Journal*. © 1998 Dow Jones & Company, Inc. Todos los derechos reservados mundialmente.

Capítulo 10 Tabla 10.1, Bruce Brown, "Home PCs", en *PC Magazine*, (15 de diciembre de 1998), p. 120; Tabla 10.4, Edell, Julie A. y Marian Chapman Burke, "The Power of Feelings in Understanding Advertising Effects", en *Journal of Consumer Research* 14 (diciembre de 1987), pp. 424, Tabla 1;

El consumidor en la mira 10.1, tomado de "Many Would Quit Smoking if Prices Rose, U.S. Says", en *Miami Herald* (31 de julio de 1998), 14A; El consumidor en la mira 10.2, tomado de Cyndee Miller, "Hemp Is Latest Buzzword", en *Marketing News* (17 de marzo de 1997), pp. 1, 6; El consumidor en la mira 10.3, tomado de Skip Wollenberg, "Carmaker Hopes to Rejuvenate Image with New Ad Campaign", en *Marketing News* (6 de diciembre de 1999), p. 29; Figura 10.8, Alvin Burns C., "Generating Marketing Strategy Priorities Based on Relative Competitive Position", en *Journal of Consumer Marketing* 3 (otoño 1986), pp. 49-56.

Capítulo 11   Tabla 11.1, Joseph T. Plummer, "Changing Values", en *The Futurist* 23 (enero/febrero 1989), p. 10; El consumidor en la mira 11.1, tomado de: "Are U.S. Managers Superstitious About Market Share?", en Cathy Anterasian, John L. Graham y R. Bruce Money, *Sloan Management Review*, (verano 1996), pp. 67-77; El consumidor en la mira 11.2, reimpreso con autorización de *The Wall Street Journal*. © 1999 Dow Jones & Company, Inc. Todos los derechos reservados mundialmente; Figura 11.9, Faye Rice y Kimberly Seals McDonald, "Making Generational Marketing Count", en *Fortune*, 131, 12 (26 de junio de 1995), p. 110; Figura 11.11, cortesía de Benetton o "Benetton Ads: A Risqué Business", en *Time* (25 de marzo de 1991), p. 13; Figura 11.14, Population Reference Bureau, *Population Bulletin, America's Racial and Ethnic Minorities* (septiembre 1999), pp. 23, 36.

Capítulo 12   Figura 12.4, Robert Boutilier, "Pulling the Family's Strings", en *American Demographics* (agosto 1993), p. 46; Figura 12.5, © Management Horizons, una división de Price Waterhouse; Figura 12.14, James McNeal, Tapping The Three Kid's Market, en *American Demographics* (abril 1998), 39; Figura 12.5, James McNeal, Tapping The Trhee Kid's Market, *Amercan Demographics* (April 1998)p. 40; El consumidor en la mira 12.1, "Japanese 'Smart' Homes Know All, Tell All", en *The Columbus Dispatch* (28 de abril de 1999), 2F; El consumidor en la mira 12.2, "Anti-Smoking Experts Suggest Ads Targeted Toward Women", en *Marketing News* (enero 1999), p. 5.

Capítulo 13   Caso de inicio, Howard Chua-Eoan, y Tim Larimer, "PokeMania", en *Time* (22 de noviembre de 1999), p. 81; El consumidor en la mira 13.1, reimpreso con autorización de *The Wall Street Journal*. © 1999 Dow Jones & Company, Inc. Todos los derechos reservados mundialmente; Figura 13.2, William O. Bearden y Michael J. Etzel, "Reference Group Influence on Product and Brand Purchase Decisions", en *Journal of Consumer Research* 9 (septiembre 1982); Figura 13.9, reimpreso con autorización de The Free Press, una división de Macmillan, Inc., de Everett M. Rogers *Diffusion of Innovation*, 3a. ed. (Nueva York: The Free Press, 1983), p. 165. Copyright © 1962, 1971, 1983 por The Free Press.

Capítulo 14   Figura 14.2, Jennifer Lach, "Commercial Overload", en *American Demographics* (septiembre 1999), p. 20; Figura 14.4, Jennifer Lach, "Deutsche Delivers", en *American Demographics* (febrero 2000), pp. 18, 20, 22; El consumidor en la mira 14.1, tomado de "Not Quite the TV Generation", en *American Demographics* (mayo 1999), pp. 35-36; El consumidor en la mira 14.3, tomado de Anne Moncrief Arrate, "Now That We Have Your Attention", en *Miami Herald* (22 de junio de 1997), 1F, 2F; El consumidor en la mira 14.4, tomado de Cynthia Corzo, "Field of Ads", en *Miami Herald* (25 de enero de 2000), 1C, 3C.

Capítulo 15   Caso de inicio, tomado de Greg Johnson, "Dewing It", en *The Miami Herald* (22 de octubre de 1999), 1C, 4C; Figura 15.3, Paul Miniard, W., Sunil Bhatla, Kenneth R. Lord, Peter R. Dickson y H. Rao Unnava, "Picture-Based Persuasion Processes and the Moderating Role of Involvement", en *Journal of Consumer Research* 18 (junio 1991), pp. 92-107; Figura 15.4, Paul W. Miniard, Sunil Bhatla, Kenneth R. Lord, Peter R. Dickson y H. Rao Unnava, "Picture-Based Persuasion Processes and the Moderating Role of Involvement", en *Journal of Consumer Research* 18 (junio 1991), pp. 92-107; Figura 15.5, Miniard Paul W., Sunil Bhatla, Kenneth R. Lord, Peter R. Dickson y H. Rao Unnava, "Picture-Based Persuasión Proceses and the Moderating Role of Involvement", en *Journal of Consumer Research* 18 (junio 1991), pp. 92-107; Figura 15.10, Jennifer Lach, "Rush Those Reindeer", en *American Demographics* (diciembre 1998), p. 23; El consumidor en la mira 15.1, tomado de Heather Chaplin, "Centrum's Self-Inflicted Silver Bullet", en *American Demographics* (marzo 1999), pp. 68-69; El consumidor en la mira 15.2, tomado de Adrienne W. Fawcett, "Going for the Gross-Out", en *American Demographics* (febrero 2000), pp. 42-43; El consumidor en la mira 15.3, tomado de John Ward Anderson, "Designer Tequila: Mexico's New Upscale Drink", en *Miami Herald* (16 de marzo de 1997), 9F.

Capítulo 16   Caso de inicio, tomado de Verne Gay, "Milk, the Magazine", en *American Demographics* (febrero 2000), pp. 32-34; El consumidor en la mira 16.1, tomado de "Rebates Really Payoff- for the Manufacturers", en *Miami Herald* (11 de febrero de 1998), 17A; El consumidor en la mira 16.2, tomado de Cynthia Corzo, "Field of Ads", en *The Miami Herald* (25 de enero de 2000), 1C, 3C; John Dortschner, "Ads! Are! Everywhere!.Com", en *Miami Herald*, (30 de enero de 2000), 1E, 2E; El consumidor en la mira 16.3, tomado de Rebecca Piirto Heath, "An Engraved Invitation", en *Marketing Tools* (noviembre/diciembre 1997), p. 36-42.

Índice onomástico

Índice temático

Los números de página en *cursiva* corresponden a figuras; aquellos que están seguidos por una "t" corresponden a tablas.